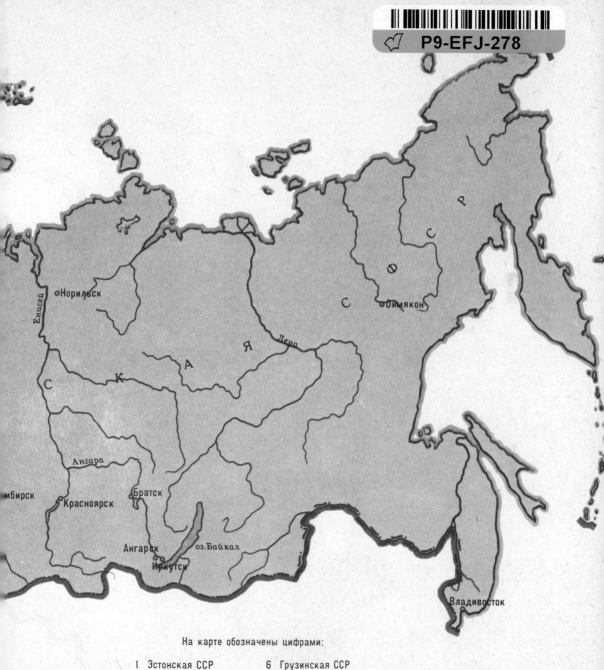

На карте обозначены цифрами:

1   Эстонская ССР   6   Грузинская ССР

2   Латвийская ССР   7   Армянская ССР

3   Литовская ССР   8   Азербайджанская ССР

4   Белорусская ССР   9   Таджикская ССР

5   Молдавская ССР   10   Киргизская ССР

Г. БИТЕХТИНА, Д. ДЭВИДСОН, Т. ДОРОФЕЕВА, Н. ФЕДЯНИНА

РУССКИЙ ЯЗЫК

этап первый

УЧЕБНИК

Четвертое издание

МОСКВА
ИЗДАТЕЛЬСТВО
«РУССКИЙ ЯЗЫК»
1988

G.BITEKHTINA, D.DAVIDSON, T.DOROFEYEVA, N.FEDYANINA

RUSSIAN

stage one

TEXTBOOK

Fourth Edition

RUSSKY YAZYK
PUBLISHERS
MOSCOW
1988

ББК 81.2Р-96
Р 89

Translated by D. Davidson and V. Korotky

Cover designed by N. Pshenetsky

Drawings by Y. Shabelnik

Р $\dfrac{4306020100-088}{015\,(01)-88}$ 90−88

ISBN 5-200-00286-9
     5-200-00285-0

PREFACE

Russian: Stage I is a set of teaching materials for English-speaking beginners in Russian. It has been written with college and university students in mind, but can also be used for teaching other adult learners. *Russian: Stage I* is designed for 120-150 hours of study in class.

The methodological concept underlying this course is based on a conscious and practical approach, which emphasizes developing the ability to observe and understand language phenomena, developing the ability to use the language units learned in sentences, and turning abilities into habits by practice exercises in various kinds of speech activity (instructional speech exercises and speech exercises proper).

The primary purpose of this course includes mastery of skills and habits in two kinds of language activity — reading (which is the main goal of study) and speaking (the additional goal). [1] Writing and listening are used only as a means of teaching. Another aim of the course is to acquaint the student with the system of Russian. The extent to which it is presented in the *Textbook* on the one hand meets the requirements of the beginner's level, and on the other ensures the achievement of the established goals.

In selecting language material the authors proceeded from modern linguistic descriptions of the system of Russian, and the existing syllabi, textbooks and minimum vocabularies for beginners. This language material has been adapted to the specific aims and tasks of teaching Russian set forth in the *Textbook*. Among the criteria for the selection were the principle of interconnection and interdependence of grammar, vocabulary and phonetics, and the principle of correlation between the language material of a textbook and the topics it covers. It was from this standpoint that the minimum vocabulary of the *Textbook* was finally determined after it had been processed and analyzed by computer on the basis of seven frequency and basic vocabularies. The language material selected as a result can be defined as "basic Russian". It is fully representative in the sense that it reflects the main features of the system of Russian and is sufficient for practicing those types of speech activity which this course sets out to develop. This material constitutes a closed system on the one hand, and an open system on the other, which can be broadened and deepened at subsequent stages of study.

Russian: Stage I consists of a *Textbook*, *Exercises* and a set of phonograph records. The *Textbook* contains the main material to be learned and consists of a number of interconnected parts: Units (16 in all), Analysis (of the 16 units), Vocabularies (a Vocabulary to each unit, the general Russian-English Vocabulary and the English-Russian Vocabulary for the exercises in translation) and an Index. The *Exercises* are designed for additional practice, especially with word forms. They should be used mainly for homework.

Russian: Stage I contains material intended for work in class under the guidance of a teacher; material for students' independent work; a set of phonograph records to help students acquire correct pronunciation and develop aural

[1] For more detail, see pp. 13-16.

comprehension and oral speech habits; and a description of the basic structures of Russian based on a comparison with English.

The authors of the sections of the *Textbook* are as follows: Presentation and Preparatory Exercises, G. Bitekhtina, T. Dorofeyeva and N. Fedyanina (phonetics and some of the oral speech exercises in units 1-10); Conversation, G. Bitekhtina; Reading, T. Dorofeyeva; phonetics in the two preceding sections, N. Fedyanina; Analysis (grammar section), D. Davidson; Analysis (phonetics section), N. Fedyanina, who was also responsible for the recording of the texts and exercises; the Index, and Vocabularies, D. Davidson.

It gives the authors great pleasure to express their heartfelt gratitude to all those who tried out this set of materials in the classroom and who made a number of valuable suggestions which have helped improve the manuscript.

The authors are pleased to acknowledge support from the International Research and Exchanges Board in New York and from the Ministry of Higher and Specialized Secondary Education of the USSR. We express our particular gratitude to Academician V. Kostomarov, Director of the A.S. Pushkin Russian Language Institute in Moscow, and to Professor Robert L. Belknap, Director of the Russian Institute at Columbia University, who have provided valuable organizational support for the first-year textbook project as well as long-term direction for the forthcoming series of Soviet-American Russian Language texts, of which these volumes constitute the first level. We are indebted to Columbia and Harvard Universities for the opportunity to test-teach earlier versions of this textbook in their summer intensive courses of 1975. We are grateful to Amherst College for Fellowship support in the academic year 1975-1976, for material and technical assistance in the production of the earlier versions of the manuscript and for its role as host to visiting Soviet specialists in the fall of 1974. To Bryn Mawr College we owe a special debt of gratitude for its support of research assistance for proofing, typing and translating portions of the manuscript, as well as for its generous reception of visiting co-authors during the fall semester of 1976.

The *Textbook* owes a great deal to all the teachers and students who have cooperated in test-teaching over the past five years and whose interest and alertness have provided the authors with many useful corrections and opinions. It is our particular pleasure to thank Professor Jane Taubman for her assistance in coordinating the teaching of the textbook at Amherst College and for her valuable suggestions for improving it. We are grateful to Professors Richard Brecht, Catherine Chvany, J. Joseph Lake, Maurice Levin, Alexander Lipson, Horace Lunt, Robert Rothstein and Charles Townsend for their encouragement and specific recommendations and for their general contributions to the teaching of Russian in America, some of which are reflected in these pages. Finally, we owe a special word of thanks to Professor Frank Gladney, who generously read and annotated an earlier version of the Analysis section, and to Maria Lekic, who has checked stylistic levels and usage in all the latter versions of the Analysis, English-Russian translations and formation exercises. To all these American students, graduate students, teachers and specialists we express our sincerest appreciation.

The authors also want to express sincere thanks to the reviewers, I. Protopopova, Research Assistant, A.S. Pushkin Russian Language Institute, and the teachers at the Department of Russian Language, Maurice Thorez Foreign Languages Institute (Chairman: Docent V. Grigoryeva).

The authors feel particularly indebted to I. Malakhova and V. Korotky, editors, Russian Language Publishers, whose work on the manuscript has contributed much towards its improvement and refinement.

Naturally, it has not always been possible to incorporate the suggestions we have received and the authors alone must bear final responsibility for the content of the text and for any errors which we have failed to notice. We therefore welcome any comments and suggestions for improving the book.

TO THE TEACHER

Each unit of this *Textbook* is self-sufficient methodologically and is based on the unity of the language (grammatical, lexical and phonetic) and speech material presented in definite topics, such as the family, classes at the university, recreation, sports, traveling, etc. Each unit consists of four sections. The contents of the Presentation and Preparatory Exercises, Conversation and Reading sections should be studied in the same order in which they are given in the *Textbook*. The Analysis section contains the grammatical commentaries referred to in the first three sections, the rubric *See Analysis VII, 6.0*, therefore, refers to Analysis, Unit VII, paragraph 6.0. The language material in each unit is arranged in such a way that it ensures the study of morphology on the basis of syntax, and an interconnection and interdependence between a syntactical structure and its lexical content. Peculiarities of the phonetic and intonational form of utterances are taken into account throughout.

In each unit the new information is followed by development of speech habits and skills. New points of grammar are practiced in various aspects of speech activity.

In presenting the language material in the *Textbook*, the peculiarities of the student's native language have been taken into account, as well as differences and similarities between Russian and English. As a general rule, Russian structures which are essentially parallel to the corresponding English structures are demonstrated in the text portion without commentary, while contrasting structures receive special commentary within the Analysis section and are practiced throughout.

While the main purpose of the *Textbook* is to teach reading, the contents have been arranged in such a way that oral speech habits may overtake the development of reading skills which the authors consider to be an indispensable component of the overall system of foreign language teaching.

Before describing the various sections of the *Textbook*, two elements practiced in all the sections should be dwelt on: vocabulary and Russian phonetics and intonation.

Vocabulary

The vocabulary of the *Textbook* contains 1200 words. Each unit is provided with a Russian-English Vocabulary. There is a general Russian-English Vocabulary at the end, which includes necessary information on basic stems of verbs, noun stress, vowel/zero alternations, etc. Finally, there is an English-Russian Vocabulary, which contains all the words occurring in the exercises in translation. Words to be learned actively and passively are differentiated, the former being printed in bold-face type. Some of the words in the vocabularies given in the units are marked with an asterisk (*), e.g. *крепость. This means that these words occur only in one text and are not to be learned actively ("passive words"). Such words have not been included in the general vocabulary. Words printed in the margin with their English translations have not been included in any of the vocabularies. New words are introduced in the Presentation and Preparatory Exercises, Conversation and Reading sections, which ensures a step-by-step introduction and makes it possible to drill the new words while practicing grammar and developing both speech habits and reading skills. New words are introduced only in observation exercises, dialogues, texts and special lexical exercises; they do not occur in exercises designed for active independent work by the student. Vocabulary is specially drilled in the Reading section.

The active vocabulary is reviewed according to the following pattern: after a new word has been introduced, it is reviewed not less than 4-5 times in the same unit, then it is reviewed in the following unit, and in the fourth and fifth units (i.e. the pattern is: 1, 2, 4, 5).

Active assimilation of new words is also aided by presenting the vocabulary in the *Textbook* as a system, which presupposes an acquaintance with some paradigmatic groupings of words (antonyms, derivational paradigms, thematic groups of words), indication of verb combinability, etc.

Special exercises aimed at developing habits of correct word usage are given in the Reading section, in which much attention is paid to increasing the student's potential vocabulary in the process of reading.

Presentation and Preparatory Exercises

In the Presentation and Preparatory Exercises section grammar and phonetics to be learned actively are presented.

Here the main material for active study is introduced and initially practiced (1st stage of practice). The range of the grammar included in the *Textbook* has been determined on the basis of the available syllabi in grammar for beginners, and also on the basis of experience in teaching Russian in American colleges and universities.

Grammar has been selected in such a way as to ensure the student's mastery of the fundamentals of the system of Russian. Special attention has been paid to the mastery of the structure of the simple sentence and inflexion, always a stumbling-block for English-speaking students of Russian.

The student should master the verb forms by getting acquainted with the one-stem system of verb forms given in the Analysis section, then drill the verb forms phonetically, paying attention to the stress and the rhythmic pattern of the words, and finally practice the usage of the forms concerned in sentences.

One of the main objectives of this course is to help the student master the case system of the Russian nominal parts of speech. To make it easier for the student to memorize them, the case forms are introduced gradually in units 1-14. Case forms are introduced in the following order:
   (1) case forms of nouns,
   (2) case forms of personal pronouns,
   (3) case forms of other pronouns and adjectives.

This order makes it possible to draw certain parallels between the forms of pronouns and those of adjectives and to facilitate the mastery of the latter.

Exercises introducing new grammar are given in the following order:

The point of grammar to be introduced is presented in a box pattern (each unit has 4-6 such patterns).

Students should begin study of a given point of grammar with this pattern.

Exercises with the caption "Listen and repeat, then read and analyze" are also aimed at acquainting the student with the point of grammar concerned. The student analyzes the grammatical phenomenon, singles it out from the sentence, understands it clearly and acquires habits of motor aural differentiation.

The aim of the exercises which follow (under the caption "Listen and repeat") is practicing phonetics. When doing these exercises students must always keep in mind that the form and meaning of what they pronounce are inseparable. Attention should be paid to the development of aural self-control by comparing what has been heard and what has been reproduced. Exercises of this type can be done either in the classroom, or in the language laboratory, or at home; they should also be reviewed. This will prove useful not only for improving pronunciation; it will ensure spontaneous memorization of the forms and models being drilled.

Subsequent exercises are independent reproductions of the model. At first only the model itself is to be reproduced to enable the student to concentrate on the speech act. The same exercises will help to develop the following skills essential for the uninhibited use of the model in speech:

(a) the formation of the verbal and nominal elements of the model;

(b) the correct pronunciation of word forms; the pronunciation of prepositions and the words they govern as single units;

(c) the development of reactions to utterances containing the model concerned (answering questions, expressing agreement, disagreement, etc.).

Then more complicated exercises follow, which will require that the student draw a comparison between what has just been learned and what was known before.

Most exercises are to be done orally, which makes it possible to use the classroom time more profitably. However, some of the exercises can also be done in writing. Additional exercises to be done in writing can be found in the *Exercises* volume.

Speech exercises (under the caption "Oral Practice") and exercises in translation represent the final stage of vocabulary introduction. These exercises provide opportunities for the student to use the habits and skills he has acquired in dramatizing situations from real life.

The vocabulary introduced in this way is then practiced in subsequent sections of the unit. Communicative exercises as such are contained in the Conversation section. The Presentation and Preparatory Exercises section, in addition to practice exercises, includes brief dialogues and reading texts containing a wealth of grammatical material. As has been said before, the material given in this section is to be learned actively. Besides, the textbook has material not to be learned actively. This material is contained in models to be learned passively. Students should be required to get acquainted with them and understand them when encountered in reading.

Some of these models will be dealt with during the second or third year of study, for example, the use of the genitive case with verbs preceded by the negative particle (Я не зна́ю пра́вила "I don't know the rule")—first-year students will need this model only in connection with the use of pronouns (Я ничего́ не слы́шал "I have heard nothing") — or the use of short-form adjectives (in this course students will have to master such adjectives as до́лжен "must" and ра́д "glad" and be able to give all short forms, but need not be able to use them actively). Verbal adjectives and verbal adverbs are introduced only in order to give students a general idea of them.

Phonetics

Not less attention is given in the *Textbook* to the teaching of pronunciation than to the teaching of grammar and vocabulary.

The goals of teaching phonetics can be defined in the following way: (1) students' mastery of a correct pronunciation within the scope of the material selected for the *Textbook* and in view of its underlying purpose: mastery of reading skills and speaking habits; (2) the development of associations between grammatical and phonetic categories; (3) the formation of automatic speech habits and skills; (4) students' mastery of the methods of working at pronunciation. The understanding of these methods will enable students to correct their pronunciation by themselves.

The range of the phonetic material selected for the *Textbook* and the order of its presentation have been determined by the typological peculiarities of Russian phonetics, the teaching purpose and the pronunciation difficulties for English-speaking learners. The main pronunciation difficulties (responsible for the "English accent") have been determined on the basis of a comparison between the phonological systems of Russian and English. The comparison was made consistently on the levels of phonemes, sounds, syllable and word structure, and on the level of the sentence (intonation). The basis of the method of teaching phonetics used in the *Textbook* is students' conscious understanding of the similarities and differences between Russian and English pronunciation. The comparison between the phonetic systems of Russian and English was the basis for the selection of the phonetic material and the order of its presentation.

The phonetic material to be learned is presented not as a self-contained entity, but invariably in connection with grammar and vocabulary. The authors believe that such a presentation ensures the most effective language assimilation. The methodological principle for the comprehensive presentation of the language material is based on the understanding of language as a hierarchically structured system. The relationship between grammatical, lexical and phonological units is such that the phonological means serve to distinguish between various grammatical and lexical units. Hence, the main objective of teaching phonetics is the development of a correct pronunciation on the basis of the grammar and vocabulary being studied.

The comprehensive presentation of the language material has determined the character of the practice exercises. The *Textbook* includes exercises whose aim is to teach and practice certain pronunciation aspects: sounds, word rhythm and intonation. These aspects are practiced on the basis of the vocabulary and grammar being studied in the unit concerned.

There are also phonetic-grammatical exercises, in which the phonetic purpose is subordinated to the grammatical one — practice of a grammatical form. Such exercises are given under the "Listen and reply" heading. These exercises, which are not phonetic ones in the true sense of the word, represent a very important stage (imitative stage) in the formation of language and speech habits. Such exercises must not be neglected, for they are essential to subsequent work; their aim is to drill a grammatical form, develop automatic articulatory habits and help the student master the structure of simple dialogues. Other exercises — lexical-grammatical and speech exercises proper — provide material for correcting the student's pronunciation.

The first four units represent an introductory phonetics course. Its main purpose is to help the student master sounds, stress and the main types of intonation (intonational constructions). The vocabulary and grammar of this course largely depend on the range and order of the phonetic material.

In the other units of the *Textbook* (units 5-16) the material studied in the first four units is consolidated, the pronunciation habits are further developed and made automatic, more positional variants of the sounds studied are introduced and drilled, and corrected (if necessary), the phonetics of polysyllabic words and the intonation of a complex text are mastered, the intonational constructions assimilated in the first four units are practiced in dialogues and texts, and the student's reading techniques are improved.

The range and order of the phonetic material in units 5-16 are largely determined by the grammar and vocabulary these units contain.

The structure of the units changes: while in units 1-4 the phonetic material usually preceded the grammar and vocabulary, in units 5-16 it follows the grammar. Thus, practicing phonetic phenomena is linked with, and subordinated to, practicing grammatical forms.

The student's work at the phonetic aspect of a text is very important for the understanding and assimilation of its contents.

Thus, phonetics is presented in the *Textbook* not as a separate aspect, but as an integral part of all the other language phenomena of speech activity (dealt with in the *Textbook*).

The method of teaching phonetics accepted in this *Textbook* is audio-articulatory: it combines listening and imitation with a conscious mastery of articulations. Teaching the various aspects of pronunciation includes explanations of the articulations of sounds, word rhythm and intonational constructions.

In each unit, work on phonetics should consist of three elements: (1) work on the sounds, (2) work on, and the correction of, word rhythm, and (3) work on intonation.

1. Work in the classroom should begin with listening to the material to be introduced. When explaining this or that aspect of Russian phonetics, the teacher should give a comparative analysis of the main differences between Russian and English pronunciation. Having understood these differences, students will learn to "control" their pronunciation, will develop habits of "phonetic self-control". The teacher is advised to illustrate his explanations by visual aids: articulation charts, charts of shifting stress and intonation charts.

After the explanation has been given, students listen to and repeat (after the teacher or the speaker) exercises without looking at the text. First, the students repeat the exercise in chorus, then each student repeats part of the exercise after the teacher. After this, students should read the exercise from the *Textbook* in turns. As a rule, practice exercises are followed by exercises under the caption "Listen and reply". These exercises should be done with the teacher (or the speaker). The model should be read once or twice, then the exercise itself should be done at a fairly rapid pace.

2. Work in the language laboratory is a continuation of classroom work.

The following order of work with a tape-recorder can be recommended:

(1) Listen to the exercise; (2) Listen and repeat after the speaker during the pauses; (3) Read the exercise independently from the book; (4) Read the exercise and tape-record yourself; analyze the recording; compare your pronunciation and that of the speaker.

3. Much attention is given in the *Textbook* to work with dialogues.

Students are advised to follow this procedure:

(1) Listen to the dialogue; (2) Listen to the dialogue, comparing the intonation shown in the *Textbook* and the speaker's intonation. If no intonation is given in the text, mark the intonational constructions yourself; (3) Divide each line of the dialogue into syntagms. Read each syntagm, making sure you read it as a single unit; (4) Listen to the speaker and repeat each response during the pause. If a response consists of several sentences, first repeat each sentence and then the entire response; (5) Read the dialogue together with the speaker. First say the responses of one participant in the dialogue, then the responses of the other participant; (6) Read the dialogue by yourself; (7) Dramatize the dialogue (with other students in your class); (8) Compose similar dialogues.

The dialogues should be repeated and read at normal speed with attention being paid to pronunciation, rhythm and intonation.

4. Reading a text requires some preparatory work.

The following procedure is recommended to the student:

(1) Listen to the text; (2) Listen to and read the words. Find in the text the new words and words difficult to pronounce. Pronounce them correctly with the right stress; (3) Listen to and read the difficult phrases. Make sure you pronounce each phrase as a single unit; (4) Listen and read, paying attention to fluency, rhythm and the intonation of extended syntagms; (5) Listen to the sentences and read them, paying attention to the syntagmatic division of the sentences and intonation; (6) Listen to the text once more, noting the pronunciation of the speaker (or teacher). Analyze the text. Listen to the text and mark the syntagmatic division of the sentences and the intonational centers; (7) Listen to the text and repeat the sentences during the pauses; (8) Read aloud the entire text, paying attention to pronunciation, speed, rhythm, fluency and intonation.

The records contain recordings of the texts of the first eight units. Work on the texts of the other units is done under the guidance of the teacher.

Some of the above actions can be recommended for independent work.

For convenience sake the records should be tape-recorded. When tape-recording the texts and exercises, the pauses should be made sufficiently long.

Much of the material of the *Textbook* has been recorded: the exercises with the captions "Listen", "Listen and repeat", "Listen and reply" and the texts of the first eight units.

A number of phonetic exercises are given with the caption "Read aloud". They should either be done with the teacher or recorded and done in the same way as the exercises under the caption "Listen and repeat".

Conversation

While working through the *Textbook*, students should master certain speech habits and skills. Some of these habits and skills will be acquired while assimilating the basic grammar and vocabulary of the preceding section given in exercises which have a dual purpose: the consolidation of the language material introduced and the development of speech habits necessary at the beginner's level. These habits are further developed in the Conversation section.

The Conversation section is given in every unit and is divided into a number of subsections containing material designed to develop different aspects of speech.

The Conversation section has several objectives:

1. It sets out to acquaint the student with some types of structural-semantic dialogue unities, such as:

(a) Question-and-answer unities, whose communicative purpose is eliciting information;

(b) Volitional dialogue unities, whose communicative purpose is either urging the conversational partner(s) to perform an action or forbidding him (them) to perform an action;

(c) Exchanges of opinions, whose communicative purpose is receiving or specifying information, appraising it, expressing one's opinion, etc.

2. It will acquaint students with the most important forms of Russian speech etiquette, such as forms of addressing familiar or unfamiliar people, the usage of the words ты "thou" and вы "you", greetings, expressions of gratitude, etc.

3. It contains vocabulary and grammar necessary for talking on certain everyday topics, such as Getting Acquainted, A Telephone Conversation, In Class, At the Cafeteria, At the Doctor's, Finding One's Way About the City, City Transportation.

4. It will also help to assimilate and practice the grammar and vocabulary introduced in other sections.

The Conversation section may be studied simultaneously with the Presentation and Preparatory Exercises section.

The Structure of the Section

In the first subsection, structural dialogue unities are introduced in the form of "microdialogues", which consist of an utterance urging the conversational partner to enter into conversation and one or two replies (often an affirmative or negative variant of the reply). These dialogues are accompanied by brief explanations. It is advisable to explain to students the main semantic and structural peculiarities of the structural dialogue unities of which the dialogue being studied consists. The communicative purpose should always be borne in mind. Thus, in question-and-answer unities it is important to know what information the question is to elicit (general information, specific information, a supposition expressed as a question, etc.). In considering the structural peculiarities of the dialogue unities attention should be paid to such an important factor as intonation, to the possible shift of the intonational center and to how this will affect the meaning of the question (Вы говорите по-ру́сски? "Do you speak

13

Russian?" Они говорят по-русски? "Are they speaking Russian?" Это ваша машина? "Is that your car?") and, consequently, the answer to the question.

The material of the subsections preceded by topical headings has been arranged in accordance with the topics.

The Practice Exercises of each subsection begin with imitative exercises practicing pronunciation and intonation. First students listen to a dialogue, then repeat each utterance or response after the speaker or teacher, then read the dialogue and answer questions about it, after which they reproduce the dialogue and compose similar ones. Finally, students should do situational exercises, in which they are given a communicative task to fulfil independently. Such exercises are considered to be the nearest approximation to conditions of real speech communication.

Reading

While working their way through the *Textbook*, students should develop certain reading habits and skills. The goal is mastery of two kinds of reading: reading for general comprehension of the contents and reading for complete comprehension of the contents.[1] Reading for general comprehension is confined to the reader's understanding of the general message of the text. He may not understand some facts inessential to the general message. Reading for complete comprehension presupposes an exhaustive understanding of the text, i.e. the reader's understanding not only of the general message, but also of all the facts, events and details.

Reading is taught on the basis of adapted texts preparing students for reading unadapted journalistic writing. Since this course is designed for a limited number of hours of study, it is realistic to teach students to read on the basis of one particular type of text. Therefore we have chosen journalistic writing (newspaper and magazine articles, reports and notices). In selecting the texts to be included in the *Textbook*, students' interests have been taken into account as well as the cultural value of the texts.

All the texts are based on the grammar and vocabulary range of the *Textbook*. They may contain 3-4 per cent of new words and phrases whose meaning can be inferred by the student. Besides, when reading for general comprehension, in which case no dictionary may be used, these words and phrases may be ignored. When reading for complete comprehension, students can always look up the unfamiliar words in a dictionary.

The *Textbook* contains texts of various types. Among them are specially written topical and descriptive texts: dialogues, monologues, dialogues incorporating monologue, and adapted pieces of journalistic writing (the degree of adaptation differs: retelling the story, abridgement, cuts). Upon completing the course, students should understand (reading silently) the above kinds of text with sufficient depth and accuracy. The speed of reading texts designed for complete comprehension should be 60-75 words per minute, and that of texts intended for general comprehension, 150-180 words per minute.

---

[1] The methodological concept of teaching reading underlying this *Textbook* is based on the theory evolved by the Soviet scholars Z. I. Klychnikova, S. K. Folomkina, and others.

It is assumed that the reading habits and skills received at the initial stage of study will be further developed at later stages on the basis of scientific literature and fiction.

Each unit of the *Textbook* contains a Reading section, which falls into a number of subsections: (1) exercises preceding the text; (2) the Basic Text to be read for complete comprehension; (3) exercises following the text; (4) the text to be read for general comprehension; and (5) additional reading materials.

Each of these subsections fulfils a definite functional role in teaching reading. The first four subsections are obligatory, whereas the fifth one (additional reading materials) is optional.

Exercises preceding the text are given at the beginning of each Reading section. Their objective is to anticipate all the language difficulties of the text to be read for complete comprehension (the Basic Text), and to develop inference habits. Doing these exercises will ensure reading almost as uninhibited as reading in the student's native language and will do away with the necessity of a grammatical and lexical "deciphering" of the text. In this case, the object to be achieved by reading is obtaining new information.

Exercises preceding the text vary: among them are exercises acquainting the student with the new grammatical phenomena to be encountered in the text, exercises introducing and drilling new words, and exercises increasing students' potential vocabulary by developing inference habits. *The grammar included in this section of the Textbook is intended for passive assimilation only,* i.e. it must be only recognized in the text; it is not intended to be used in oral speech and has not been included in the activization exercises. The order of the exercises is as follows: grammar exercises, vocabulary exercises, and exercises introducing new derivational models and increasing students' potential vocabulary.

When presenting new vocabulary in the *Textbook,* special attention has been paid to the lexical and syntactic combinability of words, to antonymy and polysemy.

The section contains special exercises to develop inference habits. This is the objective of the exercises acquainting students with Russian derivational models and with words which have common roots in Russian and English, exercises teaching to infer the meaning of a word from context, etc.

Linguistically, the text to be read for complete comprehension of the contents (*the Basic Text*) should not present difficulty for the student. The purpose of the exercises following such a text is to check whether the student has understood the contents. Another objective of such exercises is the development of oral speech (dialogue and monologue) habits on the basis of the text.

The text to be read for general comprehension of the contents is introduced by the caption "Read the text without consulting a dictionary"; it has been composed in such a way that the new words do not hinder the student's understanding of its general message. Such a text is designed to develop inference habits. The text is followed by a few exercises whose main purpose is to check whether the student has understood the text and to develop his ability to single out its main points.

The exercises in the Reading section are to be done in class and at home. Exercises with captions "Read and analyze" and "Read and translate" should be done either in class or at home. It is recommended that oral practice exercises under the captions "Oral Practice", "Ask questions and answer them", and the like be done in class. Exercises of the "Retell" or "Compose a dialogue" type may either be done in class without any preparations at all or only checked in class after being prepared at home. Exercises with the caption "Write out the following" should, of course, be done at home.

Reading techniques may be improved by work in the language laboratory. The teacher should only check how well students have succeeded in their task.

The texts for general comprehension may be studied both in class and at home. It is advisable to read such texts in class checking and limiting reading speed and preparing students for reading at a normal speed.

Analysis and Commentary

The Analysis and Commentary section constitutes a concise practical grammar of Russian. It presents the basic structure of Russian with special emphasis on the contrastive analysis of Russian and English. In many cases the explanations and their arrangement have been based on relatively recent work by American and Soviet linguists in the description of contemporary standard Russian. In all cases, however, only those theoretical insights which have proven themselves to be of practical value in the classroom have been incorporated into the commentaries. In view of the limited number of contact hours available for elementary language learning at most American colleges and universities (120 to 150 hours for the standard two-semester course), it is suggested that *a maximum amount of class time be devoted to practical training and exercises from the basic units of the Textbook* ("Presentation and Preparatory Exercises", "Conversation" and "Reading"); the commentaries are recommended for use by the students outside the classroom. In this way, the teacher should, as a rule, be able to limit his grammar presentations in class to brief treatments of topics and to such additional reinforcement as his students need.

Experience in the test-teaching of *Russian: Stage I* has shown that students and teachers alike are willing to accept a certain degree of abstraction in notational systems or in grammatical explanations themselves, provided the result is a more economical description of the grammar. The more systematic a student's command of the basic patterns of the language becomes, the more confidence and control he acquires in manipulating language structures at all levels. Memorization and repetition are important processes in learning any language, but they need not replace logical analysis of those patterns in the language which are of a clearly predictable nature. Two examples from the present *Textbook* will illustrate the point. The description of the Russian sound system in terms of its *basic sounds* (see especially Analysis to phonetics and Unit I) provides the most economical approach to Russian pronunciation and spelling, as well as to Russian inflection and word-formation. Analysis by basic sounds reveals that there are but three endings for the genitive plural of Russian nouns, whereas explanations based on the spelling system alone may discover as many as 8-12 seemingly separate endings. For this reason students are urged to pursue the transcription and pronunciation exercises throughout, paying particular attention to the functions of the 10 Cyrillic vowel letters and to the spelling of the consonant "jot".

Just as the student's ability to discern the five basic vowels and the consonant "jot" can streamline considerably the process of learning Russian pronun-

16

ciation and spelling, so also is the mastery of Russian verb morphology simplified by studying each form of a given verb in terms of an underlying *single basic stem*. Virtually all approaches to the Russian verb presuppose some notion of a *stem*, something less than a complete word, to which an *ending* (actually no less of an abstraction) is added. The present course follows the analysis of Roman O. Jakobson in positing a single basic stem for each Russian verb (except for a group of fewer than 20 irregular verbs). The pedagogical virtue of the approach lies in its providing the learner with an empirical basis for predicting any·and all changes which occur in a verb stem (whether familiar or unfamiliar) when it is combined with an ending.

The one-stem analysis is introduced together with the first occurrences of verbs in Unit II and continues throughout the remaining 14 units of the text. The earliest units focus on mastery of the rules for adding present tense, past tense, and infinitive endings to stems. Beginning with Unit V, the stem is further analyzed in terms of root and verb *classifying suffix*. The appearance of non-past tense forms for stems in -*i*-, -*e*-, -*a*- and -*ova*- permit the introduction at this point of the key concepts of *conjugational type* (first or second), *consonant alternation*, and *shifting stress*. Teachers are urged to devote sufficient time in Unit V to in-class analysis of a variety of verb stems, so that each student has an adequate opportunity to demonstrate his ability to analyze stems in terms of these three basic conjugational processes. Unit VI marks the addition of two new classes of non-suffixed stems: syllabic obstruents in *d* and *t* and the syllabic resonant group in -*oj*-. These are followed in Units VII and VIII by suffixed stems in -*ej*- and -*avaj*-. The stem *mog*- is treated essentially as irregular because of the stress shift in non-past forms; for practical reasons, teachers may also prefer to treat **брать** as tentatively irregular, until a larger number of the non-syllabic -*a*-types have been mastered. By the end of Unit XVI all suffixed types and most non-suffixed types have been introduced and activized to some degree. Students should be encouraged early on to make use of the Summary List of All Russian Verb Types (see Appendix) in order to relate each new verb class learned to the overall system of Russian verb; some teachers prefer to make reference to the Summary List and its rules when correcting homework or test assignments. Finally, students have occasionally found it useful to maintain a cumulative inventory of verbs learned from each class, especially for the non-productive classes.

Verbs are listed in the final vocabularies both as basic stems and as infinitive forms. Since all necessary conjugational information is contained in the basic stem, the infinitive form is shown only for purposes of cross-referencing with vocabularies and dictionaries, for which the infinitive is the conventional citation form. Irregular verbs in Russian are few in number and are itemized in the final section of the Summary List: Inventory of Irregular Verbs. It is essential that irregular verbs be carefully examined and practiced in both oral and written work: students should be able to point out the particular features of an irregular verb which make it anomalous and non-predictable. Some irregular verbs will require memorization of only two stems, others will require memorization of three or more forms. The student who has mastered the principles of Unit V should be able to spot the two irregular forms **хо́чешь, хо́чет** (from **xota*-?) in the otherwise ordinary looking *e*-verb **хоте́ть**. Throughout the text irregular verbs are clearly identified: they are given in the *infinitive form only* and labeled: **взять** *irreg.*, **бы́ть** *irreg.* Full conjugations of these irregular verbs used actively are to be found in the appropriate unit and Analysis and the Appendix, while irregular verbs for passive use are given only in the Appendix.

What has been said concerning the teaching of the verbal system can be applied to work in the nominal system just as well. Attention is directed early on to the summary tables for noun declension and stress contained in the appendices to the Analysis. It is common knowledge that Russian morphology represents one of the greatest barriers to fluency in Russian for speakers of English. For that reason, it is highly recommended that students work through all the formation practice drills during the course of the year, for only in this way will the student gain the kind of automatic, subconscious control of Russian morphology which one associates with native-like fluency.

Authors

Contents

Unit 1

Presentation and Preparatory Exercises. I. Это Антóн. Это Áнна. II. Áнна дóма. III. Ктó э́то? Чтó э́то? Ктó тáм? Чтó тáм? IV. Это нáш дóм. V. Áнна дóма. Phonetics. Vowels [a], [o], [y], [э]. Consonants [м], [ф], [п], [к], [н], [с], [т]. Stress. Unstressed syllables. Rhythm of disyllabic words. Intonational Construction 1 (IC-1). Consonants [в], [б], [д], [з], [г], [ш], [ж]. Intonational Construction 2 (IC-2). Consonant [x]. Vowels [и], [ы]. Rhythm of trisyllabic words (суббóта). Consonant [j]. Devoicing and voicing of consonants. Soft consonants [c'], [з'], [н'], [т'], [д']. Rhythm of trisyllabic words (магазин). Intonational Construction 3 (IC-3). 25

    Conversation. I. Vocatives and Expressions of Gratitude 38

    Presentation and Preparatory Exercises. ‖ Это студéнты. VI. Это Áнна? — Дá, э́то Áнна.— Нéт, э́то не Áнна. 39

    Conversation. II. The Question Expresses a Supposition, and the Answer either a Confirmation or Denial 44

Unit 2

Presentation and Preparatory Exercises. I. Антóн рабóтает. II. Это егó машина. III. Антóн говорит грóмко. IV. Áнна рабóтает днём. ‖ Вéчером Виктор читáл. V. Áнна рабóтает в институте. VI. Антóн — студéнт. Phonetics. Consonant [p]. Silent consonants. Consonant [ч]. Rhythm of trisyllabic words (кóмната). Soft consonants [p'], [г'], [к'], [x'], [л], [л'], [м'], [п'], [б'], [в'], [ф'], [ц]. Intonational Construction 4 (IC-4). 47

    Conversation. I. Asking for Information and Expressing Supposition. II. Greetings. Finding One's Way in a City 63

    Reading. Exercises 66

    Basic Text: Сергéй Ивáнов и егó семья́. 68

Unit 3

Presentation and Preparatory Exercises. I. Это нóвый дóм. II. Этот дóм нóвый. Тóт дóм стáрый. III. Áнна отдыхáла в áвгусте. IV. Áнна рабóтает в э́том институте. V. Антóн хóчет рабóтать в э́том институте. Phonetics. Syntagmatic division of sentences. Intonation of non-final syntagms. Consonant [щ] 71

    Conversation. I. Asking for Information about an Unfamiliar Person or Object. II. What is Your Name? 81

    Reading. Exercises 85

    Basic Text: Кáтя, Сергéй и их друзья́. 90

Unit 4

Presentation and Preparatory Exercises. I. Антóн расскáзывал о Москвé. II. Áнна расскáзывала о нóвом фильме. III. Виктор читáет, а Áнна слушает. IV. Óн (не) знáет, гдé рабóтает Áнна. 95

    Conversation. I. Expressions for Addressing Persons One Does Not Know. II. Greetings 112

    Reading. Exercises 117

    Basic Text: О чём говоря́т студéнты в сентябрé? 125

Unit 5

    Presentation and Preparatory Exercises. I. Это ко́мната сы́на. Балти́йское мо́ре на за́паде страны́. II. Это ко́мната мое́й сестры́. Это кни́га о приро́де Се́верного Қавка́за. III. А́нна чита́ет кни́гу. IV. Анто́н чита́ет но́вый журна́л. А́нна зна́ет ва́шу сестру́. V. Он зна́ет, что Москва́—столи́ца СССР 129

    Conversation. I. Asking for, and Giving, Information about the Possessor of an Object. II. Pronouns of the Second Person Singular and Plural Used in Addressing People 146

        Reading. Exercises 151
        Basic Text: Здесь живу́т Ивано́вы 157

Unit 6

    Presentation and Preparatory Exercises. ‖ Студе́нты чита́ли журна́лы и кни́ги. Студе́нты чита́ли интере́сные журна́лы и кни́ги. 1. Ка́ждый де́нь студе́нты слу́шают ле́кции. ‖ Анто́н реша́л э́ту зада́чу. Анто́н реши́л э́ту зада́чу. ‖ Анто́н бу́дет реша́ть э́ту зада́чу. Анто́н реши́т э́ту зада́чу. II. Когда́ я слу́шаю му́зыку, я отдыха́ю. III. Оле́г хорошо́ зна́ет англи́йский язы́к, потому́ что он мно́го чита́ет и говори́т по-англи́йски. IV. Мо́й бра́т ко́нчил шко́лу в 1976 году́ 163

    Conversation. I. Asking for, and Giving, Information about the Character of an Action. II. Meeting People 175

        Reading. Exercises 179
        Basic Text: Студе́нты 188

Unit 7

    Presentation and Preparatory Exercises. I. В Москве́ е́сть университе́т. В Ку́рске не́т университе́та. II. У студе́нта е́сть уче́бник. У студе́нта не́т уче́бника. III. Здесь стро́ят шко́лу. ‖ Он на́чал писа́ть докла́д. IV. Переведи́(те) э́тот те́кст. ‖ Это пло́щадь Свердло́ва 195

    Conversation. I. Asking People to Repeat What They Have Said. II. Specific and General Advice. Advice Not to Perform an Action. III. Names Used in Official and Unofficial Situations. IV. Getting Acquainted. V. In Class 210

        Reading. Exercises 218
        Basic Text: И́мя, о́тчество, фами́лия 227

Unit 8

    Presentation and Preparatory Exercises. ‖ В Москве́ мно́го теа́тров, библиоте́к. I. На у́лице Го́рького нахо́дится три́ теа́тра, пя́ть библиоте́к. II. Сейча́с де́вять часо́в пятна́дцать мину́т. III. Они́ жи́ли та́м четы́ре го́да. ‖ Ви́ктор взя́л не́сколько но́вых журна́лов. ‖ Я зна́ю э́тих иностра́нных студе́нтов. IV. Ви́ктор до́лжен повтори́ть уро́к. V. Этот уче́бник сто́ит во́семьдесят копе́ек. 233

    Conversation. I. Evaluation of Information Received. II. Expressions of Agreement and Disagreement in Conversation. III. In a Cafeteria 246

        Reading. Exercises 250
        Basic Text: Колле́кция 257

Unit 9

    Presentation and Preparatory Exercises. I. Нача́ло конце́рта в 19 часо́в 30 мину́т. II. Ле́кция бу́дет в сре́ду. III. А. С. Пу́шкин роди́лся 6 ию́ня 1799 го́да. ‖ В газе́те писа́ли о молоды́х худо́жниках Ленингра́да. ‖ Студе́нты лю́бят пе́ть свои́ студе́нческие пе́сни 263

    Conversation. I. Request for Additional Information. Amplificatory Counter-Questions. II. At the Doctor's. III. A Workday 273

        Reading. Exercises 277
        Basic Text: Же́нщины XX ве́ка 281

Unit 10

Presentation and Preparatory Exercises. I. Ве́ра покупа́ет пода́рки бра́ту и сестре́. II. Помоги́те э́тому молодо́му челове́ку написа́ть а́дрес по-ру́сски. III. Моему́ бра́ту четы́рнадцать ле́т. IV. Ему́ нельзя́ кури́ть. V. Сейча́с у на́с бу́дет ле́кция по матема́тике. VI. Э́то кни́га, кото́рую написа́л америка́нский писа́тель 287

Conversation. I. Asking for Information: Brief and Detailed Answers. II. Requesting Permission. III. At an Examination 298

Reading. Exercises 304

Basic Text: Письмо́ дру́га 313

Unit 11

Presentation and Preparatory Exercises. I. Студе́нты иду́т в университе́т. II. Вчера́ мы́ гуля́ли по го́роду ‖ Он идёт в институ́т. Он хо́дит по ко́мнате. III. Ма́льчик е́дет на велосипе́де. IV. Е́сли вы́ дади́те мне́ а́дрес, то я́ напишу́ вам. 319

Conversation. I. Communications Expressing Identical Actions and Circumstances. II. Expression of Suggestion and Agreement under Fixed Conditions. III. Finding One's Way Around the City. Transportation 331

Reading. Exercises 335

Basic Text: Е́сли хоти́те узна́ть го́род 342

Unit 12

Presentation and Preparatory Exercises. I. А́нна в шко́ле. А́нна идёт в шко́лу. А́нна идёт из шко́лы. II. Ви́ктор бы́л у това́рища. Ви́ктор идёт к това́рищу. Ви́ктор идёт от това́рища. ‖ Серге́й неда́вно пришёл домо́й. Серге́й неда́вно ушёл из до́ма. ‖ Серге́й пошёл в университе́т. III. Че́рез го́д Ната́ша ко́нчит шко́лу. 351

Conversation. I. The Self-Inclusive Imperative (Imperfective and Perfective) II. Invitation to Visit the Speaker at Home, at Work, etc. III. Evaluation of Something Seen, Heard, Read, etc. IV. Invitations, Visits, Choice of a Route . . . 362

Reading. Exercises 369

Basic Text: В воскресе́нье 378

Unit 13

Presentation and Preparatory Exercises. I. Он бы́л студе́нтом. II. Студе́нты разгова́ривали с профе́ссором. ‖ Его́ бра́т бы́л знамени́тым футболи́стом. III. Он занима́ется спо́ртом. ‖ Ле́на вошла́ в кла́сс. В се́мь часо́в он вы́шел из до́ма. ‖ Я́ купи́л оди́н журна́л дру́гу, а друго́й — себе́. ‖ Мне́ нра́вится э́та кни́га. Бале́т ко́нчился по́здно ве́чером. IV. Пого́да была́ плоха́я, поэ́тому мы́ не пое́хали на мо́ре. 385

Conversation. I. Invitation to Join a Current or Contemplated Action. II. Public Transportation. III. Sport. IV. Team Sports 394

Reading. Exercises 401

Basic Text: Отве́ты альпини́ста 411

Unit 14

Presentation and Preparatory Exercises. ‖ Че́рез го́д студе́нты ста́нут инжене́рами. ‖ Э́ти де́вочки ста́нут хоро́шими гимна́стками. I. Никто́ ничего́ не зна́л о конфере́нции. II. Мы́ сказа́ли Ви́ктору, что́бы ве́чером он пришёл к на́м. III. Review of Time Expressions 421

Conversation. I. Phrases Expressing Agreement or Disagreement with Another's Opinion and Agreement or Refusal to Perform an Action. II. The Theater and the Movies 432

Reading. Exercises 438

Basic Text: Она́ поёт ру́сские пе́сни 447

Unit 15

Presentation and Preparatory Exercises. I. Кра́сная пло́щадь бо́льше пло́щади Маяко́вского. Пе́рвая зада́ча была́ бо́лее тру́дная, чем втора́я. II. Памир — са́мые высо́кие го́ры в СССР. Сиби́рь — богате́йший райо́н страны́. III. Лю́да поёт лу́чше А́ни. IV. У́тром вам кто́-то звони́л по телефо́ну. Расскажи́те что́-нибудь о ва́шем институ́те. ‖ Анто́н сказа́л, что в институ́т на конфере́нцию прие́хали студе́нты из Ки́ева. Анто́н хоте́л, чтобы в институ́т на конфере́нцию прие́хали студе́нты из Ки́ева 455

Conversation. I. Expression of a Counter-Proposal. II. Examples of Conveying Requests. III. Telephone Conversation. IV. Using Public Transportation. V. Expressing Congratulations 464

Reading. Exercises 470

Basic Text: Что́ тако́е Сиби́рь? 480

Unit 16

Presentation and Preparatory Exercises. I. Э́тот райо́н хорошо́ изу́чен геоло́гами. II. Expression of Spatial Relations 489

Conversation. I. Expressing a Wish. II. Expressing One's Own Opinion and Supposition. III. Expressions of Gratitude and Corresponding Replies. IV. Traveling Is the Best Recreation 496

Reading. Exercises 503

Basic Text: Приглаше́ние к путеше́ствию 512

Analysis and Commentary

Phonetics 529

Unit I. Basic Sounds, Phonetic and Spelling System. The Russian Sentence. Word Structure. Gender of Nouns in the Nominative Case. Nominative Plural. Pronouns in the Nominative Case. Word Order. Adverbs of Place. 549

Unit II. The Russian Verb. Third-Person Possessive Pronouns. Adverbs. The Prepositional Case. Apposition 556

Unit III. Adjectives. Numerals. Demonstrative Pronouns. The Prepositional Case. Time Expressions. 561

Unit IV. The Prepositional Case of Pronouns and Adjectives. Nouns Used with the Preposition **на**. The Conjunctions **и** and **а**. 565

Unit V. The Genitive Case. The Accusative Case. The Conjunction **что**. Apposition. The Verb Classifier. 568

Unit VI. Verb Aspect. The Future Tense. The Verb **быть**. 578

Unit VII. Third Declension Nouns. **Есть — нет** Constructions. The Imperative. The Irregular Verb **мочь**. Word Formation: Russian Patronymics. Expression of Nationality. Non-Syllabic Verb Stems. 584

Unit VIII. The Plural of Nouns, Pronouns and Adjectives (the Nominative, the Genitive, the Accusative). Numerals. Telling Time. The Irregular Verb **взять** 594

Unit IX. Time Expressions. The Prepositional Plural. The Reflexive Possessive Pronoun **свой**. General Questions in Reported Speech. (The Particle **ли**) . . 599

Unit X. The Dative Case. Expression of Age. Impersonal Constructions. The Relative Pronoun **который** 606

22

Unit XI. Prepositions and Adverbs of Place and Direction of Action. Verbs of Motion. The Second Prepositional Ending **-y**. Expressing Real Condition. **Тóже** and **тáкже** 611

Unit XII. Adverbs and Prepositions of Place and Direction of Action. Prefixed Verbs of Motion. The Dative Plural. The First-Person Imperative 616

Unit XIII. The Instrumental Case. The Voice and the Particle **-ся**. Verbs of Studying and Learning. The Reflexive Pronoun **себя** 620

Unit XIV. Clauses of Purpose. Third-Person Imperative. Case of the Object of a Negated Transitive Verb. Negative Pronouns and Nouns. Double Negation in Russian. Telling Time by the Clock. Summary of Time Expressions. 625

Unit XV. The Comparative and Superlative Degrees of Adjectives and Adverbs. The Indefinite Pronouns and Adverbs with the Particles **-то** and **-нибудь**. Rendering the Accusative with the Infinitive Construction in Russian. Direct and Reported Speech. Long-Form Verbal Adjectives. The Conditional Particle **бы** . . . 629

Unit XVI. Short-Form Verbal Adjectives (Past Passive). Verbal Adverbs. 639

Appendices: I. Representation of Russian Sounds and Letters with the Letters of the Roman Alphabet. II. Summary Table of Noun Endings. Summary Table of Pronoun Declension. Summary of Adjective Declensions. III. Stress Patterns in Russian Nouns. IV. Irregular Plurals. V. Numerals. VI. Summary List of All Russian Verb Types. Inventory of Irregular Verbs 641

Grammatical Index 655

Russian-English Vocabulary 658

English-Russian Vocabulary 670

Unit 1

Presentation and Preparatory Exercises

1. *Listen and repeat. (See Analysis, Phonetics, 1.40-1.44.)*

a	*o*	*u*	*e*
[a]	[o]	[y]	[э]
Aa	Oo	Уy	Ээ
Аа	*Оо*	*Уу*	*Ээ*

а, о, а—о, о—а;
у, у—о, о—у, а—о—у, у—о—а;
э, а—э, э—а

2. *Listen and repeat. (See Analysis, Phonetics, 1.31.)*

m	*f*
[м]	[ф]
Мм	Фф
Мм	*Фф*

ма, му, мо, му—мо, ма—мо;
фа, фу, фо, фу—фо, фа—фо;
ам, ум, ом, эм, ум—ом, ам—ом, ам—эм;
аф, уф, оф, эф, уф—оф, аф—оф, аф—эф

p	*k*
[п]	[к]
Пп	Кк
Пп	*Кк*

па, пу, по, ка, ку, ко;
ап, уп, оп, ак, ук, ок;
па—ап, пу—уп, по—оп;
ку—ук, ко—ок, ка—ак, как

25

3. Listen and repeat. *(See Analysis, Phonetics, 1.32; 1.33.)*

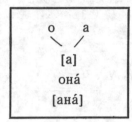

n	*s*	*t*
[н]	[с]	[т]
Нн	Сс	Тт

на, ну, но, ан, ун, он, эн;
на—ан, ну—ун, но—он;
са, су, со, ас, ус, ос, эс;
та, ту, то, ат, ут, от;
та—ат, ту—ут, то—от;
óн, тáм, Тóм, тóн, тóт, тýт, кóт, сýп, сóк, нóс

4. Listen and repeat.

(a) *Pronunciation Practice: unstressed syllables. (See Analysis, Phonetics, 2.0; 2.10; 2.11.)*

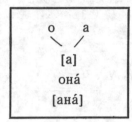

```
    о    а
     \  /
     [a]

    онá
    [анá]
```

онá [анá],
онó [анó],
окнó [акнó],
Антóн [антóн]

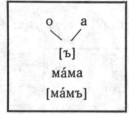

```
    о    а
     \  /
     [ъ]

    мáма
    [мáмъ]
```

мáма [мáмъ],
э́то [э́тъ],
кáсса [кáссъ],
Áнна [áннъ],
áтом [áтъм],
э́тот [э́тът]

(b) *Pay attention to qualitative and quantitative differences between stressed and unstressed syllables.*

óн—онá, óн—онó, тó—э́то, онá—Áнна, Тóм—áтом, тóт—э́тот

I
> Это Антóн.
> Это Áнна.

5. Listen and analyze. *(See Analysis I, 2.0; 2.1; 3.0; 4.0.)*

Это мáма. Это Антóн. Это Тóм. Это Áнна.

26

6. *Listen and repeat. Intonation Practice: Intonational Construction 1 (IC-1) (See Analysis, Phonetics, 3.0; 3.1.)*

Это ма́ма.

Это Том.　Это ма́ма.

Это Анто́н.　Это А́нна.

Это окно́.　Это ка́сса.

Это ко́т.　Это су́п.

Это со́к.

7. *Describe what is depicted in each drawing. Pay attention to intonation.*

Model: Это Анто́н. А́нна, ма́ма, Анто́н, То́м, окно́, ка́сса

8. *Oral Practice.*

(1) Suppose you are showing photographs of your family. Identify each individual in them by his or her name, using a complete sentence in Russian.

(2) Now do the same with photographs of American cities.

(3) Suppose you are standing with a group of friends when Anton and Anna come up to you. Introduce them to your friends in Russian. Introduce your friends to Anna and Anton.

9. *Write out in longhand.*

Аа, Оо, Уу, Ээ, Мм, Нн, Фф, Тт, Пп, Кк, Сс, Том, окно, касса, он, она. Это мама. Это Антон. Это Анна. Это касса.

10. (a) *Listen to the following pairs of voiced and voiceless consonants. (See Analysis, Phonetics, 1.20-1.23.)*

фа—ва, са—за, па—ба, та—да, ка—га

(b) *Listen and repeat. Pronunciation Practice: voiced consonants.*

v [в] Вв *Вв*	ва, ву, во; вóт, востóк [вастóк], внýк, Москвá [масквá]; Это Москвá. Это востóк. ва — фа, во — фо, ву — фу;

b [б] Бб *Бб*	ба, бу, бо; Бостóн [бастóн], банáн, бýква [бýквъ], бýква «бэ»; па — ба, по — бо, пу — бу

d [д] Дд *Дд*	да, ду, до; Дóн, дóм, водá [вадá], доскá [даскá]; та — да, ту — ду, то — до; Тóм — дóм, Дóн — тóн; Это дом. Это вода. Это доска.

z [з] Зз *Зз*	за, зу, зо; завóд [завóт], зáпад [зáпът], зýб [зýп], звýк, звонóк [званóк]; са — за, су — зу, со — зо, сýп — зýб; Это завóд. Это зáпад.

g [г] Гг *Гг*	га, гу, го; гóд [гóт], гáз [гáс], ногá [нагá], вагóн [вагóн]; ка — га, ко — го, ку — гу, кóт — гóд, кáсса — гáз; Это вагон. Это нога. Это газ.

11. *Read the words. Pay attention to devoicing final voiced consonants.*

[д] → [т] [з] → [с] [б] → [п] [в] → [ф]	гóд [гóт], сáд [сáт], завóд [завóт], зáпад [зáпът], гáз [гáс], зýб [зýп].

28

12. *Listen and analyze. (See Analysis I, 8.0.)*

Это Москвá.
Дóм тýт.
Завóд тáм.

Это мáма.
Это Áнна.
Мáма дóма.
Áнна дóма.

13. *Listen and repeat. Intonation Practice.*

Это Москва. Дóм тут. Завóд там. Это мама. Мáма дома. Это Áнна.
Áнна дома. Это Антон. Антóн там.

14. *Supply a suitable caption to each drawing. Read each caption aloud. Draw intonational contours for each sentence.*

Тóм дóма. Анна тýт. Антóн тáм. Завóд тýт. Дóм тáм. Вагóн тáм. Кácca тýт.

15. *Tell where each person or thing is.*

Model: Áнна дóма.
       Антóн тáм.

29

16. *Write out in longhand.*

Бостон, Москва, буква, вода, восток, вагон,
дом, завод, звук, газ.
Это Москва. Это завод. Это вагон. Это касса. Это мама.
Это Анна. Анна тут. Это Антон. Антон там.

17. *Listen and repeat; then read and analyze. (See Analysis I, 1.1-1.32; 4.0; 6.0; 6.1.)*

1. Это **Áнна. Онá** дóма. 2. Это **Антóн. Óн** тáм. 3. Это **дóм. Óн** тýт. 4. Это **завóд. Óн** тáм. 5. Это **окнó. Онó** тáм. 6. Это **кácca. Онá** тáм. 7. Это **вагóн. Óн** тýт.

18. *Supply continuations for each of the sentences. Indicate intonational centers throughout.*

Model: Это Антóн. Óн дóма.

1. Это Тóм. 2. Это мáма. 3. Это Áнна.

Model: Это дóм. Óн тáм.

1. Это вагóн. 2. Это окнó. 3. Это кácca. 4. Это завóд. 5. Это Антóн. 6. Это Áнна.

19. *Oral Practice.*

Tell where each person or thing is.

Model: Это Антóн. Óн тýт. Это Áнна. Онá тáм.

30

20. *Listen and repeat. (See Analysis, Phonetics, 1.34.)*

š [ш] Шш *Шш*	ша, шу, шо, шка, шку, шко, кшу, кшо, кша, ушу, ушо; Máша [мáшъ], шáпка [шáпкъ], кóшка [кóшкъ], шýба [шýбъ], шýтка [шýткъ], чтó [штó]; Это Мáша. Это шáпка. Это шýба. Это кóшка. са—ша, су—шу, со—шо, Сáша, кáсса—кáша, мáсса—Мáша. Это кáсса. Это кáша.
ž [ж] Жж *Жж*	ша—жа, шу—жу, шо—жо; Жáнна [жáннъ], нýжно [нýжнъ], мóжно [мóжнъ]; Это Жáнна. Это Мáша. Это Сáша. Мáша дóма. Сáша дóма. муж [ш], нож [ш]

III
— Ктó э́то?	— Это Áнна.
— Чтó э́то?	— Это дóм.
— Ктó тáм?	— Тáм Áнна. (—Áнна.)
— Чтó тáм?	— Тáм завóд. (—Завóд.)

21. *Listen and analyze. (See Analysis I, 6.4.)*

— Ктó э́то?
— Это Мáша.

— Ктó э́то?
— Это кóшка.
— Ктó э́то?
— Это собáка.

— Чтó э́то?
— Это машúна.

— Ктó тýт?
— Тýт собáка.
— Ктó тáм?
— Тáм кóшка.

— Ктó тáм?
— Тáм Мáша.

31

22. Listen and repeat; then read aloud. Note Intonational Construction 2 (IC-2). (See Analysis, Phonetics, 3.2.)

—
Кто́ э́то?

— Кто́ э́то?
— Это Антóн.

— Кто́ э́то?
— Это Мáша.

— Кто́ э́то?
— Это А́нна.

— Кто́ э́то? —Это А́нна.

— Кто́ э́то? —Это Сáша.

— Кто́ э́то? —Это кóшка.

— Что́ э́то? —Это шáпка.

— Что́ э́то? —Это вагóн.

— Что́ э́то? —Это завóд.

— Что́ э́то? —Это кáсса.

— Что́ э́то? —Это дóм.

— Кто́ э́то? —Это мáма.

23. Ask questions and answer them, as in the model. Pay attention to intonation.

Model: — Кто́ э́то?
— Это Мáша.

— Что́ э́то?
— Это дóм.

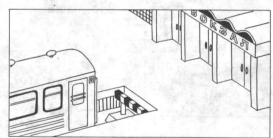

24. *Listen and repeat. (See Analysis, Phonetics, 1.38; 1.45; 1.46.)*

x [x] Хх *Хx*	ху, хо, ха, ух, ох, ах; у́ху, ух, о́хо, ох; у́хо [у́хъ], му́ха [му́хъ], во́здух, вхо́д [фхо́т]; ку—ху, ко—хо, ка—ха; ух—ук, ох—ок, ах—ак, вхо́д—ко́т; Это вход. Вхо́д тут.

i [и] Ии *Ии*	и, и—и—и, и—э; Ива́н, И́нна, А́нна и Са́ша, Ма́ша и Анто́н, Са́ша и Ма́ша

i [ы] ы *ы*	кы, гы, хы, ты́, вы́, мы́, сын, дым; вы́ход, у́жин [у́жын], жена́ [жына́]; мы́ и вы́, ты́ и мы́, до́м и са́д [до́мыса́т], са́д и до́м [са́тыдо́м], Са́ша и Анто́н, Анто́н и Са́ша. Это вы́ход.

25. *Listen and repeat.*

(a) *Pronunciation Practice: unstressed syllables. (See Analysis, Phonetics, 2.11.)*

соба́ка [саба́къ]

соба́ка [саба́къ], пого́да [паго́дъ], Ната́ша [ната́шъ], маши́на [машы́нъ];

(b) *Pronunciation Practice: consonant clusters. (See Analysis, Phonetics, 1.23; 1.24.)*

авто́бус [афто́бус], оши́бка [ашы́пкъ]. Во́т дом [во́ддо́м]. Во́т завод [во́дзаво́т]. Ту́т сад [ту́тса́т]. Во́т машина [во́тмашы́нъ]. Ту́т Наташа [ту́тната́шъ]. Ту́т выход [ту́твы́хът].

26. *Listen and repeat; then read and analyze. (See Analysis I, 4.0.)*

1. — Кто́ та́м? —Это мы́. Анто́н и Ната́ша.
2. — Кто́ э́то? —Это ко́шка и соба́ка.— Кто́ ту́т? — Ту́т ко́шка.— Кто́ та́м? — Та́м собака.
3. — Что́ ту́т? —Ту́т маши́на. Та́м авто́бус.— Что́ ту́т? —Ту́т заво́д.

27. *Make up questions and answers, as in the model.*

Model: — Ктó тáм?
— Чтó тáм?

— Тáм Антóн.
— Тáм вагóн.

28. *Make up questions and answers for each of the following situations:*

(1) You are looking at a series of children's drawings and do not understand what they represent.
(2) You are at an exhibition of modern art and do not understand what is represented in some of the paintings.
(3) A friend shows you a photograph of his student group and you want to know the identity of those in the photo.
(4) Ask the person sitting next to you for the names of the students who are visiting your seminar.
(5) Someone is ringing your doorbell and you want to find out who it is before you open the door.

29. *Write the following words in phonetic transcription.*

э́то, э́тот, завóд, водá, онá, А́нна, Cáша, áтом, дóма, женá, Натáша, машúна, гóд, гáз, зýб, автóбус, вы́ход.

30. *Write out in longhand.*

Саша, машина, ты, вы, муж, кто, что. Кто это?—Это Саша.
Кто это?—Это кошка. Кто дома?—Маша дома.
Что тут? — Тут сад. Что там? — Там дом.
Что это? — Это завод. Что тут? — Тут машина.
Что там? — Там автобус.

31. *Listen and repeat. (See Analysis, Phonetics, 1.37; I, 1.2.)*

j			
[ja]	[jy]	[jo]	[jэ]
Яя	Юю	Ёё	Ее
Яя	*Юю*	*Ёё*	*Ее*

я [ja], ю [jy], ё [jo], е [jэ];
а—я; у—ю, о -ё, э—е;
ю́г [jýк], моя́ [majá], твоя́ [тваjá], твóй [твój],
мóй [мój], мáй [мáj], войнá [вajнá], пóезд
[пójист]

IV

> Это на́ш до́м.
> Это на́ша ма́ма.
> Это на́ше окно́.

32. *Listen and analyze. (See Analysis I, 6.2; 6.3.)*

Это моя́ жена́.
Это мо́й сы́н.

Это на́ш до́м.
Это на́ша маши́на.

33. *Listen and repeat. Pronunciation Practice: pronounce each phrase as a single unit.*

мо́й до́м, мо́й сы́н, мо́й му́ж; тво́й до́м, тво́й сы́н, тво́й му́ж; моя́ ма́ма, моя́ жена́, моя́ маши́на; твоя́ ма́ма, твоя́ жена́, твоя́ маши́на; моё окно́, твоё окно́; на́ш до́м [на́ждом], на́ш сы́н, на́ша ма́ма, на́ша маши́на, на́ше окно́; ва́ш до́м [ва́ждом], ва́ша жена́, ва́ше окно́.

34. *Listen and repeat. Pronounce each sentence as a single unit.*

До́м. На́ш до́м. Это на́ш до́м.
Ва́ш до́м. До́м та́м. Ва́ш до́м та́м.
Ма́ма. На́ша ма́ма. На́ша ма́ма до́ма.
Окно́. На́ше окно́. Окно́ ту́т.
На́ше окно́ ту́т.

Му́ж. Мо́й му́ж. Мо́й му́ж до́ма.
Ма́ма. Моя́ ма́ма. Ма́ма до́ма. Моя́ ма́ма до́ма.
Ваго́н. Тво́й ваго́н. Это тво́й ваго́н.
Маши́на. Моя́ маши́на.
Это моя́ маши́на.

35. *Read and translate.*

Это мо́й до́м. Моя́ ма́ма та́м. Тво́й до́м та́м. Твоя́ ма́ма до́ма. Твоё окно́ та́м. Это на́ш до́м. Ва́ш до́м та́м. На́ш до́м ту́т. Это на́ше окно́. Ва́ше окно́ та́м. Это на́ш до́м. Ту́т на́ш са́д. Это на́ша ко́шка.

36. *Complete each sentence, using the required form of* мо́й, тво́й, на́ш *or* ва́ш.

Это ... са́д. ... до́м та́м. ... ма́ма до́ма. Это ... окно́. Это ... му́ж. Это ... ко́шка. Это ... маши́на.

35

37. *Answer the questions, using the nouns given on the right and a possessive pronoun.*

Model: — Что́ э́то? — Э́то мо́й до́м.

 Что́ э́то?

 Кто́ э́то?

 Кто́ э́то?

 Кто́ э́то?

 Что́ э́то?

 Кто́ э́то?

 Кто́ э́то?

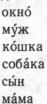 Что́ э́то?

до́м
окно́
му́ж
ко́шка
соба́ка
сы́н
ма́ма
маши́на

38. *Read the sentences aloud, pronouncing each sentence as a single unit.*

Э́то на́ш до́м. Ту́т заво́д. Ту́т са́д. Э́то ва́ш сы́н. Э́то ва́ш авто́бус. О́н и она́. Вы́ и мы́. Са́ша и Ната́ша. Анто́н и Са́ша. Маши́на и авто́бус. Авто́бус и маши́на. До́м и са́д. Ма́ма и Анто́н. Му́ж и жена́. Во́т Ива́н. Вхо́д и вы́ход.

39. (a) *Listen. Note the difference between hard and soft consonants. (See Analysis, Phonetics, 1.10-1.13; I, 1.3-1.32.)*

[с'] [з'] [н'] [т'] [д']	са — ся, за — зя, на — ня, да — дя, та — тя, сы — си, зы — зи, ны — ни, ды — ди, ты — ти

(b) *Listen and repeat.*

магази́н [мъгаз'и́н]	иси́, си, исе́, се, изи́, зи, изе́, зе, си, зи, се, зе; ини́, ни, ине́, не, иди́, ди, иде́, де; ити́, ти, ите́, те, ти, ди, те, де; Зи́на [з'и́нъ], магази́н [мъгаз'и́н], газе́та [газ'е́тъ], музе́й [муз'е́j], спаси́бо [спас'и́бъ], они́ [ан'и́], Ни́на [н'и́нъ], не́, не́т, оди́н [ад'и́н], студе́нт; ся [с'а], сю [с'у], сё [с'о]; ня, ню, нё, тя, тю, тё, дя, дю, дё;

(c) *Pay attention to the pronunciation of unstressed syllables. (See Analysis, Phonetics, 2.12.)*

Та́ня [та́н'ъ]	Та́ня [та́н'ъ], тётя [т'о́т'ъ], Ка́тя [ка́т'ъ], сюда́ [с'уда́]; на — ня, но — нё, ну — ню, са — ся, со — сё, су — сю; да — дя, ду — дю, до — дё, та — тя, то — тё, ту — тю; на — ня — нья [на — н'а — н'jа], да — дя — дья, та — тя — тья;

36

<table>
<tr><td>

дéсять
[д'éс'ит']

</td><td>

тётя, Татья́на [тат'já́нъ], Ка́тя, статья́ [стат'já́],
дéнь, ию́нь, о́сень [о́с'ин'], дéсять [д'éс'ит'].

</td></tr>
</table>

(d) *Pay attention to the pronunciation of clusters of hard and soft consonants.*

здéсь [з'д'éс'], костю́м [кас'т'у́м], шéсть [шéс'т'], гдé [гд'é], кни́га [кн'и́гъ], апте́ка [апт'е́къ], письмо́, институ́т [инст'иту́т]

1. — Кто́ э́то? —Это Зи́на. 2. — Кто́ э́то? — Это Ни́на. 3. Что э́то? — Это магази́н. 4. — Что здéсь? —Здéсь апте́ка. 5. — Что та́м? —Та́м институт. 6. Это моя́ кни́га. Это моя́ газе́та. Кни́га и газе́та здéсь. 7. Это твоё письмо́. Письмо́ здéсь.

<table>
<tr><td>V</td><td>

— Гдé Áнна?
— Áнна до́ма.

</td></tr>
</table>

40. *Listen and analyze. (See Analysis I, 7.0; 8.0.)*

— Гдé ма́ма?
— Ма́ма до́ма.

— Гдé моя́ кни́га?
— Твоя́ кни́га здéсь.
— Гдé моя́ газе́та?
— Во́т она́.

— Гдé апте́ка?
— Апте́ка та́м.

41. *Listen and repeat. Pronunciation Practice: Intonational Construction 2 (IC-2). (See Analysis, Phonetics, 3.2.)*

1. — Где Анто́н? — Анто́н дома. 2. — Где ма́ма? —Ма́ма дома. 3. — Где ва́ш муж? —О́н дома. 4. — Гдé ва́ша жена? —Она́ здесь. 5. — Гдé Нина? — Ни́на здесь. 6. — Гдé магазин? —Магази́н здесь. 7. — Гдé апте́ка? —Апте́ка здесь. —Гдé институт? — Институ́т там. 8. — Где моя́ кни́га? — Твоя́

кни́га здесь. 9. — Где́ газе́та?—Газе́та там. 10. — Где́ Зи́на?—Зи́на до́ма.
11. — Где́ моё письмо́? — Оно́ там. 12. — Где́ моя́ ша́пка?—Вот она́.

42. *Answer the questions, as in the model.*

Model: — Где́ ма́ма? —Ма́ма до́ма.

1. Где́ ма́ма? 2. Где́ Анто́н?
3. Где́ Зи́на? 4. Где́ Ни́на? 5. Где́
Ка́тя и Ма́ша?

Model: — Где моя́ газе́та?

— Твоя́ газе́та там.

1. Где́ твой до́м? 2. Где́ твоя́ жена́? 3. Где́ моя́ кни́га? 4. Где́ твоя́ маши́на? 5. Где́ твой сы́н? 6. Где́ моё письмо́? 7. Где́ магази́н? 8. Где́ ка́сса? 9. Где́ институ́т? 10. Где́ апте́ка?	до́ма ту́т та́м здесь

43. *Make up questions and answers for the following situations:*

(1) You want to know where you can find John, Nina, Katya and Tom.

Model: — Где́ Джейн? —Она́ здесь.

(2) You want to know where you can find a book, newspaper, letter, institute, pharmacy or a store.

Conversation

1. Vocatives and Expressions of Gratitude

44. (a) *Listen to the dialogues. Note the underlined words and phrases; also note the intonation of the vocatives and the expressions of gratitude. (See Analysis, Phonetics, 3.9.)*

— <u>Где здесь магази́н?</u>

— <u>Магази́н во́н там.</u>

— <u>Спаси́бо.</u>

— Ка́тя, где́ моя́ кни́га?

— <u>Во́т она́.</u>

— <u>Спаси́бо.</u>

(b) *Listen and repeat. Pronunciation Practice. Intonational Construction 2 (IC-2). (See Analysis, Phonetics, 3.6; 3.9.)*

1. Ни́на, / где́ твой сын? 2. А́нна, / где́ моя́ кни́га? 3. Ма́ма, / где́ моё письмо́? 4. Ната́ша, / где́ твой институт? 5. Ма́ша, / где́ здесь апте́ка?

6. Саша, / где́ зде́сь ка́сса? 7. Джон, / где́ твоя́ маши́на? 8. Зина, / где́ зде́сь магази́н? 9. Том, / где́ твой дом? 10. Антон, / где́ моя́ газе́та?

(c) *Listen once more to the dialogues in 44 (a) and repeat them after the speaker.*

(d) *Make up similar dialogues based on the following situations.*
   (1) You want to find out the location of a factory, pharmacy, institute or a store.

   (2) Inquire about your missing book, newspaper, hat or dog.

Presentation and Preparatory Exercises

‖ Это **студе́нты.**

45. *Listen, repeat and analyze. (See Analysis I, 5.0; 5.1.)*

(a) 1. Ту́т ваго́н. Та́м **ваго́ны.** 2. Зде́сь ка́сса. Та́м **ка́ссы.** 3. Э́то **заво́ды.** 4. Та́м **магази́ны.** 5. Та́м **автобусы.** 6. Во́т **газе́ты.** 7. — Кто́ э́то? — Э́то **студе́нты.**

(b) 1. — Где́ **ва́ши студе́нты?** — Они́ ту́т. 2. — Где́ **мой газе́ты?** — Во́т они́. — Где́ **ва́ши газе́ты?** — Они́ зде́сь. 3. Э́то **на́ши ко́мнаты. Ва́ши ко́мнаты** та́м. 4. Э́то на́ша маши́на. **Ва́ши маши́ны** та́м.

46. *Listen and repeat. (See Analysis, Phonetics, 1.34; 1.46.)*

   ка́ссы, ваго́ны, заво́ды, магази́ны [мъгаз'и́ны], газе́ты, автобусы, студе́нты, институ́ты, на́ши [на́шы], ва́ши [ва́шы];
   на́ши студе́нты, ва́ши газе́ты, на́ши газе́ты, ва́ши маши́ны, на́ши маши́ны.

47. *Tell what is depicted in each drawing.*

Model: Зде́сь автобус. Та́м автобусы.

   заво́д, маши́на, магази́н, студе́нт, ваго́н, ка́сса, газе́та, автобус

48. *Change from the singular to the plural.*

Model: Это на́ша маши́на. Это на́ши маши́ны.

1. Это наш студе́нт. 2. Это наш авто́бус. 3. Там твоя́ газе́та. 4. На́ша маши́на там. 5. Это на́ша ко́мната.

VI	— Это А́нна?	— Да́, это А́нна.
		— Нет, это не А́нна. Это Ни́на.

49. *Listen and analyze.*

— Это Оде́сса?
— Да́, это Оде́сса.

— Нет, это не Оде́сса.
Это Москва́.

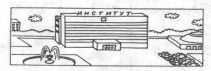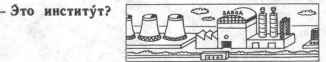

— Это институ́т?

— Да́, это институ́т.

— Нет, это не институ́т. Это заво́д.

40

50. (a) *Listen and repeat. Pronunciation Practice: Intonational Construction 3 (IC-3). (See Analysis, Phonetics, 3.3.)*

‿ ‿ ⌃
Мама дома̂?

Это до́м? Это вода́? Это Анто́н? Это А́нна? Это ма́ма? Это маши́на? Это авто́бус?

(b) *Compare the intonation of question and statement.*

‿ ‿ ⌃ Это дом? ‿ ‿ ⟍ Это дом.

³ Это Антон?	¹ Это Антон.
³ Это Москва?	¹ Это Москва.
³ Это А́нна?	¹ Это А́нна.
³ Это мама?	¹ Это мама.
³ Это газета ?	¹ Это газета.
³ Это машина?	¹ Это машина.
³ Это аптека?	¹ Это аптека.
³ Это Одесса?	¹ Это Одесса.
³ Это магазин?	¹ Это магазин.
³ А́нна дома?	¹ А́нна дома.
³ Анто́н здесь?	¹ Анто́н здесь.
³ Зи́на здесь?	¹ Зи́на здесь.

51. *Listen and repeat.*

Это не газе́та. Не газе́та [н'игаз'е́тъ]. Это не моя́ газе́та. Не моя́ [н'имаjа́]. Это не кни́га. Это не моя́ кни́га. Это не магази́н. Это не институ́т. Это не апте́ка. Это не заво́д.

52. *Listen and repeat. Note the intonational construction of interrogative sentences.*

(a) 1. — ³ Это магазин? — ¹ Да, / ¹ э́то магазин.

2. — ³ Это аптека? — ¹ Нет, / ¹ э́то не аптека. ¹ Это магазин.

3. — ³ Это институт? — ¹ Да, / ¹ э́то институт.

4. — ³ Это завод? — ¹ Нет, / ¹ э́то не завод. ¹ Это институт.

41

5. — Это ваша газе́та? — Да, / э́то моя́ газе́та.

6. — Это ваша кни́га? — Нет, / э́то не моя́ кни́га.

7. — Это твоё письмо́? — Нет, / э́то не моё письмо́.

(b) 1. — Это магази́н? — Да, / магази́н.

2. — Это ваша кни́га? — Да, / моя́.

3. — Это твоё письмо́? — Да, / моё.

4. — Это заво́д? — Нет, / не заво́д.

5. — Это ваша газе́та? — Нет, / не моя́.

6. — Это магази́н? — Нет, / апте́ка.

53. *Listen and reply, using the words on the right.*

Model: — Это Москва́?

— Нет, / Оде́сса.

1. Это Анто́н? 2. Это магази́н?

3. Это апте́ка? 4. Это заво́д?

5. Это институ́т? 6. Это кошка?

7. Это кни́га? 8. Это газе́та?

9. Это маши́на? 10. Это ва́ш сын?

Джо́н
апте́ка
институ́т
соба́ка
газе́та
кни́га
авто́бус
студе́нт

54. *Ask questions, as in the model.*

Model: Ма́ма до́ма? | Анто́н, Ни́на, Ива́н, А́нна, Са́ша, Ма́ша, Ка́тя, Зи́на

Model: Ва́ша ма́ма там? | заво́д, маши́на авто́бус, му́ж, сы́н, до́м, институ́т

55. *Listen and repeat. Pay attention to the relationship between meaning and the position of the intonational center. (See Analysis, Phonetics, 3.3.)*

— Это ва́ш сын?   — Это ва́ш муж?   — Это ва́ш студент?

— Да, / сын.   — Да, / муж.   — Нет, / э́то мо́й сын.

— Это ваш сы́н?   — Это ваш до́м?   — Это ваш студе́нт?

— Да, / наш.   — Да, / наш.   — Да, / наш.

42

56. *Listen and reply.*

1. Это ваш сы́н?³ 2. Это ва́ша жена́?³ 3. Это ва́ш муж?³ 4. Это ва́ш заво́д?³ 5. Это ваша газе́та?³ 6. Это ваша маши́на?³ 7. Это ва́ш сын?³

57. *Make up questions and answers.*

Model: — Это ва́ш сы́н?³	автобус, до́м, ваго́н,
— Да, / сын.¹ ¹	ша́пка, маши́на, кни́га,
— Это ваш сы́н?³	газе́та, письмо́, жена́,
— Да, / мой.¹ ¹	му́ж, студе́нт

58. *Listen and repeat. Indicate intonational centers throughout. Memorize the dialogues and be prepared to dramatize them in class. Make up similar dialogues.*

(a) Anton and Natasha are walking along the street.
— Что́ э́то?
— Это институ́т.
— Это твой институ́т?
— Не́т, не мо́й. Мо́й институ́т не зде́сь.

(b) John is looking for a store.
— Это магази́н?
— Не́т, не магази́н. Это апте́ка.
— А где́ зде́сь магази́н?
— Магази́н та́м.

(c) Anton is looking at one of John's photographs.
— Это ты́?
— Да́, э́то я.
— А э́то твой до́м?
— Да́.
— Это твоя́ ма́ма?
— Да́, э́то ма́ма.
— Это твоя́ маши́на?
— Да́, моя́.

(d) Telephone Conversation: Anna is telephoning a store.
— Это магази́н?
— Не́т, не магази́н. Это апте́ка.

(e) Masha is in the institute, looking for Natasha.
— Ни́на, Ната́ша зде́сь?
— Не́т.
— А где́ она́?
— Она́ до́ма.
— А Дже́йн зде́сь?
— Да́, она́ зде́сь.

(f) Katya sees a newspaper on a park bench. She asks the man sitting there whether it is his.
— Это ваша газета?
— Да, моя. Спасибо.

59. *Dramatize the following situations:*

(1) A friend of yours is showing you photographs taken during a recent trip to the Soviet Union. You think you recognize Moscow and Odessa, but are not sure. Find out.
(2) You are just learning the names of your fellow students and wonder which student is Masha, which Anna, Sasha, Natasha, Anton and Nina.
(3) A friend is showing you photographs. Find out who/what is depicted there (mother, father, son, daughter; a garden, dog, house, car).
(4) You are telephoning a store (pharmacy, institute, factory), but get a wrong number. Find out what place you have called.

60. *Write out in longhand.*

моя, твоя, моё, твоё, мой, твой, газета, книга, магазин.
Это моя газета. Это твоя книга. Это твоё письмо.
Мой дом там. Твой дом здесь.
Это твоя машина? Это ваша жена?
Где здесь магазин? Антон, где твой институт?

Conversation

II. The Question Expresses a Supposition, and the Answer either a Confirmation or Denial.

Supposition:—Это магазин?
  Affirmation:
— Да, это магазин.
(— Да, магазин.)

Denial:
— Нет, это не магазин. Это аптека.
(— Нет, аптека.)

Supposition:—Это ваша машина?
  Affirmation:
— Да, это моя машина.
(— Да, моя.)

Denial:
— Нет, это не моя машина.
(— Нет, не моя.)

61. *Make up questions and answers, as in the model.*

Model:—Это аптека?

— Да,/это аптека.
(— Да,/аптека.)

— Нет,/это не аптека. Это магазин.
(— Нет,/магазин.)

(1) Find out whether the building you see is a factory.
(2) Ask your friend whether the young boy with him is his son.
(3) Ask your friend whether the woman in a photograph is his mother.
(4) You are looking at a child's drawing and see: an animal resembling either a cat or a dog, an object resembling either a railroad car or a building, an object resembling either a car or a bus. Find out what it is.

Model: —Это ваш до́м?

— Да,/э́то мой до́м.   — Нет,/э́то не мой до́м.

(— Да,/мой.)   (— Нет,/не мой.)

(1) You see a newspaper and wonder whether it belongs to your friend.
(2) You like the car your friend was driving. Ask whether it is his.
(3) Ask Anna whether she left a book in the classroom.

VOCABULARY

авто́бус bus
апте́ка pharmacy
ва́ш, ва́ша, ва́ше your(s)
ва́ши pl. your(s)
во́н та́м over there
во́т here (is/are)
газе́та newspaper
где́ where
да́ yes
до́м house, building
до́ма at home
жена́ wife
заво́д factory, plant, works
зде́сь here
и́ and
институ́т institute, college

ка́сса cashier's box
кни́га book
ко́мната room
ко́шка cat
кто́ who
магази́н store
ма́ма mama
маши́на automobile, car
мо́й, моя́, моё my, mine
мой my, mine
му́ж husband
наш, на́ша, на́ше our(s)
на́ши pl. our(s)
не́ not
не́т no
окно́ window
о́н he

она́ she
они́ they
оно́ it
письмо́ letter
са́д garden
соба́ка dog
спаси́бо thank you
студе́нт student
сы́н son
та́м there
тво́й, твоя́, твоё your(s)
твои́ pl. your(s)
ту́т here
что́ [што́] what
ша́пка hat, cap
э́то this (is...)

VOCABULARY FOR PHONETIC EXERCISES

а́том atom
бана́н banana
бу́ква letter
вну́к grandson
вода́ water
во́здух air
война́ war
восто́к east
вхо́д entrance
вы́ pl. you
вы́ход exit
га́з gas
го́д year
де́вять nine
де́нь day
де́сять ten
доска́ blackboard
за́пад west
звоно́к bell

зву́к sound
зу́б tooth
ию́нь June
ка́ша kasha, porridge
костю́м suit
ко́т cat
ма́й May
мо́жно (it is) possible
музе́й museum
му́ха fly
мы́ we
не́бо sky, heaven
нога́ foot, leg
но́ж knife
но́с nose
ну́жно (it is) necessary
оди́н one
о́сень fall, autumn

о́тдых vacation
оши́бка mistake
пого́да weather
по́езд train
со́к juice
статья́ article
су́п soup
сюда́ here, to this place
тётя aunt
то́н tone
то́т that
ты́ you
у́жин supper
у́хо ear
ше́сть six
шу́ба fur coat
шу́тка joke
ю́г south

Unit 2

Presentation and Preparatory Exercises

1. *Listen and repeat. (See Analysis, Phonetics, 1.36.)*

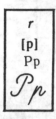

ра, ро, ру, ар, ор, ур, тра, дра, тру, дру, тро, дро; рабо́та [рабо́тъ], Йра [и́ръ], ро́т, уро́к, рука́, го́род [го́рът], Росто́в [расто́ф], каранда́ш [кърэнда́ш], дру́г [дру́к], подру́га [падру́гъ], у́тро, у́тром [у́тръм], трамва́й [трамва́j], бра́т, сестра́ [с'истра́], пра́вда [пра́вдъ], спра́ва, ка́рта, па́рта, ма́рт, то́рт, по́рт, спо́рт, ма́рка, па́рк, здра́вствуй [здра́ствуj], Кры́м, газе́та «Пра́вда»; ша́р, па́р, спо́р, хо́р, инжене́р.

сестра́ [с'истра́]

1. Э́то ва́ш каранда́ш. 2. Во́т на́ша ка́рта. Здесь Кры́м. Здесь го́род Росто́в. 3. Э́то моя́ подру́га Ни́на. Э́то моя́ сестра́ Йра. Э́то мо́й бра́т Анто́н.

2. *Listen and repeat. Indicate intonational centers and types in each of the following sentences.*

1. — А́нна, кто́ э́то? Э́то ва́ша подру́га?
   — Не́т, сестра́. Э́то моя́ сестра́ Ка́тя.
   — Где́ ва́ша подру́га Йра?
   — Йра до́ма.
2. — Э́то ва́ш дру́г?—Не́т, бра́т. Э́то мо́й бра́т Анто́н.
3. — Э́то «Пра́вда»?—Да́, э́то газе́та «Пра́вда».
4. — Что́ э́то?—Э́то ка́рта.—Где́ Кры́м?—Кры́м во́т ту́т.
   — Здесь Оде́сса?—Не́т, здесь го́род Росто́в.
5. — Йра, где́ здесь па́рк?—Па́рк во́н та́м спра́ва.

3. *Listen and repeat. (See Analysis, Phonetics, 1.39.)*

č
[ч]
Чч
Чч

ичи́, чи, иче́, че, ча, чо, чу;

че́й [че́j], ча́с, часы́ [чисы́], ча́й [ча́j], о́чень [о́чин'], чья́ [чjа́], чьё [чjо́], чьй [чjи́], учени́к [учин'и́к], вра́ч, Анто́н Ива́нович [ива́-ныч], Ива́н Анто́нович [анто́ныч], по́чта [по́чтъ], ру́чка [ру́чкъ], то́чка, вчера́ [фчира́].

1. Это на́ш вра́ч Анто́н Иванович.
   ¹

2. — Где здесь по́чта? — По́чта во́н та́м справа.
      ²   ¹

3. — Ива́н Антонович,/э́то ваша ру́чка?
           ²   ³
   — Да,/э́то моя ру́чка. Спасибо.
      ¹   ¹

4. — Анто́н Иванович,/э́то ваш учени́к?
           ²   ³
   — Да,/э́то мой учени́к.
      ¹   ¹

I	Анто́н рабо́тает.

4. *Listen, repeat and analyze. (See Analysis II, 1.0; 1.1.)*

Анто́н рабо́тает.
А́нна отдыха́ет.

5. *Listen and repeat. Pronunciation Practice: present tense forms of verbs.*
   (a) *Pay attention to unstressed syllables.*

Я рабо́таю [рабо́тъjу].
Ты́ рабо́таешь [рабо́тъjиш].
О́н рабо́тает [рабо́тъjит].
Я отдыха́ю [аддыха́jу].
Ты́ отдыха́ешь [аддыха́jиш].
О́н отдыха́ет [аддыха́jит].

Мы́ рабо́таем [рабо́тъjим].
Вы́ рабо́таете [рабо́тъjит'и].
Они́ рабо́тают [рабо́тъjут].
Мы́ отдыха́ем [аддыха́jим].
Вы́ отдыха́ете [аддыха́jит'и].
Они́ отдыха́ют [аддыха́jут].

Я чита́ю, ты́ чита́ешь, о́н чита́ет, мы́ чита́ем, вы́ чита́ете, они́ чита́ют.

(b) *Pronunciation of the negative particle* не *preceding a verb.*

Я не рабо́таю [н'ирабо́тъ]у]. Я не отдыха́ю [н'иаддыха́]у]. Ты не рабо́-
таешь. Ты не отдыха́ешь. Он не рабо́тает. Он не отдыха́ет. Мы не рабо́таем.
Мы не отдыха́ем. Вы не рабо́таете. Вы не отдыха́ете. Они́ не рабо́тают. Они́
не отдыха́ют.

6. *Listen and repeat; then read and translate.*

(a) 1.— А́нна, вы рабо́таете? — Да́, я рабо́таю.— Ва́ш бра́т Анто́н рабо́-
тает? — Да́, Анто́н рабо́тает. 2.— Ма́ша, ты отдыха́ешь? — Да́, я отдыха́ю.—
То́м отдыха́ет? — Да́. Он отдыха́ет. 3.— А́нна и Ни́на, вы рабо́таете? — Да́,
мы рабо́таем. 4.— Ива́н Ива́нович, вы чита́ете? — Да́, я чита́ю.— Ма́ша чи-
та́ет? — Да́, она́ чита́ет.— Ка́тя и Джейн чита́ют? — Да́, они́ чита́ют.
(b) 1.— А́нна, твоя́ подру́га Ма́ша рабо́тает? — Не́т, она́ не рабо́тает.
Она́ отдыха́ет.— То́м рабо́тает? — Не́т, он не рабо́тает. Он отдыха́ет.— И ты́
отдыха́ешь? — Не́т, я не отдыха́ю. Я рабо́таю. 2.— Анто́н, вы́ здесь отды-
ха́ете? — Не́т, не отдыха́ю. Я здесь рабо́таю. 3.— Кто́ э́то? — Я не зна́ю.—
Что́ э́то? — Не зна́ю. 4.— Ива́н Анто́нович, вы́ чита́ете? — Не́т, я не чита́ю.
Я рабо́таю.— Ма́ша чита́ет? — Не́т, она́ не чита́ет. Она́ отдыха́ет.

7. *Answer each question first in the affirmative and then in the negative.*

Model: — Вы́ рабо́таете? — Да, / рабо́таю.
(— Нет,/не рабо́таю.)

1. Том, ты́ рабо́таешь? 2. Это твой бра́т? 3. О́н рабо́тает? 4. Анто́н, ты́
рабо́таешь? 5. А́нна, ты́ отдыха́ешь? 6. Это магази́н? 7. Ты́ здесь рабо́таешь?
8. Тво́й бра́т рабо́тает? 9. Это твоя́ подру́га? 10. Она́ отдыха́ет? 11. Маша,
ты́ чита́ешь? 12. Анто́н чита́ет? 13. Ка́тя и Ни́на чита́ют? 14. Вера, тво́й
бра́т здесь рабо́тает? 15. Йра, э́то институ́т? 16. Анто́н Петрович, вы́
чита́ете?

8. *Supply the required pronouns.*

1. ... рабо́таю. 2. ... рабо́тает. 3. Это А́нна. ... отдыха́ет. 4. Это
Анто́н. ... отдыха́ет. 5. ... отдыха́ют. 6. — Кто́ та́м? — Моя́ ма́ма.
... рабо́тает. 7. — ... рабо́таете? — Да́, ... рабо́таем. 8. — ... отдыха́ешь? —
Да́, ... отдыха́ю.

9. *Answer the questions, using the nouns and pronouns given on the right.*

1. Кто́ рабо́тает? 2. Кто́ отдыха́ет? 3. Кто́ чита́ет?	я, ты́, вы́, он, она́, они́, мы́, Анто́н, А́нна, Йра

10. *Listen and repeat. Note how the meaning of questions changes when the intonational center is shifted.*

1. — Ты́ работаешь? — Да,/работаю. — И ты рабо́таешь? — Да,/и я рабо́таю. 2. Анто́н работает? — Да,/работает. — И А́нна рабо́тает? — И А́нна рабо́тает. 3. — Вы́ отдыхаете? — Нет,/работаю. — И вы рабо́таете? — Да,/и я рабо́таю. 4. — Ваш друг То́м отдыхает? — Да,/он отдыхает. — И Джон отдыха́ет? — И Джон отдыха́ет. 5. — Ваш бра́т работает? — Да;/работает. — И сестра́ работает? — Да,/и сестра́.

11. *Listen and reply, paying attention to intonational centers.*

Model: — Ты́ отдыхаешь? — Да,/отдыхаю.

— И он отдыха́ет? — Да, / и он отдыха́ет.

1. Ты́ работаешь? И ма́ма рабо́тает?

2. Вы́ читаете? И Ни́на чита́ет?

3. А́нна отдыхает? И вы́ отдыха́ете?

4. Ма́ша читает? И Джо́н чита́ет?

5. Твой бра́т работает? И ты́ рабо́таешь?

6. Ка́тя работает? И Анто́н рабо́тает?

7. Том, ты́ отдыхаешь? И Джейн отдыха́ет?

8. Антон, твоя́ сестра́ работает? И бра́т рабо́тает?

12. *Translate into Russian.*

(1) I am working. Anton is working too. Anna and Nina are not working. They are resting.
(2) "Who is that?" "That is Tom and John." "Are Tom and John resting?" "No, they are working." "Is Katya working?" "Yes, she is working." I am reading. Katya is reading too.

13. *Write out in longhand.*

Это моя подруга Ира. Это мой брат Антон.
Вы работаете? — Нет, я отдыхаю. Ира читает.

II
> — Чья это машина?
> — Это **его машина.**

14. *Listen and repeat; then read and analyze. (See Analysis II, 2.0.)*

> комната
> [комнътъ]

1. Это Виктор. Это **его сын** и **его жена. Их дом** здесь. 2. Это Анна. Это **её брат** и **её сестра. Их дом** там. 3. Это мой сын. **Его комната** тут. Это моя жена. **Её комната** там. 4. Это Анна и Антон. Это **их мама.** 5. — Это ручка? — Нет, это карандаш. — Это твой карандаш? — Нет, не мой. Это **его карандаш.**

15. *Listen and repeat.*

его [jиво́], её [jиjо́], их; его брат, его сестра, его жена; её подруга [падру́гъ], её брат, её сестра, их мама, их сын, их дом, их газеты.

— Кто́ э́то? — Это мой брат и его жена. — Кто́ э́то? Это их сын?
— Да,/это их сын. Это их дом. Вот их машина.
— Это Антон? — Да,/Антон. — Это его жена? — Нет,/это его сестра. — Это её подруга? — Да,/это её подруга Джейн.

16. *Answer each question first in the affirmative and then in the negative.*

Model: — Это её мама?
— Да,/её.
(— Нет,/не её.)

1. Это его книга? 2. Это его дом? 3. Это её ручка? 4. Это её машина?
5. Это его комната? 6. Это её газета? 7. Это их дом? 8. Это их машина?
9. Это их газеты? 10. Это его друг?

17. *Supply the possessive pronouns* его, её, их.

1. Это Антон Иванович. Это ... сын Виктор. Это ... сестра Вера. Это ... жена Зинаида Ивановна. 2. Это Ира. Это ... брат Антон. Это ... сестра Катя. Это ... мама Анна Антоновна. 3. Это Анна Ивановна и Иван Антонович. Это ... сын Антон.

18. *Supply suitable possessive pronouns.*

1. Это Иван Иванович. Это ... жена. Это ... сын. 2. — Виктор где ... сестра? — Она работает. 3. — Антон Иванович, где ... сын? — Он

3*

51

отдыха́ет. 4. —Ива́н Ива́нович, где́ ... маши́на? —Во́н та́м. 5. —Ни́на, э́то ... бра́т? —Не́т, не .... 6. —Ма́ма, где́ ... ру́чка? —Во́т она́. 7. Это Анто́н Ива́нович. Это ... до́м. Это ... маши́на. 8. Это Зинаи́да Ива́новна. Это ... му́ж, Анто́н Ива́нович. Это ... сы́н Ви́ктор. 9. Это Ка́тя и На́та́ша. Это ... ма́ма А́нна Ива́новна.

19. *Read and analyze. (See Analysis I, 6.11.)*

1. —Кто́ та́м? Это вы́, А́нна Ива́новна? —Да́, я. 2. —Кто́ та́м? Это ты́, Ма́ша? —Да́, я. 3. —Это тво́й до́м? —Да́, мо́й. 4. Это ва́ш до́м? —Да́, мо́й. 5. —Вы́ рабо́таете? —Да́, я рабо́таю. 6. —Анто́н, вы́ до́ма? —Да́. Я до́ма. 7. —Где́ ва́ша сестра́? —Я не зна́ю.

> Note the stress in the following nouns:
> сестра́ — сёстры, жена́ — жёны, письмо́ — пи́сьма, окно́ — о́кна.

20. *Change the following sentences, as in the model. Mark stress throughout. (See Analysis, Phonetics, 2.2.)*

Model: Это ваго́н. —Это ваго́ны.

1. Это заво́д. 2. Это окно́. 3. Это маши́на. 4. Это авто́бус. 5. Это газе́та. 6. Это ка́сса. 7. Это магази́н. 8. Это письмо́. 9. Это сестра́.

Model: — Где́ моя́ газе́та? —Во́т она́.
       — Где́ мои́ газе́ты? —Во́т они́.

1. —А́нна, где́ здесь ка́сса? —Во́т она́. 2. —Это ва́ша газе́та? —Да́, моя́. 3. —Это твоя́ сестра́? —Да́, моя́. 4. —Анто́н, где́ ва́ше окно́? —Оно́ во́н та́м. 5. —Где́ моё письмо́? —Оно́ здесь.

21. *Read each question with the correct intonation. Then supply suitable answers.*

Model: — Это ва́ш сы́н?³   — Это ваш сы́н?³
     — Да,/сы́н.¹ ¹   — Да,/мо́й.¹ ¹

1. Это твоя́³ мама? 2. Это её³ кни́га? 3. Это его³ маши́на? 4. Это тво́й³ муж? 5. Это ваша³ газе́та? 6. Это твоя́³ сестра? 7. Это её³ ко́мната? 8. Это ва́ш³ брат? 9. Это ваш бра́т?³ 10. Это ва́ша³ подруга? 11. Это ваша подру́га?³ 12. Ва́ш бра́т читает? 13. Ва́ш брат чита́ет?³ 14. Ваш бра́т³ чита́ет? 15. Ва́ш³ муж здесь ра́бо́тает? 16. Ваш му́ж³ здесь рабо́тает? 17. Ваш муж здесь³ рабо́тает?

52

22. *Read each question and answer, and mark intonational centers throughout.*

1. — Антóн, э́то вáша женá?
   — Нéт, сестрá.
2. — А́нна, э́то вáш дрýг?
   — Нéт, брáт.
3. — А́нна, э́то вáш брáт?
   — Дá, мóй.
4. — Здéсь газéты?
   — Дá, здéсь.
5. — Вáш брáт рабóтает тáм?
   — Дá, рабóтает.

6. — Вáш брáт рабóтает тáм?
   — Нéт, мýж.
7. — Вáш брáт рабóтает тáм?
   — Нéт, здéсь.
8. — Ни́на, э́то вáша сестрá?
   — Нéт, подрýга.
9. — Кáтя, э́то твоя́ подрýга?
   — Нéт, сестрá.
10. — Зи́на, э́то вáша рýчка?
    — Дá, моя́.

23. *Listen and repeat. (See Analysis, Phonetics, 1.11; 1.36.)*

[р']

ири́ — ри; ире́ — ре; ирю́ — рю; ирё̃ — рё̃;
ры — ри; ра — ря; ру — рю; ро — рё̃; три, дри, тре, дре;
Ири́на, ри́с, рекá [р'икá], сигарéта [с'игар'éтъ], ря́д [р'áт], ря́-дом [р'áдъм], Серёжа [с'ир'óжъ], берёза [б'ир'óзъ], áдрес [áдр'ис], три́, январь [йинвáр'], сентя́брь [с'интя́бр'], октя́брь [актя́бр'], ноя́брь, декáбрь [д'икáбр'].
1. Э́то рекá Москвá. Рекá ря́дом. 2. — Гдé мои́ сигарéты? — Вóт они́. 3. Э́то моя́ сестрá Ири́на. Э́то мóй брáт Серёжа.

24. *Listen and repeat. (See Analysis, Phonetics, 1.11.)*

[к'], [г'], [х']

ики́, ки, икé, ке; Ки́ев [к'и́јиф], рéки, рýки, урóки,
копéйки [кап'éјк'и], аптéки, рýчки, по-рýсски [парýск'и],
по-францýзски [пъфранцýск'и], урóк — урóки, копéйка —
копéйки, язы́к [јизы́к] — языки́, рукá — рýки;
иги́, ги, игé, ге; кни́ги, нóги, слóги, дорóги; ногá — нóги, дорóга — дорóги, кни́га — кни́ги;
ихи́, йхи, хи, хе; хи́мия [х'и́м'иjъ], хи́мик, хи́мики.
1. — Чтó э́то? — Э́то гóрод Ки́ев. 2. — Чтó тýт? — Тýт аптéки. 3. — Гдé
мои́ кни́ги? — Они́ здéсь. 4. Э́то студéнты. Э́то хи́мики.

25. *Listen and repeat. (See Analysis, Phonetics, 1.35.)*

l
[л]
Лл
Лл

(a) улý, олó, лгу, лку, клу, глу, кло, глó; пóлка, дóлго,
Вóлга, клáсс, глáз, вóлк, лýк, лунá, лáмпа, салáт, мáло, шкóла,
головá [гълавá], молокó [мълакó];
(b) стýл, стóл, пóл, посóл, канáл, журнáл;
(c) слóво, словáрь [славáр'], плóхо, глагóл;
(d) пожáлуйста [пажáлъстъ], стóл и [ы] стýл, моя́ шкóла,
журнáл «Москвá», журнáл «Октя́брь», журнáл «Спýтник», дéлаю
[д'éлъју], слýшаю [слýшъју], слýшаешь [слýшъјиш], слýшает, слýшаем, слýшаете, слýшают
(e) 1. Э́то рекá Вóлга. 2. Э́то моя́ шкóла. 3. — Э́то вáш словáрь? — Дá,
мóй. 4. — Чéй э́то журнáл? — Э́то мóй журнáл. 5. Э́то мóй стóл. Тáм мои́
кни́ги.

26. *Listen, repeat and analyze. (See Analysis II, 3.0.)*

1. Профéссор спра́шивает. Студéнт отвеча́ет. О́н **отвеча́ет хорошо́.** О́н **отвеча́ет по-ру́сски.** О́н **говори́т по-ру́сски хорошо́.** 2. Профéссор говори́т. А́нна и Антóн слу́шают. Они́ **слу́шают пло́хо.**

27. *Listen and repeat; then read and analyze.*

1. Джóн хорошо́ говори́т по-ру́сски. О́н бы́стро говори́т по-ру́сски. 2. Студéнты чита́ют. Они́ хорошо́ чита́ют. Они́ чита́ют бы́стро. Ро́берт чита́ет хорошо́. Дэ́вид чита́ет пло́хо. 3. Профéссор спра́шивает. Мэ́ри отвеча́ет. Она́ отвеча́ет óчень хорошо́. Она́ говори́т óчень бы́стро. Антóн пло́хо понима́ет. 4.—Джéйн, ты́ говори́шь по-ру́сски?—Да́, говорю́. Я́ пло́хо говорю́ по-ру́сски. 5.—Вы́ хорошо́ говори́те по-ру́сски?—Нéт, не óчень хорошо́. Моя́ жена́ óчень хорошо́ говори́т по-ру́сски.

28. *Listen and repeat.* Pronounce each phrase or sentence as a single unit.

Хорошо́ [хърашо́]. Я́ говорю́ [гъвар'у́]. Я́ говорю́ хорошо́. Пло́хо. Ты́ говори́шь пло́хо. По-ру́сски [пару́ск'и]. Я́ говорю́ по-ру́сски. Я́ говорю́ по-ру́сски хорошо́. Джóн говори́т по-ру́сски пло́хо.

Я́ понима́ю [пън'има́jу]. Я́ понима́ю по-ру́сски. Я́ понимаю по-ру́сски хорошо́. Вы́ понима́ете по-ру́сски пло́хо. Вы́ чита́ете? Вы́ чита́ете хорошо́? Вы́ чита́ете по-ру́сски? Вы́ хорошо́ чита́ете по-ру́сски?

29. *Listen and reply.*

Model: — Вы́ говори́те по-ру́сски?
         — Да, / я́ говорю́ по-ру́сски.

1. Джéйн, вы́ говори́те по-ру́сски? 2. Вы́ хорошо говори́те по-ру́сски? 3. Ты́ понимаешь по-ру́сски? 4. Ты́ хорошо понима́ешь по-ру́сски? 5. Вы́ чита́ете по-ру́сски? 6. Вы́ хорошо чита́ете по-ру́сски? 7. Джóн говорит по-ру́сски? 8. Ва́ши студéнты говоря́т по-ру́сски? 9 Они́ чита́ют по-ру́сски? 10. Они́ понимают по-ру́сски? 11. Джéйн понимает по-ру́сски?

30. *Supply the missing responses, using the words listed below*

Model: — Джон, / ты́ говоришь по-ру́сски?   — Ты́ хорошо говори́шь?
         — Да, / говорю́.   — Нет, / плохо.

(хорошо́, пло́хо, о́чень хорошо́, о́чень пло́хо, непло́хо, не о́чень хорошо́)

1. — То́м, / вы́ понима́ете по-ру́сски?
— . . . .

2. — Джейн, / ты́ чита́ешь по-ру́сски?
— . . . .

3. — Джо́н говори́т по-ру́сски?
— . . . .

4. — Ва́ши студе́нты говоря́т по-ру́сски?
— . . . .

5. — То́м, / вы́ говори́те по-ру́сски?
— . . . .

6. — Ни́на, / ты́ чита́ешь по-англи́йски?
— . . . .

31. *Translate into Russian.*

"Jane, do you speak Russian?" "Yes, I do." "Do you speak Russian well?" "No, badly." "Does Robert speak Russian?" "Yes, he speaks and reads Russian well." "Do John and Anna speak Russian?" "Yes, John and Anna speak and understand Russian well."

32. *Make up questions and answers.*

You want to know whether Tom (John, Robert, Anna) speaks (reads, understands) Russian. Ask whether he (she) speaks (reads, understands) Russian well.

33. *Listen and repeat. (See Analysis, Phonetics, 1.11; 1.35.)*

[л']

(a) лы — ли, ла — ля, лу — лю, ло — лё;
и́ли, ли, и́ле, ле, ле́с, биле́т, ле́то [л'е́тъ], ле́том [л'е́тъм], телефо́н [т'ил'ифо́н], неде́ля [н'ид'е́л'ъ], самолёт [съмал'о́т], ию́ль, февра́ль [ф'ивра́л'], портфе́ль [партф'е́л'], учи́тель [учи́т'ил'];

(b) понеде́льник [пън'ид'е́л'н'ик], фи́льм, земля́ [з'имл'а́], ру́бль, хле́б, по-англи́йски [пъангл'и́jск'и];

(c) — Э́то ваш биле́т? — Да́, / э́то мой биле́т.

— Где́ зде́сь телефон? — Телефо́н спра́ва.

— Э́то наш самолёт? — Не́т, / ва́ш самолёт во́н там.

— Э́то ваш учи́тель? — Да́, / э́то наш учи́тель.

— Вы́ говори́те по-англи́йски? — Да́, / я́ говорю́ по-англи́йски.

55

> А́нна рабо́тает днём.
> Когда́ она́ рабо́тает?
> А́нна рабо́тает днём и́ли ве́чером?

34. *Listen, repeat and analyze. (See Analysis II, 3.0.)*

— А́нна, ты́ рабо́таешь сего́дня днём?
— Не́т, сего́дня днём я́ не рабо́таю. Я́ отдыха́ю.
— Ива́н Ива́нович, вы́ отдыха́ете зимо́й?
— Не́т, зимо́й я́ рабо́таю. Я́ отдыха́ю ле́том.

35. *Listen and repeat.*

де́нь, днём [д'н'о́м], сего́дня [с'иво́д'н'ъ], сего́дня днём, сего́дня я́ отдыха́ю, сего́дня днём я рабо́таю; ле́то, ле́том [л'е́тъм], ле́том я́ отдыха́ю, ле́том я́ не рабо́таю; зимо́й, зимо́й я́ рабо́таю; я́ не отдыха́ю зимо́й.

36. *Answer the questions in the negative.*

Model: — Ты́ сего́дня рабо́таешь?³
— Не́т,¹ / сего́дня я́ отдыха́ю.

1. Вы́ ле́том рабо́таете? 2. Вы́ зимо́й отдыха́ете? 3. Сего́дня днём вы́ рабо́таете?

‖Ве́чером Ви́ктор чита́л.

37. *Listen, repeat and analyze. (See Analysis II, 1.3; 1.4; 1.5.)*

1. —Йра, ты́ сего́дня рабо́тала?—Не́т, не рабо́тала. Сего́дня я́ отдыха́ла. 2. —Вчера́ Анто́н рабо́тал?—Не́т, о́н отдыха́л. 3. —Вчера́ ве́чером вы́ отдыха́ли?—Не́т, мы́ рабо́тали. 4. —Что́ вы́ де́лали у́тром?—У́тром я́ чита́ла.

38. *Listen and repeat.*

(a) *Pronunciation Practice: verb forms.*
я́ чита́л—я́ чита́ла, ты́ чита́л—ты́ чита́ла, о́н чита́л—она́ чита́ла, мы́ чита́ли, вы́ чита́ли, они́ чита́ли;
я́ рабо́тал—я́ рабо́тала, ты́ рабо́тал—ты́ рабо́тала, о́н рабо́тал—она́ рабо́тала, мы́ рабо́тали, вы́ рабо́тали, они́ рабо́тали;
я́ говори́л—я́ говори́ла, ты́ говори́л—ты́ говори́ла, о́н говори́л—она́ говори́ла; мы́ говори́ли, вы́ говори́ли, они́ говори́ли;
мы́ чита́ли, вы́ чита́ли, они́ чита́ли.

(b) *Pronunciation Practice: pronounce each sentence as a single unit.*
Я́ рабо́тал. Сего́дня я́ рабо́тал. Я́ отдыха́л. Сего́дня я́ отдыха́л. Она́ говори́ла. Она́ говори́ла по-англи́йски. Она́ хорошо́ говори́ла по-англи́йски. Они́ говори́ли. Они́ говори́ли по-англи́йски. Они́ хорошо́ говори́ли по-англи́йски.

Listen and reply.

Model: — Антон, / вы́ сего́дня рабо́тали?

— Да́, / я́ сего́дня рабо́тал.

1. А́нна, / ты́ вчера́ отдыха́ла? 2. Вы́ сего́дня рабо́тали? 3. Вы́ чита́ли вчера́ ве́чером? 4. Вы́ рабо́тали у́тром? 5. Вы́ отдыха́ли вчера́ ве́чером? 6. Вы́ отдыха́ли зимо́й? 7. Ты́ рабо́тала ле́том?

39. *Answer the questions.*

1. Что́ де́лал Серге́й Ива́нович вчера́ ве́чером? 2. Что́ де́лал Ива́н Ива́нович вчера́ ве́чером? 3. Что́ де́лала А́нна Ива́новна вчера́ ве́чером? 4. Что́ де́лала Ма́ша?

40. *Answer the questions,* using the verbs рабо́тал, отдыха́л, говори́л, чита́л.

1. Что́ де́лал Анто́н сего́дня у́тром? 2. Что́ де́лал То́м сего́дня днём? 3. Что́ де́лали Анто́н и То́м сего́дня ве́чером? 4. Что́ вы́ де́лали вчера́ у́тром? 5. Что́ вы́ де́лали вчера́ днём? 6. Что́ вы́ де́лали вчера́ ве́чером?

41. *Translate into Russian.*

(1) Yesterday Robert did not work. He rested. In the morning he read. Anna did not work. She rested.

(2) "John, what did you do yesterday?" "I worked." "What did Mary do?" "She didn't work. She rested." "What did you do in the evening?" "In the evening I read."

42. *Listen and repeat. (See Analysis, Phonetics, 1.11.)*

[м', п', б', в', ф']

мы — ми, ма — мя, пы — пи, па — пя, вы — ви, ва — вя, бы — би, ба — бя;

имй, ми, име́, ме; ипи́, пи, ипе́, пе; иви́, ви, иве́, ве; ифи́, фи, ифе́, фе;

мину́та, метро́ [м'итро́], но́мер [но́м'ир], Пе́тя [п'е́т'ъ], пе́сня [п'е́с'н'ъ], пье́са [п'jе́съ], обе́д [аб'е́т], профе́ссор [праф'е́сър], фи́зик, ко́фе [ко́ф'ъ]; мы́ — ми́р, па́рк — пя́ть, Москва́ — в Москве́;

мя́со [м'а́съ], семья́ [с'им'jа́], и́мя [и́м'ъ], пя́ть, Пётр, де́вять [д'е́в'ит'], се́мь, во́семь [во́с'им']

мя [м'а] — мья [м'jа], ма — мя — мья;
пя [п'а] — пья [п'jа], па — пя — пья;
бя [б'а] — бья [б'jа], ба — бя — бья;
вя [в'а] — вья [в'jа], ва — вя — вья.

1. Это моя́ семья́. 2. Это мо́й бра́т Пе́тя. 2. Это до́м но́мер пя́ть. До́м но́мер се́мь во́н та́м. 3. Весно́й я́ отдыха́ю. 4. — Где́ здесь метро́? — Метро́ во́н та́м спра́ва. 5. Это наш профе́ссор Пётр Петро́вич.

43. *Listen and repeat. (See Analysis, Phonetics, 1.3.12.)*

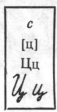

ца, цо, цу, цы;
отцы́ [аццы́], ци́рк [цы́рк], це́нтр, лицо́, у́лица [у́л'ицъ], больни́ца [бал'н'и́цъ], гости́ница [гас'т'и́н'ицъ]; оте́ц [ат'е́ц], коне́ц [кан'е́ц], ме́сяц [м'е́с'иц]; цве́т, цветы́ [цв'иты́], конце́рт [канце́рт], по-неме́цки [пън'им'е́цк'и], по-францу́зски [пъфранцу́ск'и].
Это у́лица. Здесь больни́ца. Та́м гости́ница.

— Вы́ говори́те по-неме́цки? — Да,/ по-неме́цки.
³ ¹ ¹

— Вы́ говори́те по-францу́зски? — Да, / говорю́.
³ ¹ ¹

— Это ва́ш оте́ц? — Да, /э́то мо́й оте́ц.
³ ¹ ¹

— Где́ здесь гости́ница «Росси́я»? — Гости́ница во́н там.
² ¹

V	А́нна **рабо́тает та́м.** А́нна **рабо́тает в институ́те.** **Г д е́ р а б о́ т а е т А́нна?**

44. *Listen and analyze. (See Analysis II, 4.0; 4.1.)*

(a) 1. Это заво́д. **Здесь рабо́тает** Ви́ктор Ива́нович. И Ни́на Анто́новна **рабо́тает здесь.** 2. Это институ́т. А́нна **рабо́тает в институ́те.** 3. Это шко́ла. Бори́с **рабо́тает в шко́ле.** 4. Это гости́ница. Зи́на **рабо́тает в гости́нице.** 5. Это больни́ца. А́нна Ива́новна **рабо́тает в больни́це.**

(b)

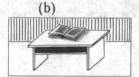 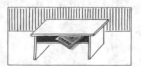  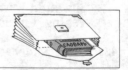

— Г д е́ моя́ кни́га? — Она́ лежи́т **на столе́.** — Г д е́ тво́й журна́л? — О́н лежи́т **в столе́.** — Г д е́ каранда́ш? — О́н лежи́т **на портфе́ле.** — Г д е́ слова́рь? — О́н лежи́т в **портфе́ле.**

45. *Listen and repeat; then read.*

(a) 1. Это ма́ма. Она́ отдыха́ет. Она́ отдыха́ет до́ма. 2. Это Оде́сса. Ле́том мы́ та́м отдыха́ли. 3. Это институ́т. Здесь рабо́тает Ро́берт. 4. Это гости́ница. Та́м рабо́тает Мэ́ри.

(b) 1. Это моя́ семья́. Это мо́й оте́ц. О́н рабо́тает в апте́ке. Моя́ сестра́ рабо́тает. Она́ рабо́тает в магази́не. Мо́й бра́т рабо́тает. О́н рабо́тает в шко́ле. Я́ рабо́таю в институ́те.

2. —Ви́ктор, что́ ты́ де́лал ле́том? —Ле́том я́ рабо́тал.—Где́ рабо́тал?— В Ленингра́де. 3. — Ве́ра Петро́вна, где́ Ни́на? —Она́ отдыха́ет.— Где́ она́ отдыха́ет?—В Я́лте. 4. Ма́ма, где́ мо́й слова́рь? —На столе́. 5. Мари́на, где́ лежи́т твоя́ ру́чка? —В портфе́ле. 6.— Серге́й, где́ журна́л «Москва́»?—О́н лежи́т на портфе́ле.

46. *Listen and repeat.*

(a) В столе́ [фстал'е́], в шко́ле [фшко́л'и], в Москве́ [вмаскв'е́], в портфе́ле [фпартф'е́л'и], в [в] Босто́не, в [в] магази́не, в институ́те [вынст'иту́т'и], в апте́ке [вапт'е́к'и], в Ленингра́де [вл'ин'ингра́д'и], в Вашингто́не [ввъшынкто́н'и], в больни́це, в гости́нице, на столе́ [нъстал'е́], на портфе́ле [нъпартф'е́л'и].
(b) Анто́н рабо́тает. Анто́н рабо́тает в институ́те.
В магази́не. Зи́на Петро́ва рабо́тает. Зи́на Петро́ва рабо́тает в магази́не.
Мо́й бра́т рабо́тает. В гости́нице. Мо́й бра́т рабо́тает в гости́нице.
В больни́це. Мо́й оте́ц рабо́тает в больни́це.
В Оде́ссе. Я́ отдыха́ла. Я́ отдыха́ла в Оде́ссе. Я́ отдыха́ла ле́том в Оде́ссе.
На столе́. Слова́рь лежи́т на столе́.
В портфе́ле. Твоя́ ру́чка лежи́т в портфе́ле.
Мо́й портфе́ль. Лежи́т на сту́ле. Мо́й портфе́ль лежи́т на сту́ле.

47. *Listen and repeat. Pay attention to the pronunciation of* [л] *and* [л'].

шко́ла, слова́рь, сту́л, сто́л, журна́л, журна́лы, Я́лта, ле́том, лежи́т [л'ижы́т], портфе́ль, больни́ца, в больни́це;
шко́ла—в шко́ле, сту́л—на сту́ле, сто́л—на столе́, в столе́, журна́л— в журна́ле [вжурна́л'и], в портфе́ле—портфе́ль, де́лал—де́лали, чита́л— чита́ли, рабо́тал—рабо́тали, отдыха́л—отдыха́ли, говори́л—говори́ли;
журна́л лежа́л, лежа́л на сту́ле; рабо́тал ле́том; Где́ ты́ рабо́тал ле́том? де́лал ле́том; Что́ ты́ де́лал ле́том?

48. *Translate into Russian.*

"Is this your institute?" "Yes, this is my institute. I work here. My husband works here too. My room is here. Anton and Viktor work there. This is their room. During the day they work. During the evening they rest. They read and talk."

49. *Read, pronouncing each sentence as a single unit. Translate into English.*

Я́ живу́ в Москве́.
Ты́ живёшь в Москве́.
О́н (она́) живёт в Росто́ве

Сейча́с мы́ живём в Босто́не.
Сейча́с вы́ живёте в Детро́йте.
Сейча́с они́ живу́т в Вашингто́не.

Ра́ньше о́н жи́л в Москве́.
Ра́ньше она́ жила́ в Оде́ссе.
Ра́ньше они́ жи́ли в Аме́рике.

50. *Listen and repeat.*

жи́л
жила́
жи́ли

живу́ [жыву́], живёшь [жыв'о́ш], живёт, живём, живёте, живу́т, жила́, жи́л, жи́ли;

Он живёт в Москве́. Ты́ живёшь в Ленингра́де. Мы́ живём в Босто́не. Вы́ живёте в Аме́рике. Я́ жила́ в Оде́ссе. Она́ жила́ в Ки́еве. Он жи́л в Москве́. Мы́ жи́ли в Аме́рике. Вы́ жи́ли в Нью-Йо́рке [вн'jуjо́рк'и].

51. *Listen and reply.*

Model: Ты́ живёшь в Москве́? —Да, / я́ живу́ в Москве́.

1. Он живёт в Ки́еве? 2. Вы́ живёте в Аме́рике? 3. Они́ живу́т в Оде́ссе? 4. Он жи́л ра́ньше в Росто́ве? 5. Она́ жила́ ра́ньше в Москве́? 6. Они́ жи́ли ра́ньше в Ри́ге? 7. Вы́ живёте сейча́с в Босто́не? 8. Анто́н живёт в Москве́? 9. Джо́н живёт в Нью-Йо́рке? 10. Джейн живёт в Вашингто́не?

52. *Supply continuations, as in the model.*

Model: Это мо́й до́м. Я́ живу́ здесь.

Это твой до́м. ... ...здесь.
Это его́ до́м. ... ...здесь.
Это её до́м. ... ...здесь.
Это ва́ш до́м. ... ...здесь.
Это и́х до́м. ... ...здесь.

53. *Answer the questions, using the words on the right.*

Model: — Где́ вы́ живёте? —Я́ живу́ в Москве́.

1. Где́ живёт ва́ша семья́? 2. Где́ живёт Анто́н? 3. Где́ живёт А́нна? 4. Где́ живёт Ива́н? 5. Где́ ты́ живёшь? 6. Где́ живёт твой бра́т? 7. Где́ живёт твоя́ сестра́? 8. Где́ отдыха́ет ва́ша жена́?

Ленингра́д, Росто́в, Я́лта, Ки́ев, Ри́га, гости́ница, Вашингто́н, Нью-Йо́рк, Босто́н

54. *Answer the questions, using the words* гости́ница, Москва́, го́род, сто́л, больни́ца, апте́ка, портфе́ль, Ленингра́д, Вашингто́н, Нью-Йо́рк.

Model: — Где́ он рабо́тает? —Он рабо́тает в институ́те.

1. Где́ вы́ рабо́таете? 2. Где́ рабо́тает ва́ш бра́т? 3. Где́ рабо́тает ва́ш оте́ц? 4. Где́ вы́ отдыха́ли? 5. Где́ они́ живу́т? 6. Где́ рабо́тает Анто́н? 7. Где́ рабо́тал Анто́н зимо́й? 8. Где́ вы́ живёте ле́том? 9. Где́ мо́й журна́л? 10. Где́ моя́ кни́га? 11. Где́ живёт Джо́н?

55. *Paraphrase each pair of sentences, as in the model.*

Model: Это Москва́. Зде́сь живёт Анто́н. Анто́н живёт в Москве́.

1. Это магази́н. Зде́сь рабо́тает Ви́ктор. 2. Это институ́т. Зде́сь рабо́тает Ни́на. 3. Это Ки́ев. Зде́сь живёт А́нна. 4. Это Ленингра́д. Зде́сь отдыха́л

Антóн. 5. Это Ростóв. Здесь рабóтал Ивáн. 6. Это Вашингтóн. Здесь живёт Джóн. 7. Это Бостóн. Здесь жилá Кáтя. 8. Это Нью-Йóрк. Здесь рабóтал Рóберт. 9. Это аптéка. Здесь рабóтает Йра.

56. *Listen to the numerals and repeat them.*

1—одúн [ад'úн], 2—двá, 3—трú, 4—четы́ре [читы́р'и], 5—пять, 6— шесть, 7—сéмь, 8—вóсемь [вóс'им'], 9—дéвять [д'éв'ит'], 10—дéсять [д'éс'ит'].

Нóмер одúн. Дóм нóмер одúн. В дóме нóмер одúн. Я живý в дóме нóмер одúн. Дóм нóмер четы́ре. В дóме нóмер четы́ре. Он живёт в дóме нóмер четы́ре.

57. *Read and translate.*

1. Я живý в дóме нóмер одúн. Я живý в квартúре нóмер двá. 2. Вúктор и Антóн живýт в гостúнице. Вúктор живёт в кóмнате нóмер трú. Антóн живёт в кóмнате нóмер четы́ре. 3. Это шкóла нóмер пять. Это больнúца нóмер шесть. 4. Это вагóны нóмер семь и вóсемь. 5. Здесь автóбус нóмер дéвять. Тáм автóбус нóмер дéсять.

58. *Answer the questions, using each of the words on the right and numerals.*

Model: — Гдé вы́ живёте?
       — Я живý в дóме № 1 (нóмер одúн).

1. Гдé вы́ живёте?	дóм
2. Гдé живёт вáш дрýг?	кóмната
	квартúра

Model: — Гдé вы́ рабóтаете?
       — Я рабóтаю в больнúце.

1. Гдé вы́ рабóтаете?	шкóла
2. Гдé рабóтает вáш отéц?	магазúн
	больнúца

59. *Compose dialogues.*

(1) Find out where your friend's brother, sister and family live.
(2) Find out where your friend works, where his father works, where he worked earlier.

60. *Listen to the dialogues and repeat them. Indicate intonational types and centers throughout. Compose new dialogues, using the words listed below.*

(1) — Вúктор, где вы́ сейчáс живёте?
    — Я живý в Ленингрáде.
    — А гдé вы́ жúли рáньше?
    — Рáньше я жúл в Ростóве.

(2) — Áнна, гдé вы́ сейчáс рабóтаете?
    — Я рабóтаю в институтé.
    — А гдé вы́ рабóтали рáньше?
    — Рáньше я рабóтала в шкóле.

(3) — Где вы́ живёте, Пётр?
— Я живу́ в Ки́еве.
— И ва́ша семья́ живёт в Ки́еве?
— Да́, и моя́ семья́ живёт в Ки́еве.
(4) — Ве́ра, ма́ма до́ма?

— Не́т.
— Где она́?
— Она́ в Ялте.
— Что́ она́ та́м де́лает?
— Отдыха́ет.

магази́н, апте́ка, гости́ница, Ки́ев, Ри́га, Нью-Йо́рк, Ленингра́д, Росто́в, Босто́н.

61. *Read and translate.*

1. Журна́л лежи́т на столе́. Кни́га то́же лежи́т на столе́. 2. Кни́га и журна́л лежа́т на столе́. 3. Где́ журна́л? О́н лежа́л на столе́. 4. Где́ кни́га? Она́ то́же лежа́ла на столе́. 5. Где́ кни́ги? Они́ лежа́ли в портфе́ле.

62. *Supply the required forms of the verb* лежа́ть.

Model: Это мо́й уче́бник. О́н лежи́т на столе́.

1.— Ви́ктор, где́ мо́й журна́л?—О́н ... на по́лке. 2.— Ве́ра, где́ твоя́ ру́чка?—Она́ ... в портфе́ле. 3.— А́нна Петро́вна, где́ лежи́т журна́л «Москва́»?—О́н ... на сту́ле. 4.— Ни́на, где́ мои́ кни́ги?—Они́ ... в столе́. 5.— Где́ мо́й каранда́ш?—О́н ... в столе́. 6.— Ма́ма, где́ лежи́т моя́ ша́пка? — Она́ ... на по́лке.

63. *Compose dialogues based on the following situations.*

(1) You want to know where your conversational partner lives and works; when and where he vacations.
(2) You have misplaced something; ask your friend (sister, brother, father, mother) where it is.

VI | **Анто́н — студе́нт.**
К т о́ о́н?

64. *Listen and analyze. (See Analysis I, 2.0; 2.1.)*

1. **Ива́н Петро́вич — матема́тик. Ве́ра Петро́вна** то́же **матема́тик.** 2. **Николай — фи́зик. А́нна Серге́евна** то́же **фи́зик.** 3. **Андре́й Серге́евич — хи́мик. А́нна Ива́новна** то́же **хи́мик.** 4. **Оле́г — студе́нт. О́н исто́рик. Мари́на** то́же **исто́рик.** 5. **Дже́йн — студе́нтка. Она́ био́лог. Ка́тя** то́же **био́лог.**

65. *Read and translate. (See Analysis II, 5.0.)*

Это мо́й бра́т Ви́ктор. **О́н студе́нт.** Это моя́ сестра́ Зи́на. **Она́ студе́нтка. Она́ фило́лог.** Это мо́й оте́ц. **Мо́й оте́ц — адвока́т. Моя́ ма́ма** то́же **адвока́т.** Это мо́й дру́г Андре́й. **О́н инжене́р. Его́ жена́ Ве́ра** то́же **инжене́р.**

62

66. *Listen and repeat.*

фи́зик [ф'и́з'ик], хи́мик [х'и́м'ик], студе́нт [студ'е́нт], студе́нтка [студ'е́нткъ], био́лог [б'ио́лък], фило́лог [ф'ило́лък], исто́рик [исто́р'ик], адвока́т [адвака́т], инжене́р [инжын'е́р], матема́тик [мът'има́т'ик], то́же [то́жъ];

Ива́н Петро́вич [п'итро́в'ич], А́нна Серге́евна [с'ирг'е́внъ], Андре́й Серге́евич [с'ирг'е́јич], А́нна Ива́новна [ива́ннъ], Ива́н Ива́нович [ива́ныч].

67. *Listen and reply.*

Model: — Вы́ ³историк?

— Да, / ¹я́ ¹историк.

1. Никола́й—физик? 2. Андре́й Серге́евич—³химик? 3. Ка́тя—³студентка? Она́ ³биолог? 4. Вы́ ³студент? Вы́ ³математик? 5. А́нна Серге́евна—³физик? 6. Ва́ш оте́ц—³адвокат? 7. Тво́й бра́т—³инженер? 8. Оле́г—³историк?

Model: — Ва́ш бра́т—³студент?—Нет, / ¹он ¹инженер.

1. Ва́ша сестра́—студе́нтка? 2. Ва́ш бра́т—студе́нт? 3. Ва́ш оте́ц—матема́тик? 4. Ва́ш дру́г—фи́зик? 5. Ка́тя—фило́лог? 6. Оле́г—хи́мик? 7. Серге́й Ива́нович—матема́тик? 8. А́нна Ива́новна—фи́зик? 9. Ве́ра Петро́вна—фило́лог? 10. Ма́ша—хи́мик?

68. Name your father's, mother's, brother's and sister's occupation or profession, using the words инжене́р, фи́зик, матема́тик, хи́мик, био́лог, исто́рик, адвока́т.

Conversation

I. Asking for Information and Expressing Supposition.

Asking for Information (the logical stress falls on the verb).

— Анто́н ³говорит по-ру́сски?   — Да́, ¹говорит.

— Не́т, не ¹говорит.

(The negative particle **не** precedes the verb.)

Expressing Supposition about the Performer of an Action, Time, Place, Manner of Action, etc. Affirmation or Negation of a Supposition.

— Сего́дня ³А́нна рабо́тала?

— Да́, ¹А́нна.

— Не́т, сего́дня рабо́тала не ¹А́нна. Рабо́тала ¹Ка́тя.

(The negative particle is placed before the negated word, not necessarily the verb.)

— А́нна рабо́тала ³сегодня?

— Да, / ¹сегодня.   — Нет, / ¹не сегодня. Она́ ¹рабо́тала не сегодня. Она́ рабо́тала ¹вчера.

63

69. *Listen and reply.*

1. А́нна жила́³ в Ки́еве? 2. А́нна жила́³ в Ки́еве? 3. А́нна жила́ в Ки́еве?³ 4. Вы́ говори́те по-ру́сски?³ 5. Вы́ говори́те по-русски? 6. Анто́н говорит по-францу́зски? 7. Анто́н говори́т по-францу́зски?³ 8. Ви́ктор отдыхал ле́том?³ 9. Ви́ктор отдыха́л³ летом?

70. *Read each question and answer. Indicate the intonational center of the questions.*

— Джо́н говори́т по-англи́йски? —Да́, говори́т.
— Джейн говори́т по-неме́цки? —Не́т, по-англи́йски.
— Вы́ говори́те по-ру́сски? —Не́т, не говорю́.
— Вы́ говори́те по-францу́зски? —Да́, по-францу́зски.
— А́нна говори́т по-ру́сски? —Да́, говори́т.
— Ви́ктор чита́л ве́чером? —Да́, чита́л.
— Ви́ктор чита́л ве́чером? —Да́, ве́чером.

71. *Compose dialogues based on the following situations:*

(1) You want to know whether John lived in Moscow.
(2) You know that John was in the Soviet Union, but do not know whether he stayed in Moscow.
(3) You want to know whether your friend (his brother, his father, your professor) speaks English or some other language.
(4) You hear a conversation between two people. Find out what language they are speaking.
(5) You want to speak with a tourist, but do not know what language he speaks.

II. Greetings. Finding One's Way in a City.

Скажи́те, пожа́луйста...	Can you tell me ... please?
Спаси́бо.	Thank you.
Извини́те.	Excuse me.
Здра́вствуйте.	How do you do.
До свида́ния.	Good-by.
Ка́к вы́ живёте?	How are you getting on?

72. (a) *Listen to the dialogues and repeat them.*

— Скажи́те, пожа́луйста, где́ гости́ница «Росси́я»?
— Гости́ница «Росси́я» во́н та́м, сле́ва.
— Спаси́бо.
— Пожа́луйста.
— Скажи́те, пожа́луйста, где́ здесь до́м но́мер се́мь?
— Не зна́ю.
— Извини́те.

(b) *Listen and repeat. Note the use of Intonational Construction 2 (IC-2). (See Analysis, Phonetics, 3.9.)*

Скажи́те, пожа́луйста,/где здесь по́чта?

Скажи́те, пожа́луйста,/где живёт А́нна?

Скажи́те, пожа́луйста,/где авто́бус но́мер три́?

Извини́те,/где гости́ница «Москва́»?

Ни́на,/здра́вствуйте! Здра́вствуйте, Анто́н! Здра́вствуй, Са́ша!

До свида́ния, Ви́ктор! До свида́ния, Ка́тя!

(c) *Compose dialogues based on the following situations:*

(1) You are visiting a city for the first time and want to know where the school, hospital, pharmacy, the hotel, the institute, House No. 2 are located.

(2) You are in a railroad station and want to know where the cashier, train car No. 3 and the post office are located.

73. *Listen to and read aloud the dialogues. Compose similar dialogues by substituting new words for those underlined.*

Telephone Conversation

— Алло́, э́то апте́ка?
— Нет, э́то кварти́ра.
— Извини́те.
— Пожа́луйста.
— Слу́шаю.
— Это Ка́тя?
— Да́, э́то я́.

— Здра́вствуй, Ка́тя! Это Анто́н.
Серге́й до́ма?
— Нет.
— А где́ он?
— Он в институ́те.
— Спаси́бо, Ка́тя. До свида́ния.
— До свида́ния, Анто́н.

74. *Listen and repeat. Pronunciation Practice: Intonational Construction 4 (IC-4). (See Analysis, Phonetics, 3.4.)*

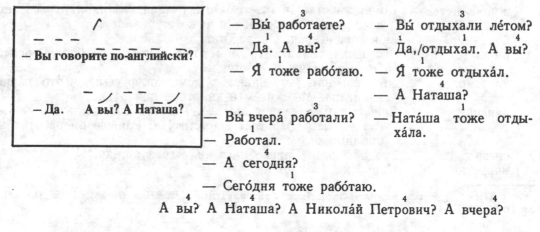

— Вы́ рабо́таете?
— Да. А вы́?
— Я́ то́же рабо́таю.

— Вы́ вчера́ рабо́тали?
— Рабо́тал.
— А сего́дня?
— Сего́дня то́же рабо́таю.

— Вы́ отдыха́ли ле́том?
— Да,/отдыха́л. А вы́?
— Я́ то́же отдыха́л.
— А Ната́ша?
— Ната́ша то́же отдыха́ла.

А вы́? А Ната́ша? А Никола́й Петро́вич? А вчера́?

65

75. *Listen to and read aloud the dialogue. Compose similar dialogues by substituting new words for those underlined. Mark intonational centers throughout.*

— Здрáвствуйте, Вéра.
— Здрáвствуйте, Вúктор.
— Кáк вы́ живёте?
— Спасúбо. Хорошó. А вы́?
— Я тóже хорошó.
— Вы́ живёте в Москвé?
— Дá, я живý и рабóтаю в Москвé? А вы́?
— А я живý в Кúеве. В Москвé я отдыхáю.

Reading

76. *Read and translate. Note how appositives which are titles are expressed in Russian. (See Analysis II, 6.0.)*

1. Это **газéта «Прáвда»** [1]. Мóй брáт рабóтает в **газéте «Прáвда»**.
2. Это **газéта «Извéстия»**. Борúс рабóтает в **газéте «Извéстия»**.
3. Это **газéта «Трýд»**. Юрий Петрóвич рабóтает в **газéте «Трýд»**.
4. — Вéра, ты́ не знáешь, гдé **журнáл «Москвá»**? — Не знáю. — А **«Октя́брь»**? — Тáм, на столé.
5. — Чтó э́то? — Это **журнáл «Спýтник»**. — Это вáш журнáл? — Нéт, не мóй.

77. *Translate.*

1. Мáша Петрóва — студéнтка. 2. Андрéй Петрóв — студéнт. 3. Антóн Сергéевич рабóтает в больнúце. Óн врáч. 4. Мáша и Андрéй живýт в Кúеве. Онú живýт в дóме нóмер трú. 5. Лéтом мы́ жúли в Я́лте. Тáм мы́ жúли óчень хорошó.

78. *Vocabulary for Reading. Study the following new words and their usage as illustrated in the sentences on the right. Read each sentence aloud.*

журналúст	Борúс рабóтает в газéте. Óн журналúст. Николáй рабóтает в журнáле «Москвá». Óн тóже журналúст.
больнúца	Мóй отéц — врáч. Óн рабóтает в больнúце.
ря́дом	Это нáша семья́. Это мóй отéц. Ря́дом мóй брáт Сергéй. Это моя́ мáма. А ря́дом я́.
квартúра	Это нáш дóм. Мы́ живём в дóме нóмер сéмь. А э́то нáша квартúра. Мы́ живём в квартúре нóмер двá.
рáньше	Сейчáс онú живýт в Москвé. Рáньше онú жúли в Ленингрáде. Пётр рабóтает в институтé. Рáньше óн рабóтал в библиотéке.
слéва	Это нáш дóм. Спрáва магазúн. Слéва аптéка.
напрóтив	Напрóтив библиотéка.

---

[1] Titles of newspapers and magazines: *Pravda* (Truth), *Izvestiya* (News), *Trud* (Labor), *Sputnik* (Satellite).

79. *Read aloud.*

слéва [сл'éвъ], рáньше [рáн'шъ], рядом [р'áдъм], напрóтив [напрóт'иф], напрóтив [в] библиотéка, напрóтив [ф] магазúн, журнáл—журналúст, больнúца [бал'н'úцъ], в [в] больнúце, квартúра [кварт'úръ], в [ф] квартúре

80. *Supply the professions for each of the following:*

Вúктор рабóтает в газéте. Óн ... .
Áнна рабóтает в больнúце. Онá ... .
Вéра рабóтает в институ́те. Онá ... .

81. *Answer the questions, using the adverbs* здéсь, тáм, рядом, спрáва, слéва, напрóтив.

1. Извинúте, гдé здéсь институ́т? 2. Скажúте, пожáлуйста, гдé больнúца? 3. Скажúте, пожáлуйста, гдé аптéка? 4. Скажúте, гдé здéсь магазúн? 5. Извинúте, гдé здéсь библиотéка? 6. А гдé гостúница?

82. *Oral Practice.*

You want to know:
(a) where the houses with the following numbers are located:
   1, 2, 3, 5, 7, 9.
(b) where the apartments with the following numbers are located:
   2, 3, 4, 6, 8, 10.

83. *Read and translate without a dictionary.*

1. Вéра живёт в Москвé. Онá москвúчка. Её брáт Николáй тóже живёт в Москвé. Óн тóже москвúч. Егó друг Борúс живёт в Ленингрáде. Борúс — ленингрáдец. 2. Это Москвá. Здéсь цéнтр. Это Крéмль. Тáм Москвá-рекá.

84. *Pronunciation Practice: pronounce each sentence as a single unit.*

Сергéй—студéнт. Сергéй—истóрик. Сергéй Иванóв [иванóф]. Сергéй Иванóв—студéнт. Сергéй Иванóв—истóрик.

Институ́т. В институ́те [вынст'иту́т'и]. Рабóтал в институ́те. Óн рабóтал в институ́те. Рáньше óн рабóтал в институ́те.

Газéта. Газéта «Извéстия». В газéте «Извéстия». Óн рабóтает в газéте. Óн рабóтает в газéте «Извéстия». Сейчáс [с'ичáс]. Сейчáс óн рабóтает в газéте «Извéстия».

Врáч. Сергéй Петрóвич [п'итрóв'ич]. Сергéй Петрóвич—врáч. Москвá, москвúч [маскв'úч]. Сергéй Петрóвич—москвúч. Егó сестрá [јивó с'истрá]. Егó сестрá—москвúчка.

Егó семья́ [јивó с'имја́]. Гóрод [гóрът]. В гóроде [вгóръд'и]. Егó семья́ живёт в гóроде. В квартúре. В квартúре нóмер сéмь. Онú живу́т в квартúре нóмер сéмь.

67

85. *Basic Text. Read the text and then do exercises 86-88.*

Сергéй Иванóв и егó семья́

Сергéй Иванóв—студéнт. Óн истóрик. Егó отéц—Ви́ктор Петрóвич Иванóв. Óн тóже истóрик. Ра́ньше óн рабóтал в институ́те. Сейча́с óн рабóтает в газéте «Извéстия». Óн журнали́ст.

Егó ма́ма—А́нна Ива́новна. Она́ врач. Она́ рабóтает в больни́це.

Егó сестра́ Ка́тя—студéнтка. Она́ биóлог.

Сергéй и егó семья́ живу́т в гóроде. Они́ живу́т в Москвé. Сергéй—москви́ч.

Это и́х дóм. Они́ живу́т в дóме нóмер сéмь. Напрóтив Москва́-река́ и Крéмль. Ря́дом мóст. Слéва магази́ны. Спра́ва аптéка.

Это и́х кварти́ра. Они́ живу́т в кварти́ре нóмер три́.

Зимóй они́ живу́т в Москвé. Лéтом они́ отдыха́ют в Ки́еве.

86. *Give short answers to the questions.*

Model: — Сергéй Иванóв—студéнт?³—Да.¹

      — Сергéй Иванóв—журналист?³—Нет.¹

1. Сергéй Иванóв—биóлог? 2. Егó отéц—журнали́ст? 3. Егó ма́ма—журнали́стка? 4. Она́ рабóтает в газéте? 5. Егó сестра́ Ка́тя—студéнтка? 6. Она́ истóрик? 7. Сергéй Иванóв живёт в Ленингра́де? 8. Óн живёт в дóме нóмер сéмь? 9. Óн живёт в кварти́ре нóмер три́?

87. *Answer the questions.*

1. Гдé живёт Сергéй Иванóв? 2. Ктó егó отéц? 3. Гдé óн рабóтает? 4. Ктó егó ма́ть? 5. Гдé она́ рабóтает? 6. Ктó егó сестра́?

88. *Tell what you know about Sergei Ivanov and his family.*

VOCABULARY

алло́ (*telephone usage*) hello
биóлог biologist
больни́ца hospital
бра́т brother
бы́стро fast
в in
вéчером in the evening
вóсемь eight
вра́ч doctor
вчера́ yesterday
говори́т speaks
гóрод city, town
гости́ница hotel
два́ two
дéвять nine
дéлает does
дéсять ten
днём in the afternoon
до свида́ния good-by
дру́г friend

егó his, its
её her
живёт lives
журна́л magazine, journal
журнали́ст journalist
журнали́стка journalist
здра́вствуй(-те) how do you do, hello
зимóй in the winter
зна́ет knows
извини́(-те) excuse (me)
и́ли or
инженéр engineer
истóрик historian
и́х their
ка́к how
каранда́ш pencil
ка́рта map
кварти́ра apartment
когда́ when

лежи́т lies, is in a lying position
лéтом in the summer
матема́тик mathematician
мы́ we
на́ on
напрóтив opposite
нóмер number
оди́н one
отвеча́ет answers
отдыха́ет rests, vacations
отéц father
óчень very
плóхо badly
по-англи́йски (in) English
подру́га friend
пожа́луйста please
пóлка shelf
по-немéцки (in) German
понима́ет understands

портфе́ль brief-case
по-ру́сски (in) Russian
по-францу́зски (in) French
по́чта post office
профе́ссор professor
пять five
рабо́тает works
ра́ньше earlier
ру́чка (ballpoint) pen
ря́дом next to, nearby
сего́дня today
сейча́с now
семь seven

семья́ family
сестра́ sister
скажи́(-те)! tell (me)!
сле́ва on the left
слова́рь dictionary
слу́шает listens
спра́ва on the right
спра́шивает asks
сто́л table
студе́нтка student
сту́л chair
то́же also
три three

ты *sing.* you
у́тром in the morning
фи́зик physicist
фило́лог philologist
хи́мик chemist
хорошо́ well, fine
це́нтр center
чей, чья́, чьё, чьи́ whose
четы́ре four
чита́ет reads
шесть six
шко́ла school
я I

VOCABULARY FOR PHONETIC EXERCISES

а́дрес address
берёза birch
биле́т ticket
весно́й in the spring
во́здух air
во́лк wolf
вхо́д entrance
вы́ход exit
глаго́л verb
гла́з eye
голова́ head
дека́брь December
до́лго for a long time
доро́га road
заче́м why
Земля́ Earth
ию́ль July
кана́л canal
кла́сс class
коне́ц end
конце́рт concert
ко́фе coffee
ла́мпа lamp
ле́с forest
лицо́ face
лу́к onion
луна́ moon
ма́ло little
ма́рка stamp
ма́рт March
ме́сяц month

метро́ subway
мину́та minute
ми́р world; peace
мно́го much
молоко́ milk
му́ха fly
мя́со meat
неде́ля week
немно́го little
ноя́брь November
обе́д dinner
октя́брь October
о́тдых vacation; rest
па́р steam
па́рк park
па́рта school desk
пе́сня song
плато́к kerchief
по́л floor
понеде́льник Monday
по́рт port
посо́л ambassador
пра́вда truth
пье́са play
пять five
рабо́та work
река́ river
ри́с rice
ро́т mouth
ру́бль rouble
рука́ hand

ря́д row, series
самолёт airplane
сентя́брь September
сигаре́та cigarette
сло́во word
спо́р argument
спо́рт sports
телефо́н telephone
то́рт cake, torte
то́чка point, dot
трамва́й streetcar
у́лица street
уро́к lesson
у́тро morning
учени́к pupil
учи́тель teacher
февра́ль February
фи́льм film
хле́б bread
хо́р chorus
цве́т color
цветы́ *pl. only* flowers
ци́рк circus
ча́й tea
ча́с hour
ча́сто often
часы́ *pl. only* watch, clock
ша́р sphere
язы́к language
янва́рь January

Presentation and Preparatory Exercises

I

> Это **но́вый** до́м.
> Како́й э́то до́м?

1. *Listen and analyze. (See Analysis III, 1.0; 1.1.)*

Че́хов — **ру́сский** писа́тель.

Ди́ккенс — **англи́йский** писа́тель.

Тве́н — **америка́нский** писа́тель.

2. *Listen and repeat.*

1. — Что́ э́то?
   — Это Ки́ев. Ки́ев — **большо́й** и **ста́рый** го́род.

71

2. — Что́ э́то?
  — Э́то на́ша но́вая шко́ла.
  — **Краси́вое зда́ние**.
3. — Кто́ э́то?
  — Э́то на́ш профе́ссор. На́ш профе́ссор—**молодо́й челове́к**.
4. — Э́то ва́ш до́м?
  — Да́, мо́й.
  — **Краси́вый до́м**. А э́то са́д?
  — Да́, э́то са́д. **Ма́ленький** и **плохо́й** са́д.

3. *Listen to and repeat the adjectives.*

(a) большо́й [бал'шо́j], плохо́й [плахо́j], молодо́й [мълҳадо́j], но́вый [но́выj], ста́рый, краси́вый, хоро́ший [харо́шыj], ру́сский, ма́ленький [ма́л'ин'к'иj], англи́йский [англ'и́jск'иj], америка́нский [ам'ир'ика́нск'иj];

(b) большо́й [бал'шо́j] го́род, больша́я [бал'ша́jъ] гости́ница, большо́е [бал'шо́jъ] окно́, больши́е [бал'шы́jи] кварти́ры; краси́вый го́род, интере́сная [ин'т'ир'е́снъjъ] кни́га, интере́сные [ин'т'ир'е́сныjи] журна́лы, хоро́ший [харо́шыj] студе́нт, хоро́шая [харо́шъjъ] студе́нтка, хоро́шие [харо́шыjи] ко́мнаты, но́вый журна́л, но́вые журна́лы; ма́ленький [ма́л'ин'к'иj] до́м, ма́ленькая [ма́л'ин'къjъ] ко́мната, ма́ленькое [ма́л'ин'къjъ] окно́, ма́ленькие ко́мнаты.

(c) *Listen and reply.*

Model: — Ки́ев—большо́й го́род?
  — Да́, большо́й.

1. Москва́—большо́й го́род? 2. Ки́ев—ста́рый го́род? 3. Это интере́сная кни́га? 4. Это хоро́ший журна́л? 5. Это но́вый до́м? 6. Ва́ш профе́ссор молодо́й? 7. Ва́ш до́м ма́ленький? 8. Это англи́йская кни́га? 9. Ма́рк Тве́н—америка́нский писа́тель? 10. Ленингра́д—краси́вый го́род? 11. Джо́н—хоро́ший студе́нт? 12. Это но́вое зда́ние?

4. *Complete the sentences*, *using the adjectives* но́вый, ста́рый, хоро́ший, плохо́й, ма́ленький, краси́вый.

Это ... шка́ф. Это ... са́д. Это ... го́род. Это ... письмо́. Это ... зда́ние. Это ... газе́та. Это ... апте́ка. Это ... гости́ница. Это ... маши́ны. Это ... ко́мнаты. Это ... журна́лы. Это ... портфе́ль. Это ... окно́. Это ... кни́га. Это ... писа́тели.

5. *Listen and reply*, *using the antonyms* плохо́й—хоро́ший, но́вый—ста́рый, большо́й—ма́ленький.

Model: — Это плоха́я гости́ница?—Не́т, хоро́шая.

1. Это хоро́шая кни́га? 2. Это ва́ша но́вая маши́на? 3. Это ста́рое зда́ние? 4. Это ста́рый го́род? 5. Он хоро́ший матема́тик? 6. Это плоха́я кварти́ра? 7. Ленингра́д—ма́ленький го́род? 8. Это но́вый журна́л? 9. Джо́н—плохо́й студе́нт? 10. Это больша́я гости́ница?

6. *Answer the questions.*

Model: — Какóй это дóм? — Это большóй нóвый дóм.

1. Какáя это книга? 2. Какóй это журнáл? 3. Какáя это кóмната? 4. Какие это газéты? 5. Какóе это здáние? 6. Какáя это больница? 7. Какóй это словáрь? 8. Какóй это гóрод? 9. Какóй это дóм? 10. Какие это журнáлы?

нóвый
хорóший
плохóй
стáрый
красивый
большóй
мáленький
рýсский
америкáнский

7. *Complete the sentences, using the nouns and adjectives on the right.*

— Чтó здéсь лежит? — Здéсь лежáт ... — Здéсь лежит...

— Чтó тáм лежит? — Тáм лежáт... — Тáм лежит...

— Гдé лежáл ... ?
— Гдé лежáла ... ?
— Гдé лежáли ... ?

книга	нóвый
журнáл	стáрый
газéта	красивый
портфéль	рýсский
рýчка	английский
карандáш	америкáнский

8. *Write answers to the questions.*

1. Чтó лежит на столé? 2. Чтó лежит на пóлке? 3. Чтó лежит в портфéле? 4. Чтó лежит в машине?

9. *Compose questions and answers, as in the model, using the words listed below.*

Model: — Гдé мóй журнáл?
— Не знáю. Гдé óн лежáл?
— На столé.
— Вóт óн. Лежит на стýле.

моя книга; моя нóвая рýчка; стáрая газéта; твóй нóвый портфéль; твоё письмó; моя шáпка; мои карандаши; мóй большóй словáрь.

10. *Listen, repeat and analyze. (See Analysis III, 2.0.)*

1. Это десятая страница. Здéсь трéтий урóк. Это девятое упражнéние. 2. — Какáя это квартира? — Пятая. — А гдé шестáя? 3. — Какóй это этáж? — Четвёртый. — Спасибо. 4. — Какóй это автóбус? — Девятый.

11. *Listen and repeat. Pronunciation Practice: unstressed syllables.*

один [ад'ин], двá, три, четыре [читыр'и], пять [п'áт'], шéсть, сéмь, вóсемь [вóс'им], дéвять [д'éв'ит'], дéсять [д'éс'ит'];

дóм нóмер пять, квартира нóмер шéсть, квартира нóмер дéвять, автóбус нóмер двá, автóбус нóмер пять.

оди́н — пе́рвый [п'е́рвыј],
два́ — второ́й [фтаро́ј],
три́ — тре́тий [тр'е́т'иј],
четы́ре — четвёртый [читв'о́ртыј],
пя́ть — пя́тый [п'а́тыј],

ше́сть — шесто́й [шысто́ј],
се́мь — седьмо́й [с'ид'мо́ј],
во́семь — восьмо́й [вас'мо́ј],
де́вять — девя́тый [д'ив'а́тыј],
де́сять — деся́тый [д'ис'а́тыј]

эта́ж [ита́ш], шесто́й эта́ж; тре́тий уро́к; упражне́ние [упражн'е́н'иъ], второ́е упражне́ние; страни́ца [стран'и́цъ], седьма́я страни́ца.

1. — Э́то шесто́й эта́ж? — Нет,/седьмо́й. 2. — Э́то девя́тая кварти́ра? — Да,/ девя́тая. 3. — Э́то пя́тый авто́бус? — Нет,/э́то тре́тий авто́бус. 4. — Где четвёр-тый авто́бус? — Четвёртый авто́бус во́н там.

12. *Listen to and repeat the dialogues. Be prepared to dramatize each. Compose similar dialogues.*

(1) Jane is preparing to travel to Kiev.
— Ка́тя,/ты́ ра́ньше жила́ в Кие-ве?
— Да,/в Кие́ве.
— Э́то краси́вый го́род?
— Да,/очень краси́вый.
— Э́то но́вый го́род?
— Нет,/ста́рый.
— Ки́ев — большо́й го́род?
— Да,/большо́й.

(2) Katya is asking Jane about her house.
— Джейн,/ва́ш до́м большо́й?
— Нет,/ма́ленький.
— О́н краси́вый?
— Да,/краси́вый.
— Ва́ш до́м но́вый?
— Нет,/ста́рый.

(3) Anton is in Kiev. He is asking a friend about a hotel where he wishes to stay overnight.
— Ви́ктор,/э́то хоро́шая гости́-ница?

— Да,/о́чень хоро́шая.
— Э́то но́вая гости́ница?
— Нет,/ ста́рая. Э́то о́чень краси́вое ста́рое зда́ние.
— Э́то больша́я гости́ница?
— Нет,/ма́ленькая.

(4) Anna is looking for a magazine.
— Анто́н,/та́м но́вые журна́лы?
— Нет,/та́м ста́рые журна́лы.
— А где́ но́вые?
— Но́вые на по́лке.
— А где́ пя́тый но́мер?
— Не зна́ю. Зде́сь на столе́ тре́-тий но́мер.

(5) John and his friend are riding in John's car.
— Джо́н,/э́то твоя́ но́вая маши́на?
— Нет,/ста́рая.
— А где́ но́вая?
— Но́вая маши́на в магази́не.

13. *Compose dialogues based on the following situations:*

(1) You are traveling to Leningrad (Kiev, Boston) for the first time. Find out what sort of city it is: large, small, interesting, new, old, beautiful.

(2) You have to spend the night in a hotel. Find out what kind of hotel it is: good, bad, large, small, new, old.

(3) You want to find out what kind of book (newspaper, magazine, textbook) is available: American, English, Russian, new, old, good, bad.

(4) Discuss with your friend his house (apartment, car); use the words: large, small, good, bad, beautiful, ugly, new, old.

II

> Этот до́м но́вый.
> То́т до́м ста́рый.

---

14. *Listen and analyze. (See Analysis III, 1.1; 3.0.)*

Этот портфе́ль но́вый.
То́т портфе́ль ста́рый.

Эта ко́мната больша́я.
Та́ ко́мната ма́ленькая.

Эти сигаре́ты хоро́шие.
Те́ сигаре́ты плохи́е.

---

15. *Listen and repeat.*

1.— Скажи́те, пожа́луйста,/когда́ рабо́тает э́тот музе́й?— Я́ не зна́ю. 2.— Эта библиоте́ка рабо́тает сего́дня?— Да,/рабо́тает. 3.— Скажи́те, пожа́луйста,/э́то зда́ние ста́рое?— Это зда́ние ста́рое. Во́н то́ зда́ние но́вое. 4.— Эти кни́ги ва́ши?— Да,/мои́.— А те́ кни́ги то́же ва́ши?— Не́т,/не мои́. 5.— Кто́ э́тот молодо́й челове́к?— Это мо́й бра́т.— А кто́ та́ де́вушка? — Это моя́ подру́га.

---

16. *Analyze the structure of each sentence as in the model.*

Model: Это интере́сная кни́га.— Эта кни́га интере́сная.

1. Это го́род. Этот го́род молодо́й. 2. Это библиоте́ка. Эта библиоте́ка сего́дня не рабо́тает. 3. Это краси́вое зда́ние. Это краси́вое зда́ние — гости-

75

ница «Москва́». 4.— Что́ э́то? — Это сове́тские журна́лы «Москва́», «Спу́тник», «Октя́брь». Эти журна́лы интере́сные. 5.— Этот фи́льм хоро́ший? — Не́т, э́то плохо́й фи́льм.

17. *Listen and repeat. Pronunciation Practice.*

(a) *Unstressed syllables. Pronouncing phrases as single units.*
    то́т — э́тот [э́тът], та́ — э́та [э́тъ], то́ — э́то [э́тъ], те́ — э́ти;
    э́тот [д] до́м, то́т [д] заво́д, э́тот музе́й, э́то зда́ние, э́та библиоте́ка, э́ти студе́нты, те́ кни́ги, э́тот челове́к, молодо́й челове́к, э́тот молодо́й челове́к, та́ де́вушка, те́ де́вушки, э́ти журна́лы.
(b) *Intonation Practice. (See Analysis, Phonetics, 3.81.)*

Скажи́те, пожа́луйста, / кто э́тот челове́к? Скажи́те, пожа́луйста, / э́та библиоте́ка сейча́с рабо́тает? Скажи́те, пожа́луйста, / э́ти студе́нты говоря́т по-ру́сски?

Эти студе́нты говоря́т по-русски / и́ли по-английски?

Это зда́ние старое / и́ли новое?

Этот журна́л интересный / и́ли нет?

Этот молодо́й челове́к студент / и́ли нет?

Это советские / и́ли американские сигаре́ты?

Это хороший / и́ли плохой фи́льм?

18. *Read, pronouncing each sentence as a single unit. Mark intonational centers throughout.*

1.— Скажи́те, пожа́луйста, э́то но́вые журна́лы? — Не́т, э́ти журна́лы ста́рые. 2.— Скажи́те, пожа́луйста, э́то библиоте́ка? — Да́, библиоте́ка.— Эта библиоте́ка сего́дня рабо́тает? — Да́, рабо́тает. 3.— Скажи́те, пожа́луйста, э́то хоро́ший фи́льм и́ли плохо́й? — Этот фи́льм о́чень хоро́ший. 4.— Этот молодо́й челове́к инжене́р и́ли вра́ч? — Он вра́ч. 5.— Это сове́тские и́ли америка́нские студе́нты? — Это сове́тские студе́нты.

19. *Supply the indeclinable word* э́то *or the appropriate form of the demonstrative pronoun* э́тот (э́та, э́то, э́ти). *(See Analysis III, 3.0; 3.1.)*

1. ... журна́л «Спу́тник». 2.— Что́ ... ? — ... музе́й.— А когда́ рабо́тает ... музе́й? — Я не зна́ю. 3. ... сове́тские студе́нты. 4.— Где́ ... студе́нты отдыха́ли ле́том? — В Ленингра́де. 5.— Чья́ э́то кни́га? — ... моя́ кни́га.— А где́ лежа́ла ... кни́га? — Та́м, на столе́. 6.— Что́ ... ? — ... газе́та. 7.— ... сигаре́ты? — Да́, сигаре́ты.

20. *Listen and repeat; then read and analyze. (See Analysis III, 6.0.)*

1. Вѝктор Петрóвич **рабóтал** в Ленингрáде в **январé**. 2. **В февралé** мы́ **рабóтали. В мáе отдыхáли**. 3. **Я рабóтал** в Ростóве в **мáрте**. 4. **В апрéле** мóй брáт **рабóтал** в Кѝеве. Óн **отдыхáл** в **мáе** и **в июне**. 5. Моя́ семья́ **жилá** в Ленингрáде **в июле**, **в áвгусте** и **в сентябрé**. 6. Моя́ сестрá **рабóтала** в больнѝце **в октябрé, в ноябрé** и **в декабрé**.

21. *Listen and repeat.*

(a) *Pronunciation Practice: prepositional phrases.*

мáрт, в мáрте [вмáрт'и], мáй, в мáе [вмáји], октя́брь, в октябрé [въкт'ибр'é], ноя́брь, в ноябрé [внъјибр'é], сентя́брь, в сентябрé [фс'инт'ибр'é], декáбрь, в декабрé [вд'икабр'é], феврáль, в февралé [фф'иврал'é], янвáрь, в январé [вјинвар'é], ию́нь, в июне [выју́н'и], ию́ль, в июле [выју́л'и], апрéль, в апрéле [вапр'éл'и], áвгуст, в áвгусте [вáвгус'т'и].

(b) *Read, pronouncing each sentence quickly and as a single unit.*

Вѝктор Петрóвич рабóтал. Рабóтал в январé. Вѝктор Петрóвич рабóтал в январé. Рабóтал в Ленингрáде. Вѝктор Петрóвич рабóтал в Ленингрáде. Вѝктор Петрóвич рабóтал в Ленингрáде в январé. Мы́ рабóтали. В февралé. В февралé мы́ рабóтали. Мóй брáт рабóтал. Мóй брáт рабóтал в Кѝеве. В апрéле мóй брáт рабóтал. В апрéле мóй брáт рабóтал в Кѝеве. Óн отдыхáл. Óн отдыхáл в мáе. В мáе и в июне. Óн отдыхáл в мáе и в июне. Моя́ семья́ в Ленингрáде. Моя́ семья́ жилá в Ленингрáде. Моя́ семья́ жилá в Ленингрáде в октябрé.

(c) *Intonation of enumeration. (See Analysis, Phonetics, 3.74.)*

Моя́ семья́ жилá в Кѝеве в июле, / в áвгусте / и в сентябре.

Óн рабóтал в больнѝце в октябре, / в ноябре и в декабре.

Онѝ рабóтали в больнѝце в марте, / в апреле / и в мае.

Я говорю́ по-русски, / по-английски, / по-французски / и по-немецки.

Антóн говорѝт по-русски, / по-английски, / по-французски / и по-немецки.

Студéнты читáют по-русски, / по-английски, / по-французски / и по-немецки.

22. *Complete each sentence, as in the model.*

Model: Óн рабóтал в Кѝеве.
Óн рабóтал в Кѝеве в январé.

1. Она́ жила́ в Москве́. 2. Ро́берт рабо́тал в Вашингто́не. 3. Мэ́ри жила́ в Нью-Йо́рке. 4. А́нна отдыха́ла в Ки́еве. 5. Ви́ктор отдыха́л в Я́лте. 6. А́нна Ива́новна рабо́тала в институ́те. 7. Анто́н рабо́тал в библиоте́ке. 8. Ве́ра жила́ в Росто́ве.

23. *Listen to and repeat each dialogue. Mark intonational centers throughout. Compose similar dialogues by substituting new words for those underlined.*

(1) — А́нна, когда́ вы́ отдыха́ли?
— В ию́не. А вы́?
— В ма́рте.

(2) — Анто́н, ва́ша семья́ отдыха́ла ле́том и́ли о́сенью?
— Ле́том.
— Вы́ жи́ли в Ки́еве и́ли в Оде́ссе?
— В Оде́ссе. Мы́ жи́ли там в ию́не, в ию́ле и в а́вгусте.

(3) — Ка́тя, где́ ты́ жила́ о́сенью?
— Я́ жила́ в Ленингра́де.
— Что́ ты́ та́м де́лала?
— Рабо́тала в библиоте́ке.
— Ты́ та́м рабо́тала в сентябре́ и́ли в октябре́?

— Я́ рабо́тала в библиоте́ке в сентябре́, в октябре́ и в ноябре́.

(4) — Ви́ктор, ва́ш оте́ц инжене́р и́ли вра́ч?
— Инжене́р.
— А вы́?
— А я́ вра́ч.
— А ва́ша жена́? Она́ фи́зик и́ли хи́мик?
— Она́ фи́зик.
— А бра́т?
— Бра́т—студе́нт.

IV | А́нна рабо́тает **в э́том институ́те.**

24. *Listen and repeat; then read and analyze. (See Analysis III, 5.0.)*

1.— Ни́на, где́ вы́ живёте?—**Я́ живу́ в э́той дере́вне.**— А где́ вы́ рабо́таете?—**В на́шей библиоте́ке.** 2.—Серге́й, где́ лежи́т слова́рь?—**В моём портфе́ле.**— А учебник?— На по́лке.— **На э́той по́лке?** —**Не́т, на то́й.** 3.—Ма́ма, где́ журна́л «Спу́тник»?—**В мое́й ко́мнате.**— А где́ о́н та́м лежи́т?— **На моём столе́.**

25. (a) *Listen and repeat, pronouncing each phrase as a single unit.*

в до́ме [вдо́м'и], в э́том до́ме [вэ́тъм до́м'и]; в шко́ле [фшко́л'и], в э́той шко́ле [вэ́тъj шко́л'и]; в институ́те [вынст'иту́т'и], в на́шем институ́те [вна́шъм ынст'иту́т'и]; в библиоте́ке [вб'ибл'иат'е́к'и], в на́шей библиоте́ке [вна́шъj б'ибл'иат'е́к'и]; в портфе́ле [фпартф'е́л'и], в моём портфе́ле [вмаjо́м партф'е́л'и]; в ко́мнате [фко́мнът'и], в мое́й ко́мнате [вмаjе́j ко́мнът'и]; в дере́вне [вд'ир'е́вн'и], в на́шей дере́вне.
(b) *Listen and reply.*

Model: — А́нна, / журна́л «Спу́тник» лежи́т на твоём столе́?
— Да́, / на моём столе́.

1. Анто́н, / вы́ рабо́таете в э́том институ́те? 2. Ва́ш оте́ц рабо́тает в э́той больни́це? 3. Вы́ живёте в э́том до́ме? 4. А́нна живёт в э́той кварти́ре? 5. Слова́рь лежи́т на той по́лке? 6. Библиоте́ка в том зда́нии? 7. Вы́ жи́ли в э́том го́роде? 8. Вы́ рабо́таете в на́шем институ́те? 9. Моя́ кни́га лежи́т на твоём столе́? 10. Но́вые журна́лы в ва́шей ко́мнате? 11. Джо́н живёт в э́той гости́нице? 12. Ва́ш му́ж рабо́тает в э́том институ́те? 13. Тво́й бра́т живёт в том до́ме?

26. *Answer the questions, as in the model.*

Model: — Э́то ва́ша ко́мната?
        — Не́т, в э́той ко́мнате живёт мо́й дру́г.
1. — Э́то ва́ш до́м? — . . . .
2. — Э́то ва́ша кварти́ра? — . . . .

27. *Supply responses, as in the model, using the phrases* э́та библиоте́ка, э́тот музе́й *and* э́та шко́ла.

Model: — Вы́ живёте в э́том го́роде?
        — Да́, в э́том го́роде.
        — А где́ вы́ рабо́таете?
        — В э́том институ́те.

1. — Вы́ живёте в э́том до́ме? — . . . .
2. — Вы́ живёте в э́той кварти́ре? — . . . .
3. — Вы́ живёте в э́той гости́нице? — . . . .
4. — Вы́ живёте в э́той ко́мнате? — . . . .

28. *Listen and repeat. (See Analysis, Phonetics, 1.3.11.)*

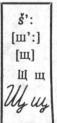

š':
[ш':]
[щ]
Щ щ

щи́, ищи́, о́вощи [о́въщи], щека́ [щика́], ещё [jищо́], пло́щадь [пло́щит'], же́нщина [же́н'щинъ], сча́стье [ща́с'т'jъ], пла́щ, зачёт [зач'о́т] — счёт [що́т], чита́ю — счита́ю [щита́jу], чита́ть — счита́ть [щита́т'], пла́ч — пла́щ, ча́сть — сча́стье.

1. — Он чита́ет по-ру́сски? — Не́т, / не чита́ет. 2. — Кто́ э́та же́нщина? — Она́ вра́ч. 3. — Что́ э́то? — Э́то пло́щадь. 4. Он чита́ет / и́ли счита́ет? — Счита́ет.

79

29. *Listen and repeat; then read and analyze. (See Analysis III, 9.0.)*

1. Зи́на **хóчет отдыха́ть** в Я́лте. А я́ **хочу́ отдыха́ть** в дере́вне. 2.— Где́ вы́ **хоти́те рабóтать?** — В Ки́еве. 3. Мы́ **хоти́м рабóтать** в э́той библиотéке. 4. Рóберт бы́стро чита́ет по-рýсски. Джóн тóже **хóчет** хорошó **чита́ть** по-рýсски.

30. *Listen and repeat.*

(a) *Pronunciation of soft consonants.*

зна́ть, рабóтать [рабóтът’], чита́ть, отдыха́ть [аддыха́т’], дéлать [д’éлът’], хотéть [хат’éт’], говори́ть [гъвар’и́т’], рабóтать, чита́ет — чита́ть, отдыха́ет — отдыха́ть, дéлает — дéлать, хóчет — хотéть, говори́т — говори́ть.

(b) *Conjugation of the irregular verb* хотéть. *(See Analysis III, 9.0.)*

1. Я́ хочу́ говори́ть по-рýсски.
   Ты́ хóчешь чита́ть по-рýсски.
   Óн хóчет говори́ть по-рýсски.
   Мы́ хоти́м хорошó говори́ть по-рýсски.
   Вы́ хоти́те чита́ть по-рýсски.
   Они́ хотя́т чита́ть по-рýсски.

(c) *Listen and reply.*

Model: — Вы́ хоти́те рабóтать в э́том институ́те?

— Да́, / я хочу́ рабóтать в э́том институ́те.

1. Вы́ хоти́те говори́ть по-рýсски? 2. Антóн хóчет отдыха́ть в Я́лте? 3. Вы́ хоти́те рабóтать в э́той больни́це? 4. Ва́ши студéнты хотя́т говори́ть по-рýсски? 5. Джéйн хóчет чита́ть по-рýсски? 6. Вы́ хоти́те жи́ть в дере́вне?

31. *Supply the required forms of the verbs.*

1. — Рóберт, вы́ хоти́те хорошó говори́ть по-рýсски?
   — Да́, ... А вы́, Мэ́ри?
   — Я́ тóже хочу́ ... по-рýсски. Я́ плóхо ... по-рýсски.
   — А ктó хорошó ... по-рýсски?
   — Джóн. Óн бы́стро ... по-рýсски.

2. Джóн хорошó говори́т по-рýсски. Óн бы́стро ... по-рýсски. Я́ тóже хочу́ ... по-рýсски. Я́ плóхо ... по-рýсски.

32. *Read and answer each question, using the correct intonation.*

1. Вы́ говори́те по-рýсски? 2. Вы́ хоти́те хорошó говори́ть по-рýсски? 3. Вы́ хоти́те отдыха́ть лéтом / и́ли зимóй? 4. Вы́ хоти́те отдыха́ть в гóроде / и́ли в дере́вне? 5. Вы́ хоти́те рабóтать в институ́те? 6. Вы́ хоти́те хорошó чита́ть по-рýсски?

33. *Supply continuations, as in the model.*

Model: Ви́ктор рабо́тает в музе́е. Ра́ньше о́н рабо́тал в э́той шко́ле.

1. Ни́на живёт в кварти́ре но́мер 5. Ра́ньше она́ жила́ . . . .

2. Ви́ктор сейча́с живёт в Ки́еве. Ра́ньше о́н . . . .

3. А́нна рабо́тает в шко́ле. Ра́ньше она́ . . .

4. Инжене́р Ивано́в рабо́тает на заво́де. Ра́ньше о́н . . . .

5. Ве́ра Ива́новна — вра́ч. Она́ сейча́с не рабо́тает. Ра́ньше она́ . . .

6. Я́ хочу́ рабо́тать в э́том институ́те. Ра́ньше я́ . . . .

э́та гости́ница
э́та кварти́ра
э́та ко́мната
э́тот го́род
э́та библиоте́ка
э́тот институ́т
э́та больни́ца

34. *Change the sentences to the past tense.*

1. Она́ отдыха́ет ле́том. 2. Зимо́й о́н рабо́тает в институ́те. 3. Они́ живу́т в Москве́. 4. — А́нна Петро́вна, где́ вы́ рабо́таете? — В больни́це. 5. — Ни́на, где́ ты́ живёшь в Ленингра́де? — В гости́нице «Москва́». 6. — Ве́ра, где́ вы́ хоти́те отдыха́ть ле́том? — В Ки́еве.

Conversation

I. Asking for Information about an Unfamiliar Person or Object *(See Analysis III, 4.0.)*

1. On seeing someone for the first time:

— Кто́ э́то?
— Это Серге́й Ива-
но́в.
— Кто́ э́то?
— Это Ка́тя Ивано́ва.
— Кто́ э́то?
— Это францу́зы.

2. Trying to get more information about a person whose name you know:

— Кто́ о́н?
— О́н студе́нт.

— Кто́ она́?
— Она́ его́ сестра́.
Она́ то́же студе́нтка.
— Кто́ они́?
— Они́ студе́нты.

3. On coming across an unfamiliar word:

— Что́ тако́е «стадио́н»?
— Стадио́н — э́то stadium.
— Что́ тако́е МГУ́ (эмгэу́)?

— МГУ́ — э́то Моско́в-
ский госуда́рственный университе́т.

1. *Read the sentences and answer the questions.*

Это Серге́й и Ка́тя Ивано́вы.
Они́ бра́т и сестра́.
Серге́й — студе́нт. Ка́тя —
то́же студе́нтка.
Серге́й — исто́рик. Ка́тя —
био́лог.

Кто́ э́то?
Кто́ о́н?
Кто́ э́то?
Кто́ она́?

Это Сергей и его друг Олег.
Олег — студент.
Он тоже историк.

Это Катя и её подруга Джейн Стоун.
Джейн—студентка.
Она тоже биолог.
Джейн—американка.
Сейчас она живёт в СССР.

2. *Listen and repeat.* (*See Analysis, Phonetics, 1.32.*)

(a) *The clusters* [нк], [нг].
    банк [банк], американка [ам'ир'иканкъ], английский [англ'ийск'ий],
англичанка [англ'ичанкъ], француженка [француж'ънкъ];
    1. Это банк. 2. Джейн—американка. Мэри—англичанка. Анна—француженка.

(b) *Pronounce consonant clusters without pauses.*
    студент, студентка, студентки;
Анна—студентка. Джейн—тоже студентка. Они студентки.

(c) *Unstressed syllables. Pronounce each phrase as a single unit.*
    писатель [п'исат'ил'], немецкий писатель, Америка [ам'ер'икъ], американский [ам'ир'иканск'ий], американский писатель, Англия [англ'ијъ], английский [англ'ийск'ий], английский писатель;
    университет [ун'ив'ирс'ит'ет], московский [маскофск'ий], Московский университет, ленинградский [л'ин'инграцк'ий], Ленинградский университет.

(d) *Non-final syntagms and intonational centers. (See Analysis, Phonetics, 3.6; 3.71.)*

Катя Иванова —¹ студентка.   Сергей —¹ историк.
Катя Иванова³ — /студентка.¹   Сергей³ — /историк.¹

Лев Толстой — русский писатель.¹
Лев Толстой³ — /русский писатель.¹
Лев Толстой⁴ — /русский писатель.¹

Чарльз Диккенс—английский писатель.¹
Чарльз Диккенс³ — /английский писатель.¹
Чарльз Диккенс⁴ — /английский писатель.¹

3. *Supply continuations, as in the model, using the words* писа́тель, био́лог, фи́зик.

Model: — Э́то То́мас Ма́нн.
       — Кто́ о́н?
       — То́мас Ма́нн — неме́цкий писа́тель.

1.— Э́то Макси́м Го́рький. — .... 2.— Э́то Берна́рд Шо́у. — .... 3.— Э́то Ма́рк Тве́н. — .... 4. Э́то Ча́рльз Да́рвин. — .... 5. Э́то Альбе́рт Эйнште́йн. — .... 6.— Э́то Ро́берт Фро́ст. — ....

4. *Make up questions and answers, as in the model.*

While reading a magazine you come across an unfamiliar word. Ask about it.

Model: — Ри́га. Что́ тако́е Ри́га?
       — Ри́га — э́то го́род в СССР.

| Тбили́си, Чика́го, Эрмита́ж, Лу́вр, Гла́зго | го́род, музе́й |

5. *Compose dialogues based on the following situations:*

(1) You are walking along the street with a foreign student who asks you about the names of stores and hotels.

Model: — «Интури́ст». Что́ тако́е «Интури́ст»?
       — «Интури́ст» — э́то гости́ница.

| «Метропо́ль», «Мело́дия», «Спу́тник», «Ма́шенька» | гости́ница магази́н] |

(2) While reading a newspaper you come across the following abbreviations. Ask what they mean.
МГУ [эмгэу́] (Моско́вский госуда́рственный университе́т)
ЛГУ [элгэу́] (Ленингра́дский госуда́рственный университе́т)
УССР [уэсэсэ́р] (Украи́нская Сове́тская Социалисти́ческая Респу́блика)
США [сэшэа́] (Соединённые Шта́ты Аме́рики)

II. **What is Your Name?**

Познако́мьтесь (познако́мься), пожа́луйста.	Please meet ...
Ка́к ва́с зову́т?	What is your name?
Ка́к ва́ша фами́лия?	What is your last name?
О́чень прия́тно.	Pleased to meet you.

6. (a) *Listen to the dialogue.*

         Ка́к ва́с зову́т?
— Извини́те, пожа́луйста, ка́к ва́с зову́т?
— Ната́ша. А ка́к ва́с зову́т?
— Серге́й.
— О́чень прия́тно.

4*

(b) *Listen and repeat. Pronunciation Practice.*

зову́т [заву́т]. Ка́к зовут?[2] Ка́к ва́с зовут?[2] [ва́ззаву́т].

Извини́те [изв'ин'и́т'и], пожа́луйста [пажа́лъстъ]. Извините, пожа́луйста.
Извини́те,[2] пожа́луйста,[2]/как ва́с зову́т?[2] Извини́те, пожа́луйста,/ва́с зову́т
Ната́ша?[3]

Прия́тно [пр'ија́тнъ]. О́чень приятно.[1] Скажите, пожа́луйста.[2] Скажи́те,[2]
пожа́луйста,/как ва́с зову́т?

(c) *Dramatize the dialogue.*
(d) *Compose dialogues based on the following situations:*
(1) Find out the name of the person who is playing tennis.
(2) Inquire about the name of a person you often see in the library.
(3) Ask the name of a person with whom you have just begun a conversation.

7. (a) *Listen to the dialogue.*

   Кто́ э́та де́вушка?
— Здра́вствуйте, Джейн.
— Здра́вствуйте, Оле́г.
— Джейн, скажите, пожа́луйста, кто́ э́та де́вушка?
— Это моя́ подру́га Ка́тя.
— Ка́к её фами́лия?
— Ивано́ва.
— Серге́й Ивано́в её бра́т?
— Да́.
— Серге́й—мо́й хоро́ший дру́г.

(b) *Listen and repeat. Intonation Practice: IC-2. (See Analysis, Phonetics, 3.9.)*
— Здравствуй, Анто́н![2]—Здравствуй, Ка́тя![2]
— Здравствуйте, Джо́н![2]—Здравствуйте, Серге́й![2]

Скажите, пожа́луйста, / как ва́с зову́т?[2]

Скажите, пожа́луйста, / кто э́та де́вушка?[2]

Скажите, пожа́луйста, / ка́к её фамилия [фам'и́л'ијъ]?[2]

(c) *Dramatize the dialogue.*
(d) *Compose dialogues based on the following situations:*
(1) Ask your friend about a young man who looks familiar to you.
(2) Ask a fellow student about a girl you have seen.
(3) Ask a fellow student about the new professor who is giving a lecture.

8. (a) *Listen to the dialogue.*

— Ка́тя, Оле́г, познако́мьтесь. Это Оле́г. О́н студе́нт-исто́рик. А э́то
Ка́тя. Она́ био́лог.
— О́чень прия́тно.

(b) *Compose dialogues based on the following situations.*

(1) Introduce the following persons: a physicist friend and a girl student of language and literature; an engineer and a woman doctor.

(2) Introduce your friend (girl friend) to your mother, father, brother, sister.

9. (a) *Dramatize the following dialogue between a school girl named Anya and a young man. Pay attention to intonation.*

— Кто́ вы́? Что́ вы́ здесь де́лаете?

— Я́ отдыха́ю. Э́то ва́ша соба́ка?

— Да́, моя́.

— О́чень хоро́шая соба́ка. Скажи́те, пожа́луйста, ва́ша сестра́ О́ля до́ма?

— Не́т. Мо́й бра́т Ко́ля до́ма.

— Спаси́бо. До свида́ния.

(b) *Dramatize the dialogue based on the pictures.*

Reading

1. *Read and translate. Note the syntax and punctuation of the sentences containing* э́то: Москва́ — э́то столи́ца СССР.

1. Новосиби́рск — э́то большо́й го́род в СССР. 2. Химфа́к — э́то хими́ческий факульте́т. 3. Биофа́к — э́то биологи́ческий факульте́т. 4. Хью́стон — э́то го́род в США. 5. Ле́в Толсто́й — э́то ру́сский писа́тель. 6. Бальза́к — э́то францу́зский писа́тель.

2. *Read and translate. Note the irregular plurals. (See Analysis III, 8.0.)*

1. Ма́ма, э́то мо́й дру́г Оле́г. О́н студе́нт МГУ. 2. Ве́ра, э́то мои́ **друзья́** Джо́н и Мэ́ри. Они́ америка́нцы. 3. — Ни́на, кто́ э́то? — Э́то мо́й бра́т Ви́ктор. — А кто́ э́то? — Э́то то́же мои́ **бра́тья.** 4. — А́нна Петро́вна, где́ сейча́с живу́т ва́ши **сыновья́?** — Пётр живёт в Ки́еве. Серге́й живёт в Москве́.

3. *Oral Practice.*

(1) Introduce your friends to your mother, father, brother, sister, teacher. Give the name of each and state what he does (e.g. student, engineer, doctor, etc.).

(2) Introduce your brothers to your friends and your teacher. Give the name of each and state what he does.

4. *Read and translate. Note the use of plurals of surnames to designate several members of the same family.*

1.— Ни́на, кто́ та́м?—Это **Петро́вы**: Ви́ктор Никола́евич и Ве́ра Ива́новна. 2.— Кто́ здесь живёт?—Здесь живу́т **Смирно́вы**.— А ря́дом?—Ря́дом живу́т **Фёдоровы**. 3. Ма́ма, э́то мои́ друзья́: бра́т и сестра́ **Па́вловы**. 4. Ни́на и Ле́на **Степа́новы**—студе́нтки МГУ. 5.— А́нна, где́ сейча́с живу́т **Ивано́вы?**—Они́ живу́т в Москве́.

5. *Change the sentences, as in the model.*

Model: В кварти́ре но́мер оди́н живёт Ви́ктор Никола́евич Смирно́в и его́ семья́.— В кварти́ре но́мер оди́н живу́т Смирно́вы.

1. В кварти́ре но́мер два́ живёт Анто́н Петро́вич Па́влов и его́ семья́. 2. В э́том до́ме живёт А́нна Серге́евна Но́викова и её семья́. 3. Серге́й Ивано́в живёт в Москве́. Его́ сестра́ Ка́тя то́же живёт в Москве́. 4. Пётр Серге́ев—студе́нт МГУ. Его́ сестра́ А́нна—то́же студе́нтка МГУ. 5. Па́вел Ники́тин—инжене́р. Его́ жена́ Ве́ра—то́же инжене́р. 6. Ви́ктор Петро́вич Никола́ев и его́ жена́ рабо́тают в э́том институ́те. 7. Никола́й Петро́вич Ники́форов, его́ жена́ и сы́н живу́т сейча́с в Ки́еве.

6. *Read and analyze. (See Analysis III, 7.0.)*

1. Ро́берт живёт в **общежи́тии**. 2.— Скажи́те, пожа́луйста, где́ здесь апте́ка?— В э́том **зда́нии**. 3.— Что́ э́то?—Это лаборато́рия.— Ты́ рабо́таешь здесь?—Да́, я рабо́таю в э́той **лаборато́рии**. 4.— Где́ сейча́с Ве́ра?—Она́ в **аудито́рии** № 5.— А Ви́ктор?—Он сейча́с в **лаборато́рии**. 5.— Скажи́те, пожа́луйста, где́ библиоте́ка?—Библиоте́ка здесь, в э́том **зда́нии**.

7. (a) *Read and translate. Note the pronunciation of abbreviations.*

1. **МГУ** [эмгэу́]—э́то Моско́вский госуда́рственный университе́т. Ви́ктор—студе́нт **МГУ**. А́нна—то́же студе́нтка **МГУ**. Они́ живу́т в общежи́тии **МГУ**. Па́вел Ива́нович рабо́тает в **МГУ**. Он профе́ссор **МГУ**. 2. Вашингто́н—э́то столи́ца **США** [сэшэа́]. Чика́го—э́то большо́й го́род в **США**. 3. Москва́—столи́ца **СССР** [эсэсэсэ́р]. Ви́ктор—ру́сский. Он живёт в **СССР**.

(b) *Pronunciation Practice.*

университе́т [ун’ив’ирс’ит’е́т], госуда́рственный [гъсуда́рств’инныј], госуда́рственный университе́т, Моско́вский госуда́рственный университе́т; общежи́тие [апщижы́т’иjъ], в общежи́тии МГУ; профе́ссор [праф’е́сър,] профе́ссор МГУ; столи́ца [стал’и́цъ], столи́ца СССР.

8. *Read aloud the nouns or noun phrases on the right; then use each in replies to questions 1 and 2 below.*

1. Где́ вы́ хоти́те рабо́тать?
2. Где́ вы́ хоти́те жи́ть?

(a) лаборато́рия [лъбърато́р'иjъ], общежи́тие, аудито́рия [ауд'ито́р'иjъ];

(b) Москва́, Босто́н, Детро́йт, Ри́м, Нью-Йо́рк, Хью́стон, Новосиби́рск [нъвъс'иб'и́рск], Ку́рск, Аме́рика [ам'е́р'икъ];

(c) на́ш институ́т, э́та шко́ла, э́тот магази́н, на́ш университе́т, та́ гости́ница, та́ апте́ка, э́тот музе́й, на́ша библиоте́ка

9. *Point out the subjects and the predicates in each of the following sentences. Translate the sentences into English.*

1. Ви́ктор хорошо́ говори́т по-англи́йски. 2. Берна́рд Шо́у — англи́йский писа́тель. 3. Босто́н — америка́нский го́род. 4. Эти сигаре́ты америка́нские. 5. Роме́н Ролла́н — францу́зский писа́тель. 6. Эта фами́лия францу́зская. 7. Мои́ бра́тья хорошо́ говоря́т по-францу́зски. 8. Это но́вое зда́ние МГУ. 9. Но́вое зда́ние МГУ большо́е. 10. «А́нна Каре́нина» — интере́сный фи́льм. 11. Этот фи́льм о́чень интере́сный.

10. (a) *Note the formation of the following groups of adjectives.*

-ск-	-ическ-
А́нглия — англи́йский	хи́мия — хими́ческий
университе́т — университе́тский	биоло́гия — биологи́ческий
факульте́т — факульте́тский	исто́рия — истори́ческий

(b) *Translate without consulting a dictionary.*

1. — Скажи́те, пожа́луйста, где́ Ленингра́дский университе́т? — Во́н та́м. 2. — Что́ э́то? — Это Ки́евский университе́т. 3. — Скажи́те, пожа́луйста, что́ э́то? — Это городска́я библиоте́ка. 4. «Моско́вский университе́т» — э́то студе́нческая газе́та. 5. — Ве́ра, где́ моя́ кни́га? — Кака́я? — «Математи́ческий ана́лиз». — Она́ лежи́т на столе́. 6. — Скажи́те, пожа́луйста, где́ филологи́ческий факульте́т МГУ? — В э́том зда́нии. — А где́ студе́нческое общежи́тие? — Та́м. 7. — Оле́г, что́ э́то? — Это физи́ческий факульте́т МГУ.

11. *Note the formation of the following groups of adverbs. Pay attention to stress in group (b).*

(a) ру́сский — по-ру́сски
англи́йский — по-англи́йски
неме́цкий — по-неме́цки
францу́зский — по-францу́зски

(b) хоро́ший — хорошо́
плохо́й — пло́хо
краси́вый — краси́во

12. *Translate into English.*

1. Шекспи́р — англи́йский писа́тель. 2. Ви́ктор хорошо́ говори́т по-англи́йски. 3. — Вы́ говори́те по-францу́зски? — Не́т, не говорю́. — А по-неме́цки? —

По-неме́цки говорю́. 4. Дре́зден—э́то неме́цкий го́род. Руа́н—францу́зский го́род. 5.— Джейн, вы́ говори́те по-ру́сски?—Да́, говорю́. Я плохо говорю́ по-ру́сски. 6.— Что́ э́то?—Это Ру́сский музе́й.

13. *Supply the required adjectives or adverbs:* ру́сский—по-ру́сски; англи́йский—по-англи́йски; неме́цкий—по-неме́цки; францу́зский—по-францу́зски.

   1. Ива́н Серге́евич Турге́нев— ... писа́тель. 2. Лагра́нж— ... матема́тик. 3. Пётр Никола́евич Ле́бедев— ... фи́зик. 4. Исаа́к Ньюто́н— ... фи́зик. 5. Ши́ллер— ... писа́тель. 6.— Пётр, ты́ говори́шь ... ?—Не́т, не говорю́.— А ... ?— ... говорю́. 7.— Джо́н, вы́ чита́ете ... ?—Да́, чита́ю. 8. Джейн хорошо́ говори́т и чита́ет ... .

14. *Translate the underlined words without consulting a dictionary.*

   1. То́мас Ма́нн—не́мец. 2. А́нна Зе́герс—не́мка. 3. Анато́ль Фра́нс— францу́з. 4. Эди́т Пиа́ф—францу́женка. 5. Ба́йрон—англича́нин. 6. Вивье́н Ли́—англича́нка. 7. Теодо́р Дра́йзер—америка́нец. 8. Джо́ун Ба́ез— америка́нка. 9. Ива́н Петро́вич Па́влов—ру́сский. 10. Гали́на Серге́евна Ула́нова—ру́сская.

15. (a) *Listen and repeat.*

   не́мец [н'е́м'иц], не́мка [н'е́мкъ], францу́з [францу́с], францу́женка [францу́жънкъ], англича́нин [англ'ича́н'ин], англича́нка, америка́нец [ам'ир'ика́н'иц], америка́нка [ам'ир'ика́нкъ], ру́сский, ру́сская [ру́скъjъ].
   Я ру́сская. Джо́н—америка́нец. А́нна—францу́женка. То́м—англича́нин.
   — Ка́к ва́с зову́т?
   — Ро́берт Сми́т.
   — Вы́ америка́нец?
   — Да́. А вы́?
   — Я ру́сский. Вы́ живёте в Аме́рике?
   — Да́, в Нью-Йо́рке. А вы́?
   — Я живу́ в Москве́.

   (b) *Compose similar dialogues by substituting the words*
   не́мец, францу́з, англича́нин, америка́нка, не́мка, францу́женка, англича́нка, америка́нец for ру́сский.

16. *Vocabulary for Reading. Study the following new words and their usage as illustrated in the sentences on the right. Read each sentence aloud.*

ру́сский	Влади́мир—э́то ру́сский го́род.
	Сы́н—э́то ру́сское сло́во. Ивано́в—э́то ру́сская фами́лия.
ру́сский	Анто́н Па́влович Че́хов—ру́сский.
	Мари́я Никола́евна Петро́ва—ру́сская.
	Пётр, Ни́на и Ната́ша—ру́сские.

стадио́н	— Скажи́те, пожа́луйста, где́ здесь стадио́н?
	— Та́м, спра́ва.
	— Где́ сейча́с Оле́г?
	— О́н на стадио́не.
ста́рый — но́вый	Это но́вое зда́ние МГУ. Ста́рое зда́ние МГУ — в це́нтре.
	— Где́ вы́ живёте?
	— В «Национа́ле». Это ста́рая гости́ница. А где́ вы́ живёте?
	— Мы́ живём в гости́нице «Росси́я».
	— Это хоро́шая гости́ница?
	— Да́, э́то хоро́шая гости́ница.
ста́рый — молодо́й	В э́той больни́це рабо́тают молоды́е врачи́.
	Здесь живёт ста́рый вра́ч.
	— Молодо́й челове́к, где́ здесь живёт вра́ч?
	— В э́том до́ме.

17. *Oral Practice.*

Introduce your Russian friends to your parents, fellow-students and teacher. Give the name of each and state his/her nationality. Use both male and female names.

18. *Paraphrase, as in the model.*

Model: — Джейн, где́ ты́ рабо́тала?
— В библиоте́ке.

Ра́ньше Джейн рабо́тала в библиоте́ке.
1. — Ви́ктор, где́ ты́ жи́л? — В Ки́еве. 2. — А́нна Петро́вна, где́ вы́ рабо́тали? — В больни́це. 3. — Анто́н Ива́нович, где́ вы́ рабо́тали? — В институ́те. 4. — Ве́ра, где́ ты́ жила́? — В Ленингра́де. 5. — Оле́г, где́ ты́ отдыха́л ле́том? — В Я́лте.

19. *Listen and repeat.*

(a) *Pronunciation Practice: unstressed syllables. Write the following words in phonetic transcription.*
москви́ч, москвичи́, дру́г, друзья́, жи́л, жила́, жи́ли, не́мец, не́мцы, гости́ница, общежи́тие, факульте́т, аудито́рия, лаборато́рия, студе́нческий, хими́ческий, физи́ческий, биологи́ческий, геологи́ческий, филологи́ческий.

(b) *Pronounce each phrase as a single unit.*
Магнитого́рск, жи́л в Магнитого́рске, большо́й го́род, большо́й го́род в СССР, общежи́тие МГУ, в общежи́тии МГУ, в гости́нице, жила́ в гости́нице, жи́ть в общежи́тии, зда́ние, но́вое зда́ние, больша́я библиоте́ка, студе́нческий клу́б, геологи́ческий музе́й, хими́ческий факульте́т, истори́ческий факульте́т, биологи́ческий факульте́т, филологи́ческий факульте́т, Моско́вский университе́т, студе́нческий го́род, большо́й студе́нческий го́род.

(c) *Intonation Practice.*

Ка́тя — биолог.
⟨¹⟩

Ка́тя — / биолог.
⟨³⟩ ⟨¹⟩

Ка́тя — / биолог.
⟨⁴⟩ ⟨¹⟩

Ка́тя и Серге́й Ивано́вы — студенты.
⟨¹⟩

Ка́тя и Серге́й Ивановы — / студенты.
⟨³⟩ ⟨¹⟩

Ка́тя и Серге́й Ивановы — / студе́нты.
⟨⁴⟩ ⟨¹⟩

Ка́тя и Серге́й — москвичи.
⟨¹⟩

Ка́тя и Серге́й — / москвичи.
⟨³⟩ ⟨¹⟩

Ка́тя и Серге́й — / москвичи.
⟨⁴⟩

Ки́ев — э́то большо́й го́род в СССР.
⟨¹⟩

Ки́ев — / э́то большо́й го́род в СССР.
⟨³⟩ ⟨¹⟩

Ки́ев — / э́то большо́й го́род в СССР.
⟨⁴⟩ ⟨¹⟩

Моско́вский университе́т — э́то большо́й студе́нческий город.
⟨¹⟩

Моско́вский университет — / э́то большо́й студе́нческий город.
⟨³⟩

Моско́вский университет — / э́то большо́й студе́нческий город.
⟨⁴⟩ ⟨¹⟩

Та́м жи́ли американцы, / немцы, / французы.
⟨¹⟩ ⟨¹⟩ ⟨¹⟩

Та́м жи́ли американцы, / немцы, / французы.
⟨³⟩ ⟨³⟩ ⟨¹⟩

Та́м жи́ли американцы, / немцы, / французы.
⟨⁴⟩ ⟨⁴⟩ ⟨¹⟩

20. *Basic Text. Read the text and then do exercises 22, 23, 24.*

Ка́тя, Серге́й и их друзья́

Ка́тя и Серге́й Ивано́вы — студе́нты. Ка́тя — био́лог. Серге́й — исто́рик. Их друзья́ то́же студе́нты. Оле́г Петро́в — исто́рик. Джейн Сто́ун — био́лог. Ка́тя, Серге́й, Оле́г и Джейн — студе́нты МГУ. Ка́тя и Серге́й — москвичи́. Оле́г и Джейн — не москвичи́. Оле́г ра́ньше жи́л в Магнитого́рске. Та́м рабо́тает его́ оте́ц. Магнитого́рск — э́то большо́й го́род в СССР.

Джейн Сто́ун — америка́нка. В Аме́рике она́ жила́ в Детро́йте. Детро́йт — большо́й го́род в США.

Сейча́с Оле́г и Джейн живу́т в общежи́тии МГУ. В сентябре́ Джейн жила́ в гости́нице. Та́м жи́ли америка́нцы, не́мцы, францу́зы. Они́ не говори́ли по-ру́сски. Друзья́ Джейн жи́ли в общежи́тии. Она́ то́же хоте́ла жи́ть в общежи́тии. Сейча́с она́ живёт в общежи́тии. Зде́сь она́ мно́го говори́т по-ру́сски.

Это но́вое зда́ние МГУ. Оно́ о́чень большо́е. Здесь аудито́рии, лаборато́рии, больша́я библиоте́ка, геологи́ческий музе́й, студе́нческий клу́б, магази́н, по́чта. Общежи́тие то́же в э́том зда́нии. Сле́ва хими́ческий факульте́т и биологи́ческий факульте́т. Ря́дом большо́й сад и краси́вый па́рк. Спра́ва физи́ческий факульте́т. А та́м стадио́н и други́е зда́ния. Та́м истори́ческий факульте́т и филологи́ческий факульте́т. Моско́вский университе́т — э́то большо́й студе́нческий го́род.

21. *Read each sentence with the intonation indicated.*

Серге́й — исто́рик.

Йх друзья́ то́же студе́нты.

Йх друзья / то́же студе́нты.

Йх друзья / то́же студе́нты.

Оле́г и Дже́йн — не москвичи́.

Оле́г и Дже́йн — / не москвичи́.

Детро́йт — большо́й го́род в США.

Детро́йт — / большо́й го́род в США.

Ка́тя, / Серге́й, / Оле́г / и Дже́йн / —студе́нты МГУ.

Ка́тя, / Серге́й, / Оле́г / и Дже́йн / —студе́нты МГУ.

Здесь аудито́рии, / лаборато́рии, / больша́я библиоте́ка, / геологи́ческий му-
зе́й, / студе́нческий клуб, / магази́н, / по́чта.

22. *Answer in the affirmative or negative, as in the model.*

Model: — Серге́й Ивано́в—студе́нт?

— Да, / студе́нт.

— Ка́тя Ивано́ва — исто́рик?

— Нет, / био́лог.

1. Ка́тя и Серге́й Ивано́вы—студе́нты? 2. Серге́й—био́лог? 3. Ка́тя—
био́лог? 4. Оле́г Петро́в—исто́рик? 5. Дже́йн Сто́ун—исто́рик? 6. Ка́тя
и Серге́й—москвичи́? 7. Оле́г и Дже́йн—москвичи́? 8. Оле́г ра́ньше жи́л
в Магнитого́рске? 9. Дже́йн ра́ньше жила́ в Босто́не? 10. Сейча́с Оле́г и Дже́йн
живу́т в общежи́тии? 11. Оле́г—америка́нец? 12. Дже́йн—америка́нка?

23. *Answer the questions.*

1. Где́ живу́т Ка́тя и Серге́й Ивано́вы? 2. Где́ живу́т сейча́с Оле́г Пет-
ро́в и Дже́йн Сто́ун? 3. Где́ ра́ньше жи́л Оле́г Петро́в? 4. Где́ ра́ньше жила́
Дже́йн Сто́ун?

24. *Tell in Russian what you know about Oleg Petrov and Jane Stone.*

25. *Describe (in Russian) what you see in the photograph on page 91.*

26. *Describe one of your friends or fellow-students. Give his or her name, nationality, occupation, place of residence. Describe in detail the city where he or she
lives (or lived).*

VOCABULARY

а́вгуст August
америка́нец American
америка́нка American
америка́нский American
англи́йский English
англича́нин Englishman
англича́нка Englishwoman
апре́ль April
аудито́рия classroom

библиоте́ка library
биологи́ческий biological
биоло́гия biology
большо́й large, big
восьмо́й eighth
второ́й second
де́вушка (unmarried) girl
девя́тый ninth
дека́брь December

дере́вня village
деся́тый tenth
же́нщина woman
зда́ние building
интере́сный interesting
истори́ческий historical
исто́рия history
ию́ль July
ию́нь June

Ка́к ва́с зову́т? What is your name?
како́й what kind of
клу́б club
краси́вый beautiful
лаборато́рия laboratory
ма́й May
ма́ленький small
ма́рт March
МГУ (*abbr. for* **Моско́вский госуда́рственный университе́т**) Moscow State University
молодо́й young
музе́й museum
не́мец German
неме́цкий German
не́мка German
но́вый new
ноя́брь November
общежи́тие dormitory
октя́брь October
пе́рвый first
писа́тель writer

плохо́й bad
познако́мьтесь! meet! get acquainted!
прия́тно pleasant
пя́тый fifth
***респу́блика** republic
ру́сский Russian
седьмо́й seventh
сентя́брь September
сигаре́ты cigarettes
сове́тский Soviet
СССР USSR
стадио́н stadium
ста́рый old
столи́ца capital
страни́ца page
студе́нческий student
сту́л chair
США USA
теа́тр theater
то́т, та́, те́ that
университе́т university
упражне́ние exercise

уро́к lesson
уче́бник textbook
факульте́т faculty, department
фами́лия last name
февра́ль February
фи́зика physics
физи́ческий physical
филологи́ческий philological (language and literature)
фи́льм film
францу́женка Frenchwoman
францу́з Frenchman
францу́зский French
хи́мия chemistry
хими́ческий chemical
хоро́ший good
хоте́ть want
челове́к man
четвёртый fourth
шесто́й sixth
эта́ж floor
э́тот this

Unit 4

Presentation and Preparatory Exercises

I

> Антóн расскáзывал о Москвé.
> О чём расскáзывал Антóн?

1. *Listen and analyze. (See Analysis IV, 1.0.)*

1. Лéтом Вéра былá в Москвé. Онá чáсто **расскáзывает о Москвé.** 2. Борúс—биóлог. Он мнóго **читáет о прирóде.** 3. Лéтом Нúна мнóго плáвала в мóре. Сейчáс онá чáсто **вспоминáет о мóре.** 4. — **О чём** эта кнúга?—Эта кнúга **о мýзыке.**

2. *Listen and repeat. Pronounce each prepositional phrase with* о (об) *as a single unit.*

О Москвé [амаскв'é], расскáзывать о Москвé, Джон расскáзывает о Москвé. Мóре, о мóре [амóр'и], вспоминáть о мóре. Мы чáсто вспоминáем о мóре.

О гóроде, расскáзывать о гóроде, о Ленингрáде. Он расскáзывал о Ленингрáде.

О рабóте, говорúть о рабóте. Мы говорúм о рабóте.

Об институтé [абынст'итýт'и], Олéг расскáзывал об институтé.

Об университéте. Мы мнóго говорúм об университéте.

3. *Listen and reply.*

Model: — Джон расскáзывал о Москве?
     — Да, / о Москве.

1. Вы́ говори́ли о теа́тре? 2. А́нна Петро́вна расска́зывала о семье́? 3. Вы́ вспомина́ете о мо́ре? 4. Э́та кни́га о Ленингра́де? 5. О́н говори́л об университе́те? 6. Вы́ чита́ете о приро́де? 7. Вы́ расска́зываете об институ́те? 8. Они́ говори́ли о рабо́те? 9. Дже́йн расска́зывала об Аме́рике?

4. *Read and translate.*

В сентябре́ мо́й дру́г Ви́ктор Во́лков бы́л в Ленингра́де. Та́м о́н рабо́тал в институ́те. О́н мно́го расска́зывал о Ленингра́де и об институ́те. О́н мно́го чита́л о Ленингра́де. Ви́ктор о́чень интере́сно расска́зывал о го́роде. О́н ма́ло говори́л о рабо́те. В Ленингра́де о́н бы́л в теа́тре. О́н мно́го и интере́сно расска́зывал о теа́тре. И сейча́с Ви́ктор ча́сто вспомина́ет о Ленингра́де.

5. *Listen and repeat the dialogue. Compose similar dialogues by substituting the words on the right for the underlined word.*

Model: — Это твоя́ кни́га?	теа́тр, Ленингра́д, Ки́ев, Москва́, приро́да,
— Да, / моя́.	Аме́рика
— О чём она́?	
— О му́зыке.	

6. *Answer the questions, using the words on the right.*

1. О чём говори́ли вчера́ Ве́ра и Анто́н?	фи́льм, теа́тр, музе́й, семья́, му́зыка,
2. О чём сего́дня расска́зывал профе́ссор?	приро́да, Аме́рика, Москва́
3. О чём вы́ чита́ли в газе́те?	
4. О чём э́та кни́га?	
5. О чём расска́зывал журнали́ст?	

7. *Listen and repeat; then read and analyze. (See Analysis IV, 2.0; 2.1; 2.11.)*

1. Это мо́й оте́ц. Я расска́зывала о нём. 2. — Это на́ша городска́я библиоте́ка. Вы́ чита́ли о не́й в журна́ле «Сове́тский Сою́з»? — Да́, чита́л. 2. Это ва́ша но́вая кни́га. Мы́ чита́ли о не́й в журна́ле «Спу́тник». 3. — Ни́на! Здра́вствуй! Мы́ сейча́с вспомина́ли о тебе́. — Обо мне́? — Да́, мы́ говори́ли о тебе́. 4. — Ма́ма, э́то мои́ подру́ги Ве́ра и Ната́ша. Я расска́зывала о ни́х. — О́чень прия́тно.

8. *Listen and repeat.*

1. я — обо мне́ [абамн'е́], ты́ — о тебе́ [ат'иб'е́], о́н — о нём [ан'о́м], она́ — о не́й [ан'е́j], мы́ — о на́с [ана́с], вы́ — о ва́с [ава́с], они́ — о ни́х [ан'и́х]

— Вы́ говори́ли обо мне́? —Да, / говори́ли. —Вы́ говори́ли обо мне́?

— Да, / о тебе́. —Это но́вый институ́т. Вы́ чита́ли о нём? Это мои́ друзья́. Я расска́зывала о ни́х. Это на́ша но́вая студе́нтка. Я говори́ла о не́й. Вы́ вспомина́ли о на́с? —Да, / мы́ ча́сто вспомина́ем о ва́с.

2. Сове́тский [сав'е́цк'иј], Сове́тский Сою́з, сове́тский писа́тель. Это сове́тский писа́тель. Вы́ чита́ли о нём. Это сове́тские студе́нты. Вы́ чита́ли о ни́х в журна́ле «Спу́тник».

Городско́й [гърацко́ј], городско́й па́рк. Это городско́й па́рк. Я говори́ла о нём. Это городска́я библиоте́ка. Мы́ расска́зывали о не́й.

9. *Listen and repeat. Compose similar dialogues by substituting the words on the right for those underlined.*

— Серге́й, э́то <u>мо́й това́рищ Пётр</u>. Я расска́зывал <u>о нём</u>. — Здра́вствуйте, Пётр. — Здра́вствуйте, Серге́й.	мо́й бра́т, моя́ подру́га, мо́й оте́ц, мо́й това́рищи, моя́ ма́ма, моя́ сестра́

10. *Make up questions and answers, as in the model, using the words on the right.*

Model: — Это кварти́ра № 3.
       — Кто́ в не́й живёт?
       — В не́й живёт Никола́й Ива́нович.

Это го́род Росто́в. Это дере́вня. Это студе́нческое общежи́тие. Это кварти́ра № 2. Это больша́я ко́мната.	Ве́ра Смирно́ва Никола́й Семёнов сове́тские и иностра́нные студе́нты вра́ч мо́й сы́н

11. *Supply the required forms of the personal pronouns* я́, ты́, о́н, она́, вы́, они́.

1. Это институ́т. ... рабо́тает Никола́й Ива́нович Смирно́в. Мы́ чита́ли ... в газе́те «Изве́стия». 2. Это больни́ца. ... рабо́тает Ве́ра Никола́евна Пота́пова. Ве́ра Никола́евна —хоро́ший вра́ч. Мо́й бра́т расска́зывал ... . 3. — Никола́й Ива́нович, здра́вствуйте! Мы́ сейча́с говори́ли ... . —...? — Да́, я рассказывал ... . 4. — Дже́йн, кто́ э́то? —Это Ка́тя и Серге́й Ивано́вы. Я расска́зывала ... .

12. *Complete the statements, as in the model.*

Model: Это но́вый фи́льм. Я́ чита́л о нём в газе́те.

1. Это но́вая кни́га. Ви́ктор вчера́ говори́л ... . 2. «Москва́» —интере́сный журна́л. —Да́, Ни́на говори́ла ... . 3. — Ки́ев —краси́вый го́род. —Да́, мои́ друзья́ расска́зывали ... . 4. — Ве́ра и Анто́н —хоро́шие студе́нты. —Да́, профе́ссор Кры́мов говори́л ... . 5. Ле́том я́ жи́л в дере́вне. Я расска́зывал ... .

II

А́нна расска́зывала о но́вом фи́льме.
О како́м фи́льме расска́зывала А́нна?

13. *Listen and analyze. (See Analysis IV, 3.0.)*

Это но́вое зда́ние МГУ.
Пётр живёт в но́вом зда́нии МГУ.

Это Большо́й теа́тр СССР [1].
Это кни́га о Большо́м теа́тре.

[1] The Bolshoi Theater, the leading Russian and Soviet theater of opera and ballet, located in Moscow. It was founded in 1776.

Это Третьяко́вская галере́я. ¹
Вчера́ А́нна была́ в Третьяко́вской
галере́е.

---

¹ The Tretyakov Gallery, an art
gallery in Moscow. It contains the largest
collection of Russian and Soviet painting
and sculpture in the USSR. The gallery
was founded by Pavel M. Tretyakov and
opened to the public in the early 1880s.

— И́ра, ты́ жила́ в Ри́ге?
— Да́.
— Во́т журна́л.
  Зде́сь статья́ о
  твоём го́роде.

7*

14. *Read and translate.*

1. — О чём э́та статья́? —Э́та статья́ о на́шем институ́те. 2. — Ве́ра, где́ мо́й слова́рь? —О́н лежи́т на твоём столе́. 3. — Анто́н, где́ живёт Ви́ктор? —О́н живёт в э́той кварти́ре. 4. «Во́лга-Во́лга» — хоро́ший фи́льм. Я чита́л об э́том фи́льме в журна́ле. 5. — Твоя́ статья́ в э́том журна́ле? —Да́. — На како́й страни́це? —На деся́той.

15. *Listen and repeat.*

Мо́й дру́г, о моём дру́ге [амаjо́м дру́г'и]. Мы́ говори́м о моём дру́ге.
Моя́ сестра́, о мое́й сестре́. Я расска́зываю о мое́й сестре́.
Тво́й бра́т, о твоём бра́те. Мы́ вспомина́ем о твоём бра́те.
На́ш институ́т, о на́шем институ́те. Профе́ссор расска́зывал о на́шем институ́те.
Ва́ша статья́, о ва́шей статье́. Мы́ говори́м о ва́шей статье́.

— О чём вы́ говори́те?
— Мы́ говори́м о на́шей рабо́те.

— О чём вы́ расска́зываете, Джейн?
— Я расска́зываю о моём го́роде.

— О чём расска́зывал профе́ссор?
— О́н расска́зывал о на́шем институ́те

16. *Complete the sentences, as in the model. Use the verbs* расска́зывать, говори́ть, чита́ть.

Model: — Это тво́й бра́т и твоя́ сестра́?
— Да́.
— А́ня сего́дня говори́ла о твоём бра́те и твое́й сестре́.

1. Это твоя́ ма́ма и тво́й оте́ц? 2. Это ва́ша статья́ и ва́ш уче́бник? 3. Это ва́ш до́м и ва́ша кварти́ра?

17. *Read and analyze. (See Analysis IV, 3.0.)*

На́ша семья́ живёт в **большо́м го́роде**. Мы́ живём в це́нтре. Мы́ живём в **но́вом до́ме**, в **большо́й хоро́шей кварти́ре**. На́ша кварти́ра на **пя́том этаже́**. Та́м живу́ я и мои́ роди́тели. Мо́й оте́ц — рабо́чий. Моя́ ма́ма рабо́тает в **городско́й библиоте́ке**. Мо́й бра́т — инжене́р. О́н рабо́тает в **физи́ческом институ́те**.

18. (a) *Listen and repeat.*

но́вый, ста́рый, ру́сский, хоро́ший, ма́ленький, хими́ческий, физи́ческий; большо́й, небольшо́й [н'ибал'шо́й], плохо́й, городско́й [гърацко́j], пя́тый, шесто́й [шысто́j], Третьяко́вская [тр'ит'jико́фскъjь].

(b) *Pronounce each phrase as a single unit.*

но́вый до́м, в но́вом до́ме [но́въм]. Я живу́ в но́вом до́ме.

но́вая у́лица, на но́вой [но́въj] у́лице. На́ш до́м на но́вой у́лице.

но́вая больни́ца, в но́вой больни́це. Мо́й оте́ц рабо́тает в но́вой больни́це.

Ру́сская му́зыка, о ру́сской му́зыке. Эта кни́га о ру́сской му́зыке.

Ру́сский теа́тр, о ру́сском теа́тре. Эта статья́ о ру́сском теа́тре.

Хоро́шая кварти́ра, в хоро́шей кварти́ре, больша́я кварти́ра, в большо́й кварти́ре, в хоро́шей большо́й кварти́ре. Он живёт в хоро́шей большо́й кварти́ре.

Больша́я фа́брика, на большо́й фа́брике. Моя́ сестра́ рабо́тает на большо́й фа́брике.

Большо́й теа́тр, в Большо́м теа́тре. Мы́ чита́ем о Большо́м теа́тре.

Большо́й го́род, небольшо́й го́род, в небольшо́м го́роде, ма́ленький го́род, в ма́леньком го́роде. Дже́йн живёт в ма́леньком го́роде.

Физи́ческий институ́т. Он рабо́тает в физи́ческом институ́те.

Городска́я библиоте́ка, в городско́й библиоте́ке. Я рабо́таю в городско́й библиоте́ке.

Шесто́й эта́ж [ита́ш], на шесто́м этаже́. Мы́ живём на шесто́м этаже́.

Третьяко́вская галере́я [гъл'ир'е́jъ], о Третьяко́вской галере́е. Вы́ чита́ли о Третьяко́вской галере́е?

(c) *Listen and reply.*

Model: — Вы́ живёте в большом го́роде?³
— Да, / в большом.¹ ¹

1. Вы́ живёте в но́вом до́ме? 2. Вы́ живёте в хоро́шей кварти́ре? 3. Ва́ши роди́тели живу́т в ма́леньком го́роде? 4. Ва́ш оте́ц рабо́тает в физи́ческом институ́те? 5. Вы́ живёте на второ́м этаже́? 6. Ты́ рабо́таешь в но́вой больни́це? 7. Вы́ говори́те о Большо́м теа́тре? 8. Вы́ чита́ете о Третьяко́вской галере́е? 9. Вы́ расска́зываете о Моско́вском университе́те? 10. Вы́ чита́ете о ру́сском теа́тре?

Model: — Вы́ живёте в большом го́роде?³
— Нет, / в маленьком.¹ ¹

1. Вы́ говори́те о но́вом журна́ле? 2. Ва́ши роди́тели живу́т в ма́леньком го́роде? 3. Профе́ссор расска́зывал о Моско́вском университе́те? 4. Ва́ш оте́ц рабо́тает в хими́ческом институ́те? 5. Вы́ живёте в ста́ром до́ме? 6. Ты́ живёшь на шесто́м этаже́? 7. Вы́ живёте в большо́й кварти́ре? 8. Вы́ говори́те об англи́йском журна́ле?

(d) *Repeat each question aloud; then reply.*

1. В како́м го́роде вы́ живёте, в большо́м и́ли в ма́леньком? 2. О како́м фи́льме вы́ говори́ли, о сове́тском и́ли об америка́нском? 3. В како́м до́ме вы́ живёте, в но́вом и́ли в ста́ром? 4. О како́й кни́ге вы́ говори́ли, о ру́сской и́ли англи́йской? 5. На како́м заво́де рабо́тает ва́ш оте́ц, на большо́м и́ли ма́леньком? 6. На како́й у́лице вы́ живёте, на но́вой и́ли на ста́рой? 7. В како́й

101

аудито́рии ле́кция, в пя́той и́ли в шесто́й? 8. На како́м этаже́ вы́ живёте, на восьмо́м и́ли на девя́том? 9. Э́то но́вый журна́л? В како́м но́мере ва́ша статья́, в пе́рвом и́ли во второ́м?

19. *Supply the required forms of the adjectives* но́вый, ста́рый, большо́й, ма́ленький.

1. Я́ живу́ в э́том ... до́ме. 2. Ра́ньше мы́ жи́ли в э́том ... го́роде. 3. Мо́й бра́т—вра́ч, и о́н рабо́тает в э́той ... больни́це. 4. Ви́ктор—инжене́р, и о́н рабо́тает в э́том ... институ́те. 5. В Ки́еве мы́ жи́ли в э́той ... гости́нице. 6. Моя́ подру́га рабо́тает в э́той ... апте́ке. Ра́ньше она́ рабо́тала в э́том ... магази́не.

20. *Complete the sentences, using the words on the right.*

1. Ве́чером мы́ мно́го говори́ли о	ру́сская му́зыка и ру́сский теа́тр
2. Ле́том мы́ жи́ли в	небольшо́й го́род
3. Мо́й дру́г расска́зывал о	Большо́й теа́тр
4. Вчера́ ве́чером мы́ говори́ли о	но́вый фи́льм
5. Сего́дня у́тром Анто́н расска́зывал о	студе́нческая газе́та
6. Ве́ра рабо́тает в	городска́я библиоте́ка
7. Мои́ друзья́ рабо́тают в	хими́ческая лаборато́рия
8. Никола́й мно́го расска́зывал о	Моско́вский университе́т

21. *Answer each question, using the words on the right.*

(a) 1. В како́м го́роде вы́ живёте?	большо́й
2. На како́й у́лице вы́ живёте?	небольшо́й
3. В како́м до́ме вы́ живёте?	ма́ленький
4. В како́й кварти́ре вы́ живёте?	но́вый
	ста́рый
(b) 1. В како́м общежи́тии живу́т ва́ши друзья́?	студе́нческий
2. О како́й газе́те вы́ вчера́ говори́ли?	университе́тский
3. В како́м теа́тре рабо́тает ва́ш бра́т?	городско́й
4. В како́й лаборато́рии рабо́тали студе́нты?	физи́ческий
5. Ва́ша статья́ в э́том журна́ле? На како́й страни́це?	пя́тая
6. На како́й страни́це четвёртый уро́к?	деся́тая

22. *Listen and repeat; then read and analyze. (See Analysis IV, 4.0.)*

Memorize: где?

на ю́ге	на рабо́те	на Украи́не
на се́вере	на заво́де	на Кавка́зе
на за́паде	на у́лице	на Ура́ле
на восто́ке		

1.—Где́ вы́ отдыха́ли ле́том?—Мы́ отдыха́ли на Украи́не. 2. О́н рабо́тает на се́вере. 3. Они́ живу́т на восто́ке. 4.— Где́ ты́ живёшь?—В Ерева́не.— А где́ э́то?—Э́то на ю́ге СССР. На Кавка́зе.— На како́й у́лице ты́ живёшь?—Я́ живу́ на Моско́вской у́лице. 5.—Где́ живёт ва́ша семья́?— Она́ живёт на Украи́не. 6. Мо́й бра́т живёт на Ура́ле. О́н рабо́тает на заво́де. 7.—Пётр до́ма?—Не́т, о́н на рабо́те.— А где́ о́н рабо́тает?—О́н рабо́тает на заво́де.

23. *Listen and repeat. Pronunciation Practice: prepositional phrases.*

(a) *Prepositional phrases with* на.

на сту́ле [насту́л'и], на столе́ [нъстал'е́], на по́лке, на Кавка́зе [нъкафка́з'и], на Ура́ле, на Украи́не [нъукрайн'и], на рабо́те [нърабо́т'и], на у́лице [нау́л'ицъ], на заво́де [нъзаво́д'и], на за́паде [наза́пъд'и], на восто́ке [нъвасто́к'и], на се́вере [нас'е́в'ир'и], на ю́ге [найу́г'и].

(b) *Prepositional phrases with* в.

в = [ф]		в = [в]
в шко́ле	в Москве́	в лаборато́рии
в теа́тре	в Ленингра́де	в больни́це
в Ки́еве	в магази́не	в гости́нице
в столе́	в Росто́ве	в библиоте́ке
в ко́мнате	в Магнитого́рске	в ию́ле [вйу́л'и]
в портфе́ле	в маши́не	в институ́те
	в ноябре́	[вынст'иту́т'и]
	в Ерева́не	в университе́те
	в э́той шко́ле	
	в на́шем институ́те	
	в но́вой больни́це	

(c) *Listen and reply.*

Model: — Вы́ отдыха́ли на Кавка́зе?
            — Да, / на Кавка́зе.

1. Ва́ши роди́тели живу́т на Ура́ле? 2. Ва́ш оте́ц рабо́тает на заво́де? 3. А́нна отдыха́ла на ю́ге? 4. Анто́н на рабо́те? 5. Ки́ев на Украи́не? 6. Вы́ живёте на се́вере? 7. Джо́н живёт на э́той у́лице? 8. Журна́л на столе́? 9. Моя́ кни́га на по́лке? 10. Тво́й портфе́ль на сту́ле?

Model: — Вы́ живёте на Ура́ле?
            — Не́т, / на Украи́не.

1. Вы́ рабо́тали на се́вере?	восто́к
2. Ва́ша сестра́ рабо́тает в институ́те?	заво́д
3. Вы́ живёте на Ура́ле?	Украи́на
4. Ва́ш оте́ц рабо́тает на заво́де?	больни́ца
5. Ленингра́д на ю́ге?	се́вер
6. Этот го́род на восто́ке?	за́пад
7. Вы́ отдыха́ли на се́вере?	ю́г

24. *Listen to and repeat the dialogues. Indicate the types of intonational constructions throughout. Compose similar dialogues by substituting the words on the right for those underlined.*

— Скажи́те, пожа́луйста, А́нна до́ма?   рабо́та, заво́д, магази́н, теа́тр, шко́ла,
— Не́т, она́ в <u>институ́те.</u>   больни́ца, университе́т, лаборато́рия,
    библиоте́ка

— Где́ вы́ рабо́таете?   теа́тр — шко́ла,
— <u>В институ́те.</u> А вы́?   больни́ца — апте́ка,
— Я́ — <u>на заво́де.</u>   магази́н — гости́ница

— Где́ вы́ живёте?   Москва́ — Ерева́н, Украи́на — Кавка́з,
— <u>В Ки́еве.</u>   се́вер — ю́г, Росто́в — Ри́га
— А <u>ва́ша сестра́?</u>
— <u>В Ленингра́де.</u>

— Анто́н, скажи́, пожа́луйста, где́   журна́л — тво́й сто́л,
<u>моя́ кни́га?</u>   портфе́ль — моя́ ко́мната,
— <u>Та́м, в моём портфе́ле.</u>   словарь — э́та по́лка,
— А <u>журна́л?</u>   газе́та — ва́ш портфе́ль
— <u>Журна́л на твоём столе́.</u>

25. *Supply the preposition* в *or* на.

(a) 1. Моя́ семья́ живёт ... Москве́. 2. Моя́ ма́ма рабо́тает ... шко́ле. Мо́й оте́ц рабо́тает ... институ́те. 3. Моя́ сестра́ живёт ... Ленингра́де. Она́ рабо́тает ... магази́не. 4. — Ма́ма, где́ моя́ газе́та? — Та́м, ... портфе́ле. 5. Где́ Пётр? — О́н ... теа́тре. 6. Ле́том они́ жи́ли ... Ки́еве. 7. — Где́ рабо́тает А́нна Ива́новна? — ... больни́це.

(b) 1. Ле́том мы́ жи́ли ... ю́ге. Мы́ отдыха́ли ... Кавка́зе. 2. Они́ до́лго жи́ли ... Ура́ле. Их оте́ц та́м рабо́тал ... заво́де. 3. Моя́ семья́ живёт ... Украи́не. 4. — Скажи́те, пожа́луйста, где́ Серёжа? — О́н ... рабо́те. — А где́ о́н рабо́тает? — ... заво́де. 5. — Где́ ва́ша маши́на? — Та́м, ... у́лице. 6. — Где́ живёт тво́й бра́т? — ... се́вере. — ... се́вере? — Да́, ... се́вере. Он та́м рабо́тает ... заво́де.

(c) 1. — Моя́ сестра́ живёт ... Кавка́зе. — Где́? — ... Ерева́не. — Она́ рабо́тает? — Да́, она́ рабо́тает ... больни́це. 2. — Где́ вы́ отдыха́ли? — ... ю́ге, ... Украи́не. 3. Го́род Нори́льск ... се́вере СССР. 4. — Слу́шаю. — Здра́вствуйте, э́то Анто́н. — Здра́вствуй, Анто́н. — Пётр до́ма? — Не́т, о́н ... рабо́те. 5. — Ма́ма, где́ мо́й портфе́ль? — Та́м, ... ко́мнате, ... сту́ле. 6. — Пётр, где́ мо́й слова́рь? — Та́м, ... столе́ и́ли ... портфе́ле.

26. *Read and analyze.* (*See Analysis IV, 6.0.*)

1. — Ве́ра, **вы́ бы́ли** в Ленингра́де?
    — Не́т, **не была́.**
2. — Андре́й, **ты́ бы́л** вчера́ на уро́ке?
    — Не́т, **не́ был.** Я вчера́ **не́ был** в шко́ле.

27. (a) *Listen and repeat.*

бы́л
была́
бы́ло
бы́ли

бы́л, была́, бы́ло, бы́ли; не́ был, не была́, не́ было, не́ были.

Я́ был на ю́ге. А я́ не была́. О́н был в Москве́. А ты́ не был.

Мы́ были в институ́те. А вы́ не были. Она́ была́ в теа́тре. А я́ не была́.

1. — Ма́ша, / ты́ была́ в Аме́рике?
   — Не́т, / не была́. А ты́ была́ в Ки́еве?
   — Не́т, / не была́. А ты́?
   — А я́ была́.

2. — Андре́й, / ты́ был вчера́ в университе́те?
   — Не́т, / не был.
   — А Серге́й был?
   — Серге́й тоже не́ был.

3. — Вы́ были в Большо́м теа́тре?
   — Да́, / бы́ли. А вы́?
   — А мы́ не были.

4. — Джо́н, / ты́ был на Украи́не?
   — Не́т, / не был. А вы́ были?
   — Да́, / мы́ были.
   — Когда́ вы́ та́м бы́ли?
   — Мы́ та́м бы́ли летом.

(b) *Listen and reply.*

Model: — Джейн, / вы́ были в Большо́м теа́тре?
— Да́, / была́. (Не́т, / не была́.)

1. Джо́н, / вы́ были в Москве́? 2. А́нна, / ты́ была́ в Ло́ндоне? 3. Андре́й, / ты́ был на Кавка́зе? 4. Анто́н, / ты́ был вчера́ в институ́те? 5. Ма́ша, / ты́ была́ сего́дня в шко́ле? 6. Джо́н, / ты́ был в Москве́? 7. Ка́тя, / ты́ была́ ве́чером до́ма? 8. Ва́ши роди́тели были ле́том на ю́ге? 9. Ва́ши студе́нты были весно́й в Москве́?

Model: — Вы́ были в Москве́?
— Да́, / был.
— Вы́ бы́ли в Москве́?
— Да́, / в Москве́.

1. Вы́ бы́ли на ю́ге? 2. Вы́ были на ю́ге? 3. Вы́ были в Ленингра́де? 4. Вы́ бы́ли в Ленингра́де? 5. Вы́ бы́ли на рабо́те? 6. Вы́ были до́ма ве́чером? 7. Вы́ бы́ли до́ма вечером? 8. Вы́ бы́ли дома? 9. Вы́ были вчера́ на

рабо́те? 10. Твои́ роди́тели бы́ли на Украи́не ле́том? 11. Твои́ роди́тели бы́ли на Украи́не ле́том? 12. Твои́ роди́тели бы́ли на Украи́не ле́том?

28. *Change each sentence, as in the model, using the words* у́тром, днём, ве́чером, сего́дня, вчера́, ле́том, зимо́й, весно́й, в декабре́, в октябре́, в феврале́, *etc.*

Model: — Ве́ра, где́ ваш бра́т?   — Ве́ра, где́ бы́л ваш бра́т у́тром?
— Óн в шко́ле.   — У́тром óн бы́л в шко́ле.

    1.—Ма́ша, где́ ва́ши бра́тья?—Они́ в университе́те. 2.—Ви́ктор, где́ ва́ши друзья́?—Они́ на Украи́не. 3.—Ни́на, где́ ва́ши роди́тели?—Они́ на рабо́те. 4.—Где́ сейча́с инжене́р Серге́ев?—Óн на хими́ческом заво́де. 5.—Где́ ва́ша семья́?—Она́ в дере́вне. 6.—Где́ ва́ша подру́га?—Она́ на Кавка́зе.

29. *Answer the questions, using the words on the right. Note word order for adverbial modifiers of time.*

Model: — Где́ вы́ бы́ли сего́дня днём?
— Сего́дня днём я́ бы́л в институ́те.

1. Где́ вы́ бы́ли сего́дня у́тром?	университе́т, теа́тр, клу́б, юг, Ки́ев,
2. Где́ вы́ бы́ли вчера́ ве́чером?	Влади́мир, институ́т, Москва́,
3. Где́ вы́ бы́ли ле́том?	Босто́н.
4. Где́ вы́ бы́ли в апре́ле?	
5. Где́ вы́ бы́ли в январе́?	
6. Где́ вы́ бы́ли сего́дня днём?	

30. *Compose similar exchanges, using the words on the right.*

Model: — Вы́ бы́ли в Москве́?	Пари́ж
— Да́, я́ бы́л в Москве́.	Берли́н
	Ло́ндон
— Не́т, / я́ не бы́л в Москве́.	Ленингра́д
	Босто́н
	Ри́га

31. *Make up questions and answers based on the following situations:*

    (1) One of your fellow-students has been to the Soviet Union. Find out which cities he has visited.
    (2) Find out where your fellow-student used to live.
    (3) Find out where a fellow-student spent the summer.

32. *Listen and analyze. (See Analysis IV, 5.0.)*

1. Ле́том А́нна отдыха́ла, а Пётр рабо́тал. 2. Ра́ньше Оле́г жи́л **на Ура́ле**, а Никола́й жи́л **на Украи́не**. 3. — Пье́р говори́т по-ру́сски? — Не́т, о́н говори́т **не по-ру́сски**, а **по-францу́зски**. 4. — Это теа́тр? — Не́т, э́то не **теа́тр**, а му**зе́й**.

33. *Read and translate.*

Ви́ктор и Ни́на — студе́нты. Ви́ктор — фи́зик, а Ни́на — фило́лог. Ле́том Ни́на отдыха́ла, а Ви́ктор рабо́тал. Снача́ла о́н рабо́тал в физи́ческой лаборато́рии, а пото́м на заво́де. Ни́на живёт в го́роде, а её роди́тели живу́т в дере́вне. В ию́ле Ни́на жила́ в дере́вне, а в а́вгусте она́ отдыха́ла на Чёрном мо́ре.

34. *Listen and repeat.*

(a) *Pay attention to intonation and breath groups (syntagms). (See Analysis, Phonetics, 3.72.)*

Э́то теа́тр, / а э́то музе́й. Э́то теа́тр, / а э́то музе́й. Никола́й — врач, / а Ви́ктор — журнали́ст.

Ни́на живёт в го́роде, / а её роди́тели живу́т в дере́вне. Ни́на живёт в го́роде, / а её роди́тели в дере́вне. Ни́на живёт в Москве́, / а Джейн в Детро́йте. Джейн чита́ет по-ру́сски хорошо́, / а говори́т пло́хо. Джейн говори́т по-ру́сски пло́хо, / а чита́ет хорошо́. Ро́берт говори́т по-ру́сски хорошо́, / а Джейн пло́хо. Я́ говорю́ по-русски, / а Джо́н по-францу́зски. Мо́й бра́т рабо́тает в институ́те, / а оте́ц на заво́де. Мо́й оте́ц — инжене́р, / а ма́ма — врач. Моя́ ма́ма — врач, / а оте́ц — инжене́р.

(b) *Mark intonational centers and breath groups (syntagms) throughout.*

1. — А́нна, где́ вы́ бы́ли ле́том?
— Я́ была́ на Украи́не, а мои́ роди́тели бы́ли в Москве́.
— Где́ рабо́тают ва́ши роди́тели?
— Мо́й оте́ц рабо́тает в больни́це, а ма́ма на заво́де. Мо́й оте́ц — вра́ч, а ма́ма — инжене́р.
— Ва́ши бра́тья то́же студе́нты?

— Да́, Серге́й—фило́лог, а Андре́й—матема́тик.

— А вы́?

— А я́ био́лог.

2. — Джейн, вы́ живёте в Босто́не?

— Не́т, я́ живу́ в Детро́йте.

— А где́ живу́т Джо́н и То́м?

— То́м живёт в Ло́ндоне, а Джо́н в Нью-Йо́рке.

3. — Джо́н, вы́ хорошо́ говори́те и понима́ете по-ру́сски?

— Я́ понима́ю по-ру́сски хорошо́, а говорю́ пло́хо.

— А То́м и Джейн?

— То́м говори́т по-ру́сски хорошо́, а Джейн не о́чень хорошо́.

(c) *Pay attention to intonation. (See Analysis, Phonetics, 3.73.)*

1. Оле́г—историк, / а Никола́й физик. Никола́й не историк, / а физик.

2. Джо́н живёт в Босто́не, / а Оле́г в Москве́. Джо́н живёт не в Москве́, / а в Босто́не. 3. А́нна говори́т по-неме́цки, / а по-францу́зски не говорит. А́нна говори́т не по-французски, / а по-неме́цки. 4. Его́ отец не инженер, / а врач. 5. Ве́ра рабо́тает не в университете, / а в больни́це. 6. Са́ша рабо́тает в библиоте́ке, / а не в университете.

(d) *Listen and reply, as in the model.*

Model: — О́н живёт в Москве́?

— Не́т, / в Ленингра́де.

О́н живёт не в Москве́, / а в Ленингра́де.

1.—О́н живёт на первом этаже́?—Не́т, / на втором. 2.—О́н инженер? — Не́т, / врач. 3.—Она́ рабо́тает на заво́де?—Не́т, / в библиоте́ке. 4.—Вы́ живёте в Босто́не?—Не́т, / в Чика́го. 5.—О́н биолог?—Не́т, / о́н фило́лог. 6.—Это музей?—Не́т, / это библиотека. 7.—О́н говори́т по-русски?—Не́т, / по-англи́йски. 8.— Андре́й—журналист?—Не́т, / историк.

35. *Supply continuations to each sentence.*

1. Мо́й отец—исто́рик, а моя́ ма́ть . . . . 2. Мо́й бра́т живёт в столи́це, а моя́ сестра́ . . . . 3. Мо́й дру́г живёт в большо́м го́роде, а его́ роди́тели . . . . 4. Я́ рабо́таю в э́том зда́нии, а моя́ подру́га . . . . 5. Мы́ говори́м по-ру́сски, а То́м . . . . 6. Я́ хочу́ отдыха́ть в сентябре́, а мой друзья́ . . . . 7. Снача́ла мы́ жи́ли в гости́нице, а пото́м . . . . 8. Мои́ друзья́ живу́т в студе́нческом общежи́тии, а я́ . . . . 9. Эта де́вушка хорошо́ говори́т по-ру́сски, а э́тот молодо́й челове́к . . . . 10. Этот авто́бус большо́й, а э́та маши́на . . . .

36. *Answer, as in the model.*

Model: — Че́хов—исто́рик?³

— Не́т,¹ / Че́хов не исто́рик,³ / а писа́тель.¹

1. — Ни́льс Бо́р—хи́мик?—....
2. — Ча́рльз Да́рвин—фи́зик?—....
3. — Шекспи́р—исто́рик?—....
4. — Ри́га—э́то дере́вня?—....
5. — «Сове́тский Сою́з»—э́то газе́та?—....

Model: — Ле́в Толсто́й—англи́йский писа́тель?

— Не́т, Толсто́й не англи́йский, а ру́сский писа́тель.

1. — Берна́рд Шо́у—америка́нский писа́тель?....
2. — Сте́йнбек—неме́цкий писа́тель?—....
3. — Эдинбург—неме́цкий го́род?—....
4. — Бра́ндт—э́то францу́зская фами́лия?—....
5. — Ке́мбридж—э́то неме́цкий университе́т?—....

37. *Answer the questions, as in the model, using the words on the right.*

Model: — Что́ вы́ де́лали вчера́ ве́чером?

— Ма́ма чита́ла, а мы́ слу́шали.

1. Что́ вы́ и ва́ши роди́тели де́лали ле́том?
2. Что́ де́лали сего́дня в библиоте́ке вы́ и ва́ши друзья́?
3. Что́ вы́ де́лали сего́дня в университе́те?

отдыха́ть
рабо́тать
расска́зывать
слу́шать
говори́ть
вспомина́ть
чита́ть

IV | Óн (не) зна́ет,
кто́ э́тот челове́к.
где́ рабо́тает А́нна.
когда́ рабо́тает А́нна.
ка́к рабо́тает А́нна.
како́й э́то институ́т.

38. *Listen and repeat; then read and analyze.*

1. — Скажи́те, пожа́луйста, где́ зде́сь рестора́н?
   — Рестора́н в э́том большо́м зда́нии.
2. — Ни́на, когда́ Ка́тя была́ на пра́ктике?
   — Я́ не зна́ю, когда́ Ка́тя была́ на пра́ктике.

3. — Ты́ зна́ешь, в како́м институ́те рабо́тает Пётр?
— Не́т, не зна́ю.
4. — Вчера́ бы́л о́чень хоро́ший ве́чер.
— Кто́ та́м бы́л?
— Ви́ктор, Ка́тя, Оле́г, Ни́на. Мы́ пе́ли, танцева́ли.
Ви́ктор интере́сно расска́зывал, ка́к о́н ле́том отдыха́л в дере́вне на Ура́ле.

39. *Listen and repeat.*

(a) я зна́ю, ты́ зна́ешь [зна́jиш], о́н зна́ет, мы́ зна́ем, вы́ зна́ете [зна́jит'и], они́ зна́ют, я зна́л, она́ зна́ла, мы́ зна́ли.

1.— Где Джо́н? Вы́ знаете, где́ Джо́н?—Да́, знаю. Я́ знаю, где́ Джо́н. 2.— Где́ зде́сь апте́ка? Вы́ знаете, где́ апте́ка? Вы́ знаете, где́ зде́сь апте́ка? — Не́т, я́ не знаю, где́ зде́сь апте́ка. 3.— Где́ живёт Оле́г? Вы́ знаете, где́ живёт Оле́г?—Да́, я́ знаю, где́ живёт Оле́г.— Не́т, я́ не знаю, где́ живёт Оле́г. 4.— Где университе́т? Где Моско́вский университе́т? Вы́ знаете, где́ университе́т? Вы́ знаете, где́ Моско́вский университе́т?—Да́, я́ знаю, где́ Моско́вский университе́т. 5.— Ка́к его́ зову́т? Вы́ знаете, ка́к его́ зову́т? Где о́н рабо́тает? Вы́ знаете, где́ о́н рабо́тает? В како́м институте о́н рабо́тает? Вы́ знаете, в како́м институ́те о́н рабо́тает?—Не́т, я́ не знаю, где́ о́н рабо́тает. Я́ не знаю, в како́м институ́те о́н рабо́тает.

(b) Скажи́те, пожалуйста [пажа́лъстъ]. Скажите, пожа́луйста. Скажи́те, пожа́луйста, / где апте́ка? Извини́те, пожалуйста, / где апте́ка? Скажи́те, пожа́луйста, / где до́м но́мер ше́сть? Извини́те, пожалуйста, / где до́м но́мер ше́сть? Извините, пожа́луйста, / где физи́ческий институ́т? Скажи́те, пожа́луйста, / где физи́ческий институ́т?

(c) *Listen and reply.*

Model: — Скажи́те, пожа́луйста, где́ рабо́тает Андре́й?
— Я́ не зна́ю, где́ рабо́тает Андре́й.

1. Вы́ зна́ете, где́ городска́я библиоте́ка? 2. Вы́ зна́ете, где́ живёт Джейн? 3. Вы́ зна́ете, о чём расска́зывал Оле́г? 4. Скажи́те, пожа́луйста, где́ зде́сь теа́тр? 5. Ты́ зна́ешь, в како́м институ́те о́н рабо́тает? 6. Скажи́те, пожа́луйста, где́ зде́сь библиоте́ка? 7. Вы́ зна́ете, где́ до́м но́мер пя́ть? 8. Скажи́те, пожа́луйста, на како́м этаже́ живу́т Петро́вы? 9. Ты́ зна́ешь, кто́ её оте́ц? 10. Скажи́те, пожа́луйста, что́ тако́е МГУ?

40. *Read and translate.*

1. А́нна зна́ет, где́ рабо́тает Ви́ктор. 2. А́нна зна́ет, где́ рабо́тал Ви́ктор. 3. А́нна зна́ла, где́ рабо́тал Ви́ктор. 4. Анто́н расска́зывает, ка́к о́н отдыха́л ле́том. Анто́н расска́зывал, ка́к о́н отдыха́л ле́том. 6. Я́ зна́ю, в како́м до́ме живёт Ка́тя. 7. Я́ зна́ю, в како́м до́ме жила́ Ка́тя.

41. *Supply continuations to each sentence, as in the model. Write out your sentences.*

Model: Я́ зна́ю, где́ рабо́тает А́нна.
Я́ зна́ю, где́ рабо́тала А́нна.

1. Ви́ктор зна́ет, когда́... 2. Ви́ктор зна́л, когда́... 3. Анто́н расска́зывает, где́... 4. Анто́н расска́зывал, где́... 5. Дже́йн расска́зывает, ка́к... 6. Дже́йн расска́зывала, ка́к...

42. (a) *Listen and repeat.*

1. — Извини́те, пожа́луйста, где́ здесь апте́ка?
   — В до́ме но́мер ше́сть.
   — Спаси́бо.
   — Пожа́луйста.
2. — Скажи́те, пожа́луйста, где́ живёт Бори́с Смирно́в?
   — В шесто́й кварти́ре. (— В э́том до́ме.)
   — Спаси́бо.
   — Пожа́луйста.

(b) *Make up questions and answers based on these situations:*

(1) You want to find out where the library, hotel, university, school, post office and the institute are located.
(2) You want to know where Professor Petrov, the Ivanov family, the doctor, Nikolai Zotov, an engineer named Brown, and a lawyer named Smith live.

43. *Answer the questions, using the names of months and adverbial modifiers of time*

1. Вы́ зна́ете, когда́ Ни́на отдыха́ла на ю́ге? 2. Вы́ зна́ете, когда́ А́нна хо́чет отдыха́ть? 3. Вы́ зна́ете, когда́ Серге́й бы́л на пра́ктике? 4. Вы́ зна́ете, когда́ Дже́йн была́ в Ленингра́де?

44. *Translate. Mark stress and intonational centers.*

Katya and Oleg have been to the theater. Katya spoke a lot, Oleg listened. Katya said that she was in practical training in the summer. She talked about the biology department and about the student theater. Oleg talked about the Urals and the scenery there.

Conversation

I. Expressions for Addressing Persons One Does Not Know:

— Извини́те, пожа́луй-   — Молодо́й челове́к,   — Де́вушка, вы́ не зна́ете,
ста, вы́ не зна́ете,   скажи́те, пожа́луй-   когда́ рабо́тает э́тот
где́ здесь по́чта?   ста, како́й э́то го́род?   рестора́н?
— Это Клин.   — Этот рестора́н рабо́тает
                                                то́лько ве́чером.

1. (a) *Listen and repeat.*

Зна́ете? Не зна́ете [н'изна́jит'и]? Вы́ не зна́ете? Где́ по́чта? Вы́ не зна́ете, где́ по́чта? Вы́ не зна́ете, где́ здесь по́чта? Зна́ешь? Не зна́ешь [н'изна́jиш]? Ты́ не зна́ешь? Где́ мо́й журна́л? Ты́ не зна́ешь, где́ мо́й журна́л? Вы́ не зна́ете? Вы́ не зна́ете, где́ Ивано́вы? Вы́ не зна́ете, где́ живу́т Ивано́вы? На како́м этаже́? Вы́ не зна́ете, на како́м этаже́? Вы́ не зна́ете, на како́м этаже́ живу́т Ивано́вы?

(b) *Paraphrase each question.*

Model: Где́ моя́ кни́га?
Вы́ не зна́ете (ты́ не зна́ешь), где́ моя́ кни́га?

1. Где́ мо́й слова́рь? 2. Где́ мо́й портфе́ль? 3. Где́ здесь до́м но́мер де́сять? 4. Где́ живёт Джо́н? 5. Где́ рабо́тает А́нна? 6. На како́м этаже́ живу́т Ивано́вы? 7. Где́ здесь апте́ка? 8. В како́м институ́те рабо́тает Андре́й? 9. На како́й страни́це статья́ об англи́йском теа́тре?

2. *Answer the questions.*

1. Вы́ не зна́ете, кто́ э́та де́вушка? 2. Вы́ не зна́ете, ка́к её зову́т? 3. Вы́ не зна́ете, где́ она́ рабо́тает? 4. Вы́ не зна́ете, где́ она́ живёт? 5. Вы́ не зна́ете, кака́я э́то у́лица? 6. Вы́ не зна́ете, како́й э́то музе́й? 7. Вы́ не зна́ете, како́й э́то теа́тр?

3. *Include each of the following questions in exchanges between yourself and a person whose name you do not know.*

(a) 1. Где́ здесь студе́нческое общежи́тие? 2. Где́ здесь истори́ческий музе́й? 3. Где́ здесь стадио́н? 4. Где́ здесь городска́я библиоте́ка? 5. Где́ здесь ка́сса?

(b) 1. Како́й э́то авто́бус? 2. Како́й э́то до́м? 3. Како́й э́то музе́й? 4. Како́й э́то институ́т? 5. Кака́я э́то библиоте́ка?

(c) 1. Когда́ рабо́тает э́тот магази́н? 2. Когда́ рабо́тает студе́нческий клу́б? 3. Когда́ рабо́тает апте́ка?

II. Greetings

Дóброе ýтро!	Good morning.
Дóбрый дéнь!	Good afternoon.
Дóбрый вéчер!	Good evening.
— Кáк вáши (твой) делá?	"How are you getting on?"
— Спасибо, хорошó.	"Thank you, fine."
— Кáк вы́ живёте?	"How are you?"
— Спасибо, ничегó.	"Thank you, I'm all right."

4. (a) *Listen to the dialogue.*

— Здрáвствуйте, Áня!
— Дóбрый дéнь, Ви́ктор!
— Кáк вáши делá, Áня?
— Спасибо, хорошó. А кáк вы́ живёте?
— Спасибо, ничегó.

(b) *Listen and repeat.*

Здрáвствуй [здрáствуj], здрáвствуйте [здрáствуjт'и].
— Здрáвствуйте, Андрéй!
— Здрáвствуйте, Натáша!
— Здрáвствуй, Кáтя!—Здрáвствуй, Джéйн!
— Дóбрый дéнь!—Дóбрый дéнь, Олéг!
— Дóбрый вéчер!—Дóбрый вéчер, Николáй Ивáнович!
— Дóброе ýтро! [дóбръjъ ýтръ]—Дóброе ýтро!
— Дóброе ýтро, Мáша!
— Кáк делá? [кагд'илá] Кáк вáши делá? Кáк вáши делá, Натáша? Кáк родители? Кáк вáши роди́тели? Кáк рабóта? Кáк вáша рабóта? Кáк живёте? [кагжыв'óт'и] Кáк живёшь? Кáк вы́ живёте? Кáк ты́ живёшь? Кáк вы́ живёте, Натáша?
— Спасибо [спас'и́бъ], хорошó [хърашó]. Спасибо, хорошó. Ничегó [нич'ивó]. Спасибо, ничегó.
— Кáк живёшь, Натáша?
— Спасибо, хорошó.
— А кáк рабóта?
— Тóже хорошó. А кáк вы́ живёте?
— Спасибо, ничегó.
— Кáк вáши роди́тели?
— Хорошó. Спасибо.

(c) *Listen and reply.*

Model: — Дóбрый дéнь!
— Дóбрый дéнь! (Здрáвствуйте!)

1. Дóброе ýтро! 2. Здрáвствуй, Андрéй! 3. Здрáвствуйте! 4. Дóбрый дéнь! 5. Дóбрый вéчер!

Model: — Ка́к ва́ши дела́?
— Спаси́бо, хорошо́. (Спаси́бо, ничего́.)

1. Ка́к вы́ живёте? 2. Ка́к ва́ши дела́? 3. Ка́к ва́ша рабо́та? 4. Ка́к ва́ши роди́тели? 5. Ка́к ва́ша сестра́? 6. Ка́к живёшь? 7. Ка́к твои́ дела́?

Model: — Ка́к твои́ дела́?
— Хорошо́. (Ничего́.) А твои́ ка́к?

1. Ка́к ты́ живёшь? 2. Ка́к твои́ дела́? 3. Ка́к твоя́ рабо́та? 4. Ка́к вы́ живёте? 5. Ка́к ва́ши дела́? 6. Ка́к ва́ши роди́тели?

(d) *Supply the missing responses.*
— Здра́вствуйте, А́ня.
— ....
— Ка́к ва́ши дела́, А́ня?
— ....

(e) *Make up questions and answers based on the following situations*:
(1) You meet a friend.
(2) You meet a girl (young man) you know.
(3) Your sister has just come to see you.

5. (a) *Listen to the dialogue.*

В самолёте

Пасса́жи́р: — Скажи́-
те, пожа́луйста, / где́ моё
ме́сто? Во́т мо́й биле́т.

Стюарде́сса: — Ва́ше
ме́сто шесто́е. Зде́сь пе́рвое
ме́сто, / а ва́ше ме́сто во́н та́м
слева.

Пасса́жи́р:—Спаси́бо.

(b) *Listen and repeat. (See Analysis, Phonetics, 3.82.)*
биле́т [б'ил'е́т], ва́ш биле́т [важб'ил'е́т],

Где́ ва́ш биле́т?

Ме́сто [м'е́стъ], моё ме́сто. Где́ моё ме́сто?

Местá [м'истá], нáши местá.— Где нáши местá?— Здесь второе мéсто, / а тáм третье.

> мéсто — местá

— Вáша фамилия?

— Иванов.

— Адрес?

— Ленинград, / Москóвская улица, / дóм шесть.

— Вáш билет?

— Пожалуйста.

— Ваш билéт?

— Да, / мой.

— Иванóв — ваша фамúлия?

— Да, / моя.

— Это ваш áдрес?

— Да, / мой.

— Ваш билéт?

— Пожалуйста. Вот óн.

— Ваша фамúлия?

— Иванов.

— Ваш áдрес?

— Москва, / Лéнинский проспект, / десять.

(c) *Dramatize the dialogue*.

(d) *Make up questions and answers based on the following situations*:
  (1) You are at a railroad station, looking for Car No. 3.
  (2) You are looking for House No. 9.
  (3) You are at the institute, looking for Room No. 4.

6. (a) *Listen to the dialogue*.

В вагóне

— Это пóезд Москвá — Кúев?

— Дá. Москвá — Кúев.

— Извинúте, пожáлуйста, молодóй человéк. Это второе мéсто?

— Дá, второе.

— Спасúбо. Вы́ живёте в Москвé, молодóй человéк?

— Дá, в Москвé.

— Я тóже москвúч, Вúктор Петрóвич Иванóв, журналúст. Рабóтаю в газéте «Извéстия». А кáк вáс зовýт?

— Па́влик Чудако́в. Я студе́нт-исто́рик.
— О́чень прия́тно. Вы бы́ли в Ки́еве, Па́влик?
— Не́т, не́ был.
— Ки́ев — о́чень краси́вый го́род. Я весно́й бы́л в э́том го́роде. Это о́чень ста́рый го́род.

(b) *Listen and repeat.*

По́езд [по́јист]. Это поезд. — Это по́езд Москва́ — Ки́ев? — Да. Это по́езд Москва́ — Ки́ев. — Я москви́ч. А вы? — И я москви́ч. — Вы́ были в Ки́еве? — Нет, / не был. — Ки́ев — красивый го́род? — Да, / о́чень красивый. Ки́ев о́чень старый го́род.

(c) *Answer the questions.*

В како́м по́езде бы́ли Па́влик и Ви́ктор Петро́вич? Па́влик — москви́ч? А Ви́ктор Петро́вич? Где́ рабо́тает Ви́ктор Петро́вич? А Па́влик рабо́тает? Па́влик ра́ньше бы́л в Ки́еве? А Ви́ктор Петро́вич? Ки́ев — ста́рый го́род?

(d) *Tell what you have learned about Pavlik Chudakov and Victor Petrovich Ivanov.*

(e) *Dramatize the dialogue.*

(f) *Compose a dialogue which might take place in a train car between yourself and a Russian student sitting next to you.*

7. *Listen to the dialogue and dramatize it.*

В больни́це

In a hospital a girl addresses an elderly woman dressed in a white coat.

Д е́ в у ш к а : Извини́те, пожа́луйста, вы́ не зна́ете, в како́й ко́мнате лежи́т Па́влик Чудако́в?
Ж е́ н щ и н а : Па́влик лежи́т в э́той ко́мнате.
Д е́ в у ш к а : Спаси́бо.
Ж е́ н щ и н а : Извини́те, де́вушка, скажи́те, кто́ вы́. Ка́к ва́с зову́т?
Д е́ в у ш к а : Я? Я его́ сестра́. Ната́ша.
Ж е́ н щ и н а : О́чень прия́тно. Я его́ ма́ма.

8. (a) *Examine the drawings and ask questions about the persons depicted in them. Use the following questions.*

116

Анна, ты не знаешь, кто это?
Кто он (она, они)?
Он студент?
Как его (её, их) зовут?
Как его (её, их) фамилия?
Где он работает?

Где он работал раньше?
Где он жил раньше?
Где он живёт сейчас?
В каком доме он живёт?
Он хороший человек?

(b) *Introduce your friends to the persons depicted in the drawings above. Say something about each person you introduce. Use the expressions* Познакомьтесь. Очень приятно.

Reading

1. *Read and translate. (See Analysis IV, 7.0.)*

Братск и Тольятти—новые города. Сейчас это большие и красивые города. Там новые дома, красивые парки.

> дом — дома
> город — города

2. *Change the sentences, as in the model.*

Model: Здесь большая река.— Здесь большие реки.

1. Здесь красивый сад. 2. Там высокий дом. 3. Здесь новое здание. 4. Это новый самолёт. 5. Это большой город. 6. Это небольшая деревня.

> река — реки

3. *Read and translate. (See Analysis IV, 4.0.)*

г д е?   на лекции
          на уроке
          на практике

1. Летом Олег был **на практике**. Он работал в историческом музее. 2. — Нина, где ты была **на практике**?—В Киеве. 3. Катя и Джейн—биологи. Летом они были **на практике**. 4. — Извините, Анна Ивановна, Вера дома?—Нет, она **на лекции**. 5. — Скажите, пожалуйста, Николай Иванович сейчас в школе?—Да, он **на уроке**.

4. *Supply the preposition* в *or* на.

1. — Ты не знаешь, Нина была летом ... практике?—Да, была.—А где она работала? — ... заводе. 2.—Антон, ты был вчера ... лекции?—Да,

был. 3.—Извините, Óля дóма?—Нет, онá ... рабóте. 4.— Джéйн, где ты́ отдыхáла лéтом?—Лéтом я́ не отдыхáла, а рабóтала. Я́ былá ... прáктике.— Где ты былá ... прáктике? — ... Кавкáзе. 5.— Олéг, вчерá вéчером вы́ бы́ли дóма?—Нéт, я́ бы́л ... клýбе ... концéрте. 6.— Ты́ не знáешь, где сейчáс Ви́тя?—Óн ... урóке.

5. *Answer the questions.*

Где Джéйн былá ýтром?

Где сейчáс Олéг?

Где Кáтя былá ýтром?

Где Сергéй бы́л ýтром?

Где живýт Вéра Ивáновна и Бори́с Петрóвич?

Где рабóтает Вéра Ивáновна?

Бори́с Петрóвич сейчáс дóма?

6. *Read and translate.*

1. Рáньше Николáй Петрóвич рабóтал на Украйне, в Хáрькове. Хáрьков—э́то большóй гóрод на Украйне. 2. Веснóй я́ бы́л в Москвé. Я́ жи́л

та́м в «Росси́и». «Росси́я» — / э́то больша́я гости́ница в Москве́. 3. Ра́ньше Оле́г жи́л на Ура́ле, в Магнитого́рске. Магнитого́рск — / э́то большо́й го́род на Ура́ле. 4. Ве́ра рабо́тает в Ру́сском музе́е.[1] Ру́сский музе́й — / э́то музе́й в Ленингра́де.

7. *Listen and repeat.*

го́род на [нъ] Украи́не, большо́й го́род на Украи́не; гости́ница, больша́я гости́ница в Москве́; живёт и [ы] рабо́тает, живёт и рабо́тает в Ленингра́де; дере́вня, больша́я дере́вня, больша́я дере́вня на Кавка́зе [нъкъфка́з'и], ма́ленький го́род, на се́вере СССР, ма́ленький го́род на се́вере СССР; Ру́сский музе́й, рабо́тает в Ру́сском музе́е.

8. *Compose similar sentences by substituting the words given below for those underlined.*

Она́ живёт в Москве́.

большо́й го́род на Ура́ле; ма́ленький го́род на Украи́не; но́вая гости́ница в Москве́; краси́вый до́м в Ленингра́де; больша́я дере́вня на Кавка́зе; ма́ленький го́род на се́вере СССР.

9. *Analyze the syntax of each of the following sentences. Translate the sentences.*

Ле́том америка́нские студе́нты бы́ли в СССР. Они́ бы́ли в Москве́ и в Ленингра́де. В Москве́ они́ жи́ли в гости́нице «Росси́я». В Москве́ они́ бы́ли в Кремле́, в Третьяко́вской галере́е, в Большо́м теа́тре, в Моско́вском университе́те. В Ленингра́де они́ жи́ли в гости́нице «Ленингра́д». В Ленингра́де они́ бы́ли в Ру́сском музе́е, в Эрмита́же,[2] в теа́тре.

10. *Read the sentences aloud, paying attention to the intonation of sentences containing enumerations.*

1. Анто́н говори́т по-ру́сски, / по-англи́йски / и по-неме́цки. Анто́н говори́т по-ру́сски, / по-англи́йски / и по-францу́зски. Анто́н хорошо́ говори́т по-ру́сски, / по-англи́йски / и по-францу́зски. 2. Ле́том мы́ бы́ли в Москве́, / в Ки́еве / и в Ленингра́де. Ле́том мы́ бы́ли в Москве́, / в Ки́еве / и в Ленингра́де. Ле́том мы́ бы́ли в Москве́, / в Ки́еве / и в Ленингра́де. 3. В Москве́

---

[1] The Russian Museum, opened (1898) in the Mikhailovsky Palace in St. Petersburg (now Leningrad), contains one of the largest collections of Russian painting and sculpture.

[2] The Hermitage Museum, the State Museum of Art and Cultural History, is located in Leningrad and contains the Soviet Union's largest collection of art works from around the world.

они́ бы́ли в Кремле, / в Третьяко́вской галере́е, / в Большо́м теа́тре, / в Моско́вском университе́те. В Москве́ они́ бы́ли в Кремле, / в Третьяко́вской галере́е, / в Большо́м теа́тре, / в Моско́вском университе́те. В Москве́ они́ бы́ли в Кремле, / в Третьяко́вской галере́е, / в Большо́м теа́тре, / в Моско́вском университе́те.

11. *Read and translate.*

1. Вчера́ Анна не рабо́тала. Она́ отдыха́ла. У́тром она́ была́ до́ма. Снача́ла она́ чита́ла, пото́м рисова́ла. Днём пого́да была́ хоро́шая, и А́нна гуля́ла. Ве́чером она́ была́ в теа́тре. 2. Джон живёт в Москве́ и уже́ непло́хо говори́т по-ру́сски.

12. *Answer the questions.*

1. Где́ вы́ бы́ли вчера́ ве́чером? 2. Где́ вы́ бы́ли сего́дня у́тром? 3. Кака́я сего́дня пого́да? 4. Кака́я пого́да была́ вчера́? 5. Где́ вы́ бы́ли ле́том? 6. Кака́я пого́да была́ ле́том? 7. Кака́я пого́да была́ в сентябре́?

13. *Note the word-building pattern.*

интере́сный — **не**интере́сный
краси́вый — **не**краси́вый

14. *Give the antonyms of the adjectives* ста́рый, большо́й, хоро́ший.

15. *Use the adjectives* интере́сный, краси́вый, неинтере́сный, некраси́вый, небольшо́й *in sentences*.

16. *Read and translate*

плохо́й	— Вы́ не зна́ете, э́то хоро́ший слова́рь?
непло́хой	— Не́т, плохо́й.
	— А во́т э́тот слова́рь?
хоро́ший	— Это непло́хой слова́рь.
большо́й	— В Моско́вском университе́те больша́я хоро́шая библиоте́ка.
небольшо́й ма́ленький	В э́той шко́ле ма́ленькая библиоте́ка. Ни́на рабо́тает в небольшо́й библиоте́ке.
молодо́й	— Серге́й Ивано́в — молодо́й челове́к. Его́ оте́ц уже́ немолодо́й.
ста́рый	— Он ста́рый?
	— Не́т, о́н не ста́рый.

120

17. *Answer, using the adjectives* неплохо́й, хоро́ший, большо́й, небольшо́й, ма́ленький, молодо́й, немолодо́й, ста́рый.

1. В како́м го́роде вы́ живёте? 2. В како́м до́ме вы́ живёте? 3. В како́м до́ме живёт ва́ша семья́? 4. Где́ вы́ отдыха́ли ле́том? 5. Где́ живёт ва́ш дру́г? 6. Где́ о́н рабо́тает?

18. *Read and translate.*

другой — Где́ живёт А́нна?
— А́нна живёт в э́том до́ме.
— А вы́?
— Я живу́ в друго́м до́ме.
Серге́й и Никола́й — студе́нты МГУ. Оди́н — исто́рик, а друго́й — фи́зик.

19. *Make up sentences, as in the model, using the words* био́лог, фи́зик, журнали́ст, инжене́р, рабо́чий, вра́ч, адвока́т, студе́нт.

Model: Э́то Оле́г и Пётр. Оди́н — студе́нт, друго́й — вра́ч.

20. *Answer, using the words* оди́н, друго́й.

1. Кто́ э́ти де́вушки? 2. Они́ ру́сские? 3. Где́ они́ живу́т? 4. Где́ они́ сейча́с? 5. Что́ они́ де́лают?

21. *Vocabulary for Reading. Study the following new words and their usage as illustrated in the sentences on the right. Read each sentence aloud.*

иностра́нный — Боттиче́лли — э́то иностра́нная фами́лия.

сове́тский — В общежи́тии МГУ живу́т сове́тские и иностра́нные студе́нты. В э́том институ́те рабо́тают сове́тские и иностра́нные инжене́ры.

де́вушка — Дже́йн и Ка́тя — молоды́е де́вушки.
Де́вушка, извини́те, пожа́луйста, ка́к ва́с зову́т? Де́вушка, вы́ не зна́ете, где́ здесь библиоте́ка?

това́рищ — Серге́й и его́ това́рищи бы́ли зимо́й в Ленингра́де.
Това́рищ Петро́в, вы́ бы́ли вчера́ в институ́те[1]?

___
[1] The word това́рищ "comrade" is used only as an official form of address.

ме́сто	— Скажи́те, пожа́луйста, где второ́е ме́сто? — Та́м. — Где́ на́ши места́? — Здесь. Ле́том они́ отдыха́ли в о́чень краси́вом ме́сте на Кавка́зе.
расска́зывать о ко́м—о чём / *subordinate* *clause*	Мо́й бра́т о́чень интере́сно расска́зывает. Сейча́с о́н расска́зывает о теа́тре. О́н расска́зывал, что ле́том о́н бы́л в Ленингра́де.
вспомина́ть о ко́м—о чём / *subordinate* *clause*	Студе́нты вспомина́ли о Ленингра́де. Студе́нты вспомина́ли, ка́к они́ бы́ли в Ленингра́де. Ро́берт вспомина́ет о Москве́. Ро́берт вспомина́ет, ка́к о́н жи́л и рабо́тал в Москве́. А́нна ча́сто вспомина́ет о бра́те и сестре́.
гуля́ть	Вчера́ Пётр отдыха́л. У́тром о́н гуля́л. Ве́чером о́н бы́л на конце́рте.
снача́ла	Ле́том Анто́н бы́л на Украи́не. Снача́ла о́н жи́л в Ки́еве, пото́м в Ха́рькове.
гора́	Эльбру́с — высо́кая гора́ на Кавка́зе. Кавка́з — э́то молоды́е го́ры. Ура́л — э́то ста́рые го́ры.
высо́кий	Но́вое зда́ние МГУ высо́кое. Анто́н высо́кий, а Пётр невысо́кий.
пого́да	Сего́дня хоро́шая пого́да, а вчера́ была́ плоха́я пого́да.
страна́	Йндия — э́то больша́я страна́. Непа́л — э́то небольша́я страна́.
худо́жник	Илья́ Ефи́мович Ре́пин — ру́сский худо́жник. Ренуа́р — францу́зский худо́жник. Эдуа́рд Хо́ппер — америка́нский худо́жник.
обы́чно	Ле́том они́ обы́чно отдыха́ют в дере́вне. В Москве́ о́н обы́чно живёт в гости́нице «Росси́я».
пла́вать	Ро́берт хорошо́ пла́вает. Ле́том о́н мно́го пла́вал.

22. *Answer the questions,* *using the words* снача́ла, пото́м, обы́чно, ча́сто.

1. Где́ вы́ обы́чно отдыха́ете ле́том? 2. Вы́ ча́сто рабо́таете в библиоте́ке? 3. Что́ вы́ обы́чно де́лаете ве́чером? 4. Что́ вы́ де́лали вчера́ ве́чером?

23. *Tell about how you spent your summer vacation. Where did you vacation? Was there a river, ocean, sea, mountains nearby? What kind of a spot was it? What kind of weather predominated?*

122

24. *Give the names of your favourite painters and their nationality.*

Model: Ре́пин — ру́сский худо́жник.

25. *Read the dialogues aloud.*

1. — Что вы́ де́лали вчера́ ве́чером?
   — Мы́ танцева́ли.
   — Ка́тя, / ты́ то́же танцева́ла?
   — Нет, / я́ не танцева́ла.
2. — Ка́тя, / вы́ пла́ваете?
   — Да, / пла́ваю. Я́ мно́го пла́вала ле́том.
   — Где?
   — В мо́ре. Я́ была́ на Қавка́зе.

26. (a) *Pronunciation Practice. Read aloud.*

Магази́н [мъгаз’и́н]. Где́ здесь магази́н?
Стадио́н [стъд’ио́н]. Где́ стадио́н?
Общежи́тие [апщижы́т’иjъ], студе́нческое общежи́тие. Где́ здесь студе́нческое общежи́тие?
Лаборато́рия [лъбърато́риjъ], хими́ческая лаборато́рия. Где́ здесь хими́ческая лаборато́рия?
Гости́ница [гъс’т’и́н’ицъ], гости́ница Росси́я. Где́ здесь гости́ница «Росси́я»?

(b) *Oral Practice.*

Find out where the library, dormitory, chemical laboratory, stadium, store and fifth train car are located. Ask a young woman, a young man.

27. *Supply the required verb in the correct form:* вспомина́ть, пла́вать, бы́ть, гуля́ть, жи́ть, расска́зывать, рисова́ть, чита́ть.

1. Анто́н ... на Украи́не, на Ура́ле, на Қавка́зе, в Ленингра́де, в Ми́нске.
2. Ро́берт о́чень интере́сно ... о сове́тском теа́тре. 3. Ра́ньше Оле́г ... на Ура́ле. Сейча́с о́н ча́сто ... о краси́вой ура́льской приро́де. 4. Ле́том А́нна отдыха́ла на Қавка́зе, она́ мно́го ..., ... в мо́ре, ...

28. *Tell how you spent the day yesterday. Use the verbs* рабо́тать, бы́ть, гуля́ть, чита́ть.

123

29. *Translate the sentences without consulting a dictionary.*

1. А́нна говори́т о́чень бы́стро, и я́ пло́хо понима́ю. 2. Казбе́к — э́то высо́кая гора́ на Кавка́зе. 3. Го́рные ре́ки о́чень бы́стрые. 4. Вчера́ Ка́тя и Джейн бы́ли в студе́нческом клу́бе на конце́рте.

30. *Listen and repeat.*

(a) *Pronunciation Practice: unstressed syllables.*

Во́лга [во́лгъ], пого́да [паго́дъ], мо́ре, о мо́ре [амо́р'и], говоря́т [гъвар'а́т], в сентябре́ [фс'ин'т'ибр'е́], о Днепре́ [ад'н'ипр'е́], о матема́тике [амът'има́т'ик'и], о биоло́гии [аб'иало́г'ии], слу́шают [слу́шъjут], вспомина́ют [фспъм'ина́jут], расска́зывают [раска́зывъjут], в ла́гере [вла́г'ир'и], хоро́ший [харо́шыj], хорошо́ [хърашо́], плохо́й [плахо́j], неплохо́й [н'иплахо́j], большо́й, небольшо́й;

пе́ла, пе́л, пе́ли; говори́ла, говори́л, говори́ли; пла́вала, пла́вал, пла́вали; гуля́ла, гуля́л, гуля́ли; отдыха́ла, отдыха́л, отдыха́ли; была́, бы́л, бы́ли; жила́, жи́л, жи́ли;

студе́нческий [студ'е́н'ч'иск'иj], иностра́нный [инастра́ныj], сове́тский [сав'е́цк'иj].

(b) *Pronounce each sentence with appropriate speed and as a single unit.*

О чём? О чём говоря́т? О чём говоря́т студе́нты? На пра́ктике, была́ на пра́ктике, была́ на пра́ктике в Оде́ссе; на Кавка́зе, отдыха́ла на Кавка́зе; в ла́гере «Спу́тник» [спу́т'н'ик], в студе́нческом ла́гере, в студе́нческом ла́гере «Спу́тник»; сове́тские студе́нты, иностра́нные студе́нты, сове́тские и иностра́нные студе́нты; о стране́, о Сове́тской стране́, говори́ли о Сове́тской стране́; об университе́те, о Моско́вском университе́те; в дере́вне, в небольшо́й дере́вне; в краси́вом ме́сте; неплохо́й худо́жник; больша́я река́, больша́я река́ на Украи́не; вспомина́ют о Днепре́.

(c) *Pay attention to intonation.*

Студе́нты говоря́т о физике, / о математике, / о биологии?

Они́ говоря́т о Кавказе, / о Чёрном море, / о Волге, / о Днепре.

Они́ говоря́т о Кавказе, / о Чёрном море, / о Волге, о Днепре.

Они́ говоря́т о Кавказе, / о Чёрном море, / о Волге, / о Днепре.

Они́ говори́ли о Сове́тской стране, / о Моско́вском университете, / о театре, / о музыке.

Одни́ рассказывают, / други́е слушают.

Одни́ рассказывают, / други́е слушают.

Одни́ расска́зывают, ка́к они́ отдыхали, / други́е слушают.

Снача́ла Ка́тя была́ на пра́ктике в Одессе, / а пото́м отдыха́ла на Кав-ка́зе. [1][1]

Снача́ла Ка́тя была́ на пра́ктике в Одессе, / а пото́м отдыха́ла на Кавка́-зе. [3][1]

Снача́ла Ка́тя была́ на пра́ктике в Одессе, / а пото́м отдыха́ла на Кавка́зе. [4][1]

Дне́пр — э́то больша́я река́ на Украине. [1]

Дне́пр — / э́то больша́я река́ на Украине. [3][1]

Дне́пр — / э́то больша́я река́ на Украине. [4][1]

31. *Basic Text. Read the text and then do exercises 32 and 33.*

О чём говоря́т студе́нты в сентябре́?

О чём говоря́т студе́нты в сентябре́? О фи́зике, о матема́тике, о биоло́гии? Не́т, они́ говоря́т о Кавка́зе, о Чёрном мо́ре, о Во́лге и Днепре́.

Одни́ расска́зывают, ка́к они́ отдыха́ли, други́е слу́шают.

Ле́том Ка́тя Ивано́ва была́ в Оде́ссе и на Кавка́зе. Снача́ла она́ была́ на пра́ктике в Оде́ссе, а пото́м отдыха́ла на Кавка́зе. Она́ отдыха́ла в студе́нческом ла́гере «Спу́тник». В э́том ла́гере жи́ли сове́тские и иностра́нные студе́нты. В «Спу́тнике» Ка́тя отдыха́ла о́чень хорошо́. Она́ была́ та́м не одна́. Та́м бы́ли её подру́ги. Их дома́ бы́ли ря́дом. Днём они́ мно́го гуля́ли. Го́ры на Кавка́зе высо́кие, ре́ки бы́стрые, а мо́ре большо́е и краси́вое. Пого́да была́ хоро́шая. У́тром и ве́чером Ка́тя пла́вала в мо́ре. Она́ пла́вает хорошо́. Ве́чером в клу́бе Ка́тя и её но́вые това́рищи пе́ли, танцева́ли, говори́ли. Одни́ говори́ли по-ру́сски, а други́е по-англи́йски, по-неме́цки и́ли по-францу́зски. Они́ говори́ли о Сове́тской стране́, о Моско́вском университе́те, о теа́тре, о му́зыке. Ка́тя ча́сто пе́ла в клу́бе. Пе́ли и други́е де́вушки.

Серге́й и Оле́г отдыха́ли на Украи́не. Они́ жи́ли в небольшо́й дере́вне, в краси́вом ме́сте. Обы́чно у́тром Серге́й рисова́л. Он неплохо́й худо́жник. Пото́м они́ гуля́ли, пла́вали в Днепре́. Дне́пр — э́то больша́я река́ на Украи́не. Сейча́с Серге́й и Оле́г ча́сто вспомина́ют о Днепре́, об Украи́не, расска́зывают, ка́к они́ та́м жи́ли.

32. *Answer the questions.*

(a) 1. О чём говоря́т студе́нты в сентябре́? 2. Где́ Ка́тя была́ ле́том? 3. Где́ она́ отдыха́ла? 4. Где́ отдыха́ли Серге́й и Оле́г? 5. Где́ они́ жи́ли ле́том?
(b) 1. Ка́к отдыха́ла Ка́тя? Что́ она́ де́лала? 2. Ка́к отдыха́ли Серге́й и Оле́г? 3. Что́ они́ де́лали? 4. О чём сейча́с расска́зывают Серге́й и Оле́г?

(c) О чём говоря́т америка́нские студе́нты в сентябре́?

33. *For written and oral practice.*

(1) You have just returned from an international student camp called "Sput-nik". There you made the acquaintance of one Katya Ivanova. Tell your classmates about the camp and about Katya.

(2) You have been traveling in the Ukraine and met one Oleg Petrov there. Oleg told you about himself and his friend Sergei. Tell your classmates about this meeting.

34. *Tell what you know about the persons in the picture below. What are their names? What do they do? Where do they live now and where did they live previously? What do you know about them and their lives?*

35. *Answer the questions.*

1. Что́ вы де́лали ле́том? 2. Где́ вы отдыха́ли ле́том? 3. Где́ вы обы́чно отдыха́ете? 4. Ка́к вы обы́чно отдыха́ете? 5. Где́ отдыха́ет ва́ша семья́?

36. *Tell about your summer vacation in Russian and be prepared to ask a friend or a fellow-student about his or her summer.*

VOCABULARY

а́ and, but
биле́т ticket
бы́стрый fast
бы́ть to be
весно́й in the spring
восто́к east
вспомина́ть recollect
высо́кий high
галере́я gallery
гора́ mountain
го́рный mountain(ous)
гуля́ть stroll

до́брое у́тро good morning
до́брый ве́чер good evening
до́брый де́нь good afternoon
друго́й other, different
за́пад west
иностра́нный foreign
интере́сно interesting
Ка́к ва́ши дела́? How are things?
конце́рт concert
Кре́мль Kremlin
* ла́герь camp

ле́кция lecture
ма́ло little, few
ме́сто place, seat
мно́го much, a lot
мо́ре sea
москви́ч Muscovite
небольшо́й small, not large
неинтере́сный uninteresting
некраси́вый plain
непло́хо not bad(ly)
неста́рый not old, new
ничего́ all right

126

о (об) about
обы́чно usually
о́сенью in the autumn
* пассажи́р passenger
пе́ть sing
пла́вать swim
пого́да weather
пото́м then, after that
пра́ктика practical training
приро́да nature
рабо́та work

рабо́чий worker
расска́зывать tell, relate
рестора́н restaurant
рисова́ть draw
роди́тели parents
самолёт airplane
се́вер north
снача́ла at first
Сове́тский Сою́з Soviet Union
статья́ article
страна́ country

* стюарде́сса stewardess
танцева́ть dance
това́рищ comrade, friend
то́лько only
у́лица street
университе́тский university
худо́жник artist
центр center
ча́сто often
юг South

Unit

Presentation and Preparatory Exercises

I

> Это ко́мната **сы́на**.
> Балти́йское мо́ре на за́паде **страны́**.
> Писа́тель расска́зывает о красоте́ **приро́ды Кавка́за**.
> На ю́ге страны́ мно́го **у́гля**.

1. *Listen, read and analyze. (See Analysis V, 1.1; 1.2.)*

Бори́с — москви́ч. Он живёт в Москве́. Его́ а́дрес — проспе́кт Ми́ра, до́м 10 (де́сять), кварти́ра 5 (пя́ть).

Бори́с — гео́граф. В ко́мнате **Бори́са** на столе́ лежи́т уче́бник **геогра́фии**. На стене́ виси́т больша́я ка́рта **ми́ра** и ка́рта СССР. Это Украи́на. Украи́на — респу́блика[1] СССР. Столи́ца **Украи́ны** — Ки́ев. Это Кавка́з. Кавка́з нахо́дится на ю́ге СССР. Ру́сские писа́тели писа́ли о красоте́ **приро́ды Кавка́за**.

Ти́хий океа́н нахо́дится на восто́ке **страны́**. На за́паде **страны́** — Балти́йское мо́ре. На ю́ге страны́ **мно́го у́гля**. На за́паде страны́ **мно́го желе́за**. Это Сре́дняя А́зия. В э́том райо́не ма́ло воды́.

На се́вере **страны́** холо́дный кли́мат. На ю́ге **страны́** тёплый кли́мат.

2. *Listen and repeat.*

(a) *Pay attention to the pronunciation of noun endings.*

> оте́ц — отца́
> у́голь — у́гля

Украи́на, на ю́ге Украи́ны, столи́ца Украи́ны; го́род, в це́нтре го́рода; университе́т, студе́нты университе́та; страна́, на ю́ге страны́, на восто́ке

---

[1] The USSR consists of 15 constituent republics, each of which is a separate national and territorial unit of the Soviet Union.

страны́, на за́паде страны́, ка́рта страны́; ми́р, ка́рта ми́ра; Кавка́з, красота́ Кавка́за, приро́да Кавка́за, кли́мат Кавка́за; приро́да, красота́ приро́ды, красота́ приро́ды Кавка́за; оте́ц, ко́мната отца́; сестра́, ко́мната сестры́; геогра́фия, уче́бник геогра́фии; у́голь, мно́го у́гля; вода́, ма́ло воды́, желе́зо, мно́го желе́за.

(b) *Pay attention to the pronunciation of unstressed syllables.*

стена́ [с'т'ина́], на стене́; проспе́кт [прасп'е́кт], а́дрес [а́др'ис], гео́граф [г'ио́гръф], геогра́фия [г'иагра́ф'иjъ], ко́мната [ко́мнътъ], красота́ [кръсата́], уче́бник, респу́блика [р'испу́бл'икъ], кли́мат [кл'и́мът], холо́дный кли́мат, тёплый кли́мат; океа́н [ак'иа́н], Ти́хий океа́н.

(c) *Listen and reply.*

Model: — Это ко́мната сы́на?³

— Да, / э́то ко́мната сы́на.¹ ¹

1. Это уче́бник Анто́на? 2. Это маши́на отца́? 3. Это ко́мната ма́мы? 4. Это газе́та Анны? 5. Это ка́рта Аме́рики? 6. Это кни́га о приро́де Кавка́за? 7. Это общежи́тие университе́та? 8. Сейча́с уро́к исто́рии? 9. Это уче́бник матема́тики? 10. Это проспе́кт Ми́ра?

Model: — Это слова́рь Антона?³

— Нет, / Виктора.¹ ¹

Это ко́мната отца́?	бра́т
Это маши́на Оле́га?	Анто́н
Это общежи́тие заво́да?	университе́т
Это ка́рта Украи́ны?	Кавка́з
Это портфе́ль Анны?	Ка́тя
Это кни́га о кли́мате Кавка́за?	Ура́л
Это слова́рь Ви́ктора?	Ве́ра
Это уче́бник геогра́фии?	исто́рия
Сейча́с уро́к хи́мии?	фи́зика

3. *Supply continuations, using the information provided.*

1. Это общежи́тие университе́та. Здесь живу́т То́м, Ни́на, Оле́г, Па́влик, А́нна, Ви́ктор.
   — Чьи э́то ко́мнаты?
   — Это ко́мната То́ма. Это ко́мната . . . .
2. Это кварти́ра Ве́ры. Здесь живу́т её ма́ма, оте́ц, бра́т, сестра́.
   — Чьи э́то ко́мнаты?
   — Это ко́мната . . .
3. Это ка́рта. Здесь Евро́па, та́м Аме́рика.
   Это Украи́на, Кры́м, Кавка́з. Профе́ссор расска́зывает о приро́де . . . , о кли́мате . . .
4. Это библиоте́ка. На столе́ лежа́т уче́бники. Это уче́бник . . . .

4. *Complete the dialogues, using the words on the right.*

Model: — Чья́ э́то кни́га?
— Э́то кни́га Анто́на.
— А че́й слова́рь лежи́т на по́лке?
— На по́лке лежи́т слова́рь А́нны.

1. — Чья́ ко́мната спра́ва? —....	бра́т
— А чья́ ко́мната сле́ва? —....	сестра́
2. — О чём сего́дня расска́зывал профе́ссор?	приро́да, Кавка́з
—	
— А о чём он расска́зывал вчера́? —...	кли́мат, Украи́на
3. — Како́е э́то зда́ние? —....	институ́т
— А како́е зда́ние та́м? —....	больни́ца
4. — Где́ нахо́дится Кре́мль? —....	це́нтр, Москва́
— А где́ нахо́дится Эрмита́ж? —....	це́нтр, Ленингра́д

5. *Listen and repeat.*

столи́ца, больни́ца, це́нтр, в це́нтре, оте́ц [ат'е́ц], отца́ [ацца́], находи́ться [нъхад'и́ццъ], нахо́дится; оди́ннадцать [ад'и́нъццът'], двена́дцать [дв'ина́ццът'], трина́дцать, четы́рнадцать [читы́рнъццът'], пятна́дцать [п'итна́ццът'], шестна́дцать [шысна́ццът'], семна́дцать [с'имна́ццът'], восемна́дцать [въс'имна́ццът'], девятна́дцать [д'ив'итна́ццът'], два́дцать [два́ццът'], три́дцать [тр'и́ццът'].

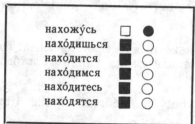

нахожу́сь	☐	●
нахо́дишься	■	○
нахо́дится	■	○
нахо́димся	■	○
нахо́дитесь	■	○
нахо́дятся	■	○

1. — Где́ нахо́дится Оде́сса?
— Оде́сса нахо́дится на ю́ге Украи́ны.
— Где́ нахо́дятся Кре́мль и Большо́й теа́тр?
— Кре́мль и Большо́й теа́тр нахо́дятся в Москве́.
2. — Э́то до́м но́мер два́дцать?
— Да́, два́дцать.
3. — Э́то кварти́ра но́мер пятна́дцать?
— Не́т, шестна́дцать.
4. — Где́ нахо́дится кварти́ра но́мер девятна́дцать?
— На шесто́м этаже́.
5. — Э́то до́м но́мер оди́ннадцать?
— Не́т, э́то до́м но́мер де́сять. До́м но́мер оди́ннадцать ря́дом.

6. *Paraphrase each answer.*

Model: — Скажи́те, пожа́луйста, где́ нахо́дится ста́рое зда́ние университе́та?
— Проспе́кт Ма́ркса, до́м два́дцать.

131

— Ста́рое зда́ние университе́та нахо́дится на проспе́кте Ма́ркса в до́ме два́дцать.

1. — Скажи́те, пожа́луйста, где нахо́дится магази́н «До́м кни́ги»?
   — Проспе́кт Кали́нина[1], до́м 11.
2. — Вы́ не зна́ете, где нахо́дится гости́ница «Москва́»?
   — Проспе́кт Ма́ркса, до́м 12.
3. — Скажи́те, где нахо́дится студе́нческая библиоте́ка?
   — Проспе́кт Ми́ра, до́м 14.
4. — Скажи́те, пожа́луйста, где нахо́дится больни́ца но́мер 5?
   — У́лица Че́хова, до́м 15.
5. — Вы́ не зна́ете, где нахо́дится Де́тский теа́тр?
   — У́лица Пу́шкина, до́м 19.
6. — Ты́ не зна́ешь, где живёт Анто́н?
   — Зна́ю. Его́ а́дрес: проспе́кт Ми́ра, до́м 12, кварти́ра 18.
7. — Скажи́те, пожа́луйста, где живёт Ве́ра Петро́вна?
   — У́лица Ге́рцена[2], до́м 16, кварти́ра 30.

7. *Compose dialogues, as in the model.*

Model: — Ви́ктор, ты́ не зна́ешь, где живёт И́горь?
   — Зна́ю. Он живёт в це́нтре Москвы́, на у́лице Че́хова, в до́ме но́мер пятна́дцать.

You want to find out Anton's, Nina's, the doctor's, the lawyer's address.

Model: — Ви́ктор, ты́ зна́ешь а́дрес музе́я Льва́ Толсто́го?
   — Зна́ю. Он нахо́дится на у́лице Толсто́го, в до́ме но́мер два́дцать оди́н.

You want to find out the address of the library, theater, hotel, restaurant.

8. (a) *Translate.*

In the summer Katya Ivanova was on practical training in Odessa. Odessa is a large city in the south of the Ukraine. In Odessa Katya lived in the center of the city on Peace Avenue (Prospekt Mira). She lived in a dormitory. Students of the University live in that dormitory. Katya worked in the Biology Department of the University. Katya's work was interesting.

(b) *Compose a dialogue between Katya and Jane, which deals with Katya's summer practical training in Odessa.*

---

[1] Kalinin, Mikhail Ivanovich (1875-1946), Soviet statesman who for many years was Chairman of the Presidium of the Supreme Soviet of the USSR.
[2] Herzen, Alexander Ivanovich (1812-1870), Russian writer and social thinker.

> Это ко́мната **мое́й сестры́.**
> Это кни́га о приро́де **Се́верного Кавка́за.**

9. *Listen and repeat; then read and analyze. (See Analysis V, 2.4; 2.5.)*

1. — Вы́ не зна́ете, о чём э́та кни́га?
   — Это кни́га о кли́мате **Се́верной Аме́рики.**
2. — Скажи́те, пожа́луйста, кто́ а́втор э́той рабо́ты?
   — А́втор э́той рабо́ты—студе́нтка **пя́того ку́рса** МГУ.
   — Рабо́та э́той студе́нтки о приро́де **Се́верного Кавка́за** о́чень интере́сная.
3. — Ты́ не зна́ешь, чьи́ э́то карти́ны?
   — Это карти́ны **молодо́го худо́жника.**
   — Ка́к его́ фами́лия?
   — Не́стеров.
4. — Ви́ктор, чей э́то уче́бник?
   — Это уче́бник **моего́ бра́та.**

10. (a) *Listen and repeat.*

Pronunciation Practice: genitive endings of pronouns.
мо́й бра́т, моего́ [мъjиво́], моего́ бра́та. Это сы́н моего́ бра́та.
моя́ сестра́, мое́й сестры́. Это до́чь мое́й сестры́.
твоя́ подру́га, твое́й подру́ги. Это уче́бник твое́й подру́ги?
твоего́ [твъjиво́] бра́та. Это до́м твоего́ бра́та?
ва́ш оте́ц, ва́шего [ва́шъвъ] отца́. Это маши́на ва́шего отца́?
на́ш профе́ссор, на́шего профе́ссора. Это кни́га на́шего профе́ссора.
его́ [jиво́]. Это его́ сы́н?
э́та кни́га, э́той кни́ги. Кто́ а́втор э́той кни́ги? э́того [э́тъвъ] Кто́ а́втор э́того уче́бника?

(b) *Listen and reply.*

Model: — Это маши́на твоего́³ отца́?
         — Да, / моего́¹ отца́¹.

1. Это кни́га ва́шего профе́ссора? 2. Это статья́ ва́шей студе́нтки? 3. Это а́дрес твоего́ бра́та? 4. Это кварти́ра ва́шего отца́? 5. Это му́ж твое́й подру́ги? 6. Это маши́на его́ отца́? 7. Это журна́л ва́шего му́жа?

Model: — Это маши́на ва́шего³ мужа?
         — Не́т, / моего́¹ отца́¹.

1. Это му́ж твое́й подру́ги?	сестра́
2. Это кни́га твоего́ дру́га?	бра́т
3. Это маши́на твоего́ бра́та?	дру́г
4. Это сы́н твое́й сестры́?	подру́га
5. Это ко́мната ва́шей жены́?	оте́ц
6. Это до́м ва́шего отца́?	сы́н
7. Это кни́ги твоего́ сы́на?	му́ж

11. *Answer the questions.*

Model: — Чéй э́то портфéль?
— Э́то портфéль моегó брáта.

1. Чéй э́то дóм?	нáш профéссор
2. Чья́ э́то маши́на?	мóй дрýг
3. Чья́ э́то кóмната?	мóй мýж
4. Чьё э́то письмó?	моя́ сестрá
5. Чéй э́то журнáл?	мóй отéц
6. Чья́ э́то квартѝра?	э́та студéнтка

Model: — Чéй портфéль лежи́т на столé?
— На столé лежи́т портфéль моегó брáта.

1. Чéй журнáл лежи́т на столé?	э́тот учени́к
2. Чья́ кáрта лежи́т на столé?	вáша учени́ца
3. Чьй газéты лежáт на пóлке?	э́тот студéнт
	э́та студéнтка
4. Чéй словáрь лежи́т на пóлке?	мóй отéц
	мóй брáт
5. Чьй учéбники лежáт на столé?	вáша сестрá

12. *Compose dialogues by substituting the words on the right for those underlined.*

Model: — Э́то твоя́ кни́га?³
— Нет, / не моя́.¹ ¹
— А чья́ э́то кни́га?²
— Э́то кни́га моегó товáрища.¹

портфéль, мóй дрýг;
дóм, мóй отéц;
квартѝра, моя́ сестрá;
маши́на, мóй брáт;
журнáл, нáш профéссор;
учéбник, э́та дéвушка

13. *Read and translate.*

Э́то нáша нóвая квартѝра. Здéсь живёт нáша семья́: мóй отéц, моя́ мáма, моя́ сестрá и я́. Здéсь моя́ кóмната. Спрáва кóмната моегó отца́, ря́дом кóмната моéй мáмы. Напрóтив кóмната моéй сестры́. Онá учени́ца пя́того клáсса, а я́ учени́к седьмóго клáсса. Мóй отéц — инженéр. Сейчáс óн рабóтает в хими́ческой лаборатóрии большóго завóда. Рáньше мóй отéц рабóтал на сéвере страны́. Мы́ жи́ли в цéнтре небольшóго гóрода. Напрóтив былá шкóла, а ря́дом находи́лось здáние городскóй библиотéки. В нéй рабóтала моя́ мáма.

14. (a) *Listen and repeat.*

пя́тый клáсс, учени́ца [учин'и́цъ], учени́ца пя́того [п'áтъвъ] клáсса; учени́к [учин'и́к], седьмóй [с'ид'мój] клáсс, учени́к седьмóго [с'ид'мóвъ] клáсса, трéтий кýрс, студéнт трéтьего [тр'éт'jивъ] кýрса; Сéверный Кавкáз, прирóда Сéверного [с'éв'ирнъвъ] Кавкáза; молодóй [мълодój] худóжник, карти́ны молодóго худóжника; англи́йский язы́к, учéбник англи́йского

134

языка́; Моско́вский университе́т, общежи́тие Моско́вского университе́та; ру́сский язы́к, уро́к ру́сского языка́; америка́нский писа́тель, кни́га америка́нского писа́теля; Ю́жная Аме́рика, кли́мат Ю́жной Аме́рики; восто́чная Украи́на, приро́да восто́чной Украи́ны.

(b) *Listen and reply.*

Model: — Сейча́с уро́к ру́сского языка́?

— Да, / ру́сского языка́.

1. Ни́на—студе́нтка пя́того ку́рса? 2. Это уче́бник англи́йского языка́? 3. Это гости́ница Моско́вского университе́та? 4. Вы рабо́таете в библиоте́ке физи́ческого институ́та? 5. Это ка́рта Сове́тского Сою́за? 6. Профе́ссор расска́зывал о приро́де Се́верной Аме́рики? 7. Вы студе́нт филологи́ческого факульте́та? 8. Джон—студе́нт истори́ческого факульте́та Моско́вского университе́та?

Model: — Это уче́бник ру́сского языка́?

— Нет, / англи́йского.

1. Сейча́с уро́к англи́йского языка́?	ру́сский
2. Эта кни́га америка́нского писа́теля?	англи́йский
3. Джон—студе́нт второго ку́рса?	тре́тий
4. Вы учени́к пятого кла́сса?	шесто́й
5. Вы живёте в общежи́тии Московского университе́та?	Ленингра́дский
6. Вы рабо́таете в лаборато́рии физического факульте́та?	хими́ческий
7. Вы студе́нт филологического факульте́та?	истори́ческий
8. Это ле́кция о приро́де Ю́жной Аме́рики?	Се́верный
9. Профе́ссор расска́зывал о кли́мате восточной Украи́ны?	за́падный

(c) *Listen and repeat. Mark intonational centers.*

— А́нна, ва́ша подру́га—студе́нтка Моско́вского университе́та?
— Да́, Мэ́ри—студе́нтка Моско́вского университе́та.
— А вы́?
— И я́ то́же. Мы́ студе́нтки биологи́ческого факульте́та МГУ.
— А ва́ш бра́т?
— Мо́й бра́т—студе́нт Ленингра́дского университе́та.
— А где́ о́н живёт?

— Óн живёт в общежи́тии истори́ческого факульте́та.
— Óн студе́нт пе́рвого ку́рса?
— Не́т, тре́тьего.
— А вы́?
— А я́ студе́нтка пя́того ку́рса.

15. *Answer the questions.*

(a) Како́й э́то уче́бник? | ру́сский язы́к
Како́й сейча́с уро́к? | англи́йский язы́к
Кака́я э́то ка́рта? | Сове́тский Сою́з
Чьи́ э́то карти́ны? | ру́сский худо́жник
Чья́ э́то кни́га? | америка́нский писа́тель
(b) О чём расска́зывал профе́ссор? | приро́да, Се́верный Кавка́з
О чём э́та кни́га? | кли́мат, Южная Аме́рика
О чём вы́ пи́шете? | приро́да, Южный Ура́л
О чём вы́ чита́ете? | кли́мат, Восто́чная Украи́на
О чём э́та кни́га? | исто́рия, ру́сский теа́тр

16. *Answer the questions.*

Model: — Где́ вы́ жи́ли в Ки́еве? (кварти́ра, мо́й ста́рый дру́г)
— В Ки́еве я́ жи́л в кварти́ре моего́ ста́рого дру́га.

1. Где́ вы́ отдыха́ли ле́том? | до́м, мо́й бра́т
2. Где́ вы́ жи́ли в Ленингра́де? | общежи́тие, Ленингра́дский универ-
   | си́те́т
3. Где́ вы́ рабо́тали вчера́? | библиоте́ка, на́ш институ́т
4. Где́ вы́ бы́ли сего́дня днём? | гости́ница, Моско́вский университе́т
5. Где́ о́н рабо́тает? | лаборато́рия, хими́ческий факульте́т
6. Где́ нахо́дится библиоте́ка? | зда́ние, физи́ческий факульте́т

17. *Compose sentences based on the information provided. Follow the model.*

Model: Это Моско́вский университе́т. Это библиоте́ка. Зде́сь рабо́тает Анто́н.
Анто́н рабо́тает в библиоте́ке Моско́вского университе́та.

1. Это Ки́евский университе́т. Это общежи́тие. Зде́сь живёт То́м. 2. Это биологи́ческий факульте́т Моско́вского университе́та. Это лаборато́рия. Зде́сь рабо́тает Ка́тя Ивано́ва. 3. Это Ленингра́дский университе́т. Это истори́ческий факульте́т. Зде́сь рабо́тает Никола́й. 4. Это хими́ческий заво́д. Это лаборато́рия. Зде́сь рабо́тает оте́ц А́нны. 5. Это большо́й заво́д. Это библиоте́ка. Зде́сь рабо́тает ма́ма Ка́ти. 6. Это Ки́евский университе́т. Это гости́ница. Зде́сь рабо́тает Пётр.

18. *Translate.*

1. Sergei is a historian. He works in the history department of Moscow University. Sergei reads a great deal about the history of the East. 2. Yesterday the professor discussed the geography of North America; today he is discussing the climate of South America. 3. There is a painting by an American

artist in this room. 4. "Where is the old building of Moscow University located?" "The old building is located in the center of Moscow on Marx Avenue."

19. *Describe the family and the apartment of a friend you have just visited.*

III

> Áнна **читáет кнѝгу.**
> Чтó онá читáет?
> Áнна **знáет Вѝктора** и **Вéру.**
> Когó онá знáет?

20. *Read and analyze. (See Analysis V, 2.1; 2.2; 5.0-6.0.)*

Борѝс и Вéра—студéнты МГУ. Онѝ геóграфы. Борѝс изучáет **прирóду** и **клѝмат** Амéрики. Борѝс бы̋л в Амéрике. Óн вѝдел **Вашингтóн, Нью-Йóрк** и **Бостóн.** Óн мнóго читáет об Амéрике. Сейчáс óн читáет **кнѝгу** об эконóмике страны̋. Я чáсто вѝжу **Борѝса** и **Вéру** в библиотéке университéта.

Вéра изучáет **геогрáфию** Еврóпы. Её подрýга Áнна—фѝзик. Онá изучáет **фѝзику** и **математику.** Дéвушки óчень лю̋бят **мýзыку.** Вéчером онѝ чáсто слýшают **рáдио.**

21. (a) *Listen and repeat.*

Фѝзика, изучáть фѝзику; геогрáфия, изучáю геогрáфию; истóрия, óн изучáет истóрию; математика, онѝ изучáют математику; биолóгия, вы̋ изучáете биолóгию; расскáз, слýшать расскáз, онѝ слýшают рáдио [рáд'ио]; мýзыка, любѝть мýзыку, я люблю̋ мýзыку, óн не лю̋бит мýзыку; Вéра, вѝдеть Вéру, я чáсто вѝжу Вéру; кнѝга, я читáю кнѝгу, эконóмика [иканóм'икъ]. Óн читáет кнѝгу об эконóмике Амéрики.

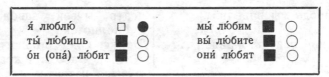

я люблю̋	□ ●	мы̋ лю̋бим	■ ○
ты̋ лю̋бишь	■ ○	вы̋ лю̋бите	■ ○
óн (онá) лю̋бит	■ ○	онѝ лю̋бят	■ ○

(b) *Listen and reply.*

Model: — Борѝс изучáет³ геогрáфию?
— Да, /óн¹ изучáет¹ геогрáфию.

1. Вы̋ слýшаете мýзыку? 2. Вы̋ вѝдели в библиотéке Антóна и Áнну? 3. Сергéй изучáет истóрию? 4. Пётр изучáет математику? 5. Вы̋ знáете сестрý Борѝса? 6. Вы̋ вѝдели отцá Вѝктора? 7. Вы̋ лю̋бите мýзыку? 8. Вы̋ слýшаете рáдио? 9. Вы̋ вѝдели Москвý? 10. Вы̋ читáли кнѝгу о Москвé?

Model: — Оле́г изуча́ет геогра́фию?
— Нет, / исто́рию.

1. Бори́с изуча́ет исто́рию? | геогра́фия
2. Пётр изуча́ет хи́мию? | матема́тика
3. А́нна изуча́ла биоло́гию? | фи́зика
4. Ка́тя изуча́ет фи́зику? | биоло́гия
5. Подру́га Ка́ти изуча́ет геогра́фию? | хи́мия
6. Ви́ктор чита́ет газе́ту? | журна́л

(c) *Read the dialogue. Mark stress and intonational centers.*

1. — Вы любите музыку?
— Да, очень люблю.
— А ваша подруга Нина?
— Нет, она не любит музыку. Она любит математику. А я математику не понимаю и не люблю.
2. — Джон, ты живёшь в Нью-Йорке?
— Да.
— Ты любишь Нью-Йорк?
— Нет, не люблю.
— А я живу в Чикаго. Я люблю Чикаго.
— А я не люблю город. Я люблю деревню.

(d) *Answer the questions in the affirmative.*

Model: — Вы́ любите теа́тр?
— Да, / я́ люблю теа́тр.

1. Вы́ любите матема́тику? 2. Ты́ любишь му́зыку? 3. Джо́н лю́бит теа́тр? 4. Ва́ши студе́нты лю́бят исто́рию? 5. Вы́ любите бале́т?

22. *Complete the sentences, using the words on the right.*

Model: Анто́н чита́л журна́л.

1. В э́том го́роде мы́ ви́дели ... . | теа́тр, музе́й, заво́д, университе́т, библиоте́ка
2. Вчера́ в университе́те я́ ви́дел ... . | Бори́с, Оле́г, Ма́ша, Ната́ша, Ни́на
3. О́н ви́дел ... . | Ки́ев и Оде́сса; Украи́на и Кавка́з
4. Она́ лю́бит ... . | му́зыка и теа́тр
5. Мы́ изуча́ем ... . | приро́да и кли́мат Евро́пы
6. Вчера́ я́ бы́л в теа́тре. Я́ ви́дел та́м ... . | сестра́ Бори́са, бра́т Оле́га, му́ж А́нны, жена́ Никола́я, оте́ц Ви́ктора, подру́га Мари́и

геогра́фия — гео́граф
биоло́гия — био́лог

23. *Supply a continuation to each sentence.*
Model: Пётр — хи́мик. О́н изуча́ет хи́мию.

138

Николай — фи́зик. Ка́тя — био́лог. Оле́г — исто́рик. Бори́с — гео́граф. Анто́н — матема́тик.

24. *Complete the dialogue, using the words on the right.*

— Ве́ра, кто́ э́то?
— Э́то мои́ това́рищи, студе́нты МГУ.
Э́то А́нна. Она́ био́лог. Она́ изуча́ет биоло́гию.

— А э́то кто́?	Бори́с, гео́граф, приро́да Аме́рики;
—	Оле́г, исто́рик, исто́рия Восто́ка;
	Та́ня, гео́граф, эконо́мика А́нглии

25. *Listen and repeat; then read and analyze. (See Analysis V, 2.3.)*

— Здра́вствуйте, А́ня.
— Здра́вствуйте, Никола́й Петро́вич.
— А́ня, кто́ э́то?
— Э́то моя́ сестра́.
— Ка́к **тебя́** зову́т?
— **Меня́** зову́т Ни́на.
— О́чень прия́тно. А **меня́** зову́т
Никола́й Петро́вич.
— А я́ уже́ зна́ю, ка́к **ва́с** зову́т. Мы́ ви́дели **ва́с** в теа́тре.
— Ты́ лю́бишь теа́тр?
— Да́, я́ о́чень люблю́ о́перу и бале́т.

26. (a) *Listen and repeat.*

меня́ [м'ин'а́], тебя́ [т'иб'а́], его́ [јиво́], её [јијо́], на́с, ва́с, и́х; обо мне́, о тебе́, о нём, о не́й, о ни́х; меня́ зову́т, тебя́ зову́т, его́ зову́т, её зову́т, ва́с зову́т [ваззаву́т] Ка́к её зову́т? Я́ ви́дел её. Вы́ говори́ли о не́й.

1. — Ка́к ва́с зову́т?²
— Меня́ зову́т Ни́на.¹
— А ка́к вас зову́т?⁴
— Меня́ зову́т Джон.¹ А э́то ва́ша
сестра?³ Ка́к её зову́т?²
— Её зову́т Ма́ша.¹
2. — Вы́ зна́ете Джо́на?³
— Не́т, / я́¹ не зна́ю его́.¹
— Э́то на́ш но́вый студе́нт.¹
— Да́,¹ / вы́ говори́ли о нём.¹

— А Ка́тю и Дже́йн вы зна́ете?

Я́ расска́зывала о ни́х.

— Не́т, / я́ и́х то́же не зна́ю.

(b) *Listen to the sentences, then make up questions of your own and answer them.*

Model: — Э́то но́вый студе́нт.
         — Ка́к его́ зову́т?
         — Его́ зову́т Ви́ктор.

1. Э́то студе́нтка МГУ.   4. Э́то мои́ подру́ги.
2. Э́то моя́ сестра́.   5. Э́то мо́й дру́г.
3. Э́то мо́й му́ж.   6. Э́то студе́нты университе́та.

27. *Supply the required personal pronouns in the correct form.*

1. Э́то Никола́й Ива́нович. О́н зде́сь живёт. Мы́ хорошо́ зна́ем ... , а о́н хорошо́ зна́ет ... . 2. Его́ сестра́ рабо́тает в теа́тре. Вчера́ я́ ви́дел ... в теа́тре, а она́ не ви́дела ... . 3. Ка́тя хорошо́ поёт. Мы́ лю́бим слу́шать ... . 4. Ка́тя, ты́ вчера́ была́ в клу́бе? Мы́ не ви́дели ... 5. Вы́ А́нна Петро́вна? Я́ ... зна́ю. 6. —Вы́ не зна́ете, где́ А́ня и Ка́тя?—Я́ ви́дел ... в общежи́тии. 7. —Когда́ я́ говорю́ по-ру́сски, вы́ понима́ете ...?—Да́, я́ понима́ю ... . 8. Серге́й изуча́ет исто́рию. О́н хорошо́ зна́ет ... . 9. А́ня изуча́ет теа́тр. Она́ хорошо́ зна́ет и лю́бит ... .

28. *Supply the required personal pronouns in the correct form.*

1. —Га́ля, ты́ зна́ешь Ви́ктора?—Да́, я́ зна́ю ... . Ве́ра мно́го говори́ла о ... . О́н о́чень хорошо́ поёт. 2. Ма́ма, ты́ не зна́ешь, где́ мо́й портфе́ль?— Я́ ви́дела ... в твое́й ко́мнате на сту́ле. 3. —Бори́с, ты́ слу́шал о́перу Ве́рди «Аи́да»?—Да́, я́ слу́шал ... в Большо́м теа́тре. 4. Э́то карти́на молодо́го худо́жника. Я́ зна́ю ... . Я́ чита́л о ... в газе́те. 5. —Ты́ зна́ешь, Анто́н сейча́с пи́шет статью́. Ты́ чита́л ...?—Не́т, о́н то́лько говори́л о ... .

29. *Translate.*

1. Tom is reading a book about the history of Russian ballet. 2. My friend is writing a book about Russian opera. 3. Yesterday we listened to a lecture at the university about the climate of North America. 4. Boris is studying the natural history of South America. 5. "Do you read the magazine *Moskva*?" "Yes, I do." 6. "Have you read the article about French ballet in the journal *Teatr*?" "No, I haven't read it, but Peter was talking about it."

30. *For oral or written practice.*

Suppose you have met a Soviet student who studies geography at Moscow State University. His name is Boris. Describe him.

> Анто́н чита́ет **но́вый журна́л.**
> А́нна чита́ет **интере́сную кни́гу.**
> А́нна зна́ет **ва́шу сестру́** и **ва́шего бра́та.**

31. *Listen and repeat; then read and analyze. (See Analysis V, 2.4; 2.5.)*

1. — Оле́г, я ви́дел в твое́й ко́мнате **большо́й портре́т** симпати́чной де́вушки. Кто́ э́то?
   — Ты́ зна́ешь **молоду́ю арти́стку** Ма́лого теа́тра Тама́ру Анто́нову?
   — Не́т, не зна́ю.
   — Э́то о́чень хоро́шая арти́стка. Э́то её портре́т.
   — А кто́ а́втор портре́та?
   — Не́стеров. Ты́ зна́ешь его́?
   — Да́, я зна́ю **э́того молодо́го худо́жника.**
2. — Вы́ говори́те по-ру́сски?
   — Да́, немно́го.
   — Где́ вы́ изуча́ли ру́сский язы́к?
   — В университе́те.
   — А что́ вы́ изуча́ете здесь в Москве́?
   — **Ру́сскую литерату́ру** и **наро́дную му́зыку.** А вы́?
   — Я изуча́ю **совреме́нный бале́т.**

32. *Listen and repeat.*

Э́та кни́га, э́ту кни́гу. Вы́ чита́ли э́ту кни́гу? Э́тот портре́т. Вы́ ви́дели э́тот портре́т?
моя́ сестра́, мою́ сестру́. Вы́ зна́ете мою́ сестру́?
мо́й брат, моего́ бра́та. Вы́ не зна́ете моего́ бра́та?
моё письмо́. Вы́ чита́ли моё письмо́? Я чита́л ва́ше письмо́.
ва́ша сестра́, ва́шу сестру́. Я ви́дел ва́шу сестру́.
ва́ш брат, ва́шего [ва́шъвъ[бра́та. Я не ви́дел ва́шего бра́та.
на́ш профе́ссор, на́шего профе́ссора. Вы́ не ви́дели на́шего профе́ссора?

33. *Respond to each statement, as in the model. Use the verbs* чита́ть, ви́деть, зна́ть, слу́шать.

Model: — Э́то интере́сная кни́га.
— Да́, интере́сная. Я чита́л э́ту кни́гу.

1. Э́то но́вый слова́рь. 2. Э́то но́вая ка́рта Ю́жной Аме́рики. 3. Э́то хоро́шая о́пера. 4. Ри́га — краси́вый го́род. 5. Э́то америка́нский фи́льм. 6. Э́то но́вый райо́н го́рода.

34. *Complete the sentences, using the words on the right.*

1. Я ви́дела в кино́	ва́ш бра́т и ва́ша сестра́
2. — Вы́ ви́дели здесь на столе́ ...?	моя́ рабо́та
— Не́т, не ви́дел.	

3. Я хорошо знаю .... | ваш товарищ
4. В музее я видела .... | ваша картина
5. Виктор знает .... | твой отец и твой брат
6. Я видел на улице .... | наш врач
7. Они хорошо знают .... | моя семья

35. (a) *Listen and repeat.*

русский язык. Я изучаю русский язык; русская литература. Вы изучаете русскую литературу?

русскую музыку. Вы любите русскую музыку?

современный [съвр'им'енныj] балет. Вы любите современный балет?

симпатичная девушка, симпатичную девушку. Вы знаете эту симпатичную девушку?

1. — Что ты читаешь?
   — Я читаю очень интересную книгу. Я говорила о ней.
   А ты что читаешь?
   — А я читаю первый номер журнала «Октябрь».

2. — Вы изучаете русский язык?
   — Да, / русский язык / и русскую литературу. А вы?
   — Я тоже изучаю литературу. Современную английскую литературу.

3. — Вы любите современную музыку?
   — Нет, / я не знаю её. Я люблю литературу.
   — А вы хорошо знаете современную английскую литературу?
   — Да, / я хорошо знаю современную литературу. Я много читаю.

4. — Андрей, / ты видишь эту симпатичную девушку?
   — Вижу.
   — Ты знаешь её?
   — Да, / это наша студентка.
   — Как её зовут?
   — Анна.

(b) *Listen and reply.*

Model: — Вы любите русскую музыку?
   — Да, я люблю русскую музыку.

1. Вы видели русский балет? 2. Вы знаете современную русскую литературу? 3. Вы любите современную американскую музыку? 4. Вы читали его новую книгу? 5. Вы видели этот новый фильм? 6. Вы читали пятый номер

142

журнáла «Спýтник»? 7. Вы́ изучáете совремённую англи́йскую литератýру?
8. Ты́ знаешь нáшу нóвую студéнтку?

Model: — Вы́ читáете англи́йскую кни́гу?

— Нет, францýзскую.

Вы́ изучáете русский язы́к?	немéцкий
Вы́ ви́дели американский фи́льм?	англи́йский
Вы́ изучáете Северную Амéрику?	Южная
Вы́ читáли этот журнáл?	тóт
Вы́ слýшали хорошую лéкцию?	плохáя

36. *Read and translate the text.*

Олéг лю́бит кинó и теáтр. Вчерá в клýбе óн ви́дел интерéсный фи́льм о прирóде Кавкáза. Кавкáз—óчень красивое мéсто. На Кавкáзе высóкие гóры, бы́стрые рéки. Олéг ви́дел Чёрное мóре. Он ви́дел стáрый гóрод, небольшýю дерéвню. Симпати́чная дéвушка и молодóй человéк расскáзывали о прирóде Кавкáза. Олéг знáет эту дéвушку и этого молодóго человéка. Они́ артисты Мáлого теáтра. Рáньше Олéг ви́дел и́х в теáтре.

37. *Answer the questions.*

1. Какóй журнáл вы́ ви́дели, этот и́ли тóт? 2. Какýю кни́гу вы́ читáли, эту и́ли тý? 3. Какóй журнáл вы́ читáли, рýсский и́ли америкáнский? 4. Чéй портрéт óн рисýет, твóй и́ли егó? 5. Какýю карти́ну óн рисýет, большýю и́ли мáленькую? 6. Какýю мýзыку вы́ лю́бите, рýсскую и́ли немéцкую? 7. Какóго профéссора вы́ вчерá слýшали, америкáнского и́ли англи́йского?

38. *Read the questions, then make up questions of your own, as in the model, and answer them.*

Model: — Вы́ знаете эту студéнтку? Кáк её зовýт?

— Её зовýт Анна.

1. Вы́ знáете этого студéнта? 2. Вы́ знáете эту жéнщину? 3. Вы́ знáете этого молодóго человéка? 4. Вы́ знáете эту дéвушку? 5. Вы́ знáете этого инженéра? 6. Вы́ знáете эту арти́стку? 7. Вы́ знáете этого врачá?

39. *Give responses to each situation.*

(1) This is a photograph of a pretty girl, young man, old woman, old doctor. Whom do you know?

143

(2) You were at the theater yesterday, where you came across an old friend of yours, a young lawyer, foreign correspondent, young actress. Who did you see at the theater?

(3) This is a museum. Here is an old book and an old magazine. There is an interesting painting. You have been to this museum. What did you see there?

40. (a) *Compose dialogues by substituting the words on the right for those underlined.* –

Model: — Что́ вы́ изуча́ете?
     — Я́ изуча́ю ру́сскую му́зыку.
     — А вы́?
     — Я́ изуча́ю исто́рию ру́сской му́зыки.

америка́нский теа́тр,
ру́сский язы́к,
Се́верная Аме́рика,
Ю́жная Аме́рика,
францу́зский язы́к,
Се́верный Кавка́з,
англи́йская литерату́ра

(b) *Ask the names of your friend's sister, his father, brother, of this doctor and the professor of mathematics.*

Model: — Ка́к зову́т ва́шу ма́му?
     — Её зову́т А́нна Петро́вна.

(c) *Ask the surnames of the professor of physics, the professor of literature, the young girl, and the foreign student.*

Model: — Кто́ э́тот высо́кий челове́к? Я́ его́ не зна́ю.
     — Это студе́нт истори́ческого факульте́та.
     — Ка́к его́ фами́лия?
     — Его́ фами́лия Со́колов.

41. *Translate.*

In the center of Moscow on Kalinin Avenue (Kalininsky Prospekt) is located the Moscow House of Books. It is a very large store. There is a young man and a girl. I often see this young man and the girl in the store. Now they are reading a new book about Moscow. I know them; he is an engineer and she works at a school.

42. *Oral Practice.*

(1) Suppose you have seen the same movie about the Caucasus which Oleg did. (See Exercise 36). Tell your friends about it.

(2) Tell your friends what you study at the university (college), what books you read, what subjects you are studying at present.

43. *Read and analyze. Point out the main and subordinate clauses in each case. (See Analysis V, 3.0.)*

Мóй товáрищ Рóберт Смит—филóлог. Óн изучáет рýсский язы́к и рýсскую литератýру. Я знáю, что óн óчень мнóго рабóтает. Рóберт говори́т, что óн ещё плóхо понимáет по-рýсски. Я знáю, что óн лю́бит слýшать рýсскую мýзыку. Рóберт говори́л, что óн читáет интерéсный расскáз о рýсском композѝторе Прокóфьеве[1]. Я дýмаю, что Рóберт—хорóший филóлог.

44. *Listen and repeat.*

Óн плóхо говори́т по-рýсски. Óн ещё плóхо понимáет по-рýсски. Рóберт говори́т. Рóберт говори́т, что óн ещё плóхо понимáет по-рýсски.

Óн лю́бит слýшать мýзыку. Óн лю́бит слýшать рýсскую мýзыку.

Óн читáет расскáз о композѝторе Прокóфьеве. Óн читáет интерéсный расскáз о рýсском композѝторе Прокóфьеве. Рóберт говори́л, что óн читáет интерéсный расскáз о рýсском композѝторе Прокóфьеве.

45. *Complete the sentences.*

Model: — Я знáю, что Москвá—столи́ца СССР.

Я знáю ...	Ми́нск нахóдится на зáпаде СССР.
	Мýрманск нахóдится на сéвере СССР.
	Владивостóк нахóдится на востóке СССР.
	Ташкéнт нахóдится на ю́ге СССР.
Óн говори́л ...	Антóн рабóтал на Урáле.
	Пётр жи́л в Тáллине.
	Егó отéц рабóтает в газéте.
	Лéтом егó семья́ отдыхáла на Украи́не.
	Егó брáт изучáет кли́мат Еврóпы.
Я дýмаю ...	Áня неплóхо говори́т по-рýсски.
	Студéнты хорошó отдыхáли на Кавкáзе.
	Вы́ ви́дели э́ту карти́ну Рéмбрандта рáньше.
	Вы́ чáсто вспоминáете о Чёрном мóре.

46. *Answer the questions, as in the model.*

Model: — Чтó ви́дели ученики́ в истори́ческом музéе?
— Я знáю (дýмаю), что ученики́ ви́дели в истори́ческом музéе стáрую Москвý, стáрую кáрту Москвы́.

---

[1] Prokofyev, Sergei Sergeiyevich (1891-1953), Soviet composer; author of numerous operas and ballets (including the well-known *Romeo and Juliet* and *Cinderella*), seven symphonies, etc.

1. Чтó óн читáл сегóдня в библиотéке?　интерéсная кнúга úли интерéсный журнáл
2. Чтó онú вúдели сегóдня в клýбе?　интерéсный фúльм
3. О чём расскáзывали студéнты вáшего факультéта в шкóле?　исторúческий факультéт, наш институ́т
4. Чтó онá слýшала вчерá в Большóм теáтре?　óпера «Борúс Годунóв»

47. *Translate.*

"Anton, do you know my brother Viktor and my sister Anna?" "Yes, I know your brother and your sister. I know that Viktor and Anna live in Kiev. They know that city very well and they like it. Kiev is the capital of the Ukraine. It is a large and beautiful city. In the summer, in June, I was also in Kiev. I saw your brother and your sister there. Now I often remember that city."

Conversation

I. Asking for, and Giving, Information about the Possessor of an Object

Question about the possessor:
— Чья́ э́то кнúга?　— Э́то моя́ кнúга.
　　　　　　　　　　— Э́то кнúга моегó товáрища.
A question which is a supposition:
— Э́то твоя́ кнúга?
— Дá, моя́.　　　　　　— Нéт, не моя́.
— Э́то кнúга твоегó брáта?
— Дá, э́то егó кнúга.　　— Нéт, э́то не егó кнúга.

1. *Listen and repeat.*

1. Чья́ э́то кнúга?　　5. Чья́ э́то машúна?
2. Чéй э́то журнáл?　　6. Чéй э́то словáрь?
3. Чéй э́то портфéль?　7. Чьú э́то сигарéты?
4. Чья́ э́то рýчка?　　8. Чьú э́то газéты?

2. *Compose similar dialogues by substitúting the words on the right for those underlined.*

— Э́то твóй журнáл?　　кнúга, моя́ подрýга;
— Нéт, не мóй.　　　　портфéль, наш профéссор;
— А чéй э́то журнáл?　　рýчка, э́тот ученúк;
— Э́то журнáл моегó брáта.　карандáш, э́та ученúца;
　　　　　　　　　　　дóм, моя́ сестрá;
　　　　　　　　　　　машúна, мóй дрýг

146

3. *Make up questions and answers.*

You want to borrow a book (newspaper, pen, pencil, dictionary, some cigarettes), but do not know whose it (they) is (are). Ask the appropriate question.

Model: — Чья́ э́то кни́га?
— Э́то кни́га на́шего профе́ссора.

II. Pronouns of the Second Person Singular and Plural Used in Addressing People

Ка́к ва́ше (твоё) здоро́вье?	How are you?
Ка́к ва́ша (твоя́) рабо́та?	How is your work?
Ка́к ва́ша (твоя́) семья́?	How is your family?
Ра́д (ра́да, ра́ды) ва́с ви́деть.	I (we) am (are) glad to see you.
Я́ давно́ ва́с (тебя́) не ви́дел.	I haven't seen you for a long time.

4. *Listen to the dialogue and analyze the connection between forms of address and use of second person pronouns.*

— Здра́вствуйте, Ве́ра Петро́вна. Скажи́те, пожа́луйста, А́ня до́ма?
— Здра́вствуй, Ви́ктор. Не́т.
— А где́ она́?
— Не зна́ю. Мо́жет бы́ть, в институ́те и́ли в библиоте́ке. Давно́ я тебя́ не ви́дела, Ви́ктор. Ка́к ты́ живёшь? Ка́к твои́ роди́тели? Ка́к и́х здоро́вье?
— Спаси́бо, ничего́.
— Я ча́сто вспомина́ю, ка́к хорошо́ мы́ жи́ли ле́том на Во́лге.
— Мы́ то́же ча́сто вспомина́ем ва́с и А́ню. До свида́ния, Ве́ра Петро́вна.
— До свида́ния, Ви́ктор. Я была́ ра́да тебя́ ви́деть.

5. (a) *Listen and repeat.*

ма—мя—мья, семья́ [с'им'já], ва́ша семья́, твоя́ семья́. Ка́к ва́ша семья́? Ка́к твоя́ семья́?
ве—вье, здоро́вье [здаро́в'jъ], ва́ше здоро́вье, твоё здоро́вье, и́х здоро́вье. Ка́к ва́ше здоро́вье? Ка́к твоё здоро́вье?
роди́тели [рад'и́т'ил'и], твои́ роди́тели, ва́ши роди́тели. Ка́к и́х здоро́вье? Ка́к твои́ роди́тели?
де́ло [д'е́лъ], дела́ [д'ила́], ва́ши дела́, твои́ дела́. Ка́к ва́ши дела́? Ка́к твои́ дела́?
ви́деть, я ра́д, я ра́да, мы́ ра́ды. Ра́д ва́с ви́деть. Я ра́да тебя́ ви́деть. Я ра́д бы́л тебя́ ви́деть. Мы́ ра́ды ва́с ви́деть. Хорошо́. Спаси́бо, хорошо́. Ничего́ [н'ичиво́]. Спаси́бо, ничего́.

(b) *Listen and reply.*

Model: — Я́ ра́д ва́с ви́деть.
— Я́ то́же ра́д ва́с ви́деть.

1. Здра́вствуй, Ма́ша, я ра́да тебя́ ви́деть. 2. До́брый де́нь. Я ра́д ва́с ви́деть. 3. Мы́ ра́ды ва́с ви́деть. 4. Я бы́л ра́д ва́с ви́деть.

Model: — Ка́к ва́ши дела́?
— Спаси́бо, хорошо́. А ка́к вы́ живёте?
— Спаси́бо, ничего́.

1. Ка́к ты живёшь? 2. Ка́к ва́ша семья́? 3. Ка́к твоя́ рабо́та? 4. Ка́к ва́ше здоро́вье? 5. Ка́к ва́ши роди́тели?

6. (a) *Change the dialogues from familiar (2nd person singular) to formal (2nd person plural) and vice versa.*

1. — Здра́вствуй, Йра.
— Здра́вствуй, Оле́г. Ра́да тебя́ ви́деть.
— Ка́к твои́ дела́?
— Спаси́бо, ничего́.
— А что́ ты́ сейча́с де́лаешь?
— Пишу́ статью́.
— Каку́ю статью́?
— Я пишу́ статью́ об исто́рии Москвы́.

2. — До́брое у́тро, Ната́ша.
— Здра́вствуйте, Серге́й.
— Ка́к вы́ живёте?
— Спаси́бо, хорошо́.
— Ка́к ва́ш англи́йский язы́к?
— Ничего́. Изуча́ю.
— Англи́йский язы́к тру́дный?
— Мо́жет бы́ть. Я пло́хо его́ зна́ю.
— Вы́ говори́те по-англи́йски?
— Пло́хо. О́чень хочу́ говори́ть по-англи́йски бы́стро и пра́вильно.

(b) *Listen and repeat.*

Статья́, пишу́ статью́, тру́дный, тру́дный язы́к, тру́дная рабо́та; пра́вильно, о́н говори́т пра́вильно.
— Что́ ты́ сейча́с де́лаешь? — Пишу́ статью́. — Каку́ю статью́?
— Я пишу́ статью́ об исто́рии Москвы́.
— Что́ вы́ сейча́с де́лаете? — Чита́ю кни́гу.
— Каку́ю кни́гу? — Кни́гу о Большо́м теа́тре. — Ка́к ва́ша рабо́та?
— Спаси́бо, ничего́.
— Ка́к ва́ш англи́йский язы́к? — Спаси́бо, хорошо́. — Ка́к ва́ша статья́?
— Пло́хо. — Ка́к ва́ша семья́? Ка́к ва́ша сестра́? Ка́к ва́ш бра́т?
— Хорошо́, спаси́бо.

пишу́	☐	●	писа́л	☐	●
пи́шешь	■	○	писа́ла	☐	●
пи́шет	■	○	писа́ли	☐	●
пи́шем	■	○			
пи́шете	■	○			
пи́шут	■	○			

(c) *Mark stress and intonational centers.*

— Что вы пишете?
— Я пишу письмо.
— А что пишет Анна?
— Она пишет статью.

— Что пишут ваши студенты?
— Я не знаю, что они пишут.

(d) *Dramatize the preceding dialogue.*

(e) *Oral Practice. Dramatize the following situations. Pay attention to the choice of the pronoun* ты *or* вы.

1. Suppose you have come across a journalist friend whom you have not seen for a long time. Greet him appropriately and find out what he is now writing.
2. You have come across your high school Russian teacher. He is interested to learn how your study of Russian is going.
3. You have met some people with whom you vacationed this summer. They ask about you and members of you family.
4. You have met a young artist friend. You want to know what he is doing now and where he has been.

7. (a) *Listen to the dialogue.*

Где́ ты́ была́ вчера́?

— Ви́ктор, до́брый де́нь.
— Здра́вствуй, А́ня. Где́ ты́ была́ вчера́ ве́чером?
— Вчера́ я́ была́ в Большо́м теа́тре.
— Что́ ты́ та́м слу́шала?
— О́перу «Евге́ний Оне́гин».
— Ты́ лю́бишь му́зыку Чайко́вского?
— Да́, я́ о́чень люблю́ его́ му́зыку. Чайко́вский — мо́й люби́мый компози́тор.
— Кто́ вчера́ пе́л?
— Пе́ли молоды́е арти́сты Большо́го теа́тра. Пе́ли о́чень хорошо́.

(b) *Listen and repeat.*

бы́ть, бы́л, была́, бы́ло, бы́ли; была́ ве́чером, вчера́ ве́чером, была́ вчера́ ве́чером. Где́ ты́ была́ вчера́ ве́чером?

Большо́й теа́тр, в Большо́м, теа́тре. Была́ в Большо́м теа́тре.

слу́шать, слу́шал, слу́шала, слу́шали; о́пера, Евге́ний Оне́гин; слу́шала о́перу, слу́шала о́перу «Евге́ний Оне́гин».

пе́ть, пе́л, пе́ла, пе́ли, арти́ст, арти́сты, пе́л арти́ст, пе́ли арти́сты, пе́ли молоды́е арти́сты;

му́зыка, люби́ть му́зыку, я́ люблю́ му́зыку, ты́ лю́бишь му́зыку; компози́тор, люби́мый компози́тор.

Чайко́вский — мо́й люби́мый компози́тор.

Чайковский — / мо́й люби́мый компози́тор.

Бороди́н — мо́й люби́мый компози́тор.

Бородин — / мо́й люби́мый компози́тор.

Шостако́вич — мо́й люби́мый компози́тор.

Шостакович — / мо́й люби́мый компози́тор.

(c) *Dramatize the dialogue in 7. (a).*

(d) *Oral Practice. Dramatize the following situations.*

 (1) Your friends have been at the Bolshoi Theater, where they have heard Borodin's opera *Prince Igor*, Shostakovich's opera *Yekaterina Izmailova*. Find out who sang the leading parts.

 (2) Your friends have been at the Bolshoi Theater, where they have seen Prokofiyev's ballet *Romeo and Juliet*. Find out who danced the leading parts.

 (3) Your friends have been at the Metropolitan Opera. Find out what they have heard or seen, who sang or danced the leading parts.

8. *You are talking to a friend. Ask each other where you have been and what you have been doing. Use the following words:*

 библиоте́ка: чита́ть, рома́н, расска́з, газе́та, журна́л, люби́ть;

 музе́й: ви́деть, ста́рая кни́га, ка́рта, карти́на, портре́т, жи́ть, ра́ньше, сейча́с, де́лать;

 клу́б: ви́деть, интере́сный фи́льм, ра́ньше, не зна́ть.

9. (a) *Read the dialogue.*

О т е́ ц: Бори́с, где́ ты́ бы́л сего́дня и что́ ты́ де́лал?

Б о р и́ с: У́тром я́ бы́л в шко́ле. Днём мы́ рабо́тали в па́рке. А ве́чером я́ изуча́л англи́йский язы́к.

(b) *Answer the questions.*

 1. О чём спра́шивал оте́ц сы́на? 2. Что сказа́л Бори́с? 3. Оте́ц Бори́са зна́ет, что́ де́лал его́ сы́н днём? 4. О чём не зна́ет оте́ц Бори́са?

10. *Read the passage and be prepared to give a summary of it in Russian.*

А что ты знаешь?

Сейчас Па́влик Чудако́в — студе́нт, а ра́ньше о́н изуча́л исто́рию и литерату́ру в шко́ле. В его́ кла́ссе была́ одна́ де́вушка. Её зва́ли Ни́на. Ни́на всегда́ ду́мала, что она́ пло́хо зна́ет уро́к. Ни́на говори́ла:

— Я чита́ла то́лько рома́н Турге́нева «Отцы́ и де́ти». А ты́?

— А я́ чита́л то́лько нача́ло э́того рома́на. А ты́, И́горь, что́ зна́ешь?

— Я зна́ю, ка́к зову́т гла́вного геро́я. Его́ зову́т Евге́ний База́ров.

геро́й hero, character

— О́, э́то мно́го. Па́влик, а что́ ты́ зна́ешь?

— А я́ зна́ю, что на́ш учи́тель литерату́ры боле́ет и сейча́с бу́дет матема́тика.

боле́ть be sick

Reading

1. *Read and translate the text. Note the irregular plurals* челове́к — лю́ди, ребёнок — де́ти.

— Ви́ктор Петро́вич, скажи́те, пожа́луйста, что́ э́то тако́е?

— Где́?

— Во́т на э́той фотогра́фии.

— Э́то Байка́л. Я́ бы́л та́м в ию́ле.

— А кто́ э́ти **лю́ди**?

— Спра́ва стоя́т студе́нты Ирку́тского университе́та. Они́ бы́ли на Байка́ле на пра́ктике. Сле́ва — мо́й дру́г, ирку́тский журнали́ст, и его́ **де́ти**: Ма́ша и Анто́н.

2. *Read and analyze.*

Note: г д е́? о́коло Москвы́

Ве́ра Смирно́ва живёт в Росто́ве в но́вом райо́не го́рода. Их до́м стои́т **о́коло небольшо́го па́рка. О́коло до́ма** нахо́дится зда́ние шко́лы, ря́дом магази́н и апте́ка. **О́коло апте́ки** нахо́дится библиоте́ка, напро́тив гости́ница и **о́коло неё** рестора́н.

3. *Make up questions and answers.*

Explain where House No. 6, School No. 3, the theater, library, the museum of history, students' dormitory, store, pharmacy, the hotel "Moskva" are located.

Model: — Скажи́те, пожа́луйста, где́ нахо́дится до́м но́мер 5?

— Во́н та́м, о́коло магази́на.

4. *Give the infinitives of the verbs.*

рабо́таю, люблю́, отдыха́ю, расска́зываешь, рису́ют, лежи́т, танцу́ете, живу́т, вися́т, пи́шем.

5. *Read and translate.*

В ко́мнате моего́ това́рища на стене́ виси́т больша́я ка́рта ми́ра. На ка́рте спра́ва нахо́дится А́фрика, сле́ва—Аме́рика. Мо́й това́рищ хорошо́ зна́ет геогра́фию.

6. *Read and analyze.*

Note: к о г д а́? **в нача́ле (конце́) уро́ка**

1. **В нача́ле уро́ка** ученики́ отвеча́ли. **В конце́ уро́ка** одни́ расска́зывали, други́е слу́шали. 2. **В нача́ле ию́ля** Ка́тя и Джейн бы́ли на пра́ктике. 3. **В нача́ле а́вгуста** Серге́й и Оле́г жи́ли в Ки́еве. 4. **В нача́ле э́того го́да** Ви́ктор Петро́вич бы́л в Пари́же. **В конце́ го́да** о́н рабо́тал на Се́верном Ура́ле.

7. (a) *Listen and repeat.*

нача́ло, в нача́ле, в нача́ле уро́ка, в нача́ле ию́ля, в нача́ле го́да; коне́ц, в конце́, в конце́ уро́ка, в конце́ го́да, в конце́ а́вгуста.

(b) *Pronunciation Practice. (See Analysis, Phonetics, 3.71.)*

В нача́ле уро́ка профе́ссор расска́зывал.

В нача́ле уро́ка / профе́ссор расска́зывал.

В нача́ле уро́ка / профе́ссор расска́зывал. Студе́нты слу́шали.

В нача́ле уро́ка / профе́ссор расска́зывал, / а студе́нты слу́шали.

В нача́ле уро́ка / профе́ссор расска́зывал, / а студе́нты слу́шали.

В нача́ле э́того го́да Ви́ктор Петро́вич бы́л в Пари́же.

В нача́ле э́того года / Ви́ктор Петро́вич бы́л в Пари́же.

В нача́ле э́того года / Ви́ктор Петро́вич бы́л в Пари́же.

8. *Answer the questions.*

Model: — Ка́тя была́ на пра́ктике в ию́ле.
— А когда́ Джейн была́ на пра́ктике?
— В нача́ле (в конце́) ию́ля.

(a) 1. А́нна Ива́новна была́ в Росто́ве в сентябре́. А когда́ Ви́ктор Петро́вич бы́л в Росто́ве? 2. Серге́й бы́л в Ленингра́де в феврале́. А когда́ Оле́г бы́л в Ленингра́де? 3. То́м бы́л в Москве́ в январе́. А когда́ Ро́берт бы́л в Москве́? 4. На ле́кции профе́ссор расска́зывал о приро́де А́фрики. А когда́ о́н расска́зывал о кли́мате А́фрики?
(b) 1. О чём говори́л профе́ссор в нача́ле ле́кции? 2. О чём о́н расска́зывал в конце́ ле́кции? 3. Что студе́нты де́лали в нача́ле уро́ка? 4. Что они́ де́лали в конце́ уро́ка? 5. О чём писа́тель пи́шет в нача́ле кни́ги «Приро́да Аме́рики»?

(c) 1. Где́ вы́ бы́ли в нача́ле ию́ля? А в нача́ле а́вгуста? 2. Что́ вы де́лали в конце́ января́? 3. Где́ вы́ жи́ли в нача́ле э́того го́да? 4. Что́ вы́ де́лали в нача́ле э́того го́да? 5. Где́ вы́ жи́ли в конце́ а́вгуста?

9. *Read and translate. Analyze the syntactical structure of each sentence.*

Model: Ве́чером в библиоте́ке Анто́н чита́л но́вый журна́л.
    Кто́ чита́л но́вый журна́л? — Анто́н.
    Что́ де́лал Анто́н? — Чита́л.
    Что́ он чита́л? — Журна́л.
    Како́й журна́л чита́л Анто́н? — Но́вый.
    Когда́ Анто́н чита́л но́вый журна́л? — Ве́чером.
    Где́ Анто́н чита́л но́вый журна́л? — В библиоте́ке.

Это ко́мната № 4. В э́той ко́мнате живёт америка́нская студе́нтка Джейн Сто́ун. В её ко́мнате о́коло окна́ стои́т небольшо́й сто́л. На столе́ стои́т ла́мпа, лежа́т кни́ги, газе́ты, журна́лы, слова́рь. Джейн Сто́ун — студе́нтка биологи́ческого факульте́та Моско́вского университе́та. Она́ изуча́ет биохи́мию. Она́ была́ на пра́ктике на се́вере и на ю́ге Сове́тского Сою́за, отдыха́ла на Кавка́зе, на Украи́не. Джейн уже́ хорошо́ зна́ет приро́ду и кли́мат СССР.

10. *Note the adjective suffix* -н-.

се́вер — се́верный
юг — ю́жный
за́пад — за́падный
восто́к — восто́чный

11. *Translate the phrases without using a dictionary.*

авто́бус — авто́бусный па́рк; приро́да — приро́дный га́з; шко́ла — шко́льная библиоте́ка; вода́ — во́дный стадио́н; гора́ — го́рная река́; ваго́н — ваго́нное окно́; лаборато́рия — лаборато́рная рабо́та; музе́й — музе́йные кни́ги.

12. *Translate without using a dictionary.*

Это больша́я ка́рта. Это Евро́па. Спра́ва нахо́дится А́зия и Австра́лия. Сле́ва Аме́рика: Се́верная Аме́рика и Ю́жная Аме́рика. Это А́фрика. Та́м Антаркти́да.

13. *Give the Russian word for each of the four directions of the compass.*

14. *Vocabulary for Reading. Study the following new words and their usage as illustrated in the sentences on the right. Read each sentence aloud.*

стоя́ть
        — А́нна, скажи́, пожа́луйста, кто́ та́м стои́т?
        — Это А́нна Ива́новна.
        В ко́мнате Оле́га стои́т шка́ф, дива́н, большо́й сто́л, сту́лья.
        На столе́ стои́т ла́мпа, лежа́т кни́ги, журна́лы.

учéбник	— Джéйн, какóй э́то учéбник?
	— Это учéбник «Рýсский язы́к. Этáп I».
висéть	В кóмнате Джéйн на стенé вися́т фотогрáфии. На однóй фотогрáфии бéрег реки́, лéс, на другóй — мóре.
ви́деть	— Джéйн, ты ви́дела сегóдня Рóберта?
к о г ó — ч т ó	— Дá, я ýтром ви́дела егó óколо университéта.
	— Тóм, ты ви́дел фи́льм «Андрéй Рублёв»?
	— Нéт, не ви́дел. А ты?
	— Я ви́дел. Это интерéсный фи́льм.
писáть	Джéйн пи́шет письмó. В письмé онá пи́шет о Москвé, о Ле-
ч т ó, о ч ё м	нингрáде. Ви́ктор Петрóвич пи́шет кни́гу о культýре Армéнии.
чáй	— Чтó вы хоти́те, чáй и́ли кóфе?
	— Чáй, пожáлуйста.
	— Я тóже óчень люблю́ чáй.
находи́ться	— Балти́йское мóре нахóдится на зáпаде СССР.
г д é	Владивостóк нахóдится на востóке страны́. Мýрманск на- хóдится на сéвере СССР.

15. *Complete each sentence, using the verbs* ви́деть, писáть *and* лежáть. *Write out the sentences.*

1. Вчерá Джóн ... фи́льм «Áнна Карéнина». 2. — Сергéй, ты не знáешь, гдé Олéг? — Я ... егó в библиотéке. 3. — Ви́ктор, ты не ви́дел журнáл

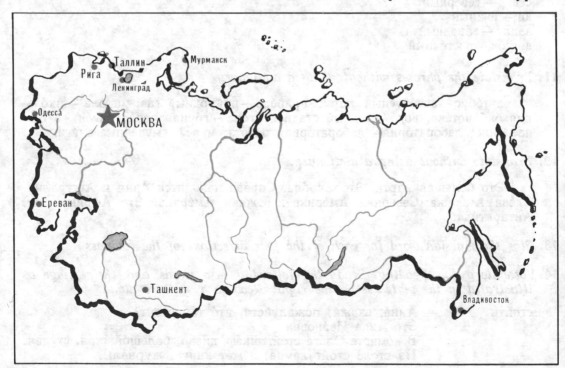

«Москва»? — Он ... на столе в моей комнате. 4. — Том, ты хорошо читаешь и пишешь по-русски? — Читаю хорошо, а ... плохо. На уроке мы мало .... Сейчас я много ... дома. Я хочу хорошо ... по-русски.

16. *Tell your friends how you study Russian, what you do in class and at home.*

17. *Answer the questions.*

Ленинград находится на востоке СССР? Ташкент находится на севере Советского Союза? Таллин находится на западе страны? Где находится Рига? Владивосток находится на севере СССР? Где находится Мурманск? Одесса находится на востоке Советского Союза? Где находится Ереван?

18. *Answer the questions.*

1. Где находятся такие города США, как Чикаго, Хьюстон, Сан-Франциско, Детройт, Филадельфия?
2. Где находятся такие города Англии, как Лондон, Манчестер, Глазго, Эдинбург, Портсмут?
3. Где находятся такие города Канады, как Монреаль, Торонто, Оттава, Ванкувер?

19. *Answer the questions. Note the word order.*

Model: — Где лежит книга?
— Книга лежит на столе.
(— На столе.)

1. Где лежит журнал? 2. Где стоит лампа? 3. Где лежит учебник? 4. Где стоит шкаф? 5. Где стоит диван? 6. Где лежит словарь?

Model: — Что лежит на столе?
— На столе лежит книга.
(— Книга.)

1. Что лежит на полке? 2. Что стоит на столе? 3. Что стоит в комнате? 4. Что висит на стене?

20. *Vocabulary for Reading. Study the following new words and their usage as illustrated in the sentences on the right. Read each sentence aloud.*

любить кого — что / *inf.*	1. Сергей любит рисовать. Антон любит петь. Он любит музыку. Я знаю, что ты очень любишь этот театр. 2. Я вас люблю.
работа	1. — Анна Ивановна, здравствуйте! Виктор Петрович дома? — Нет, он на работе. 2. — Роберт, какие книги стоят на этой полке? — Это работы моего отца, его книги. — А где твоя новая работа? — В моей комнате. Это портрет моей сестры.

21. *Complete the sentences, using the words from the preceding exercise.*

Роберт — неплохой художник. Он любит .... Сейчас он рисует ... моей сестры. В его комнате висят ..., ... На этой картине мы видим большой .... Это Нью-Йорк. Это новая ... Роберта.

22. *Describe your hobby. How do you spend your free time?*

23. *Translate without using a dictionary.*

На небольшом столе в комнате Анны стоит телевизор. Анна слушает лекцию об Австралии. Лектор рассказывает об экономике и политике Австралии, о природе и культуре этой страны. На одной фотографии Анна видит лес. Это северные районы страны. На другой фотографии — горы. Это восточные районы Австралии.

24. *Listen and repeat.*

(a) *Pronunciation Practice: unstressed syllables.*

везде [в'из'д'é], дети, деревня, на севере, очень, учебники;
лампа, около [óкълъ], стол, писал, журналы, лес, уголь, летом, на столе, отдыхал летом, журнал лежит, большой, небольшой, культура;
телевизор [т'ил'ив'изър], политика, экономика [иканóм'икъ];
район [рајóн], рядом [р'áдъм], природа.

(b) *Pronounce each breath group (syntagm) as a single unit.*

В этой квартире. Живут Ивановы. В этой квартире живут Ивановы. В комнате Сергея. Около окна. В комнате Сергея около окна. Стоит большой стол. В комнате Сергея около окна / стоит большой стол.

Исторический факультет. Студент исторического факультета. В этой комнате живёт студент исторического факультета. Вы понимаете, что в этой комнате / живёт студент исторического факультета.

На стене картины, картины и портреты. На стене висят картины и портреты. Вы видите Кремль. На картине вы видите Кремль.

Вы видите деревню. Небольшую деревню. На другой картине. На другой картине / вы видите небольшую деревню.

Большая карта мира. Справа висит большая карта мира. В Южной Америке. Он работал в Южной Америке. В начале этого года. В начале этого года / он работал в Южной Америке.

Он был на севере. На севере и на юге. Он был на севере и на юге. Он был на севере / и на юге страны. Районы страны, красивые и интересные. Красивые и интересные районы страны. Сибирь и Дальний Восток. Сибирь и Дальний Восток — /красивые и интересные районы страны.

Сле́ва ко́мната Сергея, / ря́дом ко́мната его́ сестры.

Сле́ва ко́мната Сергея, / ря́дом ко́мната его́ сестры.

На одно́й карти́не вы́ ви́дите Кремль, / Истори́ческий музей, / гости́ницу «Россия».

На одно́й карти́не вы́ ви́дите Кремль, / Истори́ческий музей, / гости́ницу «Россия».

На одно́й карти́не вы́ ви́дите Кремль, / Истори́ческий музей, / гости́ницу «Россия».

На одно́й карти́не / вы́ ви́дите Кремль, / Истори́ческий музей, / гости́ницу «Россия».

На друго́й карти́не / вы́ ви́дите небольшу́ю деревню, / лес, / бе́рег Днепра.

На друго́й карти́не / вы́ ви́дите небольшу́ю деревню, / лес, / бе́рег Днепра.

На друго́й карти́не вы́ ви́дите небольшу́ю деревню, / лес, / бе́рег Днепра.

(d) *Read according to the intonation patterns indicated.*

В э́той кварти́ре живу́т Ивановы: / А́нна Петровна, / Ви́ктор Петрович, / и́х дети — / Катя / и Сергей.

Ви́ктор Петро́вич бы́л в Европе, / в Азии, / в Африке.

В нача́ле э́того года / о́н рабо́тал в Южной Америке.

В нача́ле э́того года / о́н рабо́тал в Южной Америке.

25. *Basic Text. Read the text and then do exercises 26-28.*

Здесь живу́т Ива́новы

Э́то кварти́ра № 3. В э́той кварти́ре живу́т Ива́новы: А́нна Ива́новна, Ви́ктор Петро́вич, и́х де́ти — Ка́тя и Сергей.

Сле́ва ко́мната Серге́я, ря́дом ко́мната его́ сестры́, напро́тив ко́мната и́х отца́.

В ко́мнате Серге́я о́коло окна́ стои́т большо́й сто́л. На столе́ стои́т ла́мпа, лежа́т кни́ги, журна́лы, уче́бники. Вы́ чита́ете: «Исто́рия СССР», «Исто́рия Фра́нции» и понима́ете, что в э́той ко́мнате живёт студе́нт истори́ческого факульте́та. О́коло стола́ стои́т шкаф. Сле́ва дива́н и небольшо́й сто́л. На нём телеви́зор. На стене́ вися́т карти́ны и портре́ты. Это рабо́ты Серге́я. Сергей лю́бит рисова́ть. На одно́й карти́не вы́ ви́дите Кре́мль, Истори́ческий музе́й, гости́ницу «Россия». Это Москва́. На друго́й вы́ ви́дите небольшу́ю дере́вню, лес, бе́рег Днепра́. Это Украи́на. Та́м Серге́й отдыха́л ле́том.

В ко́мнате отца́ Серге́я везде́ вися́т ка́рты и фотогра́фии. Спра́ва виси́т больша́я ка́рта ми́ра. Ви́ктор Петро́вич бы́л в Евро́пе, в А́зии, в А́фрике. В нача́ле э́того го́да о́н рабо́тал в Ю́жной Аме́рике. Ви́ктор Петро́вич — журнали́ст. О́н рабо́тает в газе́те «Изве́стия». О́н пи́шет об эконо́мике, поли́тике, кли́мате, приро́де, культу́ре. Ви́ктор Петро́вич хорошо́ зна́ет Сове́тский Сою́з. О́н бы́л на се́вере и на ю́ге, на восто́ке и за́паде страны́. О́н зна́ет Ура́л и Кавка́з, лю́бит Во́лгу и Байка́л. О́н мно́го писа́л о се́вере СССР и о Да́льнем Восто́ке. На восто́ке СССР мно́го у́гля, желе́за, га́за. Ви́ктор Петро́вич писа́л, что Сиби́рь и Да́льний Восто́к о́чень краси́вые и интере́сные райо́ны страны́.

В его́ ко́мнате вы́ ви́дите фотогра́фии. Во́т фотогра́фия молодо́го шофёра. О́н рабо́тает на се́вере Ура́ла.

Эта де́вушка живёт и рабо́тает в Гру́зии. Она́ собира́ет ча́й.

А на э́той фотогра́фии вы́ ви́дите Самарка́нд. Самарка́нд нахо́дится в Сре́дней А́зии. Это о́чень ста́рый го́род.

Серге́й, Ка́тя и и́х друзья́ лю́бят слу́шать, как расска́зывает Ви́ктор Петро́вич. О́н ча́сто расска́зывает, ка́к живу́т лю́ди в Сове́тском Сою́зе, в Аме́рике, в А́фрике, в А́зии.

26. *Find in the text the passages in which (a) Sergei's room, (b) his father's room is described, and read them aloud.*

27. *Describe the objects in (a) Sergei's, (b) his father's room which are connected with their vocation and hobbies.*

28. *Answer the questions.*

1. Кто́ живёт в кварти́ре № 3? 2. Что́ стои́т в ко́мнате Серге́я? 3. Что́ виси́т на стене́ в его́ ко́мнате? 4. Что́ виси́т на стене́ в ко́мнате его́ отца́?

29. *Find in the text the sentences dealing with Viktor Petrovich Ivanov, and read them.*

30. *Answer the questions.*

(a) 1. Каки́е города́ СССР вы́ зна́ете? Покажи́те и́х на ка́рте. 2. Назови́те ре́ки и го́ры в СССР.
(b) 1. Где́ нахо́дится Оде́сса? 2. Где́ нахо́дится Му́рманск? 3. Где́ нахо́дится Владивосто́к? 4. Где́ нахо́дится Ри́га? 5. Где́ нахо́дится Ташке́нт? 6. Где́ нахо́дится Ки́ев? 7. Где́ нахо́дится Самарка́нд?

31. *Answer the question.*

Ка́к вы́ ду́маете, кто́ зде́сь рабо́тает?

159

32. *Describe your visit to a Soviet journalist and an American journalist.*

33. *Answer the questions.*

      1. Где вы́ живёте? 2. Вы́ бы́ли в Евро́пе? 3. Вы́ бы́ли в Сове́тском Сою́зе?

Supplementary Materials

1. *Read the names aloud:*

Republic	Capital	Republic	Capital
РСФСР[1]	Москва́	Гру́зия	Тбили́си [2]
Украи́на	Ки́ев	Арме́ния	Ерева́н
Белору́ссия	Минск	Азербайджа́н	Баку́ [2]
Молда́вия	Кишинёв	Узбекиста́н	Ташке́нт
Ла́твия	Ри́га	Кирги́зия	Фру́нзе [2]
Литва́	Ви́льнюс	Казахста́н	Алма-Ата́
Эсто́ния	Та́ллин	Туркме́ния	Ашхаба́д
		Таджикиста́н	Душанбе́ [2]

2. *Name the capitals of the Union Republics.*

Model: Ки́ев — столи́ца Украины.

    (Киев — / столи́ца Украины)

3. *Ask and reply.*

Model: — Где́ нахо́дится Украи́на?
       — Украи́на нахо́дится на ю́ге страны́.

4. *What republics and regions of the Soviet Union do you know? Show them on the map given inside the cover.*

VOCABULARY

а́втор author
а́дрес address
арти́ст artist
арти́стка artist
бале́т ballet
бе́рег bank; shore
биохи́мия biochemistry
везде́ everywhere
ви́деть see
висе́ть hang, be hanging
вода́ water
* газ (natural) gas

гео́граф geographer
геогра́фия geography
геро́й hero
го́д year
давно́ long ago
де́ти children
дива́н couch, divan
ду́мать think
* желе́зо iron
здоро́вье health; Ка́к ва́ше
  здоро́вье? How are you?
изуча́ть study (deeply)

карти́на picture
кино́ cinema
кла́сс classroom; class; grade
  (in school)
кли́мат climate
коне́ц end
компози́тор composer
ко́фе coffee
красота́ beauty
культу́ра culture
ла́мпа lamp
ле́с forest, wood

---

[1] RSFSR = the Russian Soviet Federative Socialist Republic, the largest in the USSR.
[2] Баку́, Фру́нзе, Тбили́си and Душанбе́ are indeclinable nouns.

литерату́ра literature
люби́мый favorite
лю́ди people
ми́р world
мо́жет бы́ть perhaps
наро́дный people's, folk
находи́ться find
нача́ло beginning
немно́го some, little
океа́н ocean
о́коло near, around
о́пера opera
писа́ть write
поли́тика politics, policy
портре́т portrait
пра́вильно correct(ly)
проспе́кт avenue
рабо́та work
ра́д glad
ра́д ва́с ви́деть I am glad to see you
ра́дио radio

райо́н region
расска́з story
ребёнок (*pl.* де́ти) child (children)
респу́блика republic
рома́н novel
симпати́чный pleasant (looking), nice
совреме́нный contemporary
стена́ wall
стоя́ть stand, be standing
телеви́зор television (set)
тёплый warm
тру́дный difficult
* у́голь coal
уче́бник textbook
учени́к school student
учени́ца school student
учи́тель school teacher
фи́льм film
фотогра́фия photograph
холо́дный cold

ча́й tea
шка́ф cabinet, cupboard
эконо́мика economy
Numerals:
оди́ннадцать eleven
двена́дцать twelve
трина́дцать thirteen
четы́рнадцать fourteen
пятна́дцать fifteen
шестна́дцать sixteen
семна́дцать seventeen
восемна́дцать eighteen
девятна́дцать nineteen
два́дцать twenty
три́дцать thirty
со́рок forty
пятьдеся́т fifty
шестьдеся́т sixty
се́мьдесят seventy
во́семьдесят eighty
девяно́сто ninety
сто́ hundred

Unit **6**

Presentation and Preparatory Exercises

‖ Студе́нты **чита́ли** журна́лы и кни́ги.
‖ Студе́нты **чита́ли** интере́сные журна́лы и кни́ги.

1. *Listen, read and analyze. (See Analysis VIII, 1.0-1.12.)*

1. В гла́вном зда́нии МГУ нахо́дится музе́й университе́та. Вчера́ студе́нты пе́рвого ку́рса истори́ческого факульте́та бы́ли в музе́е. Они́ ви́дели фотогра́фии, докуме́нты, кни́ги. Они́ ви́дели ста́рые портре́ты и карти́ны.

Пе́рвое зда́ние университе́та находи́лось в це́нтре Москвы́. Сейча́с на э́том ме́сте нахо́дится Истори́ческий музе́й.

Студе́нты ви́дели пе́рвые университе́тские лаборато́рии, ма́ленькие аудито́рии ста́рого университе́та.

В це́нтре Москвы́ нахо́дятся ста́рые зда́ния Моско́вского университе́та. Ста́рые зда́ния Моско́вского университе́та стро́ил ру́сский архите́ктор Казако́в[1].

2. В университе́те студе́нты изуча́ют хи́мию, фи́зику, матема́тику, иностра́нные языки́. Они́ изуча́ют докуме́нты, собира́ют материа́лы, пи́шут курсовы́е рабо́ты. В университе́те студе́нты гото́вят нау́чные докла́ды, пи́шут статьи́.

В клу́бе студе́нты слу́шают ле́кции, организу́ют конце́рты и спекта́кли, слу́шают му́зыку, пою́т студе́нческие пе́сни.

2. (a) *Listen and repeat.*

кни́га, кни́ги, э́ти кни́ги; журна́л, журна́лы, э́ти журна́лы; фотогра́фия, фотогра́фии, мои́ фотогра́фии; письмо́, пи́сьма, ва́ши пи́сьма; докуме́нт,

---

[1] Kazakov, Matvey Fyodorovich (1738-1812), outstanding Russian architect; representative of the classical school of Russian architecture. He worked mainly in and around Moscow. Among his best works are the House of the Unions and the old building of Moscow University.

докуме́нты, ста́рые докуме́нты; лаборато́рия, лаборато́рии, университе́тские лаборато́рии; зда́ние, зда́ния, ста́рые зда́ния; рабо́та, рабо́ты, курсовы́е рабо́ты; докла́д, докла́ды, нау́чные докла́ды; пе́сня, пе́сни, студе́нческие пе́сни.

— Вы́³ ви́дели э́ти кни́ги?

— Да,¹ / я¹ ви́дел э́ти кни́ги.

— Вы́³ чита́ли мои́ пи́сьма?

— Да,¹ / я¹ чита́ла ва́ши пи́сьма.

— Вы́³ ви́дели мои́ фотогра́фии?

— Да,¹ / ви́дел.

— Что² сейча́с де́лают ва́ши студе́нты?

— Они́ гото́вят курсовы́е рабо́ты.¹

— Что² вы́ поёте?

— Мы́ поём студе́нческие пе́сни.¹

— Где² нахо́дятся ста́рые зда́ния Моско́вского университе́та?

— Ста́рые зда́ния университе́та нахо́дятся в це́нтре Москвы́.¹

— Что² изуча́ют студе́нты ва́шего институ́та?

— Студе́нты на́шего институ́та изуча́ют иностра́нные языки́.¹

— Вы́³ чита́ете англи́йские газе́ты?

— Да,¹ / я¹ чита́ю англи́йские газе́ты и журна́лы.

(b) *Listen and reply.*

Model: — Что́ вы́ чита́ете?
— Я чита́ю францу́зскую газе́ту.
— А что́ чита́ют ва́ши друзья́?
— Они́ то́же чита́ют францу́зские газе́ты.

1. — Что́ вы́ пи́шете?
— Я пишу́ курсову́ю рабо́ту.
— А что́ пи́шут э́ти студе́нты?
— . . . .

2. — Что́ вы́ де́лаете?
— Я гото́влю нау́чный докла́д.
— А что́ де́лают Серге́й и Оле́г?
— . . . .

3. — Что́ о́н пи́шет?
— О́н пи́шет курсову́ю рабо́ту.
— А что́ они́ пи́шут?
— . . . .

4. — Что́ вы́ слу́шаете?
— Мы́ слу́шаем ру́сские пе́сни.
— А что́ они́ слу́шают?
— . . . .

5. — Что́ вы́ чита́ете?
— Я чита́ю англи́йский журна́л.
— А что́ де́лают То́м и Джо́н?

3. *Answer the questions, using the words on the right.*

Model: — Что́ вы́ собира́ете?
— Я собира́ю ста́рые кни́ги и ста́рые географи́ческие ка́рты.

1. Что́ вы́ ви́дели в Ленингра́де?	ста́рое (но́вое) зда́ние, краси́вый теа́тр, интере́сный музе́й, большо́й заво́д, совреме́нная гости́ница
2. Что́ вы́ чита́ете?	интере́сный расска́з, но́вый журна́л, францу́зская газе́та
3. Что́ вы́ слу́шаете?	ру́сская пе́сня
4. Что́ вы́ ви́дели в музе́е?	краси́вая фотогра́фия, интере́сный докуме́нт

164

4. *Answer in the negative, as in the model.*

Model: — Вы́ лю́бите совреме́нные пе́сни?

— Нет, / я люблю́ ста́рые америка́нские / и ру́сские пе́сни.

1. Вы́ ви́дели в Ленингра́де Музе́й Пу́шкина?	друго́й музе́й (Эрмита́ж, Ру́сский музе́й)
2. Вы́ чита́ете неме́цкие газе́ты и журна́лы?	америка́нская и сове́тская газе́та, америка́нский и сове́тский журна́л
3. Вы́ организу́ете ле́кции в студе́нческом клу́бе?	конце́рт, спекта́кль
4. Вы́ пи́шете статью́?	нау́чный докла́д, курсова́я рабо́та

5. *Answer the questions.*

1. Каки́е респу́блики в СССР вы́ зна́ете? 2. Каки́е ру́сские ре́ки вы́ зна́ете? 3. Каки́е сове́тские газе́ты и журна́лы вы́ зна́ете? 4. Каки́е сове́тские фи́льмы вы́ ви́дели? Каки́е ру́сские пе́сни вы́ слы́шали? 5. Каки́е университе́ты в СССР вы́ зна́ете? 6. Каки́е музе́и вы́ зна́ете в Москве́ и в Ленингра́де? 7. Каки́е моско́вские и ленингра́дские теа́тры вы́ зна́ете?

6. *Translate.*

1. In the museum we saw beautiful pictures, old books, portraits and documents.
2. At the university the students study chemistry, physics, mathematics, biology, geography and history. They write term papers and prepare research papers. In the evening students have a nice time at the club. They listen to music, sing and dance.

7. *Describe what you have seen in a museum in your city, using the text of Exercise 1.*

I
> **Ка́ждый де́нь** студе́нты слу́шают ле́кции.

8. *Read and analyze.*

1. Ка́ждый де́нь студе́нты слу́шают ле́кции, рабо́тают в лингафо́нном кабине́те. На уро́ке они́ чита́ют, пи́шут и говоря́т по-ру́сски.
2. Ка́ждую неде́лю студе́нты смо́трят фи́льмы.
3. Ка́ждый ме́сяц на семина́ре студе́нты слу́шают и обсужда́ют нау́чные докла́ды.
4. Ка́ждый го́д весно́й студе́нты организу́ют нау́чные студе́нческие конфере́нции.

165

9. (a) *Listen and repeat.*

(а) ка́ждый, ка́ждый де́нь, ме́сяц [м'е́с'иц], ка́ждый ме́сяц, ка́ждый го́д, ка́ждый го́д весно́й, неде́ля, ка́ждую неде́лю; конфере́нция [кънф'ир'е́нцыjъ], конфере́нции, нау́чные конфере́нции, нау́чные студе́нческие конфере́нции; семина́р [с'им'ина́р], на семина́ре, кабине́т, лингафо́нный кабине́т, в лингафо́нном кабине́те; смотре́ть, я смотрю́, ты́ смо́тришь, они́ смо́трят.

смотрю́	☐ ●	смотре́л	☐ ●
смо́тришь	■ ○	смотре́ла	☐ ●
смо́трит	■ ○	смотре́ли	☐ ●
смо́трим	■ ○		
смо́трите	■ ○		
смо́трят	■ ○		

(b) *Listen and repeat. Mark intonational centers.*

1. — Андре́й, что́ ты́ де́лаешь?
   — Я смотрю́ телеви́зор.
   — А что́ де́лает Ната́ша?
   — Она́ то́же смо́трит телеви́зор. Мы́ смо́трим но́вый францу́зский фи́льм. А ты́ не смо́тришь? Это интере́сный фи́льм.
   — Не́т, я уже́ ви́дел э́тот фи́льм. Я не люблю́ смотре́ть телеви́зор.
2. — То́м, ты́ бы́л вчера́ на конфере́нции?
   — Не́т, не́ был. Кака́я э́то конфере́нция?
   — Это нау́чная конфере́нция. Мы́ ка́ждый го́д организу́ем студе́нческие конфере́нции на на́шем факульте́те. А что́ ты́ сейча́с де́лаешь?
   — Я ка́ждый де́нь рабо́таю в лингафо́нном кабине́те, ча́сто смотрю́ ру́сские фи́льмы. Я хочу́ хорошо́ говори́ть по-ру́сски.

(c) *Pay attention to intonation.*

Ка́ждый ме́сяц студе́нты слу́шают и обсужда́ют нау́чные докла́ды.

Ка́ждый ме́сяц / на семина́ре / студе́нты слу́шают и обсужда́ют нау́чные докла́ды.

Ка́ждый ме́сяц / на семина́ре / студе́нты слу́шают и обсужда́ют нау́чные докла́ды.

Ка́ждую неде́лю студе́нты смо́трят фи́льмы.

Ка́ждую неде́лю / студе́нты смо́трят фи́льмы.

Ка́ждую неде́лю / студе́нты смо́трят фи́льмы.

10. *Answer the questions, using the words* ка́ждый го́д, ка́ждую неде́лю, ка́ждый ме́сяц, ка́ждый де́нь. *Follow the model.*

Model: — Вы́ чита́ете газе́ты и журна́лы в библиоте́ке?
— Да́, ка́ждый де́нь я чита́ю газе́ты и журна́лы в библиоте́ке.

1. Студе́нты пи́шут курсовы́е рабо́ты? 2. Студе́нты организу́ют в клу́бе концéрты? 3. Вы́ чита́ете газе́ты? 4. Вы́ чита́ете журна́л «Спу́тник»? 5. Вы́ слу́шаете ра́дио? 6. Вы́ ча́сто рабо́таете в лингафо́нном кабине́те? 7. Вы́ ча́сто смо́трите но́вые фи́льмы? 8. Вы́ смо́трите телеви́зор?

11. *Complete the statements, using the word* ка́ждый *and the nouns* де́нь, го́д, неде́ля, ме́сяц.

Model: Ро́берт о́чень лю́бит смотре́ть телеви́зор.
Он смо́трит телеви́зор ка́ждый де́нь.

1. Серге́й лю́бит рисова́ть. 2. Ка́тя хорошо́ пла́вает. 3. Сейча́с Дже́йн хорошо́ говори́т по-ру́сски. 4. Сейча́с Ро́берт мно́го рабо́тает в библиоте́ке: о́н пи́шет нау́чную статью́. 5. Оле́г мно́го чита́ет. 6. Мэ́ри лю́бит смотре́ть фи́льмы. 7. А́нна лю́бит отдыха́ть на ю́ге.

12. *Oral Practice. Dramatize a situation in which you discuss with a Soviet student how you work and study.*

Анто́н **реша́л** э́ту зада́чу.	Анто́н **реши́л** э́ту зада́чу.
Вчера́ ве́чером Анто́н **реша́л** зада́чу, а мы́ смотре́ли телеви́зор.	Вчера́ ве́чером Анто́н **реши́л** зада́чу.
Ле́том Анто́н ча́сто **отдыха́л** на ю́ге.	Ле́том Анто́н хорошо́ **отдохну́л** на ю́ге.

13. *Listen, read and analyze. (Analysis VI, 1.0; 1.1; 1.3.)*

(a) *Compare the forms of the imperfective and perfective infinitives given below.*

Imperfective Aspect	Perfective Aspect
отвеча́ть	отве́тить
вспомина́ть	вспо́мнить
отдыха́ть	отдохну́ть
писа́ть	написа́ть
чита́ть	прочита́ть

(b) *Which meaning does each imperfective verb have in the context (process, repetition of action or the fact that the action has merely taken place)?*

1. — Что́ ты́ **де́лал** вчера́, когда́ мы **смотре́ли** фи́льм?
— Я **чита́л** газе́ту.
2. Ве́чером Никола́й всегда́ **чита́ет** газе́ту.
3. — А́ня, ты́ **чита́ла** сего́дня газе́ту?
— Да́, **чита́ла**.

167

(c) *Which meaning does each perfective verb have in the context (result or completion of action)?*

1. Я **написа́л** письмо́. Во́т оно́.
2. Весно́й он **ко́нчил** шко́лу. Сейча́с он студе́нт.
3. Я **вспо́мнил** а́дрес моего́ това́рища.

14. *Read and translate.*

чита́ть *imp.* — прочита́ть *perf.*

1. — Ты чита́л э́ту кни́гу?
   — Не́т, не чита́л. А ты чита́л э́ту статью́?
   — Да́, чита́л. Я её уже́ прочита́л.

реша́ть *imp.* — реши́ть *perf.*

2. — Ни́на, что́ ты де́лала ве́чером?
   — Я реша́ла зада́чу.
3. — Джо́н, ты реши́л э́ту зада́чу?
   — Не́т, не реши́л.
   — А ты реша́л её?
   — Не́т, не реша́л. Ве́чером я бы́л в теа́тре.
4. — Анто́н, ты реши́л э́ту зада́чу?
   — Не́т, не реши́л.
   — А ты реша́л её?
   — Да́, реша́л. Это тру́дная зада́ча. Я о́чень до́лго реша́л её, и не реши́л.

писа́ть *imp.* — написа́ть *perf.*

5. Вчера́ ве́чером мы́ гото́вили уро́ки, а Ро́берт писа́л письмо́.
   Он бы́стро написа́л письмо́.
   — Ро́берт, ты написа́л письмо́?
   — Да́, написа́л.

де́лать *imp.* — сде́лать *perf.*

6. На ка́ждом семина́ре студе́нты де́лают докла́ды.
   — Вы́ уже́ сде́лали докла́д?
   — Да́, я́ уже́ сде́лал докла́д.

переводи́ть *imp.* — перевести́ *perf.*

7. — Мэ́ри, что́ ты́ де́лала вчера́ ве́чером?
   — Рабо́тала, отдыха́ла, чита́ла и переводи́ла те́кст, писа́ла упражне́ния.
   — Ты́ перевела́ те́кст?
   — Да́, перевела́. А ты́?
   — А я́ не перевела́. Это о́чень тру́дный те́кст. Я то́лько написа́ла упражне́ния.

15. *Read the text and answer the questions given below.*

Ве́ра и Бори́с изуча́ют англи́йский язы́к. На уро́ке они́ чита́ют, перево́дят, пи́шут упражне́ния и говоря́т по-англи́йски. Сего́дня они́ то́же чита́ли, переводи́ли и говори́ли по-англи́йски. Сего́дня на уро́ке студе́нты переводи́ли о́чень тру́дный те́кст. Ве́ра перевела́ те́кст бы́стро, она́ прочита́ла и перевела́ его́ до́ма. Други́е студе́нты переводи́ли те́кст до́лго, они́ не чита́ли его́ до́ма.

1. Что́ де́лали студе́нты на уро́ке англи́йского языка́? 2. Почему́ Ве́ра бы́стро переве́ла те́кст? 3. Почему́ други́е студе́нты до́лго переводи́ли те́кст? 4. Како́й те́кст переводи́ли студе́нты?

16. *Answer the questions, using the verbs on the right.*

1. Вчера́ ве́чером мы́ бы́ли в кино́. А ты́, Ни́на, что́ де́лала?

чита́ть / прочита́ть

2. Джо́н, вчера́ на уро́ке учи́тель спра́-
   шивал тебя́?
   Ты́ пра́вильно отве́тил?
   Он ча́сто спра́шивает тебя́?
3. А́нна, ты́ написа́ла упражне́ние № 5?
4. Ка́тя, ты́ ча́сто вспомина́ешь о Кав-
   ка́зе?
5. Оле́г, ты́ чита́ешь по-англи́йски?
   Ты́ уже́ прочита́л рома́н Ди́ккенса
   «Дэ́вид Ко́пперфилд»?

	спра́шивать / спроси́ть
	отвеча́ть / отве́тить
	писа́ть / написа́ть
	вспомина́ть / вспо́мнить
	чита́ть / прочита́ть

17. *Complete the dialogues.*

1. — А́нна, ты́ пи́шешь статью́?   писа́ть / написа́ть
   — Не́т, ...
2. — Дже́йн, где́ ты́ отдыха́ла ле́том?   отдыха́ть / отдохну́ть
   — ....
   — Ка́к ты́ отдохну́ла?
   — ....
3. — Ро́берт, что́ ты́ де́лал ве́чером?   чита́ть / прочита́ть;   писа́ть /
   — ....   написа́ть;   переводи́ть / переве́сти́
4. — То́м, твоя́ сестра́ ко́нчила шко́лу?   конча́ть / ко́нчить
   — Да́, ... Она́ уже́ студе́нтка.
5. — Ты́ не зна́ешь, э́то интере́сный жур-   чита́ть / прочита́ть
   на́л?
   — Не зна́ю. ....

18. *Tell your friends how you study Russian, what you do in class and at home.*

Анто́н **бу́дет реша́ть** э́ту зада́чу.	Анто́н **реши́т** э́ту зада́чу.
За́втра ве́чером Анто́н **бу́дет реша́ть** зада́чу, а я́ бу́ду писа́ть статью́.	За́втра ве́чером Анто́н **реши́т** зада́чу.
Анто́н **бу́дет** ча́сто **отдыха́ть** на ю́ге.	Анто́н хорошо́ **отдохнёт** на ю́ге.

19. *Read and analyze. (See Analysis VI, 1.22.)*

(a) Ро́берт у́чит ру́сский язы́к. Сего́дня ве́чером, ка́к всегда́, о́н **бу́дет гото́-
   вить** уро́к. О́н **бу́дет чита́ть** те́кст, **бу́дет писа́ть** упражне́ния. Снача́ла
   о́н **прочита́ет** те́кст, **переведёт** его́, а пото́м **напи́шет** упражне́ния.

(b) чита́ть / прочита́ть   реша́ть / реши́ть

— Ты́ **бу́дешь чита́ть** э́ту   — Джо́н, ты́ реши́л зада́чу
   статью́?   № 2?
— Да́, **бу́ду.**   — Не́т ещё.
— Когда́ ты́ **прочита́ешь** её?   — А ты́ **бу́дешь реша́ть** её?
— Я́ **прочита́ю** её за́втра. Се-   — Да́, **бу́ду.**
   го́дня я́ бу́ду слу́шать ле́к-   — А когда́ **реши́шь**?
   цию.   — Не зна́ю. Э́то о́чень тру́д-
                              ная зада́ча.

читáть / прочитáть, писáть / написáть, переводи́ть / перевести́

1. — Мэ́ри, что ты бу́дешь дéлать зáвтра?
   — Бу́ду читáть и переводи́ть тéкст, бу́ду писáть упражнéния.
   — Когдá ты бу́дешь писáть упражнéния?
   — Сначáла я прочитáю и переведу́ тéкст. Потóм бу́ду писáть упражнéния.
2. Рóберт бу́дет изучáть францу́зский язы́к. Кáждый дéнь он бу́дет читáть и переводи́ть тéксты, писáть упражнéния.
3. Это óчень трýдный тéкст. Я знáю, что бу́ду переводи́ть егó дóлго.

готóвить / приготóвить

   — Ни́на, ты приготóвила урóк?
   — Нéт, не приготóвила. И я не знáю, когдá я бу́ду готóвить сегóдня урóки.

20. *Listen and repeat.*

решáть, решáю; реши́ть, решу́, реши́шь, решáт. Я решáю задáчу. А ты реши́шь её зáвтра.

переводи́ть, перевожу́, перевóдишь, перевóдят; перевести́, переведу́, переведёшь, переведу́т. — Вы перевóдите тéкст? — Нéт, мы переведём егó зáвтра.

писáть, пишу́, написáть, напишу́. — Ты пи́шешь письмó? — Нéт, я пишу́ курсову́ю рабóту. Я напишу́ письмó вéчером.

готóвить, готóвлю, готóвишь, готóвят; приготóвить, приготóвлю. — Ты готóвишь урóки? — Нéт, я читáю. Я приготóвлю урóки вéчером.

отдыхáть, отдыхáю; отдохну́ть, отдохну́, отдохнёшь, отдохну́т. — Кáтя, ты мнóго рабóтаешь. Ты мáло отдыхáешь. — Я не хочу́ сейчáс отдыхáть. Я отдохну́ лéтом.

21. *Answer the questions, using the words listed on the right.*

1. Чтó вы бу́дете дéлать вéчером?	читáть / прочитáть тéкст; писáть / написáть упражнéния
2. Вы не знáете, что Олéг бу́дет дéлать в áвгусте?	отдыхáть / отдохну́ть на Украи́не
3. Вéра и Николáй, что вы бу́дете дéлать зáвтра?	готóвить / приготóвить доклáд
А чтó бу́дут дéлать Сергéй и Олéг?	писáть / написáть статью

22. *Answer the questions, as in the model.*

Model: — Мы сегóдня слýшали лéкцию профéссора Ивáнова. А вы?
    — А мы бу́дем слýшать эту лéкцию зáвтра.

1. — Вчерá мы слýшали óперу «Евгéний Онéгин». А ты? — ....
2. — Мы сегóдня гуля́ли в пáрке. А вы? — ....
3. — Я сегóдня написáл письмó. А ты? — ....
4. — Сергéй сегóдня сдéлал доклáд. А вы? — ....
5. — Сегóдня мы не рабóтали, мы отдыхáли. А вы? — ....
6. — Я прочитáл эту статью. А вы? — ....

23. *Give detailed answers to the questions, using the words listed on the right.*

1. Ка́к вы́ обы́чно гото́вите уро́ки?
   Сего́дня вы́ хорошо́ пригото́вили уро́ки. Ка́к вы́ э́то сде́лали?

   читáть / прочитáть тéкст, переводи́ть / перевести́ тéкст

2. Ка́к обы́чно студéнт гото́вит докла́д?
   Вы́ написа́ли хоро́ший докла́д. Ка́к вы́ э́то сде́лали?

   читáть / прочитáть статью́, изучáть / изучи́ть докумéнты
   писáть / написáть тéкст докла́да

3. Вы́ худо́жник? Что́ вы́ рису́ете? Э́то но́вый портрéт? Когда́ вы́ его́ нарисова́ли?

   рисовáть / нарисовáть карти́ны, портрéты

4. О чём вчера́ вéчером говори́л Никола́й?

   расскáзывать / рассказáть о Ленингра́де

24. *Answer the questions. Write out the words which help to determine the aspect of the verb to be used.*

1. Когда́ вы́ **обы́чно** гото́вите уро́ки? 2. Вы́ читáете газéту **кáждый день**? 3. Вы́ **ужé** пригото́вили уро́ки? 4. Вы́ **до́лго** переводи́ли тéкст? 5. Вы́ **всегда́** слу́шаете вéчером ра́дио? 6. Когда́ вы́ **обы́чно** отдыхáете? 7. Вы́ **ужé** сдéлали докла́д и́ли нéт? 8. Вы́ ещё пи́шете вáшу статью́?

> II
> **Когда́** я́ **слу́шаю** му́зыку, я́ **отдыха́ю.**
> **Когда́** о́н **уви́дел** А́ню, о́н **реши́л** нарисова́ть её портрéт.

25. *Read and analyze. Point out the cases where the actions of the two verbs are simultaneous and where they follow each other. (See Analysis VI, 1.5.)*

1. Когда́ я́ **читáю** тéкст по-ру́сски, я́ **перевожу́** его́. 2. Когда́ я́ **прочита́л** тéкст по-ру́сски, я́ **написа́л** упражнéние. 3. Когда́ студéнты **отдыхáют**, они́ обы́чно **пою́т, танцу́ют, разгова́ривают**. 4. Когда́ профéссор **читáл** расскáз, студéнты **слу́шали** его́. 5. Когда́ профéссор **прочита́л** расскáз, студéнты **написáли** его́. 6. Когда́ Ро́берт **переводи́л** тéкст, о́н **смотрéл** но́вые слова́ в словарé.

26. *Listen and repeat. (See Analysis, Phonetics, 3.75.)*

Когда́ я́ слу́шаю му́зыку, / я́ отдыха́ю.

Когда́ я́ слу́шаю му́зыку, / я́ отдыха́ю.

Когда́ я́ напишу́ статью́, / я́ бу́ду гото́вить докла́д.

Когда́ я́ напишу́ статью́, / я́ бу́ду гото́вить докла́д.

Когда́ я́ ко́нчу шко́лу, / я́ бу́ду рабо́тать.

Когда́ я́ ко́нчу шко́лу, / я́ бу́ду рабо́тать.

Когда́ я перевожу́ текст, / я смотрю́ но́вые слова́ в словаре.

Когда́ я переведу́ текст, / я бу́ду отдыхать.

27. *Answer the questions.*

1. Вы́ чита́ли у́тром газе́ту? 2. Что́ де́лал ваш брат, когда́ вы́ чита́ли газе́ту? 3. Что́ вы́ де́лали, когда́ прочита́ли газе́ту? 4. Днём вы́ рабо́тали в библиоте́ке? Что́ вы́ там де́лали? 5. Кого́ вы́ ви́дели, когда́ бы́ли в библиоте́ке? 6. Ве́чером вы́ писа́ли докла́д? 7. Что́ де́лал ваш брат, когда́ вы́ писа́ли докла́д? 8. Что́ вы́ де́лали, когда́ написа́ли докла́д?

III | Оле́г хорошо́ зна́ет англи́йский язы́к, **потому́ что он мно́го чита́ет и говори́т по-англи́йски.**

28. *Read and analyze.*

1. Этот журнали́ст хорошо́ зна́ет Сове́тский Сою́з, потому́ что он до́лго жи́л там. 2. Я бу́ду отдыха́ть на ю́ге, потому́ что я люблю́ мо́ре. 3. Он хорошо́ зна́ет А́нглию, потому́ что он изуча́ет э́ту страну́. 4. Я посеща́ю ле́кции профе́ссора Ивано́ва, потому́ что профе́ссор Ивано́в чита́ет ку́рс исто́рии Восто́ка. 5. Студе́нты бы́стро прочита́ли э́тот большо́й те́кст, потому́ что те́кст бы́л не тру́дный. 6. Я хорошо́ по́нял те́кст, потому́ что я прочита́л его́ до́ма. 7. Де́ти внима́тельно слу́шают отца́, потому́ что он интере́сно расска́зывает.

29. *Listen and repeat. (See Analysis, Phonetics, 3.75.)*

Я ча́сто отдыха́ю на ю́ге, / потому́ что я люблю́ мо́ре.

Я ча́сто отдыха́ю на ю́ге, / потому́ что я люблю́ мо́ре.

Он сде́лал хоро́ший докла́д, / потому́ что мно́го рабо́тал.

Он сде́лал хоро́ший докла́д, / потому́ что мно́го рабо́тал.

То́м хорошо́ зна́ет ру́сский язы́к, / потому́ что до́лго жи́л в Москве́.

Я не хочу́ смотре́ть э́тот фильм, / потому́ что я уже́ ви́дел его́.

30. *Change the sentences, as in the model.*

Model: Оле́г хорошо́ зна́ет англи́йский язы́к, потому́ что он мно́го рабо́тает. Оле́г бу́дет хорошо́ зна́ть англи́йский язы́к, потому́ что он мно́го рабо́тает. Оле́г хорошо́ зна́л англи́йский язы́к, потому́ что он мно́го рабо́тал.

172

1. Сего́дня я́ не рабо́таю в библиоте́ке, потому́ что я́ перевожу́ статью́.
2. Дже́йн хорошо́ говори́т по-ру́сски, потому́ что она́ живёт в Москве́. 3. Андре́й всегда́ чита́ет журна́л «Теа́тр», потому́ что о́н пи́шет статьи́ о теа́тре.

31. *Complete the sentences, using the present, past and future forms of the verb in brackets.*

Model: Ви́ктор не зна́ет, где́ . . . . (находи́ться)
Ви́ктор не зна́ет, где́ нахо́дится шко́ла.
Ви́ктор не зна́ет, где́ бу́дет находи́ться но́вая шко́ла.
Ви́ктор не зна́ет, где́ находи́лась ста́рая шко́ла.

1. Я́ не зна́ю, где́ . . . (рабо́тать). 2. Оте́ц писа́л, что . . .(отдыха́ть). 3. Мы́ спроси́ли, где́ . . . (находи́ться). 4. Ле́том мы́ не отдыха́ли, потому́ что . . . (рабо́тать). 5. Я́ мно́го зна́ю о Ленингра́де, потому́ что . . . (чита́ть). 6. Никола́й слу́шает му́зыку, когда́ . . . (писа́ть упражне́ния).

32. *Answer the questions.*

Model: — Почему́ ты́ не реши́л э́ту зада́чу?
— Я́ не реши́л зада́чу, потому́ что она́ о́чень тру́дная.

1. Почему́ вы́ не́ были вчера́ в университе́те? 2. Почему́ вы́ не прочита́ли те́кст? 3. Почему́ вы́ не перевели́ э́тот расска́з? 4. Почему́ вы́ не написа́ли пя́тое упражне́ние?

<table>
<tr><td>IV</td><td>Мо́й бра́т ко́нчил шко́лу в 1976 году́.
В како́м году́ о́н ко́нчил шко́лу?</td></tr>
</table>

33. *Read and analyze. (See Analysis IX, 1.42.)*

— Э́то но́вый райо́н?
— Да́, э́то но́вый микрорайо́н[1]. Я́ бы́л здесь в 1979 году́, и тогда́ здесь была́ дере́вня.
— Я́ ви́жу здесь но́вые дома́, магази́ны. А где́ шко́ла, кинотеа́тр, больни́ца?
— Шко́ла здесь е́сть. **В про́шлом году́** де́ти учи́лись в ста́рой шко́ле, а в **э́том году́** они́ у́чатся в но́вой шко́ле. Кинотеа́тр бу́дет в э́том большо́м до́ме. Строи́тели должны́ ко́нчить его́ **в сентябре́.**
— А больни́ца?
— Больни́ца то́же бу́дет.
— Когда́? **В како́м году́?**
— Не зна́ю. Мо́жет бы́ть, в 1989 году́.

34. *Listen and repeat.*

(a) де́сять, два́дцать [два́ццът'], три́дцать, со́рок, пятьдеся́т [п'ид'д'ис'а́т], шестьдеся́т [шыз'д'ис'а́т], се́мьдесят, во́семьдесят, девяно́сто [д'ив'ино́стъ],

---

[1] Микрорайо́н, the name given in Russian to a residential subsection of a modern city. Each микрорайо́н possesses its own schools, stores, child-care, postal and public service facilities.

стó, двéсти, трѝста, четы́реста, пятьсóт [п'иццóт], шестьсóт [шыссóт], семьсóт, восемьсóт, девятьсóт [д'ив'иццóт], ты́сяча [ты́с'ичъ];

(b) в прóшлом годý, в э́том годý.—В какóм годý ты́ кóнчил институ́т?

— Я́ кóнчил институ́т в прóшлом годý.

ты́сяча девятьсóт сéмьдесят седьмóй гóд, в ты́сяча девятьсóт сéмьдесят седьмóм годý.

1. — Я́ кóнчил университéт в ты́сяча девятьсóт сéмьдесят седьмóм[1] годý. А вы́?[4]

— А я́ в сéмьдесят[1] пéрвом годý.

2. — Когда вы́[2] бы́ли в Москвé?

— Я́ бы́л в Москвé в ты́сяча девятьсóт сéмьдесят пя́том[1] году. А вы́?[4]

— А я́ в семидеся́том.[1]

3. — Скажи́те, пожалуйста, нóмер[2] вáшего телефóна.

— 147-18-25 (стó сóрок семь,[3] / восемнадцать,[4] / двáдцать пять).[1] А ваш?[4]

— 433-66-13 (четы́реста три́дцать три,[3] / шестьдеся́т шесть,[3] / тринадцать).[1]

35. (a) *Cover the right side of the page and read aloud the years indicated. Check yourself by looking at the right side of the page.*

(b) *Read aloud the given dates (in any order). Have the other students write down the numbers.*

1921 гóд (ты́сяча девятьсóт двáдцать пéрвый гóд)
1932 гóд (ты́сяча девятьсóт три́дцать вторóй гóд)
1943 гóд (ты́сяча девятьсóт сóрок трéтий гóд)
1954 гóд (ты́сяча девятьсóт пятьдеся́т четвёртый гóд)
1965 гóд (ты́сяча девятьсóт шестьдеся́т пя́тый гóд)
1978 гóд (ты́сяча девятьсóт сéмьдесят восьмóй гóд)
1980 гóд (ты́сяча девятьсóт восьмидеся́тый гóд)
в 1941 годý—в ты́сяча девятьсóт сóрок пéрвом годý
в 1917 годý—в ты́сяча девятьсóт семнáдцатом годý
в 1945 годý—в ты́сяча девятьсóт сóрок пя́том годý
в 1976 годý—в ты́сяча девятьсóт сéмьдесят шестóм годý
в 1978 годý—в ты́сяча девятьсóт сéмьдесят восьмóм годý
в 1980 годý—в ты́сяча девятьсóт восьмидеся́том годý

36. *Answer the questions.*

1. Когдá вы́ поступи́ли в шкóлу? 2. Когдá вы́ кóнчили шкóлу? 3. Когдá вы́ поступи́ли в университéт? 4. В какóм годý вы́ кóнчите университéт? 5. Гдé вы́ бýдете рабóтать? Когдá э́то бýдет? 6. Когдá вы́ прочитáли пéр-

вый рома́н ру́сского писа́теля? Чей э́то был рома́н? 7. Когда́ вы посмотре́ли пе́рвый ру́сский фильм? Како́й э́то был фильм? 8. Когда́ и где́ вы посмот-ре́ли пе́рвую ру́сскую о́перу и́ли бале́т?

37. *Translate.*

I graduated from high school in 1979. Because I like chemistry very much, I decided to enter the chemistry department of the University. I entered the University in 1980. Now I am a student at Moscow University. Last year freshmen did not write term papers. This year I am a sophomore. I already work in the chemistry laboratory and write research papers.

38. *Make up questions and answer them.*

1. You want to find out the telephone numbers of your friend, professor, teacher, lawyer and doctor.

Model: — Вы не зна́ете но́мер телефо́на Ле́ны Комаро́вой?
— Зна́ю: 235-43-45.

(145-16-81, 354-92-11, 195-16-57, 223-96-17, 434-11-98)
2. You want to find out the telephone numbers of the institute, hotel, railroad station and post office.
(143-26-14, 478-13-05)
3. You want to know on what pages are the lesson, the story, the picture of the writer, the photograph and the article.

Model: — На како́й страни́це нахо́дятся упражне́ния?
— На сто́ два́дцать пя́той страни́це.

Conversation

1. Asking for, and Giving, Information about the Character of an Action.

1. Process (*imp.*).
 — Что ты **сейча́с де́лаешь**?
 — Я **гото́влю** уро́ки.
 — Что ты **де́лал вчера́ ве́чером**?
 — Я **гото́вил** уро́ки.
 — Что ты **бу́дешь де́лать за́втра у́тром**?
 — Я **бу́ду гото́вить** уро́ки.
2. Habitual action (*imp.*).
 — Что ты **де́лаешь у́тром** (обы́чно)?
 — **У́тром** я **чита́ю** газе́ту (обы́чно).
 — Твой брат инжене́р?
 — Да, он инжене́р-строи́тель. Он **стро́ит** дома́.
3. Completion or result of an action (*perf.*).
 — Ве́ра, ты **написа́ла** упражне́ния?
 — Да, **написа́ла**. Вот они́.

175

1. (a) *Listen and repeat. Pay attention to the pronunciation of the grammatical endings.*

чита́ешь [чита́jиш], чита́ет [чита́jит], реша́ет [р'иша́jит], де́лает, де́лаешь; слу́шаешь, слу́шает. Что́ ты́ де́лаешь? Что́ ты́ сейча́с де́лаешь?

вчера́ [фчира́], вчера́ ве́чером. Что́ ты́ де́лал вчера́? Что́ ты́ де́лал вчера́ ве́чером?

бу́дешь [бу́д'иш], бу́дешь де́лать. Что́ ты́ бу́дешь де́лать? За́втра у́тром. Что́ ты́ бу́дешь де́лать за́втра у́тром?

(b) *Read the sentences according to the model.*

Model: У́тром я́ гото́влю уро́ки. ¹

У́тром / я́ гото́влю уро́ки. ³ ¹

1. За́втра у́тром я́ пойду́ в кино́. 2. Ве́чером я́ гото́вил докла́д. 3. Вчера́ ве́чером я́ бы́л в теа́тре МГУ. 4. Сего́дня у́тром я слу́шал ле́кции в университе́те.

(c) *Pronunciation Practice: pronounce each sentence as a single unit.*

Всегда́? Всегда́ чита́ешь? Ты́ всегда́ чита́ешь? Ты́ всегда́ чита́ешь газе́ту? Ты́ всегда́ чита́ешь газе́ту ве́чером?
Всегда́ смо́тришь? Ты́ всегда́ смо́тришь? Ты́ всегда́ смо́тришь телеви́зор? Ты́ всегда́ смо́тришь телеви́зор ве́чером?
Что́ бу́дешь де́лать? Что́ ты́ бу́дешь де́лать за́втра? Что ты́ бу́дешь де́лать за́втра у́тром?

2. (a) *Ask a classmate what he is doing now, what he did yesterday, and what he will be doing tomorrow. Use the words*
чита́ть, реша́ть, писа́ть, гото́вить; интере́сная кни́га, тру́дная зада́ча, статья́, докла́д.

Model: — Что́ ты́ сейча́с де́лаешь?
— Я́ пишу́ письмо́.
— Что́ ты́ де́лал вчера́?
— Я́ писа́л письмо́.
— Что́ ты́ бу́дешь де́лать за́втра?
— Я́ бу́ду писа́ть письмо́.

(b) *Ask a classmate what he is doing now and whether he is always busy at this time.*

Model: — Что́ ты́ де́лаешь?
— Чита́ю газе́ту.
— Ты́ всегда́ чита́ешь газе́ту ве́чером?

1. смотре́ть, телеви́зор, ве́чером; 2. слу́шать, ра́дио, у́тром.

(c) *Ask your friend about his brother's, sister's and parents' occupation or profession.*

Model: — Твой брат химик?

         — Да, он работает в институте, изучает химию.

1. историк, музей, изучать, история Франции; 2. художник, писать, картина, портрет; 3. артист, оперный театр, петь; 4. профессор, университет, читать, лекция.

3. *Complete the dialogues, paying attention to the tenses of the verbs.*

Model: — Что ты делаешь?

         — Я перевожу текст.

         — А я и не знал, что ты изучаешь русский язык.

1. — Что ты делаешь?

    — Пишу доклад.

    — . . . . (готовить)

2. — Где твой брат сейчас?

    — Он на заводе.

    — . . . . (работать)

3. — Что делает Николай на филологическом факультете?

    — Он слушает лекции о литературе Франции.

    — . . . . (изучать)

4. — Где сейчас Олег?

    — В общежитии.

    — . . . . (жить)

4. *Compose dialogues, using the words* уже *and* ещё.

Model: — Ты **уже прочитал** эту книгу?

         — Нет, **ещё читаю.**

         — Когда ты её прочитаешь?

         — Может быть, завтра.

читать / прочитать газету; изучать / изучить эти документы; писать / написать статью; рисовать / нарисовать портрет; решать / решить эту задачу.

5. *Listen to the dialogue.*

        Что ты сейчас делаешь?

— Алло, я вас слушаю.

— Здравствуй, Джейн. Это говорит Катя.

— Добрый день, Катя.

— Что ты сейчас делаешь, Джейн?

— Я читаю и перевожу статью.

— Ты всегда читаешь и переводишь вечером?

— Да, ты знаешь, что днём я слушаю лекции в университете.

— Что ты будешь делать, когда переведёшь статью?

— Я буду смотреть телевизор.

— Извини, Джейн, я не знала, что ты сейчас работаешь. Я позвоню завтра. Хорошо?

— Хорошо, Катя.

— До свидания, Джейн.

— До свидания.

6. *Listen and repeat. (See Analysis, Phonetics, 3.9.)*

(a) *Note the intonation of greetings and forms of address (IC-2).*

Здра́вствуй! Здра́вствуйте! До́брый день! До свида́ния! Извини́! Изви-ни́те! Алло́! Дже́йн!

(b) *Read the sentences in accordance with the indicated intonation.*

Что́ ты́ де́лаешь? Что́ ты́ сейча́с де́лаешь? Что́ ты́ сейча́с де́лаешь, Дже́йн?

Я́ слу́шаю. Я́ слу́шаю ле́кции. Я́ слу́шаю ле́кции в университе́те.

Днём я́ слу́шаю ле́кции в университе́те.

Днём / я́ слу́шаю ле́кции в университе́те.

Ты́ зна́ешь, что днём я́ слу́шаю ле́кции в университе́те.

Ты́ зна́ешь, что днём / я́ слу́шаю ле́кции в университе́те.

Что́ ты́ бу́дешь де́лать? Что́ ты́ бу́дешь де́лать ве́чером?

Что́ ты́ бу́дешь де́лать, когда́ переведёшь статью́?

Я́ не зна́ла. Я́ не зна́ла, что ты́ рабо́таешь.

Я́ не зна́ла, что ты́ сейча́с рабо́таешь.

Я́ позвоню́. Я́ позвоню́ за́втра. Я́ позвоню́ за́втра у́тром.

Ты́ позвони́шь? Ты́ позвони́шь за́втра? Ты́ позвони́шь за́втра ве́чером?

(c) *Answer the questions.*

Что́ де́лала Дже́йн, когда́ позвони́ла Ка́тя? Дже́йн всегда́ чита́ет и перево́дит ве́чером? Где́ Дже́йн слу́шает ле́кции? Что́ бу́дет де́лать Дже́йн, когда́ переведёт статью́? Почему́ Ка́тя реши́ла позвони́ть за́втра?

(d) *Compose dialogues based on the following situations.*

(1) Oleg is telephoning Sergei.
(2) You are telephoning your friend.
(3) You are telephoning your mother, brother.

II. Meeting People

Что́ но́вого?	What's new?
Ничего́ осо́бенного.	Nothing special.
Вы́ не ви́дели сего́дня Серге́я?	Have you seen Sergei today?
Ка́к давно́ я́ тебя́ не ви́дел!	I haven't seen you for ages!

7. (a) *Listen to the dialogue and read it.*

Что́ но́вого?

— До́брый де́нь, Серге́й.
— Здра́вствуй, Анто́н! Ка́к давно́ я́ тебя́ не ви́дел!

— Да, я давно́ не́ был в университе́те. Что́ но́вого на факульте́те?
— Ничего́ осо́бенного: ле́кции, семина́ры, докла́ды.
— А ка́к тво́й докла́д?
— Ничего́. Сего́дня на семина́ре бу́ду чита́ть.
— А Оле́г? Уже́ сде́лал докла́д?
— Да́, сде́лал.
— Ты́ его́ не ви́дел сего́дня?
— Ви́дел. Он сейча́с в буфе́те.
— Спаси́бо. Ра́д бы́л тебя́ ви́деть, Серёжа.
— До свида́ния, Анто́н.

(b) *Listen and repeat.*

Ра́д тебя́ ви́деть. Ра́д бы́л тебя́ ви́деть. Я ва́с не ви́дел. Я давно́ ва́с не ви́дел. Давно́ я ва́с не ви́дел. Ка́к давно́ я ва́с не ви́дел! Ка́к давно́ я тебя́ не ви́дел!

Ви́дели? Ви́дели Серге́я? Вы́ ви́дели Серге́я? Вы́ не ви́дели Серге́я?

но́вое [но́въјъ], но́вого [но́въвъ]; ничего́ [н'ичиво́], осо́бенного [асо́б'ин-нъвъ], сего́дня [с'иво́д'н'ъ], его́ [јиво́]. Что́ но́вого? Что́ но́вого в университе́те? Что́ у ва́с но́вого? Ничего́. Ничего́ но́вого. Ничего́ осо́бенного. Вы́ не ви́дели его́? Вы́ не ви́дели его́ сего́дня?

(c) *Complete the dialogue and dramatize it.*

— До́брый де́нь, Серге́й!
— Здра́вствуй, Анто́н!..........
— .... Что́ но́вого на фа-
   культе́те?
— ....
— А ка́к тво́й докла́д?
— ....

— А Оле́г?
— ....
— Ты́ его́ не ви́дел сего́дня?
— ....
— Спаси́бо. ....
— До свида́ния, Анто́н.

Reading

1. (a) *Read and translate.*

Note: где? на ле́кции
            на семина́ре
            на уро́ке
            на ку́рсе

Бори́с — студе́нт второ́го ку́рса географи́ческого факульте́та. У́тром о́н бы́л **на ле́кции.** О́н слу́шал ле́кцию о кли́мате Се́верной А́фрики. Пото́м Бори́с бы́л **на семина́ре. На семина́ре** о́н слу́шал интере́сный докла́д. **На уро́ке** францу́зского языка́ Бори́с чита́л и переводи́л текст, говори́л по-францу́зски.

(b) *Listen and read.*

   на ле́кции, на уро́ке [нъуро́к'и], на семина́ре [нъс'им'ина́р'и].
— Ты́ бы́л на ле́кции? — Да́, на ле́кции.
— Ты́ де́лал докла́д на семина́ре? — Да́, на семина́ре.
— Ты́ отвеча́л на уро́ке? — Да́, отвеча́л.

2. *Answer the questions.*

Model: — Ви́ктор—студе́нт. Где́ о́н бы́л у́тром?
— У́тром о́н бы́л на ле́кции.

1. Джу́ди изуча́ет ру́сский язы́к. Где́ она́ говори́т по-ру́сски? 2. Студе́нты слу́шали докла́д Бори́са Петро́ва о приро́де Австра́лии. Где́ о́н де́лал докла́д? 3. Сейча́с Ка́тя рабо́тает в лаборато́рии, а у́тром она́ слу́шала ле́кцию. Где́ Ка́тя была́ у́тром? 4. Бори́с изуча́ет францу́зский язы́к. До́ма о́н не говори́т по-францу́зски. А где́ о́н говори́т по-францу́зски? 5. Сего́дня днём Ро́берт и Джо́н слу́шали ле́кцию. Где́ они́ бы́ли днём? 6. Сего́дня студе́нты слу́шали интере́сные докла́ды. Где́ они́ слу́шали э́ти докла́ды?

3. *Make up short situations to answer the following questions.*

Где́ вы́ быва́ете у́тром, днём? Что́ де́лаете на семина́ре, на уро́ке? Ка́к рабо́таете до́ма?

4. (a) *Read and translate.*

Note: к о г д а́? —по́сле уро́ка

1. **По́сле ле́кции** Серге́й и Оле́г рабо́тали в библиоте́ке. 2. **По́сле пра́ктики** Ка́тя отдыха́ла на Кавка́зе. 3. **По́сле семина́ра** студе́нты слу́шали ле́кцию профе́ссора Про́хорова. 4. Ни́на была́ в теа́тре **по́сле рабо́ты.** 5. **По́сле конце́рта** арти́сты и студе́нты говори́ли о совреме́нном теа́тре и кино́. 6. Студе́нты рабо́тали в лаборато́рии **по́сле уро́ка.**

(b) *Listen and read.*

по́сле, по́сле рабо́ты, по́сле ле́кции, по́сле семина́ра, по́сле уро́ка.
По́сле рабо́ты Ни́на была́ в теа́тре. По́сле рабо́ты / Ни́на была́ в теа́тре.
Ни́на была́ в теа́тре по́сле рабо́ты.

5. *Supply continuations, as in the model.*

Model: Студе́нты бы́ли на уро́ке.
По́сле уро́ка они́ рабо́тали в лаборато́рии.

1. Ка́тя и Джейн слу́шали ле́кцию профе́ссора Смирно́ва. . . . . 2. Серге́й бы́л на пра́ктике в Ленингра́де. . . . . 3. На семина́ре Ро́берт де́лал докла́д. . . . . 4. Ви́ктор и А́нна бы́ли на ле́кции. . . . . 5. Мэ́ри и Ри́чард бы́ли на уро́ке ру́сского языка́. . . . . 6. Вчера́ мы́ бы́ли в теа́тре. . . . . 7. Днём А́нна была́ на рабо́те. . . . .

6. (a) *Read and translate.*

Note: к о г д а́? ча́с
неде́лю
ме́сяц
го́д } наза́д

1.— Áнна, ты́ не зна́ешь, где́ Ро́берт? — Ча́с наза́д я́ ви́дела его́ в линга-фо́нном кабине́те. 2.— Ка́тя, ты́ написа́ла докла́д? — Да́, я написа́ла его́ неде́лю наза́д. 3.— Джейн, когда́ ты́ была́ в Большо́м теа́тре? — Ме́сяц наза́д. Я смотре́ла бале́т «Áнна Каре́нина». 4.— Джон, ты́ бы́л в Сове́тском Сою́зе? — Да́, я бы́л в СССР го́д наза́д.

(b) *Listen and read.*

ча́с наза́д, го́д наза́д, ме́сяц наза́д, неде́лю наза́д.
— Когда́ ты́ ви́дела Ка́тю? — Ча́с наза́д.
— Когда́ ты́ была́ в Ленингра́де? — Ме́сяц наза́д.
— Когда́ Оле́г сде́лал докла́д? — Неде́лю наза́д.
— Когда́ вы́ ко́нчили университе́т? — Го́д наза́д.

7. *Answer the questions, as in the model.*

Model: — Когда́ вы́ бы́ли в Ленингра́де?
— Я́ бы́л в Ленингра́де го́д наза́д.

1. Когда́ бы́л уро́к ру́сского языка́?   ча́с наза́д
2. Когда́ была́ ле́кция?   неде́лю наза́д
3. Когда́ бы́л семина́р?   ме́сяц наза́д
4. Когда́ вы́ бы́ли в лингафо́нном кабине́те?   го́д наза́д
5. Когда́ вы́ гото́вили докла́д?
6. Когда́ вы́ написа́ли э́ту статью́?
7. Когда́ вы́ смотре́ли телеви́зор?
8. Когда́ вы́ бы́ли в кино́? А в теа́тре?
9. Когда́ вы́ бы́ли в музе́е?

8. *Compare corresponding Russian and English suffixes.*

-ция — *-tion*   **-ура** — *-ure*
револю́ция — revolu*tion*   архитекту́ра — architec*ture*
тради́ция — tradi*tion*   литерату́ра — litera*ture*

9. *Translate without using a dictionary.*

1. Ни́на Петро́ва написа́ла статью́ «Пе́рвая ру́сская револю́ция». 2. Мэ́ри реши́ла изуча́ть ру́сский язы́к, потому́ что она́ лю́бит ру́сскую литерату́ру. 3. Ви́ктор Петро́вич хорошо́ зна́ет ру́сскую архитекту́ру. 4. В апре́ле студе́нты хими́ческого институ́та бы́ли на пра́ктике на хими́ческом заво́де. Рабо́та на э́том заво́де — тради́ция институ́та.

10. *Vocabulary for Reading. Study the following new words and their usage as illustrated in the sentences on the right. Read each sentence aloud.*

ви́деть к о г о́ — ч т о́   Áнна хорошо́ ви́дит. Её ма́ма ви́дит пло́хо.
                             — Ты́ ви́дела фи́льм «Áнна Каре́нина»?
                             — Да́, ви́дела.

                             — Ни́на, ты́ ви́дела Серге́я?
                             — Да́, ви́дела. Он в лаборато́рии.

181

смотре́ть н а к о г о́ — н а ч т о́

ч т о́

1. Дже́йн стоя́ла о́коло Большо́го теа́тра и смотре́ла на зда́ние теа́тра.
Ви́ктор до́лго смотре́л на э́ту же́нщину. Пото́м он вспо́мнил, где он её ви́дел. Они́ вме́сте отдыха́ли на Кавка́зе.

2. — Где вы бы́ли вчера́?
— В кино́. Мы смотре́ли но́вый францу́зский фи́льм.
Áнна лю́бит смотре́ть документа́льные фи́льмы.

11. *Compose dialogues based on the following situations.*

(1) You want to know whether your friends have seen any new movies (use their titles). Find out what kind of movies they are.
(2) You want to know where your friends and teachers are (call them by name). Ask someone whether he has seen them.

12. *Suppose you have been on an excursion in an American city. Tell your friends what you have seen there.*

13. *Compose dialogues in which you ask your friends what kind of movies they enjoy watching.*

14. *Vocabulary for Reading. Study the following new words and their usage as illustrated in the sentences on the right. Read each sentence aloud.*

реша́ть / реши́ть
ч т о́ / *infinitive*

учи́ться

1. Учени́к бы́стро реши́л тру́дную зада́чу. Он хорошо́ реша́ет зада́чи.
2. То́м реши́л изуча́ть ру́сский язы́к, потому́ что он лю́бит ру́сскую литерату́ру. Дже́йн реши́ла изуча́ть ру́сский язы́к, потому́ что она́ хо́чет чита́ть нау́чные статьи́ и кни́ги по-ру́сски.

Я учу́сь в университе́те. Ты у́чишься в шко́ле. Он хорошо́ у́чится.
— Вы у́читесь?
— Не́т, я рабо́таю.
Ка́тя и Дже́йн вме́сте у́чатся в университе́те.
Áнна и Ни́на вме́сте учи́лись в шко́ле.

15. *Compose dialogues based on the following situations.*

(1) Find out what foreign languages your friends are studying. Why did they decide to study those languages?
(2) What have you and your friends decided to do this summer?

(3) You have met a Soviet student. Find out where he studies now, where he studied at high school.

учу́сь	☐ ●	у́чимся	■ ○
у́чишься	■ ○	у́читесь	■ ○
у́чится	■ ○	у́чатся	■ ○

16. *Give detailed answers to the questions.*

(a) *About yourself;* (b) *About your friends.*

Где́ вы́ живёте? Где́ вы́ учи́лись в шко́ле? Где́ вы́ у́читесь сейча́с? На како́м ку́рсе вы́ у́читесь? Что́ вы́ де́лаете в университе́те? Что́ вы́ де́лаете на уро́ке ру́сского языка́? Ка́к вы́ гото́вите уро́ки до́ма? Почему́ вы́ реши́ли изуча́ть ру́сский язы́к?

(c) You have come to a Russian language seminar. Tell your teacher about yourself, about your Russian studies.

17. *Vocabulary for Reading. Study the following new words and their usage as illustrated in the sentences on the right. Read each sentence aloud.*

поступа́ть / поступи́ть (в шко́лу, в университе́т, на заво́д)	Сестра́ А́нны ме́сяц наза́д поступи́ла в шко́лу. Серге́й поступи́л в университе́т го́д наза́д. По́сле шко́лы Бори́с поступи́л на заво́д.
конча́ть / ко́нчить что / *infinitive (imp.)*	Серге́й ко́нчил шко́лу го́д наза́д. Анто́н—молодо́й инжене́р. О́н ко́нчил институ́т го́д наза́д. — Ве́ра, ты́ написа́ла статью́? — Да́, я́ ко́нчила её. — Серге́й, ты́ ко́нчил портре́т Ка́ти? — Да́, ко́нчил. — Ве́ра, ты́ ко́нчила писа́ть статью́? — Да́, ко́нчила. — Ни́на, ты́ ко́нчила реша́ть зада́чу? — Не́т, ещё не ко́нчила.
посеща́ть / посети́ть что	В институ́те студе́нты посеща́ют ле́кции, практи́ческие и лаборато́рные заня́тия. В Москве́ америка́нские студе́нты бы́ли в Большо́м теа́тре, посети́ли Истори́ческий музе́й.
всегда́	Ле́том мои́ друзья́ всегда́ отдыха́ют на ю́ге. На уро́ке студе́нты всегда́ говоря́т по-ру́сски. На семина́ре они́ всегда́ де́лают докла́ды. На ле́кции Дже́йн всегда́ внима́тельно слу́шает профе́ссора.
гото́вить / пригото́вить что	Ве́ра всегда́ гото́вит уро́ки ве́чером. Ве́ра и Ната́ша гото́вили уро́ки вме́сте. — Ната́ша, ты́ пригото́вила уро́ки? — Да́, пригото́вила. Ка́тя и Дже́йн вме́сте гото́вили э́тот докла́д.

183

18. *Listen and read.*

поступи́ть, поступлю́, посту́пишь, посту́пят. По́сле шко́лы я́ поступлю́ на заво́д. В э́том году́ моя́ сестра́ поступит в шко́лу. Я́ ду́маю, что Андре́й посту́пит в университе́т.

19. *Supply continuations, as in the model.*

Model: Ви́ктор — исто́рик. Он ко́нчил истори́ческий факульте́т.

1. Андре́й — хи́мик. 2. А́нна — фи́зик. 3. Ива́н — био́лог. 4. Оле́г — гео́граф. 5. Ма́ть Та́ни — вра́ч.

20. *Answer the questions.*

1. Вы́ ко́нчили переводи́ть те́кст? 2. Ро́берт ко́нчил реша́ть зада́чу? 3. Мэ́ри ко́нчила писа́ть статью́? 4. Ни́на ко́нчила гото́вить уро́ки?

21. *Be prepared to speak on the following topics.*

(a) You have been to Moscow and Leningrad. What museums did you visit there?

(b) You have been to New York and Washington. What museums did you visit there?

22. *Vocabulary for Reading. Study the following new words and their usage as illustrated in the sentences on the right. Pronounce each sentence aloud.*

разгова́ривать	По́сле конце́рта студе́нты до́лго разгова́ривали. Они́ говори́ли о теа́тре, о му́зыке.
	Джо́н — америка́нец, Жа́н — францу́з, Ку́рт — не́мец, Дже́к — англича́нин. Сейча́с они́ живу́т в Москве́ и изуча́ют ру́сский язы́к. На уро́ке и до́ма они́ всегда́ разгова́ривают по-ру́сски.
внима́тельно	Когда́ преподава́тель говори́т, студе́нты внима́тельно слу́шают. Джо́н внима́тельно прочита́л те́кст и бы́стро перевёл его́.
стро́ить / постро́ить ч т о́	Ста́рое зда́ние Моско́вского университе́та постро́ил архите́ктор Казако́в. Ле́том студе́нты рабо́тали в дере́вне, они́ стро́или та́м шко́лу.
па́мятник	Ле́том англи́йские студе́нты бы́ли в Росто́ве. Они́ ви́дели та́м Кре́мль и други́е па́мятники ру́сской архитекту́ры.
организова́ть ч т о́	Э́тот интере́сный конце́рт организова́ли иностра́нные студе́нты. В общежи́тии студе́нты ча́сто организу́ют ле́кции, конце́рты, докла́ды.

получа́ть / полу- чи́ть ч т о́	— Скажи́те, пожа́луйста, вы́ уже́ получи́ли но́вый но́- мер журна́ла «Спу́тник»? — Да́, получи́ли. Вчера́ Джейн получи́ла письмо́. Когда́ студе́нты рабо́- тают в студе́нческом строи́тельном отря́де, они́ полу- ча́ют зарпла́ту.
говори́ть/ сказа́ть ч т о́ / *subordinate* *clause*	Он хорошо́ говори́т по-ру́сски. Джейн, вы́ сказа́ли э́то сло́во непра́вильно. Пётр говори́т, что Серге́й гото́вит докла́д об исто́рии Москвы́. А́нна сказа́ла, что Оле́г не москви́ч. Ра́ньше о́н жи́л в промы́шленном го́роде на Ура́ле.
создава́ть / созда́ть ч т о́	Студе́нты со́здали в институ́те студе́нческий теа́тр. На заво́де инжене́ры со́здали но́вую хими́ческую лабо- рато́рию.

23. *Listen and read.*

разгова́ривать, я́ разгова́риваю; Пе́тя разгова́ривает на уро́ке.
организова́ть, мы́ организу́ем. Мы́ организу́ем студе́нческие конфере́нции
на на́шем факульте́те.
получа́ть, я́ получа́ю. Я́ получа́ю журна́л «Но́вый ми́р».
получи́ть, я́ получу́, он полу́чит. Я́ получу́ зарпла́ту за́втра. Вы́ полу-
чите зарпла́ту сего́дня.
внима́тельно, внима́тельно слу́шать. Мы́ внима́тельно слу́шаем профе́с-
сора.
па́мятник, па́мятники архитекту́ры. Студе́нты ви́дели в Ки́еве интере́с-
ные па́мятники архитекту́ры.

получу́	☐ ●	полу́чим	◼ ○
полу́чишь	◼ ○	полу́чите	◼ ○
полу́чит	◼ ○	полу́чат	◼ ⊙

24. *Determine which nouns listed on the right can be used with each of the verbs*
on the left.

стро́ить до́м, ...
организова́ть конце́рт, ...
получа́ть журна́л, ...
создава́ть клу́б, ...

зда́ние, телеви́зор, газе́та,
спекта́кль, докуме́нт, заня́тие,
ле́кция, семина́р, лаборато́рия,
о́пера, бале́т, фи́льм, стадио́н, университе́т,
рабо́та, расска́з, го́род, теа́тр, фотогра́фия,
письмо́

25. *Compose dialogues based on those below by substituting new words for those*
underlined.

1. — Вы́ не зна́ете, кто́ организу́ет э́тот конце́рт?
— Его́ организу́ют студе́нты на́шего факульте́та.
2. — Вы́ не зна́ете, кто́ постро́ил э́то зда́ние?
— Ру́сский архите́ктор Казако́в.
3. — Вы́ получа́ете газе́ту «Изве́стия»?
— Да́, получа́ю.
4. — Скажи́те, пожа́луйста, кто́ написа́л о́перу «Евге́ний Оне́гин»?
— Ру́сский компози́тор Чайко́вский.

26. *Supply the required verbs* стро́ить / постро́ить; организова́ть; получа́ть / получи́ть.

1. Этот семина́р ... профе́ссор Кузнецо́в. 2.— Како́й журна́л ты́ чита́ешь?—Это журна́л «Москва́». Я́ ... его́ вчера́. 3. Джейн о́чень ча́сто ... пи́сьма. 4.— Вы́ зна́ете, кто́ ... э́то зда́ние?—Не́т, не зна́ю.

27. (a) *Read the noun suffixes.*

-ение   -ание
реши́ть — реше́ние   око́нчить — оконча́ние
посети́ть — посеще́ние

(b) *Translate without consulting a dictionary.*

1. Студе́нты мно́го говори́ли о ру́сской архитекту́ре по́сле посеще́ния Росто́ва. 2. По́сле оконча́ния университе́та Ви́ктор Петро́вич рабо́тал в истори́ческом музе́е. 3. Обсужде́ние докла́да бы́ло о́чень интере́сное. 4.— Я́ реши́л учи́ться в университе́те.— Я́ уже́ слы́шала о твоём реше́нии.

28. *Translate without consulting a dictionary.*

1. Когда́ Ка́тя писа́ла курсову́ю рабо́ту, она́ собрала́ интере́сный материа́л. 2. Джейн сде́лала на семина́ре интере́сный докла́д. 3. Она́ мно́го и серьёзно рабо́тала, когда́ гото́вила докла́д. 4. В Но́вгороде Серге́й изуча́л истори́ческие докуме́нты. 5. Это бы́л тру́дный пери́од в исто́рии страны́.

29. *Listen and repeat.*

(a) *Read each phrase and sentence as a single unit, paying attention to the pronunciation of unstressed syllables and the pace of reading.*

учи́ться, я́ учу́сь, ты́ у́чишься, они́ у́чатся, о́н учи́лся, она́ учи́лась, они́ учи́лись. Я́ учу́сь в университе́те. О́н то́же у́чится в университе́те. Мы́ у́чимся на пе́рвом ку́рсе. Мы́ у́чимся на истори́ческом факульте́те. Они́ у́чатся на филологи́ческом факульте́те.
поступи́ть, я́ поступлю́, ты́ посту́пишь, они́ посту́пят, о́н поступи́л, она́ поступи́ла, мы́ поступи́ли. Серге́й реши́л поступи́ть в университе́т. Я́ ду́маю,

что о́н посту́пит в университе́т. В э́том году́ я́ то́же поступлю́ в университе́т.

поступи́ть на факульте́т; я́ поступи́л на факульте́т. Я́ поступи́л на истори́ческий факульте́т. О́н реши́л поступи́ть на истори́ческий факульте́т. О́н реши́л поступи́ть в университе́т на истори́ческий факульте́т.

посеща́ть, я́ посеща́ю заня́тия, я́ посеща́ю практи́ческие заня́тия, мы́ посеща́ем практи́ческие заня́тия и семина́ры. Слу́шать ле́кцию, они́ слу́шали ле́кцию, ле́кцию профе́ссора Ма́ркова, они́ слу́шали ле́кцию профе́ссора Ма́ркова. Серге́й и Оле́г слу́шали ле́кцию профе́ссора Ма́ркова. Сего́дня у́тром Серге́й и Оле́г слу́шали ле́кцию профе́ссора Ма́ркова.

револю́ция, пе́рвая револю́ция, пе́рвая ру́сская револю́ция, докла́д о пе́рвой ру́сской револю́ции. Оле́г сде́лал докла́д о пе́рвой ру́сской револю́ции. На э́том семина́ре Оле́г сде́лал докла́д о пе́рвой ру́сской револю́ции.

пери́од, пери́од в ру́сской исто́рии, статья́ об э́том пери́оде в ру́сской исто́рии. Он написа́л небольшу́ю статью́ об э́том пери́оде в ру́сской исто́рии.

реставри́ровать, па́мятники архитекту́ры, реставри́ровать па́мятники архитекту́ры. Мы́ бу́дем реставри́ровать па́мятники архитекту́ры.

строи́тельный отря́д, строи́тельные отря́ды, студе́нческие строи́тельные отря́ды, студе́нты создаю́т строи́тельные отря́ды. В ка́ждом институ́те студе́нты создаю́т строи́тельные отря́ды.

(b) *Intonation Practice.*

По́сле оконча́ния те́хникума о́н рабо́тал на заво́де в Магнитого́рске.[1]

По́сле оконча́ния те́хникума[3] / о́н рабо́тал на заво́де в Магнитого́рске.[1]

По́сле оконча́ния те́хникума[4] / о́н рабо́тал на заво́де в Магнитого́рске.[1]

Го́д наза́д Оле́г реши́л поступи́ть в университет.[1]

Го́д назад[3] / Оле́г реши́л поступи́ть в университет.[1]

Го́д назад[4] / Оле́г реши́л поступи́ть в университет.[1]

Сего́дня у́тром Серге́й слу́шал ле́кцию профе́ссора Маркова.[1]

Сего́дня утром[3] / Серге́й слу́шал ле́кцию профе́ссора Маркова.[1]

Оле́г реши́л поступи́ть на истори́ческий факультет,[1] / потому́ что о́н люби́л исто́рию.[1]

Оле́г реши́л поступи́ть на истори́ческий факультет,[3] / потому́ что о́н люби́л исто́рию.[1]

Оле́г реши́л поступи́ть на истори́ческий факультет,[4] / потому́ что о́н люби́л исто́рию.[1]

Когда́ студе́нты рабо́тают в строи́тельном отряде,[3] / они́ получа́ют зарплату.[1]

Когда́ студе́нты рабо́тают в строи́тельном отряде,[4] / они́ получа́ют зарплату.[1]

30. *Basic Text. Read the text and then do exercises 31-32.*

Студе́нты

Серге́й и Оле́г—студе́нты Моско́вского университе́та. Они́ у́чатся на пе́рвом ку́рсе истори́ческого факульте́та. Серге́й поступи́л в университе́т по́сле оконча́ния шко́лы. Оле́г снача́ла учи́лся в шко́ле, пото́м в те́хникуме[1]. По́сле оконча́ния те́хникума он рабо́тал на заво́де в Магнитого́рске. Год наза́д Оле́г реши́л поступи́ть в университе́т на истори́ческий факульте́т, потому́ что он всегда́ люби́л исто́рию. Серге́й и Оле́г—больши́е друзья́. Они́ вме́сте слу́шают ле́кции, посеща́ют практи́ческие заня́тия и семина́ры.

Сего́дня у́тром Серге́й и Оле́г слу́шали ле́кцию профе́ссора Ма́ркова. Профе́ссор Ма́рков чита́ет курс исто́рии СССР.

Пото́м был семина́р. На э́том семина́ре Оле́г сде́лал докла́д о пе́рвой ру́сской револю́ции. Студе́нты внима́тельно слу́шали Оле́га. Пото́м они́ обсужда́ли его́ докла́д. Докла́д о пе́рвой ру́сской револю́ции—нау́чная рабо́та Оле́га. Профе́ссор сказа́л, что Оле́г сде́лал о́чень хоро́ший докла́д. Оле́г мно́го и серьёзно рабо́тал, когда́ гото́вил докла́д. Он до́лго собира́л материа́л, чита́л нау́чную литерату́ру, изуча́л истори́ческие докуме́нты. Он изучи́л э́тот пери́од о́чень хорошо́.

Оле́г хо́чет писа́ть курсову́ю рабо́ту о пе́рвой ру́сской револю́ции. Он написа́л небольшу́ю статью́ об э́том пери́оде ру́сской исто́рии.

По́сле семина́ра был уро́к англи́йского языка́. Пото́м студе́нты отдыха́ли, пи́ли ко́фе, разгова́ривали.

— Что ты бу́дешь де́лать ле́том?—спроси́л Серге́й Оле́га.

---

[1] Technical college, training college.

— Наш студе́нческий строи́тельный отря́д бу́дет рабо́тать в колхо́зе. Мы́ бу́дем стро́ить та́м но́вую шко́лу и клу́б. Снача́ла мы́ постро́им шко́лу, пото́м бу́дем стро́ить клу́б,— отве́тил Оле́г.

— А я́ бу́ду рабо́тать в Но́вгороде. Мы́ бу́дем реставри́ровать па́мятники архитекту́ры. А в а́вгусте я́ бу́ду отдыха́ть на Кавка́зе.

Студе́нческие строи́тельные отря́ды—но́вая тради́ция. Пе́рвые строи́тельные отря́ды организова́ли студе́нты Москвы́ и Ленингра́да. Сейча́с в ка́ждом го́роде, в ка́ждом институ́те студе́нты создаю́т строи́тельные отря́ды. О́сенью, зимо́й и весно́й студе́нты у́чатся. Ле́том они́ отдыха́ют и рабо́тают. Когда́ они́ рабо́тают в строи́тельном отря́де, они́ получа́ют зарпла́ту. Студе́нты стро́ят шко́лы, общежи́тия, больни́цы, клу́бы. Студе́нческие строи́тельные отря́ды рабо́тают везде́: в го́роде и в дере́вне, на Да́льнем Восто́ке и на Украи́не. Э́ту рабо́ту организу́ет комсомо́л[1].

31. *Find in the text answers to the following questions. Read them.*

1. Где́ у́чатся Серге́й и Оле́г? 2. Что́ де́лал Серге́й по́сле оконча́ния шко́лы? 3. Что́ де́лал Оле́г по́сле оконча́ния те́хникума? 4. Каки́е заня́тия посеща́ют Серге́й и Оле́г в университе́те? 5. Како́й докла́д сде́лал Оле́г на семина́ре? 6. Что́ Оле́г реши́л де́лать ле́том? 7. Что́ Серге́й реши́л де́лать ле́том?

32. *Answer the questions.*

1. На како́м ку́рсе у́чатся Серге́й и Оле́г? 2. Когда́ Серге́й поступи́л в университе́т? 3. Когда́ Оле́г поступи́л в университе́т? 4. Почему́ Оле́г реши́л поступи́ть на истори́ческий факульте́т? 5. Како́й ку́рс чита́ет профе́ссор Ма́рков на истори́ческом факульте́те МГУ? 6. Како́й докла́д сде́лал Оле́г на семина́ре? 7. Когда́ бы́л уро́к англи́йского языка́? 8. Где́ Оле́г бу́дет рабо́тать ле́том? 9. Где́ Серге́й бу́дет рабо́тать ле́том?

33. *Be prepared to talk on the following topics:*

(1) You study in the history department of Moscow University.
Tell about your studies, about the seminar at which Oleg Petrov made a report.
(2) Tell about Oleg Petrov, about his research work, about his work in the student construction detachment.

34. *Tell the text:*

(1) As Oleg Petrov would tell it.
(2) As Sergei Ivanov would tell it.

---

[1] Komsomol, Young Communist League, the largest social and political organization in the USSR. Its membership (40 million) comprises young people between 14 and 28 years of age.

35. *Compose dialogues based on the following situations.*

(1) You are talking with Sergei Ivanov. You want to find out who Oleg Petrov is. Ask Sergei.
(2) You are talking with Oleg Petrov. Ask him how he studies, what research work he is engaged in.
(3) You are talking with a Soviet student. Ask each other about how you study.

36. *Tell your friends how you study.*

37. *Translate.*

1. At the University the students listen to lectures, attend practical training and laboratory classes and seminars. 2. This morning Katya and Jane listened to a lecture. 3. The lecture was delivered by Professor Smirnov. 4. In class the students usually read, translate, write exercises and speak Russian. 5. Student construction detachments provide excellent practice. 6. Student construction detachments work in the north and the south, in the east and the west of the country.

38. *Read the text without a dictionary. Try to understand the contents of the text and answer the questions.*

1. Где находится Тáрту? 2. Тáрту — это университéтский гóрод? 3. Какие вы знáете стáрые европéйские университéты? 4. Университéт в Тáрту стáрый или нóвый?

Университéт в Тáрту

Тáрту — это гóрод в Эстóнии.

Тáрту — крýпный цéнтр образовáния и культýры респýблики. В Тáрту нахóдятся наýчные институ́ты, музéи, библиотéки, университéт. Тáрту — стáрый университéтский гóрод. Стáрые европéйские университéты — это Сорбóнна, Пáдуя, Óксфорд, Кéмбридж и Гéттинген. В их числé стоит и университéт в Тáрту. В университéте ýчатся фи́зики и математики, биóлоги и хи́мики, филóлоги и истóрики. В этом университéте рабóтают крýпные совéтские учёные.

39. (a) *Read aloud according to the intonational types indicated.*

$$\overset{1}{}$$
Пóсле окончáния шкóлы Олéг поступи́л в университет.

$$\overset{3}{} \qquad \overset{1}{}$$
Пóсле окончáния шкóлы / Олéг поступи́л в университет.

$$\overset{4}{} \qquad \overset{1}{}$$
Пóсле окончáния шкóлы / Олéг поступи́л в университет.

$$\overset{1}{}$$
На этом семинáре Олéг сдéлал доклáд о пéрвой рýсской револю́ции.

На э́том семина́ре /³ Оле́г сде́лал докла́д о пе́рвой ру́сской револю́ции.¹

По́сле семина́ра /³ бы́л уро́к англи́йского языка́.¹

По́сле семина́ра /⁴ бы́л уро́к англи́йского языка́.¹

(b) *Mark stress.*

говори́ть—говорю́, говори́шь, говори́ла; сказа́ть — скажу́, ска́жешь, сказа́ла; гото́вить—гото́влю, гото́вишь, гото́вила; звони́ть—звоню́, звони́шь, звони́ла; ко́нчить—ко́нчу, ко́нчишь, ко́нчила; обсуди́ть—обсу́дим, обсу́дите, обсуди́ли; отве́тить—отве́чу, отве́тишь, отве́тила; отдохну́ть—отдохну́, отдохнёшь, отдохну́ла; перевести́—переведу́, переведёшь, перевела́, перевёл, перевели́; писа́ть—пишу́, пи́шешь, писа́ла; пи́ть—пила́, пи́ли, вы́пил, вы́пила, вы́пили; получи́ть—получу́, полу́чишь, получи́ла; поступи́ть—поступлю́, посту́пишь, поступи́ла.

1. — Я говорю́ по-ру́сски пло́хо. А вы хорошо́ говори́те?
   — Мы то́же говори́м пло́хо.
2. — Джон, ты пи́шешь письмо́ в Аме́рику?
   — Нет, я пишу́ курсову́ю рабо́ту, поэ́тому я не написа́л ещё письмо́. Я напишу́ его́ за́втра, когда́ ко́нчу курсову́ю. Обы́чно я пишу́ пи́сьма ка́ждую неде́лю.
3. — Куда́ ты реши́ла поступа́ть по́сле оконча́ния шко́лы?
   — Я хочу́ поступа́ть в университе́т. Но я ду́маю, что не поступлю́ туда́.
   — Почему́ ты не посту́пишь? Я ду́маю, что посту́пишь. Ты всегда́ хорошо́ учи́лась.
4. — Ка́тя, ты получи́ла пе́рвый но́мер «Но́вого ми́ра»?
   — Нет, ещё не получи́ла.
   — А когда́ ты его́ полу́чишь?
   — Я получу́ его́ на э́той неде́ле.

Supplementary Materials

1. (a) *Read without consulting a dictionary.*

Студе́нческий теа́тр МГУ

Москвичи́ хорошо́ зна́ют и лю́бят студе́нческий теа́тр МГУ. Спекта́кли студе́нческого теа́тра МГУ о́чень популя́рны. В студе́нческом теа́тре Моско́вского университе́та выступа́ли Ия Са́ввина, А́лла Деми́дова. Тогда́ они́ учи́лись в МГУ. Сейча́с Ия Са́ввина и А́лла Деми́дова—популя́рные профессиона́льные арти́стки. Они́ рабо́тают в теа́тре и в кино́.

(b) *Translate the words without consulting a dictionary.*

профессиона́льный, популя́рный

2. *Read the text. Consult a dictionary if you need to.*

Систе́ма вы́сшего образова́ния в СССР

Сове́тская систе́ма вы́сшего образова́ния отлича́ется от америка́нской, англи́йской, францу́зской. В америка́нской, англи́йской, францу́зской систе́ме высшего образова́ния существу́ют ра́зные эта́пы. На пе́рвом эта́пе студе́нты получа́ют сте́пень бакала́вра. Они́ мо́гут ко́нчить образова́ние на э́том эта́пе. На второ́м эта́пе студе́нты пи́шут и защища́ют специа́льную нау́чную рабо́ту и получа́ют сте́пень маги́стра.

В сове́тской систе́ме вы́сшего образова́ния э́ти два́ эта́па объединя́ются. В СССР обуче́ние в ка́ждом институ́те специализи́рованное: студе́нты получа́ют специа́льность врача́ в медици́нском институ́те, специа́льность инжене́ра—в политехни́ческом институ́те, специа́льность учи́теля—в педагоги́ческом институ́те и т. д.[1] В сове́тском ву́зе студе́нты изуча́ют ра́зные предме́ты и получа́ют практи́ческие на́выки рабо́ты. Студе́нты сдаю́т экза́мены. В ву́зе студе́нты пи́шут та́кже курсовы́е рабо́ты и́ли прое́кты. В конце́ обуче́ния студе́нты пи́шут и защища́ют специа́льную нау́чную рабо́ту. Это дипло́мная рабо́та и́ли дипло́мный прое́кт. Эту нау́чную рабо́ту оце́нивает Госуда́рственная экзаменацио́нная коми́ссия. По́сле защи́ты дипло́мной рабо́ты студе́нты получа́ют дипло́м—докуме́нт о вы́сшем образова́нии. Все дипло́мы име́ют одина́ковую це́нность. Вы́сшее образова́ние в СССР беспла́тное. Студе́нты получа́ют стипе́ндию. По́сле оконча́ния институ́та и́ли университе́та студе́нты получа́ют направле́ние на рабо́ту.

VOCABULARY

архите́ктор architect
архитекту́ра architecture
буфе́т lunch counter, refreshment bar
ви́деть/уви́деть see
вме́сте together
внима́тельно attentively
всегда́ always
вспомина́ть/вспо́мнить recollect
географи́ческий geographical
гла́вный main, chief
говори́ть/сказа́ть say, tell
гото́вить/пригото́вить prepare
де́лать/сде́лать do, make
день day
докла́д paper, report
докуме́нт document
документа́льный documentary
до́лго for a long time
ещё still, yet
за́втра tomorrow
зада́ча problem, task
заня́тие classes
* **зарпла́та** salary
звони́ть/позвони́ть ring up, call up, telephone
изуча́ть/изучи́ть study (deeply)
кабине́т (лингафо́нный) language laboratory

ка́ждый every
ка́к всегда́ as always
когда́ when
комсомо́л Komsomol, Young Communist League
конфере́нция conference
конча́ть/ко́нчить end
* курсово́й course, term
лаборато́рный laboratory
* лингафо́нный (кабине́т) language laboratory
материа́л material
ме́сяц month
* микрорайо́н administrative subdivision of a city district
наза́д ago, back
нау́чный scientific
неде́ля week
непра́вильно (it is) incorrect
ничего́ осо́бенного nothing special
обсужда́ть/обсуди́ть discuss
обсужде́ние discussion
оконча́ние completion
организова́ть *imp.* & *p.* organize
отвеча́ть/отве́тить answer
отдыха́ть/отдохну́ть rest, vacation
отря́д brigade
па́мятник monument

переводи́ть/перевести́ translate
пери́од period
пе́сня song
петь/спеть sing
писа́ть/написа́ть write
пить/вы́пить drink
получа́ть/получи́ть receive
популя́рный popular
посеща́ть/посети́ть visit
посеще́ние visit
по́сле after
поступа́ть/поступи́ть enter
потому́ что because
почему́ why
практи́ческий practical
профессиона́льный professional
про́шлый past, last
разгова́ривать *imp.* talk, converse
расска́зывать / рассказа́ть tell, relate
револю́ция revolution
реставри́ровать *imp.* restore
реша́ть/реши́ть solve, decide
реше́ние decision; resolution
рисова́ть/нарисова́ть draw
семина́р seminar
серьёзно serious(ly)
сло́во word

---

[1] и т. д. = и так да́лее, and so on, etc.

192

смотре́ть/посмотре́ть look, watch
собира́ть/собра́ть collect
создава́ть/созда́ть create; found
спекта́кль performance
спра́шивать/спроси́ть ask (a question), question
строи́тель builder
строи́тельный building, construction

стро́ить/постро́ить build
те́кст text
* те́хникум technical college, training college
тогда́ then, at that time
тради́ция tradition
уже́ already
уро́к lesson
учи́ться *imp.* learn
ча́с hour
чита́ть/прочита́ть read

что́ но́вого? what's the news?
Numerals:
сто́ (one) hundred
две́сти two hundred
три́ста three hundred
четы́реста four hundred
пятьсо́т five hundred
шестьсо́т six hundred
семьсо́т seven hundred
восемьсо́т eight hundred
девятьсо́т nine hundred
ты́сяча thousand

Unit

Presentation and Preparatory Exercises

I	В Москве́ есть университе́т. В э́том го́роде бы́л (бу́дет) университе́т.	В Ку́рске не́т университе́та. В э́том го́роде не́ было (не бу́дет) университе́та.

1. *Listen and repeat; then read and analyze. (See Analysis VII, 2.0; 2.1.)*

1. Джейн в Ленингра́де. Сейча́с она́ в гости́нице.
   — Скажи́те, пожа́луйста, в гости́нице есть свобо́дные места́?
   — Да́, есть.
   — Скажи́те, в гости́нице есть рестора́н?
   — Да́, в гости́нице есть рестора́н и кафе́.
2. Джейн и Ка́тя на у́лице в Ленингра́де.
   — Ка́тя, я хочу́ пи́ть.
   — **В конце́ э́той у́лицы есть кафе́.**

2. (a) *Listen and repeat.*

— В ва́шей библиоте́ке есть $\overset{3}{\text{есть}}$ уче́бники ру́сского языка́?—Да́, $\overset{1}{\text{есть}}$.

— На э́той у́лице $\overset{3}{\text{есть}}$ кафе́?—Да́, $\overset{1}{\text{есть}}$.

— В ва́шем го́роде есть теа́тр о́перы и бале́та?—Да́, $\overset{1}{\text{есть}}$.

— Зде́сь $\overset{3}{\text{есть}}$ метро́?—Да́. $\overset{1}{\text{есть}}$. Метро́ $\overset{1}{\text{напротив}}$.

— Зде́сь $\overset{3}{\text{есть}}$ телефо́н?—Да́, $\overset{1}{\text{есть}}$. Телефо́н в то́й $\overset{1}{\text{комнате}}$.

(b) *Listen and reply.*

Model: — Ка́тя, в Ленингра́де $\overset{3}{\text{есть}}$ метро́?
   — Да, $\overset{1}{\text{Джейн,}}$/в Ленингра́де есть метро́.

1. В ва́шей но́вой кварти́ре есть телефо́н? 2. В Моско́вском университе́те есть студе́нческий теа́тр? 3. Джейн, в ва́шем го́роде есть университе́т? 4. Скажи́те, здесь есть телефо́н? 5. Скажи́те, пожа́луйста, в ва́шей библиоте́ке есть «А́нна Каре́нина»? 6. Вы не зна́ете, в э́том магази́не есть уче́бники ру́сского языка́? 7. В ва́шем университе́те есть библиоте́ка? 8. В ва́шем го́роде есть метро́?

3. *Make up questions based on the following situations.*

1. You are planning to visit a city and would like to know if there are any historical monuments, museums, theaters and hotels in it; if the city has a subway or a university.
2. You are talking to a student from Moscow University. Ask him if there is a library, dormitory, a club, a dining-hall and a student theater in the University.

4. (a) *Read the text.*

— Ка́тя, ты была́ в Оде́ссе. Расскажи́ об э́том го́роде.
— Хорошо́, Джейн. Я о́чень люблю́ Оде́ссу. Оде́сса — краси́вый го́род на Чёрном мо́ре. В Оде́ссе есть большо́й порт, теа́тр о́перы и бале́та, краси́вые па́рки, стадио́ны. В Оде́ссе жил А. С. Пу́шкин. И сейча́с в Оде́ссе есть его́ дом-музе́й. В Оде́ссе есть консервато́рия. В Оде́сской консервато́рии учи́лись знамени́тые сове́тские музыка́нты Д. Ф. О́йстрах, Э. Г. Ги́лельс.

В Оде́сском теа́тре выступа́ли знамени́тые ру́сские компози́торы и дирижёры П. И. Чайко́вский, Н. А. Ри́мский-Ко́рсаков[1], А. Г. Рубинште́йн[2], пел Ф. И. Шаля́пин[3].

(b) *Ask Katya a number of questions about Odessa and give answers to them.*

(c) 1. *You have been to Odessa. Describe the city.*
2. *Describe your home town.*

5. *Listen and repeat; then read and analyze.*

— Где вы живёте?
— Я живу́ в це́нтре. А вы?
— А я в но́вом райо́не. Ра́ньше тут **была́ дере́вня.** В на́шем райо́не есть река́ и лес. Ско́ро здесь **бу́дет метро́.**
— А я люблю́ жить в це́нтре. В це́нтре есть теа́тры, музе́и, библиоте́ки, вы́ставки. О́коло на́шего до́ма большо́й парк, а ра́ньше здесь **бы́ли ста́рые зда́ния.**

---

[1] N. A. Rimsky-Korsakov (1844-1908), famous Russian composer, author of the operas *Sadko, May Night, The Snow Maiden, The Tsar's Bride,* etc., a number of symphonies and numerous romances.
[2] A. G. Rubinstein (1829-1894), well-known Russian pianist, composer and director; founder of the first Russian conservatory in Petersburg (1862).
[3] F. I. Chaliapin (1873-1938), famous Russian bass singer.

6. *Listen and repeat.*

(a) *Pay attention to the pronunciation of the sounds* [л] *and* [л'].

была́, бы́ло, бы́л, бы́ли; люби́ть, люблю́, лю́бишь, лю́бит, лю́бим, лю́бите, лю́бят, люби́л, люби́ли; ле́с, большо́й, библиоте́ка.

(b) *Pay attention to intonation and the division of sentences into syntagms.*

1. — Кака́я в Москве́ пого́да?

    — Вчера́ в Москве́ была́ плоха́я пого́да,/а сего́дня хоро́шая.

2. Вчера́ в газете/была́ интере́сная статья́ о Большо́м теа́тре.

3. В пя́том но́мере «Но́вого ми́ра»/бы́ли интере́сные расска́зы В. Алексе́ева.

4. Филологи́ческий факульте́т/бы́л ра́ньше в ста́ром зда́нии МГУ на проспе́кте Ма́ркса.

(c) *Listen and reply.*

Model: — За́втра бу́дет ле́кция?
          — Да́, бу́дет.

    1. Вчера́ бы́ли уро́ки ру́сского языка́? 2. За́втра бу́дет ле́кция профе́ссора Петро́ва? 3. В про́шлом году́ здесь была́ вы́ставка? 4. Вчера́ бы́л семина́р? 5. За́втра бу́дет конфере́нция?

7. *Complete the following exchanges.*

1. — Де́сять ле́т наза́д здесь была́ дере́вня. — А та́м? —	ле́с
2. — Сейча́с здесь библиоте́ка. — Что́ здесь бы́ло ра́ньше? —	шко́ла
3. — Ра́ньше в э́той аудито́рии бы́л лингафо́нный кабине́т. — А в то́й? —	лаборато́рия
4. — В нача́ле э́той у́лицы бы́л па́рк. — А в конце́? —	гости́ница
5. — О́коло э́того зда́ния сле́ва бы́л са́д. — А спра́ва? —	стадио́н

8. *Using the words on the right, make up questions and answer them, as in the model.*

Model: — Это но́вый райо́н.
        — Что́ здесь бы́ло ра́ньше?
        — Ра́ньше здесь была́ дере́вня.

1. Это гости́ница «Росси́я».	ста́рые зда́ния
2. В це́нтре Москвы́ нахо́дится но́вый проспе́кт Кали́нина.	ста́рые ма́ленькие у́лицы
3. Бра́тск — но́вый го́род в Сиби́ри.	ле́с

4. Беля́ево — но́вый райо́н Москвы́.
5. Истори́ческий музе́й нахо́дится в це́нтре Москвы́.

дере́вня
пе́рвое зда́ние Моско́вского университе́та

9. *Make up questions and answer them, as in the model.*

Model: — Что́ здесь бу́дет?
— Здесь бу́дет гости́ница.

10. *Supply the answers, using the words* спекта́кль, конце́рт, фи́льм, о́пера, бале́т, ле́кция, семина́р, конфере́нция.

Model: — Что́ бы́ло вчера́ в институ́те?
— Вчера́ была́ ле́кция профе́ссора Ивано́ва.
— А что́ бу́дет за́втра?
— За́втра бу́дет семина́р.

1. — Что́ бы́ло вчера́ в университе́те? — ... . 2. — Что́ бы́ло вчера́ в клу́бе? — ... . 3. — Что́ бы́ло вчера́ в консервато́рии? — ... . 4. — Что́ бы́ло вчера́ в общежи́тии? — ... . 5. — Что́ бы́ло вчера́ на факульте́те? — ... . 6. — Что́ бы́ло вчера́ в Большо́м теа́тре? — ... .

11. *Listen and repeat; then read and analyze. (See Analysis VII, 2.1; 2.2.)*

1. — Ро́берт, в ва́шем го́роде **есть университе́т**?
— Нет, в на́шем го́роде **нет университе́та**.
— А в ва́шем го́роде **есть теа́тр**?
— Нет, в го́роде **нет теа́тра**.
— А консервато́рия?
— **Консервато́рии** то́же нет. Я живу́ в ма́леньком го́роде.

2. — Ка́тя, сего́дня **был семина́р**?
— Нет, сего́дня **не́ было семина́ра**.
— А за́втра он бу́дет?
— Нет, за́втра **семина́ра** то́же не бу́дет.

12. (a) *Listen and repeat.*

1. Сегóдня в клýбе бы́л вéчер. Зáвтра не бýдет вéчера. 2. В нáшем гóроде éсть университéт. В вáшем гóроде нéт университéта. 3. Сегóдня нé было урóка рýсского языкá. А зáвтра бýдет урóк. 4. Сегóдня былá лéкция. Вчерá нé было лéкции. 5. Сегóдня в клýбе бýдет концéрт. Вчерá концéрта нé было.

(b) *Listen and reply.*

Model: — Сегóдня былá ³лéкция?

— Нéт,/¹сегóдня не было ¹лéкции.

1. Зáвтра будет ³семинáр? 2. Здéсь есть ³телефóн? 3. Сегóдня будет урóк³ рýсского языкá? 4. В вáшем гóроде есть ³консерватóрия? 5. В вáшем гóроде есть ³университéт? 6. В э́той гости́нице есть ³ресторáн? 7. Зáвтра будет концéрт в клýбе?

> Remember the stress: нé был, не былá, нé было, нé были

13. *Make up questions and answer them, as in the model.*

Model: — Вы́ не знáете, на э́той ýлице éсть ресторáн?
— Нéт, на э́той ýлице нéт ресторáна.

гости́ница
теáтр
столóвая
магази́н
шкóла

Model: — Вчерá в шкóле бы́л концéрт?
— Нéт, вчерá нé было концéрта.

докла́д
лéкция
кинофи́льм

14. *Make up questions based on the following situations and answer them.*

1. You have arrived in an unfamiliar city and want to know what is of interest there. Find out whether it has a theater, museum, stadium, park and a river.
2. You were absent from the university yesterday. Find out whether Professor Petrov gave a lecture, whether there was a seminar, a Russian language class, a conference.

II

> У студéнта éсть учéбник.   У студéнта нéт учéбника.
> У студéнта бы́л (бýдет)   У студéнта нé было (не бýдет)
> учéбник.   учéбника.

15. *Listen and repeat; then read and analyze. (See Analysis VII, 2.3; 2.8.)*

1. — А́нна Петрóвна, у вáс éсть дéти?
— Дá, éсть. У меня́ éсть сы́н и дóчь.

2. — Джейн, у нас завтра будет лекция?
   — Нет, у нас завтра не будет лекции.
3. — Олег, ты видел Катю и Джейн? У них был сегодня семинар?
   — Нет, у них не было семинара.

16. (a) *Listen and repeat, pronouncing the words in each sentence as a single unit.*

Есть? У вас есть? У вас есть машина? У вашего брата есть машина?
Будет? Будет урок? Сегодня будет урок? У нас будет урок? У нас сегодня будет урок? У нас сегодня будет урок русского языка?
Не будет. Не будет лекции. Завтра не будет лекции. У нас завтра не будет лекции.

(b) *Listen and reply.*

Model: — У меня¹ есть брат. А у вас⁴?
— У меня¹ тоже есть брат.

1. У меня есть сестра. А у вас? 2. У Олега есть собака. А у вас? 3. У нас сегодня есть семинар. А у вас? 4. У Джона есть русские книги? А у вас? 5. У Нины есть учебник. А у вас?

Model: — Джейн, / у² Сергея есть сестра³?
— Да¹, есть.
— А у Олега⁴?
— А у Олега нет сестры¹.

1.—Сергей, у тебя есть телефон? — ... .—А у Олега есть телефон? —... 2.—У вас есть брат? — ... . А сестра? — ... 3.—У вас есть мой адрес? — ... . А номер телефона? — ... .—А адрес Кати? — ... . 4. У вас есть собака? — ... .—А кошка? — ... . 5.—У вашего отца есть машина? —... .—А у брата? — ... . 6.—Скажите, пожалуйста, у вас есть словарь? —... .—А у вас? — ... . 7.—Скажите, пожалуйста, у вас есть газета «Известия»? — ... .—А газета «Правда»? — ... . 8.—Скажите, у вас есть учебник русского языка? — ... .—А у вас? — ... .

17. *Give answers to the questions and write them down.*

1. У кого есть учебник русского языка? 2. У кого есть ручка? 3. У кого есть карандаш? 4. У кого есть англо-русский словарь? 5. У кого есть учебник математики? 6. У кого есть адрес Виктора? 7. У кого есть телефон Нины? 8. У кого есть журнал «Октябрь»? 9. У кого есть «Литературная газета»? 10. У кого есть карта Европы?

18. *Make up dialogues, as in the model.*

Model: — У вáс был сегóдня урóк рýсского языкá?

— Дá, был. А у вас?

— У нáс сегóдня не бы́ло урóка.

1. У вáс сегóдня былá лéкция? 2. У вáс вчерá бы́л концéрт? 3. У вáс вчерá бы́л семинáр? 4. У вáс сегóдня бы́л доклáд? 5. В прóшлом годý у вáс былá конферéнция?

19. *Translate the text into English, then translate it back into Russian and compare your translation with the original.*

У Сергéя éсть сестрá. Её зовýт Кáтя. Кáтя знáет англи́йский язы́к. У неё éсть англи́йские кни́ги. Сергéй изучáет англи́йский язы́к в университéте. У негó éсть англи́йские учéбники и словари́. У Олéга нéт сестры́, у негó éсть брáт. Егó зовýт Сáша. Сáша не говори́т по-англи́йски, и у негó нéт учéбника англи́йского языкá. У негó нéт словаря́. У Сáши éсть собáка. Сáша óчень лю́бит э́ту собáку.

20. *Make up questions based on the following situations and answer them, using the expressions* У вáс éсть ...? У когó éсть ...? У вáс бы́л ...?

1. You are at a news-stand. Find out if the stand carries the magazine *Sputnik*.
2. You want coffee. Ask if there is any coffee at the buffet.
3. You need the address and telephone number of Oleg Petrov. Find out.
4. Ask your friend if he or his father has an automobile.
5. You want to buy a Russian language textbook. What will you ask at the book store?
6. You want to read Tolstoy's *Anna Karenina*. Find out if any of the students in your group has this novel.

> — **У ни́х нóвый телеви́зор?**
> — Дá, у **ни́х нóвый** телеви́зор.
> **У ни́х нóвый телеви́зор, а у нáс стáрый.**
> **У меня́** сегóдня мнóго рабóты.

21. *Listen and repeat; then read and analyze. (See Analysis VII, 2.5.)*

1. — Кáтя, у вáс éсть телеви́зор?
   — Éсть.
   — **У вáс большóй телеви́зор?**
   — Дá, у **нáс большóй телеви́зор.**
2. — Бори́с, у вáс éсть маши́на?
   — Дá, éсть.
   — **У вáс нóвая маши́на?**
   — Нéт, у нáс стáрая «Вóлга».
3. — Джéйн, у тебя́ сегóдня éсть свобóдное врéмя?
   — Нéт, у меня́ сегóдня мнóго рабóты.

201

22. *Answer the questions. (See Analysis VII, 2.4.)*

1. У вáс в гóроде éсть университéт? У вáс стáрый университéт? 2. У вáс в гóроде éсть пáрк? У вáс красúвый пáрк? 3. У вáс éсть библиотéка? У вáс большáя библиотéка? 4. У вáс сегóдня мнóго рабóты? У вáс интерéсная рабóта? 5. У вáс в гостúнице éсть кафé? У вáс хорóшее кафé?

23. *Listen and reply.*

Model: — У нáс большóй телевúзор.

— А у нáс мáленький.

1. У негó нóвая машúна. 2. У нúх мáленькая библиотéка. 3. У нáс большáя семьá. 4. У меня́ интерéсная рабóта. 5. У меня́ сегóдня мнóго рабóты.

24. *Complete the sentences and write them down.*

Model: У меня́ éсть словáрь, а у негó нéт.
У меня́ нóвый словáрь, а у негó стáрый.

1. У меня́ éсть учéбник, а ... . 2. У меня́ нóвый учéбник, а ... . 3. У меня́ éсть сегóдня урóк, а ... . 4. У меня́ урóк англúйского языкá, а ... . 5. У нúх éсть сегóдня лéкция, а ... . 6. У нúх лéкция профéссора Мáркова, а ... . 7. У негó зáвтра бýдет доклáд, а ... . 8. У неё интерéсный доклáд, а ... . 9. Сегóдня в теáтре éсть спектáкль, а в клýбе ... . 10. Сегóдня в теáтре интерéсный спектáкль, а в клýбе ... . 11. У нúх в шкóле éсть библиотéка, а ... . 12. У нúх в шкóле большáя библиотéка, а ... .

25. *Translate.*

When I studied at the University, I had a friend. His name was Electron. I wondered why he had such a name. Electron had a sister. She also had an interesting name, Oktyabrina. Once I was at their house. Electron's father is a physicist. He talks only about physics. Electron's mother is a historian. She talks only about history. Now I understand why my friend and his sister had such names.

III

> Здéсь **стрóят** шкóлу.
> Здéсь **бýдут стрóить** шкóлу.
> В газéте **писáли** об э́той шкóле.

26. *Listen and repeat; then read and analyze. (See Analysis VII, 3.0.)*

1. — Вы́ не знáете, какáя зáвтра бýдет погóда?
— В газéте **писáли**, что зáвтра бýдет хорóший дéнь.
2. — Джéйн, когдá вы́ говорúте по-рýсски, вáс **понимáют**?
— Дá, Джóн, **понимáют**.

3. — Ка́тя, ты́ не зна́ешь, что́ здесь **стро́ят**?
   — В газе́те **писа́ли**, что здесь **стро́ят** но́вую гости́ницу. А ря́дом **бу́дут стро́ить** но́вую ста́нцию метро́.
4. — **Говоря́т**, у Ива́на Петро́вича краси́вая до́чь.
   — Да́, **говоря́т**.

27. *Listen and reply. Use:* говоря́т, что..., в газе́те писа́ли, что... .

Model: — За́втра бу́дет плоха́я пого́да?
       — Говоря́т, что за́втра бу́дет плоха́я пого́да.

1. У Серге́я но́вая маши́на? 2. В э́том музе́е вы́ставка Пика́ссо? 3. Здесь бу́дут стро́ить но́вый стадио́н? 4. За́втра ле́кции не бу́дет? 5. У Ива́на Ива́новича хоро́шая библиоте́ка? 6. За́втра бу́дет хоро́шая пого́да?

28. *Answer the questions, using the constructions* говоря́т (говори́ли), что..., пи́шут (писа́ли), что... .

1. Вы́ не зна́ете, что́ здесь стро́ят? 2. Вы́ не слы́шали, кака́я за́втра бу́дет пого́да? 3. Вы́ не зна́ете, в Но́вгороде е́сть интере́сные па́мятники? 4. Кака́я сейча́с вы́ставка в э́том музе́е? 5. Вы́ не зна́ете, что́ де́лают на э́том заво́де? 6. Вы́ не зна́ете, что́ говоря́т о но́вом фи́льме? 7. Вы́ не зна́ете, что́ писа́ли в газе́те об э́той кни́ге?

29. (a) *Change the sentences, using the phrases* ка́ждый де́нь, ка́ждую неде́лю, ка́ждый ме́сяц, ка́ждый го́д, в э́том году́, в про́шлом году́.

Model: На филологи́ческом факульте́те ча́сто обсужда́ют но́вые кни́ги.
       Говоря́т, что та́м обсужда́ют но́вые кни́ги ка́ждый ме́сяц.

1. В студе́нческом клу́бе ча́сто пока́зывают фи́льмы. 2. Ве́ра ча́сто получа́ет пи́сьма. 3. В университе́те ча́сто организу́ют нау́чные конфере́нции.

(b) *Answer the questions, as in the model.*

Model: — Когда́ постро́или э́то зда́ние?
       — Говоря́т, что его́ постро́или в 1878 году́, в XIX ве́ке.

1. В це́нтре ва́шего го́рода стои́т па́мятник. Когда́ его́ постро́или? 2. Андре́й — студе́нт. Когда́ о́н поступи́л в университе́т? 3. Это но́вый журна́л. Когда́ Ви́ктор получи́л его́? 4. В журна́ле но́вая статья́ на́шего профе́ссора. Когда́ о́н её написа́л? 5. Это но́вая фотогра́фия. Когда́ ва́ш дру́г её сде́лал?

30. *Answer the questions.*

1. Когда́ бы́ли револю́ции в Росси́и? (1905 г., 1917 г.)
2. Когда́ бы́ли револю́ции во Фра́нции? (1789 г., 1848 г., 1871 г.)
3. Когда́ со́здали ООН[1]? (1945 г.)

---

[1] ООН (*abbr. for* Организа́ция Объединённых На́ций), the UN.

4. В каком году построили здание Большого театра в Москве? (1824 г.)
5. В каком году построили новое здание Московского университета? (1953 г.)

‖Он **начал писать** доклад в январе, а кончил в марте.

31. *Listen, repeat and analyze. (See Analysis VII, 4.0.)*

1. — Ты уже прочитала шестой номер «Нового мира»?
   — Нет, я только **начала читать.** Я получила его сегодня.
   — Когда ты **кончишь** его **читать?**
   — Завтра. Я хочу прочитать только один рассказ.
2. — Андрей, ты уже **кончил писать** курсовую работу?
   — Нет, я только **начал её писать.** Я долго собирал материалы.
   — А Джон и Дэвид? Они тоже только **начали писать?**
   — Нет, они уже **кончили.**

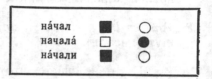

32. *Answer the questions, as in the model.*

Model: — Ты уже решил задачу?³

— Нет, я только начал её решать.¹ *(imp.)*
or:
— Да, я только кончил её решать.¹ *(imp.)*

1. Ты уже написал упражнение? 2. Вы уже сделали уроки? 3. Ты уже прочитал статью? 4. Ты уже посмотрел новый журнал? 5. Ты уже написал письма? 6. Вы уже обсудили план работы? 7. Они уже перевели текст?

33. *Compose dialogues, using the verbs* читать, переводить, рисовать.

Model: — Вера, ты сейчас отдыхаешь?
— Нет, я начала писать упражнение.
— А когда ты кончишь писать?
— Не знаю.

34. *Listen, repeat and analyze. (See Analysis VII, 5.0.)*

На уроке

— Юра Комаров, вы **можете** сейчас **отвечать?**
— Нет, я не **могу отвечать.**
— А вы **можете решить** эту задачу?
— Могу. Это нетрудная задача.

35. *Listen and repeat. Mark the stress in the forms of the verb* мочь.

Я могу́ петь. Ты́ мо́жешь танцева́ть. Óн мо́жет рисова́ть. Мы́ мо́жем чита́ть по-ру́сски. Вы́ мо́жете писа́ть по-ру́сски. Они́ мо́гут говори́ть по-ру́сски. Я́ не мо́г прочита́ть э́ту кни́гу. Я́ не могла́ реши́ть э́ту зада́чу. Мы́ то́же не могли́ реши́ть э́ту зада́чу.

36. *Complete the sentences, using the verbs* гото́вить / пригото́вить, писа́ть / написа́ть, де́лать / сде́лать, чита́ть / прочита́ть, реша́ть / реши́ть, обсужда́ть / обсуди́ть, говори́ть / сказа́ть, *and write them out.*

Model: — У меня́ не́т уче́бника, и я́ не могу́ гото́вить уро́ки.

1. У меня́ не́т словаря́, ... 2. У меня́ не́т ру́чки, ... 3.— Вы́ обсужда́ли рома́н Б. Васи́льева? — Не́т, у на́с не́ было э́того рома́на, ... 4. Вы́ слу́шали вчера́ ра́дио? Како́й хоро́ший бы́л конце́рт! — Не́т, не слу́шали. Мы́ бы́ли вчера́ в теа́тре, ...

Model: Те́кст о́чень тру́дный. Я́ не мо́г перевести́ его́.

1. Статья́ о́чень тру́дная. ... . 2. Упражне́ние о́чень большо́е. ... . 3. Зада́ча о́чень тру́дная. ... . 4.— Вы́ сказа́ли Ната́ше о семина́ре? — Не́т, она́ не была́ сего́дня на ле́кции. ... . 5.— Вы́ прочита́ли э́тот журна́л? — Не́т. Это францу́зский журна́л. ... .

IV
> Слу́шай(те) внима́тельно.
> Переведи́(те) э́тот те́кст.
> Не переводи́(те) э́тот те́кст.

37. *Listen and repeat; then read and analyze.* (*See Analysis VII, 6.0; 6.1; 6.2; 6.3.*)

1. Jane finds herself on a strange street. She wants to find out the name of the street.
— **Скажи́те**, пожа́луйста, кака́я э́то у́лица?
— Это у́лица Че́хова.
2. Katya is in a railroad station. She is seeing off Sergei, who is leaving for the town where he will have practical training.
— До свида́ния, Ка́тя.
— До свида́ния, Серёжа. **Пиши́** пи́сьма ка́ждую неде́лю.
— Обяза́тельно.
3. Katya is telephoning Jane, who cannot hear her very well.
— Алло́! Кто́ э́то говори́т?
— Дже́йн, э́то я, Ка́тя.
— **Говори́** гро́мко, Ка́тя. Я́ пло́хо слы́шу.
4. A teacher is explaining the task to his class.
Сейча́с я́ прочита́ю расска́з. Я́ бу́ду чита́ть ме́дленно. Вы́ внима́тельно **слу́шайте. Не пиши́те.**

> спроси́ть — спрошу́ — спроси́(те), писа́ть — пишу́ — пиши́(те)

205

38. (a) *Listen and repeat. (See Analysis, Phonetics, 3.9.)*

писа́ть, вы́ пи́шете, я́ пишу́, пиши́те; написа́ть, вы́ напи́шете, я́ напишу́, напиши́те; говори́ть, вы́ говори́те, я́ говорю́, говори́те; сказа́ть, вы́ ска́жете, я́ скажу́, скажи́те; переводи́ть, вы́ перево́дите, я́ перевожу́, переводи́те; перевести́, вы́ переведёте, я́ переведу́, переведи́те; обсужда́ть, вы́ обсужда́ете, мы́ обсужда́ем, обсужда́йте; обсуди́ть, вы́ обсу́дите, обсуди́те; пока́зывать, вы́ пока́зываете, я́ пока́зываю, пока́зывайте; показа́ть, вы́ пока́жете, я́ покажу́, покажи́те; спра́шивать, вы́ спра́шиваете, я́ спра́шиваю, спра́шивайте.

Скажи́те, пожа́луйста. Переведи́те, пожа́луйста, э́то сло́во. Покажи́те, пожа́луйста, э́ту кни́гу. Расскажи́те, пожа́луйста, о ва́шем го́роде. Напиши́те, пожа́луйста, письмо́.

(b) *Mark the stress in the verbs and indicate the numbers of ICs.*

1. — Вы́ читали э́ту кни́гу?
   — Не́т, я́ хоте́л её прочита́ть, но у меня́ её не́т.
   — Прочита́йте. Это о́чень интере́сная кни́га.
   — Обяза́тельно прочита́ю.
2. — Вы́ пишете курсову́ю рабо́ту?
   — Да́, пишу́.
   — Пишите бы́стро. Други́е студе́нты уже́ написа́ли.
3. — Почему́ вы́ не слу́шаете? Я́ объясня́ю зада́чу.
   — Мы́ слу́шаем.
   — Слу́шайте, пожа́луйста.
4. — Вы́ не скажете его́ а́дрес?
   — Скажу́.
   — Скажите, пожа́луйста.

39. *Supply continuations, as in the model.*

Model: Вы́ мо́жете написа́ть слова́ э́той пе́сни? Напиши́те, пожа́луйста.

1. Вы́ мо́жете рассказа́ть об Оде́ссе? .... 2. Вы́ мо́жете показа́ть фотогра́фии ва́шего бра́та? .... 3. Вы́ мо́жете перевести́ э́то сло́во? ... 4. Вы́ мо́жете написа́ть фами́лию а́втора кни́ги по-ру́сски? .... 5. Вы́ мо́жете сказа́ть, где́ рабо́тает ва́ша сестра́? .... 6. Вы́ мо́жете сказа́ть, когда́ постро́или ва́ш университе́т? .... 7. Вы́ мо́жете обсуди́ть э́ту пробле́му на семина́ре? .... 8. Извини́те, пожа́луйста, на столе́ лежа́т ва́ши кни́ги. Вы́ мо́жете и́х собра́ть? .... 9. Вы́ бы́ли на вы́ставке. Вы́ мо́жете рассказа́ть о не́й? ....

40. *Listen and repeat. Compose similar dialogues, using the words on the right.*

На уро́ке геогра́фии	
— Покажи́те, пожа́луйста, где́ нахо́дится го́род Владивосто́к.	го́род ...
— Владивосто́к нахо́дится на восто́ке СССР.	Чёрное мо́ре
	река́ ...

На у́лице	
— Скажи́те, пожа́луйста, кака́я э́то у́лица?	
— Это у́лица Че́хова.	рестора́н

— Извини́те, пожа́луйста, вы́ не зна́ете, где́ здесь гости́ница? — На э́той у́лице не́т гости́ницы.	вокза́л больни́ца магази́н

На факульте́те

— Ни́на, ты́ зна́ешь, в како́й аудито́рии у на́с бу́дет семина́р? — Не́т, не зна́ю. — Узна́й, пожа́луйста.	ле́кция уро́к конфере́нция

В библиоте́ке

— Да́йте, пожа́луйста, рома́н Толсто́го «А́нна Каре́нина». — Сейча́с у на́с не́т э́того рома́на. У на́с е́сть то́лько расска́зы Толсто́го.	уче́бник фи́зики, уче́бник матема́тики журна́л «Сове́тский Сою́з» № 6, журна́л «Сове́тский Сою́з» № 3 а́нгло-ру́сский слова́рь, ру́сско-англи́йский слова́рь

41. *Read the pairs of perfective and imperfective verbs. Be prepared to use these verbs in the situations described below.*

Imperfective	Perfective	Imperfective	Perfective
расска́зывать	/ рассказа́ть	рисова́ть	/ нарисова́ть
говори́ть	/ сказа́ть	собира́ть	/ собра́ть
писа́ть	/ написа́ть	стро́ить	/ постро́ить
переводи́ть	/ перевести́	реша́ть	/ реши́ть
чита́ть	/ прочита́ть	отдыха́ть	/ отдохну́ть
обсужда́ть	/ обсуди́ть	де́лать	/ сде́лать
пока́зывать	/ показа́ть	дава́ть	/ да́ть
спра́шивать	/ спроси́ть	узнава́ть	/ узна́ть
отвеча́ть	/ отве́тить		

(a) *Make requests, using some of the preceding perfective verbs.*

Model: Расскажи́те, пожа́луйста, о ва́шем институ́те.

1. You see a building you like. You want to find out when it was built.
2. You have received a letter written in German and you do not know the language. Ask your friend to read and translate the letter for you.
3. A boy is asking his elder brother to solve a difficult homework problem.
4. Your friend has been to Leningrad. Ask him to tell you about the city.
5. You are at a library. Ask for a journal on your speciality.
6. Ask your friend to find out whether the movie is at the club or the assembly hall.

(b) *Give advice for the regular performance of actions, using imperfective verbs and the words:* днём, ве́чером, у́тром, на уро́ке, до́ма, в библиоте́ке, в институ́те, ка́ждый де́нь, ка́ждое у́тро, ка́ждый ве́чер.

Model: Днём чита́йте, пиши́те, ве́чером отдыха́йте.

1. Your friend speaks Russian slowly. Advise him to speak Russian every day, not just in class, but also at home and when walking with his friends in the park.
2. Your friend writes Russian badly. Advise him to write a little every morning and every evening.
3. Your friend has to write a report soon. He has very little time. Advise him to work in the library in the morning, write the paper in the afternoon and read relevant literature in the evening.
4. A student asks his teacher how to work on a text. The teacher advises him first to pay close attention to his explanations in class, read the text carefully at home, then translate it and do exercises on the text in the evening.

(c) *Make up requests, using imperfective verbs and the adverbs:* по-ру́сски, по-англи́йски; гро́мко, ме́дленно, бы́стро, внима́тельно, хорошо́.

Model: Говори́те, пожа́луйста, бы́стро и гро́мко.

1. You cannot understand something being said in Russian and ask the speaker not to talk so fast.
2. The teacher is asking his students questions and tells them to answer him quickly.
3. Your Russian teacher is asking you to speak only Russian in class.
4. You are reading a text aloud and make some mistakes. Your teacher asks you to read attentively.
5. You have made some mistakes in translating a text. Your teacher tells you to translate more carefully.

(d) *Give a negative command for each of the following situations. (Do not translate.) Use imperfective verbs throughout.*

Model: Не чита́йте э́тот рома́н: о́н неинтере́сный.

1. A friend has drawn your portrait and you do not like it. Ask him not to show it to anyone.
2. You want to discuss a new novel by a young author. You are advised not to because none of those present has read it.
3. Your friend wants to read a short story in Russian. You advise him not to read that particular story because it is too difficult.
4. You do not know what to talk about and so start discussing the weather. Your interlocutor asks you not to talk about the weather because he thinks it a dull subject.

> Это **пло́щадь** Свердло́ва.
> Де́тский теа́тр нахо́дится **на пло́щади** Свердло́ва.

42. *Read and analyze. (See Analysis VII, 1.1.)*

Письмо́ Дже́йн

Здра́вствуй, А́нна!
Сейча́с я́ живу́ в Москве́, учу́сь в Моско́вском университе́те. Я изуча́ю ру́сский язы́к и пишу́ по-ру́сски. На откры́тке ты́ ви́дишь **пло́щадь**

Революции. **Площадь** Революции — это большая красивая **площадь** в центре Москвы. **Площадь** Революции находится около Красной **площади**. На Красной **площади** находится Кремль.

Анна, летом я буду на практике в **Сибири**. Ты знаешь, что такое **Сибирь**? **Сибирь** — это большой богатый район Советского Союза. Город Новосибирск находится в **Сибири**. Сибирские учёные изучают **Сибирь**: климат, природу, экономику **Сибири**. Сейчас много пишут и говорят о **Сибири**.

Как ты живёшь? Как твои дела? Пиши.

До свидания. Джейн.

43. (a) *Listen and repeat.*

площадь [площит'], на площади, Сибирь, в Сибири, тетрадь, в тетради, площадь Революции, на площади Революции, Красная площадь, на Красной площади. Кремль находится на Красной площади. Наш институт на площади Маяковского. Мой друг живёт в Сибири, в городе Новосибирске.

(b) *Listen and reply.*

Model: — Вы живёте на площади Свердлова?
— Да, на площади Свердлова.

1. Вы живёте в Сибири? 2. Андрей живёт на площади Маяковского? 3. Кремль находится на Красной площади? 4. Большой театр на площади Свердлова? 5. Новосибирск находится в Сибири? 6. Вы написали перевод в тетради?

44. *Make up questions and answer them, as in the model. Use the words given below.*

(a) *Model:* — Скажите, пожалуйста, где находится Большой театр?
— На площади Свердлова.

Малый театр, Детский театр — площадь Свердлова
кинотеатр «Россия» — Пушкинская площадь
кинотеатр «Москва» — площадь Маяковского
Кремль — Красная площадь
Новосибирск — Сибирь

(b) *Model:* — Вы знаете, что находится на площади Маяковского?
— Нет, не знаю. Я видел площадь Маяковского только на фотографии.

площадь Гагарина
площадь Революции
Красная площадь

45. (a) *Read and repeat the dialogue.*

— Ты́ не зна́ешь, где́ мо́й слова́рь?
— Я́ ви́дел тво́й слова́рь на столе́.
— Я́ уже́ смотре́л, словаря́ та́м не́т.
— Ты́ пло́хо смотре́л. Во́т о́н. На словаре́ лежа́л журна́л.

(b) *Suppose you are looking for your notebook. Compose a dialogue similar to the preceding one.*

Conversation

I. Asking People to Repeat What They Have Said

1. A Muscovite is showing the city to visitors.
— Э́то зда́ние постро́или в про́шлом ве́ке.
— Извини́те, я́ не по́нял, что́ вы́ сказа́ли.
— Я́ сказа́л, что э́то зда́ние постро́или в про́шлом ве́ке.

2. In class. The teacher says:
— Макси́м Го́рький написа́л пе́рвый расска́з в 1892 году́.
— Повтори́те, пожа́луйста, ещё ра́з, в како́м году́ о́н написа́л пе́рвый расска́з.
— В 1892 году́.

1. *Listen and repeat.*

Поня́ть, я́ по́нял, о́н не по́нял, я́ не поняла́, мы́ не по́няли. Извини́те. Извини́те, я́ не по́нял. Извини́те, я́ не по́нял, что́ вы́ сказа́ли. Я́ не поняла́ ва́с. Мы́ то́же не по́няли.

Повтори́ть, повторю́, повтори́те. Повтори́те, пожа́луйста. Повтори́те, пожа́луйста, ещё ра́з.

2. *Supply responses so as to complete the dialogues. Follow the model.*

Model: В магази́не

— Скажи́те, пожа́луйста, у ва́с е́сть а́нгло-ру́сские словари́?
— Да́, е́сть.
— Извини́те, я́ не по́нял, что́ вы́ сказа́ли.
— Я́ сказа́л, что у на́с е́сть а́нгло-ру́сские словари́.

1. — Скажи́те, пожа́луйста, у ва́с е́сть расска́зы Го́рького? —... .
2. — Скажи́те, пожа́луйста, у ва́с е́сть уче́бник геогра́фии? —... .
3. — Скажи́те, пожа́луйста, у ва́с е́сть ру́чки и карандаши́? —... .
4. — Скажи́те, пожа́луйста, у ва́с е́сть ка́рта Евро́пы? —... .

210

Model: Телефóнный разговóр

— Вѝктор, ты́ знáешь, зáвтра у нáс не бýдет семинáра.
— Чтó ты́ сказáла? Повторѝ, пожáлуйста, ещё рáз.
— Я́ сказáла, что зáвтра у нáс не бýдет семинáра.
— Спасѝбо, Йра. Я́ не знáл об э́том.

1. — Вѝктор, зáвтра у нáс бýдет контрóльная рабóта. —... .
2. — Вéра, зáвтра мы́ бýдем занимáться в аудитóрии № 10. —... .
3. — Йра, зáвтра у нáс не бýдет урóка англѝйского языкá. —... .
4. — Алексéй, ты́ спрáшивал о кнѝге «Москвá и москвичѝ»? У меня́ нéт э́той кнѝги. —... .

II. Specific and General Advice, Advice Not to Perform an Action

1. Specific advice *(perfective verbs)*
— Кáтя, ты́ читáла ромáн Фóлкнера «Гóрод»?
— Нéт, Джéйн, не читáла.
— Обязáтельно прочитáй. Это óчень интерéсный ромáн.

2. General advice *(imperfective verbs)*
— Кáтя, я́ óчень мéдленно читáю по-рýсски.
— Читáй рýсские кнѝги кáждый день. Читáй одѝн тéкст двá, трѝ рáза.

3. Advice not to perform an action *(imperfective verbs)*
— Олéг, ты́ смотрéл нóвый францýзский фѝльм?
— Нéт, не смотрéл.
— Не смотрѝ егó. Óчень неинтерéсный фѝльм.

3. *Supply responses so as to complete the dialogues. Follow the model.*

Model: — Кáтя, ты́ читáла сегóдня в газéте статью́ Петрóва?
— Нéт, не читáла.
— Обязáтельно прочитáй. Óчень интерéсная статья́.

1. — Юра, ты́ смотрéл нóвый фѝльм? —... .
2. — Вéра, ты́ читáла деся́тый нóмер журнáла «Октя́брь»? —...
3. — Сергéй, ты́ узнáл, когдá у нáс зáвтра семинáр? —... .
4. — Антóн, ты́ показáл доклáд профéссору? —... .
5. — Вáля, ты́ перевелá расскáз? —... .

Model: — Вѝктор, ты́ написáл упражнéние?
— Нéт, не написáл.
— Не пишѝ. Зáвтра не бýдет урóка рýсского языкá.

1. — Рѝта, ты́ прочитáла статью́ Антóнова? —... .
2. — Вадѝм, ты́ нáчал переводѝть тéкст? —... .
3. — Кирѝлл, ты́ ужé решѝл задáчу? —... .
4. — Йра, ты́ смотрéла фѝльм о Чéхове? —... .

4. *Give appropriate advice.*

1. Your friends want to listen to an opera. You have heard that opera and did not like it.
2. It is late evening and your friend is translating a text. You know there is no Russian class tomorrow.
3. Your close friend has painted a picture. You think it is bad and advise him not to show it to anyone.
4. Your friend says he does not feel like solving his math problems. You know that the teacher will be asking questions on the homework in class tomorrow.
5. Your friend has not read a famous writer's new novel and does not know whether it is worth reading. Advise him to read it.

III. Names Used in Official and Unofficial Situations

5. *Listen and repeat.*

1. Katya meets a new student in her group.

— Ка́к ва́с зову́т?[2]

— Меня́ зову́т[1] Виктор. А вас?[4]

— Меня́ зову́т Ка́тя. А ка́к ва́ша[1] фами́лия?[2]

— Зо́рин.[1] А ваша?[4]

— Моя́ фами́лия—Ивано́ва.[1]

2. Viktor asks Katya her friend's name.

— Ка́тя, / ка́к[2] зову́т ва́шу подру́гу?[2]

— Её зову́т[1] Дже́йн.

— А ка́к её фами́лия?[2]

— Её фами́лия—Сто́ун.[1]

3. Katya is in a hotel in Leningrad. The receptionist is filling out a questionnaire.

— Ва́ше имя?[4]

— Екатери́на.[1]

— Отчество?[4]

— Викторовна.[1]

— Фами́лия?[4]

— Ивано́ва.[1]

6. (a) *Listen and repeat.*

Имя, ва́ше и́мя, его́ и́мя, её и́мя; Ка́к ва́ше и́мя? Ка́к его́ и́мя?

Фами́лия, ва́ша фами́лия, его́ фами́лия, её фами́лия; Ка́к ва́ша фами́лия? Ка́к его́ фами́лия?

Отчество, ва́ше о́тчество, его́ о́тчество, её о́тчество; Ка́к ва́ше о́тчество? Ка́к её о́тчество?

Зову́т, меня́ зову́т, тебя́ зову́т, ва́с зову́т, его́ зову́т, её зову́т. Ка́к ва́с зову́т? Ка́к тебя́ зову́т? Ка́к его́ зову́т? Ка́к её зову́т?

(b) *Compare the intonation in the following questions.*

Ка́к ва́ша фами́лия?[2]   Фами́лия?[4]

Ка́к ва́ше имя?[2]   Имя?[4]

212

Ка́к ва́ше отчество?   Отчество?

(c) *Pay special attention to the intonation of elliptical questions with the conjunction* a.

Меня́ зову́т Ка́тя. А вас? А его́? А её? А ва́шего дру́га?

Моя́ фами́лия Иванова. А ваша? А его́? А ва́шей подруги?

(d) *Compare the intonation of questions incorporating the copulative conjunction* a *with the intonation of elliptical questions containing the adversative conjunction* a.

— Ка́к ва́с зовут?

— Меня́ зову́т Виктор. А ка́к вас зову́т? (А вас?)

— Ни́на.

— А ка́к ва́ша фамилия?

— Никола́ева. А ваша?

7. *Supply the missing questions. Read the dialogue aloud.*

— ....?   — А моя́ —Степа́нова.
— Меня́ зову́т Ири́на. ... ?   — Ка́к зовут ва́шего дру́га?
— А меня́ Оле́г.   — Ви́ктор.
— ....?   — ...?
— Моя́ фами́лия Петро́в. ... ?   — Его́ фами́лия Зо́рин.

8. *Make up questions based on the following situations and answer them. Take note of the intonation used in official questions.*

1. There is a new student in your group. Get acquainted with him.
2. Ask your friend what his father's, brother's, sister's, friend's names are.
3. You do not know your new teacher's name. Ask a friend.
4. You are a hotel receptionist. Ask a new arrival his first name, patronymic and last name.
5. You are working as a guide for a group of tourists. You are making a list of the members of your group. Ask each person's first and last names.

IV. Getting Acquainted

Дава́йте познако́мимся.	Let's get acquainted.
Познако́мься / познако́мьтесь, пожа́луйста.	Please meet... .
О́чень прия́тно.	Pleased to meet you.
Я мно́го слы́шал о ва́с.	I've heard a lot about you.

9. (a) *Listen and repeat.*

Katya and Viktor are at the University. Jane comes up to them.
— Здра́вствуй, Ка́тя.
— До́брый де́нь, Джейн. Познако́мься, пожа́луйста. Это Ви́ктор Лавро́в, студе́нт на́шего факульте́та.
— О́чень прия́тно. Джейн. Я мно́го слы́шала о ва́с.

(b) *Listen and reply.*
Model: — Познако́мьтесь. Это мо́й дру́г Ви́ктор.
— О́чень прия́тно. Ни́на.

1. — Познако́мьтесь, пожа́луйста. Это моя́ жена́ Ве́ра.—.... 2. — Познако́мьтесь, пожа́луйста, это моя́ сестра́ Ната́ша.—... . 3. — Познако́мьтесь, пожа́луйста. Это но́вый учени́к Пе́тя Дми́триев.—... . 4. — Познако́мьтесь. Это Воло́дя Сёмин. Мы́ вме́сте бы́ли на пра́ктике.—... . 5. — Познако́мьтесь, пожа́луйста. Это Гали́на Петро́вна, учи́тельница му́зыки.—... .

(c) *Introduce to each other: your sister and your friend; a physics student and a philology student; your new and old friends.*

10. (a) *Listen and repeat.*

A reporter has come to a factory. He is met by an engineer.
— Здра́вствуйте. Я журнали́ст. Бу́ду писа́ть статью́ о ва́шем заво́де.
— О́чень прия́тно. Дава́йте познако́мимся.. Ма́рков Михаи́л Петро́вич, инжене́р.
— Комаро́в Влади́мир Ива́нович.

(b) *Make up similar dialogues involving a reporter, using the words* шко́ла — учи́тель матема́тики, институ́т — профе́ссор биоло́гии, фа́брика — инжене́р.

11. (a) *Listen and repeat.*

Victor and Natasha are traveling in the same compartment on a train.
— Дава́йте познако́мимся. Меня́ зову́т Ви́ктор. Я инжене́р. А ка́к ва́с зову́т?
— Меня́ зову́т Ната́ша. Я студе́нтка.
— О́чень прия́тно.

(b) *Make up similar dialogues, using the words* учи́тель — вра́ч, студе́нт — учи́тельница, строи́тель — инжене́р, исто́рик — студе́нтка.

12. (a) *Listen and repeat.*

A teacher introduces himself to his students.
Дава́йте познако́мимся. Я ва́ш но́вый учи́тель геогра́фии. Меня́ зову́т Михаи́л Ива́нович. Моя́ фами́лия Ма́рков.

214

(b) *Compose similar self-introductions based on the following situations.*

1. A professor introduces himself to his students. 2. An engineer meets the workers. 3. A new professor gets acquainted with the other professors at his university.

13. *Compose dialogues based on the following situations.*

1. Introduce yourself to a girl you have never met before.
2. You are talking with a young man at a conference. You find him interesting. Get to know him.
3. You are meeting a group of tourists. How would you introduce yourself?
4. Introduce your wife (husband, brother, sister, father, mother) to your friends.

V. In Class

Кого́ сего́дня не́т в кла́ссе?	Who is not in class today?
Он бо́лен.	He is sick.
Сади́тесь.	Sit down.
Како́е сего́дня число́?	What is the date today?
Сего́дня четвёртое декабря́.	Today is the fourth of December.
Чита́йте да́льше.	Read on.
У кого́ е́сть вопро́сы?	Who has questions?

14. (a) *Listen and read.*

На уро́ке

A teacher comes into the classroom and meets his school students.

— Здра́вствуйте. Дава́йте познако́мимся. Я ва́ш но́вый учи́тель англи́йского языка́. Меня́ зову́т Ви́ктор Ива́нович. А тепе́рь я хочу́ узна́ть, ка́к ва́с зову́т. Бело́ва Йра. Кто́ э́то?
— Э́то я.
— О́чень прия́тно, сади́тесь.
— Вахта́нг Ло́гинов.
— Э́то я.
— Вахта́нг—э́то грузи́нское и́мя? У ва́с ру́сская фами́лия и грузи́нское и́мя?
— Да́. У меня́ ма́ма грузи́нка, а оте́ц ру́сский.

(b) *Listen and repeat.*

Учи́тель, но́вый учи́тель, ва́ш но́вый учи́тель. Я ва́ш но́вый учи́тель. Я ва́ш но́вый учи́тель англи́йского языка́.
Сади́тесь. Сади́тесь, пожа́луйста.
Грузи́нская фами́лия, ру́сская фами́лия, грузи́нское и́мя, ру́сское и́мя.

(c) *Dramatize the dialogue.*

(d) *Make up similar dialogues, using these names:* Ка́рл Бра́ун, Мэ́ри Бенуа́, Гизе́ла Ма́ркова.

15. (a) *Listen to the exchanges and read them, paying special attention to the expressions of dates.*

1. — Какое сегодня число? 2. — Какое число было вчера?
— Сегодня третье января.   — Вчера было второе января.

(b) *Compose dialogues, as in the model, using the following dates.*

1/I, 3/II, 10/III, 4/IV, 8/V, 29/VI, 17/VI, 2/IX, 13/X, 30/XI, 1/XII.

16. (a) *Listen to the text and read it aloud.*

На уроке английского языка

Начало урока

— Здравствуйте, садитесь. Кого сегодня нет в классе?
— Сегодня нет Николая Петрова.
— Почему его нет? Он болен? Вчера он был в школе?
— Был, только опоздал немного.
— Спасибо, садитесь. Кто может сказать, какое сегодня число?
— Сегодня пятнадцатое ноября.

— Что́ вы́ гото́вили до́ма?
— Мы́ чита́ли четвёртый те́кст, де́лали упражне́ния, повторя́ли слова́.
— Вы́ прочита́ли и перевели́ э́тот те́кст?
— Да́, прочита́ли и перевели́.
— У кого́ е́сть вопро́сы?
— У меня́ е́сть вопро́с. Ка́к бу́дет по-англи́йски «фами́лия»?
— Кто́ мо́жет отве́тить?
— Фами́лия по-англи́йски бу́дет last name.
— Пра́вильно. А тепе́рь откро́йте кни́ги. Серёжа, чита́йте те́кст. Спаси́бо. Йра, чита́йте да́льше. Переведи́те. Повтори́те э́то предложе́ние ещё ра́з. О́чень хорошо́.

(b) *Listen and repeat.*

Вопро́сы. Е́сть вопро́сы? У кого́ е́сть вопро́сы? Откры́ть. Откро́йте. Откро́йте кни́гу. Повтори́ть. Повтори́те. Повтори́те ещё ра́з. Повтори́те э́то предложе́ние ещё ра́з. Чита́ть. Чита́йте. Чита́йте да́льше.

(c) *Answer the questions.*

О чём спроси́л учи́тель в нача́ле уро́ка? Кого́ не́ было в кла́ссе? Ка́к учи́тель на́чал уро́к? Что́ ученики́ гото́вили до́ма? Что́ де́лали ученики́, когда́ они́ откры́ли кни́ги? Кто́ чита́л снача́ла? Кто́ чита́л да́льше?

(d) *Dramatize the dialogue.*

(e) *Compose similar dialogues between a Russian teacher and a student (male, female).*

17. (a) *Listen to the text.*

Коне́ц уро́ка

Nikolai Petrov, who was late for the lesson, is opening the door.
— Извини́те, я́ немно́го опозда́л.
— Сади́тесь. У на́с уже́ коне́ц уро́ка. На второ́м уро́ке бу́дет контро́льная рабо́та, а сейча́с отдохни́те.
— Ду́маю, что я́ появи́лся сли́шком ра́но.

(b) *Listen and repeat.*

Опозда́ть, опозда́л, опозда́ла. Я́ опозда́л. Я́ не опозда́л? Я́ немно́го опозда́л. Контро́льная рабо́та. Бу́дет контро́льная рабо́та. На второ́м уро́ке бу́дет контро́льная рабо́та.

(c) *Repeat the dialogue.*

18. *Read and memorize the proverbs written below.*

Ме́ньше говори́, бо́льше де́лай.	Speak less and do more.
Не говори́, что́ де́лал, а говори́, что́ сде́лал.	Do not talk about what you have taken up, but talk about what you have carried through.
Ко́нчил де́ло — гуля́й сме́ло.	Finish your business first, then feel free to have a good time.

Reading

1. (a) *Read and analyze. Pay special attention to the forms of the nouns in bold-faced type. (See Analysis VII, 1.0; 1.1; 1.2; 1.3; 1.4.)*

— Никола́й Ива́нович, у ва́с больша́я семья́?
— Не́т, не о́чень. У меня́ две́ **до́чери** и сы́н.
— Ка́к и́х зову́т?
— **И́мя** одно́й **до́чери** — Ве́ра, **и́мя** друго́й — Наде́жда.
— У ни́х краси́вые **имена́**: Ве́ра и Наде́жда. А ка́к зову́т сы́на?
— Ива́н. Та́к зва́ли моего́ отца́.
— А что́ де́лают ва́ши де́ти?
— Одна́ **до́чь** — студе́нтка, друга́я рабо́тает.
— Где́ она́ рабо́тает?
— В больни́це. Она́ вра́ч.
— У ва́шей **до́чери** хоро́шая профе́ссия.
— Да́, вра́ч — интере́сная профе́ссия.
— А что́ де́лает ва́ш сы́н?
— О́н ещё у́чится в шко́ле.
— Я́ слы́шал, что́ ва́ш сы́н — поэ́т.
— Не́т, коне́чно. О́н ещё не поэ́т. О́н лю́бит литерату́ру, мно́го чита́ет и немно́го пи́шет.

(b) *Read, paying special attention to pronunciation.*

вра́ч, до́чь, до́чери, и́мя до́чери, краси́вые имена́; профе́ссия, профе́ссия до́чери, хоро́шая профе́ссия, у до́чери хоро́шая профе́ссия, поэ́т, коне́чно [кан'е́шнъ], коне́чно, не́т.

— Моя́ до́чь — вра́ч. И́мя мое́й до́чери — Надежда.

— У ва́шей до́чери хоро́шая профессия.

— Ва́ш сы́н — поэ́т? — Коне́чно, нет.

2. *Read and analyze. Take note of the forms of personal names. (See Analysis VII, 1.6.)*

А́нна Ива́новна Ивано́ва живёт в Москве́. Она́ вра́ч. А́нна Ива́новна рабо́тает в больни́це. У А́нны Ива́новны е́сть семья́. Её му́ж — Ви́ктор Петро́вич Ивано́в. Ка́тя Ивано́ва — до́чь А́нны Ива́новны; Серге́й Ивано́в — её сы́н.

Вчера́ Ка́тя и её подру́га Дже́йн бы́ли на конце́рте. Та́м они́ ви́дели А́нну Ива́новну и Ви́ктора Петро́вича.

3. *Supply the proper forms of personal names.*

1. Пётр Никола́евич Ле́бедев — ру́сский фи́зик. О́н жи́л в конце́ XIX (девятна́дцатого) — в нача́ле XX (двадца́того) ве́ка. О́н рабо́тал в Моско́вском университе́те. В но́вом зда́нии университе́та в большо́й аудито́рии физи́ческого факульте́та виси́т портре́т ... .

Лаборато́рия ... находи́лась ра́ньше в це́нтре Москвы́, в ста́ром зда́нии университе́та. В университе́те студе́нты слу́шали ..., он чита́л курс фи́зики. Сейча́с в музе́е Моско́вского университе́та студе́нты слу́шают ле́кции о ... .
2. Мари́я Никола́евна Ермо́лова — ру́сская актри́са. Она́ жила́ в конце́ XIX (девятна́дцатого) — в нача́ле XX (двадца́того) ве́ка. ... жила́ в Москве́ и рабо́тала в Ма́лом теа́тре. В Москве́ в Третьяко́вской галере́е виси́т большо́й портре́т ... . А́втор э́того портре́та — ру́сский худо́жник Валенти́н Алекса́ндрович Серо́в. Москвичи́ люби́ли ... . В музе́е Ма́лого теа́тра есть кни́ги о ... .

4. *Make up questions and answer them, as in the model.*

(a) *Model:* — Вы не зна́ете (Скажи́те, пожа́луйста), кто э́то?
　　　　　 — Э́то Алекса́ндр Серге́евич Пу́шкин.

композитор
　　Пётр Ильи́ч
　　Чайко́вский
поэ́т
　　Алекса́ндр
　　Серге́евич
　　Пу́шкин
худо́жник
　　Илья́
　　Ефи́мович
　　Ре́пин
актри́са
　　Мари́я
　　Никола́евна
　　Ермо́лова
хи́мик
　　Дми́трий
　　Ива́нович
　　Менделе́ев
писа́тель
　　Лев Никола́евич
　　Толсто́й

(b) *Model:* — Э́то Алекса́ндр Серге́евич Пу́шкин.
　　　　　 — Вы зна́ете, кто он?
　　　　　 — Зна́ю. Алекса́ндр Серге́евич Пу́шкин — ру́сский поэ́т.

5. *Answer the questions, using the proper names on the right.*

1. Кто написа́л портре́т Толсто́го?

Илья́ Ефи́мович Ре́пин

2. Кто написа́л портре́т Ермо́ловой?

Валенти́н Алекса́ндрович Серо́в

219

3. Кто́ написа́л рома́н «Евге́ний Оне́гин»? А о́перу «Евге́ний Оне́гин?»	Алекса́ндр Серге́евич Пу́шкин
	Пётр Ильи́ч Чайко́вский
4. Кто́ написа́л рома́н «А́нна Каре́нина»? А рома́н «Воскресе́ние»?	Лёв Никола́евич Толсто́й
5. Кто́ а́втор дра́мы «Дя́дя Ва́ня»?	Анто́н Па́влович Че́хов

6. (a) *Read and analyze.* (*See Analysis IX, 1.42; 1.43.*)

Memorize: к о г д а́? **В XIX (девятна́дцатом) ве́ке.**
В XX (двадца́том) ве́ке.

1. Ру́сский поэ́т Пу́шкин жи́л в XIX (девятна́дцатом) ве́ке. 2. Ру́сский учёный Михаи́л Васи́льевич Ломоно́сов жи́л в XVIII (восемна́дцатом) ве́ке. 3. Ру́сский компози́тор Чайко́вский жи́л в XIX (девятна́дцатом) ве́ке. 4. Сове́тский поэ́т Влади́мир Маяко́вский жи́л в XX (двадца́том) ве́ке. 5. Ру́сский поэ́т Михаи́л Ю́рьевич Ле́рмонтов жи́л в XIX (девятна́дцатом) ве́ке.

(b) *Read, paying special attention to pronunciation.*

оди́ннадцатый ве́к, в оди́ннадцатом ве́ке, двена́дцатый ве́к, в двена́дцатом ве́ке, трина́дцатый ве́к, в трина́дцатом ве́ке, в четы́рнадцатом ве́ке, в пятна́дцатом ве́ке, в шестна́дцатом ве́ке, в семна́дцатом ве́ке, в восемна́дцатом ве́ке, в девятна́дцатом ве́ке, в двадца́том ве́ке.

7. *Answer the questions.*

1. Когда́ жи́л Ма́рк Тве́н? 2. Когда́ жи́л Бальза́к? 3. Когда́ жи́л Бетхо́вен? 4. Когда́ жи́л Руссо́? 5. Когда́ жи́л Бизе́? 6. Когда́ жи́л Ге́ршвин? 7. Когда́ жи́л Рафаэ́ль? 8. Когда́ жи́л Фо́лкнер?

8. (a) *Read and analyze. Learn all forms of the verb* мо́чь. (*See Analysis VII, 5.0.*)

1. В 1980 году́ весно́й Ве́ра ко́нчила шко́лу. Она́ мо́жет поступа́ть в институ́т. 2. Я могу́ ко́нчить э́ту рабо́ту о́сенью. 3. — Серге́й, ты́ мо́жешь нарисова́ть портре́т Джейн? — Коне́чно, могу́. 4. — Ма́льчики, вы́ мо́жете реши́ть э́ту зада́чу? — Коне́чно, мо́жем. 5. Бори́с и Ни́на пи́шут курсову́ю рабо́ту. Профе́ссор сказа́л, что они́ мо́гут чита́ть нау́чную литерату́ру в библиоте́ке университе́та и истори́ческого музе́я. 6. — Оле́г, ты́ бы́л вчера́ на стадио́не? — Не́т, я́ не мо́г. Я́ бы́л на конце́рте. 7. А́нна не могла́ занима́ться ве́чером в библиоте́ке, она́ гото́вила докла́д до́ма.

(b) *Read, paying special attention to pronunciation.*

мо́чь, могу́, мо́жешь, мо́жет, мо́жем, мо́жете, мо́гут, могла́, мо́г, могли́.
— Я́ могу́ реши́ть э́ту зада́чу. А ты́ мо́жешь?
— И я́ могу́.
— А Пе́тя мо́жет?
— Пе́тя то́же мо́жет.
— И мы́ мо́жем. А вчера́ мы́ не могли́ реши́ть зада́чу.

— И я́ не могла́.
— Никто́ не мо́г.

9. *Answer the questions.*

Model: — А́нна, ты́ бу́дешь сего́дня в клу́бе?
— Не́т, я́ не могу́, у меня́ не́т свобо́дного вре́мени.

1. Ты́ не зна́ешь, Ро́берт бу́дет сего́дня занима́ться в библиоте́ке? 2. Серге́й и Оле́г, вы́ бу́дете сего́дня ве́чером смотре́ть телеви́зор? 3. Ви́ктор Петро́вич, вы́ бы́ли вчера́ в теа́тре? А А́нна Петро́вна? 4. Вчера́ была́ хоро́шая пого́да. Ты́ гуля́ла, Ни́на? 5. Вы́ не зна́ете, Ка́тя и Дже́йн бы́ли вчера́ на конце́рте?

10. *Read the text and translate it into English. Pay special attention to the use of the pronoun* то́т *in a complex sentence.*

1. Вы́ зна́ете о то́м, что на Кавка́зе е́сть высо́кие, краси́вые го́ры, бы́стрые ре́ки. 2. Я́ не зна́л о то́м, что на э́том ме́сте в XVIII (восемна́дцатом) ве́ке стоя́ло зда́ние пе́рвого ру́сского университе́та. 3. Ка́тя в письме́ писа́ла о то́м, что снача́ла она́ изуча́ла францу́зский язы́к, а пото́м реши́ла изуча́ть друго́й иностра́нный язы́к. 4. Джо́н сказа́л о то́м, что вчера́ они́ смотре́ли интере́сный истори́ческий фи́льм «Алекса́ндр Не́вский».

11. *Answer the questions, using the words in brackets. Remember that such verbs as* нача́ть *and* ко́нчить *are followed only by an imperfective infinitive. (See Analysis VII, 4.0.)*

1. Где́ вы́ на́чали изуча́ть ру́сский язы́к? (университе́т) 2. Когда́ на́чали реставри́ровать э́тот па́мятник? (ию́нь) 3. Когда́ ва́ш бра́т на́чал учи́ться в шко́ле? (в 1975 г.) 4. Когда́ Серге́й на́чал гото́вить докла́д? (ме́сяц наза́д) 5. Худо́жник давно́ ко́нчил рисова́ть э́ту карти́ну? (го́д наза́д) 6. Когда́ вы́ ко́нчили писа́ть курсову́ю рабо́ту? (октя́брь)

12. *Read and compare the sentences. Tell when the infinitive denotes a process, repeated action or simply names the action and when it expresses a desire to achieve a result or a possibility of achieving it.*

1. Сего́дня ве́чером я́ хочу́ чита́ть.

1. Сего́дня ве́чером я́ хочу́ прочита́ть э́тот рома́н.

2. Я́ давно́ не рисова́л. О́чень хочу́ рисова́ть.

2. Я́ о́чень хочу́ нарисова́ть ва́ш портре́т.

3. Мо́й дру́г хо́чет собира́ть ста́рые кни́ги.

3. О́н хо́чет собра́ть бога́тую библиоте́ку.

4. Я́ могу́ занима́ться и переводи́ть те́ксты в библиоте́ке.

4. Ты́ мо́жешь перевести́ э́то предложе́ние?

5. Она́ мо́жет о́чень до́лго расска́зывать о мо́ре.

5. О́н мо́жет рассказа́ть об э́том молодо́м челове́ке. О́н зна́ет его́.

6. Ученики́ пя́того кла́сса мо́гут реша́ть таки́е зада́чи.

6. О́н мо́жет реши́ть э́ту тру́дную зада́чу.

13. *Complete the sentences, as in the model.*

Model: Здéсь хотя́т постро́ить гости́ницу. Её начну́т стро́ить в ма́е.

1. Влади́мир хо́чет написа́ть статью́. Он . . . . 2. Óля хо́чет перевести́ э́тот расска́з. Она́ . . . . 3. Я хочу́ написа́ть письмо́. По́сле уро́ка я . . . . 4. Мы хоти́м написа́ть исто́рию на́шего институ́та. Мы . . . . 5. Я хочу́ сде́лать но́вую кни́жную по́лку. Я . . . . 6. Сего́дня мы хоти́м обсуди́ть на́ши студе́нческие пробле́мы. По́сле семина́ра мы . . . . 7. Óколо реки́ хотя́т постро́ить стадио́н. Его́ . . . .

14. *Answer the questions.*

1. Когда́ вы на́чали слу́шать курс ру́сской литерату́ры? 2. Когда́ профе́ссор ко́нчит чита́ть э́тот курс? 3. Когда́ вы на́чали изуча́ть ру́сский язы́к? 4. Вы лю́бите слу́шать му́зыку? Каку́ю му́зыку вы лю́бите слу́шать? 5. Вы лю́бите посеща́ть музе́и и теа́тры? 6. Что вы хоти́те посмотре́ть в теа́тре? 7. Где вы реши́ли отдыха́ть ле́том? 8. Когда́ вы мо́жете прочита́ть ле́кцию в университе́те?

15. (a) *Read and translate the verbs. Form their present (future) and past tenses.*

расска́зывать / рассказа́ть   дава́ть / да́ть
отвеча́ть / отве́тить   узнава́ть / узна́ть
появля́ться / появи́ться   повторя́ть / повтори́ть
начина́ть / нача́ть   получа́ть / получи́ть
пока́зывать / показа́ть

(b) *Supply the required imperfective or perfective verbs.*

1. Ро́берт о́чень лю́бит . . . . Он ча́сто . . . о том, ка́к он учи́лся в шко́ле. Вчера́, когда́ он . . . об учи́теле литерату́ры, мы на́чали . . . его́, что они́ чита́ли в шко́ле.	расска́зывать / рассказа́ть спра́шивать / спроси́ть
2. Когда́ Ро́берт расска́зывал о шко́ле, он . . . фотогра́фии.	пока́зывать / показа́ть
3. — Серге́й, ты . . . журна́л «Вопро́сы исто́рии»? — Како́й но́мер? — Тре́тий. — Да́, ... А ты? — А я ещё нет. Ду́маю, что . . . его́ за́втра.	получа́ть / получи́ть собира́ть / собра́ть
4. — Оле́г, ты пригото́вил докла́д? — Не́т, ещё то́лько на́чал . . . материа́л.	

(c) *Listen and repeat.*

рассказа́ть, расскажу́, расска́жешь.
— О чём вы бу́дете расска́зывать, То́м и Джо́н?
— Мы расска́жем о на́шем го́роде.
— А вы, Дже́йн, о чём расска́жете?
— Я расскажу́ о мое́й семье́.
— А Ка́тя?
— А Ка́тя расска́жет об МГУ.
— Расска́зывайте, пожа́луйста. Мы вас слу́шаем.

показа́ть, покажу́, пока́жешь.

— Где́ вы́ бы́ли на пра́ктике?

— Мы́ бы́ли в ста́ром ру́сском го́роде Росто́ве.

— У ва́с е́сть фотогра́фии го́рода?

— Да́, е́сть. Мы́ ва́м и́х пока́жем.

— Покажи́те, пожа́луйста.

— Я́ покажу́ фотогра́фии на́ших студе́нтов. А пото́м покажу́ фотогра́фии го́рода. А Джо́н расска́жет ва́м о па́мятниках архитекту́ры.

16. *Supply the required verbs of the correct aspect, choosing them from those given on the right.*

1. — Джо́н, ты́ лю́бишь ... ? — Да́, я о́чень люблю́ .... — ..., пожа́луйста, мо́й портре́т. — Пожа́луйста.	рисова́ть / нарисова́ть
2. — Извини́те, вы́ ... по-неме́цки? — Не́т, не .... — А я слы́шала, что сейча́с вы́ ... по-неме́цки. — О, я́ ... то́лько одно́ сло́во по-неме́цки: «Спаси́бо».	говори́ть / сказа́ть
3. — Ве́ра, у тебя́ е́сть пя́тый но́мер журна́ла «Москва́»? — Да́, е́сть. Я́ ... его́ неде́лю наза́д. — Ты́ уже́ ... его́? — Не́т, ... сейча́с.	получа́ть/получи́ть чита́ть / прочита́ть

17. *Vocabulary for Reading. Study the following new words and their usage as illustrated in the sentences on the right. Read each sentence aloud.*

ве́жливый	Оле́г — о́чень ве́жливый челове́к. «Вы́» — э́то ве́жливая фо́рма обраще́ния.
ма́льчик	Э́тот ма́льчик у́чится в шко́ле. Э́тот ма́льчик — хоро́ший матема́тик.
де́вочка	— Вы́ не зна́ете, как и́мя э́той де́вочки?[1] — Её и́мя — Ната́ша. — Кто́ э́та де́вочка? — Э́то моя́ до́чь.
иногда́	Ве́чером мы́ иногда́ смо́трим телеви́зор. Иногда́ о́н расска́зывает о то́м, ка́к жи́л и рабо́тал на се́вере.
обяза́тельно	Обяза́тельно прочита́йте э́ту кни́гу. — Ты́ бу́дешь поступа́ть в институ́т по́сле шко́лы? — Обяза́тельно бу́ду.
наро́д	1. Ра́ньше зде́сь жи́ли эскимо́сы. О́н изуча́ет исто́рию э́того наро́да. 2. Сего́дня на ле́кции бы́ло мно́го наро́да.
одна́жды	Джо́н рассказа́л о то́м, ка́к одна́жды ле́том о́н отдыха́л на се́вере Фра́нции.

---

[1] When addressing persons whose names are unknown to you, use ма́льчик or де́вочка for those under 15 or 16 and молодо́й челове́к or де́вушка for those over 15 or 16.

тогда́

Вели́кий ру́сский учёный Михаи́л Васи́льевич Ломоно́сов учи́лся в университе́те в Герма́нии. Тогда́ в Росси́и не́ было университе́та. Пе́рвый университе́т в Росси́и основа́л Михаи́л Васи́льевич Ломоно́сов.

18. *Read aloud, paying special attention to pronunciation.*

де́вочка [д'е́въчкъ], де́вушка [д'е́вушкъ]; ма́льчик, челове́к, молодо́й челове́к; же́нщина [же́н'щинъ], мужчи́на [мущи́нъ]

1. — Кто́ э́та де́вочка?
   — Э́та де́вочка — моя́ до́чь.
2. — Ка́к зову́т э́ту де́вочку?
   — Де́вочку зову́т Та́ня.
3. — Кто́ э́та де́вушка?
   — Э́та де́вушка — на́ша студе́нтка.
   — Ка́к зову́т э́ту де́вушку?
   — Её зову́т Ната́ша. .
4. — Вы́ не зна́ете, ка́к зову́т э́ту же́нщину?
   — Ве́ра Петро́вна.
   — А кто́ э́тот мужчи́на?
   — Э́то её му́ж.

19. *Give nouns that can go with the following adjectives:* ве́жливый, ста́рый, высо́кий, иностра́нный, нау́чный, ра́зный.

20. *Make up questions based on the following situation and answer them.*

You want to know who this person (boy, little girl, young man, girl, man, woman) is; what his/her first name, patronymic, last name is; where he/she lives; where he/she studies or works.

21. *Answer the questions, as in the model.*

Model: — Ты́ расска́жешь, ка́к ты́ отдыха́ла ле́том?
        — Обяза́тельно расскажу́.

1. Вы́ пока́жете ва́ши но́вые карти́ны? 2. Оле́г и Серге́й, вы́ бу́дете за́втра в университе́те? 3. Ка́к ты́ ду́маешь, Серге́й нарису́ет мо́й портре́т? 4. Ка́к вы́ ду́маете, они́ посту́пят в университе́т? 5. Ка́к ты́ ду́маешь, мы́ реши́м э́ту зада́чу? 6. Ты́ бу́дешь слу́шать ку́рс фи́зики?

22. *Translate the sentences.*

Formerly I used to study at the library and not at home. At the library I would sometimes read or prepare reports. After the library I always took a walk. Once I received a letter. Inside was my portrait. A student in my group drew it. He drew my portrait while we were working together at the library. Now the portrait is on the wall in my room.

23. *Vocabulary for Reading. Study the following new words and their usage as illustrated in the sentences on the right. Read each sentence aloud.*

слу́шать — Вы́ слу́шали вчера́ ле́кцию профе́ссор Серге́ева?
— Да́, э́то была́ интере́сная ле́кция.
Мои́ друзья́ лю́бят слу́шать совреме́нную му́зыку.
слы́шать — Вы́ хорошо́ слы́шите?
— Да́, хорошо́.
Говори́те, пожа́луйста, гро́мко. Он пло́хо слы́шит.
— Вы́ слы́шали, что за́втра бу́дет семина́р?
— Не́т, не слы́шал.
испо́льзовать ч т о́ В статье́ он испо́льзовал но́вые материа́лы о литерату́ре Фра́нции.

24. *Answer the questions, using the verbs* слу́шать — слы́шать, смотре́ть — ви́деть.

1. Что́ вы́ де́лали вчера́ ве́чером? 2. Вы́ бы́ли вчера́ на конце́рте? Что́ вы́ слу́шали? 3. Вы́ бы́ли вчера́ в кино́? Что́ вы́ смотре́ли? 4. Вы́ ви́дели но́вое зда́ние нау́чной библиоте́ки? 5. Вы́ слы́шали, что в на́шем го́роде стро́ят но́вое зда́ние теа́тра? 6. Вы́ ви́дели сего́дня Ро́берта? А Мэ́ри? 7. Вы́ хорошо́ ви́дите? А ка́к вы́ слы́шите?

25. *Answer the questions.*

1. Каки́е уче́бники вы́ испо́льзуете? 2. Каки́е словари́ вы́ испо́льзуете? 3. Каки́е материа́лы вы́ испо́льзовали, когда́ гото́вили докла́д? 4. Когда́ вы́ гото́вите диало́ги, вы́ испо́льзуете но́вые слова́?

26. *Supply the infinitive for each of the following verbs.*

зову́т, спрошу́, спра́шиваешь, расска́жем, расска́зываю, отвечу́, отвеча́ет, слу́шаем, слы́шишь, появлю́сь, начнёт, начина́ет, испо́льзуют, могла́, пока́жут, пока́зываю.

27. *Supply the correct forms of the verbs* появи́ться, мо́чь, зва́ть, спроси́ть, расска́зывать, де́лать, нача́ть, смотре́ть, слу́шать.

1. — Я́ хочу́ спроси́ть тебя́, ка́к ... э́того мужчи́ну? — Ви́ктор Петро́вич. 2. Дже́йн, ... пожа́луйста, об Аме́рике. 3. Ве́чером мы́ лю́бим ... му́зыку. 4. — Что́ вы́ ... вчера́ ве́чером? — ... телеви́зор. 5. — Когда́ вы́ ... изуча́ть францу́зский язы́к? — Го́д наза́д. 6. Пе́рвые заво́ды в э́том го́роде ... в XIX (девятна́дцатом) ве́ке. 7. Вы́ ... за́втра прочита́ть ле́кцию в университе́те? — Да́, ...

28. (a) *Note on word-formation.*

-тель
писа́ть — писа́тель чита́ть — чита́тель

(b) *Translate without consulting a dictionary.*

молоды́е чита́тели, ста́рый учи́тель, инжене́ры-стро́ители, америка́нский писа́тель.

29. *Read and translate, paying special attention to the form of compound nouns.*

1. Му́рманск нахо́дится на се́веро-за́паде страны́. 2. Владивосто́к нахо́дится на ю́го-восто́ке СССР. 3. Кишинёв нахо́дится на ю́го-за́паде Сове́тского Сою́за. 4. Чуко́тское мо́ре нахо́дится на се́веро-восто́ке СССР.

30. *Translate without consulting a dictionary.*

(a) 1. Ка́тя начала́ изуча́ть неме́цкий язы́к неда́вно. 2. Э́тот ма́льчик о́чень неве́жливый. 3. Почему́ ты та́к неве́жливо разгова́риваешь?

(b) 1. Скажи́те, пожа́луйста, како́й су́ффикс в сло́ве «дру́жеский»? 2. — Ва́ша профе́ссия? — Инжене́р-стро́итель. — А профе́ссия ва́шей жены́? — Она́ хи́мик. 3. Пётр Пе́рвый — ру́сский импера́тор. О́н жи́л в XVIII (восемна́дцатом ве́ке).

31. *Translate.*

My name is Sergei Nikolayevich Petrov. I live in Leningrad and work at a school. I am a teacher. I have a family. My wife is a doctor. Her name is Vera Aleksandrovna. Her surname is Smirnova: that is her father's last name. We have children: a daughter and a son. Our children go to school. Our family are very fond of music. We often listen to Russian music and Russian operas.

32. *Listen, repeat and read.*

(a) *Pay attention to the pronunciation of sounds and unstressed syllables.*

о́тчество, фами́лия, и́мя, имена́, профе́ссия, обяза́тельно, обраще́ние, украи́нцы, лито́вцы; стро́ить — стро́итель, официа́льный, неофициа́льный; Ива́н Петро́вич [п'итро́в'ич], А́нна Петро́вна [п'итро́внъ], Ива́н Серге́евич [с'ирг'е́ич], А́нна Серге́евна [с'ирг'е́внъ], Никола́й — Ко́ля, А́нна — А́ня.

(b) *Pay special attention to the fluency and pace of your reading.*

свобо́дное вре́мя, молодо́й челове́к, ру́сский челове́к, у ру́сского челове́ка, у ру́сского челове́ка е́сть и́мя, по́лные имена́, фо́рма обраще́ния, ве́жливая фо́рма обраще́ния, дру́жеская фо́рма обраще́ния, неофициа́льная фо́рма обраще́ния, ру́сские фами́лии, фами́лии расска́зывают, об исто́рии семьи́, фами́лии расска́зывают об исто́рии семьи́, и́мя мужчи́ны, на се́веро-восто́ке СССР, небольшо́й наро́д, бе́дный челове́к, бога́тые лю́ди, социа́льная диста́нция, социа́льное положе́ние челове́ка.

(c) *Pay special attention to intonation.*

Когда́ у ва́с бу́дет свобо́дное время, / прочита́йте э́ту кни́гу.

Когда́ у ва́с бу́дет свобо́дное время, / прочита́йте э́ту кни́гу.

Когда мы́ слы́шим сло́во Пётр, / мы зна́ем, что э́то и́мя мужчи́ны.

Ру́сские спра́шивают: / «Ка́к ва́с зову́т?»

Никола́й и А́нна — э́то по́лные имена́.

Никола́й и А́нна — / э́то по́лные имена́.

Никола́й и А́нна — / э́то по́лные имена́.

Никола́й — э́то Ко́ля, / а А́нна — э́то Аня.

Никола́й — э́то Ко́ля, / а А́нна — э́то Аня.

Никола́й — э́то Ко́ля, / а А́нна — э́то Аня.

Николай — / это Коля, / а Анна — / это Аня.

Серге́й — э́то и́мя, / Серге́евич — о́тчество, / а Серге́ев — фами́лия.

Серге́й — э́то и́мя, / Серге́евич — о́тчество, / а Серге́ев — фами́лия.

Серге́й — э́то и́мя, / Серге́евич — о́тчество, / а Серге́ев — фами́лия.

Сергей — / это имя, / Сергеевич — / отчество, / а Сергеев — / фамилия.

33. *Basic Text. Read the text and do exercises 34, 35 and 36.*

И́мя, о́тчество, фами́лия

Что́ тако́е и́мя, о́тчество, фами́лия? Об э́том расска́зывает кни́га Л. В. Успе́нского. Она́ называ́ется «Ты́ и твоё и́мя». Когда́ у ва́с бу́дет свобо́дное вре́мя, прочита́йте э́ту кни́гу.

В СССР живу́т ру́сские, украи́нцы, грузи́ны, лито́вцы, таджи́ки[1] и други́е наро́ды.

У ру́сского челове́ка е́сть и́мя, наприме́р, Никола́й, А́нна, Влади́мир, О́льга. И ещё е́сть о́тчество: Петро́вич и́ли Петро́вна, Серге́евич и́ли Серге́евна. В ка́ждом о́тчестве мы́ ви́дим и́мя отца́ и су́ффикс -о́вич и́ли -о́вна.

Ру́сские спра́шивают: «Ка́к ва́с зову́т? Ка́к ва́ше и́мя и о́тчество?» И отвеча́ют: «Никола́й Петро́вич. А́нна Серге́евна». Никола́й Петро́вич — э́то сы́н Петра́, А́нна Серге́евна — до́чь Серге́я.

Никола́й и А́нна — э́то по́лные имена́. Никола́й Петро́вич, А́нна Серге́евна — э́то ве́жливая фо́рма обраще́ния. Но е́сть ещё и кра́ткие имена́. Никола́й — э́то Ко́ля, а А́нна — э́то А́ня. Ко́ля, А́ня — дру́жеская, неофициа́льная фо́рма обраще́ния. Ма́льчика и́ли молодо́го челове́ка зову́т Ко́ля, а де́вочку — А́ня.

Петро́в, Петро́ва, Кузнецо́в, Кузнецо́ва — э́то ру́сские фами́лии. Иногда́ фами́лия расска́зывает об исто́рии семьи́. Фами́лия Петро́в говори́т о то́м, что о́чень давно́ э́то была́ семья́ Петра́. Фами́лии Рыбако́в, Кузнецо́в говоря́т о профе́ссии. Таки́е фами́лии е́сть и в англи́йском языке́, наприме́р Smith.

---

[1] There are more than 100 nationalities living in the USSR.

Фами́лии Москви́н, Во́лгин, Ю́гов, Восто́ков расска́зывают о то́м, где́ жила́ семья́.

Когда́ мы́ слы́шим сло́во Пётр, мы зна́ем, что э́то и́мя мужчи́ны. Петро́вич — о́тчество, а Петро́в — фами́лия. Серге́й — э́то и́мя, Серге́евич — о́тчество, а Серге́ев — фами́лия.

Но не у ка́ждого челове́ка в СССР обяза́тельно е́сть и́мя, о́тчество и фами́лия. На се́веро-восто́ке СССР, в Сиби́ри, живёт небольшо́й наро́д чу́кчи. Спроси́те чу́кчу, ка́к его и́мя. И вы́ услы́шите: «Тымнэ́ро». Спроси́те, ка́к его́ фами́лия. И о́н отве́тит: «Тымнэ́ро». У него́ то́лько одно́ и́мя. У него́ нет о́тчества.

Вы́ зна́ете, когда́ ру́сские говоря́т Никола́й Петро́вич, а когда́ — Ко́ля, когда́ говоря́т А́нна Петро́вна, а когда́ — А́ня.

Когда́ ру́сские говоря́т «ты́», а когда́ «вы́»? Ра́ньше была́ то́лько одна́ фо́рма обраще́ния — «ты́». Фо́рма «вы́» появи́лась в Росси́и в XVIII (восемна́дцатом) ве́ке. Э́ту фо́рму на́чал испо́льзовать Пётр I (пе́рвый). Тогда́ слова́ «ты́» и «вы́» дифференци́ровали социа́льное положе́ние челове́ка. Бе́дный челове́к, крестья́нин мо́г услы́шать то́лько «ты́». Бога́тые лю́ди говори́ли «ты́», когда́ хоте́ли показа́ть социа́льную диста́нцию.

Сейча́с в ру́сском языке́ «вы́» — э́то официа́льная, ве́жливая фо́рма обраще́ния, «ты́» — дру́жеская, неофициа́льная.

34. *Answer the questions.*

1. О чём расска́зывает кни́га Л. В. Успе́нского «Ты́ и твоё и́мя»? 2. Каки́е вы́ зна́ете по́лные ру́сские имена́? 3. Каки́е вы́ зна́ете кра́ткие ру́сские имена́? 4. Каки́е вы́ зна́ете ру́сские фами́лии? 5. О чём иногда́ расска́зывают фами́лии? 6. Что́ тако́е «Васи́лий», «Васи́льевич», «Васи́льев»? 7. Кака́я фо́рма обраще́ния в ру́сском языке́ — официа́льная, ве́жливая? Кака́я фо́рма — дру́жеская, неофициа́льная?

35. *Find in the text the names of nationalities inhabiting the USSR and read each aloud.*

36. *Name the republics in which the majority of the population consists of the following nationalities:* ру́сские, украи́нцы, лито́вцы, грузи́ны, таджи́ки.

37. *Tell the history of the pronoun* вы́ *in Russian.*

38. *Explain to a Russian what you know about American and English names and surnames; about American and English forms of address.*

39. *Answer the questions.*

1. Кто́ тако́й Михаи́л Васи́льевич Ломоно́сов? 2. Когда́ о́н жи́л? 3. Где́ о́н учи́лся в университе́те? 4. Когда́ появи́лся пе́рвый ру́сский университе́т? 5. Кто́ со́здал э́тот университе́т? 6. Где́ находи́лось пе́рвое зда́ние э́того университе́та? 7. Что́ сейча́с нахо́дится на э́том ме́сте?

40. *Do you know?...*

1. Кто́ тако́й Алекса́ндр Серге́евич Пу́шкин? Когда́ о́н жи́л? 2. Кто́ тако́й Дми́трий Ива́нович Менделе́ев? Когда́ о́н жи́л? 3. Кто́ тако́й Пётр Никола́евич Ле́бедев? Где́ о́н рабо́тал? 4. Кто́ така́я Мари́я Никола́евна Ермо́лова? Когда́ она́ жила́? Где́ она́ рабо́тала? 5. Кто́ тако́й Пётр Ильи́ч Чайко́вский? Каку́ю о́перу Чайко́вского вы́ зна́ете? 6. Кто́ тако́й Илья́ Ефи́мович Ре́пин? О како́м портре́те Ре́пина вы́ слы́шали?

41. *Answer the questions.*

1. Ка́к ва́ше и́мя? 2. Ва́ша фами́лия? 3. Ва́ша профе́ссия? 4. У ва́с е́сть семья́? 5. У ва́с е́сть бра́тья и сёстры? Ка́к и́х зову́т? 6. Где́ вы́ живёте? 7. Где́ вы́ у́читесь?

42. (a) *Read the text.*

О Пу́шкине [1]

Одна́жды весно́й я (тогда́ семиле́тний ма́льчик) и моя́ ма́ма гуля́ли. Мы́ бы́ли на большо́й городско́й пло́щади. Та́м бы́ло мно́го наро́да. Лю́ди стоя́ли, смотре́ли и слу́шали. Ма́ть подняла́ меня́ и сказа́ла:

подня́ть
lift up

— Смотри́.

Везде́ бы́ли лю́ди.

— Ну́, ви́дишь,— э́то Пу́шкин. Ви́дишь, та́м оди́н челове́к говори́т, а ря́дом Пу́шкин.

И тогда́ я увидел большо́й па́мятник.

Это бы́л Пу́шкин.

Не по́мню, что́ ещё говори́ла ма́ть. То́лько зна́ю, что я тогда́ пе́рвый ра́з ви́дел, ка́к наро́д стоя́л и слу́шал, что́ говори́ли о Пу́шкине.

по́мнить
remember

Это бы́ло в 1899 году́ в го́роде Сара́тове, на Театра́льной пло́щади. Это бы́л де́нь рожде́ния вели́кого ру́сского поэ́та Алекса́ндра Серге́евича Пу́шкина.

де́нь рожде́ния
birthday

Та́к пе́рвый ра́з я услы́шал и́мя Пу́шкина.

Литерату́ра — э́то то́, что я люблю́. Это мо́й ми́р. В э́том ми́ре са́мая больша́я плане́та — э́то Пу́шкин.

ми́р
world
плане́та
planet

И я ча́сто вспомина́ю то́т весе́нний де́нь, когда́ ма́ть подняла́ меня́ и сказа́ла:

— Смотри́. Та́м Пу́шкин.

Пу́шкин — э́то нача́ло всеми́рной сла́вы ру́сской литерату́ры. Это нача́ло на́шей реалисти́ческой литерату́ры XIX ве́ка.

(From K. Fedin) [2]

---

[1] A. S. Pushkin (1799-1837), widely considered the greatest Russian poet of all time and founder of modern Russian literature and modern literary Russian.

[2] K. A. Fedin (1892-1977), well-known Soviet writer, the author of the novels *Cities and Years* («Города́ и го́ды»), *Early Joys* («Пе́рвые ра́дости»), *No Ordinary Summer* («Необыкнове́нное ле́то»), etc.

(b) *Answer the questions.*

1. Почему́ на пло́щади бы́ло мно́го наро́да? 2. Когда́ э́то бы́ло? 3. Где́ э́то бы́ло? 4. Како́й э́то бы́л де́нь?

(c) *Read the text again and briefly retell it.*

43. *Read the following poem by Pushkin.*

Ты́ и вы́

Пусто́е *вы́* серде́чным *ты́*
Она́ обмо́лвясь замени́ла.
И все́ счастли́вые мечты́
В душе́ влюблённой возбуди́ла.
Пред не́й заду́мчиво стою́;
Свести́ оче́й с неё не́т си́лы;
И говорю́ ей: ка́к *вы́* ми́лы!
И мы́слю: ка́к *тебя́* люблю́!

(1828)

Supplementary Materials

1. (a) *Read the text without consulting a dictionary.*

О́льга и Татья́на

На Камча́тке[1] е́сть река́ О́льга и река́ Татья́на. Почему́ э́ти ре́ки получи́ли же́нские имена́? На Камча́тке в э́том райо́не рабо́тали гео́логи. Они́ иска́ли нефть. Ве́чером они́ обы́чно отдыха́ли, пе́ли, разгова́ривали. Гео́логи о́чень люби́ли Пу́шкина, люби́ли его́ стихи́. И во́т на Камча́тке появи́лись ре́ки О́льга и Татья́на.

Та́к зва́ли герои́нь рома́на А. С. Пу́шкина «Евге́ний Оне́гин».

(b) *Find the following words in the text:* же́нский, гео́лог, иска́ть, стихи́. *Guess their meaning. Check yourself by consulting a dictionary.*

(c) *Read the preceding text again and answer the questions.*

1. Где́ нахо́дятся ре́ки О́льга и Татья́на? 2. Почему́ на ка́рте СССР появи́лись ре́ки О́льга и Татья́на?

2. (a) *Read the text without consulting a dictionary.*

Ру́сская и́ли англи́йская фами́лия?

Лю́ди ду́мают, что Ча́плин — э́то англи́йская фами́лия. Все́ зна́ют знамени́того америка́нского киноактёра Ча́рли Ча́плина. И все́ ду́мают, что Ча́плин — э́то англи́йская фами́лия.

Мо́жет бы́ть, вы́ не слы́шали, что е́сть и ру́сская фами́лия Ча́плин. Ча́плин по-англи́йски — э́то chaplain. Ча́плин по-ру́сски (ча́плина = ца́пля) — э́то heron.

---

[1] Kamchatka, a large peninsula in northeastern Asia within the territory of the USSR.

Пе́рвые Ча́плины появи́лись в Росси́и в 1620 году́.

(b) *Answer the questions.*

1. Есть англи́йская фами́лия Ча́плин? 2. Есть ру́сская фами́лия Ча́плин?
3. Что тако́е «Ча́плин» по-англи́йски? 4. Что тако́е «Ча́плин» по-ру́сски?
5. Кто тако́й Ча́рли Ча́плин?

VOCABULARY

бе́дный poor
бога́тый rich, wealthy
бо́лен ill, sick
ве́жливый polite
вели́кий great
вопро́с question
вре́мя time
вы́ставка exhibition
выступа́ть / вы́ступить come
  forward, appear
гро́мко loudly
* грузи́н Georgian
* грузи́нка Georgian
* грузи́нский Georgian
дава́йте познако́мимся let's
  get acquainted
да́льше further
де́вочка girl (pre-adolescent)
де́тский children's
дирижёр conductor
диста́нция distance
дифференци́ровать differentiate
дочь daughter
дру́жеский friendly
знамени́тый famous
* импера́тор emperor
и́мя name

иногда́ sometimes
испо́льзовать utilize, use
кафе́ café
коне́чно of course
консервато́рия conservatory
контро́льная рабо́та quiz
кра́ткий short, brief
крестья́нин peasant
ле́то summer
* лито́вец Lithuanian
ма́льчик boy (under 15)
мать mother
ме́дленно slowly
метро́ subway
мочь / смочь be able to
музыка́нт musician
наприме́р for example
наро́д people, nation
начина́ть / нача́ть begin
неофициа́льный unofficial
обяза́тельно without fail
одна́жды once, at one time
опа́здывать / опозда́ть be
  late
открыва́ть / откры́ть open
откры́тка postcard
о́тчество patronymic
официа́льный official

пло́щадь square
повторя́ть / повтори́ть repeat
пока́зывать / показа́ть show
по́лный full
* положе́ние position, status
поэ́т poet
появля́ться / появи́ться appear
предложе́ние sentence
профе́ссия profession
раз time, instance; ещё раз
  once more
ра́но (it is) early
сади́ться / сесть sit down
свобо́дный free
сли́шком too
слы́шать *imp.* hear
социа́льный social
су́ффикс suffix
* таджи́к Tadjik
так thus, so
тетра́дь *f.* notebook
узнава́ть / узна́ть find out
* украи́нец Ukrainian
учёный scholar, scientist
* фо́рма form
число́ number, date
* чу́кчи Chukchi

Unit 8

Presentation and Preparatory Exercises

‖ В Москве́ мно́го теа́тров, библиоте́к.

1. *Listen and repeat; then read and analyze. (See Analysis VIII, 1.13; 1.14.)*

1. This is Jane's first visit to Leningrad. She is asking:
   — Скажи́те, пожа́луйста, како́й э́то теа́тр?
   — Э́то Теа́тр коме́дии.
   — А **ско́лько** в Ленингра́де **теа́тров**?
   — В Ленингра́де **мно́го теа́тров**. В Ленингра́де е́сть теа́тр о́перы и бале́та и други́е теа́тры.
   — А что́ здесь?
   — Здесь па́рк.
   — В Ленингра́де **мно́го па́рков**?
   — Да́, в Ленингра́де и о́коло го́рода **мно́го па́рков**.
   — Кака́я э́то река́?
   — Э́то Нева́.

2. Jane collects badges.
   — Оле́г, посмотри́. Э́то моя́ колле́кция.
   — Ты́ собира́ешь значки́?
   — Да́, смотри́, э́то о́чень краси́вый значо́к.
   — Да́, краси́вый. Ка́к **мно́го** у тебя́ **значко́в**!

2. (a) *Listen and repeat.*

   ско́лько [ско́л'къ], мно́го, значо́к, значки́, коме́дия [кам'е́д'иjъ], теа́тр коме́дии, колле́кция [кал'е́кцыjъ], колле́кция значко́в, мно́го значко́в, мно́го теа́тров, мно́го библиоте́к, мно́го кни́г.
   1. Ско́лько у тебя́ значко́в? 2. Э́то Теа́тр коме́дии? 3. У ва́с е́сть колле́кция значко́в?

(b) *Listen and reply.*

Model: — В Москве́ мно́го теа́тров?

    — Да, / в Москве́ мно́го теа́тров.

 1. В Ло́ндоне мно́го музе́ев? 2. В ва́шей колле́кции мно́го значко́в? 3. В ва́шей библиоте́ке мно́го кни́г? 4. В ва́шем го́роде мно́го теа́тров? 5. В ва́шем университе́те мно́го студе́нтов? 6. В ва́шей библиоте́ке мно́го журна́лов?

Model: — У ва́с в го́роде мно́го музе́ев?

    — Нет, / у на́с ма́ло музе́ев.

 1. У ва́с мно́го кни́г? 2. У Джо́на мно́го значко́в? 3. У ва́с в го́роде мно́го заво́дов? 4. В ва́шем го́роде мно́го библиоте́к? 5. В ва́шей стране́ мно́го ре́к? 6. В ва́шем райо́не мно́го магази́нов? 7. У ва́с мно́го газе́т?

3. (a) *Answer the questions:*

 1. В Москве́ е́сть теа́тры? В Москве́ мно́го теа́тров? 2. В э́том го́роде е́сть гости́ница? В э́том го́роде мно́го гости́ниц? 3. О́коло гости́ницы е́сть магази́н? О́коло гости́ницы мно́го магази́нов? 4. В э́том го́роде е́сть стади́он? В э́том го́роде мно́го стадио́нов? 5. В э́том райо́не е́сть библиоте́ка? В э́том райо́не мно́го библиоте́к? 6. На э́той у́лице е́сть рестора́н? На э́той у́лице мно́го рестора́нов? 7. В Ки́еве е́сть па́рк? В Ки́еве мно́го па́рков?

(b) *Compose a dialogue based on the following situation.*

Suppose you are talking with a man who resides in a city you have never visited. Ask him if there are hotels, theaters, museums, restaurants, libraries, colleges and parks in his city.

4. (a) *Respond to the statements in the affirmative, as in the model.*

Model: — В э́том райо́не го́рода е́сть институ́ты, библиоте́ки.
    — Да́, я зна́ю, что в э́том райо́не го́рода мно́го институ́тов, библиоте́к.

 1. В це́нтре Москвы́ е́сть музе́и, теа́тры, институ́ты, магази́ны, гости́ницы, библиоте́ки. 2. О́коло Большо́го теа́тра стоя́т маши́ны, авто́бусы. 3. Ро́берт о́чень лю́бит чита́ть. У него́ на столе́ всегда́ лежа́т кни́ги, газе́ты, журна́лы.

(b) *Continue the statements, as in the model.*

Model: Москва́ — го́род студе́нтов.
   В Москве́ мно́го институ́тов.

1. Сове́тский Сою́з — больша́я страна́.	гора́, река́, мо́ре
2. Ленингра́д — краси́вый го́род.	па́рк, пло́щадь, па́мятник архитекту́ры

5. (a) *Read and analyze.*

    Это у́лица Го́рького. У́лица Го́рького нахо́дится в це́нтре Москвы́. На у́лице Го́рького мно́го гости́ниц, магази́нов, рестора́нов, теа́тров, библиоте́к. На у́лице Го́рького нахо́дятся больши́е кни́жные магази́ны, магази́н «Пода́рки». В ни́х всегда́ мно́го тури́стов и госте́й столи́цы. Они́ покупа́ют кни́ги, ма́рки, пласти́нки, значки́, сувени́ры. На у́лице Го́рького ма́ло музе́ев. На не́й не́т заво́дов и институ́тов.

(b) *Give answers to the questions and write them down.*

    1. На у́лице Го́рького е́сть гости́ницы, магази́ны, рестора́ны, теа́тры, библиоте́ки? 2. На у́лице Го́рького е́сть музе́и? 3. На не́й е́сть заво́ды и институ́ты?

(c) *You visited Moscow and took photographs of Gorky Street. Show them to your friends and tell them what you know about this street.*

6. *Listen and repeat.*

    ма́рка, мно́го ма́рок, пласти́нка, мно́го пласти́нок, тури́ст, мно́го тури́стов, го́сть, мно́го госте́й, сувени́ры, ма́ло сувени́ров, кни́жный магази́н, большо́й кни́жный магази́н, кни́жные магази́ны, больши́е кни́жные магази́ны.

1. У Джо́на мно́го ма́рок. О́н собира́ет ма́рки. 2. У А́нны мно́го пласти́нок. Она́ собира́ет пласти́нки. 3. Ле́том в Москве́ мно́го тури́стов. Что́ покупа́ют тури́сты? 4. На э́той у́лице е́сть кни́жные магази́ны? 5. У ва́с бы́ло мно́го госте́й?

— У ва́с мно́го ма́рок?
— Не́т, у меня́ не́т ма́рок. Я́ не собира́ю ма́рки.
— А у ва́с е́сть пласти́нки?
— Да́, у меня́ мно́го пласти́нок. А вы́ что́ собира́ете?
— Я́ собира́ю значки́. У меня́ больша́я колле́кция значко́в.
— У ва́с вчера́ бы́ли го́сти?
— Да́.
— У ва́с бы́ло мно́го госте́й?
— Не́т, у на́с бы́ло ма́ло госте́й.

7. (a) *Supply the required words.*

1. Дже́йн собира́ет значки́. У неё мно́го ... . А у меня́ ма́ло ... . 2. — У кого́ е́сть пласти́нки? — У Ро́берта мно́го ... . У него́ хоро́шая колле́кция ... . 3. — Э́то твои́ ма́рки? Ка́к мно́го у тебя́ ... ! — Э́то не мои́ ма́рки. У меня́ не́т ... .

(b) *Compose dialogues on the following subjects:* Ва́ши това́рищи — коллекционе́ры. Ро́берт собира́ет пласти́нки. Дже́йн собира́ет значки́. Мэ́ри собира́ет ма́рки. *Use:* Ка́к мно́го у (к о г о́?) ..., у (к о г о́?) ма́ло ..., у (к о г о́?) е́сть ..., не́т ... .

> I На у́лице Го́рького нахо́дится **три́ теа́тра, пять библиоте́к.**

8. *Listen and repeat; then read and analyze.* (*See Analysis VIII, 2.10-2.13.*)

Note carefully: 2, 3, 4, 22, 23, 24 ..., etc. + *gen. sing.*
5, 6, 7, 20, 30, 35, 36, 37 ..., etc. + *gen. pl.*

1. Jane is asking Katya:
— Ка́тя, скажи́, пожа́луйста, ско́лько челове́к живёт в Москве́?
— В Москве́ живёт **во́семь миллио́нов челове́к.**
2. Jane is asking Oleg:
— Оле́г, каки́е у ва́с сего́дня заня́тия?
— Сего́дня у на́с **две́ ле́кции** и **оди́н семина́р.**
— А за́втра?
— За́втра бу́дет **три́ семина́ра.**
3. Foreign students visiting Moscow State University are asking:
— Скажи́те, пожа́луйста, ско́лько факульте́тов в МГУ?
— В Моско́вском университе́те **четы́рнадцать факульте́тов.**
— А ско́лько студе́нтов у́чится в МГУ?
— В МГУ у́чится **два́дцать во́семь ты́сяч студе́нтов.**

9. (a) *Listen and repeat.*

оди́н семина́р, два́ семина́ра, два́ сы́на, три́ челове́ка, пя́ть уро́ков, одна́ кни́га, две́ кни́ги, три́дцать три́ кни́ги, две́ ты́сячи кни́г.

(b) *Listen and reply.*

Model: — У ва́с два́ значка́?
         — Да́, у меня́ два́ значка́.

1. В МГУ четы́рнадцать факульте́тов? 2. У ва́с два́ сы́на? 3. В Москве́ во́семь миллио́нов челове́к? 4. У ва́с пя́ть ко́мнат? 5. У ва́с сего́дня три́ семина́ра? 6. У ва́с бы́ло пя́ть ле́кций? 7. У ва́с за́втра ше́сть уро́ков?

10. *Answer the questions.*

1. Ско́лько домо́в на ва́шей у́лице? 2. Ско́лько кварти́р в ва́шем до́ме? 3. Ско́лько ко́мнат в ва́шей кварти́ре? 4. Ско́лько о́кон в ва́шей кварти́ре?

11. *Continue, as in the model.*

Model: — У меня́ два́ журна́ла. А у ва́с?
         — У меня́ пя́ть журна́лов. А ско́лько журна́лов у Ро́берта?
         — У него́ три́ журна́ла.

1. У на́с в го́роде два́ теа́тра. А у ва́с?
2. У на́с в го́роде два́дцать одна́ шко́ла. А у ва́с?
3. У на́с в го́роде пя́ть гости́ниц. А у ва́с?
4. У Никола́я в кла́ссе семна́дцать ма́льчиков и пятна́дцать де́вочек. А ско́лько ма́льчиков и де́вочек бы́ло у ва́с в кла́ссе?
5. У Ни́ны два́дцать значко́в. А у ва́с?
6. У на́с на заво́де рабо́тает во́семьдесят оди́н инжене́р. А у ва́с?
7. У меня́ четы́ре словаря́. А ско́лько словаре́й у ва́с?
8. Я́ прочита́л во́семь страни́ц. А вы́?

12. *Read aloud following the model.*

Model: В Москве́ живёт 8 миллио́нов челове́к.

Ленингра́д (4.000.000), Ки́ев (2.000.000), Ми́нск (1.000.000), Нью-Йо́рк (8.000.000), Вашингто́н (3.000.000). Ло́ндон (8.000.000), Ливерпу́ль (600.000).

13. (a) *Read the text.*

Библиоте́ка и́мени В. И. Ле́нина

В це́нтре Москвы́ о́коло Кремля́ нахо́дится Госуда́рственная библиоте́ка СССР и́мени В. И. Ле́нина. В библиоте́ке 30 миллио́нов кни́г, газе́т, журна́лов. Ка́ждое у́тро библиоте́ка получа́ет ты́сячи газе́т. Она́ получа́ет 12 ты́сяч журна́лов. Ка́ждый де́нь библиоте́ку посеща́ет 10 ты́сяч чита́телей.

Библиоте́ка и́мени В. И. Ле́нина—э́то го́род кни́г. У библиоте́ки не́сколько зда́ний. В не́й 22 за́ла. А́дрес библиоте́ки: Москва́, проспе́кт Кали́нина, до́м 3.

В Сове́тском Сою́зе 350 ты́сяч библиоте́к.

(b) *Answer the questions.*

1. Где находится Библиотека имени В. И. Ленина? 2. Вы знаете её адрес? 3. Сколько книг в Библиотеке имени В. И. Ленина? 4. Сколько она получает журналов? 5. Сколько газет она получает каждое утро? 6. Сколько человек посещает библиотеку каждый день? 7. Сколько библиотек в СССР?

(c) *Compose a dialogue based on the following situation.*

Your friend was in Moscow and studied in the Lenin Library. Ask him about the library.

(d) *You were on a tour of the Lenin Library. Tell your friend about it.*

14. *Make up a series of questions and answers based on the following situation.*

You are in an unfamiliar city and question a local resident about it. Find out how many museums, theaters, colleges, schools, libraries, hotels, stadiums and parks there are in it.

II
— Сколько сейчас времени?
— Сейчас девять часов пятнадцать минут.

15. *Listen and repeat; then read and analyze. (See Analysis VIII, 3.0.)*

1. — Мама, сколько сейчас времени? Восемь часов?
— Не знаю. Включи радио. Слушай, сейчас скажут.

238

— Моско́вское вре́мя — во́семь часо́в пятна́дцать мину́т.

— Ты́ слы́шала, Ка́тя? Во́семь часо́в пятна́дцать мину́т.

— Да́, слы́шала.

2. — Скажи́те, пожа́луйста, ско́лько сейча́с вре́мени?

— Сейча́с двена́дцать часо́в два́дцать пя́ть мину́т.

— Спаси́бо.

— Пожа́луйста.

16. *Listen and repeat.*

вре́мя, ско́лько вре́мени. Ско́лько сейча́с вре́мени? Скажи́те, пожа́луйста, ско́лько сейча́с вре́мени? Вы́ не зна́ете, ско́лько сейча́с вре́мени? пя́ть часо́в [чисо́ф], ше́сть часо́в; две́ мину́ты, пя́ть мину́т, пятна́дцать мину́т. Сейча́с пя́ть часо́в. Сейча́с ше́сть часо́в, два́дцать мину́т.

Моско́вское вре́мя — трина́дцать часо́в три́дцать пя́ть мину́т.

17. *Read the text aloud. Compose similar texts.*

Ско́лько сейча́с вре́мени?

У́тром я опа́здывал. Мои́ часы́ пока́зывали

Часы́ на у́лице пока́зывали

Я́ уви́дел часы́ в магази́не. Они́ пока́зывали

В метро́ бы́ло

О́коло меня́ стоя́л молодо́й челове́к. Его́ часы́ пока́зывали

Скажи́те, пожа́луйста, ско́лько сейча́с вре́мени?

18. *Read the text aloud.*

Ра́дио. Пе́рвая програ́мма

8.45. Конце́рт украи́нской пе́сни. 9.15. Расска́зывают писа́тели Белору́ссии. 9.35. Спра́шивайте, отвеча́ем. ... 12.45 Исто́рия сло́в. Почему́ мы́ та́к гово-

239

рим? 13.10. До свидáния, шкóла. ... 17.10. Концéрт рýсской мýзыки. 18.30 Концéрт артúстов Большóго теáтра. 19.45 «Лес». Спектáкль Москóвского Худóжественного теáтра[1]. 22.00. Концéрт «Пéсня-80».

III

> — Скóлько врéмени онú жúли на ю́ге?
> — Онú жúли тáм **четы́ре гóда.**

19. *Listen and repeat*; then *read and analyze*. (*See Analysis VIII, 4.0.*)

1. Robert is asking Oleg:
— Олéг, вы́ москвúч?
— Нéт. Я живý в Москвé тóлько **гóд.**
2. Oleg is asking Katya:
— Кáтя, скóлько врéмени ты́ былá на прáктике?
— **Двá мéсяца.**
3. Before a seminar, Oleg is asking Sergei:
— Сергéй, у тебя́ большóй доклáд?
— Нéт, не óчень. Я бýду говорúть **двáдцать минýт.**

20. *Listen and repeat.*

одúн гóд, двá гóда, пя́ть лéт; одúн дéнь, двáдцать двá дня́, пятнáдцать дней; одúн мéсяц, двá мéсяца, шéсть мéсяцев.
— Скóлько дней вы́ бýдете в Москвé?
— Я бýду в Москвé трú дня́.
— Скóлько врéмени вы́ изучáете рýсский язы́к?
— Четы́ре мéсяца.
— Скóлько лéт ýчатся в вáшем кóлледже?
— Четы́ре гóда.
— Скóлько дней в февралé?
— Двáдцать вóсемь дней.
— Скóлько лéт вы́ рабóтаете в университéте?
— Двенáдцать лéт.

21. *Make up questions and answer them, using the words* чáс, дéнь, гóд *and numerals.*

Model: — Я слы́шал, что Вúктор Петрóвич рабóтал на Дáльнем Востóке. Скóлько врéмени óн рабóтал на Дáльнем Востóке?
— Двá гóда.

1. Я слы́шал, что Клéр жилá в Детрóйте. 2. Я знáю, что Рóберт рабóтал в инститýте. 3. Борúс изучáл англúйский язы́к. 4. Кáтя отдыхáла на Кав-

---

[1] The Gorky Moscow Academic Art Theater of the USSR (MXAT) is one of the Soviet Union's leading theaters. It was founded in Moscow in 1898 by K. S. Stanislavsky and V. I. Nemirovich-Danchenko. The Art Theater's method considerably influenced the development of the world theater.

ка́зе. 5. Джейн была́ на пра́ктике. 6. Я зна́ю, что Бори́с живёт в Москве́. 7. Ве́ра ка́ждый день смо́трит телеви́зор. 8. Оле́г вчера́ занима́лся в библиоте́ке. 9. Я слы́шал, что Мэ́ри была́ в Ленингра́де. 10. Я зна́ю, что А́нна неда́вно рабо́тает в э́том институ́те.

22. *Answer the questions, as in the model, using the words* мину́та, ча́с, ме́сяц, го́д *and numerals.*

Model: — Вы́ не ви́дели Никола́я?
— Я ви́дел его́ де́сять мину́т наза́д.

1. Вы́ не ви́дели А́нну Ива́новну? 2. Вы́ не зна́ете, где́ сейча́с до́ктор Петро́в? 3. Вы́ не ви́дели сего́дня Бори́са? 4. Вы́ не зна́ете, где́ сейча́с журнали́ст Бело́в? 5. Вы́ давно́ не ви́дели профе́ссора Серге́ева? 6. Вы́ не ви́дели здесь Оле́га Петро́ва?

23. *Answer the questions.*

1. Ско́лько вре́мени вы́ учи́лись в шко́ле? В како́м году́ вы́ ко́нчили шко́лу? 2. Когда́ вы́ поступи́ли в университе́т? Ско́лько вре́мени вы́ бу́дете учи́ться в университе́те? 3. Ско́лько ле́т наза́д вы́ ко́нчили шко́лу? 4. Ско́лько ле́т у ва́с в университе́те изуча́ют иностра́нные языки́? 5. Когда́ вы́ на́чали изуча́ть ру́сский язы́к? 6. Ско́лько вре́мени вы́ бу́дете изуча́ть ру́сский язы́к? 7. Когда́ вы́ ко́нчите университе́т?

24. *Translate. (Remember that when counting the number of months in excess of 12, Russians normally express the time in years and months; e.g., 16 months is expressed as 1 year and 4 months* — го́д и 4 ме́сяца).

1. Viktor lived in Odessa for 15 months. 2. We worked in the library today for three hours. 3. My friends will study at this university for another 29 months. 4. The school students worked on those difficult problems for 2 hours. 5. He spoke for only 10 minutes but said a lot. 6. I have been working in this institute for 14 months. 7. My girl friend's brother has been studying English for only one week and four days.

‖ Ви́ктор взя́л **не́сколько но́вых журна́лов.**

25. *Listen and repeat; then read and analyze. (See Analysis VIII, 1.3.)*

— Серге́й, у тебя́ е́сть интере́сные кни́ги?
— Да́, у меня́ **мно́го интере́сных кни́г.** У меня́ е́сть дре́вние и совреме́нные кни́ги, альбо́мы. У меня́ е́сть альбо́м **дре́вних архитекту́рных па́мятников** Арме́нии и Росси́и.

26. (a) *Listen and repeat.*

Здесь мно́го интере́сных кни́г. У меня́ нет но́вых тетра́дей. Я ви́дел мно́го хоро́ших фи́льмов. Э́то фотогра́фия мои́х друзе́й. У него́ мно́го хоро́ших друзе́й.

(b) *Listen and reply.*

Model: — У ва́с е́сть но́вые кни́ги?
— Не́т, у меня́ не́т но́вых кни́г.
(— Да́, у меня́ мно́го но́вых кни́г.)
(— У меня́ ма́ло но́вых кни́г.)

1. У ва́с е́сть но́вые пласти́нки? 2. В Сиби́ри е́сть больши́е ре́ки? 3. В ва́шем го́роде мно́го но́вых домо́в? 4. В ва́шем го́роде е́сть хоро́шие музе́и? 5. В ва́шей библиоте́ке е́сть ру́сские кни́ги? 6. В ва́шей стране́ мно́го больши́х городо́в?

27. (a) *Answer the questions, using the words* мно́го, немно́го, ма́ло, не́т. *Look at the map inside the cover.*

1. В Сове́тском Сою́зе е́сть моря́ и больши́е ре́ки? Каки́е моря́ и ре́ки вы зна́ете? 2. На ю́ге СССР е́сть высо́кие го́ры? А на се́вере СССР е́сть высо́кие го́ры? 3. В Сиби́ри е́сть больши́е ре́ки? А высо́кие го́ры та́м е́сть? 4. В Сиби́ри е́сть больши́е города́? 5. Где́ мно́го дре́вних городо́в? Где́ мно́го но́вых городо́в?

(b) *Make up questions based on the following situations and answer them.*

1. Ask your friends about the physical geography of the USA, Canada, Australia, England.
2. Ask your friends about their home towns. Find out whether they have any historical monuments, beautiful parks, high-rise buildings, large hotels.

28. *Answer the questions, using the words* мно́го, ма́ло, не́т.

1. У ва́с в го́роде е́сть истори́ческие па́мятники? 2. В ва́шем го́роде жи́ли знамени́тые лю́ди? 3. О́коло ва́шего го́рода е́сть больши́е ре́ки и́ли высо́кие го́ры? 4. На э́той у́лице е́сть больши́е магази́ны? 5. У ва́с в библиоте́ке е́сть иностра́нные кни́ги?

‖Я зна́ю **э́тих иностра́нных студе́нтов.**

29. *Read and analyze. (See Analysis VIII, 1.3.)*

Ка́к называ́ются у́лицы и пло́щади Москвы́?

Центра́льная у́лица Москвы́ называ́ется у́лица Го́рького. В Москве́ е́сть у́лица Льва́ Толсто́го, у́лица Ге́рцена, Пу́шкинская пло́щадь и пло́щадь Маяко́вского. В Москве́ жи́ло мно́го знамени́тых люде́й. Мы зна́ем **э́тих люде́й: знамени́тых писа́телей, компози́торов, худо́жников.** В Москве́ вы мо́жете уви́деть и **други́е знако́мые имена́:** у́лица Менделе́ева, у́лица Ле́бедева, Ломоно́совский проспе́кт. Э́то имена́ учёных. Е́сть и истори́ческие назва́ния: пло́щадь Револю́ции, Октя́брьская пло́щадь. В Москве́ е́сть не́сколько Па́рковых у́лиц, е́сть Лесна́я у́лица, Садо́вая, Весе́нняя и Весёлая.

30. *Listen and repeat.*

у́лица называ́ется [нъзыва́јиццъ], центра́льная [цынтра́л'нъјъ], центра́ль-
ная у́лица, центра́льная у́лица называ́ется; Ка́к называ́ется э́та у́лица? Ка́к
называ́ется центра́льная у́лица Москвы́? Ка́к называ́ется центра́льная у́ли-
ца в ва́шем го́роде?

31. *Complete the sentences, using the phrases on the right.*

1. Сего́дня у на́с го́сти. Я пригла-
си́ла мно́го госте́й: ... .
2. Вчера́ в клу́бе бы́л интере́сный
конце́рт. В клу́бе Серге́й ви́дел
... .
3. Я зна́ю ... . Я чита́л статью́
о ни́х в журна́ле.

знако́мые студе́нты, мои́ подру́ги,
твои́ това́рищи
знамени́тые арти́сты, сове́тские и ино-
стра́нные студе́нты, на́ши профес-
сора́
э́ти молоды́е худо́жники и писа́тели.

IV | Ви́ктор до́лжен повтори́ть уро́к.

32. *Listen and repeat; then read and analyze. (See Analysis VIII, 5.0.)*

— Ве́ра, вы́ обяза́тельно **должны́ посмотре́ть** э́тот фи́льм.
— Почему́?
— Э́то о́чень интере́сный и весёлый фи́льм.
— А у меня́ не́т биле́та.
— Биле́ты сейча́с бу́дут. Ви́ктор **до́лжен купи́ть** биле́ты.

33. *Listen and reply.*

Model: — Я должна́ прочита́ть э́ту кни́гу.
— Я то́же до́лжен её прочита́ть.

1. Я должна́ написа́ть письмо́. 2. Я должна́ перевести́ э́ту статью́. 3. Мы́
должны́ чита́ть по-ру́сски ка́ждый де́нь. 4. Я должна́ написа́ть докла́д.
5. Я должна́ рабо́тать сего́дня.

34. *Complete the statements, using* до́лжен *and the phrases given below.*

Model: А́ня должна́ прочита́ть э́ту кни́гу.

обсуди́ть статью́
1. Ви́ктор и Ве́ра ... . 2. Мы́ ... .
посмотре́ть э́тот спекта́кль
1. Ни́на ... . 2. На́ши студе́нты ... . 3. Ва́ш бра́т ... .
купи́ть э́ту кни́гу
1. Студе́нты-фило́логи ... . 2. Ка́ждый студе́нт ... . 3. Ва́ша сестра́ ... .

35. *Answer the questions.*

Model: — Почему́ вы́ вчера́ не́ были в клу́бе? (гото́вить)
— Вчера́ я́ до́лжен бы́л (должна́ была́) гото́вить уро́ки.

— Почему́ вы́ за́втра не бу́дете в клу́бе? (гото́вить)
— За́втра я́ до́лжен бу́ду (должна́ бу́ду) гото́вить уро́ки.

1. Почему́ вы́ вчера́ не́ были в теа́тре? (переводи́ть) 2. Почему́ вы́ за́втра не бу́дете в клу́бе? (учи́ть) 3. Почему́ за́втра ва́ша подру́га не бу́дет на конце́рте? (рабо́тать) 4. Почему́ вчера́ ва́ши друзья́ не́ были на стадио́не? (отдыха́ть) 5. Почему́ вы́ вчера́ опозда́ли? (гото́вить) 6. Почему́ за́втра ва́ши това́рищи не бу́дут на вы́ставке? (рабо́тать)

36. (a) *Advise a friend about what he should do when studying a foreign language; use the verbs* чита́ть, переводи́ть, понима́ть, учи́ть, повторя́ть, писа́ть, расска́зывать, обсужда́ть, спра́шивать, зна́ть, изуча́ть, разгова́ривать.

(b) *Advise a friend about what she should do when studying to become a musician; use the verbs* слу́шать, посеща́ть, изуча́ть, пе́ть, смотре́ть.

V | Э́тот уче́бник **сто́ит во́семьдесят копе́ек.**

---

37. *Listen and repeat; then read and analyze.*

В магази́не

— Скажи́те, пожа́луйста, **ско́лько сто́ит э́та** пласти́нка?
— Э́та пласти́нка **сто́ит ру́бль два́дцать копе́ек.**

38. (a) *Become familiar with Soviet monetary units.*

1 (оди́н) ру́бль; 2, 3, 4 рубля́; 5, 10, 25 рубле́й

1 (одна́) копе́йка

2 (две́) копе́йки 3, 4 копе́йки

5, 10, 15, 20, 50 копе́ек

(b) *Answer the questions, as in the model.*

Model: — Скажи́те, пожа́луйста, э́та ру́чка сто́ит 30 копе́ек?
— Не́т, э́та ру́чка сто́ит 32 копе́йки.

1. Вы́ не зна́ете, тако́й каранда́ш сто́ит 3 копе́йки? 2. Э́та тетра́дь сто́ит 4 копе́йки? 3. Э́та откры́тка сто́ит 6 копе́ек? 4. Э́та ма́рка сто́ит 10 копе́ек? 5. Э́тот учебник сто́ит 80 копе́ек? 6. Э́та кни́га сто́ит 2 рубля́? 7. Э́та пласти́нка сто́ит рубль? 8. Э́тот телеви́зор сто́ит 250 рубле́й? 9. Э́та ла́мпа сто́ит 23 рубля́?

39. *Make up questions and answers, as in the model.*

Model: — Ско́лько сто́ит газе́та «Изве́стия»? (4 коп.)
— Газе́та «Изве́стия» сто́ит 4 копе́йки.

«Пра́вда» (4 коп.), «Вече́рняя Москва́» (3 коп.), «Пионе́рская пра́вда» (1 коп.), «Комсомо́льская пра́вда» (3 коп.), «Тру́д» (3 коп.), «Сове́тский спо́рт» (3 коп.), «Литерату́рная газе́та» (20 коп.).

Model: — Ско́лько сто́ит журна́л «Но́вый ми́р»? (1 ру́б. 20 коп.)
— Журна́л «Но́вый ми́р» сто́ит 1 ру́бль 20 копе́ек.

«Москва́» (90 коп.), «Сове́тский Сою́з» (80 коп.), «Сове́тская же́нщина» (75 коп.), «Же́нщины ми́ра» (40 коп.), «Спо́рт СССР» (60 коп.), «Студе́нческий меридиа́н» (20 коп.), «Теа́тр» (1 ру́б. 40 коп.)

40. (a) *Read the dialogue aloud.*

Что́ вы́ хоти́те купи́ть?

— Ка́тя, что́ ты́ хо́чешь купи́ть?
— Краси́вую ру́чку.
— Во́т симпати́чная ру́чка. Она́ сто́ит три́ рубля́.
— Это до́рого, Джейн. У меня́ ма́ло де́нег.
— Тогда́ купи́ во́т э́ту ма́ленькую ру́чку. Она́ сто́ит девяно́сто копе́ек. Это недо́рого.

(b) *Compose similar dialogues, looking at the picture.*

Conversation

I. Evaluation of Information Received

1. — Сегóдня профéссор Ивáнов читáет лéкцию о Сибúри.
   — **Это óчень интерéсно.**
2. — Лéтом студéнты-журналúсты бýдут рабóтать в газéте.
   — **Это хорошó, что** студéнты бýдут рабóтать в газéте.

1. *Listen and repeat.*

Это интерéсно. Это óчень интерéсно. Это трýдно. Это óчень трýдно. Это хорошó. Это óчень хорошó. Это нехорошó. Это дóрого. Это недóрого.

2. *Supply responses to the statements, using the words* хорошó, нехорошó, плóхо, интерéсно, неинтерéсно, трýдно, дóрого, недóрого.

Model: — Сегóдня мы́ бýдем рабóтать в лингафóнном кабинéте.
— Это óчень интерéсно.

1. Николáй собирáет стáрые кнúги.— ... . 2. Вúктор опя́ть вчерá опоздáл.— ... . 3. Мы́ бýдем занимáться на стадиóне кáждый день.— ... . 4. Мóй брáт хóчет учúться на физúческом факультéте.— ... . 5. У моегó брáта нéт друзéй.— ... . 6. Здéсь скóро бýдет вы́ставка картúн молоды́х худóжников.— ... . 7. Юрий купúл альбóм. Он стóит дéсять рублéй.— ... . 8. Вéра купúла плáтье. Онó стóит шéсть рублéй.— ... . 9. Моя́ сестрá бýдет учúться на филологúческом факультéте.— ... .

Model: — Зáвтра в клýбе бýдет концéрт студéнтов МГУ.
— Я́ дýмаю, э́то бýдет интерéсно.
— Я́ дýмаю, э́то бýдет не óчень интерéсно.

1. Сегóдня студéнты бýдут говорúть о прáктике.— ... . 2. На концéрте сегóдня бýдут пéть артúсты óперного теáтра.— ... . 3. В клýбе сейчáс вы́ставка.— ... . 4. Зáвтра у нáс бýдет контрóльная рабóта.— ... . 5. Йра решúла собирáть мáрки и значкú.— ... .

3. *Supply responses to the statements, as in the model.*

Model: — Лéтом мы́ бýдем жúть на ю́ге.
— Это хорошó, что вы́ бýдете жить на ю́ге. Я́ тóже бýду отдыхáть тáм.
— Это плóхо (нехорошó), что вы́ бýдете жúть на ю́ге. Мы́ не увúдим вáс двá мéсяца.

1.— Мы́ нáчали изучáть францýзский язы́к.— ... . 2. Я́ óчень люблю́ теáтр.— ... . 3. Áвтор испóльзовал в ромáне расскáзы друзéй.— ... . 4. Я́ бýду учúться в МГУ.— ... . 5. Зáвтра у нáс не бýдет лéкций.— ... . 6. Сегóдня у меня́ свобóдный дéнь.— ... .

II. Expressions of Agreement and Disagreement in Conversation

— Петро́в — хоро́ший арти́ст.

— Да́, о́н хоро́ший арти́ст.
— Ты́ пра́в. О́н хоро́ший арти́ст. (Full agreement with the speaker.)

— Не ду́маю.
— Не́т, не о́чень. (Disagreement with the speaker.)

— Я́ ду́маю, за́втра бу́дет хоро́шая пого́да.

— Да́, вы́ пра́вы, за́втра бу́дет хоро́шая пого́да. (Absolute certainty.)

— Мо́жет бы́ть. (Indefinite answer.)

— Да́, вы́ пра́вы, за́втра должна́ бы́ть хоро́шая пого́да. (Certainty with a shade of doubt.)

4. *Express agreement or disagreement, using the expressions* вы́ пра́вы, мо́жет бы́ть, не ду́маю, не о́чень.

1. Его́ дру́г — о́чень ве́жливый молодо́й челове́к. — ... . 2. Зде́сь о́чень краси́вые места́. — ... . 3. Мари́я — о́чень краси́вое и́мя. — ... . 4. Профе́ссия архите́ктора — о́чень интере́сная профе́ссия. — ... . 5. На се́вере всегда́ холо́дная пого́да. — ... . 6. Рестора́н «Росси́я» — о́чень хоро́ший рестора́н. — ... .

5. *Agree with the speaker and give a reason for agreeing.*

Model: — Я́ ду́маю, конце́рт бу́дет интере́сный.
— Да́, вы́ пра́вы, конце́рт до́лжен бы́ть интере́сный. Сего́дня выступа́ют о́чень хоро́шие арти́сты.

1. — Я́ ду́маю, сего́дня бу́дет интере́сная ле́кция. — ... . 2. — Я́ ду́маю, у Ка́ти бу́дет интере́сный докла́д. — ... . 3. — Я́ ду́маю, что конфере́нция бу́дет интере́сная. — ... . 4. — Зде́сь стро́ят кинотеа́тр. Это бу́дет большо́е и совреме́нное зда́ние. — ... . 5. — Я́ ду́маю, сего́дня в клу́бе интере́сный ве́чер. — ... . 6. — Я́ ду́маю, что на ве́чере бу́дет мно́го наро́да. — ... .

6. (a) *Listen to and read the dialogue.*

Ivan Ivanovich has run into Alexander Alexandrovich in a store which sells cars.
— Здра́вствуйте, Ива́н Ива́нович. Что́ вы́ здесь де́лаете?
— До́брый де́нь, Алекса́ндр Алекса́ндрович. Что́ я́ де́лаю? Во́т купи́л маши́ну.
— Это ва́ша маши́на? Вы́ купи́ли маши́ну «Москви́ч»?
— Да́, «Москви́ч». А у ва́с е́сть маши́на, Алекса́ндр Алекса́ндрович?
— Да́, у меня́ е́сть маши́на. У меня́ «Во́лга».
— Како́го она́ цве́та?
— У меня́ чёрная «Во́лга».
— Это хорошо́, что у ва́с чёрная маши́на. Снача́ла и я́ хоте́л купи́ть чёрную маши́ну, а жена́ уви́дела здесь маши́ны ра́зных цвето́в: кра́сные, жёлтые, бе́лые, си́ние, зелёные — и во́т мы́ купи́ли си́нюю маши́ну.

(b) *Listen and repeat*.

Бе́лый, чёрный, кра́сный, зелёный, си́ний, жёлтый. Бе́лый цве́т, кра́сный цве́т, чёрный цве́т, зелёный цве́т, си́ний цве́т, жёлтый цве́т.

(c) *Answer the questions*.

Где́ уви́дел Алекса́ндр Алекса́ндрович Ива́на Ива́новича? Чья́ маши́на стоя́ла о́коло магази́на? Како́й ма́рки была́ э́та маши́на? Э́то была́ ста́рая маши́на? А у Алекса́ндра Алекса́ндровича́ е́сть маши́на? Қако́го цве́та у него́ маши́на? А почему́ Ива́н Ива́нович купи́л си́нюю маши́ну?

(d) *Dramatize the dialogue*.

(e) *Compose dialogues based on the following situations*.
1. Your friend comes to the university in a new car. You are surprised. You ask him about his car.
2. You want to buy a car, but do not know what kind. Ask for your friend's opinion. You want to buy an inexpensive car.
3. You have come to the store to buy a car. The salesman wants to help you. Use the remarks Қако́й ма́рки маши́ну вы́ хоти́те? Қако́го цве́та маши́ну вы́ хоти́те? Покажи́те, пожа́луйста... Ско́лько сто́ит... Э́то сли́шком до́рого.

III. In a Cafeteria

Э́то ме́сто свобо́дно?	Is this seat free?
бра́ть / взя́ть на пе́рвое	to have for the first course
Что́ взя́ть на второ́е?	What should I have for my main course?
Не зна́ю, что взя́ть на тре́тье.	I don't know what to have for my dessert.

7. (a) *Listen to the dialogue and read it aloud*.

Ты́ сего́дня обе́дал?

— Здра́вствуй, Па́влик. Қа́к давно́ я тебя́ не ви́дел!
— Здра́вствуй, Серёжа. Что́ но́вого?
— Ничего́ осо́бенного. Сего́дня ко́нчил курсову́ю рабо́ту. Тепе́рь у меня́ мно́го свобо́дного вре́мени.
— Э́то о́чень хорошо́. А я то́лько на́чал писа́ть. Я два́ ме́сяца чита́л уче́бники. Пото́м чита́л ра́зные статьи́.
— Ты́ сего́дня обе́дал, Па́влик?
— Не́т ещё. А ско́лько сейча́с вре́мени?
— Сейча́с три́ часа́. Мо́жет бы́ть, мы́ вме́сте пообе́даем?
— О́чень хорошо́.

(b) *Listen and repeat*.

Что́ но́вого? Ничего́ осо́бенного. Обе́дать. Ты́ обе́дал? Ты́ сего́дня обе́дал? Пообе́дать. Мы́ пообе́даем. Мы́ вме́сте пообе́даем. Мо́жет бы́ть, мы́ вме́сте пообе́даем? Ско́лько вре́мени? Ско́лько сейча́с вре́мени?

(c) *Answer the questions*.

Кто́ таки́е Серёжа и Па́влик? О чём спроси́л Па́влик Серёжу? Почему́ у Серёжи сейча́с мно́го свобо́дного вре́мени? Почему́ Па́влик неда́вно на́чал писа́ть курсову́ю рабо́ту? Когда́ сего́дня обе́дали Па́влик и Серёжа?

(d) *Dramatize the dialogue.*

(e) *Make up a dialogue based on the following situation.*

You have run into one of your friends. Invite him / her to have lunch with you.

8. (a) *Listen to the dialogue and read it aloud.*

В столо́вой

— Извини́те, э́то ме́сто свобо́дно?
— Да́, сади́тесь, пожа́луйста.
— Па́влик, сади́сь здесь, о́коло окна́.

(b) *Dramatize the dialogue and compose similar dialogues.*

9. *Listen to the dialogue and read it aloud.*

Что ты хо́чешь?

— Па́влик, что ты́ хо́чешь взя́ть на пе́рвое?
— Я возьму́ су́п. А ты́?
— Я возьму́ на пе́рвое су́п, а на второ́е — ры́бу.
— А я не ем ры́бу. Я не люблю́ её. Я возьму́ мя́со.
— А ско́лько сто́ит мя́со?
— Мя́со сто́ит 60 копе́ек, ры́ба сто́ит 43 копе́йки, а су́п сто́ит 21 копе́йку.
— А что мы возьмём на тре́тье?
— Не зна́ю. Мо́жет бы́ть, фру́кты?
— Хорошо́. Возьмём фру́кты. А что́ ты бу́дешь пи́ть? Ча́й и́ли ко́фе?
— Ча́й.
— А я пью ча́й то́лько у́тром, когда́ за́втракаю, и́ли ве́чером, когда́ у́жинаю. Днём я пью ко́фе. Я о́чень люблю́ чёрный ко́фе[1].

(b) *Listen and repeat.*

Су́п, мя́со, ры́ба, фру́кты, ча́й, ко́фе; на пе́рвое, на второ́е, на тре́тье, взя́ть на пе́рвое, взя́ть су́п на пе́рвое, взя́ть мя́со на второ́е, взя́ть фру́кты на тре́тье.

За́втракать, обе́дать, у́жинать. Я за́втракаю до́ма. Он обе́дает в столо́вой. Мы у́жинаем до́ма.

Е́сть. Я ем. Я ем мя́со. Ты́ ешь. Ты́ ешь ры́бу. Он ест. Он ест су́п. Мы еди́м. Мы еди́м фру́кты. Вы еди́те су́п. Они́ едя́т мя́со.

(c) *Answer the questions.*

Что взя́ли Серёжа и Па́влик на пе́рвое? Что они́ взя́ли на второ́е? Почему́ Па́влик не хоте́л бра́ть ры́бу? Что они́ взя́ли на тре́тье? Ско́лько сто́или су́п, мя́со и ры́ба? Почему́ Серёжа пи́л ко́фе, а не ча́й?

(d) *Dramatize the dialogue.*

(e) *Compose dialogues based on the following situations.*

1. You have invited a girl to have lunch with you. Find out what she likes. Help her to choose a first, second and third course.
2. You met a foreigner. Find out what they eat for breakfast, lunch and dinner in his country.

---

[1] Keep in mind that the indeclinable noun ко́фе is masculine: чёрный ко́фе.

10. (a) *Listen to the dialogue and read it aloud.*

Официа́нт: Я вас слу́шаю. Что́ вы хоти́те?
Серге́й: Пожа́луйста, су́п, мя́со, ры́бу, фру́кты, ча́й и ко́фе.
Официа́нт: Хорошо́.

(b) *Dramatize the dialogue.*

(c) *Compose a dialogue based on the following situations.*

Order lunch for yourself; for yourself and a friend; for yourself and a number of friends.

11. *Read the jokes and retell them.*

У меня́ есть оди́н знако́мый молодо́й челове́к. Неда́вно о́н жени́лся, потому́ что не хоте́л у́тром гото́вить за́втрак. Ме́сяц наза́д о́н развёлся, потому́ что не хоте́л гото́вить у́тром два́ за́втрака.

жени́ться
get married
развести́сь
get divorced

лови́ть ры́бу
angle
вдру́г
suddenly
Дéд Моро́з
Santa Claus

Одна́жды зи-
мо́й я́ лови́л на
реке́ ры́бу. Вдру́г
ви́жу:...

— Хо́чешь, я́
покажу́, где мно́го
ры́бы?...

Reading

1. *Read the text.*

Note:

1, 21, 31, etc.	год	челове́к
2, 3, 4, 22, 23, 24, etc.	го́да	челове́ка
5, 6, 7, 20, 30, 25, 26, etc. ско́лько, не́сколько	лет	челове́к
мно́го, ма́ло	лет	люде́й

Гео́ргий — студе́нт-матема́тик. Он у́чится в университе́те уже́ 3 го́да. Сейча́с он на тре́тьем ку́рсе. Он бу́дет учи́ться ещё 2 го́да, потому́ что студе́нты у́чатся в университе́те 5 ле́т. У Гео́ргия в гру́ппе — 12 челове́к. 6 челове́к — москвичи́, 4 челове́ка — ленингра́дцы. В гру́ппе у́чатся 2 иностра́нца: англича́нин и болга́рин.

2. *Read the text and answer the following questions.*

1. Ско́лько челове́к могло́ посеща́ть библиоте́ку ка́ждый де́нь в XIX ве́ке? 2. Ско́лько челове́к посеща́ет библиоте́ку ка́ждый де́нь сейча́с?

Пе́рвая публи́чная библиоте́ка появи́лась в Москве́ в XIX ве́ке[1]. В ней бы́ло 100 ты́сяч кни́г. Ка́ждый де́нь в ней могло́ рабо́тать то́лько 20 челове́к.

А ско́лько челове́к посеща́ет Библиоте́ку и́мени В. И. Ле́нина сейча́с? Ка́ждый де́нь библиоте́ку посеща́ет 10 ты́сяч челове́к. Мно́го люде́й рабо́тает в ней: москвичи́, ленингра́дцы, жи́тели Украи́ны и Да́льнего Восто́ка. В библиоте́ке рабо́тает мно́го иностра́нцев.

3. *Answer the questions.*

1. Ско́лько ле́т де́ти у́чатся в шко́ле в ва́шей стране́? 2. Ско́лько ле́т студе́нты обы́чно у́чатся в университе́те? 3. Како́й иностра́нный язы́к вы зна́ете? Ско́лько ле́т вы его́ изуча́ли? 4. Ско́лько ле́т вы хоти́те изуча́ть ру́сский язы́к? 5. Ско́лько челове́к в ва́шей гру́ппе? 6. Ско́лько челове́к изуча́ет ру́сский язы́к в ва́шем университе́те?

4. *Read and translate.*

Note: Он написа́л **уче́бник для фило́логов**. Это **тетра́дь для упражне́ний**.

В Библиоте́ке и́мени В. И. Ле́нина не́сколько чита́льных за́лов. На второ́м этаже́ нахо́дится два́ чита́льных за́ла: чита́льный за́л № 1 для профессоро́в и чита́льный за́л № 3 для фило́логов, исто́риков, филосо́фов. На тре́тьем этаже́ нахо́дится чита́льный за́л № 2 для матема́тиков, фи́зиков, экономи́стов. На пе́рвом этаже́ нахо́дится чита́льный за́л № 4 для био́логов, хи́миков, гео́логов, враче́й.

5. *Answer the questions, as in the model.*

Model: В э́той библиоте́ке е́сть кни́ги для студе́нтов.

1. Каки́е кни́ги е́сть в э́той библиоте́ке? (фило́логи, исто́рики, филосо́фы, гео́логи, гео́графы, матема́тики, фи́зики, хи́мики, био́логи, врачи́, инжене́ры)
2. В ва́шем университе́те е́сть библиоте́ка? Каки́е кни́ги е́сть в э́той библиоте́ке? (ученики́, де́ти)

---

[1] Today it is the Lenin State Library of the USSR.

6. *Read. Note the masculine nouns which end in a stressed -á in the nominative plural.*

1. Ангáрск, Тольяʹтти, Навоʹй — молодыʹе городá Совéтского Союʹза. 2. На éтой уʹлице построʹили нóвые красиʹвые домá. 3. — Скажиʹте, пожáлуйста, какиʹе номерá журнáла «Спуʹтник» у вáс сейчáс éсть? — У нáс éсть пéрвый и вторóй нóмер. 4. В éтом университéте на химиʹческом факультéте рабóтают молодыʹе профессорá. 5. В нáшей шкóле рабóтают хорóшие учителяʹ.

7. *Make up questions and answer them.*

Model: — Биʹрмингем — англиʹйский гóрод.
— Какиʹе другиʹе англиʹйские городá выʹ знáете?
— Я знáю Ливерпуʹль, Лиʹдс, Шéффилд и другиʹе городá.

1. Ташкéнт — совéтский гóрод. 2. У меняʹ éсть трéтий нóмер журнáла «Совéтский Союʹз». 3. На филологиʹческом факультéте рабóтает профéссор Кузнецóв. 4. В éтой шкóле рабóтает учиʹтель Джóнсон.

8. *Read and analyze. Point out the cases in which imperfective verbs denote simultaneous actions and those in which perfective verbs denote consecutive actions. (See Analysis VI, 1.5.)*

1. Учиʹтель объясняʹл урóк, ученикиʹ писáли нóвые словá. 2. Учениʹк открыʹл книʹгу и прочитáл тéкст. 3. Мéри, прочитáйте предложéние, потóм повториʹте егó. 4. Студéнты слуʹшали рассказ журналиʹста о Сибиʹри и смотрéли фотогрáфии. 5. Профéссор прочитáл лéкцию о прирóде Канáды, потóм студéнты посмотрéли фиʹльм.

9. *Translate. Mark stress throughout.*

1. John was writing a report and listening to music. 2. Viktor was telling about the Volga and showing photographs. 3. Yesterday Boris gave a talk about the Ukraine and showed many interesting pictures. 4. First David saw the American film *Anna Karenina*, then he decided to read the novel in Russian. 5. Anna was reading a story, looking up the new words in the dictionary.

10. *Translate.*

Imperfective Perfective

приглашáть / пригласиʹть к о г ó
Note: объясняʹть / объясниʹть ч т ó / *subordinate clause*
покупáть / купиʹть ч т ó

1. Сегóдня у Джéйн собралиʹсь гóсти. Онá пригласиʹла Кáтю, Сергéя, Олéга, Áнну и Рóберта. — Джéйн, а гдé Джóн? Тыʹ приглашáла егó? — Дá, приглашáла. Егó не буʹдет. Он сказáл, что сегóдня вéчером óн дóлжен читáть лéкцию. 2. Áнна хорошó знáет Ленингрáд, а Рóберт нé был в éтом гóроде. Áнна объясниʹла, гдé нахóдится Эрмитáж, Руʹсский музéй, Ленин-

градский университе́т. 3. Когда́ учи́тель объясня́л но́вые слова́, ученики́ слу́шали его́. 4.— Ве́ра, у тебя́ е́сть расска́зы Фо́лкнера? — Да́, е́сть.— Где́ ты и́х купи́ла? — В магази́не «Иностра́нная кни́га». Я ча́сто покупа́ю та́м кни́ги.

11. *Complete the dialogues, using the verbs of the required aspect.*

— Джо́н, у тебя́ е́сть ру́сско-англи́йский слова́рь?	покупа́ть /
— Да́, е́сть.	купи́ть
— Где́ ты его́ ...?	
— Джейн, ты зна́ешь, где нахо́дится Большо́й теа́тр?	объясня́ть /
— Да́. Ка́тя ... мне́.	объясни́ть

12. *Give infinitives for each of the following verb forms; then supply the infinitive of the other aspect.*

приглашу́, смо́трят, объясню́, спрошу́, собира́ешь, расска́жешь, куплю́, начну́т, создаду́т, появи́лся, пи́шут, реши́л, понима́ете, ви́жу

13. *Note: Verbs with the prefix* за- *may denote the beginning of action.*

	за-
пе́ть	запе́ть
смея́ться	засмея́ться

14. *Translate without using a dictionary.*

1.— Ка́тя, спо́й, пожа́луйста.— Пожа́луйста.— Ка́тя запе́ла «Кали́нку». 2. Де́вушки спе́ли ру́сскую наро́дную пе́сню, пото́м запе́ли совреме́нную англи́йскую пе́сню. 3. Когда́ Оле́г заговори́л по-францу́зски, Пье́р засмея́лся. Он сказа́л, что Оле́г о́чень пло́хо говори́т по-францу́зски.

15. *Vocabulary for Reading. Study the following words and their usage as illustrated in the sentences on the right. Read each sentence aloud.*

дре́вний	Ки́ев — дре́вний ру́сский го́род. Говоря́т, что Ки́ев — ма́ть ру́сских городо́в. В Ки́еве е́сть па́мятники дре́вней архитекту́ры. В Библиоте́ке и́мени В. И. Ле́нина е́сть за́л дре́вних кни́г.
знамени́тый	Ива́н Петро́вич Па́влов — знамени́тый сове́тский учёный. Дми́трий Дми́триевич Шостако́вич — знамени́тый сове́тский компози́тор. Михаи́л Алекса́ндрович Шо́лохов — знамени́тый сове́тский писа́тель.
иску́сство	Ви́ктор хорошо́ зна́ет дре́внее ру́сское иску́сство. Ве́ра собира́ет кни́ги об иску́сстве Дре́вней Гре́ции.
взро́слый	— У ва́с е́сть де́ти?
	— Да́, у меня́ два́ взро́слых сы́на.
	— Ма́ма, купи́, пожа́луйста, э́ту кни́гу.
	— Не́т, не куплю́. Это кни́га для взро́слых.
жи́знь	В э́той кни́ге а́втор расска́зывает о жи́зни худо́жника Ре́пина. Неда́вно Ка́рин пе́рвый ра́з в жи́зни была́ в Ленингра́де.

16. *Answer the questions.*

1. Какие памятники древней архитектуры вы знаете? 2. В Москве есть памятники древней архитектуры? А в Киеве? 3. Вы любите древнюю архитектуру? 4. Где в вашей стране есть памятники древней архитектуры?

17. *Name some famous scholars, writers, artists and composers of your country.*

Model: Сарджент—знаменитый американский художник.

18. *Answer the questions.*

1. Какое искусство вы любите, современное или древнее? 2. Вы читали об искусстве Древней Греции и древнего Рима? Вы знаете это искусство?

19. *Supply continuations to the statements, as in the model.*

Model: Мэри видела советский фильм. Она видела советский фильм первый раз в жизни.

1. Роберт был в Ленинграде. 2. Катя отдыхала на Кавказе. 3. Ричард видел советский балет. 4. Олег делал доклад на научной конференции.

20. *Vocabulary for Reading. Study the following words and their usage as illustrated in the sentences on the right. Read each sentence aloud.*

называться — Этот журнал называется «Советский Союз».
— Скажите, пожалуйста, как называется эта улица?
— Улица Герцена.
Эта газета называется «Московский университет».
Вчера я видел советский фильм. Он называется «Степь».
— Скажите, пожалуйста, как называется этот город?
— Тула.
— Как называется эта гостиница?
— «Спутник».
звать — Как вас зовут?
— Борис.
— Как зовут вашего отца?
— Кирилл Андреевич.
Нашего профессора зовут Александр Николаевич.
Мою сестру зовут Нина, а моего брата—Витя.
Нашу собаку зовут Рой, а нашу кошку зовут Мурка.

Remember: In naming living creatures, the verb звать is used; and in naming objects, the verb называться is used.

21. *Answer the questions.*

(a) 1. Как называется эта книга? («Анна Каренина») 2. Как называется этот журнал? («Спутник») 3. Как называется эта газета? («Известия») 4. Как называется этот город? (Киев) 5. Как называется роман Пушкина? («Евгений Онегин»)

(b) 1. Ка́к зва́ли Пу́шкина? (Алекса́ндр Серге́евич) 2. Ка́к зва́ли Че́хова? (Анто́н Па́влович) 3. Ка́к зва́ли Менделе́ева? (Дми́трий Ива́нович) 4. Ка́к зва́ли Ломоно́сова (Михаи́л Васи́льевич) 5. Ка́к зва́ли Ле́рмонтова? (Миха́йл Ю́рьевич)

22. *Make up questions based on the following situations and answer them.*

You want to know the title of a book, newspaper, magazine, movie; the name of a street, city; the name of your friend's brother, sister, father, mother; the name of a professor, girl, young man, woman, man.

23. *Compose analysis charts for each of the sentences. Translate the sentences.*

Model: Бори́с ле́том обы́чно отдыха́ет на Кавка́зе, (п о ч е м у́?) потому́ что о́н о́чень лю́бит го́ры.

1. Бори́с отдыха́ет
   к о г д а́? г д е́? к а́ к? п о ч е м у́?
   ле́том на Кавка́зе обы́чно потому́ что о́н о́чень лю́бит го́ры

2. О́н лю́бит го́ры
   к а́ к?
   о́чень

Эта кни́га называ́ется «Моско́вские у́лицы». В не́й расска́зывается о то́м, ка́к ра́ньше называ́лись моско́вские у́лицы. Я прочита́ла э́ту кни́гу ме́сяц наза́д, когда́ я была́ на пра́ктике. Сейча́с я зна́ю, что у́лица Го́рького ра́ньше называ́лась Тверска́я, потому́ что зде́сь бы́ло нача́ло ста́рой тверско́й доро́ги. (Тверь—э́то го́род о́коло Москвы́.) Сейча́с э́тот го́род называ́ется Кали́нин. В э́том го́роде жи́л и рабо́тал Михаи́л Ива́нович Кали́нин. Проспе́кт Ма́ркса называ́лся Охо́тный ря́д. Когда́ у меня́ е́сть свобо́дное вре́мя, я люблю́ чита́ть истори́ческие кни́ги.

24. *Compose the dialogues, based on the following situations.*

Note: кни́га
журна́л } на ру́сском языке́
газе́та

говори́ть } по-ру́сски
понима́ть

1. You are talking to a stranger. Find out whether he speaks Russian, German, French.
2. You have come to a library. Find out whether it stocks the magazines *Sputnik* and *Soviet Union* in English. What issues of these magazines does it have?

25. *Translate without using a dictionary.*

1. В э́той кни́ге о́чень хоро́шие иллюстра́ции. 2. В Музе́е иску́сства наро́дов Восто́ка в Москве́ больша́я колле́кция инди́йских ва́з. 3. Когда́ Оле́г гото́вил докла́д, он чита́л фотоко́пии истори́ческих докуме́нтов.

26. *Listen and repeat.*

(a) *Pay special attention to the pronunciation of words and to fluency.*

пригласи́ли, пригласи́ли друзе́й; па́мятник, па́мятник дре́вней литерату́ры, па́мятник дре́вней ру́сской литерату́ры, литерату́ра двена́дцатого ве́ка, па́мятник дре́вней ру́сской литерату́ры двена́дцатого ве́ка; иллюстра́ции, хоро́шие иллюстра́ции; объясни́ть, объясню́, объясни́те; колле́кция букваре́й; посмотре́ть колле́кцию букваре́й; непоня́тное, мно́го непоня́тного; на ру́сском языке́, буквари́ на ру́сском языке́; фотоко́пия [фътако́п'иіъ], фотоко́пия пе́рвого букваря́; моде́ль [маде́л'], моде́ль печа́тного станка́; иску́сство [иску́ствъ], иску́сство того́ [таво́] вре́мени; Октя́брьская револю́ция, по́сле Октя́брьской револю́ции; кни́га называ́ется; дереве́нские де́ти, шко́ла для дереве́нских дете́й; негра́мотные, миллио́ны люде́й бы́ли негра́мотные.

(b) *Pay special attention to intonation.*

Смотри́те, ка́к мно́го книг.
²

Посмотри́те, каки́е бу́квы краси́вые.
²

Каки́е хоро́шие карти́ны.
⁵

Я спра́шивал, / и он расска́зывал, ка́к жи́ли лю́ди ра́ньше.
³   ¹

Одна́жды я уви́дел интере́сную кни́гу / и купи́л её.
³⁻⁴   ¹⁻³   ¹

Одна́жды / я уви́дел интере́сную кни́гу / и купи́л её.
³⁻⁴   ¹   ¹

Эта кни́га—/ па́мятник дре́вней ру́сской литерату́ры двена́дцатого века.
³   ¹

Это фотокопия / пе́рвого ру́сского печа́тного букваря́.
                                                       ¹

Это фотокопия / пе́рвого ру́сского печа́тного букваря́.
            ⁴

Эти кни́ги и э́ти картины / мо́гут мно́го рассказа́ть о культу́ре, / нау́ке, /ис-
          ³⁻⁴   ⁴   ⁴
ку́сстве, / о жи́зни люде́й того́ вре́мени.
⁴   ¹

Когда́ Толсто́й жи́л в Я́сной Поля́не, / он организова́л та́м шко́лу для дере-
                                   ³⁻⁴
ве́нских детей.
¹

В ста́рой Росси́и миллио́ны люде́й бы́ли неграмотные.
            ³⁻⁴

В ста́рой России / миллио́ны люде́й бы́ли неграмотные.
            ³⁻⁴   ¹

Учителя́ днём рабо́тали в шко́ле, / а ве́чером учи́ли взрослых.
            ³⁻⁴   ¹

27. *Basic Text. Read the text and then do exercises 28, 29.*

Коллекция

Однажды Сергей и Катя пригласили друзей. Гости слушали музыку, разговаривали.

— Смотрите, как много книг у Серёжи!

— Да, очень много. Посмотри, Джейн, вот «Слово о полку Игореве»[1] — памятник древней русской литературы XII (двенадцатого) века. Какие хорошие иллюстрации! А здесь букварь, ещё букварь. Серёжа, почему у тебя так много букварей?

— Сейчас объясню. Кто хочет посмотреть мою коллекцию букварей? — спросил Сергей.

— Букварей?! — девушки засмеялись. — Серёжа, мы прочитали буквари давно: одиннадцать или двенадцать лет назад. А почему ты решил собирать буквари?

— Сначала у меня было только два букваря: мой и моего деда. Это были очень интересные книги. Я любил смотреть старый букварь, там было много непонятного. Я спрашивал, и дед рассказывал, как люди жили раньше.

Однажды я увидел старый букварь в магазине и купил его. Так я начал собирать буквари. Сейчас у меня уже двадцать два букваря. У меня есть буквари на русском и украинском языке. Посмотрите, это фотокопия первого русского печатного букваря. Он появился в XVI веке. Его создал знаменитый Иван Фёдоров[2]. У меня есть модель печатного станка Ивана Фёдорова. Этот букварь и этот станок могут очень много рассказать о культуре, науке, искусстве того времени.

— Очень красивые буквы. Сейчас так не пишут.

— Правильно, Джейн. В России было несколько реформ русской графики. Например, реформы были в XVIII веке и в XX веке (в 1918 году).

А вот эта книга называется «Новая азбука». Это тоже букварь. И знаете, кто его написал? Лев Николаевич Толстой[3].

— А я думала, что Толстой писал только романы и рассказы.

— Когда Толстой жил в Ясной Поляне, он организовал там школу для деревенских детей. Эта школа работала несколько лет. Толстой учил детей, а потом решил написать для них букварь. Это был очень простой букварь.

---

[1] *The Lay of Igor's Campaign*, twelfth-century Old Russian epic about the campaign of a minor Russian prince in 1185 against the nomadic steppe people known as the Polovtsi, who had been attacking the Russians for over 100 years. The author of the epic is unknown. The epic was published for the first time in Moscow in 1800.

[2] Ivan Fedorov (d. 1583) established the first printing press in Russia (in Moscow), publishing his first book in 1564. His monument stands near one of the main book stores in the center of Moscow.

[3] Lev Nikolayevich Tolstoy (1828-1910), great Russian writer. His best known works include the novels *War and Peace*, *Anna Karenina* and *Resurrection*.

А э́тот буква́рь появи́лся по́сле Октя́брьской револю́ции[1]. Это буква́рь для взро́слых. В ста́рой Росси́и миллио́ны люде́й бы́ли негра́мотные. По́сле револю́ции они́ должны́ бы́ли учи́ться. Учителя́ днём рабо́тали в шко́ле, а ве́чером учи́ли взро́слых. Эта кни́га не то́лько буква́рь. Для миллио́нов люде́й э́то был пе́рвый уче́бник эконо́мики, исто́рии, э́тики.

— Серёжа, почему́ ты собира́ешь буквари́, а не ста́рые кни́ги, не истори́ческие докуме́нты?

— Понима́ете, ка́ждый исто́рик хо́чет не то́лько зна́ть фа́кты о жи́зни люде́й в XI и́ли в XVII ве́ке. Он хо́чет поня́ть, ка́к жи́ли лю́ди мно́го лет наза́д. Буква́рь не то́лько у́чит чита́ть. Он мо́жет о́чень мно́го рассказа́ть о стране́, о жи́зни люде́й, о нау́ке и культу́ре того́ вре́мени.

28. *Find in the text and reread the sentences about:*

1. *The Lay of Igor's Campaign.* 2. The first printed Russian ABC. 3. Lev Tolstoy's ABC. 4. The ABC for adults. 5. The reforms of Russian orthography.

29. *Answer the questions.*

1. Каки́е интере́сные кни́ги есть у Серге́я Ивано́ва? 2. Каки́е кни́ги он собира́ет? 3. Почему́ Серге́й люби́л смотре́ть ста́рый буква́рь? 4. Ка́к он на́чал собира́ть буквари́? 5. Почему́ Серге́й Ивано́в реши́л собира́ть буквари́? 6. Почему́ по́сле Октя́брьской револю́ции в Росси́и появи́лся буква́рь для взро́слых?

30. *Speak on the following subjects.*

Sergei Ivanov is your friend. Tell your other friends
(1) about the Ivanov family and their home;
(2) about Sergei Ivanov's collection.

31. *Make up a series of questions and answers based on the following situation.*

You called on Sergei Ivanov. Your friends ask you about your visit.

32. *Discuss:*

1. Что вы зна́ете о пе́рвом ру́сском букваре́? 2. Что вы зна́ете о «Но́вой а́збуке» Льва́ Толсто́го? 3. Когда́ и почему́ появи́лся буква́рь для взро́слых?

33. *Questions on literature.*

1. Что вы зна́ете о «Сло́ве о полку́ И́гореве»? 2. Каки́х ру́сских писа́телей вы зна́ете? 3. Скажи́те, когда́ они́ жи́ли? 4. Каки́х сове́тских писа́телей вы зна́ете?

34. *Do you know? . . . .*

1. Кто написа́л рома́н «Евге́ний Оне́гин»? 2. Кто написа́л рома́н «Геро́й на́шего вре́мени»? 3. Кто написа́л рома́н «Отцы́ и де́ти»? 4. Кто написа́л

---

[1] The October Revolution (the official name is the Great October Socialist Revolution) took place on the 7th of November, 1917 (or on October 25, according to the Julian Calendar, which was in use in Russia until early 1918). November 7 is a national holiday in the USSR.

рома́н «Бра́тья Карама́зовы»? 5. Кто́ написа́л дра́мы «Три́ сестры́», «Дя́дя Ва́ня»? Каки́е расска́зы э́того писа́теля вы́ зна́ете? 6. Кто́ написа́л рома́н «А́нна Каре́нина»? 7. Кто́ написа́л рома́н «Ма́ть»?

35. *Answer the questions.*

1. Вы́ чита́ете газе́ты? Каки́е газе́ты вы́ чита́ете? 2. Каки́е журна́лы вы́ чита́ете? 3. Каки́е сове́тские газе́ты вы́ зна́ете? 4. Каки́е сове́тские журна́лы вы́ зна́ете? 5. Каки́е сове́тские газе́ты и журна́лы вы́ мо́жете купи́ть в ва́шей стране́?

36. *Speak on the following subject.*

These people are collectors. Describe them. (Who are they? What are their names? Where do they live? Where do they work? What kind of family do they have? What do they collect? Why?)

37. *Speak on the following subject.*

(1) A visit to a Soviet student.
(2) A visit to an American student.

38. *Answer the questions.*

Вы́ лю́бите чита́ть? Вы мно́го чита́ете? Что́ вы́ лю́бите чита́ть? Кто́ ваш люби́мый писа́тель? Почему́ вы́ лю́бите э́того писа́теля? У ва́с до́ма е́сть библиоте́ка? Ско́лько кни́г в ва́шей библиоте́ке? Когда́ вы́ на́чали собира́ть кни́ги?

39. *Read without using a dictionary. Answer the questions.*

1. Где в СССР находится музей книги?
2. Какие книги есть в этом музее?

Музей книги

В Киеве начал работать Музей книги. В этом музее посетители могут увидеть разные книги: книги Киевской Руси, книги наших дней. Это музей истории русской книги. В этой удивительной библиотеке вы можете увидеть рукописные книги, фотографии древних памятников старославянской письменности. Здесь есть книги Ивана Фёдорова.

40. *Read aloud.*

Чтение — вот лучшее ученье. (А. Пушкин)	Reading is the best teacher. (A. Pushkin)
Люди перестают мыслить, когда перестают читать. (Д. Дидро)	People stop thinking when they stop reading. (D. Diderot)
Любите книгу, ... она научит вас уважать человека. (М. Горький)	You should love the book ... it will teach you to respect man. (M. Gorky)

41. (a) *Read this passage without consulting a dictionary.*

Как называются ураганы?

Недавно газеты писали, что в Австралии был очень сильный ураган. Это был ураган Трейси. Ураган опять получил женское имя. Австралийские газеты начали получать и публиковать письма. Эти письма писали женщины. Они протестовали. Ураганы всегда получали женские имена: Изабелла, Вера, Клара. Мужчины в Австралии решили, что это невежливо. Сейчас положение изменилось. Ураганы будут получать и мужские имена.

(b) *Find the following words in the text:* публиковать, протестовать, ураган, измениться. *Guess their meaning. Check yourself by consulting a dictionary. Read through the text once more.*

Supplementary Materials

1. *Read this passage, consulting a dictionary if necessary.*

Книги в СССР

В Советском Союзе много читают. Каждый день в СССР печатается 4 миллиона книг. В СССР работает 350 тысяч библиотек, 15 тысяч книжных магазинов.

Иностранные гости почти всегда говорят о том, что в Советском Союзе люди читают везде: в парке и в трамвае, в автобусе и в метро. Почти в каждой семье есть домашняя библиотека. В стране много коллекционеров книг.

2. Read this passage, consulting a dictionary if necessary.

Антоло́гия америка́нской поэ́зии

Изда́тельство «Прогре́сс» вы́пустило кни́гу «Совреме́нная америка́нская поэ́зия». Это втора́я кни́га. Пе́рвая кни́га называ́лась «Поэ́ты Аме́рики. XX век» (нача́ло ве́ка — середи́на тридца́тых годо́в). В кни́ге «Совреме́нная амери-ка́нская поэ́зия» (коне́ц тридца́тых — нача́ло семидеся́тых годо́в) — стихи́ боль-шо́й гру́ппы кла́ссиков совреме́нной америка́нской поэ́зии: Р. Фро́ста, К. Сэнд-берга, У. Ка́рлоса Уи́льямса. В э́той кни́ге есть стихи́ поэ́тов Л. Ферлинге́тти, Д. Ле́вертова, А. Ги́нсберга и др. В конце́ кни́ги чита́тель мо́жет прочита́ть биогра́фии э́тих поэ́тов.

VOCABULARY

* а́збука ABC primer, reader
* альбо́м album
  архитекту́рный architectural
  бе́лый white
* болга́рин Bulgarian
  бу́ква letter
  буква́рь ABC primer, reader
  брать / взять take
  брать / взять на пе́рвое, на
    второе, на тре́тье
    take for the first, second,
    third course
  весёлый happy, cheerful
  ве́чер evening
  взро́слый adult
  взять see брать
  включа́ть / включи́ть turn on
  гео́лог geologist
  год gen. pl. лет year
  гость guest
  госуда́рственный state, public
  гра́мотный literate
  гра́фика spelling
* дед grandfather
  де́ньги money
  дереве́нский village
  для for
  до́лжен ought, should
  доро́га road
  дорого́й expensive
  дра́ма drama
  дре́вний old, ancient
  есть, ем, ешь, ест, еди́м,
    еди́те, едя́т eat
  жёлтый yellow
  жизнь f. life
  жи́тель inhabitant
  за́втрак breakfast
  за́втракать / поза́втракать
    have breakfast

заговори́ть p. start talking
зал hall, large room
запе́ть start singing
засмея́ться burst out laughing
зелёный green
знако́мый acquaintance
значо́к badge
* иллюстра́ция illustration
  иностра́нец foreigner
  иску́сство art
  кинотеа́тр movie theater
  кни́жный book
  колле́кция collection
  коме́дия comedy
  копе́йка kopek
  кра́сный red
  купи́ть see покупа́ть
  ма́рка 1. postage stamp;
    2. make
  миллио́н million
  мину́та minute
  моде́ль f. model, make
  моско́вский Moscow
  мя́со meat
  назва́ние name
  называ́ться be called
  нау́ка science
  недорого́й inexpensive
  негра́мотный illiterate
  непоня́тный incomprehensible
  не́сколько several
  обе́д dinner
  обе́дать / пообе́дать have
    dinner
  объясня́ть / объясни́ть ex-
    plain
  опя́ть again
* официа́нт waiter
* печа́тный printed
  пласти́нка record

пода́рок gift
покупа́ть / купи́ть buy
поня́тный comprehensible
прав right
приглаша́ть / пригласи́ть
  invite
пра́здник holiday
програ́мма program
просто́й simple
* публи́чная библиоте́ка public
    library
  река́ river
* рефо́рма reform
  рубль ruble
  ры́ба fish
  си́ний dark blue
  ско́лько how many
  смея́ться imp. laugh
  социалисти́ческий socialist
* стано́к machine-tool, lathe
  сто́ить cost
  сувени́р souvenir
  суп soup
  тепе́рь now
  тури́ст tourist
  у́жин supper
  у́жинать / поу́жинать have
    supper
  украи́нский Ukrainian
  у́тро morning
  фило́соф philosopher
* фотоко́пия photo copy
  фрукт, фру́кты fruit
  цвет color
  центра́льный central
  часы́ clock, watch
* чита́льный reading
  чита́тель reader
  экономи́ст economist
* э́тика ethics

261

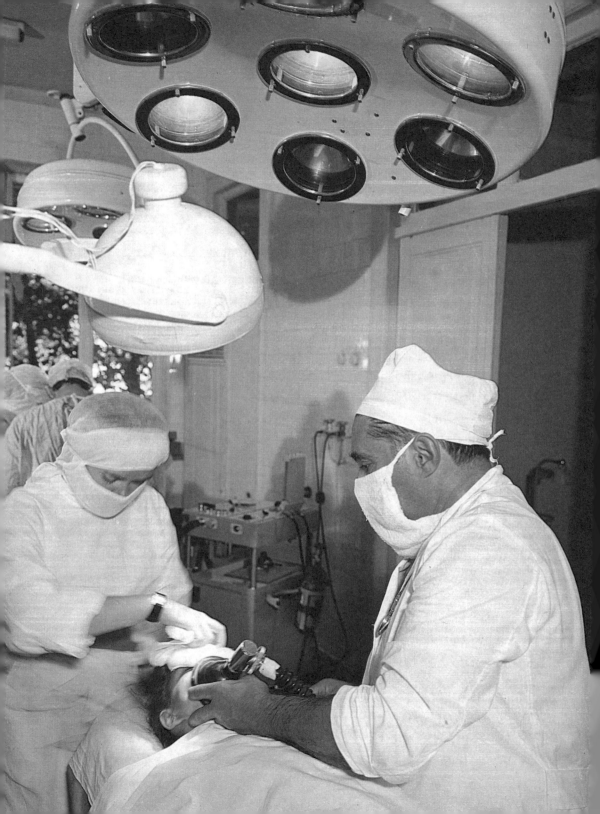

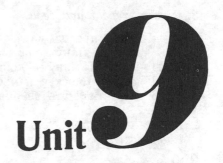

Unit 9

Presentation and Preparatory Exercises

I | Нача́ло конце́рта в 19 часо́в 30 мину́т.

1. *Listen and repeat; then read and analyze. (See Analysis IX, 1.0; 1.32.)*

1. — Оле́г, ты́ не зна́ешь, у на́с бу́дет сего́дня семина́р?
   — Обяза́тельно бу́дет.
   — А когда́?
   — **В 11 (оди́ннадцать) часо́в.**
2. — Ка́тя, где́ ты́ была́ вчера́ днём? Я звони́ла, а тебя́ не́ было до́ма.
   — Когда́ ты́ звони́ла, Джейн?
   — **В 2 (два́) часа́.**
   — **В 2 (два́) часа́** я была́ в библиоте́ке.
3. — Джейн, вы́ зна́ете, сего́дня у на́с в клу́бе бу́дет конце́рт.
   — А когда́ нача́ло?
   — **В 8 (во́семь) часо́в.**

2. *Listen and repeat.*

(a) *Pay special attention to the sound* [ч].

ча́с, часа́, два́ часа́ [чиса́], четы́ре часа́, пя́ть часо́в [чисо́ф], в два́ часа́ [вдва́], в пя́ть часо́в [фп'а́т'], вчера́, ве́чером, вчера́ ве́чером, нача́ло.

(b) *Pay special attention to the sound* [ц].

ле́кция, конце́рт, оди́ннадцать [цц], двена́дцать, трина́дцать, четы́рнадцать, пятна́дцать, шестна́дцать [шысна́ццът'], семна́дцать, восемна́дцать, девятна́дцать, два́дцать, три́дцать.

(c) *Pay special attention to soft consonants.*

оди́н, три́, четы́ре, пя́ть, ше́сть, се́мь, во́семь, де́вять, де́сять, сего́дня [с'иво́д'н'ъ], сеа́нс [с'иа́нс], днём [д'н'о́м], семина́р, тебя́ [т'иб'а́], в клу́бе,

263

минýта, сéмь минýт, интерéсный, позвонѝть, позвонѝте, фѝльм, интерéсный фѝльм, обязáтельно.

3. *Listen, repeat and read.*

Пéрвая прогрáмма

В 9 часóв 30 минýт—нóвый фѝльм для детéй «Крокодѝл Гéна».

В 11 часóв 15 минýт—концéрт артѝстов Большóго теáтра.

В 14 часóв—«Москвá и москвичѝ».

В 15.20 (пятнáдцать двáдцать)—концéрт студéнческой пéсни.

4. *Listen and reply. Note the intonation of clarifying questions. (See Analysis, Phonetics, 3.83.)*

Model: — Скажѝте, пожáлуйста, / когдá начáло вечéрних спектаклéй?

— В девятнáдцать часóв.

— Когдá?

— В девятнáдцать часóв.

1. — Скажѝте, пожáлуйста, когдá начинáет рабóтать ГУМ?¹
   — В вóсемь часóв утрá.
   — Когдá?
   — . . . .

2. — Кáтя, когдá начáло спектáклей в Большóм теáтре?
   — В сéмь трѝдцать вéчера.
   — Когдá?
   — . . . .

3. — Олéг, когдá сегóдня начáло концéрта?
   — В сéмь трѝдцать.
   — Когдá?
   — . . . .

5. *Make up questions and answer them.*

(a) Когдá начáло?

Model: — Сегóдня в нáшем клýбе интерéсный спектáкль.
       — А когдá начáло?
       — В 19 часóв 30 минýт. (В 19.30.)

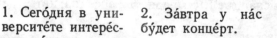

1. Сегóдня в университéте интерéсная лéкция.

2. Зáвтра у нáс бýдет концéрт.

3. Сегóдня в клýбе нóвый фѝльм.

¹ ГУМ (*abbr. for* Государственный универсáльный магазѝн), State Department Store

(b) Когда́ он бу́дет?

Model: — Позови́те, пожа́луйста, Серге́я.
— Его́ нет.
— А когда́ он бу́дет?
— Позвони́те, пожа́луйста, в три часа́.

6. *Read aloud.*

Нача́ло сеа́нсов

           Сего́дня   За́втра

«А́нна Каре́нина» 10 15^{10} 20 10^{30} 10^{40} 20^{40}
«Во́лга-Во́лга»   13^{30} 18^{20} 9 16 19^{10}

7. *Make up questions based on the following situations.*

(1) You want to see a new film, but you do not know when it starts.
(2) You want to call on your friend. Ask him when he will be at home.
(3) You want to know when the lecture begins.
(4) You want to know when the performances begin at the Bolshoi Theater.

II | Ле́кция бу́дет **в сре́ду**.

8. *Listen and repeat; then read and analyze. (See Analysis IX, 1.10; 1.11; 1.12.)*

1. At the institute.
— Ве́ра Никола́евна, скажи́те, пожа́луйста, когда́ у нас бу́дет уро́к ру́сского языка́?
— **В четве́рг.**
— Спаси́бо.
2. At the clinic.
— Скажи́те, пожа́луйста, когда́ рабо́тает до́ктор[1] Ивано́ва?

---

[1] The words **врач** and **до́ктор** are both translated as "doctor". The word до́ктор is often used when addressing a doctor and may be followed by his last name.

— До́ктор, когда́ вы бу́дете за́втра?
— За́втра я не рабо́таю. За́втра рабо́тает до́ктор Ивано́ва.

— В понеде́льник, сре́ду и пя́тницу у́тром, во вто́рник и четве́рг ве́чером.
— А в суббо́ту она́ рабо́тает?
— Нéт, в суббо́ту она́ не рабо́тает. Она́ чита́ет ле́кции в медици́нском институ́те.
— Спаси́бо.

9. *Listen and repeat.*

дни́ неде́ли: понеде́льник, вто́рник, среда́, четве́рг, пя́тница, суббо́та, воскресе́нье;

в [ф] понеде́льник, во [ва] вто́рник, в [ф] сре́ду, в [ф] четве́рг, в [ф] пя́тницу, в [ф] суббо́ту, в [в] воскресе́нье.

Note stress: среда́, в сре́ду.

10. *Listen and reply.*

Model: — Вы́ рабо́таете в пя́тницу?
         — Нет, / в пя́тницу я́ не рабо́таю.

         — Вы́ рабо́таете в пя́тницу?
         — Да́, / в пя́тницу.

1. Скажи́те, ГУМ рабо́тает в воскресе́нье? 2. Скажи́те, пожа́луйста, до́ктор Леви́тин рабо́тает во вто́рник? 3. Оле́г, ле́кция бу́дет в понеде́льник? 4. Конце́рт бу́дет в суббо́ту? 5. Вы́ бу́дете на рабо́те в пя́тницу? 6. Вы́ бу́дете в Москве́ в сре́ду?

Model: — Семина́р бы́л во вто́рник?
         — Нет, / в понедельник.

1. До́ктор Ивано́ва рабо́тает в пя́тницу?	суббо́та
2. Конце́рт ру́сской пе́сни бу́дет в суббо́ту?	воскресе́нье
3. Уро́к ру́сского языка́ бу́дет во вто́рник?	пя́тница
4. Вы́ бу́дете на рабо́те в пя́тницу?	среда́
5. Конце́рт в клу́бе бу́дет в сре́ду?	четве́рг
6. Ва́ш докла́д на семина́ре бу́дет во вто́рник?	понеде́льник

11. *Oral Practice.*

Make up questions, using the following words and phrases, and answer them, as in the model.

Уро́к ру́сского языка́, ле́кция, лаборато́рные заня́тия.

Model: — Скажи́те, пожа́луйста, когда́ у на́с бу́дет семина́р?
         — В понеде́льник и в четве́рг.

12. *Oral Practice.*

Say where you study and what you study. On what days do you have lectures? When do you have Russian language classes, seminars, lab sessions?

13. *Compose dialogues based on the following situation.*

Your acquaintances are asking you when they can reach you at home. Answer them, using these time expressions: понедельник, 2 часа; вторник, 5 часов; среда, час; четверг, 4 часа; пятница, 6 часов; суббота, 12 часов; воскресенье, 9 часов.

III

> А. С. Пушкин родился **6 июня 1799 года (шестого июня тысяча семьсот девяносто девятого года).**

14. *Listen and repeat; then read and analyze. (See Analysis IX, 1.40; 1.41; 1.42; 1.43.)*

— Джейн, ты знаешь, в четверг 18 **(восемнадцатого) ноября** и в пятницу 19 **(девятнадцатого) ноября** в университете «Ломоносовские чтения»[1]. Я видела программу. Это будет интересно.
— А почему «Ломоносовские чтения» будут 18 (восемнадцатого) и 19 (девятнадцатого) ноября?
— Потому что М. В. Ломоносов родился 19 **(девятнадцатого) ноября 1711 года.**

15. *Listen and repeat, paying attention to stress.*

родиться, родился, родилось, родилась, родились;
январь—десятого января, февраль—десятого февраля, сентябрь—десятого сентября, октябрь—десятого октября, ноябрь—десятого ноября, декабрь—десятого декабря;
первого [п'ервъв] января, второго февраля, третьего марта, четвёртого апреля, пятого мая, шестого июня, седьмого июля, восьмого августа, девятого сентября, десятого октября, одиннадцатого ноября, двенадцатого января, тринадцатого, четырнадцатого, пятнадцатого, шестнадцатого, семнадцатого, восемнадцатого, девятнадцатого, двадцатого, двадцать первого, тридцатого.

16. *Listen and reply.*

Model: — Катя, когда ты родилась? 10 марта?
— Да, 10 марта.

---

[1] Lomonosov readings, traditional scientific conferences held annually at Moscow University.

1. Когда́ вы́ бу́дете в Москве́? 15 января́? 2. Когда́ бу́дет ва́ша ле́кция? 12 февраля́? 3. Когда́ бу́дет семина́р? 5 апре́ля? 4. Когда́ бу́дет «Евге́ний Оне́гин» в Большо́м теа́тре? 20 ма́я? 5. Когда́ вы́ бы́ли на вы́ставке совреме́нной гра́фики? 2 ию́ня? 6. Когда́ профе́ссор Серге́ев начнёт чита́ть ку́рс ру́сской литерату́ры? 23 сентября́? 7. Когда́ в Большо́м теа́тре бу́дет бале́т «Спарта́к»? 24 декабря́?

17. (a) *Read the text.*

Констру́ктор косми́ческих корабле́й

Серге́й Па́влович Королёв[1] — сове́тский учёный, констру́ктор косми́ческих корабле́й.

С. П. Королёв — созда́тель практи́ческой космона́втики.

С. П. Королёв роди́лся 12 января́ 1907 го́да. По́сле оконча́ния институ́та о́н рабо́тал в авиа́ции, пото́м в космона́втике. Пе́рвый иску́сственный спу́тник Земли́ со́здали в констру́кторском бюро́ С. П. Королёва. Лю́ди услы́шали о нём 4 октября́ 1957 го́да. В констру́кторском бюро́ С. П. Королёва роди́лись косми́ческие корабли́ «Восто́к», «Восхо́д», «Сою́з». Констру́кторское бюро́ С. П. Королёва гото́вило полёт пе́рвого космона́вта Земли́ Ю́рия Гага́рина. Э́то бы́ло 12 апре́ля 1961 го́да.

(b) *Answer the questions.*

1. Когда́ роди́лся С. П. Королёв? 2. Когда́ бы́л полёт пе́рвого спу́тника? 3. Когда́ бы́л полёт Ю́рия Гага́рина?

18. (a) *Say when the following writers were born (the birth dates are given in parentheses).*

М. Ю. Ле́рмонтов (15/X, 1814), Л. Н. Толсто́й, (9/IX, 1828), А. П. Че́хов (29/I, 1860), М. Го́рький (28/III, 1868).

(b) *Say when the following scientists were born.* М. В. Ломоно́сов (19/XI, 1711), Д. И. Менделе́ев (8/II, 1834), И. П. Па́влов (26/IX, 1849).

---

[1] S.P. Korolyov was born in 1907; he died in 1966.

19. *Compose dialogues based on the following situations.*

(1) You are going to a concert or to a theater. Tell your friend what the performance or play is, and when and where it will take place.

1. МХАT и́мени М. Го́рького
   7/IX — «Кола́ Брюньо́н»
   18/IX — «Жизнь Галиле́я»
   Нача́ло в 19 ч.
2. Академи́ческий Ма́лый теа́тр
   12/IX — «Лес»
   13/IX — «Его́р Булычо́в и други́е»
   Нача́ло в 19 ч.
3. Киноконце́ртный зал «Октя́брь»
   4, 5, 6/IX — Эстра́дные конце́рты
   Нача́ло в 20 ч.
4. Киноконце́ртный зал «Варша́ва»
   9, 10/IX — Конце́рт ру́сской пе́сни
   Нача́ло в 19 ч. 30 мин.

(2) Tell a friend what plays and concerts are on in your city.

> В газе́те писа́ли **о молоды́х худо́жниках** Ленингра́да.

20. *Listen and repeat; then read and analyze. (See Analysis IX, 3.3.)*

1. — Оле́г, почему́ ты не́ был **на ле́кциях?**
   — Я был бо́лен. А о чём расска́зывал профе́ссор Петро́в?
   — **О но́вых города́х** Сиби́ри.
2. — Скажи́те, пожа́луйста, о чём э́та кни́га?
   — Э́та кни́га **о моско́вских у́лицах и площадя́х.**

21. *Listen and repeat.*

О чём? О чём кни́га? О чём э́та кни́га? О чём э́та статья́? О чём э́тот фильм? Э́та кни́га о но́вых города́х. Э́тот фильм о сове́тских космона́втах. Э́та статья́ об америка́нских университе́тах. О чём расска́зывал? О чём расска́зывал профе́ссор? О чём расска́зывал профе́ссор Петро́в? О чём расска́зывал профе́ссор Петро́в на ле́кции? О чём расска́зывал профе́ссор Петро́в вчера́ на ле́кции?

22. *Make up questions and answer them.*

(a) You want to know the contents of a book, an article, a novel, a story. Use the words and phrases ру́сские наро́дные пе́сни, ленингра́дские у́лицы и пло́щади, сове́тские и америка́нские космона́вты, молоды́е врачи́.

(b) You missed a class and want to know what was discussed at a seminar, what the professor spoke about. Use the phrases Ура́льские го́ры, расска́зы Че́хова, рома́ны Достое́вского, америка́нские худо́жники.

‖ Студе́нты лю́бят петь **свои́** студе́нческие пе́сни.

23. (a) *Read and analyze. (See Analysis IX, 4.0.)*

В воскресе́нье мы пригласи́ли **свои́х** друзе́й, и вчера́ ве́чером у нас бы́ли го́сти. А́нна пригласи́ла **свою́** подру́гу. Ви́ктор пригласи́л **своего́** това́рища. Я пригласи́л **своего́** бра́та.

На́ши го́сти собра́лись в семь часо́в. Снача́ла мы говори́ли о **свои́х** студе́нческих дела́х. Пото́м Ви́ктор рассказа́л о **своём** това́рище. Его́ това́рища зову́т Бори́с. Бори́с пи́шет пе́сни и немно́го поёт. Он спел не́сколько **свои́х** пе́сен. Мы то́же пе́ли его́ пе́сни. Мы и ра́ньше пе́ли э́ти студе́нческие пе́сни, но не зна́ли, кто их а́втор. Бори́с о́чень хорошо́ поёт **свои́** пе́сни.

(b) *Answer the questions.*

1. Кого́ пригласи́ла А́нна? 2. Кого́ пригласи́л Ви́ктор? 3. О чём они́ говори́ли? 4. О ком рассказа́л Ви́ктор? 5. Как зову́т его́ това́рища? 6. Каки́е пе́сни пел Бори́с? 7. Чьи пе́сни они́ пе́ли? 8. Бори́с хорошо́ поёт свои́ пе́сни?

24. *Answer the questions.*

Model: — Вы взя́ли свой журна́л?

— Да, / свой. (Нет, / его́ журна́л.)

— Вы взяли свой журна́л?

— Да, / взял.

1. Ты взял свою́ кни́гу? Ты взял свою́ кни́гу? 2. Он расска́жет о свое́й рабо́те? Он расска́жет о свое́й рабо́те? 3. Она́ показа́ла фотогра́фию своего́ сы́на? Она́ показа́ла фотогра́фию своего́ сы́на?

25. *Answer the questions, using the pronoun* свой.

1. Что он взял?

2. Что она́ взяла́?

3. О чём он рас-
   ска́зывал?

4. О ко́м они́ го-
   вори́ли?

5. О ко́м они́ расска́зывают?

26. *Read and analyze who performs / performed the action. Explain the use of possessive pronouns.*

1. Мо́й дру́г написа́л статью́.

Мы́ говори́ли о **его́** статье́.
Он не лю́бит чита́ть **свои́** статьи́.

2. Э́то моя́ шко́ла.

О **мое́й** шко́ле писа́ли в газе́те.
Я чита́л в газе́те о **свое́й** шко́ле.

3. Э́то мо́й дру́г.

Его́ портре́т бы́л в журна́ле.
Вчера́ он уви́дел **сво́й** портре́т в журна́ле.

27. *Read the following. Note that* сво́й *is practically never used with a noun in the nominative.*

1. — Тво́й бра́т гео́граф?
   — Да́.
   — Э́то **его́ кни́га?**
   — Да́, его́.
   — О чём он пи́шет **в свое́й кни́ге?**
   — О Да́льнем Восто́ке.

2. — Сего́дня Ва́ля расска́зывала **о свое́й семье́. Её семья́** живёт в Ленин-
     гра́де.
   — **Её ма́ма** вра́ч?
   — Да́. Она́ сказа́ла, что **её ма́ма** вра́ч.

3. — Анто́н, ты́ не зна́ешь, где́ **мои́ тетра́ди?** Я по́мню, они́ бы́ли здесь, а
     сейча́с и́х не́т.
   — Ты́ вчера́ взя́л **свои́ тетра́ди.**

28. *Supply continuations, as in the model.*

Model: Это мо́й бра́т Пе́тя. А э́то его́ соба́ка Па́льма. Пе́тя о́чень лю́бит свою́ соба́ку.

1. Это моя́ подру́га А́ня. А э́то её бра́т Оле́г. ...
2. Это мои́ сёстры Ира и Ка́тя. А э́то на́ша ма́ма. ...
3. Мои́ бра́тья Пе́тя и Бори́с у́чатся в шко́ле. Это и́х шко́ла. ...

29. *Translate.*

1. "Yura, did you take your books?"
   "Yes, my books are on the shelf."
2. Yura said that his books were on the shelf. He took his books.
3. "Olya, last night we saw your brother on stage at the theater. I didn't know he was an actor?"
   "Yes, he is an actor. Yesterday I also saw my brother for the first time on stage."
4. "Who is that?"
   "It's Tata. That's what Igor calls his sister. Her name is Tanya. She is still a child."

30. *Supply the required possessive pronouns.*

1.— Мы́ здесь живём. Это ... до́м. ... до́м не о́чень большо́й.— Вы́ уже́ расска́зывали о ... до́ме. 2. Ива́н Петро́вич—учи́тель ... сы́на Юры. Юра о́чень лю́бит ... учи́теля. ... учи́тель о́чень интере́сно расска́зывает. Де́ти лю́бят слу́шать ... расска́зы. 3. Ве́ра и Ни́на рабо́тают в больни́це. ... больни́ца нахо́дится о́коло реки́. О́коло ... больни́цы есть па́рк. Они́ ча́сто расска́зывают о ... больни́це.

31. *Answer the questions, as in the model.*

Model: — Что́ сказа́л Никола́й о своём дру́ге?
— О́н сказа́л, что его́ дру́г хорошо́ зна́ет ру́сский язы́к.

1. Что́ вы́ зна́ете о своём институ́те, о своём университе́те, о своём го́роде?
2. Что́ вы́ ду́маете о свое́й профе́ссии, о свое́й рабо́те?
3. Что́ о́н говори́л о свое́й семье́, о своём бра́те, о свое́й сестре́, о свои́х роди́телях?
4. Что́ писа́тель говори́л о свое́й кни́ге, о своём рома́не, о своём расска́зе?

32. *Complete the questions and answer them.*

Model: Ни́на показа́ла фотогра́фию свое́й шко́лы.
— Где́ нахо́дится её шко́ла?
— Её шко́ла нахо́дится в це́нтре го́рода.
— Что́ она́ рассказа́ла о свое́й шко́ле?
— Она́ рассказа́ла, что в её шко́ле есть больша́я библиоте́ка.

1. — Я живу́ в небольшо́м го́роде о́коло мо́ря. — Где нахо́дится ...? Вы хорошо́ зна́ете ...? Вы мо́жете рассказа́ть о ...?

2. — Здесь лежа́л мой уче́бник. Вы не ви́дели, кто взя́л ...? — А где лежа́л ...?

3. — Я бу́ду отдыха́ть у свои́х роди́телей. — Где живу́т ...? Вы ча́сто отдыха́ете у ...?

33. *Compose dialogues based on the following situations.*

(1) Ask your friend to tell you about his work, family, friends, university, report.

(2) Ask your friend to show his photograph, collection, library, article.

Model: — Расскажи́те о свое́й жи́зни.

— Я не люблю́ расска́зывать о свое́й жи́зни. Это неинтере́сно.

34. *Translate.*

Student Newspaper

What do the students write about in their newspaper? They write about their Institute, their work and about how they spend free time. They discuss their problems in the newspaper. Everyone in the Institute knows about their newspaper.

Conversation

I. Request for Additional Information. Amplificatory Counter-Questions

— Ты реши́л зада́чу?
— Каку́ю?
— Деся́тую.
— Да́, реши́л.

— Ты́ был в клу́бе?
— Когда́?
— Вчера́ ве́чером.
— Нет, не́ был.

— Ты́ получи́л письмо́?
— Чьё?
— Моё.
— Не́т, не получи́л.

1. *Complete the dialogues, as in the model.*

Model: — Ты́ ви́дел Ви́ктора?
      — Како́го?
      — Ви́ктора Петро́ва.
      — Не́т, не ви́дел.

1. Ты́ взя́л кни́гу? 2. Ты́ ви́дел сего́дня О́лю? 3. Ты́ чита́л рома́н Толсто́го? 4. Покажи́те, пожа́луйста, журна́л. 5. Ты́ получа́ешь газе́ту? 6. Ты́ купи́л тетра́ди?

Model: — Ты́ бы́л на ле́кции?
      — Когда́?
      — В сре́ду у́тром.
      — Бы́л. А что́?
      — Расскажи́, что́ та́м бы́ло.

1. Ты́ бы́л на заня́тиях? 2. Ты́ бы́л на конце́рте? 3. Ты́ бы́л на ве́чере в клу́бе?

II. At the Doctor's

— Ка́к вы́ себя́ чу́вствуете?	"How do you feel?"
— Я́ чу́вствую себя́ хорошо́.	"I feel fine."
— Что́ у ва́с боли́т?	"Where does it hurt?"
— У меня́ боли́т рука́.	"My arm hurts."
Я́ бо́лен.	I'm sick.
Я́ здоро́в.	I'm well.
Принима́йте лека́рство три́ ра́за в де́нь.	Take the medicine three times a day.
У меня́ (бы́л) гри́пп. У меня́ (была́) температу́ра.	I have (had) the flu. I have (had) a temperature.
Всё в поря́дке.	Everything's all right.

2. (a) *Listen to the text; then read it.*

— Здра́вствуй, Дже́йн!
— До́брый де́нь, Ка́тя.
— Ка́к ты́ себя́ чу́вствуешь, Дже́йн?
— Я́ чу́вствую себя́ пло́хо. У меня́ боли́т голова́.
— Мо́жет бы́ть, у тебя́ температу́ра?
— Не́т, температу́ры, ка́жется, не́т. Я́ мно́го занима́юсь. У меня́ пятна́дцатого января́ бу́дет экза́мен. А я́ о́чень ме́дленно чита́ю по-ру́сски.
— А ты́ была́ у врача́?
— Не́т ещё.

(b) *Listen and repeat.*
— Ка́к ты́ себя́ чу́вствуешь? — Спаси́бо, хорошо́. — Ка́к вы́ себя́ чу́вствуете? — Спаси́бо, ничего́. — А ка́к вы́ себя́ чу́вствуете? — Я́ чу́вствую себя́ хорошо́. — А ка́к ма́ма? — Она́ чу́вствует себя́ пло́хо. — Ты́ хорошо́ вы́глядишь. — Спаси́бо. — Ты́ пло́хо вы́глядишь. Ты́ больна́? — Да́. — Что́ у тебя́ боли́т? — У меня́ боли́т голова́. У меня́ о́чень боли́т голова́. — У тебя́ температу́ра? — У меня́ не́т температу́ры. У меня́, ка́жется, не́т температу́ры.

(c) *Answer the questions.*

О чём спроси́ла Ка́тя Джейн? Почему́ Ка́тя спроси́ла Джейн о здоро́вье? Что́ отве́тила Джейн Ка́те? Почему́ у Джейн боли́т голова́? Джейн была́ у врача́?

(d) *Dramatize the dialogue.*

(e) *Compose dialogues based on the following situations.*

   (1) You meet a friend who was sick recently. Ask him about his health.
   (2) You meet a girl you know. Ask her about her parents' health.

3. (a) *Listen to the dialogue, then read it.*

Джейн у врача́

— Здра́вствуйте, до́ктор.
— Здра́вствуйте, сади́тесь, пожа́луйста. Я слу́шаю вас. Что́ у вас боли́т?
— У меня́ боли́т голова́.
— Давно́?
— Нет, неда́вно.
— А ра́ньше у вас голова́ не боле́ла?
— Нет.
— Когда́ боли́т голова́? У́тром? Ве́чером?
— Ве́чером. У меня́ ско́ро экза́мены. Я мно́го рабо́таю.
— Вы́ должны́ отдохну́ть не́сколько дней. Вот реце́пт. Принима́йте лека́рство три́ ра́за в де́нь. Отдохни́те, не рабо́тайте та́к мно́го. Ско́ро вы́ бу́дете здоро́вы и всё бу́дет в поря́дке.

(b) *Listen and repeat.*

Боле́ть, боли́т, боля́т. Боли́т голова́. У меня́ боли́т голова́. Что́ боли́т? Что́ у вас боли́т? Я не бо́лен.

У меня́ экза́мены. У меня́ ско́ро экза́мены. Сда́ть экза́мен.

Реце́пт. Вот реце́пт. Лека́рство. Принима́йте лека́рство. Принима́йте лека́рство три́ ра́за. Принима́йте лека́рство три́ ра́за в де́нь. Оди́н ра́з, два́ ра́за, три́ ра́за, четы́ре ра́за, пя́ть ра́з. Всё бу́дет в поря́дке. Ско́ро вы́ бу́дете здоро́вы.

(c) *Answer the questions.*

Где́ была́ Джейн? Что́ спроси́л до́ктор? Давно́ у неё боли́т голова́? А ра́ньше у неё боле́ла голова́? Что́ сказа́л до́ктор?

(d) *Compose a dialogue between a doctor and a patient, using:*

   (1) Questions requesting general information.
   (2) Doctor's questions (What hurts? For how long did it hurt before? Where does it hurt?).

(e) *You are at the doctor's. Your arm hurts. Your eyes, teeth ache. Tell this to the doctor.*

4. (a) *Listen to the dialogue, then read it.*

— Оле́г, почему́ тебя́ не́ было во вто́рник на ле́кции?
— Я бы́л бо́лен. У меня́ бы́л гри́пп.
— А ка́к ты́ себя́ сейча́с чу́вствуешь?
— Спаси́бо, хорошо́. Я здоро́в.

(b) *Listen and repeat*.

Бо́лен, больна́, больны́. Я бы́л бо́лен. Я была́ больна́. Они́ бы́ли больны́. Что́ у тебя́ бы́ло? Гри́пп. У меня́ бы́л гри́пп. Здоро́в, здоро́ва, здоро́вы.

(c) *Dramatize the dialogue*.

(d) *Compose dialogues based on the following situations*.

    (1) You meet a friend who was absent from the seminar. You thought he was sick, but he was at the movies.

    (2) There is a student missing in class. She is sick. Ask her friend about her health.

III. A Workday

встава́ть в се́мь часо́в	to get up at seven o'clock
сли́шком ра́но	too early
сли́шком по́здно	too late
Почему́ ты́ не в институ́те?	Why aren't you at the institute?
Ка́к обы́чно.	As usual.
Я́ не заме́тил, что...	I didn't notice that... .
Я́ не винова́т.	It's not my fault.

5. (a) *Listen to the dialogue, then read it*.

Почему́ Па́влик опозда́л

— Па́влик, почему́ ты́ тако́й невесёлый? Ты́ бо́лен? Ты́ пло́хо себя́ чу́вствуешь?

— Не́т, Ка́тя, я здоро́в.

— А почему́ ты́ не на заня́тиях?

— Я опозда́л.

— Опя́ть опозда́л? Почему́? Мо́жет бы́ть, ты́ по́здно вста́л?

— Не́т, у́тром я вста́л как всегда́ в во́семь часо́в.

— А семина́р в де́вять часо́в. Коне́чно, ты́ сли́шком по́здно встаёшь.

— Не́т, э́то не я́ сли́шком по́здно встаю́, а в университе́те заня́тия начина́ются сли́шком ра́но для меня́.

(b) *Listen and repeat*.

Невесёлый [н'ив'ис'о́лыj]. Почему́ ты́ тако́й невесёлый? Заня́тия, на заня́тиях, не на заня́тиях. Почему́ ты́ не на заня́тиях? Я опозда́л. Опозда́л? По́здно [по́знъ]. По́здно встаёшь. Сли́шком по́здно встаёшь. Ра́но [ра́нъ]. Ра́но встаёшь. Сли́шком ра́но встаёшь.

(c) *Dramatize the dialogue*.

6. *Answer the questions*.

    1. Когда́ вы́ встаёте у́тром? 2. Вы́ ча́сто опа́здываете? 3. Когда́ студе́нты начина́ют сдава́ть экза́мены? 4. Когда́ вы́ лю́бите отвеча́ть на экза́мене, в нача́ле и́ли в конце́ экза́мена?

7. *Complete the dialogues, as in the model.*

> *Model:* — Когда́ нача́ло конце́рта?
> — В во́семь часо́в ве́чера.
> — Для меня́ э́то сли́шком по́здно (сли́шком ра́но).

1. Когда́ нача́ло конфере́нции? 2. Когда́ начина́ет рабо́тать библиоте́ка? 3. Когда́ у ва́с в го́роде открыва́ют магази́ны? 4. Когда́ открыва́ют ка́ссы кинотеа́тра? 5. Когда́ мы́ бу́дем у́жинать?

> *Model:* — Вы́ мо́жете поза́втракать в 7 часо́в?
> — Не́т, э́то сли́шком ра́но (по́здно). Обы́чно я́ за́втракаю в 9 часо́в (в 6 часо́в).

1. Вы́ мо́жете вста́ть за́втра в 5 часо́в? 2. Вы́ мо́жете прочита́ть за́втра ле́кцию в 10 часо́в? 3. Вы́ мо́жете пообе́дать в 6 часо́в? 4. Вы́ мо́жете собра́ть свои́х друзе́й в 4 часа́? 5. Вы́ мо́жете посети́ть музе́й в 12 часо́в? 6. Мы́ мо́жем организова́ть ве́чер в 5 часо́в? 7. Мы́ мо́жем поу́жинать в 10 часо́в?

8. *Describe your workday, using the following questions.*

1. Когда́ вы́ встаёте? 2. Когда́ вы́ за́втракаете? 3. Кто́ гото́вит за́втрак? 4. Что́ вы́ еди́те на за́втрак? 5. Где́ вы́ у́читесь? 6. Ско́лько ле́кций вы́ слу́шаете ка́ждый де́нь? 7. Что́ вы́ де́лаете по́сле ле́кций? 8. Когда́ вы́ обе́даете? Где́ вы́ обе́даете? 9. Вы́ ча́сто обе́даете в студе́нческой столо́вой? Что́ вы́ обы́чно берёте на пе́рвое, на второ́е, на тре́тье? 10. Когда́ вы́ начина́ете гото́вить уро́ки? 11. Ско́лько вре́мени вы́ гото́вите уро́ки? 12. Когда́ вы́ у́жинаете? Что́ вы́ еди́те на у́жин? 13. Когда́ вы́ отдыха́ете? Ка́к вы́ отдыха́ете?

Reading

1. *Read and translate. Note the construction used to compare objects or phenomena of equal importance.*

Ча́сто спра́шивают, ка́к у́чат космона́втов? **Та́к же, ка́к** и други́х люде́й. У космона́втов е́сть **таки́е же** заня́тия, **ка́к** и у студе́нтов. Они́ **та́к же, ка́к** студе́нты, изуча́ют фи́зику, матема́тику, меха́нику и т. д.

Космона́вты—э́то лю́ди ра́зных профе́ссий: инжене́ры, учёные, лётчики, врачи́, био́логи.

2. *Read and analyze.*

Неда́вно в США появи́лась кни́га. Она́ называ́ется «Сове́тские же́нщины». Её написа́л оди́н америка́нский журнали́ст. В э́той кни́ге о́н расска́зывает, ка́к живу́т сове́тские же́нщины, ка́к они́ у́чатся, рабо́тают, отдыха́ют. **Все́** материа́лы для свое́й кни́ги а́втор собира́л в Сове́тском Сою́зе. Он ше́сть ра́з бы́л в СССР, хорошо́ зна́ет ру́сский язы́к. В кни́ге мно́го стати́стики. (Её лю́бят америка́нцы.) Та́к, наприме́р, а́втор пи́шет, что 50% (проце́нтов) **все́х** студе́нтов в СССР — де́вушки, 70% (проце́нтов) **все́х** учителе́й и 33% (проце́нта) инжене́ров — же́нщины. Зарпла́та у **всех** же́нщин така́я же, ка́к и у и́х колле́г — мужчи́н. В кни́ге а́втор расска́зывает о же́нщинах ра́зных профе́ссий: о космона́вте и враче́, об инжене́ре и учёном, об актри́се и адвока́те.

3. *Give clarifying answers, as in the model.*

Model: — На заня́тиях вы́ говори́те по-ру́сски?
— На всех заня́тиях мы́ говори́м по-ру́сски.

1. Вы́ чита́ли но́вую статью́ Никола́ева об архитекту́ре Ленингра́да? 2. Вы́ ви́дели в Большо́м теа́тре бале́т «Спарта́к»? 3. У тебя́ е́сть уче́бники для пе́рвого ку́рса? 4. Ты́ ви́дел вы́ставку портре́та в До́ме худо́жника?

4. *Read, translate and analyze the following. Note the meaning of the adjectival phrases with the word* са́мый.

1. **Са́мый большо́й** го́род в СССР — э́то его́ столи́ца Москва́. 2. Москва́ — оди́н из **са́мых дре́вних** ру́сских городо́в. 3. **Са́мая больша́я** библиоте́ка в Сове́тском Сою́зе — э́то Библиоте́ка им. В. И. Ле́нина. Она́ нахо́дится в Москве́. 4. Оста́нкинская телеба́шня — **са́мое высо́кое** зда́ние в Москве́. Её высота́ 533 ме́тра. 5. **Са́мая высо́кая** в Евро́пе гора́ — Эльбру́с — нахо́дится на Се́верном Кавка́зе.

5. *Read and analyze. (See Analysis IX, 5.0.)*

1. Я́ зна́ю, что Ви́ктор Петро́вич учи́лся в Моско́вском университе́те. Я́ не зна́ю, **учи́лась ли** А́нна Ива́новна в Москве́. 2. Я́ зна́ю, что Ро́берт изуча́л ру́сский язы́к в шко́ле. Я́ не зна́ю, **изуча́ла ли** Дже́йн ра́ньше ру́сский язы́к. 3. Мы́ зна́ем, что Серге́й хорошо́ рису́ет. Мы́ не зна́ем, **хорошо́ ли** рису́ет Ка́тя.

6. *Reported questions: change each of the sentences into the negative, as in the model.*

Model: Я́ зна́ю, что о́н перевёл те́кст.
Я́ не зна́ю, перевёл ли о́н те́кст.

1. Я́ зна́ю, что в воскресе́нье библиоте́ка **рабо́тает.** 2. Мы́ зна́ем, что в э́том го́роде **е́сть** истори́ческий музе́й. 3. Мы́ зна́ем, что в библиоте́ке **е́сть** журна́л «Спу́тник» на англи́йском языке́. 4. Я́ зна́ю, что Анто́н **пра́вильно** реши́л зада́чу. 5. Ка́тя сказа́ла, что Дже́йн **была́** в Большо́м теа́тре.

7. (a) *Translate the underlined phrases.*

1. Этот челове́к потеря́л зре́ние в нача́ле войны́. 2. Этот вра́ч де́лает сло́жные опера́ции. 3. Ви́ктор сде́лал интере́сный докла́д.

(b) *Complete the statements, using the phrases* потеря́ть зре́ние, де́лать опера́цию, сде́лать докла́д.

1. Никола́й Ива́нович не ви́дит уже́ 30 ле́т. ... 2. Я́ зна́ю, что Петро́в — хоро́ший вра́ч. ... 3. Профе́ссор Кури́лов выступа́л на конфере́нции. ...

8. *Vocabulary for Reading. Study the following new words and their usage as illustrated in the sentences on the right. Pronounce each sentence aloud.*

получа́ть / получи́ть что́, от кого́	Вчера́ Джейн получи́ла письмо́ от свое́й ма́тери. Де́ти лю́бят получа́ть пода́рки.
основа́ть что́	М. В. Ломоно́сов основа́л пе́рвую в Росси́и хими́ческую лаборато́рию. К. С. Станисла́вский и В. И. Немиро́вич-Да́нченко основа́ли Моско́вский Худо́жественный теа́тр.
большинство́	Большинство́ мои́х това́рищей лю́бит совреме́нную му́зыку. Большинство́ па́мятников дре́вней ру́сской архитекту́ры нахо́дится в це́нтре Росси́и.
руководи́тель	Руководи́тель э́того институ́та — кру́пный учёный, профе́ссор. Руководи́тель на́шего семина́ра — молодо́й учёный.

9. *You have received a letter from your mother, brother, friend, sister. Tell what they wrote about.*

10. *Answer the questions.*

Вы зна́ете, кто́ основа́л Моско́вский университе́т? Кто́ основа́л пе́рвую в Росси́и хими́ческую лаборато́рию? Кто́ основа́л Моско́вский Худо́жественный теа́тр?

11. *Answer the questions, as in the model.*

Model: — Кто́ в ва́шей гру́ппе лю́бит му́зыку?
— Большинство́ студе́нтов на́шей гру́ппы лю́бит му́зыку.

Ва́ши друзья́ рабо́тают и́ли у́чатся? Где́ они́ у́чатся? Они́ лю́бят му́зыку? Каку́ю му́зыку они́ лю́бят? Ва́ши друзья́ лю́бят чита́ть? Кто́ в ва́шей гру́ппе лю́бит литерату́ру?

12. *Vocabulary for Reading. Study the following new words and their usage as illustrated in the sentences on the right. Pronounce each sentence aloud.*

сло́жный	— Ка́к ты отвеча́ла, И́ра? — Ка́жется, хорошо́. У меня́ бы́л сло́жный вопро́с. И зада́ча была́ сло́жная.
ва́жный	Пе́рвая ру́сская револю́ция — ва́жный пери́од в исто́рии страны́. Я до́лжен прочита́ть статью́. Это о́чень ва́жная для меня́ рабо́та.
почти́	— Ва́ш сы́н студе́нт? — Да́, о́н почти́ инжене́р. Весно́й конча́ет институ́т. Серге́й и Оле́г почти́ всегда́ занима́ются в библиоте́ке. — Ви́ктор Петро́вич, вы́ написа́ли статью́? — Да́, почти́ ко́нчил.

13. *Replace the underlined words by their antonyms.*

1. Студе́нческая нау́чная конфере́нция была́ в институ́те в нача́ле ма́я. 2. Ученики́ бы́стро реша́ют таки́е зада́чи. Э́то была́ о́чень проста́я зада́ча. 3. Никола́й неда́вно ко́нчил писа́ть докла́д. 4. Ве́ра давно́ была́ в Ки́еве.

14. *Answer the questions, using the adverb* почти́.

1. Вы́ ча́сто смо́трите телеви́зор? 2. Вы́ пригото́вили докла́д? 3. Где́ вы́ обы́чно занима́етесь? 4. Джо́н конча́ет университе́т?

15. *Translate without consulting a dictionary.*

1. Хиру́рг Серге́ев рабо́тает в глазно́й кли́нике. О́н опери́рует в поне-де́льник и в сре́ду. 2. — Вы́ ви́дели киножурна́л «Нау́ка и те́хника» № 10? — Не́т, не ви́дел. — Та́м бы́л интере́сный материа́л о ла́зерах и ква́нтовых гене-ра́торах. В одно́й лаборато́рии учёные получи́ли о́чень интере́сные результа́ты.

16. (a) *Listen and repeat.*

глазны́е боле́зни, институ́т глазны́х боле́зней; расска́зывают леге́нды; по́сле опера́ции, де́лать опера́цию, де́лать сло́жные опера́ции, опери́ровать, опери́рует, ты́сячи пи́сем, получа́ть ты́сячи пи́сем; зре́ние, челове́к потеря́л зре́ние; нау́чный це́нтр, руководи́тель нау́чного це́нтра; нау́чные лаборато́-рии, де́сять нау́чных лаборато́рий; медици́на, акаде́мик медици́ны; лече́ние, ме́тоды лече́ния, разрабо́тать но́вые ме́тоды лече́ния; на́чали испо́льзовать, впервы́е на́чали испо́льзовать; нау́чный журна́л, нау́чный америка́нский жур-на́л; после́дователи, после́дователи Фила́това; истори́ческий вкла́д.

(b) *Intonation Practice.*

Кто́ вызыва́ет у ва́с са́мое большо́е дове́рие: / врачи́,² / адвока́ты,³ / инже-не́ры?³

В Оде́ссе,³ го́роде на Чёрном мо́ре, / нахо́дится институ́т глазны́х боле́з-ней.¹ Э́тот институ́т основа́л знамени́тый хиру́рг / Влади́мир Петро́вич Фила́тов.

Ви́дит⁴ / и по́мнит всю́ жи́знь.¹

Ви́дит³ / и по́мнит всю́ жи́знь.¹

Результа́т —⁴ / ты́сячи здоро́вых люде́й.¹

Результа́т —⁴ / ты́сячи здоро́вых люде́й.¹

Врачи́⁴ не зна́ли, / бу́дет ли о́н ви́деть.¹

Э́то её лицо́ уви́дел о́н три́дцать ле́т наза́д.

Среда́ —³ / осо́бый де́нь¹ в институ́те: / в сре́ду опери́рует Пучко́вская.¹

Учёные институ́та⁴ / впервы́е в Сове́тском Сою́зе / на́чали испо́льзовать для лече́ния гла́з⁴ / ква́нтовый генера́тор,¹ / ла́зер.¹

280

17. *Basic Text. Read the text and then do exercises 18 and 19.*

В СССР 70% врачей—же́нщины.

Же́нщины XX ве́ка

XX век. Же́нщины в университе́тах, в шко́лах, в парла́ментах... 16 ию́ня 1963 го́да: же́нщина в ко́смосе[1].

В одно́й америка́нской анке́те был тако́й вопро́с: «Кто́ вызыва́ет у вас са́мое большо́е дове́рие: врачи́, адвока́ты, инжене́ры...?» Большинство́ люде́й отве́тило: врачи́.

В Оде́ссе, в го́роде на Чёрном мо́ре, нахо́дится институ́т глазны́х боле́зней. Э́тот институ́т основа́л знамени́тый хиру́рг Влади́мир Петро́вич Фила́тов[2]. Его́ и́мя зна́ет вся страна́.

В. П. Фила́тов и его́ после́дователи разрабо́тали но́вые ме́тоды хирурги́и, ва́жные для лече́ния глазны́х боле́зней.

В. П. Фила́тов у́мер в 1956 году́.

Сейча́с дире́ктор институ́та—Наде́жда Алекса́ндровна Пучко́вская. Она́ хиру́рг, учени́ца Фила́това. О её «золоты́х» рука́х расска́зывают леге́нды. Э́то её лицо́ ви́дит челове́к по́сле опера́ции, по́сле у́жаса слепоты́. Ви́дит и по́мнит всю жизнь. Наде́жда Алекса́ндровна получа́ет ты́сячи пи́сем от свои́х больны́х.

В конце́ войны́ оди́н челове́к потеря́л зре́ние. Врачи́ не зна́ли, бу́дет ли он ви́деть. Реши́ли де́лать опера́цию. Он по́мнил, что опера́цию де́лала же́нщина. И вот немолодо́й уже́ челове́к в институ́те. Он хо́чет уви́деть Пучко́вскую. Вот она́. Да, э́то её лицо́ уви́дел он 30 лет наза́д, когда́ услы́шал: «Откро́йте глаза́».

Среда́—осо́бый день в институ́те: в сре́ду опери́рует Пучко́вская. Наде́жда Алекса́ндровна де́лает са́мые сло́жные опера́ции. Она́ руководи́тель нау́чного це́нтра. В э́том це́нтре 10 больши́х кли́ник, 11 нау́чных лаборато́рий. У Пучко́вской 200 нау́чных рабо́т. Она́ кру́пный учёный—акаде́мик[3] медици́ны.

Н. А. Пучко́вская разрабо́тала но́вые ме́тоды лече́ния глаз. Учёные институ́та впервы́е в Сове́тском Сою́зе на́чали испо́льзовать для лече́ния глаз ква́нтовый генера́тор, ла́зер. Медици́нская пра́ктика и совреме́нная нау́ка и те́хника. И результа́т—ты́сячи здоро́вых люде́й.

18. (a) *Find in the text and read the sentences about N. A. Puchkovskaya.*

(b) *Find in the text and read the sentences about· the Institute of Eye Diseases.*

---

[1] V.V. Tereshkova, first woman cosmonaut; made a flight on June 16-19, 1963, in the space-ship Vostok-6.

[2] V. P. Filatov (1875-1956), renowned Soviet ophthalmologist.

[3] Academician, member of the USSR Academy of Sciences, elected at a general meeting of the Academy. The USSR Academy of Sciences is the highest scientific organization in the Soviet Union. There is an academy of sciences in every Soviet republic. There are also various academies for certain branches of science, e.g. the Academy of Medical Science, the Academy of Architecture, the Academy of Pedagogical Science, etc.

19. *Find in the text the sentences which answer the following questions.*

1. Какой вопрос был в одной американской анкете? 2. Как большинство людей ответило на этот вопрос? 3. Сколько процентов врачей в СССР женщины? 4. Кто основал институт глазных болезней в Одессе? 5. Кто сейчас директор этого института? 6. Сколько научных работ у Н. А. Пучковской?

20. *Tell what you know about N. A. Puchkovskaya.*

21. *Divide the text into several parts and provide a title for each of them.*

22. *Oral Practice.*

(1) You are a worker at the Institute of Eye Diseases. You are being interviewed by a reporter. Tell him about the Institute and its director.
(2) You have attended a scientific conference at the Institute of Eye Diseases. Now tell your colleagues back home about the Institute.

23. *Compose a dialogue based on the following situation.*

You are an intern at the Institute of Eye Diseases. Ask one of the workers there about the Institute and its director.

24. *Answer the questions.*

1. Много ли в вашей стране женщин-врачей? А женщин-учителей, женщин-инженеров?
2. О каких профессиях вы можете сказать, что они женские?
3. Почему большинство людей на вопрос американской анкеты ответило, что самое большое доверие у них вызывают врачи?

25. *Oral Practice.*

(1) Discuss the question: Should women today work?
(2) What professions do women in your country choose?

26. *Name some famous women in your country and say what they do and what you know about them.*

27. *Oral Practice.*

You were a patient in a hospital. Describe the hospital and its doctors.

282

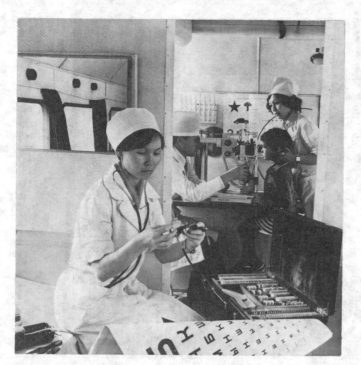

28. Oral Practice.

Who are these women? Make up names for them: their last name, first name and patronymic. What do they work as? Where do you think they live? Where do they work? Say something about their family and their work.

(See pp. 283-284)

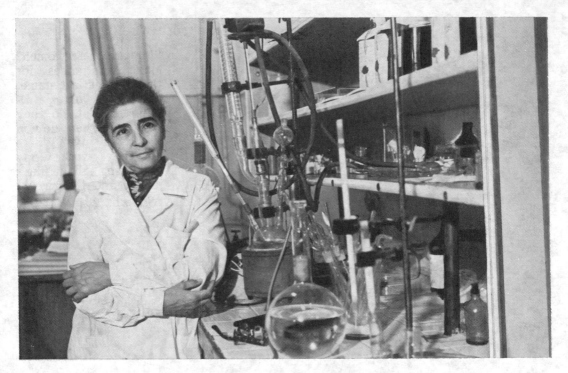

29. (a) *Read the text once without consulting a dictionary.*

Же́нщины изуча́ют Анта́ркти́ду

Же́нщины выбира́ют ра́зные профе́ссии. Врач, учи́тель, инжене́р — са́мые популя́рные же́нские профе́ссии.

Наде́жда Ники́тина — метеоро́лог. Она́ изуча́ет атмосфе́ру. У неё тру́дная и интере́сная рабо́та. Она́ изуча́ет температу́ру во́здуха, ско́рость движе́ния ве́тра.

Наде́жда Ники́тина живёт в Ленингра́де. Здесь она́ учи́лась в институ́те. В институ́те она́ изуча́ла матема́тику, фи́зику, геогра́фию. Она́ слу́шала ле́кции, посеща́ла семина́ры, лаборато́рные заня́тия. Наде́жда о́чень люби́ла слу́шать ле́кции профе́ссора Казако́ва. Он чита́л курс фи́зики атмосфе́ры.

По́сле оконча́ния институ́та Наде́жда рабо́тала на се́вере Сове́тского Сою́за. Она́ рабо́тала там два го́да. Тогда́ учёные ра́зных стран — Англии, США, СССР, Австра́лии — на́чали ко́мплексное изуче́ние Анта́ркти́ды. Наде́жда о́чень хоте́ла рабо́тать в Анта́ркти́де. Она́ начала́ рабо́тать в гру́ппе метеоро́логов. Они́ изуча́ли пого́ду, атмосфе́ру в ю́жных моря́х и о́коло берего́в Анта́ркти́ды.

В Анта́ркти́де рабо́тать о́чень тру́дно. Там быва́ет о́чень хо́лодно. Зимо́й в Анта́ркти́де ча́сто быва́ют урага́ны.

Муж Наде́жды — Никола́й Ники́тин — её колле́га. Он мно́го раз рабо́тал в Анта́ркти́де зимо́й и ле́том.

На ка́рте Анта́ркти́ды мно́го же́нских имён: Бе́рег Аде́ли, Земля́ Викто́рии, Бе́рег Йнгрид Кри́стенсен, Земля́ короле́вы Мод, Земля́ Мэ́ри Бёрд.

Мужчи́ны открыва́ли но́вые райо́ны в Антаркти́де, и э́ти райо́ны получа́ли же́нские имена́. А тепе́рь и же́нщины изуча́ют Антаркти́ду.

(b) *Find in the text the sentences which answer the following questions.*

1. Каки́е са́мые популя́рные же́нские профе́ссии? 2. Кака́я профе́ссия у Наде́жды Ники́тиной? 3. Где́ живёт Наде́жда Ники́тина? 4. Где́ она́ учи́лась? 5. Где́ она́ рабо́тала по́сле оконча́ния институ́та? 6. Где́ хоте́ла рабо́тать Наде́жда Ники́тина? 7. Каки́е же́нские имена́ е́сть на ка́рте Антаркти́ды?

(c) *Find the following words in the text:* метеоро́лог, атмосфе́ра, температу́ра, ко́мплексный, экспеди́ция. *Guess their meaning and check your translation in the dictionary.*

(d) *Read the text through once more.*

VOCABULARY

* авиа́ция aircraft, aviation
  анке́та questionnaire
* атмосфе́ра atmosphere
  боле́знь illness
  боле́ть (боли́т) hurt, be painful
  больно́й patient
  большинство́ majority
* бюро́ office, bureau
  ва́жный important
  ве́сь whole, entire, all
  винова́т guilty
* вкла́д contribution
  война́ war
  воскресе́нье Sunday
  впервы́е for the first time
  всё в поря́дке everything is all right
  встава́ть / вста́ть get up, rise
  встреча́ться / встре́титься meet (with)
  вто́рник Tuesday
  выбира́ть / вы́брать select, elect
* **вызыва́ть дове́рие** inspire confidence
  гла́з eye
  глазно́й eye
  голова́ head
  гри́пп flu
  де́ло matter, affair
  дире́ктор director
  до́ктор doctor
  замеча́ть / заме́тить notice
  здоро́вый healthy
  земля́ land, earth
* **золоты́е ру́ки** wonderful pair of hands
  зре́ние eyesight
  зу́б tooth
* иску́сственный artificial

  ка́жется (it) seems
  Ка́к вы себя́ чу́вствуете? How do you feel?
* **ква́нтовый генера́тор** laser
* кли́ника clinic
* колле́га colleague
* **ко́мплексный** complex, overall
  коне́чно of course
* констру́ктор designer
* констру́кторский designing, designer's
  кора́бль ship
  косми́ческий space
  космона́вт cosmonaut
* космона́втика cosmonautics, astronautics
  ко́смос outer space
  кру́пный large
* ла́зер laser
  легенда legend
  лека́рство medicine
  лётчик pilot, flyer
  лече́ние cure, treatment
  ли́ whether
  лицо́ face
  медици́нский medicine, medical
* метеоро́лог meteorologist
* мини́стр minister
  но́ but
  опера́ция operation
* опери́ровать operate
  основа́ть *p.* found, establish
  осо́бый special, unique
  парла́мент parliament
* **по́здно** (it is) late
* полёт flight
  по́мнить *imp.* remember
  понеде́льник Monday
* после́дователь follower
  почти́ almost
  принима́ть / приня́ть (лека́р-ство) take (a medicine)

* проце́нт per cent
  пя́тница Friday
  разраба́тывать / разрабо́тать work out, cultivate
  результа́т result
  реце́пт prescription
  роди́ться *imp. & p.* be born
  рука́ hand, arm
  руководи́тель leader
  са́мый the very, most
  сво́й one's own
  сдава́ть *imp.* **экза́мен** take an exam
  сда́ть *p.* **экза́мен** pass an exam
  сеа́нс performance, showing
  серьёзный serious
  сиде́ть sit, be sitting
  ско́ро soon
* слепота́ blindness
  сло́жный complex
  смерть *f.* death
  созда́тель creator
  спу́тник satellite
  среда́ Wednesday
* стати́стика statistics
  суббо́та Saturday
  та́к же, как... just as
  тако́й же, как... the same-(kind) as
  температу́ра temperature
  теря́ть / потеря́ть lose
  те́хника technology
* **у́жас** terror
* ультразву́к ultrasound
  хиру́рг surgeon
  четве́рг Thursday
  чу́вствовать себя́ хорошо́ / пло́хо feel well/bad
  экза́мен examination
* экспеди́ция expedition
* эстра́дный variety

285

Unit 10

Presentation and Preparatory Exercises

I

| Ве́ра покупа́ет пода́рки бра́ту и сестре́. |

1. *Listen and repeat; then read and analyze. (See Analysis X, 1.0, 1.1; 1.41.)*

Katya is helping her friend to buy presents.
— За́втра Но́вый год. Я хочу́ **купи́ть пода́рки бра́ту** и **сестре́.**
— А кто́ твой бра́т?
— Он студе́нт пя́того ку́рса университе́та.
— **Подари́ бра́ту кни́гу** о Москве́. Во́т но́мер телефо́на магази́на. Вчера́ я ви́дела та́м э́ту кни́гу.
— Спаси́бо. Позвоню́. А **сестре́?**
— **А́нне подари́ пласти́нку.**
— О́чень хорошо́. Я **подарю́ Джо́ну кни́гу** о Москве́, а **А́нне пласти́нку.** Большо́е спаси́бо, Ка́тя.

2. (a) *Listen and repeat.*

пода́рки бра́ту, купи́ть пода́рки бра́ту и сестре́, письмо́ дру́гу, сдава́ть экза́мен профе́ссору Ивано́ву, подари́ть пласти́нку сестре́, позвони́ть А́нне, рассказа́ть Оле́гу, помога́ть подру́ге.

(b) *Pronunciation Practice: memorize the following verbs with shifting stress.*

купи́ть, куплю́, ку́пишь, ку́пит, ку́пим, ку́пите, ку́пят, купи́.
    Я куплю́ кни́гу, а ты́ ку́пишь пласти́нку. А́нне мы́ ку́пим цветы́.
люби́ть, люблю́, лю́бишь, лю́бит, лю́бим, лю́бите, лю́бят.
    — Ты́ лю́бишь му́зыку? — Люблю́.
кури́ть, курю́, ку́ришь, ку́рит, ку́рим, ку́рите, ку́рят, кури́.
    — Ты́ ку́ришь? — Не́т, не курю́.
подари́ть, подарю́, пода́ришь, пода́рит, пода́рим, пода́рите, пода́рят, подари́.

287

Я подарю́ ему́ кни́гу, а ты́ подари́ пласти́нку.

сказа́ть, скажу́, ска́жешь, ска́жет, ска́жем, ска́жете, ска́жут, скажи́.

— Ты́ ска́жешь мне́ его́ но́мер телефо́на? — Скажу́.

показа́ть, покажу́, пока́жешь, пока́жет, пока́жем, пока́жете, пока́жут, покажи́.

— Покажи́те, пожа́луйста, э́ту кни́гу. — Сейча́с покажу́.

писа́ть, пишу́, пи́шешь, пи́шет, пи́шем, пи́шете, пи́шут, пиши́.

— Что́ ты́ пи́шешь? — Я́ пишу́ статью́.

3. *Listen and reply.*

Model: — Вы́ пи́шете письмо́ отцу́?

— Да, / отцу́.

1. Вы́ хоти́те подари́ть э́ту кни́гу бра́ту? 2. Вы́ звони́те Оле́гу? 3. Это письмо́ Ка́те? 4. Вы́ сдава́ли экза́мен профе́ссору Петро́ву? 5. Вы́ купи́ли пласти́нки сы́ну? 6. Вы́ написа́ли письмо́ дру́гу? 7. Вы́ расска́зывали о свое́й рабо́те подру́ге?

Model: — Вы́ написа́ли письмо́ другу?

— Нет, / подруге.

1. Вы́ подари́ли кни́гу Оле́гу?	Серге́й
2. Вы́ звони́те Ка́те?	А́нна
3. Вы́ пи́шете письмо́ дру́гу?	подру́га
4. Вы́ да́ли слова́рь А́нне?	сестра́
5. Вы́ купи́ли э́тот журна́л до́чери?	сы́н
6. Вы́ сдава́ли экза́мен профе́ссору Петро́ву?	Смирно́в
7. Вы́ помога́ете переводи́ть бра́ту?	това́рищ

4. *Answer the questions.*

Model: — Кому́ вы подари́ли пласти́нку?
— Бра́ту.

1. Кому́ вы́ написа́ли письмо́? 2. Кому́ вы́ звони́те? 3. Кому́ вы́ расска́зывали о Сове́тском Сою́зе? 4. Кому́ вы́ покупа́ете пода́рки? 5. Кому́ вы́ сдава́ли экза́мен? 6. Кому́ вы́ да́ли ва́ш а́дрес? 7. Кому́ э́то письмо́? 9. Кому́ вы́ пока́зывали свою́ рабо́ту? 10. Кому́ вы́ да́ли мо́й но́мер телефо́на?

5. *Read and analyze. (See Analysis X, 1.2.)*

Са́ша и Ви́тя — друзья́. Они́ у́чатся в шко́ле, в тре́тьем кла́ссе. Вчера́ Ви́тя сказа́л Са́ше: «Я́ написа́л поэ́му. Я́ говорю́ об э́том то́лько **тебе́**, потому́ что ты́ мо́й дру́г».

У́тром об э́том зна́ли то́лько Ви́тя и Са́ша. Ве́чером Ви́тя рассказа́л об э́том сестре́. Сестра́ Ви́ти уви́дела свою́ шко́льную подру́гу и рассказа́ла **е́й** об э́том, то́лько **е́й**. Подру́га рассказа́ла об э́том бра́ту, то́лько **ему́**. О́н рассказа́л ма́тери и отцу́, то́лько **и́м**. Они́ рассказа́ли **на́м**, а мы́ расска́зали **ва́м**.

6. *Listen and repeat.*

(a) кому́, мне́, позвони́ мне́; тебе́, рассказа́ть тебе́; ему́, пода́рок ему́; ей, помоги́те ей; нам, напиши́те нам; вам, вам письмо́; им, расскажи́те им.

(b) 1. Да́йте мне́, пожа́луйста, э́ту кни́гу. 2. Помоги́те нам, пожа́луйста. 3. Позвони́те ей, пожа́луйста. 4. Да́йте ему́ мой а́дрес. 5. Да́йте ей мой но́мер телефо́на. 6. Расскажи́те нам об Аме́рике. 7. Покажи́те мне́, пожа́луйста, журна́л.

7. *Read aloud the sentences with correct intonation.*

1. Да́йте мне́ э́ту кни́гу. 2. Покажи́те нам э́тот журна́л. 3. Расскажи́те ему́ об экза́мене. 4. Позвони́те нам, пожа́луйста. 5. Помоги́те мне́. 6. Переведи́те им э́тот те́кст. 7. Напиши́те мне́, пожа́луйста.

8. *Supply a continuation for each of the following sentences, as in the model.*

Model: — А́нна написа́ла бра́ту письмо́. Она́ ча́сто пи́шет ему́ пи́сьма.

1. Ви́ктор рассказа́л А́нне о свое́й рабо́те. 2. Анто́н подари́л Бори́су и И́горю откры́тки. 3. Серге́й помо́г мне́ и Ве́ре перевести́ те́кст. 4. Брат помо́г сестре́ реши́ть зада́чу. 5. Ве́ра дала́ Серге́ю свой уче́бник. 6. Мы написа́ли Ви́ктору и Бори́су о свои́х дела́х.

9. *Respond to each of the following requests in the negative and give a reason for your refusal. (See Analysis X, 1.42.)*

Model: — Позвони́те, пожа́луйста, Оле́гу.
— Я не могу́ ему́ позвони́ть. У меня́ нет его́ телефо́на[1].
1. Помоги́те мне́, пожа́луйста, перевести́ статью́. 2. Напиши́те Ви́ктору письмо́. 3. Подари́те Оле́гу кни́гу. 4. Купи́те э́ту пласти́нку сы́ну. 5. Да́йте мне́ э́ту кни́гу, пожа́луйста. 6. Позвони́те ей за́втра. 7. Расскажи́те ему́ о Да́льнем Восто́ке.

10. *Oral Practice.*

You are in a store. Ask for a book, a dictionary, a magazine, badges, stamps, a record, a postcard.

Model: Да́йте мне́, пожа́луйста, уче́бник.
ог Покажи́те мне́, пожа́луйста, уче́бник.

11. *Make up questions and answers based on the following situations.*

(1) Your friend is telephoning somebody. Find out whom.
(2) You come home and see a letter. Ask whom it is for.
(3) Your friend took an exam recently. Find out who the examiner was.
(4) Your girl-friend is writing a letter. Ask whom she is writing to.
(5) A student in your group is helping someone you don't know to translate a text. Find out whom he is helping.

---

[1] Note that here телефо́н means "a telephone number".

Помоги́те э́тому молодо́му челове́ку написа́ть а́дрес по-ру́сски.

12. *Listen and repeat; then read and analyze. (See Analysis X, 1.3.)*

— Алло́! Ни́на? Э́то говори́т Ви́ктор. Бори́с до́ма?
— Не́т, его́ не́т. О́н бу́дет ве́чером.
— Скажи́ **своему́ бра́ту**, что ле́кций за́втра не бу́дет.
— Хорошо́, скажу́.
— Ни́на, позвони́, пожа́луйста, **мое́й ма́ме**. Скажи́ ей, что я бу́ду до́ма по́здно. Я не могу́ ей позвони́ть.
— Хорошо́, позвоню́.

13. *Listen and repeat.*

скажи́ бра́ту, скажи́ своему́ бра́ту; позвони́ ма́ме, позвони́ мое́й ма́ме; расскажи́те дру́гу, расскажи́те ва́шему дру́гу; помоги́те мое́й сестре́.

14. *Complete each of the following dialogues, as in the model.*

Model: — Джéйн, кому́ ты пи́шешь письмо́?
— Я пишу́ свое́й сестре́.
— Кому́?
— Свое́й сестре́.

1. — Кому́ вы звони́те?
— Я звоню́ своему́ дру́гу. ...
2. — Кому́ вы помога́ете переводи́ть статью́?
— Свое́й подру́ге. ...
3. — Кому́ вы пока́зывали сво́й докла́д?
— На́шему профе́ссору. ...
4. — Кому́ вы да́ли ва́ш а́дрес?
— Но́вому студе́нту. ...

15. *Compose a dialogue based on the following situation.*

You are asking for a book, dictionary, magazine, textbook, article, paper. You get a refusal and are given reasons for the refusal.

Model: — Да́йте мне́, пожа́луйста, но́вый журна́л.
— У меня́ его́ не́т. Я его́ да́л своему́ дру́гу.

16. *Give advice, using the verbs* купи́ть, позвони́ть.

Model: — Я хочу́ купи́ть пода́рок сы́ну.
— Купи́те ва́шему сы́ну пласти́нки.

1. Я хочу́ купи́ть пода́рок бра́ту. 2. Я не зна́ю, где за́втра бу́дет ле́кция. 3. Я не зна́ю, когда́ в клу́бе бу́дет конце́рт. 4. Мы не зна́ем, экза́мены бу́дут пя́того и́ли шесто́го ма́я.

17. *Make up questions and answers, as in the model, by replacing the underlined words by those given below.*

Model: — Где твой докла́д?
        — Я да́л его́ моему́ това́рищу.

уче́бник, слова́рь, кни́га расска́зов Че́хова, ка́рта, статья́, журна́лы

оди́н студе́нт, одна́ студе́нтка, наш профе́ссор, на́ша учи́тельница, одна́ де́вушка

18. *Answer the questions.*

1. Кому́ вы хоти́те показа́ть свою́ статью́? 2. Почему́ у ва́с не́т уче́бника? Кому́ вы его́ да́ли? 3. Кому́ вы пи́шете пи́сьма? 4. Кто́ пи́шет ва́м пи́сьма по-ру́сски? 5. Кому́ вы купи́ли лека́рство?

19. *Translate.*

We had a lecture this morning. After the lecture our professor told us that there would be no seminar today. Anton and Nina were not present at the lecture and did not know that there would be no seminar. I saw them in the library in the afternoon. I gave them a book and three journals because I had already read them. Then I told Anton and Nina about the seminar. Anton showed us two big English-Russian dictionaries. He gave one dictionary to me and will give the other to his good friend, Pavel Antonov. Pavel knows English well and helps Anton read and translate.

III

> — Ско́лько ле́т ва́шему бра́ту?
> — Ему́ четы́рнадцать ле́т.

20. *Listen and repeat; then read and analyze. (See Analysis X, 1.5.)*

— Ма́ма, ско́лько мне́ ле́т?
— Тебе́ ше́сть ле́т.
— А ско́лько ле́т Ната́ше?
— Ей четы́ре го́да.
— А почему́ она́ моя́ тётя?

21. *Listen and repeat. Pronunciation Practice: the sound* [л].

в шко́ле, бы́ли, на́чали, учи́тель, преподава́тель.
ле́т, пя́ть ле́т, ше́сть ле́т, се́мь ле́т, во́семь ле́т, де́сять ле́т.
Ско́лько; ско́лько ле́т; Ско́лько ва́м ле́т? Ско́лько ле́т ва́шему сы́ну? Ско́лько ле́т ва́шей сестре́? Ско́лько ле́т ва́шему отцу́?

22. *Respond to the questions, as in the model.*

Model: — Ско́лько ва́м ле́т?
— Ско́лько мне́ ле́т? Мне́ два́дцать ле́т.

1. Ско́лько ле́т ва́шему бра́ту? 2. Ско́лько ле́т ва́шей жене́? 3. Ско́лько ле́т ва́шей ма́тери? 4. Ско́лько ле́т её сестре́? 5. Ско́лько ле́т её му́жу? 6. Ско́лько ле́т ва́шей подру́ге? 7. Ско́лько ле́т ва́шему дру́гу?

23. *Complete the dialogues, as in the model.*

Model: — У тебя́ е́сть сестра́?
— Да́, е́сть.
— Ско́лько е́й ле́т?
— Мое́й сестре́ два́ го́да.

1. — У ва́с е́сть бра́т?
— Да́, е́сть.
2. — У ва́с е́сть де́ти?
— Да́, е́сть. У меня́ сы́н и до́чь.
3. — Кто́ э́то?
— Это мо́й дру́г.

24. *Make up questions and answers based on the following situations.*

(1) Ask the ages of your classmates. Use the numbers 17, 18, 19, 21, 23.
(2) Find out the age of your friend's sister, brother, friend (*m.* and *f.*), mother, father, wife, husband.

25. *Answer the questions.*

1. Ско́лько ва́м бы́ло ле́т, когда́ вы́ на́чали учи́ться в шко́ле? 2. Ско́лько ва́м бы́ло ле́т, когда́ вы́ ко́нчили шко́лу? 3. Ско́лько ва́м бы́ло ле́т, когда́ вы́ поступи́ли в университе́т? 4. Ско́лько ле́т бы́ло ва́шему отцу́, когда́ о́н на́чал рабо́тать?

26. (a) *Read the text.*

Фо́рмула долголе́тия

Когда́ марафо́нец появи́лся на стадио́не, э́то бы́л триу́мф. Это не́ был чемпио́н ми́ра и́ли чемпио́н Гре́ции. Его́ зва́ли Дими́тр Иорда́нис, и бы́ло ему́ 98 ле́т. Когда́ журнали́сты спроси́ли о секре́те его́ «ве́чной мо́лодости», о́н отве́тил: «Я не курю́, не е́м мя́со и о́чень мно́го гуля́ю».

Мо́жет бы́ть, э́то и е́сть фо́рмула долголе́тия?

Спро́сим столе́тнего челове́ка. Пятиэта́жный до́м в Москве́. На четвёртом этаже́ живёт Гео́ргий Васи́льевич Лео́нов. В 1976 году́ ему́ бы́ло 100 ле́т.

долголе́тие longevity

марафо́нец marathon runner

триу́мф triumph
секре́т secret
ве́чная мо́лодость eternal youth

столе́тний 100-year-old

292

— В чём секрет вашего долголетия? — спросил журналист.

— Секрета нет. Я родился в 1876 году. Начал работать, когда мне было 12 лет. Работал на заводе. Я не курю, вино пью только во время праздников.

работать work
вино wine

Когда мне было 90 лет, я был в Киеве, писал дневник, где был, что видел.

дневник diary

И сейчас каждый день два часа гуляю. Дома у меня тоже есть дела. Я слушаю радио, смотрю телевизор. У меня хорошие дети, внуки.

В комнате Георгия Васильевича на полке три большие медали: «90 лет», «95 лет» и «100 лет».

медаль medal

(b) *Answer the questions.*

1. Сколько лет было марафонцу Димитру Иорданису? 2. Что он сказал о секрете своей «вечной молодости»? 3. Сколько лет было Г. В. Леонову? 4. Что он рассказал о своей жизни? 5. Как вы думаете, в чём секрет долголетия?

IV

> Ваш сын хорошо поёт, **ему надо учиться** в музыкальной школе.
> Виктор болен. **Ему нельзя курить.**

27. *Listen and repeat; then read and analyze. (See Analysis X, 2.1; 2.11; 2.12; 2.13.)*

— Алло, Анна Ивановна? Здравствуйте. Это Олег.
— Здравствуй, Олег.
— Катя дома?
— Да, дома. Но она больна, Олег. **Ей нельзя вставать.** Врач сказал, что **ей надо лежать.**
— Извините, пожалуйста, Анна Ивановна. **Можно мне** завтра вам **позвонить?**
— Да, конечно, звони, пожалуйста.

28. *Listen and repeat.*

можно, мне можно, вам можно. Вам можно позвонить?
надо, мне надо, вам надо гулять; Вам надо прочитать эту книгу. Тебе надо посмотреть новый фильм.
нельзя, мне нельзя, ему нельзя, ей нельзя. Ей нельзя курить. Мне нельзя много работать.

29. *Answer the questions.*

Model: — Можно взять его словарь?
    — Да, можно.
  (— Нет, нельзя.)

1. Здесь можно купить тетради? 2. Сегодня можно посмотреть ваш доклад? 3. В этом магазине можно купить русские книги? 4. Что сказал доктор? Вам можно гулять? 5. Когда вы не знаете человека, можно говорить ему «ты»? 6. Его зовут Пётр Николаевич. Можно звать его Петя? 7. Когда вы пишете контрольную работу, можно использовать словарь?

Model: — Вам надо сегодня быть в институте?
— Нет, мне не надо сегодня быть в институте.

1. В этом году вам надо сдавать экзамены? 2. Вам надо читать этот роман? 3. Нам надо писать это упражнение? 4. Нам надо повторять тексты? 5. Вам надо объяснять эти слова?

30. *Make up responses, as in the model.*

Model: — Мой брат плохо себя чувствует. Он очень много работает.
— Вашему брату нельзя много работать.

1. Мой муж очень много курит. 2. Мой брат живёт на юге. Он часто болеет. 3. Мой сын болен. Он много читает.

31. *Supply continuations.*

Model: Это хороший фильм. Вам надо посмотреть его.

1. Это современный балет. 2. Вы не смотрели этот фильм? 3. Вы не читали этот роман? 4. Вы ещё не читали этот журнал? Там хороший рассказ. 5. Ваш сын очень любит музыку. Он не учится в музыкальной школе?

32. *Advise your interlocutor not to perform the actions expressed by the verbs listed below and give reasons for your advice. Remember that* не надо *and synonymous expressions are followed by an imperfective infinitive.*

Model: Не надо читать этот журнал. Он неинтересный.

читать / прочитать, переводить / перевести, брать / взять, показывать / показать, говорить / сказать, собирать / собрать, сдавать / сдать.

33. *Answer each of the following questions, using the words given in brackets.*

1. У вас завтра будет урок? Что вам надо сделать? (прочитать рассказ, перевести упражнение, выучить текст, повторить слова) 2. У вашего товарища в октябре будет доклад. Что ему надо сделать? (изучить документы, прочитать литературу, написать текст доклада) 3. Летом я хочу отдыхать на Кавказе. Как вы думаете, что мне надо сделать сейчас? (купить карту Кавказа, прочитать книги о Кавказе)

> **V** | Сейчас у нас будет **лекция по математике.**

34. *Listen and repeat; then read and analyze. (Analysis X, 6.0; 6.1; 6.2.)*
— Ира, какие лекции у вас будут завтра?

— У нас бу́дет ле́кция **по дре́вней исто́рии** и **по археоло́гии**. А у ва́с?
— У нас бу́дет ле́кция **по матема́тике** и практи́ческие заня́тия **по фи́зике**.

35. *Listen and repeat.*

статья́, докла́д, уро́к, кни́га, экза́мен [игза́м'ин], уче́бник, семина́р [с'им'ина́р], фи́зика, ле́кция [л'е́кцыjъ], исто́рия, заня́тие, литерату́ра, матема́тика, конфере́нция, биоло́гия, археоло́гия;
на уро́ке, на ле́кции, на семина́ре, на экза́мене, на конфере́нции, на уро́ке исто́рии; на ле́кции по литерату́ре; на семина́ре по матема́тике; на экза́мене по биоло́гии; на конфере́нции по археоло́гии.

36. *Listen and reply.*

Model: — Ка́тя, ты была́ на ле́кции по литерату́ре?
— Да, / я была́ на ле́кции по литерату́ре.

1. Вы́ бы́ли на семина́ре по исто́рии? 2. Вы́ бы́ли на конфере́нции по археоло́гии? 3. В Ленингра́де была́ конфере́нция по биоло́гии? 4. Вы́ сдава́ли экза́мен по матема́тике? 5. Вы́ де́лали докла́д по литерату́ре? 6. У ва́с сего́дня бы́л уро́к ру́сского языка́?

Model: — У ва́с уче́бник по биологии?
— Нет, / по истории.

У ва́с сего́дня ле́кция по матема́тике?	литерату́ра
У ва́с не́т уче́бника по фи́зике?	матема́тика
В университе́те бу́дет конфере́нция по литерату́ре?	фи́зика
У ва́с за́втра семина́р по фи́зике?	биоло́гия
Вы́ сдаёте экза́мен по ру́сскому языку́?	исто́рия

37. *Compose similar dialogues by substituting the words given below for those underlined.*

Model: — Юра, где́ ты́ бы́л?
— На семина́ре.
— На како́м семина́ре?
— На семина́ре по исто́рии.

ле́кция, литерату́ра; семина́р, ру́сский язы́к; заня́тие, биоло́гия; конфере́нция, матема́тика.

38. *Answer the questions.*

1. Каки́е кни́ги мо́жно купи́ть в э́том магази́не? 2. Каки́е кни́ги вы́ купи́ли? 3. Каки́е уче́бники у ва́с е́сть и каки́х уче́бников у ва́с не́т? 4. Каки́е статьи́ в газе́тах и журна́лах вы́ чита́ете? 5. Каки́е докла́ды вы́ слу́шаете на конфере́нции? 6. Каки́е экза́мены вы́ бу́дете сдава́ть в э́том году́?

VI	Это журна́л, кото́рый вчера́ получи́л Ви́ктор.
	Это кни́га, кото́рую написа́л америка́нский писа́тель.

39. *Listen and repeat; then read and analyze. (See Analysis X, 3.1.)*

— Джейн, ты́ по́мнишь англи́йскую балла́ду «До́м, кото́рый постро́ил Дже́к»? Её перевёл С. Я. Марша́к[1].
— Не́т, не по́мню, Оле́г.

— Ка́тя, я́ забы́ла фами́лию **писа́теля, кото́рый перевёл** англи́йскую балла́ду.
— Каку́ю, Дже́йн?
— **Балла́ду, о кото́рой говори́л** Оле́г.
— Это Самуи́л Марша́к. У него́ о́чень хоро́шие перево́ды Шекспи́ра, Ро́берта Бёрнса и други́х англи́йских поэ́тов.

40. *Listen and repeat. (See Analysis, Phonetics, 3.75.)*

1. Это кни́га, / о кото́рой я́ ва́м говори́ла. 2. Я́ прочита́ла журна́л, / кото́рый вы́ мне́ да́ли. 3. Я́ купи́ла уче́бники, / о кото́рых вы́ мне́ говори́ли. 4. Я́ была́ на конфере́нции, / кото́рая была́ в Ленингра́де.

41. *Make up questions by substituting the words on the right for those underlined. Answer the questions.*

1. Вы́ зна́ете Серге́я, кото́рый у́чится на истори́ческом факульте́те?	Ната́ша, Оле́г
2. Вы́ прочита́ли кни́гу, кото́рую я́ ва́м да́л?	журна́л, газе́та
3. Вы́ зна́ете и́мя а́втора, кото́рый написа́л рома́н «Ма́ртин Йде́н»?	писа́тель
4. Вы́ взя́ли тетра́ди, кото́рые лежа́ли здесь?	кни́ги, откры́тки
5. Вы́ купи́ли уче́бник, о кото́ром я́ ва́м говори́л?	слова́рь, кни́га
6. Вы́ посмотре́ли бале́т, о кото́ром писа́ли в газе́тах?	фи́льм

42. *Complete the sentences, using the statements preceding them as attributive clauses.*

Model: Кни́га лежи́т на столе́. А́ня чита́ет кни́гу.
— Да́йте мне́ кни́гу, кото́рая лежи́т на столе́.
— Да́йте мне́ кни́гу, кото́рую чита́ет А́ня.

1. Воло́дя купи́л журна́л. Воло́дя и А́ня говоря́т о но́вом журна́ле, ... Покажи́те мне́ журна́л, ...

---

[1] S.Y. Marshak (1887-1964), poet, author of numerous children's verses, distinguished translator of Shakespeare, Robert Burns, Heinrich Heine and others.

2. А́ня пригласи́ла арти́стов. Мы́ мно́го слы́шали об арти́стах, ... Я́ ви́дела вчера́ арти́стов, ...
3. А́ня живёт в го́роде Баку́. Э́тот го́род нахо́дится о́коло мо́ря. Мы́ говори́ли о го́роде, ...

43. *Translate the text into English, then translate it back into Russian and compare your translation with the original.*

Третьяко́вская галере́я

Третьяко́вскую галере́ю в Москве́ основа́л Па́вел Миха́йлович Третьяко́в, кото́рый на́чал собира́ть карти́ны ру́сских худо́жников в 1856 году́. Ему́ помога́л его́ бра́т Серге́й Миха́йлович. В 1873 году́ у П. М. Третьяко́ва была́ уже́ больша́я колле́кция, и Третьяко́в откры́л свою́ галере́ю для москвиче́й. В 1881 году́ в галере́е бы́ло уже́ 3500 карти́н. В 1892 году́ П. М. Третьяко́в подари́л свою́ галере́ю го́роду Москве́, и в 1893 году́ откры́ли музе́й, кото́-

рый называ́лся «Моско́вская городска́я галере́я и́мени бра́тьев Па́вла и Серге́я Третьяко́вых». По́сле Октя́брьской социалисти́ческой револю́ции 1917 го́да Третьяко́вская галере́я—госуда́рственный музе́й.

Conversation

I. Asking for Information: Brief and Detailed Answers

Brief Answer

— Вы́ зна́ете Ка́тю Ивано́ву?
— Да́, зна́ю.

— Ва́ш докла́д гото́в?
— Не́т, не гото́в.

Answer Containing Detailed Information

— Вы́ чита́ли но́вый расска́з Бори́са Васи́льева?
— Да́, я нашла́ его́ в журна́ле «Но́вый ми́р».

— Вы́ бу́дете сего́дня на конце́рте?
— К сожале́нию, не́т. У меня́ не́т биле́та.

1. *Listen and repeat. Pay attention to the pronunciation of the sounds [л] and [л'].*

чита́ла, чита́л, чита́ли; смотре́ла, смотре́л, смотре́ли; дала́, да́л, да́ли; ви́дела, ви́дел, ви́дели; купи́ла, купи́л, купи́ли; слу́шала, слу́шал, слу́шали; де́лала, де́лал, де́лали; была́, бы́л, бы́ло, бы́ли, не́ был, не была́, не́ было, не́ были; нашёл, нашла́, нашли́;

к сожале́нию [ксъжыл'е́н'иĵу].—Вы́ бы́ли в теа́тре?—К сожале́нию, не́ был. К сожале́нию, не была́. К сожале́нию, не́ были.

нельзя́, больна́, контро́льная, обяза́тельно, фи́льм.

1. — Вы́ чита́ли э́ту кни́гу?—К сожале́нию, не чита́л.—Вы́ смотре́ли но́вый фи́льм?—К сожале́нию, не смотре́л.

2. — Вы́ бы́ли на ле́кции?—К сожале́нию, не была́.

3. — Вы́ де́лали докла́д?—К сожале́нию, не де́лал.—Вы́ купи́ли слова́рь?—К сожале́нию, не купи́л.—Обяза́тельно купи́те.

4. — Ва́м мо́жно гуля́ть?—К сожале́нию, нельзя́. Я больна́.

5. — Вы́ слу́шали но́вую о́перу?—К сожале́нию, не слу́шал.—Обяза́тельно послу́шайте.

2. *Listen and reply.*

Model: — Вы́ бы́ли вчера́ на ле́кции?
— К сожале́нию, не́ был.

1. Вы́ бы́ли на конфере́нции в Ки́еве? 2. Ты́ была́ на конце́рте в консервато́рии? 3. Вы́ ви́дели но́вый фи́льм? 4. Ты́ зна́ешь телефо́н Ка́ти? 5. Ты́ бу́дешь за́втра в университе́те?

298

Model: — Вчера́ бы́л конце́рт в клу́бе?
— К сожале́нию, вчера́ не́ было конце́рта.

1. В четве́рг бы́л семина́р? 2. В апре́ле в университе́те была́ нау́чная конфере́нция? 3. В суббо́ту в институ́те бы́ли заня́тия? 4. В воскресе́нье у ва́с бу́дет свобо́дное вре́мя? 5. В суббо́ту в клу́бе бы́л ве́чер?

3. *Read the questions.*

Вы́ ко́нчите рабо́ту? Вы́ ко́нчите ва́шу рабо́ту? Вы́ ко́нчите ва́шу курсову́ю рабо́ту? Вы́ ко́нчите ва́шу курсову́ю рабо́ту в э́том ме́сяце? Вы́ бу́дете сдава́ть экза́мен? Вы́ бу́дете весно́й сдава́ть экза́мен? Вы́ бу́дете весно́й сдава́ть экза́мен по ру́сскому языку́? Вы́ пока́жете статью́? Вы́ пока́жете ва́шу статью́? Вы́ пока́жете ва́шу статью́ профе́ссору? Вы́ пока́жете ва́шу статью́ профе́ссору Ивано́ву? Вы́ пока́жете сего́дня ва́шу статью́ профе́ссору Ивано́ву? Вы́ бу́дете де́лать докла́д? Вы́ бу́дете сего́дня де́лать докла́д? Вы́ бу́дете сего́дня де́лать докла́д на конфере́нции? Вы́ бу́дете сего́дня де́лать докла́д на конфере́нции по ру́сскому языку́? Вы́ прочита́ли кни́гу? Вы́ прочита́ли кни́гу, кото́рую я́ ва́м да́л?

4. *Give various types of answers.*

Model: — Вы́ зна́ете э́ту статью́?
(a) — Да́, зна́ю. (— Не́т, не зна́ю.)
(b) — Да́, я́ чита́л её го́д наза́д в журна́ле «Приро́да».

1. Вы́ зна́ете но́вую рабо́ту профе́ссора Во́лина? 2. Вы́ зна́ете програ́мму конце́рта? 3. Ва́м говори́ли о програ́мме рабо́ты конфере́нции? 4. Вы́ зна́ете, когда́ у на́с бу́дет пра́ктика? 5. Ва́м объясни́ли, почему́ в суббо́ту не бу́дет ве́чера? 6. Ва́м сказа́ли, что 5 ноября́ открыва́ют вы́ставку в До́ме архите́ктора?

5. *Give detailed information in answering the questions. Use the words* вме́сте, учи́ться, рабо́тать, отдыха́ть, встреча́ться, гото́вить, жи́ть, ви́деть, слы́шать.

1. Вы́ зна́ете Джи́ма Бро́уди? 2. Вы́ зна́ете Ле́ну Кла́рк? 3. Вы́ слы́шали о Кири́лле Лавро́ве? 4. Вы́ слы́шали о Ве́ре Немцо́вой? 5. Вы́ зна́ете Ви́ктора Бело́ва?

6. *Read the questions and answer them in the negative.*

Model: — Вы́ бу́дете сего́дня де́лать докла́д?
— К сожале́нию, не́т. Мо́й докла́д не гото́в.

1. Вы́ пока́жете сего́дня ва́шу статью́ профе́ссору? 2. Вы́ ко́нчите ва́шу курсову́ю рабо́ту в э́том ме́сяце? 3. Вы́ бу́дете весно́й сдава́ть экза́мены по ру́сскому языку́? 4. Вы́ ко́нчили рисова́ть портре́т ва́шего дру́га? 5. Вы́ уже́ прочита́ли кни́гу, кото́рую я́ ва́м да́л? 6. Вы́ смотре́ли фи́льм, о кото́ром я́ ва́м говори́ла?

7. *Complete the dialogues, as in the model.*

Model: — Вы́ чита́ли рома́н Паусто́вского «Чёрное мо́ре»?
— К сожале́нию, не́т. Я не мо́г найти́ э́тот рома́н.
— Обяза́тельно прочита́йте. Это хоро́шая кни́га.

1. Вы смотрели фильм «Александр Невский»? 2. Вы слушали оперу Чайковского «Иоланта»? 3. Вы читали эту статью? 4. Вы смотрели фильм «Война и мир»? 5. Вы читали роман Достоевского «Братья Карамазовы»?

8. *Use the words* обязательно, может быть *and* к сожалению *in answers to each of the following questions.*

Model: — Вы будете слушать концерты у нас в клубе?
    (a) — Обязательно буду. А вы?
    (b) — Может быть, буду.
    (c) — К сожалению, нет. У меня нет времени.

1. Вы будете посещать уроки английского языка? 2. Когда вы будете покупать подарки? В субботу? 3. В этом году вы будете делать доклад на семинаре? 4. Вы будете сегодня работать в лаборатории?

II. Requesting Permission

Requesting Permission to Perform a Concrete Action (Perfective Verb)
        — Оля, можно мне взять твою ручку?
— Да, пожалуйста. | — К сожалению, это не моя ручка.
Requesting General Permission (Imperfective Verb)
        — Здесь можно курить?
— Да, можно. | — Нет, нельзя.

9. *Listen and repeat.*

взять, брать, курить, купить, плавать, играть, смотреть, посмотреть, есть;

Можно взять тетрадь? Можно взять ручку? Можно взять твою ручку? Можно взять словарь? Можно брать книги в библиотеке? Можно курить? Здесь можно курить? Можно посмотреть журнал?

10. *Listen and reply.*

Model: — Можно взять вашу ручку?
  or — Да, пожалуйста.
        — К сожалению, это не моя ручка.

1. Можно взять вашу книгу? 2. Можно взять ваш словарь? 3. Можно взять этот журнал? 4. Можно посмотреть твой доклад? 5. Можно взять ваш учебник?

Model: — Здесь можно курить?
  or — Да, можно.
        — Нет, нельзя.

1. Здесь можно плавать? 2. Здесь можно разговаривать? 3. Тебе можно курить? 4. Тебе можно гулять?

11. *Answer the questions.*

1. Можно взять ваш словарь? 2. Ты летом отдыхал на Волге? А там можно плавать? 3. В общежитии есть библиотека? В воскресенье там можно

работать? 4. В институ́те е́сть спорти́вный клу́б? Та́м мо́жно танцева́ть? 5. Это ва́ша кни́га? Мо́жно посмотре́ть?

12. *Request permission to borrow each of the items listed on the right.*

Model:

У меня́ не́т карандаша́. Мо́жно взя́ть ваш каранда́ш? | ру́чка, тетра́дь, уче́бник, слова́рь

13. (a) *Read the dialogue.*

В столо́вой

— Мо́жно взя́ть меню́?
— Да́, пожа́луйста.
— Спаси́бо. Да́йте мне́, пожа́луйста, <u>хлеб</u>.
— Чёрный и́ли бе́лый?
— Чёрный.

со́ль, сы́р, молоко́, су́п, мя́со, ры́ба, фру́кты

(b) *Compose similar dialogues by substituting the words on the right for the underlined word.*

14. (a) *Complete the dialogue.*

В магази́не

— А́нна Ива́новна, что́ вы́ хоти́те купи́ть?
— . . . .
— Кому́?
— . . . .

(b) *Make up a dialogue which might take place in a book store. Use the following expressions.*

Что́ вы́ хоти́те? Что́ вы́ ещё хоти́те? Мне́ на́до купи́ть... Мо́жно посмотре́ть...? Да́йте, мне́, пожа́луйста, ... К сожале́нию, у на́с не́т...

301

III. At an Examination

сдава́ть экза́мен	to take an exam
сда́ть экза́мен	to pass an exam
сда́ть / сдава́ть экза́мен к о м у́	to be examined by (somebody)
сде́лать оши́бку	to make a mistake
получи́ть 5 (4, 3, 2)[1]	to receive a grade of 5 (A), 4 (B), 3 (C), 2 (D)

15. *Listen and repeat.*

сда́ть [зда́т'], сдава́ть [здава́т'], экза́мен [игза́м'ин], сда́ть экза́мен, сдава́ть экза́мен; сде́лать [з'де́лът'], сде́лать оши́бку [ашы́пку]; отме́тка, получи́ть отме́тку, получи́ть пя́ть, получи́ть четы́ре, получи́ть два́;

Вы́ сда́ли экза́мен? Что́ вы́ сдаёте? Мы́ сдаём экза́мен по хи́мии. Я сдала́ хи́мию. Что́ вы́ получи́ли? Я получи́ла четы́ре. Я сде́лала три́ оши́бки.

В [ф] пя́ть часо́в. В три́ часа́ [чиса́]. В ча́с. У меня́ в ча́с экза́мен. У на́с в два́ часа́ экза́мен по ру́сскому языку́.

16. (a) *Listen to the dialogue.*

Сего́дня у на́с экза́мен

— Ната́ша, ты́ сего́дня свобо́дна?
— К сожале́нию, не́т. Сего́дня в три́ часа́ у на́с экза́мен.
— Что́ вы́ сдаёте?
— Исто́рию СССР.
— Кому́ вы́ сдаёте?
— Профе́ссору Бело́ву.
— Это тру́дный экза́мен?
— Не́т, не о́чень.

(b) *Answer the questions.*

Ната́ша сего́дня свобо́дна? Что́ сего́дня у Ната́ши в три́ часа́? Ната́ша сего́дня сдаёт матема́тику? Это тру́дный экза́мен?

(c) *Dramatize the dialogue.*

(d) *Oral Practice.*

Suppose your friend took his exam yesterday. Ask him about it.

17. (a) *Listen to the dialogue.*

Вы́ сда́ли экза́мены?

— Ве́ра, ты́ сдала́ все́ экза́мены?
— К сожале́нию, не́т. Мне́ на́до сда́ть ещё два́ экза́мена.
— А ты́ не зна́ешь, О́ля сдава́ла вчера́ хи́мию?
— Сдава́ла. Она́ о́чень хорошо́ отвеча́ла на экза́мене. Получи́ла четы́ре.
— А почему́ четы́ре? Бы́ли оши́бки?
— Да́, она́ сде́лала две́ оши́бки в контро́льной рабо́те.
— А Ви́ктор вчера́ сдава́л экза́мен?

---

[1] In the Soviet Union, a 5-point grading system is used. 5 is the highest grade, and 2 and 1 are unsatisfactory.

302

— Да́, о́н то́же сдава́л, но не сда́л. У него́ бы́ли о́чень тру́дные вопро́сы. О́н бу́дет сдава́ть экза́мен в ию́не.

(b) *Answer the questions.*

Ве́ра сдала́ все́ экза́мены? Ско́лько экза́менов е́й на́до сда́ть? О́ля сдава́ла хи́мию? Ка́к она́ сдала́ экза́мен? Почему́ она́ получи́ла четы́ре? А Ви́ктор вчера́ сдава́л экза́мен? Почему́ о́н не сда́л экза́мен? Когда́ о́н бу́дет сдава́ть экза́мен?

(c) *Dramatize the dialogue.*

(d) *Oral Practice.*

Yesterday your friend took an exam. Tell what happened.

18. *Listen, read and retell.*

Студе́нты говоря́т...

— Что́ тако́е экза́мен?
— Экза́мен — э́то игра́, в кото́рой оди́н не зна́ет, но говори́т, а друго́й зна́ет, но молчи́т.

игра́ game
молча́ть be silent

После экза́мена

— Юра, у тебя́ сего́дня бы́л экза́мен? Ты́ сдава́л англи́йский (язы́к)?
— Да́.
— Ну и ка́к? Сда́л?
— Не́т.
— А что́ тебя́ спра́шивали?
— Не зна́ю. Они́ спра́шивали по-англи́йски.

На экза́мене

П р о ф е́ с с о р: — Расскажи́те мне́ о Столе́тней войне́.

столе́тний
hundred years'

С т у д е́ н т: — Столе́тняя война́ продолжа́лась 100 ле́т, и́ли 1200 (ты́сячу две́сти) ме́сяцев, и́ли 36 ты́сяч дне́й, и́ли...

продолжа́ться continue

— Мину́точку, мину́точку, молодо́й челове́к. В году́ 365 (три́ста шестьдеся́т пя́ть) дне́й.

мину́точку [wait a] minute

— Да́, и что́?
— Это бу́дет 36 ты́сяч и ещё 500 дне́й.
— Не мо́жет бы́ть! Смотри́те: в одно́м ве́ке — сто́ ле́т, в одно́м году́ двена́дцать ме́сяцев. Та́к?
— Та́к.
— Двена́дцать ме́сяцев умно́жим на 100, бу́дет ты́сяча две́сти ме́сяцев. В ме́сяце три́дцать дне́й. Умножа́ем. Где́ оши́бка?

умно́жить на...
multiply by...

— Да́... Мину́точку! А почему́ в ме́сяце 30 дне́й? Мо́жет бы́ть 30 дне́й и 31 де́нь. Во́т где́ ва́ша оши́бка! Тепе́рь понима́ете?

— Да, теперь понимаю.
— Пожалуйста, дальше.
— Посмотрим, сколько это было часов?
Умножим... получим 876 тысяч часов.
— Так, правильно. Садитесь. Четыре.
— А почему не пять?
— Как почему? У вас была ошибка. **точность**
История любит точность, молодой   exactness
человек. Не забывайте об этом.

19. *Read and learn the following two Russian proverbs.*

Ученье — свет, неученье — тьма. Learning is light, (and) ignorance is darkness.
Век живи — век учись.   Live and learn.

Reading

1. (a) *Read and translate.*

Note: г д é? **недалеко от института**
недалеко от Москвы

— Олег, скажи, пожалуйста, где находится консерватория?
— На улице Герцена, **недалеко от старого здания** университета.
— А Театр имени Маяковского?
— **Недалеко от консерватории.**

(b) *Read aloud, paying attention to unstressed syllables.*

недалеко [н'идъл'ико], от Москвы, недалеко от Москвы, от института
[атынст'итут], недалеко от института, недалеко от университета, недалеко
от консерватории.

2. *Explain where* библиотека, гостиница, театр, институт, универмаг, аптека,
больница *are located.*

Model: Библиотека находится недалеко от школы.

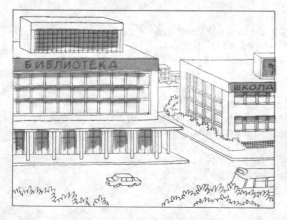

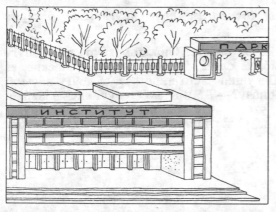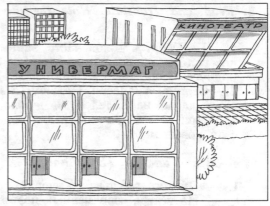

3. *Read and translate. Note the use of the genitive after* во вре́мя *"during".*

— Серге́й, у тебя́ уже́ была́ пра́ктика?
— Да́, была́.
— Где́ ты́ рабо́тал?
— В Истори́ческом музе́е. Во вре́мя пра́ктики я́ гото́вил материа́лы об Оте́чественной войне́ 1812 го́да[1].

4. *Answer the questions, using the words* пра́ктика, уро́к, ле́кция.

Model: — Когда́ ва́м сказа́ли об экза́мене?
          — Во вре́мя уро́ка.

1. Когда́ Серге́й рабо́тал в Истори́ческом музе́е? 2. Когда́ студе́нты переводи́ли те́кст? 3. Когда́ профе́ссор расска́зывал о ру́сской му́зыке? 4. Когда́ Ка́тя жила́ в Оде́ссе? 5. Когда́ студе́нты смотре́ли фи́льм о Москве́?

---

[1] The Patriotic War, the war of the Russians against Napoleon (in 1812).

5. *Read and translate. Note the use of the phrase* друг друга *(See Analysis XIII, 2.1.)*

1. Роберт и Джон часто занимаются вместе. Они помогают друг другу переводить, объясняют друг другу новые слова. 2. Вера живёт в Москве, её подруга Нина живёт в Ленинграде. Девушки часто пишут друг другу письма. 3.—Сергей, ты знаешь Наташу Смирнову? — Да, мы вместе учились в школе. Но я давно не видел её и думаю, что сейчас мы не узнаем друг друга. 4. Генри и Ричард собирают марки. Они часто показывают друг другу свои новые марки.

6. *Read and analyze. (See Analysis X, 2.0.)*

1. — Виктор, где ты был вчера?
   — На вечере современных поэтов.
   — Ну, и как?
   — **Мне было** очень интересно.
2. — Вера, **тебе не холодно?**
   — Нет, спасибо, мне тепло.

7. *Compose a dialogue based on the following situation.*

Ask where Boris, Anna, Oleg and Katya have been, whether it was interesting, pleasant, fun, warm enough for them there.

Борис был на концерте в субботу. Анна была на лекции в понедельник. Олег и Катя в воскресенье гуляли в парке.

8. *Read and translate. Analyze the syntactic structure of the sentences.*

Note: В Москве, в доме, где жил Толстой, сейчас музей.
В каком доме сейчас музей?

1. В Ленинграде на улице Мойка стоит дом, где жил Пушкин. В этом доме сейчас находится музей.
2. В городах, которые находятся на северо-западе СССР, много памятников древнерусской архитектуры. 3. В XVIII (восемнадцатом) веке архитектор Баженов построил в Москве здание, где сейчас находится зал Библиотеки имени В. И. Ленина.

9. *Read and translate.*

Note: **игра́ть** во что | в ша́хматы
в футбо́л
в волейбо́л
в те́ннис
в баскетбо́л

1. Серге́й хорошо́ игра́ет в волейбо́л. 2. Оле́г лю́бит игра́ть в футбо́л. 3. А́нна хорошо́ игра́ет в ша́хматы, а Бори́с пло́хо. 4. Ве́чером Ро́берт и Джо́н ча́сто игра́ют в ша́хматы. 5. Ле́том мы́ лю́бим игра́ть в баскетбо́л. 6. Кэ́т хорошо́ игра́ет в те́ннис.

10. *Write out answers to the questions.*

1. Вы́ лю́бите игра́ть в волейбо́л? А в баскетбо́л? 2. Вы́ игра́ете в те́ннис? 3. Вы́ игра́ете в ша́хматы? 4. Ва́ши друзья́ лю́бят игра́ть в футбо́л? 5. Кто́ в ва́шей гру́ппе хорошо́ игра́ет в те́ннис? А в ша́хматы? 6. Вы́ ча́сто игра́ете в те́ннис? А в баскетбо́л? 7. Когда́ вы́ игра́ете в те́ннис и в баскетбо́л?

11. *Read the questions and answer them.*

1. Ва́ш бра́т игра́ет в те́ннис?

Ва́ш бра́т игра́ет в теннис?

Ва́ш брат игра́ет в те́ннис?

Ваш бра́т игра́ет в те́ннис?

2. Вы́ игра́ете в воскресе́нье в футбо́л?

Вы́ игра́ете в воскресе́нье в футбол?

Вы́ игра́ете в воскресе́нье в футбо́л?

Вы играете в воскресе́нье в футбо́л?

3. Ва́ш дру́г игра́ет в ша́хматы?

Ва́ш дру́г игра́ет в шахматы?

Ва́ш друг игра́ет в ша́хматы?

Ваш дру́г игра́ет в ша́хматы?

12. *Using the verb* игра́ть, *ask your friends what sports they engage in.*

13. *Vocabulary for Reading. Study the following new words and their usage as illustrated in the sentences on the right. Pronounce each sentence aloud.*

помога́ть /помо́чь
   к о м у́ + *infinitive*

Ро́берт помо́г мне́ реши́ть э́ту зада́чу. О́н всегда́ помога́ет мне́. Профе́ссор помо́г студе́нту перевести́ статью́. О́н помога́ет ему́ переводи́ть тру́дные статьи́.

объясня́ть / объясни́ть
   к о м у́, ч т о́ / *subordinate clause*

В нача́ле уро́ка учи́тель объясня́л на́м но́вые слова́.
Объясни́те на́м, пожа́луйста, когда́ на́до испо́льзовать ИК-3. В конце́ уро́ка учи́тель объясня́л, а ученики́ внима́тельно слу́шали.

сообща́ть / сообщи́ть к о м у́,
   о ч ё м / *subordinate clause*

Ро́берт сообщи́л на́м о конце́рте. Ро́берт сообщи́л на́м, что за́втра в клу́бе бу́дет интере́сный конце́рт.

14. *Read aloud. Pay attention to unstressed syllables.*

помога́ть [пъмага́т'], я помога́ю тебе́, ты́ помога́ешь мне́, о́н помога́ет ей; помо́чь, я́ помогу́ тебе́, ты́ помо́жешь мне́, о́н помо́жет е́й, помоги́те мне́, помо́г; помогла́, помогло́, помогли́;

объясня́ть [абјис'н'а́т'], я объясня́ю тебе́, ты́ объясня́ешь Андре́ю, о́н объясня́ет мне́, объясня́йте, объясня́л, объясня́ла, объясня́ли;

объясни́ть, я́ объясню́ Андре́ю, ты́ объясни́шь мне слова́, о́н объясни́т на́м но́вые слова́, объясни́те мне́, объясни́л, объясни́ла, объясни́ли;

сообща́ть [съапща́т'], я сообща́ю ва́м, ты́ сообща́ешь на́м, сообща́йте на́м, сообща́л, сообща́ла, сообща́ли;

сообщи́ть, я́ сообщу́ ва́м, ты́ сообщи́шь на́м о семина́ре, о́н сообщи́т ей о конце́рте, сообщи́те мне́, сообщи́л, сообщи́ла, сообщи́ли.

15. *Read and analyze. Note that the imperfective verb* бра́ть *in the past tense may denote an action the result of which has been canceled out by the moment of speaking.*

1. — Ни́на, у тебя́ е́сть уче́бник ру́сского языка́?
   — Да́, е́сть. Я́ взяла́ его́ в библиоте́ке.
2. — Ро́берт, у тебя́ е́сть ру́сско-англи́йский слова́рь?
   — Сейча́с не́т. Я́ бра́л его́ в библиоте́ке.

16. *Supply the correct aspectual form of the verbs on the right.*

1. — Андре́й, ты́ ... мне́ перевести́ э́тот те́кст?
   — Коне́чно. Помогу́. Ра́ньше я́ тебе́ всегда́ ... .

помога́ть / помо́чь

2. — Вы́ зна́ете, что за́втра не бу́дет ле́кции?
   — Да́, зна́ем. На́м ... об э́том.

сообща́ть / сооб-
щи́ть

308

3. — Ни́на Ива́новна, ..., пожа́луйста, когда́ на́до   объясня́ть / объяс-
    испо́льзовать ИК-1.   ни́ть
    — Пожа́луйста.
4. — Кристи́на, у тебя́ есть э́та кни́га?   дари́ть / подари́ть
    — Да, есть. Мне́ ... её сестра́.
5. — Джо́н, э́то твой журна́л?   брать / взять
    — Не́т, я ... его́ в библиоте́ке.
6. — Джо́н, у тебя́ есть а́нгло-ру́сский слова́рь?   брать / взять
    — Сейча́с не́т. Я ... его́ в библиоте́ке.

17. *Vocabulary for Reading. Study the following new words and their usage as illustrated in the sentences on the right. Pronounce each sentence aloud.*

по́мнить кого́—что, о ко́м—о   Я хорошо́ по́мню э́того челове́ка. Он
чём / *subordinate clause*   учи́лся в на́шем университе́те.
забыва́ть / забы́ть кого́—что, о   — Вы́ по́мните слова́ э́той пе́сни?
 ко́м—о чём / *subordinate   — Не́т, забы́л.
 clause*   — Ви́ктор Петро́вич, вы́ по́мните, что
    в сре́ду у ва́с бу́дет ле́кция?
    — Большо́е спаси́бо, что сказа́ли.
    Я по́мню, что у меня́ должна́ бы́ть
    ле́кция, но забы́л, когда́ она́ бу́дет.
запомина́ть / запо́мнить кого́—   — Ро́берт, вы́ по́мните о семина́ре?
что́ / *subordinate clause*   — Не́т, забы́л. А когда́ он бу́дет?
    — Запо́мните, пожа́луйста, что се-
    мина́р бу́дет во вто́рник.
    У Джо́на хоро́шая па́мять. Он бы́стро
    и хорошо́ запомина́ет. У Дже́ка
    плоха́я па́мять. Он о́чень бы́стро за-
    быва́ет.
    Вы́ должны́ хорошо́ запо́мнить э́ти
    слова́. Не забыва́йте и́х.

18. *Read aloud.*

по́мнить, я́ по́мню, ты́ по́мнишь, слова́, о́н по́мнит слова́, о́н по́мнил, она́ по́мнила;
запо́мнить, я запо́мню э́то, ты́ запо́мнишь, запо́мните э́то, о́н запо́мнил, она́ запо́мнила;
запомина́ть [зъпъм’ина́т’] я запомина́ю, ты́ запомина́ешь слова́, о́н запомина́ет слова́ хорошо́, запомина́йте, я запомина́л, она́ запомина́ла.
па́мять [па́м’ит’], хоро́шая па́мять, плоха́я па́мять;
забыва́ть, я забыва́ю, ты́ бы́стро забыва́ешь, о́н бы́стро забыва́ет, не забыва́йте;
забы́ть, я забу́ду, ты́ забу́дешь, о́н не забу́дет, не забу́дьте, не забу́дь, пожа́луйста.

19. *Supply the correct aspectual form of the verbs* по́мнить, забыва́ть / забы́ть, запомина́ть / запо́мнить.

1. — А́нна, у тебя́ хоро́шая па́мять?
   — Не́т, плоха́я. Я́ о́чень бы́стро . . . .
2. — А́нна Ива́новна, кто́ э́тот челове́к?
   — Э́то хиру́рг Петро́в. Я́ хорошо́ . . . его́. Мы́ вме́сте учи́лись в институ́те.
3. — Кэ́т, ты́ . . ., когда́ бу́дет экза́мен?
   — Не́т, не́ . . . . Профе́ссор говори́л на́м, но я́ . . . .
4. — У Джо́на хоро́шая па́мять. О́н бы́стро . . . . О́н мо́жет бы́стро . . . все́ но́вые слова́ уро́ка.
5. — Верони́ка, вы́ зна́ете, где́ в Москве́ нахо́дится музе́й Толсто́го?
   — Не́т, не зна́ю. Мне́ объясни́ли, но я́ . . . . Я́ . . . то́лько, что о́н нахо́дится недалеко́ от Па́рка культу́ры.

20. *Vocabulary for Reading. Study the following new words and their usage as illustrated in the sentences on the right. Pronounce each sentence aloud.*

иска́ть к о г о́ — ч т о́   — А́ня, ты́ не ви́дела мо́й уче́бник? Я́ потеря́ла его́.
     — Где́ ты́ иска́ла его́?
находи́ть / найти́ к о г о́ — ч т о   — В столе́, на столе́, в портфе́ле.
     — Посмотри́ на по́лке.
     — Спаси́бо, я́ нашла́ его́. О́н лежи́т зде́сь.

21. *Read aloud.*

иска́ть, я́ ищу́, ты́ и́щешь уче́бник, о́н и́щет портфе́ль, мы́ и́щем, вы́ и́щете, они́ и́щут, о́н иска́л, она́ иска́ла, они́ иска́ли, ищи́те, не ищи́те; находи́ть, я́ нахожу́, ты́ нахо́дишь, о́н нахо́дит, о́н находи́л, она́ находи́ла, они́ находи́ли; найти́, я́ найду́, ты́ найдёшь статью́, о́н найдёт портфе́ль, о́н нашёл статью́, она́ нашла́ статью́, они́ нашли́ статью́ в журна́ле, найди́те но́вое сло́во, о́н нашёл, она́ нашла́, они́ нашли́.

22. (a) *Read and analyze the following dialogue.*

— Оле́г, ты́ не зна́ешь, в како́м но́мере журна́ла «Спу́тник» е́сть статья́ о Сиби́ри? Мне́ на́до её найти́.
— Не ищи́, я́ уже́ нашёл её. Э́та статья́ во второ́м но́мере.

(b) *Compose similar dialogues based on the following situations.*

You need an article on contemporary Armenian poets, on a conference of surgeons, on eye surgery, on methods of treating the flu.

23. *Vocabulary for Reading. Study the following new words and their usage as illustrated in the sentences on the right. Pronounce each sentence aloud.*

боро́ться п р о́ т и в к о г о́ — ч е г о́, з а к о г о́ — ч т о   Сове́тский Сою́з боро́лся про́тив фаши́стской Герма́нии почти́ четы́ре го́да. Во вре́мя войны́ в Сталингра́де солда́ты боро́лись за ка́ждую у́лицу, за ка́ждый до́м.

погиба́ть / поги́бнуть

Во вре́мя войны́ у э́той же́нщины поги́бло два сы́на.

бы́вший

— Вы́ не зна́ете, кто́ э́тот челове́к?
— Это профе́ссор Петро́в, бы́вший дире́ктор институ́та.

— А́нна, кто́ твой оте́ц?
— Мой оте́ц — бы́вший крестья́нин. А сейча́с он рабо́тает на заво́де.

во-пе́рвых, во-вторы́х

— Мари́я, почему́ ты́ не была́ на ле́кции?
— Во-пе́рвых, я́ была́ больна́. Во-вторы́х, я́ не люблю́ исто́рию.

24. *Read aloud.*

боро́ться [баро́цца], я́ борю́сь, ты́ бо́решься, о́н бо́рется, о́н боро́лся, она́ боро́лась, они́ боро́лись, бори́тесь;

отря́д, партиза́нский отря́д, большо́й отря́д, большо́й партиза́нский отря́д;

погиба́ть, погиба́ю, погиба́ешь; поги́бнуть, поги́бну, поги́бнешь, поги́б, поги́бла, поги́бло, поги́бли;

бы́вший, бы́вший дире́ктор, бы́вший дире́ктор институ́та, крестья́нин [кр'ис'т'jа́н'ин], бы́вший крестья́нин, бы́вший студе́нт;

во-пе́рвых [вап'е́рвых], во-вторы́х [въфтары́х]

25. *Paraphrase each statement, using the word* бы́вший.

Model: Профе́ссор Ивано́в рабо́тал в на́шем институ́те. — Ивано́в — бы́вший профе́ссор на́шего институ́та.

1. Серге́ев учи́лся в на́шей гру́ппе. 2. Ра́ньше её фами́лия была́ Петро́ва. 3. Ра́ньше в э́том кабине́те рабо́тал профе́ссор Ле́бедев. 4. В э́том зда́нии бы́л о́перный теа́тр. 5. Сейча́с Семёнов — аспира́нт. Ра́ньше он учи́лся в на́шем институ́те.

26. *Answer each question, giving a three-part explanation incorporating the words* во-пе́рвых, во-вторы́х, в-тре́тьих.

1. Почему́ вы́ не сда́ли экза́мен? 2. Почему́ вы́ опозда́ли? 3. Почему́ вы́ не позвони́ли мне́ вчера́ ве́чером? 4. Почему́ вы́ не занима́етесь в библиоте́ке? 5. Почему́ вы́ не перевели́ те́кст? 6. Почему́ вы́ не написа́ли ему́ письмо́? 7. Почему́ вы́ нарисова́ли её портре́т?

27. *Remember the plural form and the stress of these nouns.*
крестья́нин — крестья́не
армяни́н — армя́не

28. (a) *Note the noun suffix* -ость.

но́вый — но́вость
ве́жливый — ве́жливость

(b) *Translate the sentences without consulting a dictionary.*

1. Мы услышали интере́сную но́вость. 2. Кра́ткость — сестра́ тала́нта. 3. Сейча́с в СССР стопроце́нтная гра́мотность. 4. Джон Смит — знамени́тость на́шего университе́та. 5. Все врачи́ понима́ют ва́жность э́той опера́ции.

29. *Read aloud.*

получи́ть письмо́, от дру́га [аддру́гъ], письмо́ от дру́га, в э́том году́ ле́том, студе́нты университе́та, студе́нты Моско́вского университе́та; недалеко́ от [д] го́рода, недалеко́ от го́рода Бре́ста, дере́вня нахо́дится недалеко́, дере́вня нахо́дится недалеко́ от го́рода Бре́ста; шко́льники, белору́сские шко́льники Оле́г и[ы] Андре́й, познако́мились [пъзнако́м'ил'ис'], Оле́г и Андре́й; учени́к деся́того [учин'и́г д'ис'а́тъвъ] кла́сса; строи́тельный отря́д, рабо́тал строи́тельный отря́д, отря́д студе́нтов, отря́д студе́нтов-исто́риков, рабо́тал строи́тельный отря́д студе́нтов-исто́риков; прекра́сно понима́ли, прекра́сно понима́ли друг дру́га; студе́нческие пе́сни, пе́ли студе́нческие пе́сни; организова́ть музе́й, организова́ть в ста́рой шко́ле музе́й, ребя́та хотя́т организова́ть в ста́рой шко́ле музе́й; Бре́стская [бр'е́сскъjъ] кре́пость, недалеко́ от Бре́стской кре́пости, в восемна́дцатом ве́ке, интере́сные материа́лы, докуме́нты и фотогра́фии, мно́го докуме́нтов и фотогра́фий; Вели́кая Оте́чественная война́, о Вели́кой Оте́чественной войне́, два́дцать миллио́нов челове́к, иска́ть истори́ческие докуме́нты; систематизи́ровать материа́лы, прия́тная но́вость, сообщи́ть прия́тную но́вость; изуча́ть археоло́гию, хочу́ изуча́ть археоло́гию; истори́ческий факульте́т, поступа́ть на истори́ческий факульте́т.

30. *Listen and repeat. (See Analysis, Phonetics, 3.76.)*

В э́том году́ ³летом / студе́нты Моско́вского университе́та рабо́тали в Бе-₁лоруссии.

В э́том году́ ⁴летом / студе́нты Моско́вского университе́та рабо́тали в Бело-₁руссии.

В э́том году́ ³летом / студе́нты Моско́вского ³университета / рабо́тали в Бело-₁руссии.

В э́том году́ ⁴летом / студе́нты Моско́вского ⁴университета / рабо́тали в Бело-₁руссии.

³Деревня, в кото́рой они́ рабо́тали, / нахо́дится недалеко́ от го́рода ¹Бреста.

⁴Деревня, в кото́рой они́ рабо́тали, / нахо́дится недалеко́ от го́рода ¹Бреста.

³Дере́вня, в кото́рой они́ работали, / нахо́дится недалеко́ от го́рода ¹Бреста.

⁴Дере́вня, в кото́рой они́ рабо́тали, / нахо́дится недалеко от го́рода ¹Бреста.

Когда́ Оле́г уви́дел, каки́е интере́сные материа́лы собра́ли ребя́та, / он ре-³₁ши́л помочь им.

Когда Оле́г уви́дел, каки́е интере́сные материа́лы собра́ли ребя́та, / о́н ре-
ши́л помо́чь и́м.

31. *Basic Text. Read the text and then do exercises 32-34.*

Письмо́ дру́га

Оле́г получи́л письмо́ от Андре́я, своего́ белору́сского дру́га. В э́том
году́ ле́том студе́нты Моско́вского университе́та рабо́тали в Белору́ссии,
стро́или шко́лу. Дере́вня, в кото́рой они́ рабо́тали, нахо́дится недалеко́ от
го́рода Бре́ста. Белору́сские шко́льники помога́ли и́м. Та́м познако́мились
Оле́г и Андре́й.

Андре́й — учени́к деся́того кла́с-
са[1]. О́н занима́лся в истори́че-
ском кружке́[2]. И когда́ в дере́в-
не рабо́тал строи́тельный отря́д
студе́нтов-исто́риков, Андре́й
всегда́ бы́л о́коло ни́х.
Студе́нты и шко́льники не то́ль-
ко рабо́тали, они́ мно́го разго-
ва́ривали. Москвичи́ говори́ли
по-ру́сски, а шко́льники по-бе-
лору́сски. Но они́ прекра́сно
понима́ли дру́г дру́га. Ве́чером
они́ игра́ли в футбо́л, в ша́х-
маты. Москвичи́ ча́сто пе́ли свои́
студе́нческие пе́сни.

[1] The full secondary education program in the USSR lasts for ten years.
[2] Extracurricular groups for school-age children are known as кружки́ "circles", and are
organized in schools, clubs and Young Pioneer Palaces throughout the USSR. "Circles" engage in
activities ranging from academic work in history, biology or math to training in music, dancing,
singing, dramatics or hobbyist activities (sketching, crafts, model airplanes, etc.).

Олег узнал, что ребята хотят организовать в старой школе музей[1]. Ребята объяснили ему, что во время войны[2] в 1941-1943 годах в лесах недалеко от этой деревни были партизаны. Это во-первых. Во-вторых, рядом находится Брестская крепость[3], о которой знает каждый человек в стране. В-третьих, недалеко от Брестской крепости археологи нашли место, где жили люди в XIII веке.

Олег очень удивился, когда увидел, какие интересные материалы собрали ребята.

У ребят было много документов и фотографий, которые рассказывали о Великой Отечественной войне. Во время войны в Советском Союзе погиб каждый десятый человек (20 миллионов человек), а в Белоруссии — каждый четвёртый.

Это было трудное время, и о нём нельзя забывать. Помнят об этом старые крестьяне, бывшие солдаты и партизаны. Должны знать об этом и молодые люди. Вот и решили ребята организовать свой небольшой музей.

Андрею было очень интересно собирать исторические документы, изучать их, искать новые материалы. Олег помогал ему систематизировать их. И когда Олег получил письмо от Андрея, он был очень рад. Андрей писал:

«Дорогой Олег! Здравствуй!

Хочу сообщить тебе приятную новость. Пятого ноября открыли наш музей. Было очень много народа. Говорили бывшие партизаны, директор школы, учителя.

Было очень интересно. Спасибо тебе. Ты так помог нам.

Я учусь. У меня всё в порядке. Хочу изучать археологию. В будущем году буду поступать на исторический факультет. Сейчас мне надо много заниматься. Очень мало свободного времени.

До свидания, Олег. Пиши мне.

Твой Андрей».

32. *Find the answers to the questions in the text and read them out.*

1. Где находится деревня, в которой работали студенты Московского университета? 2. Кто помогал студентам? 3. В каком кружке занимался Андрей? 4. Что ребята объяснили Олегу? 5. Когда Олег решил помочь им? 6. Какие документы и фотографии были у ребят? 7. Что решили организовать ребята? 8. Кто помогал Андрею систематизировать материалы? 9. Когда открыли школьный музей?

33. *Give full answers to the questions.*

1. Где познакомились Олег и Андрей? 2. Кто такой Андрей? 3. Почему Андрей всегда был около студентов-историков? 4. Как отдыхали студенты

---

[1] In Soviet schools there is a tradition of organizing school museums of history and geography.
[2] i. e. during the Great Patriotic War (1941-45), the liberation war waged by the Soviet people against fascist Germany and its allies.
[3] The Brest Fortress is located on the western border of the USSR. When the war broke out, a small garrison of frontier-guards held out in the fortress for over two months. Today the Brest Fortress is a memorial museum.

и шко́льники? 5. Почему́ Андре́й и други́е ребя́та реши́ли организова́ть в ста́рой шко́ле музе́й? 6. Почему́ Оле́г реши́л помо́чь им? 7. Что́ собра́ли ребя́та?

34. *Consult those passages in the story which tell about Andrei; then tell what you know about him in your own words.*

35. *Why do you think Andrei and his friends decided to organize a school museum?*

36. *Retell the story: (a) from Andrei's point of view; (b) from Oleg's point of view.*

37. *Compose dialogues based on the following situations.*

(1) Ask Oleg Petrov about the Byelorussian village he worked in this summer.
(2) You have made the acquaintance of the Byelorussian schoolboy Andrei. Ask him about his school work and how he lives. Where does he vacation? What does he like to do? What does he do in the summer? What university or institute does he hope to enter; which department? Why does he want to enter that department?
(3) Ask Andrei about the museum he organized at school.

38. *Compose dialogues based on the following situations.*

(1) You have made the acquaintance of a Russian schoolboy. Ask him about his school work, his home, how and where he vacations, what institute he hopes to enter, what he hopes to study.
(2) Tell a Soviet student about your own life, interests, hobbies. Do you enjoy the theater, sports, movies? What are you reading right now? How do you spend your vacations or free time? What subjects are you taking?

39. *Oral Practice.*

Tell how you studied at high school, where you went to school.

40. *Answer the questions.*

1. Каки́е музе́и есть в ва́шем го́роде? 2. Каки́е музе́и есть в ва́шем университе́те (ко́лледже)? 3. Что́ мо́жно уви́деть в э́тих музе́ях? 4. Каки́е музе́и вы́ зна́ете в свое́й стране́ и в други́х стра́нах? 5. Каки́е музе́и вы́ лю́бите? Почему́? 6. Что́ вы́ лю́бите смотре́ть в музе́ях? 7. В э́том году́ вы́ бы́ли в музе́е? В како́м? Когда́ э́то бы́ло? 8. В ва́шей стране́ есть музе́й кни́ги?

41. (a) *Read the text once without consulting a dictionary.*

А́гния Барто́

Писа́тель и лю́ди

Писа́ть стихи́ я начала́ о́чень ра́но. Одна́жды я тяжело́ боле́ла, у меня́ была́ высо́кая температу́ра. Я лежа́ла и гро́мко чита́ла стихи́. Пото́м, когда́ я начинала громко читать стихи, моя мама спрашивала: «Как ты себя чувствуешь? Какая у тебя температура?»

О профессии поэта я не думала. Я училась в балетной школе. Когда мы кончили школу, у нас были экзамены. На экзаменах мы танцевали, пели, читали стихи. В конце экзамена я читала свои стихи. Это были очень грустные стихи. Я читала стихи, а оркестр играл Шопена[1]. На экзамене был Анатолий Васильевич Луначарский[2]. Когда я читала свои стихи, Анатолий Васильевич смеялся. Я не понимала, почему он смеётся. Ведь это были такие грустные стихи. После экзамена Анатолий Васильевич сказал, что я обязательно буду писать ... весёлые стихи. «Можеть быть, ты и сейчас пишешь весёлые стихи?» — сказал он. «И как он узнал об этом?» — подумала я. Анатолий Васильевич долго спрашивал меня, что я люблю читать, кто мой любимый писатель.

Так я начала писать весёлые стихи. И, наверное, поэтому я начала писать стихи для детей. А. В. Луначарский понял, что у меня есть чувство юмора. А это чувство — обязательное свойство детского поэта. Я всегда хочу говорить о серьёзном просто и весело. Тогда дети будут читать и понимать мой стихи.

После войны в моей жизни случилось неожиданное. Мою поэму «Звенигород»[3] прочитала одна женщина. Я получила её письмо. Эта женщина писала: «Во время войны я потеряла мою дочь Нину. Ей было тогда восемь лет. Сейчас я прочитала вашу поэму и подумала, что, может быть, и мою Нину воспитали хорошие люди».

Мы решили искать Нину. В Советском Союзе есть специальная организация, которая ищет отцов и матерей, сыновей и дочерей, братьев и сестёр. Эти люди потеряли друг друга во время войны. Эта организация нашла Нину. Сейчас Нина и её мать вместе живут в Караганде[4]. У Нины есть муж и два сына. В газетах написали об этом случае, и я начала получать много писем. Люди просили помочь им найти сына, дочь, мать, отца, брата, сестру. Это было очень не просто. Дети часто не знали, какое у них было раньше имя, какая была фамилия. Когда они потеряли своих родителей, они были очень маленькие. Но иногда они могли вспомнить эпизоды своего детства, свой дом, любимую песню матери, любимую книгу отца.

И вот московская радиостанция «Маяк» начала передавать эти воспоминания. Их услышали на Украине и в Сибири, в Грузии и на Чукотке. И люди начали находить друг друга. Много людей помогало нам в этом деле. Об этом я написала книгу «Найти человека». Почти девять лет радиостанция «Маяк» передавала эти воспоминания.

(b) *Find in the text the following words and expressions and translate each without using a dictionary.*

оркестр, организация, радиостанция; балетный, детство, воспоминания; стихи, грустный, чувство юмора, неожиданный.

---

[1] Frédéric F. Chopin (1810-1849), Polish-born composer and pianist.
[2] A.V. Lunacharsky (1875-1933), Soviet statesman and academician. He was a distinguished orator, publicist and specialist in the history of art and literature.
[3] The poem *Zvenigorod* tells about orphaned children who lost their parents during the war, children's homes and foster families.
[4] Karaganda, a large industrial city in Kazakhstan.

(c) *Give Yes / No answers to the questions.*

1. А́гния Барто́ ра́но начала́ писа́ть стихи́? 2. Она́ ду́мала о профе́ссии поэ́та? 3. Она́ учи́лась в бале́тной шко́ле? 4. Она́ начала́ писа́ть стихи́ для дете́й? 5. Же́нщина, кото́рая написа́ла А. Барто́ письмо́, потеря́ла во вре́мя войны́ сы́на? 6. Газе́ты написа́ли об э́том? 7. Моско́вская радиоста́нция «Мая́к» помога́ла находи́ть тех, кто потеря́л друг дру́га во вре́мя войны́? 8. А́гния Барто́ написа́ла об э́том статью́?

42. *Read the text once more. Point out those key words and sentences which express the main ideas of the text.*

43. *Divide the text into smaller sections and supply a title for each.*

VOCABULARY

архео́лог archeologist
археоло́гия archeology
* балла́да ballad
баскетбо́л basketball
* белору́сский Byelorussian
боро́ться struggle, fight
бы́вший former
* ва́жность *f.* importance
ве́жливость *f.* politeness
* Вели́кая Оте́чественная война́ Great Patriotic War
ве́село cheerfully
вино́ wine
вну́к grandson
во вре́мя during
во-вторы́х in the second place, secondly
волейбо́л volley-ball
во-пе́рвых in the first place, firstly
* воспомина́ния recollections, reminiscences
гото́в ready
* гра́мотность literacy
гру́стный sad
дава́ть / да́ть give
дари́ть / подари́ть give (as a present)
* де́тство childhood
друг дру́га each other, one another
забыва́ть / забы́ть forget
занима́ться study
запомина́ть / запо́мнить memorize

* знамени́тость celebrity
игра́ть *imp.* play
иска́ть *imp.* search
кото́рый which, who, that
* кра́ткость *f.* brevity
* кре́пость *f.* fortress
* кружо́к circle
к сожале́нию unfortunately
кури́ть smoke
меню́ menu
* мирова́я война́ world war
мо́жно (it is) possible, (it is) permitted
* мо́лодость *f.* youth
молоко́ milk
музыка́льный musical
на́до (it is) necessary
находи́ть / найти́ find
недалеко́ от not far from
нельзя́ (it is) not permitted, (it is) impossible
* неожи́данный unexpected
но́вость news
* организа́ция organization
* орке́стр orchestra
оши́бка mistake
па́мять memory
* партиза́н guerrilla
партиза́нский guerrilla
перево́д translation
передава́ть / переда́ть pass, convey
по-белору́сски (in) Byelorussian
* погиба́ть / поги́бнуть perish, die

помога́ть / помо́чь help, assist
* поэ́ма (narrative) poem
пра́здник holiday
прекра́сно (it is) magnificent
прия́тный pleasant
радиоста́нция radio station
ребя́та *pl.* guys, lads; *colloq.* boys and girls
систематизи́ровать *imp.* systematize
* солда́т soldier
со́ль *f.* salt
сообща́ть / сообщи́ть inform
стихи́ *pl.* verse
* стопроце́нтный one hundred per cent; accomplished
сы́р cheese
телефо́н telephone
те́ннис tennis
тепло́ (it is) warm
теря́ть / потеря́ть lose
тётя aunt
удивля́ться / удиви́ться be surprised
* фаши́стский fascist
* фо́рмула formula
футбо́л soccer
хле́б bread
хо́лодно (it is) cold
чемпио́н champion
* чу́вство feeling
ша́хматы *pl.* chess
шко́льный school
ю́мор humor

ПЕТРУ ПЕРВОМУ
ЕКАТЕРИНА ВТОРАЯ
ЛѢТА 1782.

Unit 11

I

— Куда́ иду́т э́ти студе́нты?
— Они́ иду́т в университе́т.

1. *Listen and repeat, then read and analyze. (See Analysis XI, 1.0; 1.1.)*

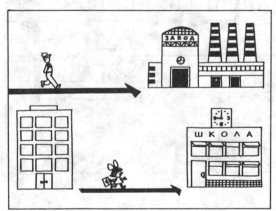

— **Куда́** сейча́с **иду́т** О́ля и Анто́н?
— О́ля **идёт в шко́лу**, а Анто́н **идёт на заво́д.**

— **Куда́ е́дут** Ве́ра и Ви́ктор?
— Ве́ра **е́дет в магази́н**, а Ви́ктор **е́дет на вокза́л.**

2. *Listen and repeat.*

иду́ в библиоте́ку; идёт в институ́т; идём в теа́тр; иду́т в кино́; е́ду в университе́т; е́дем на стадио́н; е́дет в Большо́й теа́тр; е́дем в Та́ллин; е́дут в Ленингра́д.

На у́лице

— А́нна, куда́ ты́ идёшь?
— Я́ иду́ в библиоте́ку.
— А Ка́тя?
— Она́ идёт в институ́т. А вы́ куда́ идёте?
— Мы́ идём в кино́. А э́то на́ши друзья́. Они́ то́же иду́т в кино́.

В метро́

— Куда́ ты́ е́дешь, Ви́ктор?
— Я́ е́ду в университе́т. А вы́?
— Мы́ е́дем на стадио́н.

На вокза́ле

— Ма́ша, куда́ вы́ е́дете?
— Мы́ е́дем в Та́ллин. А ты́?
— А я́ е́ду в Ленингра́д.
— А э́то твои́ друзья́?
— Не́т. Э́то тури́сты. Они́ то́же е́дут в Ленингра́д.

3. *Listen and reply.*

Model: — Вы́ идёте в шко́лу?
         — Да́, мы́ идём в шко́лу.

1. Вы́ идёте на по́чту? 2. Ты́ идёшь в библиоте́ку? 3. Вы́ идёте в университе́т? 4. О́н идёт в институ́т? 5. Она́ то́же идёт в институ́т? 6. Вы́ е́дете в теа́тр? 7. Она́ то́же е́дет в теа́тр? 8. Вы́ е́дете в Ки́ев? 9. Они́ е́дут в Ленингра́д? 10. Ты́ е́дешь в Ташке́нт?

4. *Ask questions and answer them.*

Model: — Э́тот ма́льчик идёт?
         — Не́т, о́н е́дет.
         — Э́та де́вочка е́дет?
         — Не́т, она́ идёт.

5. *Answer the questions, using the words on the right.*

1. Дже́йн, куда́ ты́ идёшь?	шко́ла
2. А́нна, куда́ ты́ идёшь?	университе́т
3. Куда́ вы́ е́дете, Никола́й Петро́вич?	библиоте́ка
	теа́тр
4. А куда́ е́дет Ви́ктор?	Ки́ев
5. Куда́ е́дут шко́льники?	Ленингра́д
6. Куда́ е́дут студе́нты?	Ташке́нт

Memorize:

Где́?	Куда́?
О́н (бы́л) до́ма.	О́н идёт домо́й.
О́н (бы́л) та́м.	О́н идёт туда́.
О́н (бы́л) зде́сь.	О́н идёт сюда́.

6. *Listen and repeat.*

иду́ домо́й, идёшь домо́й, идёт домо́й, идём домо́й, идёте домо́й, иду́т домо́й.

— Кто́ идёт домо́й? Ты́ идёшь, Ма́ша?

— Да́, я иду́ домо́й.

— А Ви́ктор то́же идёт домо́й?

— Не́т, о́н идёт на стадио́н.

— Ребя́та, вы́ идёте домо́й?

— Да́, мы́ все́ идём домо́й.

7. *Supply responses to each of the statements.*

Model: — Мы́ идём в библиоте́ку.

— Я́ то́же иду́ туда́.

— Мы́ живём в общежи́тии.

— Я́ то́же живу́ та́м.

1. Мы́ е́дем в университе́т. 2. Мы́ идём в столо́вую. 3. В воскресе́нье я́ бы́л на вы́ставке. 4. — Где́ Никола́й? — О́н здесь. — А Ви́ктор? 5. Ю́ра сейча́с до́ма. А его́ бра́т? 6. Я́ иду́ домо́й. А вы́? 7. Мы́ е́дем в па́рк.

8. *Where, in your opinion, are these people going?*

9. *Listen and repeat.*

иду́ на уро́к, идёт на конце́рт; идёшь на экза́мен [игза́м’ин], идём на семина́р, идёте на конфере́нцию, иду́т на заня́тия, е́ду на пра́ктику.

Сего́дня уро́к ру́сского языка́. Я́ иду́ на уро́к. У на́с сего́дня ле́кция. Мы́ идём на ле́кцию. Сего́дня экза́мен. Они́ иду́т на экза́мен. У ни́х сего́дня семина́р. Они́ иду́т на семина́р. Сего́дня в институ́те конфере́нция. Студе́нты иду́т на конфере́нцию.

1. — Ребя́та, где́ вы́ бы́ли?

— Мы́ бы́ли на ле́кции по литерату́ре.

— А куда́ вы́ идёте сейча́с?

— Мы́ идём на ле́кцию по исто́рии. А вы́?

— У на́с бы́л семина́р, а тепе́рь мы́ идём на уро́к ру́сского языка́.

2. — Ка́тя, куда́ ты́ е́дешь?

— Я́ е́ду в Оде́ссу на пра́ктику. А ты́?

— Я́ е́ду в Ташке́нт на конфере́нцию. А э́то мои́ друзья́. Они́ то́же е́дут на конфере́нцию.

10. *Listen and reply.*

Model: — Куда́ ты идёшь? У тебя́ сейча́с ле́кция?
— Да́, я иду́ на ле́кцию.

1. Куда́ вы́ идёте? У ва́с сейча́с семина́р? 2. Куда́ идёт А́нна? У неё сейча́с экза́мен? 3. Куда́ ты́ идёшь? У тебя́ уро́к ру́сского языка́? 4. Куда́ иду́т студе́нты? У ни́х сейча́с ле́кция по литерату́ре? 5. Куда́ все́ иду́т? Сего́дня в институ́те конфере́нция? 6. Куда́ вы́ идёте? Сего́дня в клу́бе конце́рт?

11. *Answer the questions.*

1. Где́ вы́ бы́ли вчера́? А куда́ вы́ идёте сего́дня? 2. Где́ Ви́ктор бы́л в суббо́ту ве́чером? А куда́ он идёт сейча́с? 3. Где́ бы́ли ва́ши друзья́ во вто́рник? А куда́ они́ иду́т сейча́с? 4. У́тром Юра и Бори́с бы́ли на заня́тиях. А куда́ они́ иду́т сейча́с?

12. *Supply continuations to each of the dialogues, as in the model.*

Model: — А́ня, куда́ ты́ идёшь?   — На каку́ю ле́кцию?
— Я́ иду́ на ле́кцию.   — На ле́кцию по литерату́ре.

1. — Ви́ктор, куда́ ты́ идёшь? — Я́ иду́ на семина́р. 2. — Бори́с, куда́ ты́ идёшь? — Я́ иду́ на конфере́нцию. 3. — Ве́ра, куда́ ты́ идёшь? — Я́ иду́ на экза́мен. 4. — Оля, куда́ ты́ идёшь? — Я́ иду́ на заня́тия. 5. — Ни́на, Ва́ля, куда́ вы́ идёте? — Мы́ идём на ле́кцию.

II | Вчера́ мы гуля́ли **по го́роду.**

---

13. *Listen and repeat; then read and analyze. (See Analysis XI, 2.5.)*

1. — Вы́ не зна́ете, кто́ э́то идёт **по коридо́ру?**
   — Э́то но́вый инжене́р.
2. — Что́ вы́ бу́дете де́лать ве́чером?
   — Ве́чером мы́ бу́дем гуля́ть **по Москве́.**
3. — **По како́й у́лице** мы́ идём?
   — Мы́ идём **по у́лице Го́рького.**

14. *Listen and repeat.*

идём по у́лице, идём по у́лице Го́рького, идёт по коридо́ру, гуля́ть по го́роду, гуля́ем по Москве́, люблю́ гуля́ть по ле́су.
1. — Скажи́те, пожа́луйста, где́ у́лица Че́хова?
   — Вы́ идёте по у́лице Че́хова.
   — Да́? Спаси́бо.
2. — Вы́ лю́бите гуля́ть по ле́су зимо́й?
   — Не́т, не люблю́.

322

15. *Listen and reply.*

Model: — Мы́ идём по у́лице Го́рького?
— Да́, мы́ идём по у́лице Го́рького.

1. Вы́ гуля́ете ве́чером по па́рку? 2. Вы́ лю́бите гуля́ть по ле́су? 3. Вы́ вчера́ гуля́ли по го́роду? 4. Вы́ бу́дете ве́чером гуля́ть по Москве́? 5. Мы́ е́дем по у́лице Че́хова?

16. *Answer the questions, using the words* па́рк, ле́с, го́род, у́лица Го́рького.

1. Где́ вы́ лю́бите гуля́ть ве́чером?
2. Где́ вы́ обы́чно гуля́ете в суббо́ту и в воскресе́нье?

17. *Answer the questions.*

Model: — Ка́к называ́ется пло́щадь, по кото́рой мы́ идём?
— Пло́щадь Маяко́вского.

1. Ка́к называ́ется у́лица, по кото́рой мы́ идём? 2. Ка́к называ́ется го́род, по кото́рому мы́ е́дем? 3. Ка́к называ́ется па́рк, по кото́рому мы́ идём? 4. Ка́к называ́ется дере́вня, по кото́рой мы́ е́дем? 5. Ка́к называ́ется проспе́кт, по кото́рому мы́ е́дем?

идти́	ходи́ть
О́н **идёт** в институ́т.	О́н **хо́дит** по ко́мнате.
	Я́ ча́сто **хожу́** в теа́тр.
	О́н лю́бит **ходи́ть** пешко́м.
	Вчера́ я́ **ходи́л** в теа́тр.
	(only past tense)

18. *Read and analyze. (See Analysis XI, 2.0; 2.1; 2.2; 2.3.)*

Сейча́с 9 часо́в утра́. Студе́нты **иду́т** по коридо́ру в аудито́рию. Та́м профе́ссор Қазако́в бу́дет чита́ть ле́кцию по археоло́гии. 10 часо́в 45 мину́т. По́сле ле́кции студе́нты **хо́дят** по коридо́ру, разгова́ривают. Мы́ стои́м о́коло окна́. Недалеко́ от институ́та небольшо́й па́рк. В па́рке игра́ют и **бе́гают** де́ти. А во́т **идёт** Та́ня Лео́нова. Она́ **идёт** о́чень бы́стро. Она́ спеши́т, потому́ что она́ опа́здывает. Она́ почти́ **бежи́т**.

19. *Listen and repeat.*

Note the stress:	
хожу́	☐ ●
хо́дишь	◼ ○
хо́дит	◼ ○
хо́дим	◼ ○
хо́дите	◼ ○
хо́дят	◼ ○

ходи́ть по ко́мнате, хо́дит по коридо́ру, хожу́ пешко́м, хо́дим в теа́тр, она́ спеши́т, бежи́т в институ́т, бе́гают по па́рку.

1. — Вы́ лю́бите ходи́ть?
— Да́, о́чень. Я́ мно́го хожу́. Я́ всегда́ хожу́ пешко́м на рабо́ту.
— Я́ то́же. Я́ люблю́ ходи́ть по го́роду. Куда́ вы́ сейча́с идёте?
— Я́ иду́ домо́й.
2. — Ма́ша, ты́ ча́сто хо́дишь в теа́тр?
— Да́, я́ ча́сто хожу́ в теа́тр. А ты́?

— А я ре́дко. Я не люблю́ теа́тр. Я ча́сто хожу́ в кино́.

3. — Куда́ вы бежи́те, Пе́тя?

— Я бегу́ в институ́т. Я опа́здываю.

— А ты́ куда́ бежи́шь, Анто́н? Ты́ то́же спеши́шь в институ́т?

— Не́т. Я зде́сь живу́. Я всегда́ бе́гаю у́тром. Я люблю́ бе́гать.

20. *Complete the sentences and write them down.*

1. А́ня идёт... 2. А́ня и Ви́ктор хо́дят... 3. У́тром де́ти бегу́т... 4. Де́ти бе́гают... 5. Соба́ка бе́гает... 6. Когда́ у Ди́мы боли́т зу́б, о́н хо́дит... 7. Ди́ма идёт... 8. Ско́ро де́вять часо́в. Студе́нты иду́т... 9. Ве́ре на́до купи́ть слова́рь. Она́ идёт... 10. Оле́г забы́л купи́ть хле́б. О́н бежи́т...

21. *Read and analyze. (See Analysis XI, 2.0; 2.1; 2.2.)*

— Во́т **е́дет** Дми́трий Ива́нович. О́н ча́сто **е́здит** по э́той у́лице, **во́зит** за́втраки и обе́ды в шко́лу.

— Для кого́?

— Для дете́й мла́дших кла́ссов.

— А ста́ршие шко́льники?

— Одни́ за́втракают в буфе́те, други́е **но́сят** за́втраки в шко́лу.

22. *Listen and repeat.*

е́здить [jéз'д'ит']; я е́зжу [jéжжу]; Я е́зжу в шко́лу. О́н е́здит. О́н е́здит в институ́т. Я ча́сто е́зжу в Ленингра́д. О́н ча́сто хо́дит в теа́тр. Мы́ е́здим в библиоте́ку ка́ждый де́нь. Она́ хо́дит в институ́т ка́ждый де́нь. Мы́ ча́сто хо́дим в музе́й.

23. *Listen and reply.*

Model: — Вы́ ча́сто хо́дите в теа́тр?

— Да́, я ча́сто хожу́ в теа́тр.

1. Вы́ ча́сто е́здите в Ленингра́д? 2. Вы́ ча́сто хо́дите в музе́й? 3. Вы́ ча́сто хо́дите в кино́? 4. Вы́ хо́дите в институ́т ка́ждый де́нь? 5. Вы́ ча́сто е́здите в библиоте́ку? 6. Вы́ ча́сто хо́дите по э́той у́лице? 7. Вы́ ча́сто е́здите по у́лице Го́рького?

24. *Supply a continuation to each sentence, as in the model.*

Model: Анто́н у́чится в институ́те. Ка́ждый де́нь о́н хо́дит (е́здит) в институ́т.

1. Ве́ра рабо́тает в библиоте́ке. 2. Бори́с у́чится в университе́те. 3. Дми́трий рабо́тает в лаборато́рии. 4. Мы́ лю́бим игра́ть в клу́бе в ша́хматы. 5. О́льга у́чится в медици́нском институ́те. 6. Я зна́ю, что вы́ рабо́таете в истори́ческом музе́е.

25. *Supply responses to make up dialogues, as in the model. Use the words on the right.*

Model: — Куда́ вы́ идёте?
— Мы́ идём в па́рк.
— Вы́ ча́сто туда́ хо́дите?
— Мы́ хо́дим в па́рк ка́ждый де́нь.

1. Куда́ иду́т э́ти студе́нты?	стадио́н
2. Куда́ идёт Серге́й?	магази́н
3. Куда́ идёт А́нна?	по́чта
4. Куда́ е́дет Дже́йн?	заво́д
5. Куда́ вы́ е́дете?	ю́г
6. Куда́ е́дет ва́ш бра́т?	Ленингра́д
7. Куда́ е́дут студе́нты в э́том году́?	пра́ктика

26. *Compose similar dialogues.*

Model: — Куда́ ты́ идёшь?
— Я́ иду́ в институ́т. Я́ та́м рабо́таю.
— Ты́ ка́ждый де́нь хо́дишь в сво́й институ́т?
— Да́, ка́ждый де́нь.

27. *Listen and repeat. Memorize the pairs of correlated verbs.*

идёт — несёт

— Кто́ э́то идёт?
— Э́то идёт Ви́ктор.
— Что́ о́н несёт?
— О́н несёт пи́сьма на по́чту.

хо́дит — но́сит

— Ви́ктор ча́сто хо́дит на по́чту?
— О́н ка́ждый де́нь хо́дит на по́чту, но́сит пи́сьма.

е́дет — везёт

— Куда́ е́дет Ю́ра?
— О́н е́дет в го́род.
— Что́ о́н везёт?
— О́н везёт цветы́.

е́здит — во́зит

— Ю́рий ча́сто е́здит в го́род?
— Да́, о́н ка́ждую неде́лю е́здит в го́род, о́н во́зит цветы́.

28. *Listen and repeat.*

Note the stress:	
ношу́	вожу́
но́сишь	во́зишь
но́сит	во́зит
но́сим	во́зим
но́сите	во́зите
но́сят	во́зят

нести́ [н'ис'т'и́], я́ несу́ кни́ги, ты́ несёшь цветы́, о́н несёт пи́сьма, мы́ несём цветы́, вы́ несёте пласти́нки, они́ несу́т журна́лы;

носи́ть, я́ ношу́ пи́сьма, ты́ но́сишь газе́ты, о́н но́сит кни́ги, мы́ но́сим журна́лы, вы́ но́сите газе́ты, они́ но́сят пи́сьма;

везти́, я́ везу́ кни́ги, ты́ везёшь сы́на, о́н везёт до́чь, мы́ везём дете́й, вы́ везёте кни́ги, они́ везу́т дете́й;

вози́ть, я́ вожу́, ты́ во́зишь, о́н во́зит, мы́ во́зим, вы́ во́зите, они́ во́зят.

29. *Listen and reply.*

Model: — Вы́ е́дете в го́род?
— Да́, я е́ду в го́род.

1. Вы́ е́дете на по́чту? 2. Вы́ везёте пи́сьма? 3. Вы́ идёте домо́й? 4. Вы́ несёте кни́ги? 5. Вы́ хо́дите на по́чту ка́ждый де́нь? 6. Вы́ но́сите туда́ пи́сьма? 7. Вы́ е́здите в го́род ка́ждый де́нь? 8. Вы́ во́зите дете́й в шко́лу?

30. *Supply responses incorporating the following words and phrases:* ча́сто, обы́чно, всегда́, иногда́, ка́ждый де́нь, ка́ждое воскресе́нье, ка́ждую суббо́ту.

Model: Ва́ля несёт в кла́сс ка́рту. — Она́ ча́сто но́сит в кла́сс ка́рту?

1. Мы́ идём на по́чту. 2. Никола́й Ива́нович везёт дете́й в теа́тр. 3. Ро́берт идёт занима́ться в библиоте́ку. 4. О́ля несёт журна́лы в шко́лу. 5. Ка́тя несёт пласти́нки подру́ге. 6. Дми́трий везёт тетра́ди, ру́чки, каранда́ши в шко́лу. 7. Одна́ маши́на везёт в го́род мя́со, друга́я маши́на везёт молоко́.

31. *Complete the sentences, using the transitive verbs* нести́ *or* носи́ть *and* везти́ *or* вози́ть.

1. А́ня была́ в магази́не. Она́ идёт домо́й и . . . . 2. Ди́ма бы́л в библиоте́ке. О́н идёт домо́й, ... 3. Ве́ра ча́сто хо́дит на по́чту, ... 4. Во́т е́дет больша́я маши́на, ... 5. За́втра пра́здник. Крестья́не е́дут в го́род, ... 6. Мо́й дру́г бо́лен. Я е́ду в больни́цу, ... 7. По э́той доро́ге ча́сто е́здят шко́льные авто́бусы, они́ . . . .

III | **Ма́льчик е́дет на велосипе́де.**

32. *Read and analyze.* (*See Analysis XI, 2.4.*)

— Ива́н Петро́вич, здра́вствуйте. Куда́ вы́ та́к ра́но идёте?
— На рабо́ту.
— А почему́ вы́ идёте на рабо́ту пешко́м?
— Я не люблю́ е́здить **на маши́не.**
— Я то́же не е́зжу **на маши́не.** Вра́ч сказа́л, что мне́ на́до бо́льше ходи́ть пешко́м и е́здить **на велосипе́де.**

— Ве́ра, почему́ ты́ опозда́ла?
— Обы́чно я е́зжу **на авто́бусе,** а сего́дня я е́хала **на трамва́е** и на тролле́йбусе.
— Тебе́ на́до бы́ло е́хать **на такси́.**

33. *Listen and repeat.*

Я люблю́ ходи́ть. Он лю́бит е́здить. Она́ не лю́бит ходи́ть. Они́ не лю́бят ходи́ть пешко́м.

Я е́ду на маши́не. Я е́зжу на маши́не. Он не лю́бит е́здить на маши́не.

Е́здить на метро́. Я е́зжу на метро́. Он е́здит в институ́т на метро́. Е́здить на авто́бусе. Я люблю́ е́здить на авто́бусе. Я е́зжу на рабо́ту на авто́бусе. Е́здить на тролле́йбусе. Я е́зжу на тролле́йбусе. Я е́зжу в институ́т на тролле́йбусе. На трамва́е, е́здить на трамва́е. Я не люблю́ е́здить на трамва́е. Я е́зжу на трамва́е. Я е́зжу на рабо́ту на трамва́е. На такси́. Я е́зжу на такси́. Я ча́сто е́зжу на такси́.

34. *Supply responses to the statements, as in the model.*

Model: — Я хожу́ на рабо́ту пешко́м.
— Я то́же хожу́ на рабо́ту пешко́м.

1. Я люблю́ ходи́ть пешко́м. 2. Я люблю́ е́здить на метро́. 3. Я е́зжу на рабо́ту на авто́бусе. 4. Андре́й е́здит на рабо́ту на маши́не. 5. А́лла е́здит в институ́т на тролле́йбусе. 6. Оле́г ча́сто е́здит в университе́т на такси́. 7. Я люблю́ е́здить на трамва́е.

35. *Reply to the questions, as in the model.*

Model: — Вы́ хо́дите в институ́т пешко́м?
— Не́т, я е́зжу в институ́т на метро́.

1. Вы́ хо́дите в библиоте́ку пешко́м? 2. Вы́ е́здите в институ́т? 3. Вы́ е́здите в шко́лу? 4. Вы́ е́здите в магази́н? 5. Вы́ хо́дите в университе́т? 6. Вы́ е́здите на по́чту?

36. *Answer the questions, using the words* метро́, авто́бус, тролле́йбус, трамва́й, такси́, маши́на.

1. Вы́ е́здите в институ́т и́ли хо́дите пешко́м? 2. Ка́к вы́ е́здите в институ́т?

37. *Complete the sentences.*

1. Я живу́ недалеко́ от институ́та. В институ́т я... 2. Мо́й това́рищ живёт далеко́ от институ́та. Он... 3. Я люблю́ ходи́ть пешко́м и не люблю́... 4. Я не люблю́ е́здить на метро́, люблю́... 5.—Почему́ ты́ несёшь кни́ги в рука́х? Где́ тво́й портфе́ль?—Не люблю́... 6. Мы́ е́здим в ле́с на велосипе́дах. Мы́ не лю́бим...

38. *Listen and repeat; then read and analyze. (See Analysis XI, 2.1.)*

1. — Ве́ра, где́ ты́ **была́** вчера́ ве́чером?
— Я **ходи́ла** в теа́тр.
— Ты́ ча́сто быва́ешь в теа́тре?
— Да́, я хожу́ в теа́тр ка́ждое воскресе́нье.
2. — Серге́й, где́ ты́ **бы́л** ле́том?
— Я **е́здил** на ю́г.

39. *Listen and repeat.*

Я ходи́л, ты ходи́ла; о́н носи́л, ты носи́ла; о́н вози́л, я́ вози́ла; я́ е́здил, она́ е́здила; мы́ ходи́ли, вы́ е́здили, они́ носи́ли, вы́ вози́ли, мы́ везли́, вы́ несли́; я́ была́, о́н бы́л, они́ бы́ли; Где́ ты бы́л? Где она́ была́? Где́ вы́ бы́ли? Где́ вы́ бы́ли ле́том? Вы́ е́здили ле́том в Ленингра́д? Ты е́здил в воскресе́нье в ле́с? Вы́ е́здили в А́нглию? Вы́ бы́ли на факульте́те? Вы́ бы́ли в шко́ле сего́дня?

40. *Answer the questions, using the words on the right.*

Model: — Где́ вы́ бы́ли сего́дня днём?
       — Я́ ходи́л (е́здил) на рабо́ту.

1. Где́ вы́ бы́ли вчера́ ве́чером?
2. Где́ вы́ бы́ли сего́дня в пя́ть часо́в?
3. Где́ вы́ бы́ли в а́вгусте?
4. Где́ вы́ бы́ли в про́шлом году́?

па́рк, ле́с, шко́ла, рестора́н, по́чта, вокза́л, теа́тр, кино́, се́вер, Ленингра́д, Украи́на, А́нглия, ю́г

41. *Listen and repeat; then read and analyze. (See Analysis XI, 2.3.)*

1. — Когда́ вы́ е́дете в Тбили́си?
     — Мы́ е́дем за́втра в ше́сть часо́в.
2. — Почему́ вы́ сего́дня не мо́жете бы́ть на заня́тиях?
     — **В три́ часа́** я́ иду́ сдава́ть экза́мен.

42. *Answer the questions.*

1. Куда́ вы́ идёте сего́дня ве́чером? А куда́ иду́т ва́ши друзья́? 2. Куда́ е́дут отдыха́ть ва́ши роди́тели? А куда́ е́дете вы́? 3. Когда́ вы́ е́дете на ю́г? А когда́ е́дет ва́ша семья́? 4. Это ва́ши биле́ты? Куда́ вы́ е́дете? 5. Куда́ вы́ е́дете в э́то воскресе́нье? 6. Где́ вы́ бы́ли в про́шлом году́ ле́том и куда́ вы́ е́дете в э́том году́?

43. *Answer the questions.*

Model: — Почему́ вы́ не бу́дете сего́дня на конце́рте?
       — Ве́чером я́ иду́ в теа́тр.

1. Вы́ бу́дете до́ма сего́дня ве́чером? 2. По́сле семина́ра вы́ ещё бу́дете в университе́те? 3. Почему́ вы́ не бу́дете в сре́ду на конфере́нции? 4. В четы́ре часа́ я́ бу́ду звони́ть ва́м. Вы́ бу́дете до́ма? 5. Вы́ сего́дня бу́дете обе́дать до́ма? 6. В суббо́ту мы́ е́дем в Ки́ев. А вы́?

44. *Answer the questions, using verbs of motion.*

1. Вы́ быва́ете в университе́те ка́ждый де́нь? 2. Ка́к вы́ е́здите в университет? 3. Вы́ лю́бите е́здить на маши́не и́ли ходи́ть пешко́м? 4. Вы́ ча́сто быва́ете в теа́тре, на конце́ртах? 5. Куда́ вы́ идёте в воскресе́нье? 6. Где́ вы́ отдыха́ете в э́том году́? 7. Куда́ идёт ва́ш това́рищ? Что́ о́н несёт?

8. Дети всегда хо́дят в шко́лу пешко́м? 9. Вы́ покупа́ете молоко́ в магази́не и́ли ва́м но́сят молоко́ домо́й?

45. *Translate.*

"Ira, where are you going?"

"I'm on my way to the hospital. Sergei is sick. I'm taking some books for him."

"Do you often go to the hospital?"

"No, I am going there for the first time."

"Where were you last Saturday?"

"I was in the country on Saturday. My parents live there. I go there every week."

"And will you be at home tomorrow?"

"No, tomorrow I am going to the Museum of Folk Art. I like to go to that museum. There is much of interest there."

> IV
>
> Е́сли я́ бу́ду учи́ться в Москве́, я́ бу́ду ча́сто ходи́ть в музе́и и теа́тры.
> Е́сли вы́ дади́те мне́ а́дрес, то я́ напишу́ ва́м.

46. *Listen and repeat; then read and analyze. (See Analysis XI, 4.0.)*

— Оле́г, е́сли за́втра у на́с бу́дет контро́льная рабо́та по англи́йскому языку́, ты́ мо́жешь да́ть мне́ сво́й слова́рь?

— Пожа́луйста.

— Спаси́бо. Е́сли я́ забу́ду сло́во, я́ посмотрю́ его́ в словаре́.

— Я́ ду́маю, что ты́ не смо́жешь написа́ть контро́льную рабо́ту, е́сли бу́дешь иска́ть слова́ в словаре́. Слова́ на́до вы́учить сего́дня.

47. *Listen and repeat.*

Е́сли пого́да хоро́шая, / я́ хожу́ на рабо́ту пешко́м.

Е́сли ле́то бу́дет холо́дное, / мы́ бу́дем отдыха́ть на ю́ге.

Е́сли вы́ хоти́те хорошо́ говори́ть по-ру́сски, / ва́м ну́жно мно́го занима́ться. Е́сли у ва́с е́сть вре́мя, / прочита́йте но́вый расска́з Нагибина.

48. *Read aloud with the correct intonation.*

Е́сли пого́да плоха́я, / я́ е́зжу в институ́т на авто́бусе.

Е́сли пого́да хоро́шая, / мы́ хо́дим домо́й пешко́м.

Е́сли я́ бы́стро переведу́ те́кст, / ве́чером я́ бу́ду слу́шать му́зыку.

Е́сли у ва́с за́втра бу́дет вре́мя, / посмотри́те но́вый фи́льм.

49. *Read and compare the sentences in each pair.*

1. Éсли кни́га интере́сная, я чита́ю её бы́стро. Éсли кни́га бу́дет интере́с-
ная, я прочита́ю её бы́стро.
2. Éсли пого́да хоро́шая, мы гуля́ем в па́рке. Éсли пого́да бу́дет хоро́шая,
мы бу́дем гуля́ть в па́рке.
3. Éсли вы изуча́ете литерату́ру, ва́м на́до мно́го чита́ть. Éсли вы бу́дете
изуча́ть литерату́ру, ва́м на́до бу́дет мно́го чита́ть.

50. *Complete each of the sentences and mark intonational centers.*

1. Éсли студе́нт мно́го рабо́тает, о́н... 2. Éсли вы бу́дете хорошо́ зани-
ма́ться, вы́... 3. Éсли вы понима́ете по-ру́сски, вы мо́жете... 4. Éсли у ва́с
боли́т зу́б, ва́м на́до... 5. Éсли и́мя отца́ Никола́й, то о́тчество его́ сы́на...
6. Éсли те́кст бу́дет нетру́дный, я́... 7. Éсли вы хорошо́ зна́ете дру́г дру́га,
вы́ мо́жете... 8. Éсли вы помо́жете на́м, мы́...

51. *Answer each question.*

1. Что́ мне́ на́до де́лать, е́сли я́ хочу́ изуча́ть ру́сский язы́к? 2. Что́
мне́ на́до де́лать, е́сли я́ хочу́ учи́ться рисова́ть? 3. Что́ мне́ на́до де́лать,
е́сли в библиоте́ке не́т э́той кни́ги? 4. Что́ на́до сказа́ть по-ру́сски, е́сли
челове́к помо́г мне́?

52. *Read and translate.*

Отве́т арти́ста

Одна́жды знамени́того арти́ста спроси́ли:
— Каки́е ро́ли вы́ лю́бите игра́ть, больши́е и́ли ма́ленькие?
— Éсли пье́са хоро́шая, то люблю́ больши́е ро́ли. Éсли пье́са плоха́я,
то са́мые ма́ленькие.

Пётр Ива́нович удиви́лся

Éсли э́то ко́шка, то где́ же пло́в?
Éсли э́то пло́в, то где́ же ко́шка?

Conversation

I. Communications Expressing Identical Actions and Circumstances. (*See Analysis XI, 5.0.*)

— Андрей пи́шет диссерта́цию.
— **И** А́ня пи́шет диссерта́цию. (information about a new person performing the same action)
— А́ня **то́же** пи́шет диссерта́цию. (information about the identical action)

1. *Listen and repeat. Note the shift of intonational centers.*

Ка́тя—студе́нтка. И я студе́нтка. Джейн идёт в институ́т. И мы идём в институ́т. А́нна рабо́тает. И я рабо́таю.

Ка́тя у́чится. Джейн то́же у́чится. Андрей чита́ет. Я то́же чита́ю. Оле́г рабо́тает в институ́те. Мы́ то́же рабо́таем в институ́те.

2. *Respond to the statements, as in the model.*

Model: — И́ра лю́бит пе́ть. — И мы́ лю́бим пе́ть.
— Мы́ то́же лю́бим пе́ть.

1. Андрей собира́ет ма́рки. 2. О́ля неда́вно купи́ла часы́. 3. Ве́ра лю́бит игра́ть в ша́хматы. 4. Анто́н лю́бит ходи́ть в теа́тр. 5. Мои́ друзья́ лю́бят е́здить на велосипе́де. 6. Андрей е́здит на рабо́ту на свое́й маши́не. 7. Па́вел хо́чет купи́ть чёрную «Во́лгу». 8. В про́шлом году́ Па́вел бы́л на се́вере. 9. Ра́ньше Ни́на жила́ в дере́вне.

II. Expression of Suggestion and Agreement under Fixed Conditions

(a) — Е́сли хоти́те, я покажу́ ва́м свою́ колле́кцию.
— Спаси́бо. Это о́чень интере́сно.
(b) — У ва́с не́т уче́бника. Возьми́те мо́й.
— Спаси́бо. Е́сли мо́жно, я возьму́ ва́ш уче́бник.

3. *Listen and repeat.*

Е́сли хоти́те, / я покажу́ ва́м свою́ статью́. Е́сли хоти́те, / я да́м ва́м э́ту кни́гу. Е́сли мо́жно, / я возьму́ э́тот журна́л. Е́сли мо́жно, / позвони́те мне́ ве́чером. Е́сли мо́жно, / я возьму́ ва́шу ру́чку.

4. *Supply responses to make up dialogues, as in the model.*

Model: — Вы́ бы́ли на Чёрном мо́ре?
— Да́, е́сли хоти́те, я могу́ рассказа́ть ва́м о Чёрном мо́ре.
— Расскажи́те. Это бу́дет о́чень интере́сно.

1. Вы́ бы́ли в Крыму́? 2. Вы́ бы́ли на Кавка́зе? 3. Вы́ бы́ли в Ита́лии? 4. Вы́ бы́ли в Брази́лии? 5. Вы́ бы́ли в Австра́лии? 6. Вы́ бы́ли на Бе́лом мо́ре?

Model: — Вы́ должны́ сде́лать докла́д на семина́ре.
        — Е́сли на́до, я́ сде́лаю докла́д.

1. Вы́ должны́ перевести́ э́ту статью́. 2. Вы́ должны́ купи́ть э́тот уче́бник. 3. Вы́ должны́ позвони́ть ва́шему дру́гу. 4. Вы́ должны́ написа́ть статью́ о Ди́ккенсе.

Model: — Сего́дня не бу́дет семина́ра, а Ле́на не зна́ет об э́том.
        — Е́сли хо́чешь, я́ могу́ позвони́ть е́й.

Use the verbs купи́ть, помо́чь, перевести́, сказа́ть, да́ть.
1. Сего́дня в клу́бе конце́рт, а у меня́ не́т биле́та. 2. За́втра контро́льная рабо́та, а я́ пло́хо зна́ю уро́к. 3. О́н говори́т по-неме́цки, и я́ его́ не понима́ю. 4. Сего́дня мы́ идём на вы́ставку, а Ва́ля не зна́ет об э́том. 5. — Почему́ ты́ не купи́л кни́гу? — У меня́ не́т де́нег.

Model: — У ва́с не́т ру́чки. Возьми́те мою́.
        — Спаси́бо. Е́сли мо́жно, я́ возьму́.

1. У ва́с не́т словаря́. Возьми́те мо́й. 2. У ва́с не́т биле́та на конце́рт. Возьми́те мо́й. 3. У ва́с не́т тетра́ди. Возьми́те мою́. 4. У ва́с не́т газе́ты. Возьми́те мою́.

III. Finding One's Way Around the City. Transportation

Идёт [1] авто́бус.	A bus is coming, going.
Авто́бусы зде́сь не хо́дят.	Buses don't run here.
Я́ бо́льше люблю́ е́здить.	I prefer to ride.
сади́ться / се́сть на авто́бус	to get on a bus

5. *Listen and repeat.*

Остано́вка, остано́вка авто́буса. Где́ зде́сь остано́вка авто́буса? Скажи́те, пожа́луйста, где́ зде́сь остано́вка авто́буса? Зде́сь хо́дит авто́бус. Авто́бус зде́сь не хо́дит. Зде́сь хо́дит трамва́й. Се́сть на авто́бус. Мо́жно се́сть на авто́бус. Куда́ идёт э́тот трамва́й? Скажи́те, пожа́луйста, куда́ идёт э́тот трамва́й?

6. *Make up similar dialogues, using the words on the right.*

На у́лице.

— Скажи́те, пожа́луйста, где́ нахо́дится Большо́й теа́тр?	Истори́ческий музе́й гости́ница
— Иди́те пря́мо по э́той у́лице, пото́м напра́во, пото́м нале́во.	вокза́л

---

[1] When speaking about city transportation (the subway, buses, trolleybuses and streetcars), the verbs идти́ — ходи́ть are used.

— Спаси́бо.
— Мо́жно се́сть на авто́бус. Остано́вка во́н та́м.

— Скажи́те, пожа́луйста, где́ зде́сь остано́вка
  авто́буса?   троллéйбус
— Авто́бус зде́сь не хо́дит. Зде́сь хо́дит
  то́лько трамва́й.

— Скажи́те, пожа́луйста, куда́ идёт э́тот   авто́бус
  трамва́й?   троллéйбус
— Како́й? Пя́тый?
— Да́.
— Пя́тый трамва́й идёт в це́нтр.
— Большо́е спаси́бо.

— Скажи́те, пожа́луйста, како́й авто́бус   у́лица Го́рького
  идёт на у́лицу Ге́рцена?   пло́щадь Револю́ции
— Восьмо́й (авто́бус).   пло́щадь Гага́рина
— Спаси́бо.

7. *Oral Practice. Dramatize the following situations.*

   (1) Suppose you have just arrived in an unfamiliar city and want to
find a hotel. Ask where one is located and how to get there.
   (2) A friend of yours has just invited you to visit him and is giving
you his address. Ask him how to find his house or apartment.
   (3) You know that Bus No. 5 passes near your hotel. Find out where
the bus stop is and whether or not there are alternative ways of getting to
your hotel.

8. *Answer the questions.*

1. Что́ вы́ бо́льше лю́бите: е́здить и́ли ходи́ть пешко́м? 2. На чём вы́ бо́льше лю́бите е́здить: на маши́не и́ли на велосипе́де, на авто́бусе и́ли на метро́? Почему́?

9. (a) *Read the following passage; then do the exercises as directed.*

В автобусе

— Мари́я Петро́вна, здра́вствуйте. Ра́д ва́с ви́деть.
— До́брый де́нь, Никола́й Ива́нович.
— Куда́ вы́ е́дете, Мари́я Петро́вна?
— На рабо́ту.
— А где́ вы́ сейча́с рабо́таете?
— Я́ рабо́таю в университе́те.
— Вы́ всегда́ е́здите на рабо́ту на э́том авто́бусе?
— Не́т, обы́чно я́ хожу́ пешко́м. Я́ живу́ здесь недалеко́. А сего́дня я́ опа́здываю. А вы́ то́же е́дете на рабо́ту?
— Не́т, я е́здил на вокза́л. Купи́л биле́ты на по́езд. За́втра е́ду на Ура́л.
— Рабо́тать?
— Не́т. Та́м живёт моя́ ма́ть. Я́ е́зжу туда́ отдыха́ть.
— Во́т моя́ остано́вка. До свида́ния, Никола́й Ива́нович.
— До свида́ния, Мари́я Петро́вна.

(b) *Listen and repeat.*

Вы́ е́здите на авто́бусе? Вы́ е́здите на рабо́ту на авто́бусе? Вы́ всегда́ е́здите на рабо́ту на авто́бусе? Вы́ всегда́ е́здите на рабо́ту на э́том авто́бусе? Я́ е́здил на вокза́л. Е́ду на Ура́л. За́втра е́ду на Ура́л. Я́ е́зжу туда́ отдыха́ть [аддыха́т'].

(c) *Answer the questions.*

Кого́ встре́тил Никола́й Ива́нович в авто́бусе? О чём о́н спроси́л Мари́ю Петро́вну? Что́ узна́л Никола́й Ива́нович о Мари́и Петро́вне? Что́ узна́ла Мари́я Петро́вна о Никола́е Ива́новиче?

(d) *Dramatize the following situations.*

(1) You have met a student from your institute on the bus.
(2) You have met a girl from your school on the bus.
(3) You have met your old neighbor on the bus.

10. *Answer the questions.*

1. В ва́шем го́роде хо́дят авто́бусы, тролле́йбусы, трамва́й? 2. Когда́ у́тром начина́ют ходи́ть авто́бусы? А тролле́йбусы? 3. Когда́ конча́ют ходи́ть авто́бусы? 4. О́коло ва́шего институ́та е́сть остано́вка авто́буса? 5. Како́й авто́бус идёт в це́нтр го́рода? 6. Куда́ идёт авто́бус № 1?

11. *Listen and read; then dramatize the dialogues.*

— Ба́бушка, ты́ лета́ла на самолёте?   **ба́бушка** grandmother
— Лета́ла.

334

— И ты́ не боя́лась?
— Снача́ла боя́лась.
— А пото́м?
— А пото́м я́ уже́ не лета́ла.

боя́ться be afraid

— Пе́тя, ты́ е́хал на трамва́е?
— Да́, ма́ма, и зна́ешь, оди́н челове́к всё вре́мя смот-
ре́л на меня́ та́к, бу́дто у меня́ не́ было биле́та.
— А ты́?
— А я́ смотре́л на него́ та́к, бу́дто у меня́ бы́л биле́т.

бу́дто as though

Reading

1. *Read and translate. Note that the words* учёный, рабо́чий, столо́вая, моро́-
женое *are nouns.*

1. И́мя вели́кого ру́сского учёного Ива́на Петро́вича Па́влова [1] зна́ют во
мно́гих стра́нах. 2. В Моско́вском университе́те рабо́тает мно́го знамени́тых
сове́тских учёных. 3. В Верхо́вном Сове́те СССР 35% (проце́нтов)рабо́чих,
16% (проце́нтов) крестья́н, 68% мужчи́н, 32% же́нщин [2]. 4. Москвичи́ и
го́сти столи́цы о́чень лю́бят моско́вское моро́женое. 5. Студе́нческая столо́вая
нахо́дится в зда́нии институ́та.

2. *Read and translate. Note that the indefinite quantifiers* мно́го *and* ма́ло *govern
a genitive singular adjective.*

1. — Оле́г, ты́ бы́л вчера́ на ле́кции по археоло́гии?
   — Да́, бы́л. Ле́кция была́ о́чень интере́сная. Мы́ услы́шали мно́го но́вого.
2. — Вы́ бы́ли на вы́ставке совреме́нного иску́сства?
   — Не́т, не́ был. Но я́ слы́шал, что та́м ма́ло интере́сного.

3. *Read aloud.*

столо́вая [стало́въjъ], моро́женое [маро́жънъjъ], и́мя учёного [учо́нъвъ],
и́мя вели́кого ру́сского учёного; мно́го но́вого [но́въвъ]; ма́ло интере́сного
[ин'т'ир'е́снъвъ]; вы́ставка [вы́стъфкъ]; вы́ставка совреме́нного [съвр'им'е́ннъвъ]
иску́сства; дре́вняя [др'е́вн'ъjъ] архитекту́ра; ле́кция о дре́вней архитекту́ре.

4. *Tell what you heard or saw, using the expressions* мно́го (ма́ло) но́вого, мно́го
(ма́ло) интере́сного.

Model: Вчера́ я́ слу́шал ле́кцию о дре́вней архитекту́ре. Я́ узна́л мно́го
но́вого.

You were at a physics lecture, a lecture on modern ballet, a lecture on
Space, at an exhibition of French graphic art, of badges, of old clocks.

---

[1] I. P. Pavlov (1848-1936), famous Russian and Soviet physiologist; creator of the material-
istic theory of the higher nervous activity of man and animals; member of the USSR Academy
of Sciences.
[2] Based on 1934 data.

5. *Read and analyze. Note the indeclinable neuter nouns* метро́, кино́, ра́дио *and* такси́.

1. **Ленингра́дское метро́** на́чало рабо́тать в 1955 году́. 2. В До́ме культу́ры МГУ рабо́тает вы́ставка **«Сове́тское кино́»**. 3. **Моско́вское ра́дио** начина́ет рабо́тать в шесть часо́в утра́. 4. В журна́ле «Иску́сство кино́» была́ интере́сная статья́ о **совреме́нном америка́нском кино́**.

6. (a) *Read. Note that the following nouns take the ending -y in the prepositional singular when denoting place. (See Analysis XI, 3.0.)*

Я был в Новосибирске

Неда́вно я́ бы́л в Новосиби́рске.

Новосиби́рск нахо́дится в Сиби́ри. О́н стои́т **на берегу́** реки́ О́бь.

Новосиби́рск — краси́вый го́род. Я́ жи́л о́коло реки́ и люби́л гуля́ть по бе́регу, стоя́ть **на мосту́** и смотре́ть на го́род.

Недалеко́ от Новосиби́рска нахо́дится Академгородо́к. Академгородо́к — столи́ца сиби́рской нау́ки. В го́роде живу́т интере́сные лю́ди. Это фи́зики и матема́тики, хи́мики и экономи́сты, гене́тики и архео́логи. Академгородо́к постро́или **в лесу́**. **В лесу́** стоя́т дома́, нау́чные институ́ты, лаборато́рии. Недалеко́ от Академгородка́ нахо́дится большо́й са́д. **В э́том саду́** мно́го ра́зных дере́вьев. Здесь рабо́тают бота́ники.

(b) *Answer the questions.*

1. Где́ стои́т Новосиби́рск? 2. Где́ нахо́дится Академгородо́к? 3. Где́ нахо́дятся дома́, нау́чные институ́ты, лаборато́рии Академгородка́. 4. Где́ мно́го ра́зных дере́вьев?

7. *Answer the questions, using the words* шка́ф, ле́с, бе́рег, са́д.

1. Где́ лежа́т ва́ши кни́ги и тетра́ди? 2. Где́ вы́ лю́бите гуля́ть? 3. Где́ вы́ гуля́ли вчера́?

8. *Name the rivers on the banks of which Washington, London, Paris, Leningrad and Kiev are located.*

9. *Read and analyze. Note the form of the words dependent on the conjunction* ка́к *in the comparative constructions introduced by* ка́к.

1. О́н зна́ет Москву́, ка́к сво́й дом. 2. Ребя́та говори́ли серьёзно, ка́к взро́слые. 3. Она́ смея́лась, ка́к ребёнок. 4. О́н говори́л о своём дру́ге, ка́к о бра́те.

10. *Complete the sentences, supplying comparative constructions.*

Model: О́н зна́ет Ки́ев, ка́к сво́й до́м.

1. О́н зна́ет э́тот ле́с, ... 2. Она́ расска́зывала о го́роде, ... 3. Она́ помога́ла мне́, ... 4. Его́ сы́н всегда́ говори́т серьёзно, ... 5. Она́ рису́ет, ...

11. *Read the nouns and state the gender of each. Supply adjectives to qualify each noun.*

де́нь, две́рь, со́ль, но́чь, го́сть, слова́рь, портфе́ль, тетра́дь, па́мять, пло́щадь, но́вость.

12. *Complete the dialogues, as in the model.*

Model: — Смотри́, сле́ва пло́щадь.
— Кака́я пло́щадь?
— Пло́щадь Маяко́вского.

1. Да́йте мне́, пожа́луйста, тетра́дь. 2. Ты́ слы́шала но́вость? 3. Ты́ не зна́ешь, где́ портфе́ль? 4. У ва́с е́сть слова́рь? 5. Вы́ ви́дели э́ту пло́щадь? 6. У на́с сего́дня бу́дет го́сть.

13. *Vocabulary for Reading. Study the following new words, their forms and usage as illustrated in the sentences on the right. Read each sentence aloud.*

открыва́ть / откры́ть ч т о́	1. Откро́йте, пожа́луйста, окно́. В ко́мнате ду́шно.
	2. В Москве́ откры́ли до́м-музе́й А. П. Че́хова.
закрыва́ть / закры́ть ч т о́	Закро́йте, пожа́луйста, окно́, в ко́мнате хо́лодно.
	Закро́йте, пожа́луйста, две́рь.
быва́ть / побыва́ть г д е́	Ви́ктор Петро́вич мно́го е́здит. О́н быва́л в ра́зных стра́нах. Побыва́л в Евро́пе, в А́зии, в Аме́рике.
сиде́ть г д е́	— Вы́ не ска́жете, кто́ здесь А́нна Ива́новна?
	— Она́ сиди́т о́коло окна́.
	— Ве́ра, ты́ бу́дешь за́втра в библиоте́ке?
	— Да́, бу́ду.
	— А где́ ты́ обы́чно сиди́шь?
	— В це́нтре за́ла.

14. *Read aloud.*

открыва́ть, открыва́ю; закрыва́ть, закрыва́ю; быва́ть, быва́ю, побыва́ть, побыва́ю; откры́ть. Я́ откро́ю две́рь. Ты́ откро́ешь окно́. Откро́йте окно́. Откро́йте две́рь. Откро́йте, пожа́луйста, две́рь. Закро́йте, пожа́луйста, две́рь. Я́ сижу́ о́коло две́ри. Ты́ сиди́шь на дива́не. Мы́ сиди́м здесь. Они́ сидя́т та́м.

15. *Supply continuations to the sentences, as in the model, using these pairs of verbs:* открыва́ть / откры́ть, закрыва́ть / закры́ть. *Write out the sentences.*

Model: Сейча́с вы́ бу́дете писа́ть слова́. Закро́йте, пожа́луйста, кни́ги.
Сейча́с мы́ бу́дем чита́ть те́кст. Откро́йте кни́ги.

1. Пиши́те упражне́ние № 5. 2. В ко́мнате ду́шно. 3. Ва́м не на́до сейча́с смотре́ть в слова́рь. 4. Это, наве́рное, идёт Анто́н. 5. В коридо́ре гро́мко разгова́ривают. 6. В ко́мнате хо́лодно, и на у́лице то́же хо́лодно.

16. *Supply continuations to the sentences.*

Model: Мы́ уже́ бы́ли в но́вом кинотеа́тре. Его́ откры́ли не́сколько дне́й наза́д.

1. В воскресе́нье мы́ бы́ли в музе́е А. П. Че́хова. 2. Я́ уже́ была́ на вы́ставке цвето́в. 3. Музе́й приро́ды ещё не рабо́тает. 4. Но́вый конце́ртный за́л начнёт рабо́тать о́сенью.

17. *Vocabulary for Reading. Study the following words, their forms and usage as illustrated in the sentences on the right. Read each sentence aloud.*

особенно 1. Джо́н изуча́ет дре́внее иску́сство. Осо́бенно хорошо́ о́н зна́ет архитекту́ру Ри́ма.
Осо́бенно прия́тно ви́деть ста́рых друзе́й.
2. Сего́дня на ле́кции по исто́рии бы́ло осо́бенно мно́го наро́да.

о́стров Мадагаска́р — э́то большо́й о́стров. О́коло Ита́лии мно́го острово́в.

18. *Read aloud.*

особенно [асоб'иннъ], особенно хорошо́, особенно тепло́, особенно хо́лодно, особенно прия́тно, особенно мно́го; о́стров [о́стръф], острова́, большо́й о́стров, мно́го острово́в.

19. *Give expanded affirmative responses, as in the model.*

Model: — В Сиби́ри холо́дная зима́.
— Да́. Осо́бенно холо́дная зима́ на се́вере Сиби́ри.

1. В э́том магази́не мно́го сувени́ров. 2. В Австра́лии тёплый кли́мат. 3. В Ита́лии всегда́ мно́го тури́стов. 4. Джо́н хорошо́ зна́ет ру́сскую литерату́ру. 5. Профе́ссор Фёдоров интере́сно чита́ет ле́кции. 6. Кристи́на хорошо́ зна́ет иностра́нные языки́.

20. *Answer the questions.*

Model: — Ро́берт, ты́ купи́л но́вый слова́рь?
— Ещё не́т, но ско́ро куплю́.

1. Али́са, ты́ дала́ Верони́ке но́мер своего́ телефо́на? 2. Ве́ра, ты́ нашла́ тре́тий но́мер журна́ла «Спу́тник»? 3. Ни́на Петро́вна, вы́ сообщи́ли, что во вто́рник не бу́дет семина́ра? 4. То́м, вы́ взя́ли в библиоте́ке уче́бник по хи́мии? 5. Бори́с, ты́ объясни́л Ка́те, где́ на́до взя́ть э́ту кни́гу? 6. Дже́к, ты́ уже́ купи́л пода́рок А́нне? 7. Серге́й, ты́ пригласи́л Оле́га? 8. Дже́йн, ты́ узна́ла, где́ нахо́дится Третьяко́вская галере́я? 9. Мэ́ри, ты́ начала́ переводи́ть те́кст?

21. *What islands do you know? Where are they located?*

22. *Vocabulary for Reading. Study the following new words, their forms and usage as illustrated in the sentences on the right. Read each sentence aloud.*

светло́ Сади́тесь, пожа́луйста, о́коло окна́. Зде́сь светло́.
На у́лице бы́ло светло́, ка́к днём.

темно́ Я пло́хо ви́жу. В ко́мнате о́чень темно́.
Сейча́с ещё то́лько ше́сть часо́в, а на у́лице уже́ темно́.

старший	— Роберт, у тебя́ есть бра́тья и сёстры?
	— Да́, у меня́ есть два́ бра́та.
	— Ско́лько им ле́т?
мла́дший	— Ста́ршему бра́ту два́дцать пя́ть ле́т, а мла́дшему — девятна́д-
	цать.

23. *Read aloud.*

светло́, зде́сь светло́, темно́, зде́сь темно́, о́чень темно́, мла́дший [мла́тшый], мла́дший бра́т, ста́рший, ста́рший бра́т.

24. *Supply an antonym for each word.*

бога́тый, ве́жливый, тёплый, гра́мотный, прия́тный, ста́рший, гру́стный, интере́сный, темно́, по́здно, непоня́тно.

25. *Suppose you have just returned from the grocer's. Tell what you have bought. Use the names of the foods shown in the pictures.*

(молоко́, мя́со, ры́ба, фру́кты, хле́б, со́ль, моро́женое)

26. *Vocabulary for Reading. Study the following new words, their forms and usage as illustrated in the sentences on the right. Read each sentence aloud.*

велосипе́д	— У ва́с есть велосипе́д.
	— Не́т. Я не люблю́ е́здить на велосипе́де.
самолёт	— Скажи́те, пожа́луйста, како́й самолёт?
	— Это Ил-62.
	— А та́м?
	— Ту-154.

27. *Read aloud.*

велосипе́д [в'илъс'ип'е́т], на велосипе́де, е́здить на велосипе́де; самолёт [съмал'о́т], лета́ем на самолёте, лете́ть на самолёте, лечу́ на самолёте.

28. *Answer the questions.*

1. У ва́с е́сть велосипе́д? 2. Вы́ лю́бите е́здить на велосипе́де? 3. Вы́ ча́сто е́здите на велосипе́де? 4. У ва́с е́сть маши́на? 5. Кака́я у ва́с маши́на? 6. Вы́ хо́дите в университе́т пешко́м и́ли е́здите? 7. На чём вы́ е́здите в университе́т?

29. *Oral Practice.*

Give the names of American, European and Soviet aircraft you know.

30. *Read the text without consulting a dictionary.*

Не то́лько для молоды́х!

Мне́ уже́ 65 ле́т, но са́мый хоро́ший для меня́ о́тдых — езда́ на велосипе́де.

Велосипе́д помо́г мне́ уви́деть краси́вые места́ Подмоско́вья, побыва́ть в Ту́ле, во Влади́мире. На велосипе́де я е́здила и по Украи́не.

Впервы́е в жи́зни я се́ла на велосипе́д, когда́ мне́ бы́л 61 го́д. Я учи́лась е́здить две́ неде́ли. И тепе́рь я говорю́ всем: учи́тесь е́здить на велосипе́де.

31. *Oral Practice.*

Describe the kinds of public transportation available in your city. Do you usually drive a car or use public transportation? What kind of transportation do you prefer?

32. *Listen and repeat.*

(a) большо́й го́род, культу́рный це́нтр, промы́шленный и культу́рный це́нтр, нахо́дится на берегу́, на берегу́ реки́, на берегу́ реки́ Невы́, Ленингра́д нахо́дится на берегу́ реки́ Невы́.

Го́род называ́ется Петербу́рг. Петропа́вловская кре́пость, недалеко́ от кре́пости, недалеко́ от Петропа́вловской кре́пости;

истори́ческий па́мятник, архитекту́рный па́мятник, архитекту́рный и истори́ческий па́мятник, интере́сный архитекту́рный и истори́ческий па́мятник;

больши́е корабли́, корабли́ ра́зных стра́н;

Дворцо́вая пло́щадь, на Дворцо́вую пло́щадь, центра́льная пло́щадь, центра́льная пло́щадь Ленингра́да, краси́вая пло́щадь го́рода, са́мая больша́я пло́щадь, са́мая больша́я и краси́вая пло́щадь; мла́дшие шко́льники, ученики́ ста́рших кла́ссов.

(b) Е́сли хоти́те узна́ть го́род,³ / ходи́те пешко́м.¹

Е́сли хоти́те узна́ть го́род,⁴ / ходи́те пешко́м.¹

Когда́ у меня́ е́сть вре́мя,³ / я хожу́ пешко́м.¹

Когда́ у меня́ е́сть вре́мя,⁴ / я хожу́ пешко́м.¹

Когда́ я иду́ по у́лице,³ / я не спешу́.¹

Когда́ я иду́ по у́лице,⁴ / я не спешу́.¹

В Ленингра́де жи́ли Пу́шкин,³ / Го́голь,³ / Чайко́вский,³ / Шостако́вич.¹

В Ленингра́де жи́ли Пу́шкин,⁴ / Го́голь,⁴ / Чайко́вский,⁴ / Шостако́вич.⁴

В Ленингра́де жи́ли Пу́шкин,¹ / Го́голь,¹ / Чайко́вский,¹ / Шостако́вич.¹

33 *Basic Text. Read the text; then do exercises 34-37.*

Е́сли хоти́те узна́ть го́род...

Вы́ бы́ли в Ленингра́де? Не́ были? Е́сли хоти́те, я могу́ рассказа́ть ва́м об э́том го́роде. Я не ленингра́дка, я учу́сь в Ленингра́дском университе́те.

Ленингра́д — большо́й го́род, промы́шленный и культу́рный це́нтр. В Ленингра́де ка́ждая у́лица — исто́рия, почти́ ка́ждый до́м — па́мятник. Ле-

нингра́д нахо́дится на берегу́ реки́ Невы́ и на острова́х. Ленингра́д основал в 1703 году́ ру́сский ца́рь Пётр I. Го́род тогда́ называ́лся Петербу́рг. На берегу́ Невы́, недалеко́ от Петропа́вловской кре́пости и сейча́с нахо́дится деревя́нный до́мик Петра́ I. Это са́мое дре́внее зда́ние в Ленингра́де. Петропа́вловскую кре́пость то́же на́чали стро́ить в 1703 году́. Петропа́вловская кре́пость — интере́сный архитекту́рный и истори́ческий па́мятник. По́сле револю́ции в Петропа́вловской кре́пости откры́ли истори́ческий музе́й.

Говоря́т, е́сли хоти́те узна́ть го́род, ходи́те пешко́м. И я ходи́ла. Ходи́ла и смотре́ла, смотре́ла и слу́шала. Когда́ у меня́ есть свобо́дное вре́мя, я хожу́ пешко́м и в институ́т, и на по́чту, и в магази́ны. Когда́ я иду́ по у́лице, я не спешу́. Я о́чень люблю́ иска́ть и находи́ть интере́сные дома́. А таки́х домо́в здесь мно́го. В Ленингра́де жи́ли А. С. Пу́шкин, Н. В. Го́голь[1], П. И. Чайко́вский[2], Д. Д. Шостако́вич[3] и мно́гие други́е знамени́тые лю́ди.

---

[1] N. V. Gogol (1809-1852), great Russian novelist and dramatist; author of *Dead Souls*, the comedy *The Inspector General* and a number of short stories, such as *The Overcoat*, *The Nose* and *Taras Bulba*.

[2] P. I. Tchaikovsky (1840-1893), great Russian composer whose symphonies, operas (*Eugene Onegin*, *The Queen of Spades*, *Маzeра*, etc.) and ballets (*Swan Lake*, *The Nutcracker*, *The Sleeping Beauty*) are known all over the world.

[3] D. D. Shostakovich (1906-1975), famous Soviet composer; author of symphonies, preludes, oratorios and other musical works.

В Ле́тнем саду́ всегда́ мно́го тури́стов.

В Ленингра́де мно́го па́мятников, кото́рые расска́зывают об Октя́брьской револю́ции и о Ленингра́де — го́роде-герóе[1]. Óчень краси́в Ленингра́д ра́но у́тром и но́чью. Я люблю́ гуля́ть по го́роду, осо́бенно, когда́ быва́ют бе́лые но́чи.

Хорошо́ ходи́ть по бе́регу реки́ и смотре́ть, ка́к по Неве́ плыву́т больши́е корабли́. В Ленингра́дском порту́ мо́жно уви́деть корабли́ ра́зных стра́н.

Ночь. А на у́лице светло́. Во́т по мосту́ е́дет маши́на, она́ везёт хлеб. Друга́я маши́на везёт молоко́. Идёт такси́. Лю́ди спеша́т домо́й. А я́ не спешу́. Я иду́ на Дворцо́вую пло́щадь. Это центра́льная пло́щадь Ленингра́да,

[1] Like Volgograd (Stalingrad), Moscow, Sevastopol, Odessa and other cities, Leningrad has been awarded the title of Hero City for its particular contribution to the war effort during the Great Patriotic War of 1941-1945. In 1941 Leningrad was blockaded by Hitler's troops. During the siege, which lasted 900 days, the Leningraders displayed great courage. Despite the cold and starvation the city did not surrender. On January 18, 1943 the Soviet Army broke the siege.

самая большая и красивая площадь города. Здесь находится Эрмитаж[1] и Зимний дворец[2].

Я люблю смотреть, как Ленинград начинает новый день. Идёт первый трамвай. Он почти пустой. Начинают ходить автобусы, открывает свои двери метро. Идут первые пассажиры. Это рабочие. Потом идут школьники.

Сначала—младшие школьники. Они идут спокойно, как взрослые. Потом идут ученики старших классов. Скоро девять часов. И они уже не идут, а бегут.

Днём на улицах и площадях города туристы, гости Ленинграда. Они идут в музеи: в Эрмитаж, в Русский музей, идут в магазины, в парки. Я тоже иду в Летний сад. Здесь старые деревья, много цветов. Я люблю сидеть в этом старом парке и смотреть, как играют дети, бегают, ездят на велосипедах. Я ещё не могу сказать, что хорошо знаю Ленинград. Но каждый день я узнаю об этом городе много нового.

---

[1] The Hermitage, the State Museum of Art, History an d Culture, is the largest repository of works of art in the USSR.
[2] The Winter Palace (built in 1754-1762) was original l y designed (by the architect Rastrelli) as the principal residence of Russian tsars. It now houses so me of the collections of the Hermitage.

34. *Find the sentences in the text which are concerned with Leningrad. Reread them.*

35. *Find in the text the answers to these questions.*

1. Где нахо́дится Ленингра́д? 2. Кто́ и когда́ основа́л Ленингра́д? 3. Ка́к тогда́ называ́лся го́род? 4. Где́ нахо́дится сейча́с деревя́нный до́мик Петра́ I? 5. Како́е зда́ние са́мое дре́внее в Ленингра́де? 6. Когда́ на́чали стро́ить Петропа́вловскую кре́пость? 7. Что́ сейча́с нахо́дится в Петропа́вловской кре́пости? 8. О чём расска́зывают па́мятники Ленингра́да? 9. Кака́я пло́щадь — центра́льная пло́щадь Ленингра́да? 10. Что́ нахо́дится на Дворцо́вой пло́щади?

36. *Give the names of Russian and Soviet writers and composers who lived in Leningrad. What Leningrad museums do you know?*

37. *Answer the questions.*

1. Почему́ о Ленингра́де говоря́т, что в нём ка́ждая у́лица — исто́рия, почти́ ка́ждый до́м — па́мятник? 2. Ка́к вы́ ду́маете, Ленингра́д — краси́вый го́род?

38. *Compose a dialogue, based on the following situation.*

Your friend has just returned from a visit to Leningrad. Ask him questions about Leningrad. Tell him what you know about the city.

39. *Answer the questions.*

1. Что́ вы́ зна́ете об исто́рии го́рода, в кото́ром вы́ живёте? 2. Это ста́рый и́ли но́вый го́род? 3. Когда́ его́ на́чали стро́ить? 4. Е́сть ли в э́том го́роде истори́ческие па́мятники? 5. Е́сть ли в нём музе́и? Каки́е?

40. *Write about another city you have recently visited.*

41. *What cities have you been to? Describe them.*

42. *Compose a dialogue based on the following situation.*

Your friends have just returned from an excursion to a certain city. Find out where they have been and what they learned about that city.

43. *Answer the questions.*

1. Вы́ мно́го хо́дите? 2. Вы́ лю́бите ходи́ть? 3. Ка́к вы́ ду́маете, совреме́нный челове́к до́лжен мно́го ходи́ть и́ли е́здить?

44. *Oral Practice.*

You were in the Soviet Union and visited Odessa, Leningrad and Novgorod. Show your friends your photographs and explain what each one shows.

Ленингра́д

Но́вгород

Одéсса

45. (a) *Read without consulting a dictionary.*

Знáете ли вы?

1. Знáете ли вы, что впервы́е назвáние «Москвá» истóрики нашли́ в истори́ческих докумéнтах XII вéка. В 1147 годý оди́н рýсский кня́зь написáл другóму кня́зю письмó, в котóром óн приглашáл егó в Москвý.

2. Знáете ли вы, что в Ленингрáде 101 óстров?

3. Знáете ли вы, что в США éсть городá, котóрые называ́ются Москвá и Петербýрг?

(b) *Answer the questions.*

1. Скóлько сейчáс лéт Москвé?
2. Скóлько лéт Ленингрáду?

VOCABULARY

бéгать *imp.* run
бежáть *imp.* run
* **ботáник** botanist
бывáть / побывáть visit
везти́ take, carry (by conveyance)
велосипéд bicycle
вести́ *imp.* lead (on foot)

води́ть *imp.* lead (on foot)
вози́ть *imp.* carry (by conveyance)
вокзáл train station
* **генéтик** geneticist
двéрь door
* **дворéц** palace
дéрево tree

деревя́нный wooden
* **диссертáция** dissertation
домóй to one's house, home (-wards)
* **ездá** travel, riding
éздить go (by conveyance), drive
éсли if

éхать *imp.* go (by conveyance), drive
закрыва́ть / закры́ть close
идти́ *imp.* go (on foot)
консульта́ция consultation
кора́бль ship
коридо́р corridor
культу́рный cultural; cultured
лета́ть fly
лете́ть fly
мла́дший younger, junior
моро́женое ice-cream
мо́ст bridge
нале́во to the left
напра́во to the right
нести́ *imp.* carry (on foot)
носи́ть *imp.* carry (on foot)
ночь *f.* night

но́чью at night
о́вощи *pl.* vegetables
осо́бенно especially
остано́вка stop
о́стров island
отве́т answer
* пассажи́р passenger
пешко́м on foot
пла́вать *imp.* swim
* плов pilau (a dish made of seasoned rice and meat)
плы́ть *imp.* swim
по́ on, along, according to
по́езд train
по́рт port
промы́шленный industrial
пря́мо straight, directly
пусто́й empty
пье́са play
ро́ль role, part

светло́ bright, light
спеши́ть hurry
споко́йно calmly, peacefully
ста́рший elder, senior
столо́вая cafeteria
сюда́ here, to this place
такси́ taxi
темно́ (it is) dark
трамва́й streetcar
тра́нспорт transportation, transport
тролле́йбус trackless trolley car
туда́ to that place, there
ходи́ть *imp.* walk, go (on foot)
* ца́рь tsar
цвето́к (*pl.* цветы́) flower
шко́льник schoolboy

Unit 12

Presentation and Preparatory Exercises

где?	куда?	откуда?
I Áнна **в** шкóле.	Áнна идёт **в** шкóлу.	Áнна идёт **из** шкóлы.
Вúктор **на** завóде.	Вúктор идёт **на** завóд.	Вúктор идёт **с** завóда.

1. *Listen and repeat; then read and analyze. (See Analysis XII, 1, 0.)*

— Кáтя, **кудá** ты́ идёшь?
— Я́ **идý в** институ́т на лéкцию. А ты́?
— А я́ **идý из** институ́та с лéкции.
— Ты́ не вúдела на лéкции Олéга?
— Нéт, егó сегóдня нé было в институ́те.

— Скажúте, пожáлуйста, **кудá** идёт э́тот пóезд?
— Этот пóезд **идёт в** Ки́ев.
— А **откýда** óн идёт?
— Óн **идёт из** Москвы́. Это пóезд Москвá—Ки́ев.
— Большóе спаси́бо.

2. *Listen and repeat.*

идёт тудá; откýда, оттýда, идý оттýда;
я́ éду в институ́т [вынст'иту́т]; из институ́та [изынст'иту́тъ]; óн éдет из институ́та; мы́ идём на семинáр; с семинáра [с'с'им'инáръ], они́ идýт с се-

351

мина́ра; о́н идёт на ле́кцию; с ле́кции, она́ идёт с ле́кции; они́ е́дут на заво́д; с заво́да [ззаво́дъ], мы́ е́дем с заво́да; Пе́тя е́дет на вокза́л; с вокза́ла, А́ня е́дет с вокза́ла.

3. *Listen and reply.*

Model: — Ты́ идёшь из институ́та?
— Да́, из институ́та.

1. Вы́ е́дете на пра́ктику? 2. Вы́ идёте в кино́? 3. Андре́й е́дет на юг? 4. Оле́г идёт в библиоте́ку? 5. Ты́ е́дешь из институ́та? 6. Ты́ идёшь на семина́р? 7. Оле́г идёт на заво́д? 8. Ка́тя идёт с ле́кции? 9. А́нна Петро́вна е́дет из больни́цы? 10. Ива́н Петро́вич е́дет с заво́да?

Model: — Вы́ е́дете на пра́ктику?
— Не́т, с пра́ктики.

1. Ты́ идёшь в библиоте́ку? 2. Ты́ е́дешь из институ́та? 3. Вы́ е́дете на юг? 4. Оле́г е́дет на заво́д? 5. Вы́ идёте с ле́кции? 6. Вы́ идёте из кино́? 7. Они́ иду́т в па́рк? 8. А́ня идёт в шко́лу? 9. Анто́н идёт в са́д? 10. Вы́ е́дете на вокза́л?

4. *Complete the dialogues, using the adverbs* та́м, туда́, отту́да.

Model: — Куда́ ты́ идёшь?
— Я́ иду́ на стадио́н.
— Я́ то́же иду́ туда́.

1. — Куда́ ты́ е́дешь? — Я́ е́ду в по́рт. 2. — Где́ ты́ бы́л? — Я́ бы́л в кино́. 3. — Куда́ ты́ идёшь? — Я́ иду́ в са́д. 4. — Куда́ ты́ идёшь? — Я́ иду́ на заво́д. 5. — Отку́да ты́ е́дешь? — Я́ е́ду из институ́та. 6. — Где́ бы́ли ребя́та? — Они́ бы́ли в лесу́. 7. — Отку́да е́дут студе́нты? — Они́ е́дут с пра́ктики. 8. — Отку́да ты́ е́дешь? — Я́ е́ду с вокза́ла.

5. *Ask questions, using the verbs* е́хать, бежа́ть, нести́, везти́ *and the words* где́? куда́? отку́да? что́?

6. *Listen and repeat.*

городско́й [гърацко́j] па́рк, я́ иду́ в городско́й па́рк, из городско́го па́рка, о́н идёт из городско́го па́рка;

литерату́рный [л’ит’ирату́рныj] семина́р, на литерату́рный семина́р, мы́ идём на литерату́рный семина́р, вы́ идёте с литерату́рного семина́ра;

физи́ческая [ф’из’и́чискъjъ] лаборато́рия [лъбърато́р’иjъ], мы́ идём в физи́ческую лаборато́рию, они́ иду́т из физи́ческой лаборато́рии.

7. *Compose similar dialogues by substituting the words on the right for those underlined.*

Model: — Куда́ ты́ идёшь?
— Я́ иду́ в физи́ческую лаборато́рию.
— А я́ иду́ из физи́ческой лаборато́рии.
— Кто́ ещё бы́л сего́дня в физи́ческой лаборато́рии?
— Та́м бы́ли студе́нты физи́ческого факульте́та.

на́ша библиоте́ка
литерату́рный семина́р
городско́й па́рк
ша́хматный клу́б

	где? Ви́ктор бы́л у това́рища.	куда́? Ви́ктор идёт к това́рищу.	отку́да? Ви́ктор идёт от това́рища.
II			

---

8. (a) *Listen and repeat; then read and analyze. (See Analysis XII, 1. 0.)*

— Серге́й, где́ ты́ бы́л?
— Я́ бы́л у врача́.
— Но ты́ и в пя́тницу бы́л у врача́.

— Да́, сего́дня я́ ходи́л к врачу́ второ́й ра́з.
— Когда́ ты́ верну́лся от врача́?
— Я́ верну́лся в четы́ре часа́.

9. *Listen and repeat.*

Куда́ она́ идёт? К кому́ [ккаму́]? к врачу́, к дру́гу [гдру́гу], к бра́ту, к това́рищу, к сестре́, к подру́ге, ко мне́, к тебе́, к нему́, к не́й, к на́м, к ва́м, к ни́м.

Отку́да о́н идёт? От врача́, от дру́га [аддру́гъ], от бра́та, от това́рища, от сестры́, от подру́ги, от меня́, от тебя́ [ат’т’иб’а́], от него́ [ат’н’иво́]; от неё, от на́с, от ва́с, от ни́х.

— Серге́й, куда́ ты́ идёшь сего́дня ве́чером?
— Ве́чером я́ иду́ к Анто́ну.
— А ты́, Ка́тя, бу́дешь до́ма?
— Не́т, я́ иду́ к сестре́.
— А Ви́ктор?
— Ви́ктор идёт к бра́ту.

— Серге́й, ты́ уже́ верну́лся от Анто́на?
— Не́т. Я́ не́ был у Анто́на. Я́ бы́л до́ма.
— А ты́, Ка́тя, уже́ ходи́ла к сестре́?
— Да́, я́ уже́ верну́лась от сестры́.
— А Ви́ктор верну́лся от бра́та?
— Не́т ещё.

10. *Listen and reply.*

Model: — А́ня, ты́ е́здила к бра́ту?
— Да́, к бра́ту.

1. Оле́г, ты́ ходи́л к врачу́? 2. Ка́тя, ты́ е́здила к сестре́? 3. Вы идёте к подру́ге? 4. Оле́г ходи́л к дру́гу? 5. Ты́ идёшь к това́рищу? 6. Вы́ идёте от врача́? 7. Вы́ идёте от бра́та? 8. Ты́ идёшь к профе́ссору? 9. О́н идёт от отца́?

Model: — Вы́ идёте к бра́ту?
— Не́т, к дру́гу.

1. Ты́ идёшь к сестре́?	подру́га
2. Вы́ идёте к профе́ссору?	дру́г
3. Вы́ е́здили ле́том к ма́тери?	сестра́
4. Вы́ идёте от врача́?	профе́ссор
5. Ты́ идёшь от бра́та?	вра́ч
6. Ты́ верну́лся от сестры́?	бра́т

11. *Supply questions and answers to each of the following statements, as in the model.*

Model: — А́нна в январе́ была́ в Ерева́не.
— А к кому́ она́ е́здила?
— Она́ е́здила к свое́й сестре́.

1. Вади́м в суббо́ту бы́л в общежи́тии. 2. Серге́й вчера́ днём бы́л в институ́те. 3. Ве́ра сего́дня была́ в больни́це. 4. Ле́том мы́ бы́ли в Ташке́нте. 5. В про́шлом году́ мы́ бы́ли на Украи́не.

12. *Supply the missing words.*

1. Сего́дня в институ́те была́ консульта́ция. Мы́ то́же ходи́ли . . . . В два́ часа́ мы́ верну́лись . . . . 2. Вчера́ у Ви́ти собира́лись друзья́. И мы́ ходи́ли . . . . Мы́ по́здно верну́лись . . . . 3. В воскресе́нье в го́роде бы́л пра́здник. Ребя́та е́здили . . . . В понеде́льник они́ верну́лись . . . . 4. Его́ ма́ть рабо́тает в шко́ле. Днём о́н ходи́л к не́й . . . . Я ви́дел, когда́ о́н шёл . . . . 5. О́сенью мы́ отдыха́ли в дере́вне у бра́та. То́лько в октябре́ мы́ верну́лись . . . . Мы́ ча́сто е́здим . . . . 6. О́н бы́л в больни́це у хиру́рга. Я зна́ю, что вчера́ о́н ходи́л . . . . О́н бы́л невесёлый, когда́ верну́лся . . . .

‖ В суббо́ту я́ е́здил **к свои́м роди́телям.**

13. *Listen and repeat; then read and analyze. (See Analysis XII, 3.0; 3.1; 3.2.)*

В про́шлом году́ ле́том Бори́с и его́ друзья́ е́здили на Ура́л на пра́ктику. Они́ помога́ли **геоло́гам.** Два́ ме́сяца студе́нты и гео́логи рабо́тали вме́сте. Когда́ студе́нты верну́лись в Москву́, они́ посла́ли **свои́м но́вым друзья́м** письмо́ и фотогра́фии, кото́рые сде́лали ле́том на пра́ктике. А неде́лю наза́д гео́логи посла́ли **студе́нтам** колле́кцию ура́льских камне́й. Они́ приглаша́ли студе́нтов на Ура́л.

14. (a) *Listen and repeat.*

объясни́ть студе́нтам, покупа́ть кни́ги де́тям, чита́ть ле́кции студе́нтам-фило́логам, е́здить к роди́телям, ходи́ть к друзья́м, помога́ть бра́тьям; посла́ли письмо́ друзья́м, посла́ли письмо́ свои́м но́вым друзья́м, посла́ли колле́кцию камне́й, посла́ли студе́нтам колле́кцию камне́й.

(b) *Listen and reply.*

Model: — Вы́ е́здили ле́том к друзья́м?
— Да́, мы́ е́здили к друзья́м.

1. Вы́ чита́ли ле́кцию студе́нтам-фило́логам? 2. Вы́ е́здили к роди́телям? 3. Вы́ пи́шете письмо́ друзья́м? 4. Вы́ купи́ли кни́ги бра́тьям? 5. Вы́ пока́зывали статью́ това́рищам?

15. *Answer the questions, using the words on the* right.

1. Вы́ идёте в го́сти? К кому́? | друзья́, роди́тели
2. Вы́ е́дете в Ки́ев? К кому́? | бра́тья, сёстры
3. Этот челове́к лети́т в Нью-Йо́рк? К кому́? | де́ти
4. Вы́ е́дете в общежи́тие? К кому́? | студе́нты-исто́рики

16. *Listen and reply.*

Model: — Вы́ идёте к на́м? — Да́, к ва́м.

1. Вы́ помога́ли и́м? 2. Ви́ктор идёт к ва́м? 3. Вы́ писа́ли и́м? 4. Эти кни́ги присла́ли на́м? 5. Эта де́вушка прие́хала к ва́м? 6. Петро́в сдава́л экза́мены ва́м?

17. *Supply the missing pronouns.*

1. Шко́льники присла́ли на́м свои́ рабо́ты. На́до написа́ть .... 2. Учёные ра́зных стра́н пи́шут дру́г дру́гу. Это помога́ет ... в рабо́те. 3. Вы́, Ве́ра Петро́вна, мно́го рабо́таете. Могу́ я помо́чь ...? 4. У на́с в гру́ппе три́ де́вушки. За́втра восьмо́е ма́рта¹, на́до купи́ть ... цветы́. 5. Бори́с, вы́ сейча́с свобо́дны? Помоги́те .... 6. В э́том году́ я побыва́л в Ерева́не. Могу́ показа́ть ... фотогра́фии.

18. *Complete the sentences, as in the model.*

Model: Мы́ посла́ли откры́тку На́де, а она́ присла́ла на́м письмо́.

1. Ви́ктор и Андре́й помогли́ Ната́ше найти́ журна́л, а Ната́ша .... 2. Да́йте мне́ ва́ш велосипе́д, а я да́м .... 3. Роди́тели Алёши лете́ли к нему́ на самолёте, а о́н .... 4. Писа́тель получи́л письмо́ от свои́х чита́телей и посла́л .... 5. Вы́ не мо́жете идти́ на конце́рт? Да́йте мне́ ва́ш биле́т, а я .... 6. Мы́ расска́жем ва́м о Фра́нции, а вы́ ....

19. (a) *Listen and repeat.*

на́шим студе́нтам, помога́ете на́шим но́вым студе́нтам; ва́шим ученика́м; пи́шете ва́шим но́вым ученика́м; к роди́телям, е́дете к ва́шим роди́телям; к де́тям, идёте к ва́шим де́тям.

(b) *Listen and reply.*

Model: — Вы́ пи́шете письмо́ ва́шим но́вым друзья́м?
— Да́, но́вым друзья́м.

1. Вы́ идёте к ва́шим ста́рым друзья́м? 2. Вы́ обо всём рассказа́ли э́тим лю́дям? 3. Вы́ звони́ли свои́м роди́телям? 4. Вы́ пи́шете ва́шим ста́ршим бра́тьям?

20. *Compose dialogues, supplying questions and answers to the statements and using the adjectives* ста́рший, мла́дший, ста́рый, но́вый.

Model: — Сего́дня ве́чером мы́ идём к друзья́м.
— К каки́м друзья́м?
— К свои́м ста́рым друзья́м.

1. Ле́том я е́ду к бра́тьям. 2. О́н ча́сто пи́шет пи́сьма сёстрам. 3. Ско́ро пра́здник. На́до посла́ть пи́сьма учителя́м. 4. В пя́тницу я иду́ к свои́м друзья́м.

---

¹ The 8th of March (International Women's Day) is an official holiday in the USSR.

21. *Answer the following questions, using the words on the right.*

1. Кому́ вы́ расска́зывали об исто́рии Ленингра́да?
2. Кому́ вы́ покупа́ете де́тские кни́ги?
3. Кому́ вы́ чита́ли свою́ статью́ о Маяко́вском?
4. Кому́ чита́ют ле́кции о культу́ре Дре́вней Руси́?
5. Кому́ вы́ объясня́ли, ка́к рабо́тает городско́й тра́нспорт?

6. К кому́ вы́ е́здили в январе́?
7. К кому́ вы́ ходи́ли сего́дня?
8. Кому́ вы́ посла́ли кни́ги?

тури́сты
мла́дшие бра́тья
студе́нты-фило́логи
студе́нты-исто́рики
незнако́мые лю́ди
иностра́нные тури́сты
роди́тели
друзья́
знако́мые ребя́та

при-	Серге́й неда́вно **при**шёл домо́й. (О́н до́ма.) Оле́г ча́сто **при**хо́дит к на́м.
у-	Серге́й неда́вно **у**шёл из до́ма. (Его́ не́т до́ма.) У́тром о́н всегда́ **у**хо́дит (из до́ма) на рабо́ту.

22. *Listen and repeat; then read and analyze. (See Analysis XII, 2.0; 2.1.)*

1. — Анто́н уже́ зде́сь? А когда́ о́н **пришёл**?
   — О́н **пришёл** ча́с наза́д.
   — А Ви́ктор?
   — Ви́ктор **приходи́л** у́тром. О́н **принёс** програ́мму конце́рта. Во́т она́.
   — Спаси́бо. А биле́ты?
   — О́н сказа́л, что **придёт** к на́м ве́чером и **принесёт** биле́ты.
2. — Ве́ра, Анто́н до́ма?
   — Не́т, о́н **ушёл** на рабо́ту.
   — О́н не звони́л мне́?
   — Не зна́ю, я то́же **уходи́ла.**
   — А ве́чером ты́ бу́дешь до́ма?
   — Не́т, к сожале́нию, я опя́ть **уйду́.**

23. *Oral Practice.*

Where have they come from? Where were they before?

24. *Change each of the sentences, incorporating in them the adverbs* часто, иногда, обычно. *Write out each sentence.*

Model: Летом студенты уехали на практику.—Обычно летом студенты уезжают на практику.

1. Осенью студенты приехали с практики. 2. В апреле геологи уехали в горы. 3. В мае в Ленинград приехало много туристов. 4. Виктор пришёл на завод рано утром. 5. Сегодня Виктор пришёл домой слишком поздно.

25. *Supply a continuation to each of the statements.*

Model: Анна сейчас в школе.
Она скоро придёт (приедет) из школы.

1. Виктор сейчас в столовой. 2. Антон сейчас в деревне. 3. Вера сейчас в Ленинграде. 4. Студенты сейчас на практике. 5. Студенты сейчас на стадионе. 6. Брат сейчас у товарища. 7. Мать сейчас на фабрике. 8. Сестра сейчас на факультете. 9. Дети сейчас в саду. 10. Родители сейчас на концерте.

26. *Compose dialogues based on the following situations.*

Model: You see a man you don't know.
— Кто это?
— Это товарищ моего брата. Он приехал к нам из Риги.

(1) You see a foreign student at the University.
(2) You see a girl you never met before at your friend's.
(3) You see an unfamiliar professor in the faculty.
(4) A singer you never heard before is singing at the concert.
(5) You see an unfamiliar woman in the dormitory.
(6) You see a group of tourists in the square.

Model: You see a book on your desk.
— Чья это книга?
— Это Анна принесла тебе книгу.
— А где Анна? Она здесь?
— Нет, она приходила днём.

(1) You see some magazines on the table.
(2) You see tickets for the theater on the table.
(3) You see your friend's books on the table.
(4) You see flowers in your room.
(5) You see exotic fruit on the table.
(6) You see some medicine on the table.

Model: You want to ask something about Victor's report.
— Ты слушал доклад Виктора?
— Нет.
— Ты рано ушёл с конференции?
— Нет, когда он делал доклад, я уходил в библиотеку.

(1) You want to know whether your friend saw Jane at the University at three o'clock.
(2) You want to find out what the students had to say about their practical training.
(3) You want to find out what photographs the students showed.
(4) Medical students ask their classmate whether he was present at the operation.
(5) You have missed a Russian class and want to find out from a friend what the teacher said about your test.

по- — Где́ Серге́й?
— О́н **пошёл** в университе́т.
— Где́ ты́ бу́дешь за́втра?
— Я́ **пойду́** в университе́т.

27. *Answer the questions, using the words on the right.* (See Analysis XII, 2.2.)

Model: — Где́ О́льга? (сестра́, больни́ца)
— Она́ пошла́ (пое́хала) к сестре́ в больни́цу.

1. Где́ ва́ша сестра́?	роди́тели, дере́вня
2. Где́ Ви́ктор?	профе́ссор, факульте́т
3. Где́ студе́нты?	друзья́, общежи́тие
4. Воло́ди не́т до́ма?	това́рищ, лаборато́рия
5. Где́ ва́ши де́ти?	шко́ла
6. Где́ ва́ш бра́т?	ма́ть, больни́ца

Model: — Вы́ за́втра бу́дете до́ма? (го́род, сестра́)
— Не́т, я́ пое́ду в го́род к сестре́.

1. Вы́ ве́чером бу́дете до́ма?	общежи́тие, това́рищи
2. Вы́ сего́дня бу́дете на семина́ре?	больни́ца, вра́ч
3. Вы́ ве́чером бу́дете свобо́дны?	конце́рт
4. В воскресе́нье вы́ бу́дете свобо́дны?	подру́га, дере́вня
5. Вы́ у́тром бу́дете свобо́дны?	профе́ссор, консульта́ция

28. *Give written answers to each of the questions. Use the verb forms* пошёл—ходи́л, пое́хал—е́здил *as required by the sense.*

1. Где́ ва́ш бра́т? Где́ бы́л ва́ш бра́т вчера́? 2. Где́ ва́ши роди́тели? Где́ бы́ли ва́ши роди́тели зимо́й? 3. Где́ ва́ш това́рищ? А где́ о́н бы́л ча́с наза́д? 4. Где́ вы́ бы́ли в ма́е? А ва́ша жена́ то́же была́ та́м? А где́ она́ сейча́с? 5. Где́ вы́ бы́ли вчера́? А ва́ш това́рищ то́же бы́л та́м? А где́ о́н сейча́с?

29. *Give written answers to the questions.*

1. За́втра воскресе́нье. Куда́ вы́ пойдёте? 2. Ско́ро пра́здник. Куда́ вы́ пойдёте? К кому́ вы́ пойдёте? 3. Куда́ вы́ пое́дете, когда́ сдади́те экза́мены? 4. Куда́ вы́ пое́дете, когда́ ко́нчите университе́т? 5. Ско́ро ле́то. Куда́ вы́ пое́дете отдыха́ть?

30. *Develop each of the questions into a dialogue, as in the model.*

Model: — Ди́ма до́ма?
— Не́т, о́н ушёл.
— А куда́ о́н пошёл?
— О́н пошёл в магази́н.
— А О́ля до́ма?
— Она́ ещё не пришла́ (из шко́лы).

1. Серге́й до́ма? 2. Ната́ша зде́сь? 3. Ве́ра на факульте́те? 4. Джо́н в лаборато́рии? 5. Ни́на в шко́ле? 6. Анто́н в библиоте́ке?

31. *Supply continuations to each of the sentences. Mark stress.*

Model: Я не́ был в А́нглии. Я о́чень хочу́ пое́хать в А́нглию.

1. Она́ не была́ в Кана́де. 2. Мы́ не́ были в Ита́лии. 3. Они́ не́ были в Сове́тском Сою́зе. 4. Я́ не́ был в Австра́лии. 5. О́н не́ был во Фра́нции. 6. Я́ не́ был в Индии.

32. *Oral and Written Practice.*

1. *Answer the questions based on the picture.*
Ут́ром Ко́ля бы́л в шко́ле.
А куда́ о́н пошёл из шко́лы? А пото́м?
2. *Find out from classmates where they were in the morning, afternoon, evening.*

III   **Через го́д Ната́ша ко́нчит шко́лу.**

33. *Listen and repeat; then read and analyze.*

— Когда́ вы́ пойдёте сего́дня в университе́т?
— Мне́ на́до бы́ть в университе́те в оди́ннадцать часо́в. Ско́лько сейча́с вре́мени?
— Сейча́с де́вять часо́в.
— Я́ пойду́ **через ча́с.** А вы́?
— А я́ пойду́ **через де́сять мину́т.**

34. *Listen and repeat.*

через ча́с [чир'исча́с]; через го́д [чир'изго́т], через де́нь [чир'из'д'е́н'], через ме́сяц [чир'изм'е́с'иц], через неде́лю, через мину́ту, через два́ дня́, через пя́ть дне́й; через три́ часа́, через пя́ть часо́в; через четы́ре ме́сяца, через ше́сть ме́сяцев.

35. *Listen and reply.*

Model: — Вы́ ко́нчите институ́т через го́д?
— Да́, через го́д.

1. Он прие́дет через два́ го́да? 2. Вы́ вернётесь с пра́ктики через ме́сяц? 3. По́езд ухо́дит через де́сять мину́т? 4. Нача́ло сеа́нса через три́ мину́ты? 5. Магази́н откро́ют через два́ часа́? 6. Вы́ставку закро́ют через неде́лю? 7. Вы́ вернётесь через два́ ме́сяца? 8. Оле́г уезжа́ет через четы́ре дня́? 9. Ва́ш мла́дший бра́т пойдёт в шко́лу через го́д?

36. *Complete the sentences.*

1. Мы́ пригласи́ли госте́й. Они́ приду́т через . . . . 2. Ве́ра пошла́ в магази́н. Она́ вернётся через . . . . 3. — У́жин гото́в? — У́жин бу́дет гото́в через. . . . 4. Пришёл Бори́с. Он е́хал на авто́бусе, а Ю́ра идёт пешко́м. Он придёт через . . . . 5. Ви́ктор не придёт. Он уе́хал на пра́ктику и вернётся то́лько через . . . . 6. Мо́жно взя́ть э́ту кни́гу? Я принесу́ её через . . . .

37. *Give written answers to the questions.*

1. Е́сли мы́ пое́дем в ле́с на велосипе́де, мы́ ско́ро прие́дем туда́? 2. Е́сли мы́ пое́дем в го́род на авто́бусе, когда́ мы́ прие́дем? 3. Е́сли мы́ пое́дем на вы́ставку на маши́не, мы́ ско́ро прие́дем? 4. Е́сли мы́ пойдём в общежи́тие пешко́м, когда́ мы́ прие́дем туда́? 5. Я́ о́чень спешу́. Ско́ро мы́ прие́дем? 6. Я́ опа́здываю. Ско́ро мы́ прие́дем? 7. Мы́ та́к до́лго е́дем. Ско́ро бу́дет на́ша остано́вка?

38. *Develop the questions and answers into dialogues.*

Model: — Где́ Ва́ля?
— Она́ пошла́ в шко́лу.
— Ско́лько вре́мени она́ бу́дет в шко́ле?
— Она́ бу́дет та́м 3-4 часа́.
— Когда́ она́ вернётся?
— Она́ вернётся через 3-4 часа́.

1.— Где́ Анто́н? — Он пое́хал в Ленингра́д. 2.— Где́ Ма́ша? — Она́ пошла́ к врачу́. 3.— Где́ Дми́трий Ива́нович? — Он пошёл к дире́ктору заво́да. 4.— Где́ Ка́рин? — Она́ пое́хала отдыха́ть на Гава́йские острова́.

39. (a) *Translate the dialogue.*

(b) *Give a brief summary of the dialogue.*

— Здра́вствуйте, А́нна Петро́вна.
— До́брый де́нь, Ко́ля.
— А́нна Петро́вна, Андре́й до́ма?
— Не́т, он ушёл в институ́т.
— Давно́?
— Не́т, неда́вно.

— А что́ у него́ сего́дня?

— У него́ сего́дня семина́р.

— О́н не сказа́л, когда́ о́н придёт?

— О́н сказа́л, что придёт через три часа́ и пойдёт к Серге́ю. Серге́й реши́л собра́ть ве́чером свои́х ста́рых шко́льных това́рищей. Ме́сяц наза́д о́н написа́л свои́м друзья́м пи́сьма. Они́ сообщи́ли ему́, что прие́дут сего́дня, пятна́дцатого ма́рта.

— Спаси́бо, А́нна Петро́вна. До свида́ния.

Conversation

I. The Self-Inclusive Imperative (Imperfective and Perfective)

(a) Suggestion to carry out some action (perfective verb) *(See Analysis XII, 4.0.)*

— Ребя́та, **дава́йте пое́дем** в па́рк.

— Дава́йте.

— Ната́ша, **пойдём** сего́дня в кино́.

— Пойдём.

(b) Suggestion to engage in some activity for a period of time or to do something regularly (imperfective verb)

Ребя́та, **дава́йте игра́ть** в футбо́л.

Ви́тя, **дава́й собира́ть** ма́рки.

1. (a) *Listen and repeat. (See Analysis, Phonetics 3.9.)*

Пойдём в кино́. Дава́й пойдём в кино́. Дава́йте пойдём в кино́. Пойдём в теа́тр. Дава́й пойдём в теа́тр. Дава́йте пойдём в теа́тр. Пойдём на вы́ставку. Дава́й пое́дем на юг. Дава́йте смотре́ть телеви́зор.

(b) *Read aloud. Mark intonational centers.*

Дава́й пойдём к Серге́ю. Дава́йте пойдём в кино́. Пое́дем домо́й. Дава́й игра́ть в ша́хматы. Дава́йте пойдём в рестора́н. Пойдём на конце́рт. Дава́йте пойдём на конце́рт в консервато́рию. Дава́й пойдём в Большо́й теа́тр на «Евге́ния Оне́гина».

2. *Compose new dialogues, based on the model, by using the words on the right.*

Model: — Куда́ ты́ идёшь?   рестора́н
        — Я́ иду́ в гости́ницу.   столо́вая
        — Я́ то́же. Пойдём вме́сте.   общежи́тие
        — Пойдём.   по́чта
                             вокза́л

3. (a) *Respond to the suggestions in the affirmative.*

1. Дава́йте пое́дем в суббо́ту в дере́вню. 2. Дава́йте е́здить в дере́вню ка́ждую суббо́ту. 3. Дава́йте пойдём в кино́. 4. Дава́йте ходи́ть в кино́ ка́ждую неде́лю. 5. Дава́йте пое́дем на стадио́н. 6. Дава́йте е́здить на стадио́н

ка́ждую неде́лю. 7. Дава́йте посмо́трим но́вый фильм. 8. Дава́йте смотре́ть фи́льмы на ру́сском языке́.

(b) *Oral Practice.*

Suggest to your friends that you go to the theater, to an exhibition, a museum, make a trip to another city, to a different country, that you work together in the library, that you listen to the radio, have dinner in the cafeteria.

II. Invitation to Visit the Speaker at Home, at Work, etc. (Imperfective Verb)

— Оле́г, **приходи́ к на́м** ве́чером.
— Спаси́бо, приду́.
— Ребя́та, **приезжа́йте к на́м** в институ́т.
— Обяза́тельно прие́дем.

4. (a) *Listen and repeat.*

Приходи́ к на́м. Приходи́те к на́м. Приходи́те ве́чером. Приходи́те к на́м ве́чером. Приходи́те к на́м сего́дня ве́чером. Приходи́те к на́м домо́й сего́дня ве́чером. Приезжа́йте к на́м в институ́т. Приезжа́йте к на́м в институ́т за́втра у́тром.

Е́сли хоти́те, / приходи́те к на́м. Е́сли бу́дете в Москве́, / приезжа́йте к на́м в институ́т. Е́сли вы́ свобо́дны, / приходи́те к на́м обе́дать. Е́сли вернётесь ра́но, / приходи́те ко мне́.

(b) *Read the sentences and mark intonational centers throughout.*

Е́сли хоти́те, приходи́те ко мне́ пи́ть ча́й. Е́сли у ва́с бу́дет вре́мя, приезжа́йте к на́м на факульте́т. Е́сли вы́ вернётесь в пя́тницу ра́но, приходи́те ко мне́. Е́сли хоти́те, приезжа́йте к на́м в студе́нческий теа́тр. Е́сли у ва́с бу́дет вре́мя, приходи́те к на́м за́втра ве́чером.

5. (a) *Develop the sentences into dialogues.*

Model: — О́ля, Серге́й, е́сли вы свобо́дны, приходи́те к на́м сего́дня ве́чером.
— Спаси́бо, обяза́тельно приду́.
— Спаси́бо, но, к сожале́нию, мне́ на́до е́хать на вокза́л.
Е́сли я верну́сь ра́но, то́ приду́.

1. Ни́на, Ви́ктор, е́сли вы́ свобо́дны, приходи́те к на́м сего́дня на обе́д. 2. Ве́ра, Никола́й, е́сли хоти́те, приходи́те ве́чером в клу́б. 3. А́ня, Ми́ша, е́сли хоти́те, приходи́те сего́дня на стадио́н. 4. Га́ля, Бори́с, е́сли у ва́с е́сть вре́мя, приходи́те к на́м в общежи́тие. Бу́дем слу́шать му́зыку.

(b) *Compose dialogues based on the following situations.*

Invite your friends to your home, dormitory, institute, music or chess club.

6. *Discuss with your friends the itinerary of a summer vacation trip along the Black Sea. Use the following questions (a) and statements (b).*

(a) Куда́ мы́ пое́дем? Почему́ вы́ хоти́те туда́ пое́хать? На чём мы́ пое́дем? Отку́да мы́ пое́дем? Когда́ мы́ пое́дем? Ско́лько вре́мени мы́ бу́дем е́хать? Где́ мы́ бу́дем отдыха́ть?

(b) Дава́йте пое́дем на маши́не. Я не люблю́ е́здить на по́езде, лета́ть на самолёте. Мне́ не нра́вится е́здить на ... . Дава́йте снача́ла пое́дем ..., а пото́м ... . В э́том го́роде нахо́дится.... Недалеко́ от го́рода нахо́дится ... . Та́м хоро́ший кли́мат. Та́м тепло́. Та́м мо́жно пла́вать.

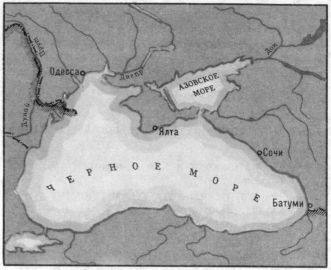

III. Evaluation of Something Seen, Heard, Read, etc.

— Ва́м понра́вился фи́льм?

(a) — Да́, о́чень.
— Да́, фи́льм прекра́сный
(b) — Ничего́ осо́бенного.
— Ничего́.
(c) — Не́т, не о́чень.
— Не́т, не понра́вился.

7. (a) *Listen and repeat.*

нра́виться [нра́б'ищъ], нра́вится, нра́вятся, понра́виться, понра́вился. Ва́м понра́вился расска́з? Ва́м нра́вятся расска́зы Че́хова?
Мне́ нра́вится э́тот го́род. Мне́ о́чень нра́вится э́тот фи́льм. Мне́ не понра́вился фи́льм.

(b) *Listen and repeat. Note the range of evaluative possibilities in the following replies.*

1. — Ва́м понра́вился Ленингра́д?
— Да́, о́чень. Прекра́сный го́род.
2. — Ва́м нра́вится бале́т?
— Да́, я о́чень люблю́ бале́т.
3. — Ва́м нра́вится совреме́нная архитекту́ра?
— Да́, нра́вится. А ва́м?
— А мне́ не нра́вится. Мне́ бо́льше нра́вится дре́вняя архитекту́ра.
4. — Вы́ бы́ли на стадио́не? Ва́м понра́вилась на́ша кома́нда?

— Не́т, не о́чень.
5. — Вы́ ви́дели но́вый фи́льм?
— Да́.
— Хоро́ший фи́льм?
— Ничего́.
6. — Вы́ ви́дели но́вую пье́су?
— Да́.
— Ну и ка́к?
— Ничего́ осо́бенного.

8. *Answer the questions.*

1. Я зна́ю, что вы́ бы́ли в кино́. Ва́м понра́вился фи́льм? Каки́е фи́льмы ва́м нра́вятся? 2. Я слы́шал, что вы́ бы́ли в теа́тре. Ва́м понра́вилась пье́са? Каки́е пье́сы ва́м нра́вятся? 3. Говоря́т, вы́ бы́ли на конце́рте в консервато́рии. Ва́м понра́вился конце́рт? Каки́е конце́рты ва́м бо́льше нра́вятся? 4. Вы́ бы́ли на ле́кции? Ва́м понра́вилась ле́кция? Каки́е ле́кции ва́м бо́льше нра́вятся? 5. Вы́ прочита́ли э́тот рома́н? Он ва́м понра́вился? Каки́е кни́ги ва́м нра́вятся?

9. *Complete the following dialogues, as in the model.*

Model: — Где́ вы́ бы́ли ле́том, И́горь?
— В Ленингра́де.
— Ва́м понра́вился Ленингра́д?
— Да́, мне́ о́чень понра́вился Ленингра́д.

1.— Где́ была́ в ма́е ва́ша сестра́? — В Ло́ндоне. 2.— Куда́ е́здили ле́том ва́ши друзья́? — На Кавка́з. 3.— Вы́ ви́дели фи́льм «Война́ и ми́р»? — Да́. 4.— Вы́ смотре́ли в теа́тре но́вую пье́су? — Да́.

10. *Compose dialogues based on the following situations.*

(1) Your friends have just returned from a trip. Find out where they have been, what they saw, what they liked and didn't like, and why.
(2) You are talking about the theater with your friends. Find out what they have seen lately and who liked what. Ask for reasons for their judgments.

IV. Invitations, Visits, Choice of a Route

бы́ть в гостя́х	to be visiting
Приходи́те в го́сти.	Come to see us.
Что́ бу́дет на у́жин?	What shall we have for supper?
Ка́к мы́ пое́дем?	How shall we get there?
Мы́ пое́дем на трамва́е.	We'll go by streetcar.
Мы́ пое́дем по у́лице Че́хова.	We'll go down Chekhov Street.
— Я́ опозда́л? — Ничего́.	"Am I late?" "It doesn't matter."

11. (a) *Listen and repeat.*

го́сть, го́сти, в го́сти, в гостя́х; У на́с го́сти [уна́з го́с'т'и]. Приходи́те в го́сти. Мы́ бы́ли в гостя́х. Мы́ пое́дем на метро́. Он пое́дет на авто́бусе. Вы́ пое́дете на тролле́йбусе. Она́ пое́дет на трамва́е. Они́ пое́дут на такси́, по у́лице, по у́лице Го́рького.

(b) *Listen and repeat.*

— Ка́к вы́ е́дете?
— Я́ е́ду на авто́бусе. А вы́?
— А я́ на метро́. А ка́к вы́ пое́дете обра́тно?
— Обра́тно — на трамва́е. А вы́?

— Я́ не хочу́ е́хать на трамва́е. Я́ пое́ду на такси́.
— Ка́к мы́ пое́дем в це́нтр?
— По у́лице Го́рького.
— А по у́лице Че́хова нельзя́?
— Не́т, по у́лице Че́хова нельзя́.

12. *Answer the questions.*

Model: — Где вы́ бы́ли?
— Я́ бы́л в гостя́х у Ви́ктора.

1. Где́ бы́ли ве́чером ва́ши друзья́? 2. Где́ бы́ли в суббо́ту ва́ши роди́тели? 3. Где́ бы́л вчера́ ва́ш бра́т? 4. Где́ вы́ бы́ли в воскресе́нье? 5. Где́ была́ сего́дня ва́ша сестра́?

13. *Oral Practice.*

Invite your friends and your teacher to a New Year's party, a family celebration, a party in honor of someone's arrival.

Model: — Ви́ктор Ива́нович, приходи́те к на́м в го́сти. У на́с за́втра пра́здник: Ва́ля ко́нчила шко́лу.
— Спаси́бо, приду́.

14. *Supply continuations to each of the sentences to make up dialogues.*

Model: — Мы́ пое́дем на авто́бусе?
— Не́т. Авто́бусы здесь не хо́дят.
— Тогда́ мы́ пое́дем на метро́ (пойдём пешко́м).

1. Мы́ пое́дем на тролле́йбусе? 2. Мы́ пое́дем на трамва́е? 3. Мы́ пое́дем на такси́?

15. *Supply responses to each of the sentences, as in the model.*

Model: — Ка́к мы́ пое́дем на конце́рт?
— Туда́ мы́ пое́дем на авто́бусе, а обра́тно пойдём пешко́м по у́лице Ге́рцена.

1. Ка́к мы́ пое́дем в теа́тр? 2. Ка́к мы́ пое́дем на вокза́л? 3. Ка́к мы́ пое́дем на Пу́шкинскую пло́щадь? 4. Ка́к мы́ пое́дем в музе́й? 5. Ка́к мы́ пое́дем на вы́ставку?

16. *Suggest a visit to each of the destinations listed on the right.*

Model: — Куда́ вы́ идёте сего́дня ве́чером?
— Я́ ещё не зна́ю, куда́ пойду́ ве́чером.
— Дава́йте пойдём в кино́.
— Я́ не люблю́ кино́. Мне́ бо́льше нра́вится теа́тр.

музыка́льный теа́тр
студе́нческий клу́б
центра́льный па́рк
литерату́рный музе́й

17. (a) *Listen and read.*

В кварти́ре Ивано́вых

П а́ в л и к: Здра́вствуйте. Извини́те, пожа́луйста, мне́ нужна́ Ка́тя Ивано́ва. Она́ здесь живёт?
А́ н н а   И в а́ н о в н а: Здра́вствуйте. Ка́тя, к тебе́ пришли́.
К а́ т я: Па́влик, ка́к хорошо́, что ты́ пришёл! Ма́ма, познако́мься: э́то Па́влик Чудако́в.
А́ н н а   И в а́ н о в н а: Очень прия́тно.

(b) *Compose dialogues based on the following situations.*

(1) You came to see a friend of yours; the door was opened by his father.
(2) You came to the dormitory and are looking for your friend.
(3) Your sister's boy-friend came to see her. He wants to invite her to a theater.

18. (a) *Listen and repeat, paying particular attention to evaluative intonation. (See Analysis, Phonetics, 3.5.)*

Ка́к хорошо́! Ка́к хорошо́ о́н поёт! Кака́я хоро́шая сего́дня пого́да! Како́й прекра́сный фи́льм! Како́й плохо́й бале́т! Ка́к хорошо́, что вы́ пришли́! Ка́к я ра́да, что вы́ верну́лись! Ка́к хорошо́, что вы́ прие́хали! Ка́к хорошо́, что мы́ пое́дем на ю́г!

(b) *Oral Practice.*

Give your evaluation in Russian of the following: today's weather, flowers a film, a ballet, a report, a lecture, a meeting with friends. Make sure you use the correct evaluative intonation.

19. (a) *Listen and read.*

Ивано́вы жду́т госте́й

— Ка́тя, уже́ пя́ть часо́в. Ско́ро приду́т Оле́г и Па́влик. У́жин уже́ гото́в?
— Гото́в, Серёжа.
— А что́ у на́с бу́дет на у́жин?
— Я́ приго́то́вила сала́т и мя́со. На десе́рт бу́дет моро́женое и фру́кты.
— А вино́ бу́дет?
— Коне́чно.
— Како́е?
— Кра́сное.
— Ну́, тогда́ всё в поря́дке.

(b) *Listen and repeat.*

Гото́в? У́жин гото́в? У́жин уже́ гото́в? Коне́чно [кан'е́шнъ]. Коне́чно, гото́в! У́жин ско́ро бу́дет гото́в? Когда́ бу́дет гото́в у́жин? Что́ бу́дет на у́жин? Что́ на у́жин? А что́ на обе́д? Что́ у на́с на обе́д? Что́ у на́с сего́дня на обе́д? На у́жин сала́т. А что́ на десе́рт? На десе́рт моро́женое.
— Ка́к ва́ши дела́?
— Всё в поря́дке. А у ва́с ка́к дела́?
— У меня́ то́же всё в поря́дке.

(c) *Reproduce the dialogue.*

(d) *Compose dialogues based on the following situations.*

(1) You are waiting for guests to arrive and discussing with your mother what to have for supper.
(2) You have decided to get together with your friends. Discuss what you need to buy, who should buy what, how much various grocery items cost, how much money will be necessary.

20. (a) *Read the text.*

«Ана́па»[1] на сча́стье

Друзья́ пригласи́ли меня́ на встре́чу Но́вого го́да. По́сле спекта́кля я побежа́л в магази́н. На́до бы́ло купи́ть пода́рки. Но магази́н уже́ закры́ли. Продаве́ц спроси́л:

— Почему́ вы та́к по́здно?

— Я игра́л в спекта́кле.

— Эх мо́лодость, мо́лодость! У меня́ есть две́ буты́лки портве́йна «Ана́па», хоти́те? Вино́ неплохо́е. Бери́те. Это вино́ принесёт ва́м в но́вом году́ сча́стье.

Я взя́л вино́. До́ма перели́л его́ в одну́ краси́вую буты́лку и пошёл к друзья́м.

Моё ме́сто бы́ло о́коло окна́. Ря́дом сиде́ла де́вушка. Её зва́ли Та́ня. Я спроси́л Та́ню, где́ она́ рабо́тает. Она́ отве́тила. Я не по́нял, но не хоте́л спра́шивать ещё ра́з.

Когда́ жена́ моего́ дру́га поста́вила на сто́л мою́ буты́лку, это была́ сенса́ция.

Я скро́мно сказа́л, что это вино́ подари́л мне́ знамени́тый францу́зский виноде́л, мой хоро́ший знако́мый, и что э́тому вину́ 200 ле́т. Вино́ бы́стро вы́пили.

— А ва́м не нра́вится?—спроси́л я Та́ню, когда́ уви́дел, что она́ вы́пила о́чень немно́го.

— Не́т, почему́, нра́вится. Отку́да у ва́с таки́е знако́мые?

Я не хоте́л обма́нывать, но о́чень хоте́л понра́виться э́той де́вушке. Я расска́зывал о Фра́нции, в кото́рой я не́ был, о знамени́тых францу́зских ви́нах, о кото́рых то́лько слы́шал. Та́ня слу́шала. Она́ пила́ моё вино́ и улыба́лась, а я ... я почти́ ве́рил тому́, что говори́л.

Пото́м мы́ ушли́ и всю́ но́чь ходи́ли по Москве́...

Та́ня уже́ давно́ моя́ жена́. У на́с два́ сы́на. По профе́ссии Та́ня виноде́л и дегуста́тор... И ка́ждый Но́вый го́д у на́с на пра́здничном столе́ в це́нтре стои́т буты́лка портве́йна «Ана́па». И всегда́ мы́ вспомина́ем знамени́того «францу́за-виноде́ла», кото́рый подари́л на́м сча́стье.

After O. Tumanov

b) *Answer the questions.*

На како́й пра́здник пригласи́ли молодо́го челове́ка его́ друзья́? Почему́ о́н та́к по́здно пошёл в магази́н? Он купи́л пода́рки? Кто́ помо́г ему́? Что́ сказа́л продаве́ц о портве́йне «Ана́па»? Что́ принёс молодо́й челове́к в до́м свои́х друзе́й? Где́ бы́ло его́ ме́сто? Кто́ сиде́л ря́дом? Вино́ понра́вилось гостя́м? О чём говори́ли молодо́й челове́к и Та́ня? Почему́ молодо́й челове́к на́чал расска́зывать о Фра́нции? Как слу́шала его́ Та́ня? Молоды́е лю́ди

портве́йн port

перели́ть pour

сенса́ция sensation

виноде́л wine maker

обма́нывать lie

дегуста́тор taster

---

[1] "Anapa", a port wine, named after the town where it is produced.

368

ушли́ вме́сте? Где́ они́ гуля́ли? Ка́к вы́ ду́маете, когда́ молодо́й челове́к узна́л, что Та́ня по профе́ссии дегуста́тор и виноде́л? Ка́к о́н чу́вствовал себя́, когда́ узна́л об э́том? Кака́я тради́ция е́сть в и́х семье́?

(c) *Compose dialogues based on the following situations.*
(1) The conversation in the store between the young man and the elderly salesman.
(2) The conversation at the dinner party between Tanya and the young man.

(d) *Oral Practice.*
(1) Imagine that you are the elderly salesman. What would you tell your family about the late visit by the young man?
(2) Imagine that you are the hostess. What would you tell your friends about the unusual wine?
(3) Imagine that you are Tanya. What would you tell your close friends about how and where you made the acquaintance of your future husband?

(e) *Give detailed answers to the following questions, using the words on the right.*

1. Что́ вы́ мо́жете сказа́ть о молодо́м челове́ке, а́вторе расска́за? Кто́ о́н по профе́ссии? Како́й о́н челове́к? 2. Что́ вы́ мо́жете сказа́ть о Та́не? Како́й она́ челове́к? У неё е́сть чу́вство ю́мора?	хоро́ший — плохо́й симпати́чный — несимпати́чный краси́вый — некраси́вый интере́сный — неинтере́сный серьёзный — несерьёзный весёлый — невесёлый совреме́нный — несовреме́нный

21. *Study and learn the following proverbs.*

Не име́й сто́ рубле́й, а име́й сто́ друзе́й.	A hundred friends are worth more than a hundred rubles.
Се́меро одного́ не жду́т.	Seven persons won't wait for one.
«Пётр I гова́ривал: несча́стья боя́ться — сча́стья не вида́ть». (А. С. Пу́шкин)	"Peter I used to say: to fear adversity is not to know happiness."
«Говоря́т, что несча́стье хоро́шая шко́ла. Мо́жет бы́ть. Но сча́стье е́сть лу́чший университе́т». (А. С. Пу́шкин)	"They say that adversity is a good school. Maybe so. But happiness is the best university."

Reading

1. *Read and translate.*

Note: **Оди́н из студе́нтов** на́шей гру́ппы бы́л в Москве́.

Ско́ро экза́мены

На одно́й из ле́кций по математи́ческому ана́лизу студе́нты спроси́ли профе́ссора, каки́е зада́чи бу́дут на экза́мене. Профе́ссор отве́тил: «Зада́чи бу́дут интере́сные. **Одну́ из ни́х** сейча́с реша́ет оди́н профе́ссор. Е́сли о́н реши́т э́ту зада́чу, то она́ бу́дет у ва́с на экза́мене».

2. *Read and translate.*

Note: Эти **вáзы** дéлают **из дéрева.**

Магнитогóрск — БÁМу [1]

Почтú всё мостú Байкáло-Амýрской магистрáли бýдут стрóить из урáль-ского метáлла. Этот метáлл дáст стрóйтельству Магнитогóрский металлур-гúческий комбинáт.

3. (a) *Read and translate. Note the use of* чтó *as a relative pronoun after the word* всё.

Note: **Всé** бýли в музéе.

Всё, чтó мú увúдели в музéе, нáм бýло интерéсно.

Дворéц в Калýге

На землé мнóго знаменúтых городóв. Всé знáют Москвý и Лóндон, Нью-Йóрк и Венéцию, Бомбéй и Сúдней. Мáленькая Калýга — тóже знаменúтый гóрод. Здéсь родúлся отéц космонáвтики К. Э. Циолкóв-ский [2]. Всéм, ктó приезжáет в Ка-лýгу, покáзывают дóм К. Э. Циол-кóвского, местá, гдé óн рабóтал. 13 января 1967 гóда в Калýге открúли музéй К. Э. Циолкóвского. Сейчáс всé, ктó бывáет в Калýге, посещáют э́тот музéй. Это дворéц космонáвтики. Музéй нáчали стрóить в 1961 годý пóсле полёта пéрвого космонáвта Землú Юрия Алексéевича Гагáрина.

Всё в музéе Циолкóвского расскáзывает о космонáвтике. Здéсь éсть модéли космúческих кораблéй, спýтников Землú. В музéе собрáли всё, чтó расскáзывает о жúзни и рабóте К. Э. Циолкóвского, о создáнии совéтской космúческой тéхники. Здéсь éсть кабинéт Циолкóвского, зáл космúческой тéхники.

(b) *Answer the questions.*

1. Какúе знаменúтые городá вы знáете? 2. Почемý мáленькая Калýга — знаменúтый гóрод? 3. Чтó покáзывают всéм, ктó приезжáет в Калýгу? 4. Когдá в Калýге открúли музéй К. Э. Циолкóвского? 5. Ктó посещáет э́тот музéй? 6. Когдá нáчали стрóить музéй? 7. О чём расскáзывает э́тот музéй? 8. Чтó в нём мóжно увúдеть?

(c) *Tell the story about the museum in Kaluga in your own words.*

---

[1] БАМ (*abbr. for* Байкáло-Амýрская магистрáль), the Baikal-Amur Railway, connecting cities and towns in the southern part of Eastern Siberia.

[2] K.E. Tsiolkovsky (1857-1935), famous Russian and Soviet inventor and rocket expert, specialist in aeronautics and aerodynamics.

370

4. *Answer the questions, using* все *or* всё, *as required by the sense.*

Model: — Ктó из вáс бы́л в теáтре?
— Всé бы́ли.
— Ты́ знáешь, что зáвтра не бýдет семинáра?
— Дá, я́ ужé обо всём знáю.

1. Ктó из вáшей грýппы взя́л в библиотéке э́тот журнáл? 2. Ктó дóлжен купи́ть э́ту кни́гу? 3. Вы́ знáете, что зáвтра у нáс бýдут гóсти? 4. Онá тебé объясни́ла, где мóжно сдéлать фотокóпию? 5. Вы́ знáете, что зáвтра бýдет семинáр по литератýре? 6. Почемý вáша грýппа не былá вчерá на урóке? 7. Комý вы́ сообщи́ли о лéкции?

5. (a) *Read the following. Note the Russian words for "stop" and "station".*

остановка $\left\{\begin{array}{l}\text{автóбуса}\\\text{троллéйбуса}\\\text{трамвáя}\end{array}\right.$ ста́нция метрó

Знáете ли вы́, что в 1938 годý макéт стáнции метрó «Маякóвская» получи́л гран-при́ на вы́ставке в Нью-Йóрке?

(b) *Read aloud.*

останóвка автóбуса, останóвка пя́того автóбуса. Гдé нахóдится останóвка автóбуса? Гдé нахóдится останóвка пя́того автóбуса? Здéсь хóдит вторóй троллéйбус? Гдé останóвка шестóго троллéйбуса?

Университе́тская [ун'ив'ирс'ит'е́цкъјъ], Маяко́вская [мъјико́фскъјъ], Комсомо́льская [къмсамо́л'скъја]; метро́, ста́нция метро́, ста́нция метро́ «Университе́тская». Где́ нахо́дится ста́нция метро́ «Университе́тская»? Ста́нция метро́ «Маяко́вская» напро́тив. Ста́нция «Комсомо́льская» недалеко́.

(c) *Make up questions and answer them.*

Вы́ хоти́те узна́ть, где́ нахо́дится остано́вка 5 авто́буса, 2 тролле́йбуса, 6 авто́буса, 8 авто́буса, 9 тролле́йбуса, 7 трамва́я; где́ нахо́дятся ста́нции метро́ «Университе́тская», «Маяко́вская», «Проспе́кт Ма́ркса», «Пло́щадь Револю́ции», «Комсомо́льская», «Пу́шкинская».

6. *Answer the questions.*

Note: г д е́?

на о́строве
на вы́ставке
на по́чте
на остано́вке

1. Где́ вы́ купи́ли э́ти ма́рки? 2. Где́ мо́жно уви́деть пе́рвые ру́сские печа́тные кни́ги? 3. Где́ вы́ встре́тили своего́ това́рища? 4. Где́ нахо́дится го́род Коло́мбо? 5. Где́ нахо́дится То́кио? 6. Где́ мо́жно уви́деть большу́ю колле́кцию карти́н?

7. (a) *Read aloud.*

Когда́ я поступи́л в институт, / мне́ бы́ло восемна́дцать лет. Когда́ я ко́нчил университет, / я уе́хал рабо́тать в Сиби́рь. Он уе́хал в Сиби́рь, / когда́ ко́нчил университет.

(b) *Read and analyze. Study the syntax of each sentence.*

1. Этот студе́нт — москви́ч, а я прие́хала в Москву́ с восто́ка, из Комсомо́льска-на-Аму́ре. 2. Когда́ я жила́ в Комсомо́льске-на-Аму́ре, к на́м из Москвы́ ча́сто приезжа́л э́тот арти́ст. 3. Когда́ я ко́нчила институ́т, я реши́ла пое́хать рабо́тать на Да́льний Восто́к. 4. Вчера́, когда́ я была́ у свое́й подру́ги, меня́ спроси́ли о мое́й кни́ге. 5. Мо́й оте́ц прие́хал на восто́к, когда́ ещё не́ было го́рода Комсомо́льска-на-Аму́ре, не́ было заво́да. 6. Когда́ они́ постро́или го́род и заво́д, они́ не уе́хали, а оста́лись жи́ть и рабо́тать в э́том го́роде.

8. *Read and translate.*

1. — Ве́ра, ты́ не зна́ешь, где́ А́лла? — Она́ пошла́ занима́ться в библиоте́ку. 2. Ро́берт и Джо́н прие́хали в Москву́ изуча́ть ру́сскую литерату́ру. 3. Вчера́ ве́чером они́ ходи́ли в клу́б слу́шать му́зыку. 4. Ле́том Ни́на и Анто́н е́здили отдыха́ть на Украи́ну. 5. — Скажи́те, пожа́луйста, где́ Никола́й? — Он уе́хал на вокза́л встреча́ть бра́та. 6. Из ра́зных городо́в страны́ прие́хала в Ташке́нт молодёжь стро́ить но́вые дома́, шко́лы, больни́цы. 7. По́сле оконча́ния институ́та Ви́ктор Петро́вич пое́хал рабо́тать на Ура́л.

9. *Vocabulary for Reading. Study the following new words, their forms and usage as illustrated in the sentences on the right. Read each sentence aloud.*

ждáть к о г ó — что	— Сергéй, чтó ты здесь дéлаешь?
	— Я ждý сестрý.
выступáть / вы́сту-пить	На концéрте выступáли молоды́е арти́сты.
	— Чтó сегóдня в клýбе?
	— Выступáет Сиби́рский нарóдный хóр.
возвращáться / вернýться к у д á	М. В. Ломонóсов учи́лся в университéте в Гермáнии.
	Пóсле окончáния университéта óн вернýлся в Росси́ю.
	— Когдá вы́ возвращáетесь домóй?
	— Обы́чно в сéмь-вóсемь часóв.
идти́	1. Óн идёт в шкóлу. Онá идёт óчень бы́стро.
	2. По рекé идýт кораблú. По ýлице идýт маши́ны, автóбусы.
проводи́ть / провес-ти́ ч т ó (врéмя, дéнь, воскресé-нье, вéчер)	— Гдé вы бы́ли в воскресéнье?
	— Гуля́ли в пáрке, вéчером бы́ли в теáтре. Мы́ óчень хорошó провелú э́тот дéнь.
шути́ть	Тóм óчень весёлый человéк. Óн всегдá шýтит.

10. *Read aloud. Pay attention to pronunciation and stress. Note the alternation of vowels/consonants in the verbs.*

выступáть. Зáвтра я́ выступáю в клýбе.

вы́ступить. Я́ вы́ступлю на конферéнции. Ты́ тóже вы́ступишь?

возвращáться. Я́ возвращáюсь с рабóты в шéсть часóв.

вернýться. Я́ вернýсь в Москвý через двá гóда. Ты́ вернёшься сегóдня пóздно? — Олéг ужé вернýлся? — Дá, всé вернýлись.

проводи́ть. Обы́чно я́ провожý лéто в Крымý. Óн провóдит лéто на Кавкáзе.

провести́. Я́ проведý лéто на Украи́не. Óн проведёт свóй óтпуск во Фрáнции. Онá провелá óсень на Кавкáзе. Мы́ прекрáсно провелú врéмя.

шути́ть. — Ты́ шýтишь? — Нéт, я́ не шучý. Не шути́те тáк, пожáлуй-ста. — Вы́ пошути́ли? — Дá, я́ пошути́л.

ждáть, онá ждалá, óн ждáл, онú ждáли. — Когó вы́ ждёте? — Я́ ждý сестрý. Я́ вáс ждалá двá часá. Мы́ вáс дóлго ждáли.

11. *Oral Practice.*

Ктó когó ждёт?

12. *Compose short dialogues based on the following situations.*

You arrange to meet your friends at a bus stop, near a Metro station, on a bridge, near a library, near a theater, in a square. Use the verb ждáть.

13. *Oral Practice.*

Suppose you have been at a theater or concert. Tell about your impressions. Use the following aspectual pairs of verbs in sentences: выступáть / вы́ступить, возвращáться / верну́ться, проводи́ть / провести́ врéмя.

14. *Answer the questions.*

1. Кáк вы́ провóдите свобóдное врéмя? 2. Кáк вы́ провóдите суббóту и воскресéнье? 3. Кáк вы́ провели́ послéднее воскресéнье?

15. (a) *Read aloud, paying attention to the pronunciation of soft consonants.*

пóлюс, полёт, самолёт, лётчик, летéли, полетéл, тóлько, специáльный, большóй, мáленький;
и́х, о ни́х, три́ совéтских лётчика;
и́мя, и́мени, и́мени Чкáлова, и́мени Пу́шкина, 20 ию́ня, говоря́т, повторя́ют.

(b) *Read the text.*

Пáрк и́мени Чкáлова[1]

У́тром 18 ию́ня 1937 гóда совéтский самолёт Ант-25 полетéл по маршру́ту Москвá—Сéверный пóлюс—Амéрика. Это бы́л óчень тру́дный полёт. Чéрез 63 часá 25 мину́т три́ совéтских лётчика Валéрий Чкáлов, Геóргий Байдукóв и Алексáндр Беляко́в сéли в Ванку́вере. Это бы́л пéрвый полёт через Сéверный пóлюс в Амéрику.

20 ию́ня 1937 гóда специáльный корреспондéнт «Прáвды» сообщи́л из Амéрики: «Самолёт Чкáлова сéл в Ванку́вере. ...Вездé сегóдня тóлько об

---

[1] V. P. Chkalov (1904-1938), distinguished Soviet pilot who earned the title of Hero of the Soviet Union and the Order of Lenin for accomplishing on June 18-20, 1937, the world's first Moscow-North Pole-USA non-stop flight (9,000 km). On this flight he was accompanied by G. F. Baidukov and A.V. Belyakov. Chkalov died in a test flight in 1938.

э́том и говоря́т. Об э́том пи́шут газе́ты. И́мя Чка́лова повторя́ет вся́ Аме́-
рика».

Газе́та «Орего́ниан» через 38 ле́т пригласи́ла лётчиков верну́ться в Аме́-
рику. И во́т в 1975 году́ они́ возвраща́ются: Гео́ргий Фили́ппович Байду-
ко́в, Алекса́ндр Васи́льевич Беляко́в и сы́н Чка́лова И́горь Вале́рьевич Чка́-
лов. Они́ прилете́ли в Аме́рику.

В Аме́рике жда́ли и́х. О ни́х опя́ть писа́ли в газе́тах, и́х пока́зывали
по телеви́зору. Показа́ли самолёт Ант-25. «Во́т на тако́й маши́не они́ лете́ли
тогда́. Этот самолёт — де́душка», — шути́л ди́ктор. «А сейча́с они́ прилете́ли
на большо́м краси́вом самолёте. Это сове́тский самолёт Ил-62М. Они́
лете́ли 11 часо́в. Во́т они́, ру́сские лётчики, кото́рых мы́ жда́ли», — говори́л
ди́ктор.

Сове́тские лётчики е́здили по Аме́рике, выступа́ли, расска́зывали о Со-
ве́тском Сою́зе.

В Аме́рике по́мнят и́х, не забы́ли и́х полёт. В небольшо́м америка́нском
го́роде Ванку́вере создаётся па́рк и́мени Чка́лова. Здесь откры́ли па́мятник
сове́тским лётчикам. В 1976 году́ в Ванку́вере откры́ли музе́й Чка́лова.
Этот музе́й нахо́дится в до́ме, где́ сове́тские лётчики отдыха́ли по́сле своего́
пе́рвого полёта.

(c) *Answer the questions.*

1. Когда́ бы́л пе́рвый полёт Москва́—США́? 2. Вы зна́ете фами́лии советских лётчиков, кото́рые 20 ию́ня 1937 го́да прилете́ли в Аме́рику? 3. Кто́
второ́й ра́з прилете́л в Аме́рику? Когда́ э́то бы́ло? 4. Ка́к сове́тские
лётчики провели́ вре́мя в Аме́рике? 5. В Аме́рике забы́ли об и́х пе́рвом
полёте?

(d) *Give a brief summary of the preceding text.*

16. *Vocabulary for Reading. Study the following new words, their forms and usage as illustrated in the sentences on the right. Read each sentence aloud.*

билет
— Скажите, пожалуйста, здесь продают билеты в театры?
— Да, здесь продают билеты в театры и на концерты.
— Извините, я впервые в СССР, скажите, пожалуйста, сколько стоит билет на автобус?
— Билет на автобус стоит пять копеек, на троллейбус — четыре копейки, на трамвай — три копейки.
— Спасибо.

костюм
Завтра мне надо пойти в магазин. Я хочу купить новый костюм. Сергей, у тебя очень красивый костюм.

деньги
— У тебя есть сейчас деньги?
— Да, есть.
— Дай мне, пожалуйста, два рубля. Я забыла свои дома.

17. *Read aloud, paying attention to the pronunciation of soft consonants.*

билет, билеты, билеты в театр, билеты в кино, очень, сейчас, есть, костюм, деньги, сколько. Сколько стоит билет? Сколько стоит костюм? Сколько стоит мясо? У меня нет денег. У тебя много денег? Какой красивый костюм! Билет стоит три копейки.

18. *Oral Practice.*
Ask the price of the food items pictured below.[1]

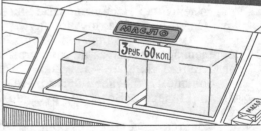
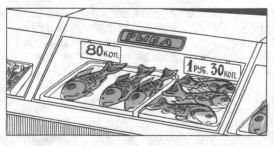
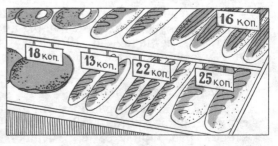

---

[1] Prices in the USSR are usually given for 1 kilogram or 100 grams of the product. Note that килограмм is abbreviated as кг and грамм as г.

19. *Compose short dialogues based on the following situations.*

You are at a theater box-office. Ask for tickets for a Russian song concert, a ballet, a modern music concert, for the opera *Eugene Onegin*, the ballet *Anna Karenina*, *Spartacus*, *Giselle* or *Don Quixote*, for tickets to the Sovremennik, Maly or Art Theater.

20. (a) *Name the items pictured below.*

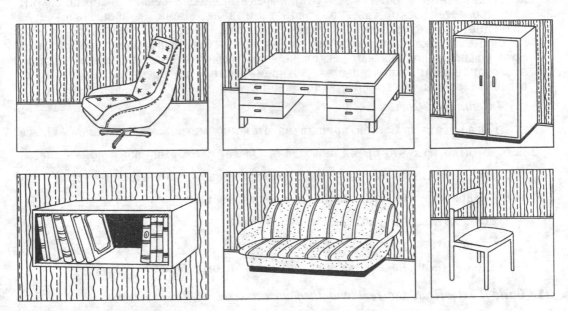

(b) *Describe your room. What is there in it? What hangs on the walls?*

21. (a) *Read. Note the adjectival suffix* -альн-.

музыка́льный
национа́льный

(b) *Now read these phrases and translate each without consulting a dictionary.*

Музыка́льный ве́чер, национа́льные костю́мы, гениа́льный учёный, документа́льный фи́льм, индустриа́льный райо́н.

22. *Translate without consulting a dictionary.*

1. На ю́ге Сиби́ри постро́или больши́е металлурги́ческие заво́ды. Эти заво́ды даю́т стране́ мета́лл, сталь. Здесь со́здали но́вый индустриа́льный райо́н страны́. 2. Студе́нты э́того институ́та организова́ли хор наро́дной пе́сни. Этот хор сейча́с мно́го выступа́ет, е́здит по всей стране́. 3. В Москве́ есть музе́й музыка́льных инструме́нтов.

23 *Read aloud.*

(a) *Pronunciation Practice.*

ча́с, сейча́с, ча́сть, о́чень, сча́стье [щ’а́с’т’jъ], нача́ло, через ча́с, москвичи́, москви́ч, челове́к, ты́сяча челове́к, четы́ре, четы́реста, четы́реста ты́сяч челове́к, хочу́, хо́чешь, рабо́чий, на́чало, начала́, на́чали; ба́нк, ба́нка, бла́нк; Англия, англича́нин, англичане, по-англи́йски; что́ [што́], потому́ что [пътаму́штъ], коне́чно [кан’е́шнъ], в два́ часа́ три́дцать мину́т, на ста́нции метро́, на ста́нции метро́ Маяко́вская [мъjикофскъjъ]; воскресе́нье [въскр’ис’е́н’jъ], ка́к провести́ воскресе́нье, в конце́ртном за́ле и́мени Чайко́вского; через пятна́дцать мину́т, национа́льные костю́мы, музыка́льные инструме́нты, наро́дные музыка́льные инструме́нты, я расскажу́ о Магнитого́рске, не́сколько фотогра́фий, я покажу́ ва́м не́сколько фотогра́фий, строи́тели, строи́тельство, по́сле оконча́ния строи́тельства, во вре́мя войны́, во вре́мя Вели́кой Оте́чественной войны́, географи́ческая грани́ца.

(b) *Intonation Practice.*

Когда́ Ка́тя и Серге́й пришли́ на ста́нцию метро́ «Маяко́вская», / Оле́га ещё не́ было. Всё э́то вре́мя они́ жда́ли Олега, / кото́рый забы́л до́ма билеты.

Всё э́то вре́мя они́ жда́ли Олега, / кото́рый забы́л до́ма билеты. Оле́г сказа́л: / «Здра́вствуйте!» «Здра́вствуйте»,— сказа́л Олег.

Е́сли хоти́те, / я расскажу́ ва́м о Москве́.

Е́сли хоти́те, / я расскажу́ ва́м о Москве́.

Его́ не́ было на лекции, / потому́ что о́н бы́л болен.

24. *Basic Text. Read the text and then do exercises 25-28.*

В воскресе́нье

В два́ часа́ три́дцать мину́т всё бы́ли на ста́нции метро́ «Маяко́вская». Снача́ла пришли́ Ка́тя и Серге́й, пото́м Дже́йн и Па́влик. Не́ было то́лько Оле́га.

— Па́влик, ты́ не ви́дел его́ в общежи́тии? — спроси́ла Ка́тя.

— Не́т, не ви́дел. Мо́жет быть, о́н бо́лен?

— Не зна́ю. Вчера́, когда́ мы́ обсужда́ли, ка́к провести́ воскресе́нье, о́н был здоро́в. Это о́н сообщи́л на́м, что сего́дня в Конце́ртном за́ле и́мени П. И. Чайко́вского выступа́ет Ура́льский наро́дный хо́р.

— Да́, о́н сказа́л: «На́ш Ура́льский хо́р». И, коне́чно, мы́ не могли́ не пойти́ на э́тот конце́рт.

Па́влик посмотре́л напра́во, пото́м нале́во:

— И во́т мы́ здесь, а его́ не́т. Мы́ ждём уже́ пятна́дцать мину́т. Ка́к говоря́т, се́меро одного́ не жду́т. Пойдёмте.

— Не́т, ребя́та, без Оле́га нельзя́ идти́. О́н сейча́с придёт.

В э́то вре́мя Ка́тя уви́дела Оле́га, кото́рый о́чень бы́стро шёл к ни́м.

— Здра́вствуйте, ребя́та,— сказа́л Оле́г,— извини́те, пожа́луйста. Я забы́л до́ма де́ньги и биле́ты и до́лжен бы́л верну́ться обра́тно. Во́т и опозда́л.

— Ничего. У нас ещё есть время. Начало концерта через пятнадцать минут. И они быстро пошли к зданию концертного зала.

Джейн впервые была на таком концерте. Концерт ей понравился. Ей всё было интересно: и национальные костюмы, и песни, и танцы, и народные музыкальные инструменты. Понравился концерт и москвичам.

Во время антракта они ходили по фойе. На стенах фойе висели фотографии. Олег показал на одну из них:

— Смотрите, это Уральский хор в Магнитогорске. Здесь они выступают, а это общий вид города.

— Олег, а Магнитогорск большой город? — спросила Джейн.

— Нет, Магнитогорск не очень большой город. Там живёт четыреста тысяч человек. Но это знаменитый город.

— Это старый город?

— Нет. Магнитогорску только пятьдесят лет.

— А почему тогда он такой знаменитый?

— Город знаменит потому, что там жил Олег,— сказал Павлик.

— Ты всё шутишь, Павлик, а я серьёзно спрашиваю,— сказала Джейн.— Я так мало знаю об этом.

— Если хотите, приходите вечером к нам в общежитие, я расскажу вам немного о Магнитогорске и даже могу показать несколько фотографий.

— Катя, что ты думаешь об этом?

— Если ты хочешь, мы можем пойти. Олег, а чай будет?

— Конечно.

— Тогда мы придём. Только не рано. В восемь часов.

— Очень хорошо. Я вас буду ждать.

В восемь часов все были в общежитии. В комнате Олега около окна стоял небольшой стол и два кресла. Напротив—шкаф, а рядом—диван. Олег уже приготовил чай. На столе стояли тарелки, чашки, стаканы.

— Садитесь, пожалуйста. Джейн, садись сюда, на диван. Вот чай, кофе. Пейте, пожалуйста. А я сейчас принесу фотографии.

Олег положил на стол несколько старых фотографий.

— Сначала я хочу показать вам несколько семейных фотографий. Вот первая. Это мой дедушка и бабушка. Они приехали на Урал, на строительство нового города. Это было в марте 1929 года. Тогда ещё не было города Магнитогорска, не было заводов. Была гора Магнитная, и надо было построить металлургический комбинат. Джейн, ты знаешь, что тогда везде шло строительство: строили Магнитогорск, Днепрогэс[1], Комсомольск-на-Амуре, строили тракторные заводы в Сталинграде[2] и Харькове. В стране надо было создавать индустрию. Это были первые новые города и заводы.

Я уже сказал, что первые строители приехали на Урал в 1929 году. Мой дедушка и бабушка часто рассказывали, как они тогда жили, как работали, о чём думали. Им было трудно. Было очень мало машин. Было холодно. Зимой на Урале бывает —25°, —30°[3].

Магнитогорск строили тридцать четыре месяца. И через три года Магнитогорск дал первый металл.

Во время Великой Отечественной войны Магнитогорск давал стране сталь. Каждый третий танк был из стали Магнитогорска.

А на этой фотографии—я и мои товарищи. Это река Урал, географическая граница Европы и Азии. Мы жили на правом берегу реки Урал, в Европе, и ездили на трамвае в кино на другой берег, в Азию. Там находится другая часть города. Мой дедушка и бабушка и мои родители и сейчас живут в Магнитогорске. У меня там много друзей.

— Спасибо, Олег.

— Пожалуйста. А теперь, если хотите, я покажу вам фотографии Урала и знаменитые уральские камни.

---

[1] Днепрогэс (*abbr. for* Днепровская гидроэлектростанция), the Dnieper Hydroelectric Power Station.

[2] Сталинград, now Волгоград

[3] —25°, —30° corresponds to —12°, —22° F., respectively

25. *Find in the text the answers to the questions.*

1. Где ждали студенты друг друга? 2. Кто пришёл сначала, кто потом? 3. Кто опоздал? 4. Кого увидела Катя? 5. Кто был на таком концерте впервые? 6. Куда студенты пошли вечером? 7. Какие фотографии показал Олег? 8. Магнитогорск — большой город? 9. Это старый город? 10. Когда начали строить Магнитогорск? 11. Когда Магнитогорск дал первый металл? 12. Какая река — географическая граница Европы и Азии?

26. *Divide the text into subsections and supply a Russian title for each.*

27. *Tell the text from Oleg's point of view.*

28. *Write a brief account of what you have learned about the city of Magnitogorsk.*

29. *Compose a dialogue based on the following situation.*

You and your friends have gathered for a trip to a museum. All but two persons are there. Discuss the predicament.

30. *Oral Practice.*

Jane was at a concert on Sunday. What did she tell her girl friend about it?

31. *Compose a dialogue based on the following situation.*

A friend asks Pavlik about how he spent Sunday.

32. (a) *Read the passage without consulting a dictionary.*

История городов

Много на земле городов. У каждого города своя жизнь, своя история. История города — как биография человека. Города, как и люди, бывают молодые, бывают старые.

Научный коллектив Исторического музея в Москве решил зафиксировать историю молодых советских городов. Таких городов в Советском Союзе много. В Историческом музее всё время работает выставка «Город социалистический». На этой выставке можно увидеть Академгородок, который находится недалеко от Новосибирска, Норильск [1] и Магнитогорск. Мурабек — самый молодой город Узбекистана. В этом месте несколько лет назад геологи нашли природный газ. Сейчас газ перерабатывают на заводе. Этот завод строили все республики СССР. 150 городов делали для этого завода машины, аппараты. Из разных республик приехали в Мурабек рабочие, инженеры.

---

[1] Norilsk, a city built in the permafrost zone above the Arctic Circle.

(b) *Translate without consulting a dictionary.*

биогра́фия, коллекти́в, зафикси́ровать, приро́дный, газ, перераба́тывать, аппара́т.

(c) *Reread the text and find the sentences which provide information about the following:*

1. В Сове́тском Сою́зе мно́го молоды́х городо́в? 2. Кака́я вы́ставка рабо́тает в Истори́ческом музе́е? 3. Каки́е города́ мо́жно уви́деть на э́той вы́ставке?

33. *Answer the questions.*

1. Каки́е ста́рые города́ есть в ва́шей стране́? Назови́те их. 2. Каки́е молоды́е города́ есть в ва́шей стране́? 3. Что вы зна́ете о них? 4. В ва́шей стране́ есть музе́и, кото́рые расска́зывают об исто́рии городо́в? Что вы зна́ете о них? 5. Вам нра́вится чита́ть об исто́рии городо́в? 6. О каки́х города́х вы чита́ли?

34. *Oral Practice.*

(a) What do you know about the city where you were born? Do you know its history?

(b) Where do you prefer to live, in the city or the country? Explain why.

VOCABULARY

ана́лиз analysis

* антра́кт intermission

ба́бушка grandmother

* биогра́фия biography

бо́льше more

буты́лка bottle

ва́за vase

вдруг suddenly

ве́рить / пове́рить believe

верну́ться *see* возвраща́ться

вид view

вку́сный tasty, delicious

возвраща́ться / верну́ться return

встре́ча meeting

гра́дус degree

грани́ца border, boundary

дава́й(те) игра́ть let us play

да́же even

* дво́е two (together)

де́душка grandfather

демонстри́роваться be shown, be on

* десе́рт dessert

* ди́ктор announcer

* дипломи́рованный having received a degree, diploma

жда́ть / подожда́ть wait; expect

звоно́к bell

из out of, from

инду́стрия industry

* индустриа́льный industrial

* инструме́нт instrument

* интересова́ть *imp.* interest

к to, towards

* ка́дры personnel, cadres

ка́мень rock, stone

класть / положи́ть place (in a lying position)

* коллекти́в collective, team

кома́нда athletic team

* комбина́т group of enterprises

* корреспонде́нт correspondent

костю́м suit

кре́сло armchair

ле́вый left

* магистра́ль main railway line or roadway

* маршру́т itinerary, route

математи́ческий mathematics, mathematical

мета́лл metal

* металлу́рг metallurgist

* металлурги́ческий metallurgical

мете́ль blizzard

молодёжь *f.* youth

национа́льный national

нра́виться / понра́виться be pleasing to; like

ну́жен necessary

обра́тно back

о́бщий general, universal

от from

отку́да from where

о́тпуск leave, vacation

пойти́ go, set off

* полёт flight

* по́люс pole

* посло́вица proverb

посыла́ть / посла́ть send

пра́вый right

прекра́сный beautiful, excellent

приезжа́ть / прие́хать arrive (by conveyance)

приноси́ть / принести́ bring (on foot)

приро́дный natural

приходи́ть / прийти́ come, arrive (on foot)

провести́ / проводи́ть (вре́мя) spend, pass (time)

продаве́ц salesman, seller

разреша́ть / разреши́ть allow, permit

родно́й one's own, dear, kindred

с from, off

сала́т lettuce; salad

семе́йный family

се́меро seven (together)

* сенса́ция sensation

скро́мно modestly

созда́ние creation

* специали́ст specialist

ста́вить / поста́вить place (in a standing position)

стака́н glass

* сталь steel

ста́нция station

сто́лик little table

строи́тельство construction, building

сча́стье happiness

* танк tank

та́нец dance

таре́лка plate

уезжа́ть / уе́хать depart (by conveyance)

улыба́ться / улыбну́ться smile

уходи́ть / уйти́ leave (on foot)

* фикси́ровать / зафикси́ровать fix

* фойе́ foyer

* фунда́мент foundation

хор chorus, choir

ча́шка cup

че́рез in, after; across

шути́ть / пошути́ть joke

Unit 13

Presentation and Preparatory Exercises

I

— Óн **был студéнтом.**
    Кéм óн с т á л тепéрь?
— Óн **стáл врачóм.**

1. *Listen and repeat; then read and analyze. (See Analysis XIII, 1.0; 1.1; 1.5.)*

Егó семья́

Это семья́ моегó брáта. Егó женá Мари́я—трéнер по гимнáстике. Рáньше онá **былá гимнáсткой.** Это егó дóчь Áня. Áне сéмь лéт. В э́том годý онá **стáла школьницей.** Онá хóчет бы́ть учи́тельницей. А э́то егó сы́н Кири́лл. Недáвно Кири́лл **стáл студéнтом.** Кири́лл явля́ется капитáном футбóльной комáнды. Мóжет бы́ть, егó комáнда **стáнет чемпиóном** гóрода.

— А кéм бýдет Кири́лл, когдá кóнчит институ́т?
— Чéрез пя́ть лéт óн **бýдет архитéктором.**

2. (a) *Listen and repeat.*

я́ стáну студéнтом, ты́ стáнешь врачóм, óн стáнет архитéктором, онá стáнет учи́тельницей;

я́ бýду инженéром, óн бы́л рабóчим

(b) *Listen and reply.*

Model: — Вы́ хоти́те бы́ть учи́телем?
        — Дá, я́ хочý бы́ть учи́телем.

1. Óн бýдет музыкáнтом? 2. Вы́ хоти́те бы́ть журнали́стом? 3. Твóй брáт хóчет бы́ть врачóм? 4. Вáш сы́н бýдет строи́телем? 5. Ты́ хóчешь бы́ть математи́ком? 6. Óн хóчет стáть фи́зиком? 7. Вáша сестрá скóро стáнет архитéктором?

385

3. *Rewrite each sentence, as in the model.*

Model: Мо́й бра́т бы́л студе́нтом, сейча́с о́н инжене́р.
Мо́й бра́т бы́л студе́нтом, сейча́с о́н ста́л инжене́ром.

1. Ви́тя бы́л шко́льником, сейча́с о́н студе́нт. 2. А́ня ко́нчила институ́т, сейча́с она́ учи́тельница. 3. Никола́й ко́нчил университе́т, сейча́с о́н археоло́г. 4. Серге́й Никола́евич рабо́тал в газе́те, сейча́с о́н писа́тель. 5. Ви́ктор Петро́вич бы́л учи́телем, сейча́с о́н профе́ссор. 6. Ве́ре уже́ се́мь ле́т, она́ шко́льница. 7. Ни́на у́чится в университе́те, она́ студе́нтка. 8. Ра́ньше Анто́н Петро́вич бы́л продавцо́м, сейча́с о́н дире́ктор магази́на.

4. *Supply questions and answers to the sentences to make up brief dialogues, as in the model.*

Model: — Никола́й у́чится на физи́ческом факульте́те.
— А ке́м о́н бу́дет?
— О́н бу́дет фи́зиком.

1. Ва́ля у́чится в архитекту́рном институ́те. 2. Дми́трий у́чится в строи́тельном институ́те. 3. Ира у́чится на филологи́ческом факульте́те. 4. Михаи́л у́чится в медици́нском институ́те. 5. Бори́с у́чится в хими́ческом институ́те. 6. Андре́й у́чится на геологи́ческом факульте́те МГУ.

II | Студе́нты **разгова́ривали** с профе́ссором.

5. *Listen and repeat; then read and analyze. (See Analysis XIII, 1.3; 1.6; 1.7.)*

— Серге́й, с ке́м ты́ ходи́л вчера́ в кино́?
— **С Ирой Бело́вой.**
— Я́ с **не́й** не знако́м.
— Е́сли хо́чешь, я могу́ познако́мить тебя́ **с не́й.** Ира у́чится в университе́те. Она́ хоро́шая спортсме́нка, шахмати́стка.

6. *Fill in the blanks. (See Analysis XIII, 1.6.)*

1. Я хорошо́ зна́ю Ви́ктора, я́ учи́лся ... в Москве́. 2. Моя́ ма́ма хорошо́ зна́ет ру́сский язы́к, я́ разгова́риваю ... по-ру́сски. 3. Оле́г зна́ет Ни́ну, о́н познако́мился ... ле́том на пра́ктике. 4. А́нна приезжа́ла к на́м в воскре́сенье, она́ ходи́ла ... в теа́тр. 5. За́втра я́ да́м тебе́ э́ту кни́гу, мы́ встре́тимся ... в университе́те. 6. Вы́ ста́ли хоро́шим шахмати́стом, я́ о́чень люблю́ игра́ть в ша́хматы .... 7. Ви́ктор и Анто́н — хоро́шие спортсме́ны, мы́ игра́ли ... в баскетбо́л.

7. *Oral Practice.*

1. You are looking for your friend.

Model: — Кого ты́ и́щешь?
— Ты́ не ви́дел Никола́я?
— Я́ с ни́м разгова́ривал ча́с наза́д.
— А где́ о́н сейча́с?
— О́н пошёл в буфе́т с Ви́ктором.

2. Ask your friend about the people you are interested in.

Model: — Ты́ зна́ешь О́лю Орло́ву?
— Да́, я́ с не́й знако́м.
— А где́ ты́ с не́й познако́мился?
— У на́с в клу́бе. Она́ приходи́ла туда́ с Й́рой.

‖ Его́ бра́т бы́л **знамени́тым футболи́стом.**

8. *Read and analyze. (See Analysis XIII, 1.6.)*

Ле́том мы́ е́здили **с на́шим преподава́телем** в Сове́тский Сою́з. Мы́ бы́ли в Москве́ и в Ленингра́де. В Москве́ мы́ познако́мились **с сове́тским студе́нтом.** Его́ зову́т Андре́й. О́н фи́зик, у́чится в Моско́вском университе́те. Мы́ говори́ли с Андре́ем по-ру́сски. Андре́й познако́мил на́с с Москво́й, **с Моско́вским университе́том.** О́н ходи́л с на́ми в теа́тры, в музе́и, расска́зывал на́м о своём родно́м го́роде, о его́ исто́рии. Андре́й хоро́ший спортсме́н. О́н игра́ет в те́ннис.

9. (a) *Listen and repeat.*

познако́миться, сове́тский студе́нт, познако́миться с сове́тским студе́нтом, познако́миться с но́вым преподава́телем, руководи́тель, нау́чный руководи́тель, разгова́ривать с нау́чным руководи́телем, ста́ть знамени́тым спортсме́ном, игра́ть со знамени́той футбо́льной кома́ндой.

(b) *Listen and reply.*

Model: — Вы́ познако́мились с но́вым музе́ем?
— Да́, мы́ познако́мились с но́вым музе́ем.

1. Ва́ша сестра́ ста́ла хоро́шей спортсме́нкой? 2. Вы́ е́здили на пра́ктику со свои́м преподава́телем? 3. Вы́ разгова́ривали со свои́м нау́чным руководи́телем? 4. С ке́м вы́ разгова́ривали, когда́ мне́ звони́ли? С мое́й жено́й? 5. Вы́ уже́ познако́мились со свои́м но́вым профе́ссором?

10. *Extend the sentences, as in the model.*

Model: Я́ зна́ю твоего́ бра́та и твою́ сестру́, потому́ что я́ учи́лся с твои́м бра́том и твое́й сестро́й.

1. Мо́й бра́т зна́ет твою́ сестру́. 2. Я́ зна́ю э́того студе́нта и э́ту студе́нтку. 3. Мы́ зна́ем э́того арти́ста и э́ту арти́стку. 4. Мо́й бра́т зна́ет э́ту де́вушку и э́того молодо́го челове́ка. 5. Мо́й дру́г Ви́ктор хорошо́ зна́ет ва́шу до́чь и ва́шего сы́на.

11. *Rewrite each sentence, as in the model.*

Model: Ра́ньше я́ не зна́л профе́ссора Комаро́ва, а сейча́с о́н мо́й нау́чный руководи́тель.
Ра́ньше я не зна́л профе́ссора Комаро́ва, а сейча́с о́н ста́л мои́м нау́чным руководи́телем.

1. Ра́ньше я́ не зна́л Серге́я, сейча́с о́н мо́й това́рищ. 2. Анто́н Петро́вич рабо́тал в лаборато́рии, сейча́с о́н на́ш профе́ссор. 3. Ири́на у́чится на на́шем факульте́те, она́ моя́ подру́га. 4. Серге́й Никола́евич ра́ньше рабо́тал на заво́де, сейча́с о́н знамени́тый писа́тель. 5. Ви́ктор Петро́в учи́лся в на́шем университе́те, сейча́с о́н хоро́ший арти́ст. 6. Пётр Серге́евич рабо́тал в на́шем институ́те, сейча́с о́н хоро́ший журнали́ст. 7. Ири́на знамени́тая спортсме́нка, она́ чемпио́нка страны́. 8. Ни́на учи́лась в на́шей шко́ле, сейча́с она́ знамени́тая арти́стка.

12. *Name the capitals of the following countries:* СССР, Ита́лия, Фра́нция, Кана́да, Австра́лия, И́ндия.

Model: Вашингто́н явля́ется столи́цей США.

13. *Make up sentences incorporating the following names of cities and the adjectives given below.*

Cities: Ленингра́д, Ки́ев, Нью-Йо́рк, Чика́го, Га́мбург, Торо́нто, Канбе́рра, Ло́ндон, Де́ли
Adjectives: промы́шленный, кру́пный, культу́рный, нау́чный.

Model: Магнитого́рск явля́ется кру́пным промы́шленным це́нтром.

14. *Answer the questions.*

1. С ке́м вме́сте вы́ учи́лись в шко́ле? 2. С ке́м вы́ е́здили отдыха́ть? 3. С ке́м вы́ познако́мились ле́том? 4. С ке́м вы́ пое́дете в Сове́тский Сою́з? 5. С ке́м вы́ обы́чно разгова́риваете по-ру́сски? 6. С ке́м вы́ лю́бите игра́ть в ша́хматы? 7. С ке́м вы́ обы́чно игра́ете в волейбо́л, в баскетбо́л, в футбо́л? 8. С ке́м вы́ ходи́ли вчера́ в теа́тр? 9. С ке́м вы́ обы́чно хо́дите на стадио́н? 10. С ке́м вы́ познако́мились в спорти́вном клу́бе?

III | **О́н занима́ется спо́ртом.**

15. *Listen and repeat; then read and analyze. (See Analysis XIII, 1.4.)*

— Что́ вы́ чита́ете?
— Журна́л «Физкульту́ра и спо́рт». Здесь интере́сная статья́ о бо́ксе.
— Вы́ боксёр?
— Не́т, я́ **занима́юсь гимна́стикой.**
— А кто́ **руководи́т ва́шей спорти́вной се́кцией?**

— **На́шей се́кцией руководи́т** Ви́ктор Петро́вич Кузнецо́в. А вы́ то́же спорт-
сме́н?
— Не́т, я́ то́лько ·интересу́юсь спо́ртом.

16. (a) *Listen and repeat.*

я занима́юсь бо́ксом; Че́м ты́ занима́ешься?
гимна́стика, занима́ться гимна́стикой; Он занима́ется гимна́стикой.
руководи́ть, я́ руковожу́ спорти́вной се́кцией; Кто́ руководи́т ва́шим
семина́ром?
интересова́ться. Я́ интересу́юсь му́зыкой. Че́м вы́ интересу́етесь? — Мы́
интересу́емся архитекту́рой.

(b) *Listen and reply.*

Model: — Вы́ занима́етесь гимна́стикой?
— Да́, я́ занима́юсь гимна́стикой.

1. Ва́ш сы́н занима́ется му́зыкой? 2. Вы́ интересу́етесь совреме́нной архи-
текту́рой? 3. Профе́ссор Петро́в руководи́т семина́ром по литерату́ре? 4. Ва́ш
дру́г интересу́ется спо́ртом? 5. Вы́ занима́етесь ру́сским языко́м? 6. Вы́ зани-
ма́етесь ру́сской литерату́рой девятна́дцатого ве́ка?

17. *Answer the questions.*

Model: — Почему́ вы́ реши́ли ста́ть био́логом?
— Я́ реши́л ста́ть био́логом, потому́ что я́ интересу́юсь биоло́гией.

1. Почему́ вы́ реши́ли ста́ть гео́графом? 2. Почему́ вы́ поступи́ли на
хими́ческий факульте́т? 3. Почему́ ва́ш дру́г чита́ет кни́ги по иску́сству?
4. Почему́ ва́ша сестра́ так ча́сто хо́дит в теа́тр? 5. Почему́ о́н вчера́ ушёл
с ле́кции по археоло́гии? 6. Почему́ вы́ не хо́дите на семина́ры по исто́рии
му́зыки? 7. Почему́ вы́ посла́ли бра́ту кни́ги по исто́рии теа́тра?

Model: — Вы́ спортсме́н?
— Да́, я́ занима́юсь спо́ртом.

1. Ва́ш дру́г — хи́мик? 2. Ва́ш бра́т — музыка́нт? 3. Ва́ш това́рищ — архео́-
лог? 4. Почему́ вы́ так мно́го чита́ете по исто́рии? 5. Почему́ вы́ чита́ете
литерату́ру о Петре́ I? 6. Ва́ша сестра́ — спортсме́нка? 7. Вы́ гимна́ст? 8. Ва́ш
дру́г — боксёр?

Model: — Руководи́тель ва́шего семина́ра — профе́ссор Поляко́в?
— Да́, профе́ссор Поляко́в руководи́т на́шим семина́ром.

1. Руководи́тель ва́шего кружка́ — профе́ссор Со́мов? 2. Руководи́тель
наро́дного хо́ра — арти́ст Кулико́в? 3. Руководи́тель спорти́вной се́кции —
тре́нер Козло́в? 4: Кто́ руководи́тель но́вого ·студе́нческого теа́тра?

18. *Answer the questions.*

1. Вы́ лю́бите спо́рт? Че́м вы́ занима́етесь? Че́м занима́ются ва́ши това́-
рищи? 2. Вы́ ча́сто быва́ете в музе́ях? Че́м вы́ интересу́етесь? 3. Че́м вы́
интересова́лись в шко́ле? 4. Че́м вы́ занима́етесь в свобо́дное вре́мя?

19. *Translate.*

My friend Sergei Belov did not formerly care for sports, but last year a new coach came to our club. He was a famous boxer, a world champion, and his name was Boris Lavrov. He became the leader of the boxing section of our club. And boxing became a popular sport in our institute. Sergei Belov began to train with the new coach. Soon he became a good boxer and this year he has already become the champion of our institute.

20. *Read the text and retell it in your own words. What do you know about the teaching of Russian in the United States?*

Ру́сский язы́к в США

Америка́нцы говоря́т, что ру́сский язы́к в США на́чали изуча́ть в 1896 году́ в Га́рвардском университе́те. Но и ра́ньше ру́сский язы́к был одни́м из изве́стных иностра́нных языко́в в США.

В 1781 году́ Джон Ку́инси А́дамс, бу́дущий шесто́й президе́нт США, на́чал занима́ться ру́сским языко́м.

бу́дущий future

Одни́м из пе́рвых преподава́телей ру́сского языка́ был Лéо Ви́нер, оте́ц созда́теля киберне́тики Но́рберта Ви́нера. Лéо Ви́нер со́здал антоло́гию произведе́ний ру́сских писа́телей. Он перевёл собра́ние сочине́ний Льва́ Толсто́го (22 то́ма). Всё э́то помогло́ америка́нцам познако́миться с ру́сской литерату́рой. Немно́го по́зже ру́сский язы́к на́чали изуча́ть в университе́тах Бе́ркли и Чика́го.

киберне́тика cybernetics
антоло́гия anthology
произведе́ние work
собра́ние сочине́ний collected works
том volume

В 1939 году́ ру́сский язы́к изуча́ли в 19 ко́лледжах. Сейча́с в 600 (шестиста́х) университе́тах и ко́лледжах США изуча́ют ру́сский язы́к.

|| **в- (во-)** Лéна **во**шла́ в кла́сс и сказа́ла: «Здра́вствуйте».
|| **вы-** В се́мь часо́в он **вы**шел из до́ма и пошёл на ста́нцию.

21. *Listen and repeat; then read and analyze.*

У врача́

— До́ктор, разреши́те **войти́**.
— Да́, **входи́те**, пожа́луйста.

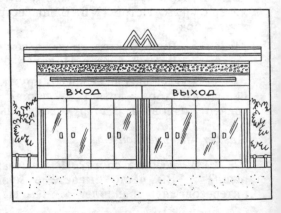

В метро́

— Молодо́й челове́к, здесь нельзя́ **вы-ходи́ть**: здесь вхо́д, а вы́ход вон та́м.
— Извини́те, я не ви́дел.

22. *Listen and repeat.*

входи́ть, я вхожу́, входи́, входи́те, выходи́ть, ты выхо́дишь, он то́же выхо́дит, выходи́, выходи́те; Вы выхо́дите? Вы выхо́дите сейча́с? — Вы выхо́дите на Пу́шкинской пло́щади? — Да, выхожу́. Нет, я не выхожу́ на Пу́шкинской пло́щади. Это ты, Оле́г? Входи́, пожа́луйста.

войти́, вы́йти, я вы́йду; Сейча́с ты вы́йдешь на у́лице Че́хова, он то́же там вы́йдет.

Мо́жно войти́?³ Мо́жно вы́йти?³ Разреши́те войти́.³ Разреши́те вы́йти.³
— Здесь вхо́д? — Нет, здесь вы́ход. — А где вхо́д? — Вхо́д там.
— Это вы́ход? — Нет, здесь нет вы́хода.

23. *Ask permission, using the verbs* вы́йти, прийти́, войти́, уйти́.

Model: А́нна Петро́вна, разреши́те (мне) вы́йти из кла́сса.
У меня́ боли́т голова́.

1. You are late for the lesson and want to enter the classroom. 2. You were taken ill and must leave before the end of the lesson. 3. You want to look at the books your friend has bought. Ask his permission to come to his place. 4. You are not feeling well and must leave the classroom (for a short time).

‖ Я купи́л оди́н журна́л дру́гу, а друго́й — **себе́.**

24. *Listen and repeat; then read and analyze. (See Analysis XIII, 4.0.)*

— Тебе́ ну́жен уче́бник по хи́мии?
— Нет, я уже́ купи́л **себе́** уче́бник.
— Ве́ра, дай, пожа́луйста, твою́ тетра́дь по англи́йскому языку́.
— Я не ношу́ все тетра́ди **с собо́й.**

25. *Supply the appropriate form of the reflexive pronoun* себя́.

1. Ри́та мно́го расска́зывала о свое́й семье́ и о ... . 2. Пётр не ве́рит, что он мо́жет хорошо́ учи́ться. Он пло́хо зна́ет ... . 3. Вчера́ он был у нас, а сего́дня пригласи́л нас к ... . 4. Он пи́шет в свои́х кни́гах о вре́мени и о ... . 5. Он купи́л кни́гу бра́ту и ша́хматы ... .

‖ Мне **нра́вится** э́та кни́га.
‖ Бале́т **ко́нчился** по́здно ве́чером.

26. *Read and analyze. (See Analysis XIII, 2.0; 2.1; 2.3; 2.4; 3.0.)*

Чем они́ интересу́ются?

— Вы хорошо́ зна́ете студе́нтов ва́шей гру́ппы? Скажи́те, **чем они́ интере-су́ются?**
— У ка́ждого студе́нта своё хо́бби. Вади́м **интересу́ется архитекту́рой.** Ему́ **нра́вятся** совреме́нные зда́ния. Михаи́л и Ви́ктор — спортсме́ны. Михаи́л **за-**

нима́ется тури́змом. Зимо́й о́н трениру́ется, хо́дит на лы́жах. Ви́ктор — хоккеи́ст. Мы́ ча́сто хо́дим на трениро́вки и на хокке́йные ма́тчи, когда́ игра́ет Ви́ктор.

Ле́на интересу́ется экономи́ческой геогра́фией. Почему́ вы́ удивля́етесь? Она́ хо́чет ста́ть экономи́стом. Это о́чень хоро́шая специа́льность.

27. (a) *Listen and repeat.*

нра́виться. Мне́ нра́вится конце́рт; интересова́ться [ин'т'ир'исава́цць], я интересу́юсь бале́том, о́н интересу́ется о́перой, удивля́ться, я удивля́юсь, о́н удивля́ется; ко́нчиться. Когда́ ко́нчится уро́к? нача́ться. Когда́ начнётся фи́льм? гото́виться. Я гото́влюсь к экза́мену. О́н гото́вится к докла́ду. учи́ться. — Где́ у́чится ва́ш бра́т? — О́н у́чится в университе́те. — А вы́? — Я учу́сь в шко́ле.

(b) *Listen and reply.*

Model: — Ва́м нра́вится совреме́нная архитекту́ра?
— Да́, мне́ нра́вится совреме́нная архитекту́ра.

1. Ва́м понра́вился но́вый фи́льм? 2. Экза́мен уже́ начался́? 3. Вы́ интересу́етесь бале́том? 4. Вы́ занима́етесь спо́ртом? 5. Ва́м нра́вится ходи́ть на лы́жах? 6. Вы́ гото́витесь к экза́мену? 7. Ва́ш бра́т у́чится? 8. Уро́к уже́ ко́нчился?

28. *Answer the questions, paying particular attention to the choice of case after the verbs in* -ся.

(a) 1. Где́ вы́ у́читесь? 2. Че́м вы́ интересу́етесь? 3. Вы́ занима́етесь спо́ртом? 4. Это журна́л «Тури́зм в СССР». Вы́ интересу́етесь тури́змом?

(b) 1. Ва́м нра́вится футбо́л? 2. Вы́ бы́ли на футбо́льном ма́тче. Ва́м понра́вилось, ка́к игра́ли футболи́сты?

29. *Supply the required verb.*

конча́ть / ко́нчить, конча́ться / ко́нчиться
1. Мо́й дру́г ... шко́лу го́д наза́д. 2. О́тдых ..., на́до рабо́тать. 3. Зима́ ..., ста́ло тепло́. 4. Я ... чита́ть кни́гу по́здно ве́чером. 5. Ви́ктор ... писа́ть сво́й докла́д. 6. Обы́чно заня́тия у на́с ... по́здно, а сего́дня ... ра́но.

начина́ть / нача́ть, начина́ться / нача́ться
1. В СССР шко́льники ... учи́ться в сентябре́. 2. Футболи́сты ... трениро́ваться в ма́е, а на́ши трениро́вки ... в апре́ле. 3. В Варша́ве ... свою́ рабо́ту конфере́нция преподава́телей ру́сского языка́. 4. Они́ пришли́ на стадио́н, когда́ хокке́йный ма́тч уже́ ... . 5. Весна́ у на́с ... в ма́рте, а ле́то ... в ию́не. 6. Строи́тельство стадио́на ... в э́том году́.

30. *Supply continuations to the statements, as in the model.*

Model: В ма́рте у на́с бу́дет конце́рт.
Мы́ гото́вимся к конце́рту.

1. За́втра у на́с семина́р. 2. Ско́ро у на́с начну́тся экза́мены. 3. За́втра Анто́н выступа́ет с докла́дом. 4. Ско́ро Но́вый го́д. 5. В суббо́ту у на́с ве́чер. 6. В сре́ду у на́с ва́жный футбо́льный ма́тч. 7. Че́рез неде́лю у на́с бу́дет ле́кция о совреме́нном иску́сстве. 8. Че́рез два́ дня́ у на́с в клу́бе бу́дет встре́ча с журнали́стом из Йндии.

31. (a) *Translate into English. Write down your translation.*

(b) *Translate your English variant back into Russian and compare your Russian version with the original text.*

Журна́лы Олимпиа́ды-80

В а́вгусте 1976 го́да ко́нчились XXI Олимпи́йские и́гры.

В сентябре́ 1976 го́да вы́шли пе́рвые номера́ журна́лов, в кото́рых писа́ли о XXII Олимпи́йских и́грах.

Эти Олимпи́йские и́гры бы́ли в Москве́ в 1980 году́. Оди́н журна́л называ́лся «Олимпи́йская панора́ма», друго́й называ́лся «Олимпиа́да-80». Пе́рвый журна́л расска́зывал о города́х, в кото́рых была́ Олимпиа́да. Журна́л знако́мил госте́й Олимпиа́ды с культу́рой Сове́тского Сою́за, расска́зывал , куда́ мо́жно пое́хать, что интере́сно посмотре́ть. Это журна́лы для госте́й Олимпиа́ды. Они́ выходи́лина ру́сском языке́, на англи́йском, на францу́зском, неме́цком и испа́нском языка́х.

32. *Answer the questions.*

1. Когда́ ко́нчились XXI Олимпи́йские и́гры? 2. Когда́ спортсме́ны нача́ли гото́виться к но́вой Олимпиа́де? 3. Каки́е знако́мые фами́лии вы́ ча́сто встреча́ете в спорти́вных газе́тах? 4. За́втра футбо́л. Каки́е кома́нды встреча́ются? 5. С ке́м вы́ познако́мились в спорти́вном клу́бе? 6. Кого́ вы́ познако́мили с ва́шим дру́гом?

IV

> Пого́да была́ плоха́я, поэ́тому мы́ не пое́хали на мо́ре.

33. *Read and analyze.*

Учи́тель сказа́л ученика́м: «До́ма напиши́те о футбо́ле». Когда́ ученики́ принесли́ тетра́ди, учи́тель откры́л одну́ из тетра́дей и прочита́л: «Вчера́ шёл до́ждь, поэ́тому футбо́ла не́ было».

34. (a) *Listen and repeat. (See Analysis, Phonetics, 3.75.)*

Вчера́ шёл до́ждь, / поэ́тому футбо́ла не было.

Вчера́ шёл до́ждь, / поэ́тому футбо́ла не было.

Оле́г забы́л биле́ты до́ма, / поэ́тому о́н опозда́л.

Оле́г забы́л биле́ты до́ма, / поэ́тому о́н опозда́л.

Наш профе́ссор бо́лен, / поэ́тому ле́кции не́ было.
(superscript 3 over "болен", superscript 1 over "поэтому")

Наш профе́ссор бо́лен, / поэ́тому ле́кции не́ было.
(superscript 1 over "болен", superscript 1 over "поэтому")

(b) *Now read the sentences aloud with proper intonation.*

Бы́ло о́чень хо́лодно, поэ́тому мы́ пое́хали на авто́бусе. Я люблю́ му́зыку, поэ́тому я́ ча́сто хожу́ на конце́рты. Мне́ о́чень нра́вится ру́сская литерату́ра XIX ве́ка, поэ́тому я́ изуча́ю ру́сский язы́к.

35. *Change the sentences, as in the model.*

Model: Ви́ктор опозда́л на рабо́ту, потому́ что о́н шёл пешко́м. Ви́ктор шёл пешко́м, поэ́тому о́н опозда́л на рабо́ту.

1. Журнали́ст Петро́в хорошо́ зна́ет Фра́нцию, потому́ что о́н до́лго жи́л в э́той стране́. 2. Никола́й ча́сто хо́дит в истори́ческие музе́и, потому́ что о́н интересу́ется исто́рией своего́ наро́да. 3. Ни́на помога́ет Ви́ктору де́лать уро́ки по ру́сскому языку́, потому́ что Ви́ктор не по́нял объясне́ние преподава́теля. 4. Бра́т чита́ет журна́л «Теа́тр», потому́ что о́н интересу́ется теа́тром. 5. О́ля не была́ на заня́тиях, потому́ что она́ была́ больна́. 6. Анто́н не выступа́л на семина́ре, потому́ что его́ докла́д не́ был гото́в. 7. Мы́ не пошли́ гуля́ть, потому́ что бы́ло хо́лодно.

36. *Answer the questions.*

Model: — Вы́ хорошо́ зна́ете Ки́ев?
— Не́т, не о́чень. Я́ бы́л в Ки́еве оди́н ра́з, поэ́тому я́ пло́хо зна́ю го́род.

1. Вы́ хорошо́ зна́ете Фра́нцию? 2. Вы́ хорошо́ зна́ете профе́ссора Бра́уна? 3. Вы́ хорошо́ зна́ете па́мятники культу́ры в ва́шей столи́це? 4. Вы́ ча́сто хо́дите на конце́рты совреме́нной му́зыки? 5. Ва́ш дру́г хорошо́ говори́т по-ру́сски? 6. Ва́ш дру́г хоро́ший спортсме́н?

Conversation

I. Invitation to Join a Current or Contemplated Action.

— Мы́ идём на конце́рт. **Вы́ не хоти́те пойти́ с на́ми?**
— Спаси́бо. С удово́льствием.
— За́втра мы́ пое́дем в Росто́в. **Вы́ не хоти́те пое́хать с на́ми?**
— Спаси́бо, но у меня́ за́втра заня́тия.

1. *Listen and repeat.*

Хоти́те пойти́ в теа́тр? Не хоти́те пойти́ на конце́рт? Вы́ не хоти́те пойти́ на конце́рт? Вы́ не хоти́те пойти́ на конце́рт совреме́нной му́зыки?
Спаси́бо. Большо́е спаси́бо. С удово́льствием. Спаси́бо, с удово́льствием.
Спаси́бо, не могу́. К сожале́нию, не могу́. Спаси́бо, к сожале́нию, я́ не могу́.

2. *Oral Practice.*

Invite your friend to a concert, the theater, the circus, a restaurant, a snack-bar.

Model: — Вы́ не хоти́те пойти́ в кино́?
— Спаси́бо, с удово́льствием.

3. *Supply answers and responses to the questions so as to make up brief dialogues. Follow the model.*

Model: — Вы́ идёте в буфе́т?
— Да́. Вы́ не хоти́те пойти́ с на́ми? (со мно́й?)
— Спаси́бо. С удово́льствием.

1. Вы́ идёте в столо́вую? 2. Вы́ идёте в кино́? 3. Вы́ идёте в ци́рк?
4. Вы́ е́дете в ле́с? 5. Вы́ е́дете в па́рк? 6. Вы́ идёте в клу́б?

4. *Compose short dialogues for each of the sentences. Follow the model.*

Model: — В воскресе́нье мы́ хоти́м пое́хать за́ город. Ты́ хо́чешь пое́хать с на́ми? (Пое́дем с на́ми.)
— Спаси́бо. С удово́льствием.

1. Мы́ хоти́м пое́хать на острова́. 2. За́втра мы́ хоти́м пое́хать в го́ры.
3. В суббо́ту мы́ пое́дем в ле́с. 4. Че́рез неде́лю мы́ пое́дем в Ленингра́д.

Model: — Мы́ хоти́м пойти́ в музе́й. Е́сли хо́чешь, пойдём с на́ми.
— Спаси́бо, но сего́дня я́ не могу́: я́ до́лжен переводи́ть статью́.

1. Ве́чером мы́ пойдём к друзья́м в общежи́тие. 2. Сего́дня мы́ идём обе́дать в рестора́н. 3. Мы́ реши́ли пойти́ посмотре́ть ма́тч. 4. Мы́ хоти́м пойти́ к одному́ знако́мому журнали́сту.

Model: — Куда́ вы́ идёте?
— Мы́ идём в кино́.
— Мо́жно я́ пойду́ с ва́ми?
— Пожа́луйста. Мы́ бу́дем ра́ды.

1. Мы́ идём в ци́рк. 2. Мы́ идём в па́рк. 3. Мы́ идём в спортклу́б.
4. Мы́ е́дем к на́шему учи́телю.

II. Public Transportation

Вы́ сейча́с выхо́дите?	Are you getting off now?
На како́й остано́вке вы́ выхо́дите?	What stop are you getting off at?
Кака́я сле́дующая остано́вка?	What is the next stop?
Скажи́те, когда́ мне (на́до) выходи́ть?	Tell me, when should I get off?
Я́ выхожу́ на сле́дующей остано́вке.	I'm getting off at the next stop.
Я́ выхожу́ на у́лице Го́рького.	I'm getting off at Gorky Street.
Я́ выхожу́ у Большо́го теа́тра.	I'm getting off at the Bolshoi Theater.

5. (a) *Listen, repeat and read.*

В автобусе

— Вы́ выхо́дите на сле́дующей остано́вке?
— А кака́я сле́дующая остано́вка?
— Пло́щадь Револю́ции.
— Да́, я выхожу́ на пло́щади Револю́ции.

(b) *Listen and repeat.*

сле́дующая остано́вка, на сле́дующей остано́вке; Вы́ выходите?[3] Вы́ выходите на сле́дующей?[3] Вы́ выходите на сле́дующей остано́вке?

Ка́кая[2] сле́дующая остано́вка? Ка́кая сле́дующая?[2] Сле́дующая остано́вка —
пло́щадь[1] Пу́шкина. Сле́дующая остановка —/[3] пло́щадь Гага́рина. Сле́дующая
остановка —/[4] пло́щадь Маяковского.[1]

(c) *Make up questions and answers based on the following situations.*

(1) You have to get off at Gorky Street, Kalinin Street, Pushkin Square, Gagarin Square.

(2) You have to get off at the Bolshoi Theater, the Museum of the Revolution, the restaurant, the Intourist Hotel.

6. (a) *Listen, repeat and read.*

В метро́

— Извини́те, пожа́луйста. Я е́ду на́ Ленингра́дский вокза́л. Скажи́те, на
како́й ста́нции мне́ на́до выходи́ть?
— Ва́м на́до выходи́ть на ста́нции «Комсомо́льская».
— Спаси́бо. Е́сли ва́м не тру́дно, скажи́те, когда́ бу́дет э́та ста́нция.
— Хорошо́.

(b) *Make up questions and answers based on the following situations.*

(1) You are unfamiliar with the city and need to get to the station, the port, a hotel, the university, the city center.

(2) You have bought theater tickets, but don't know where the theater is. Find out where the theater is located, what bus goes there, where the stop for that bus is. On the bus ask where you should get off. Ask someone to let you know when you should get off.

III. Sport

Вы́ занима́етесь спо́ртом?	Do you participate in sports?
ходи́ть на лы́жах	to ski
ката́ться на конька́х	to skate
Я не уме́ю ката́ться на конька́х.	I don't know how to skate.
учи́ться / научи́ться ката́ться	to learn how to skate
уча́ствовать в соревнова́ниях	to take part in competitions
ви́д спо́рта	a sport

7. Listen and repeat.

лы́жи, на лы́жах, ката́ться на лы́жах, коньки́, на конька́х, ката́ться на конька́х; Я ката́юсь на лы́жах. Он ката́ется на конька́х. Она́ у́чится ката́ться на лы́жах.

уча́ствовать [уча́ствъвът'], соревнова́ния [сър'ивнава́н'ијъ], уча́ствовать в соревнова́ниях, я не уча́ствую в соревнова́ниях. Он то́же не уча́ствует в э́тих соревнова́ниях.

8. Answer the questions.

Вы́ хо́дите на лы́жах?
Вы́ хорошо́ хо́дите на лы́жах?
Где́ вы́ научи́лись ходи́ть на лы́жах?
Когда́ вы́ научи́лись ходи́ть на лы́жах?

Вы́ ката́етесь на конька́х?
Вы́ лю́бите ката́ться на конька́х?
Вы́ давно́ научи́лись ката́ться на конька́х?
Вы́ ча́сто ката́етесь на конька́х?
Вы́ лю́бите смотре́ть, как ката́ются на конька́х?
Вы́ лю́бите фигу́рное ката́ние?
Вы́ зна́ете имена́ чемпио́нов по фигу́рному ката́нию?

Вы́ е́здите на велосипе́де?
Вы́ хорошо́ е́здите на велосипе́де?
Вы́ бы́стро е́здите? Вы́ уча́ствовали в соревнова́ниях по велосипе́дному спо́рту? Вы́ вы́играли и́ли проигра́ли? Вы́ лю́бите смотре́ть соревнова́ния?

Вы́ игра́ете в волейбо́л?
С ке́м вы́ обы́чно игра́ете в волейбо́л?
У ва́с хоро́шая волейбо́льная кома́нда?
А кто́ капита́н ва́шей кома́нды?
Когда́ у ва́с бу́дут соревнова́ния?
Вы́ бу́дете уча́ствовать в ни́х?

9. *Answer the questions, using the words on the right.*

1. В ва́шем спорти́вном за́ле быва́ют соревнова́ния по фигу́рному ката́нию?
2. Каки́е соревнова́ния быва́ют в спорти́вном за́ле, а каки́е на стадио́не и́ли в лесу́, в гора́х, на реке́?
3. Каки́е соревнова́ния вы́ лю́бите смотре́ть?
4. Каки́м ви́дом спо́рта занима́етесь вы́ и ва́ши друзья́?
5. В каки́х соревнова́ниях уча́ствовали вы́ и ва́ши друзья́?

пла́вание
лы́жи
бо́кс
велосипе́дный
спо́рт
гимна́стика
ша́хматы

IV. Team Sports

футбо́льный ма́тч	football (soccer) match
встре́ча по волейбо́лу	volleyball meet
Кто́ с ке́м игра́ет?	Who is playing against whom?
Како́й счёт?	What is the score?
С каки́м счётом ко́нчилась игра́?	What was the final score?
За каку́ю кома́нду вы́ боле́ете?	What team are you rooting for?
Что́ с тобо́й?	What is the matter with you?
Что́ случи́лось?	What happened?
Кто́ вы́играл?	Who won?
Кто́ проигра́л?	Who lost?

10. (a) *Listen to the dialogue and then read it.*

Пе́ред ма́тчем

— Оле́г, мне́ на́до поговори́ть с тобо́й о рабо́те на́шего спорти́вного клу́ба. Ты́ сейча́с свобо́ден?
— Извини́, Юра, я́ спешу́ на стадио́н: сего́дня футбо́льный ма́тч. Это́ о́чень ва́жная для на́с игра́.
— Ты́ игра́ешь сего́дня?
— Не́т, я́ то́лько боле́ю за свою́ кома́нду, за «Спарта́к»[1].
— А с ке́м игра́ет сего́дня «Спарта́к»?
— С кома́ндой «Дина́мо». Ты́ не хо́чешь пойти́ с на́ми?
— А когда́ начина́ется ма́тч?
— Че́рез пятна́дцать мину́т.
— К сожале́нию, я́ не могу́: у меня́ трениро́вка.
— Тогда́ дава́й встре́тимся за́втра и обо всём поговори́м.
— О́чень хорошо́. До свида́ния.

(b) *Answer the questions.*

О чём хоте́л поговори́ть Юра с Оле́гом? Почему́ Оле́г не мо́г в э́то вре́мя поговори́ть с Юрой? Како́й ма́тч бы́л сего́дня? Кто́ с ке́м игра́л? За каку́ю кома́нду боле́л Оле́г? Оле́г пригласи́л Юру пойти́ с ни́ми на стадио́н? Почему́ Юра не пошёл на стадио́н? Когда́ они́ встре́тятся?

---

[1] "Spartak" and "Dynamo" are the names of two popular Soviet sports clubs.

(c) *Dramatize the dialogue.*

(d) *Oral Practice.*

(1) You meet Tanya and want to discuss the seminar with her. Tanya is in a hurry to go to the stadium. There is going to be a volleyball game there. She invites you to join her.

(2) You meet Viktor. You want to talk to him about the New Year's party. Viktor is in a hurry because he is on his way to a basketball game.

11. (a) *Listen to the dialogue and then read it.*

После матча

— Олéг, чтó с тобóй? Чтó случи́лось?
— Ничегó осóбенного. Я бы́л на футбóле.
— Тебé понрáвилась игрá?
— Игрá понрáвилась. Мнé не понрáвилось, что вы́играла комáнда «Динáмо», а комáнда «Спартáк» проигрáла. Футболи́сты «Спартакá» тáк хорошó игрáли!
— А с каки́м счётом кóнчилась игрá?
— 3—0 (три́ — нóль).
— Большóй счёт. Ну ничегó, чéрез недéлю бýдет ещё игрá, и тогдá всё бýдет в порядке.

(b) *Answer the questions.*

Гдé бы́л Олéг? Олéг бы́л весёлый, когдá шёл с футбóла? Почемý вы́ дýмаете, что óн бы́л невесёлый? Игрá понрáвилась Олéгу? Кáк игрáла комáнда «Спартáк»? Чтó не понрáвилось Олéгу? С каки́м счётом кóнчилась игрá? Когдá бýдет слéдующая игрá?

(c) *Dramatize the dialogue.*

(d) *Compose dialogues based on the following situations.*

(1) You meet some girls you know. They are returning from the stadium where they have been playing volleyball.

(2) Your friend is very upset, because he played basketball and his team lost. Ask him how it happened.

(3) Your friend was absent from the seminar and you think he is ill. Ask him what happened to him.

12. *Read and retell in your own words.*

Семéйные разговóры

— Ты́ не дýмаешь обо мнé, — говори́т женá. — Ты́ дýмаешь тóлько о футбóле. Мнé кáжется, что ты́ дáже не пóмнишь, когдá былá нáша свáдьба.
— Ну что ты́, конéчно, пóмню. Это бы́ло тогдá, когдá «Спартáк» вы́играл у «Динáмо» со счётом 2:1.

свáдьба
wedding

— Чтó ты́ говори́шь женé, когдá пóздно прихóдишь домóй?
— Я говорю́ ей: «Дóбрый вéчер, дорогáя», а дáльше говори́т тóлько онá...

дорогáя
dear

13. *Answer the questions.*

1. Каки́е ма́тчи бы́ли у ва́с на городско́м стадио́не в воскресе́нье? 2. Кто́ с ке́м игра́л? 3. Ва́м понра́вилась э́та встре́ча? 4. Ка́к игра́ла ва́ша кома́нда? 5. Кто́ вы́играл в э́той встре́че? 6. Како́й бы́л счёт?

14. *Oral Practice.*

(1) Discuss recent sports events with a friend who has been out of town.
(2) You meet a friend with a bandaged head, arm and leg. He played soccer for the first time in his life. Ask him what happened to him.

15. *Comment in Russian on the pictures.*

Па́влик Чудако́в и лы́жный спо́рт

Лы́жи — э́то моё хо́бби.

Ката́ться на лы́жах — э́то тако́е удово́льствие!

Когда́ занима́ешься лы́жным спо́ртом, чу́вствуешь себя́ о́чень хорошо́.

Па́влик Чудако́в на охо́те

400

— Кака́я у́тка!
— А почему́ здесь ци́фры 2.25?
— Это я написа́л ча́с и мину́ты, когда́ я уби́л её.

охо́та hunt
у́тка duck
уби́ть kill

16. *Comment in Russian on the pictures. Use the words* одна́жды..., вдру́г... .

Олимпиа́да у на́с до́ма

Во́т что́ случи́лось одна́жды

— Не бо́йся, ма́мочка, э́то мо́й олимпи́йский ого́нь...

боя́ться be afraid
ого́нь flame

— Опя́ть телеви́зор не рабо́тает.

— Мне́ сказа́ли, что вы́ боле́ете...
— Да́, я боле́ю за на́шу кома́нду.

Reading

1. (a) *Read and analyze. (See Analysis XIII, 1.3.)*

Note: где́? **Пе́ред гости́ницей** нахо́дится па́рк.
Над го́родом лета́ют самолёты.
Под за́лом нахо́дится бассе́йн.

Стадио́н в Лужника́х

Стадио́н им. В. И. Ле́нина—центра́льный стадио́н Москвы́. Он нахо́дится на берегу́ Москвы́-реки́. На друго́м берегу́ реки́ **пе́ред стадио́ном**—Ле́нинские го́ры. Здесь нахо́дится Моско́вский университе́т. Стадио́н в Лужника́х—э́то центра́льная спорти́вная аре́на, Дворе́ц спо́рта, бассе́йн. **Над бассе́йном** нахо́дятся спорти́вные за́лы. **Под спорти́вной аре́ной** нахо́дится музе́й, кинотеа́тр «Реко́рд» и спорти́вные за́лы.

(b) *Read aloud. Pronounce each phrase as a single unit.*

пе́ред до́мом [п'ир'иддо́мъм], пе́ред институ́том [п'ир'идынст'иту́тъм], пе́ред стадио́ном [п'ир'итстъд'ио́нъм], над до́мом [наддо́мъм], под до́мом [паддо́мъм], над столо́м [нътстало́м], под столо́м [пътстало́м].

(c) *Answer the questions.*

1. Где́ нахо́дится Стадио́н и́мени В. И. Ле́нина? 2. Где́ нахо́дится МГУ? 3. Где́ на стадио́не нахо́дятся спорти́вные за́лы? 4. Где́ нахо́дится кинотеа́тр «Реко́рд»?

2. (a) *Read and analyze. (See Analysis XIII, 1.3.)*

Note: к а́ к? Этот спекта́кль идёт **с антра́ктом.**
Этот спекта́кль идёт **без антра́кта.**

1. Студе́нты **с трудо́м** перевели́ э́ту статью́. 2. Это лёгкое упражне́ние, студе́нты переведу́т его́ **без труда́.** 3. Мы́ лю́бим слу́шать его́ расска́зы. О́н всегда́ говори́т интере́сно, **с ю́мором.** 4. О́н говори́л серьёзно, **без ю́мора.** 5. О́н **с удово́льствием** занима́ется му́зыкой.

(b) *Read aloud.*

С трудо́м, без труда́ [б'иструда́], с ю́мором [сjу́мъръм], без ю́мора [б'изjу́мъръ], с удово́льствием.

3. *Disagree with each assertion, as in the model.*

Model: — Этот спекта́кль идёт без антра́кта.
— Не́т, э́тот спекта́кль идёт с антра́ктом.

1. Хо́р бу́дет пе́ть без орке́стра. 2. Я́ ду́маю, что Ро́берт без труда́ переведёт э́ту статью́. 3. Джо́н о́чень серьёзный челове́к, о́н всегда́ говори́т без ю́мора.

4. (a) *Read and translate.*

Note: **выступа́ть** ⎫
боро́ться ⎬ про́тив кого́—чего́

Олимпи́йские столи́цы

Олимпи́йские и́гры родили́сь в Дре́вней Гре́ции. Это бы́ло почти́ две́ ты́сячи восемьсо́т ле́т наза́д. В Дре́вней Гре́ции ме́стом олимпи́йских и́гр бы́л небольшо́й городо́к Оли́мпия. И́гры проводи́ли в Оли́мпии 1168 ле́т.

Пе́рвые Олимпи́йские и́гры на́шего вре́мени бы́ли в 1896 году́ в Афи́нах. Афи́ны проси́ли сде́лать и́х го́род ме́стом Олимпи́йских и́гр. Но основа́тель совреме́нного олимпи́йского движе́ния Пье́р де Куберте́н вы́ступил про́тив проведе́ния Олимпи́йских и́гр то́лько в Афи́нах. Куберте́н говори́л, что Олимпи́йские и́гры на́до проводи́ть в ра́зных стра́нах.

17 городо́в бы́ли ме́стом проведе́ния Олимпиа́д. В Пари́же, Ло́ндоне и Лос-А́нджелесе Олимпи́йские и́гры проводи́ли два́ ра́за.

В 1970 году́ три́ го́рода хоте́ли ста́ть олимпи́йской столи́цей: Лос-А́нд-желес, Монреа́ль и Москва́. Монреа́ль ста́л столи́цей Олимпиа́ды-76, Москва́ — столи́цей Олимпиа́ды-80, Лос-А́нджелес — столи́цей Олимпиа́ды-84.

(b) *Retell the text in your own words.*

5. (a) *Read and translate.*

Note: к о г д а́ ? **В де́тстве** о́н жи́л на Украи́не.

Пе́рвые олимпи́йские чемпио́ны

Впервы́е спорти́вные та́нцы на льду́ появи́лись в програ́мме Олимпиа́ды в 1976 году́. Пе́рвые олимпи́йские чемпио́ны в э́том ви́де спо́рта — сове́тские спортсме́ны Людми́ла Пахо́мова и Алекса́ндр Горшко́в.

Сла́ва не сра́зу пришла́ к ни́м. Людми́ла Пахо́мова начала́ занима́ться фигу́рным ката́нием ещё **в де́тстве.** Тогда́ в Сове́тском Сою́зе ещё то́лько начина́ли занима́ться спорти́вными та́нцами. В 1966 году́ Людми́ла Пахо́мова начала́ выступа́ть вме́сте с Алекса́ндром Горшко́вым. О молоды́х спортсме́нах сра́зу заговори́ли. Людми́ла и Алекса́ндр мно́го рабо́тали, разраба́тывали сло́жные та́нцы, создава́ли но́вые движе́ния, иска́ли свой стиль. В и́х та́нцах есть не то́лько высо́кая те́хника. В ни́х есть му́зыка, красота́, чу́вство. «В та́нцах должна́ быть жизнь», — говори́ла Людми́ла Пахо́мова. Они́ со́здали но́вый стиль в спорти́вных та́нцах, а пото́м боро́лись за э́тот стиль. Боро́лись и победи́ли. Успе́х пришёл к ни́м. Шесть ра́з они́ бы́ли чемпио́нами ми́ра и Евро́пы, а в 1976 году́ ста́ли пе́рвыми олимпи́йскими чемпио́нами в спорти́вных та́нцах на льду́.

(b) *Answer the questions.*

1. Когда́ спорти́вные та́нцы на льду́ появи́лись в програ́мме Олимпиа́ды? 2. Кто́ был пе́рвым олимпи́йским чемпио́ном в э́том ви́де спо́рта? 3. Когда́ Людми́ла Пахо́мова начала́ занима́ться спорти́вными та́нцами? 4. Когда́ Людми́ла и Алекса́ндр Горшко́в ста́ли олимпи́йскими чемпио́нами?

6. *Answer the questions.*

1. Где́ вы жи́ли в де́тстве? 2. Чéм вы интересова́лись в де́тстве? 3. В де́тстве вы занима́лись спо́ртом? 4. Каки́м ви́дом спо́рта вы занима́лись в де́тстве? 5. Вы занима́лись в де́тстве му́зыкой?

7. *Read and analyze. (See Analysis XIII, 1.7.)*

На на́шем заво́де о́чень лю́бят спо́рт. У на́с есть шахмати́сты, гимна́сты, футболи́сты. Сейча́с я познако́млю ва́с с ни́ми. Снача́ла я познако́млю ва́с с **Ири́ной Смирно́вой.** Она́ о́чень хорошо́ игра́ет в ша́хматы. На́ши мужчи́ны не лю́бят игра́ть с ней, потому́ что и́м тру́дно победи́ть **Ири́ну Смирно́ву.** В про́шлом году́ **Ири́на Смирно́ва** ста́ла ма́стером спо́рта.

А э́то **Андре́й Петро́в.** Он знамени́тый футболи́ст. **Об Андре́е Петро́ве** ча́сто пи́шут в газе́тах. Портре́ты **Андре́я Петро́ва** мо́жно уви́деть в журна́лах. **Андре́й Петро́в** — чемпио́н СССР. Ве́чером мы встре́тимся с **Андре́ем Петро́вым** на стадио́не. Та́м бу́дут выступа́ть на́ши футболи́сты.

8. *Study how an envelope is addressed in Russian.*

9. *Vocabulary for Reading. Study the following new words and their usage as illustrated in the sentences on the right. Read each sentence aloud.*

боле́ть ч е́ м	В де́тстве она́ ча́сто боле́ла. Неда́вно Ро́берт боле́л гри́ппом.
ве́рить / пове́рить к о м у́ — ч е м у́ / *subordinate clause*	1. О́н всегда́ ве́рил своему́ отцу́. Я ве́рю ва́м. Я зна́ю, что вы́ говори́те пра́вду. 2. Ма́тч бы́л тру́дным, но спортсме́ны ве́рили, что они́ победя́т.
побежда́ть / побе- ди́ть к о г о́ — ч т о́	Си́мвол олимпи́йского движе́ния: «Гла́вное — не побежда́ть, гла́вное — уча́ствовать». В после́днем хокке́йном ма́тче «Спарта́к» победи́л «Дина́мо».
знако́мить / позна- ко́мить к о г о́, с к е́ м — ч е́ м	— А́нна, кто́ э́то? — Э́то на́ш но́вый инжене́р. — Познако́мь меня́ с ни́м, пожа́луйста. Вчера́ меня́ познако́мили с одни́м молоды́м худо́жником.
идти́	1. О́н идёт в шко́лу. Она́ идёт о́чень бы́стро. 2. По реке́ иду́т корабли́. По у́лице иду́т маши́ны, авто́бусы. 3. Часы́ иду́т хорошо́. 4. Вре́мя идёт бы́стро. Моя́ рабо́та идёт хорошо́. В СССР везде́ идёт строи́тельство. 5. Сего́дня в теа́тре идёт пье́са А. П. Че́хова «Дя́дя Ва́ня». В э́том теа́тре идёт бале́т «А́нна Каре́нина». — Како́й фи́льм идёт у на́с сего́дня? — «Балла́да о солда́те».

10. *Oral Practice.*

Suppose you have just returned from a sports match. Give your impressions of the match, using the verbs ве́рить / пове́рить, побежда́ть / победи́ть.

11. *How would you find out in Russian which team had won in a sports competition?*

12. *How would you ask a friend or acquaintance in Russian to introduce you to: a new student, a young woman, a famous artist, a young artist, a new engineer, Professor Sergeyev, Doctor Ivanov, Nina's brother. Use the verbs* знако́миться / познако́миться.

13. *Vocabulary for Reading. Study the following new words and their usage as illustrated in the sentences on the right. Read each sentence aloud.*

чужо́й	В э́той кни́ге а́втор собра́л биогра́фии знамени́тых спортсме́нов. Для рабо́ты о́н испо́льзовал сво́й и чужи́е воспомина́ния. В де́тстве она́ жила́ в чужо́й семье́.
споко́йно	Говори́те, пожа́луйста, споко́йно. Я ва́с пло́хо понима́ю.

14. *Oral Practice.*

Describe a person you know, using the adjectives прекра́сный, си́льный, краси́вый, некраси́вый, прия́тный, неприя́тный, весёлый, гру́стный, серьёзный, несерьёзный, симпати́чный, несимпати́чный.

15. (a) *Read aloud.*

Сего́дня си́льный ве́тер.

Сего́дня идёт до́ждь.

Сего́дня идёт сне́г.

(b) *Make up questions and answer them.*

Model: — Кака́я сего́дня пого́да?
— Холо́дная, с ве́тром (без ве́тра).

(c) *Oral Practice.*
Model: Сего́дня така́я хоро́шая пого́да!

407

16. (a) *Read these words denoting relations:* бáбушка, дéдушка, мýж, женá, отéц, мáть, сы́н, дóчь.

(b) *Tell who these people are.*

Model: Это Ви́ктор Миха́йлович. Ви́ктор Миха́йлович—сы́н Миха́ла Петро́вича.

Вéра Ива́новна и Михаи́л Петро́вич,
Ви́ктор Миха́йлович и Ни́на Сергéевна, Лéна и Бори́с.

(c) *Tell about your family.*

17. (a) *Give the names of these sports.*

(b) *Oral Practice.*

Say what sports your friends participate in. What sport do you like? What sport do you participate in? What (else) would you like to take up?

18. *Compose dialogues based on the following situation.*

You are talking with a Soviet student. Find out what sport he is active in now, what sports he participated in as a child, what sport the students of his institute participate in.

19. *Note the suffix* **-ист(ка),** *denoting a person engaged in the sport designated by the noun to which it is added.*

волейбо́л — волейболи́ст — волейболи́стка
баскетбо́л — баскетболи́ст — баскетболи́стка
ша́хматы — шахмати́ст — шахмати́стка

20. (a) *Read without consulting a dictionary.*

Спорти́вная семья́

В на́шей семье́ все спортсме́ны. Мой оте́ц — хоккеи́ст, он чемпио́н Евро́пы, ми́ра, олимпи́йский чемпио́н. Сейча́с он уже́ не игра́ет в хокке́й. Он рабо́тает тре́нером. Моя́ ма́ма — альпини́стка. Она́ и сейча́с занима́ется альпини́змом, ча́сто хо́дит в го́ры. В на́шей семье́ три бра́та и сестра́. Мой ста́рший бра́т — футболи́ст, второ́й бра́т — гимна́ст и шахмати́ст, а я ещё ду́маю, каки́м ви́дом спо́рта заня́ться. Я хочу́ бы́ть волейболи́стом и́ли баскетболи́стом. А моя́ сестра́ — фигури́стка. И все мы тури́сты. Мы о́чень лю́бим ходи́ть и мно́го хо́дим.

(b) *Answer the questions.*

1. Каки́ми ви́дами спо́рта занима́ется э́та семья́? 2. Каки́м ви́дом спо́рта занима́ются оте́ц и ма́ть? 3. Каки́м ви́дом спо́рта занима́ются сыновья́? 4. Каки́м ви́дом спо́рта занима́ется сестра́?

21. *Read and analyze the related words. Translate the words.*

спо́рт	тре́нер	волейбо́л
спортсме́н	тренирова́ться	волейболи́ст
спортсме́нка	трениро́вка	волейболи́стка
спорти́вный		волейбо́льный
те́ннис	ша́хматы	гимна́стика
теннисси́т	шахмати́ст	гимна́ст
теннисси́стка	шахмати́стка	гимна́стка
те́ннисный	ша́хматный	гимнасти́ческий

409

22. (a) *Read the text.*

Как становятся спортсменами?

Как люди начинают заниматься спортом? Как они становятся спортсменами? Кто помогает им в этом? Семья или школа? Книги или фильмы? Эту проблему изучал один учёный из Баку. Те, кто отвечал на его анкету, написали, что стать спортсменами им помогали книги, фильмы, родители. Большинство людей (77,2%) ответило, что любовь к спорту воспитали в них передачи по радио и по телевизору, спортивные газеты и журналы. И только 5,3% ответило, что в этом помогли им родители.

(b) *Answer the questions.*

1. Вы уже начали заниматься спортом? 2. Когда вы начали заниматься спортом? 3. Почему вы начали заниматься спортом? 4. Кто помог вам начать заниматься спортом?

(c) *Retell the text in your own words.*

23. (a) *Read the text through without consulting a dictionary.*

Студенты отдыхают

Кончились экзамены, начались студенческие каникулы. Институтские спортклубы организовали интересный и весёлый отдых для студентов-спортсменов.

Наши корреспонденты рассказывают о том, как проводят каникулы студенты Москвы, Ленинграда и других городов.

Москва. В субботу группа лыжников московских институтов выехала в Звенигород. Баскетболисты МЭИ[1] первого февраля ждут в гости болгарских студентов. Волейболисты этого института встретятся с командой Львовского медицинского института.

Ленинград. Студенческий спортлагерь будущих горных инженеров находится недалеко от Ленинграда. Здесь всегда есть снег, если даже в Ленинграде зимой тепло. Шестьдесят студентов Ленинградского горного института приехали в свой спортлагерь. У них будет интересная и большая программа: днём лыжи и коньки, вечером шахматы, настольный теннис. У всех будет активный отдых. Начали свои восхождения альпинисты, ушли группы туристов. Альпинисты уехали в Тянь-Шань и на Кавказ. Туристы института поехали в Карпаты.

Минск. В Минском радиотехническом институте много студентов занимается туризмом. Одна группа уехала в Карпаты, другая собирается на Урал. В спортлагере, который находится недалеко от Минска, тренируются хоккеисты, лыжники. А баскетболисты института встретятся с командой из Киева.

---

[1] МЭИ (*abbr. for* Московский энергетический институт), Moscow Power Institute.

(b) *Answer the questions.*

1. О студе́нтах каки́х городо́в расска́зывают корреспонде́нты газе́ты? 2. Кто́ вы́ехал на спортба́зу в Звени́город? 3. Каки́е студе́нты должны́ прие́хать пе́рвого февраля́ в МЭИ? 4. С ке́м встре́тятся баскетболи́сты МЭИ? 5. Где́ нахо́дится спортла́герь Ленингра́дского го́рного институ́та? 6. Каки́м ви́дом спо́рта бу́дут занима́ться студе́нты э́того институ́та в спортла́гере? 7. Куда́ уе́хали альпини́сты и тури́сты э́того институ́та? 8. Каки́м ви́дом спо́рта занима́ются студе́нты Ми́нского радиотехни́ческого институ́та? 9. Куда́ уе́хали тури́сты э́того институ́та?

(c) *Find in the text and translate (without consulting a dictionary) these words and phrases:* гру́ппа, капита́н, акти́вный, спортла́герь, го́рный инжене́р, насто́льный те́ннис, кани́кулы. *Consult a dictionary to check your translation.*

(d) *Reread the text, then give a brief summary in Russian.*

24. *Compose and write down a brief conversation (in Russian) between yourself and a Soviet student in which you discuss each other's winter vacations.*

25. *Listen and repeat.*

(a) Корреспонде́нт, пла́вание, трениро́вка, тренирова́ться, восхожде́ние, нови́чки́, мастера́ми, подгото́вка, обморо́зились; бы́ли здоро́выми и си́льными; познако́мились с альпини́стами; на́чали тренирова́ться; пе́рвое восхожде́ние, са́мые сло́жные восхожде́ния, ста́ли мастера́ми спо́рта; почти́ без подгото́вки; знамени́тые альпини́сты; занима́ются альпини́змом, ма́стер спо́рта по альпини́зму, рискова́ть жи́знью; спо́рт интеллектуа́лов; интере́сно для молодёжи; сле́дующие четы́ре го́да.

(b) Мои́ това́рищи бы́ли здоро́выми и си́льными, / а я́ бы́л о́чень сла́бым.

Для альпини́ста са́мое ва́жное не си́ла, / не высо́кая те́хника, / а све́тлая голова́.

Альпини́ст, е́сли о́н хо́чет победи́ть, / всегда́ до́лжен ду́мать, / находи́ть бы́стрые и пра́вильные реше́ния. Мне́ ка́жется, что когда́ та́к говоря́т, / ду́мают о ри́ске.

26. *Basic Text. Read the text and then do exercises 27-31.*

Отве́ты альпини́ста

На́ш корреспонде́нт побыва́л у альпини́ста Вита́лия Абала́кова[1].

— Вита́лий Миха́йлович, расскажи́те, ка́к вы́ начина́ли?

— В де́тстве я́ о́чень мно́го боле́л. Мои́ това́рищи бы́ли здоро́выми и си́льными, а я́ бы́л о́чень сла́бым. Я занима́лся гимна́стикой, лы́жами, конь-

---

[1] Vitaly Mikhailovich Abalakov, Honored Master of Sports of the USSR, holder of many records of the USSR and gifted engineer, an inventor of over 100 varied devices and instruments used in sport.

ка́ми, пла́ванием, волейбо́лом, тури́змом. И всё без успе́ха. Мы́ жи́ли в Сиби́ри, недалеко́ от знамени́тых Столбо́в[1]. Одна́жды мы́ с бра́том познако́мились с альпини́стами и на́чали тренирова́ться вме́сте с ни́ми. Пе́рвое на́ше восхожде́ние бы́ло на Кавка́зе. Мы́—я, бра́т Евге́ний и моя́ неве́ста Ва́ля—сра́зу ста́ли мастера́ми спо́рта. Сле́дующие четы́ре го́да бы́ли года́ми больши́х успе́хов и сла́вы. Мы́ бы́ли мо́лоды и ду́мали: всё мо́жем. И то́лько по́сле восхожде́ния на Хан-Те́нгри[2], когда́ поги́б оди́н на́ш това́рищ, я по́нял, что для альпини́ста са́мое ва́жное не си́ла, не высо́кая те́хника, а све́тлая голова́.

— Ка́к э́то случи́лось?

---

[1] The Pillars of Krasnoyarsk, sheer cliffs in the Krasnoyarsk territory, which challenge expert mountain-climbers.
[2] Khan-Tengri, the highest peak in the Tien Shan mountain range, 6,995 m. (22,950 ft.) high.

— Мы́ бы́ли мо́лоды и сильны́. Нача́ли восхожде́ние почти́ без подгото́вки. И вдру́г ве́тер, сне́г. Мы́ обморо́зились. Мне́ ампути́ровали ча́сть стопы́ и се́мь па́льцев на рука́х. Мне́ бы́ло тогда́ то́лько три́дцать ле́т, а я́ ста́л инвали́дом. Вра́ч сказа́л мне́: «Об альпини́зме забу́дьте. Занима́йтесь нау́кой». Я́ не хоте́л э́тому ве́рить. Я́ не мо́г жи́ть без го́р. Я́ смо́г верну́ться в го́ры то́лько че́рез де́вять ле́т.

— Что́ ва́м да́л альпини́зм?

— Альпини́зм да́л мне́ интере́сную жи́знь, помо́г победи́ть боле́знь. Все́ мои́ са́мые сло́жные восхожде́ния бы́ли уже́ по́сле Хан-Те́нгри. Два́дцать ле́т я́ руководи́л кома́ндой «Спарта́к», и де́сять ле́т э́та кома́нда явля́лась чемпио́ном страны́. По́сле Хан-Те́нгри и опера́ции я́ не боле́л. Сейча́с мне́ 64 го́да, а я́ без труда́ могу́ идти́ на лы́жах пятьдеся́т киломе́тров и бо́льше.

— Говоря́т, что не́которые знамени́тые альпини́сты не лю́бят, когда́ и́х де́ти занима́ются альпини́змом. Они́ не разреша́ют и́м занима́ться альпини́змом.

— Я́ мно́го ходи́л в го́ры с бра́том, с неве́стой, кото́рая пото́м ста́ла мое́й жено́й. И де́ти ходи́ли с на́ми. Мне́ ка́жется, что, когда́ та́к говоря́т, ду́мают о ри́ске. Но альпини́зм не быва́ет без ри́ска. А ри́ск быва́ет ра́зный. Нельзя́ рискова́ть жи́знью, и для э́того мы́ до́лго гото́вимся. Для э́того е́сть голова́.

Я́ ра́д, что на́ша семья́ така́я спорти́вная. Мно́го ле́т мы́ ходи́ли в го́ры вме́сте с жено́й. Она́ то́же ма́стер спо́рта. Сы́н Оле́г — ма́стер спо́рта по альпини́зму. До́чь — горнолы́жница. Зимо́й, о́сенью и весно́й у на́с трениро́вки: лы́жи, бе́г, гимна́стика. Ка́ждое восхожде́ние — э́то экза́мен. У мое́й жены́, наприме́р, бы́ло восхожде́ние на пи́к Ле́нина[1], когда́ е́й бы́ло пятьдеся́т пя́ть ле́т, и она́ была́ уже́ ба́бушкой.

— Что́ ва́м нра́вится в альпини́зме?

— Говоря́т, что альпини́зм — спо́рт интеллектуа́лов. И э́то пра́вильно. Альпини́ст, е́сли о́н хо́чет победи́ть, всегда́ до́лжен ду́мать, находи́ть бы́стрые и пра́вильные реше́ния. Почти́ все́ альпини́сты — прекра́сные лю́ди. Эго́ист не мо́жет бы́ть альпини́стом.

И пото́м го́ры. Это така́я красота́... Бе́лые го́ры, а ты́ над ни́ми. Не ка́ждый челове́к мо́жет всё э́то уви́деть.

— Что́ ва́м хоте́лось сде́лать и чего́ вы́ не сде́лали в ва́шей жи́зни?

— Мне́ о́чень хоте́лось побыва́ть на Эвере́сте. Ду́маю, что э́то сде́лает мо́й сы́н и́ли вну́к.

— Вы́ ду́маете, ва́ш вну́к то́же ста́нет альпини́стом?

— Не зна́ю. Он до́лжен бы́ть здоро́вым и бо́льше вре́мени проводи́ть на лы́жах, а не пе́ред телеви́зором.

— Вы́ про́тив телеви́зора?

— Не́т, я́ про́тив того́, что лю́ди ве́сь де́нь сидя́т пе́ред телеви́зором и смо́трят на то́, что де́лают други́е, и у ни́х не́т вре́мени для чте́ния, заня́тий спо́ртом, для акти́вной жи́зни.

— Кака́я рабо́та у ва́с сейча́с?

— Пишу́ кни́гу об альпини́стах и о своём вре́мени. Мне́ ка́жется, что э́то бу́дет интере́сно для молодёжи.

---

[1] Lenin Peak, a mountain peak in the Pamirs, 7134 m. (23,114 ft.) high.

27. *Answer the questions.*

1. Каки́м был Вита́лий Абала́ков в де́тстве? 2. Каки́ми ви́дами спо́рта он начина́л занима́ться в де́тстве? 3. Где бы́ло его́ пе́рвое восхожде́ние? 4. Что случи́лось во вре́мя восхожде́ния на Хан-Те́нгри? 5. Что дал Абала́кову альпини́зм? 6. Каки́м ви́дом спо́рта занима́ется жена́ Абала́кова, его́ сын и дочь? 9. Каки́м до́лжен быть альпини́ст?

28. *Tell in Russian: how Vitaly Abalakov became a mountain-climber; what you know about his family; why people climb mountains.*

29. *If you were to find yourself in conversation with Vitaly Abalakov, what would you ask him about? Write out some of your questions in Russian.*

30. *Answer the questions and give reasons for your answers.*

1. Вам нра́вится альпини́зм? 2. Вы хоти́те занима́ться альпини́змом? 3. В ва́шей стране́ занима́ются альпини́змом?

31. *Tell (in Russian) about Vitaly Abalakov.*

32. *Oral Practice.*

Suppose you are interviewing a famous sportsman (sportswoman), what questions would you ask?

33. *Tell about a leading sportsman (sportswoman) in your own country.*

34. *Discussion Topics. Express your opinion about the assertions:*

1. Спорт даёт челове́ку мно́го но́вого: но́вых това́рищей, но́вые си́лы, но́вые чу́вства.
2. Реко́рды олимпи́йских чемпио́нов у́чат люде́й быть си́льными, у́чат побежда́ть.
3. Что тако́е спорт? — Спорт — э́то игра́? Спорт — э́то рабо́та? Спорт — э́то иску́сство?

35. *Answer the questions.*

Что вы зна́ете об Олимпи́йских и́грах?

1. Где и когда́ они́ появи́лись? 2. Когда́ на́чали проводи́ть Олимпи́йские и́гры в на́ше вре́мя? 3. Кто был пе́рвым организа́тором э́тих Олимпи́йских игр? 4. Где проводи́ли Олимпиа́ды в на́ше вре́мя? 5. Каки́х олимпи́йских

415

чемпио́нов вы́ зна́ете? 6. В ва́шей стране́ есть олимпи́йские чемпио́ны? Вы́ их зна́ете? Что́ вы́ мо́жете рассказа́ть о ни́х? 7. Кака́я кома́нда ста́ла чемпио́ном Олимпи́йских и́гр по футбо́лу? 8. Когда́ и где́ бу́дут сле́дующие И́гры?

36. *Tell (in Russian) about these people. Make up their biographies.*

37. *Oral Practice.*

Какие люди вам нравятся, какие не нравятся? Как вы думаете, что самое важное в человеке?

38. *Oral Practice.*

Как вы проводите свободное время? Чем вы занимаетесь? Чем интересуетесь?

39. *Discussion Topic*: Свободное время современного человека.

1. Как современный человек должен отдыхать? 2. Что такое активный отдых? 3. Помогает ли телевизор современному человеку? Вы знаете людей, которые не смотрят телевизор? Вы их понимаете?

1. *Read the text; consult a dictionary when necessary.*

Спартакиа́да наро́дов СССР

По́сле 1956 го́да в Сове́тском Сою́зе ка́ждый год пе́ред Олимпиа́дой прово́дят Спартакиа́ду наро́дов СССР. Спартакиа́да наро́дов СССР — э́то репети́ция пе́ред Олимпиа́дой. Оди́н иностра́нный журнали́ст сказа́л: «Я всё вре́мя удивля́юсь, отку́да олимпи́йские кома́нды СССР беру́т всё но́вые и но́вые си́лы. Мы ещё по́мним побе́ду Ю́рия Вла́сова, а его́ уже́ смени́л Леони́д Жаботи́нский. Ещё не ко́нчил выступа́ть Жаботи́нский, а уже́ появи́лся Васи́лий Алексе́ев»[1].

Ка́жется, э́то бы́ло неда́вно. 31 ию́ля 1956 го́да в Москве́ откры́лся прекра́сный го́род спо́рта — Центра́льный стадио́н и́мени В. И. Ле́нина. Здесь был фина́л Пе́рвой спартакиа́ды наро́дов СССР. И тепе́рь э́ти спартакиа́ды ста́ли тради́цией. Но в Москве́ прово́дят то́лько фина́л спартакиа́ды. Начина́ется спартакиа́да ра́ньше, и прово́дят её в не́сколько эта́пов. Снача́ла организу́ют соревнова́ния в спорти́вных клу́бах, в города́х и деревня́х, на заво́дах, в шко́лах, в институ́тах. Пото́м прово́дят райо́нные, республика́нские спартакиа́ды.

Клуб. Райо́н. Го́род. О́бласть. Респу́блика. Э́та систе́ма помога́ет найти́ но́вых молоды́х спортсме́нов, кото́рые пото́м с успе́хом выступа́ют на междунаро́дных соревнова́ниях, на Олимпиа́дах.

На пе́рвой спартакиа́де вы́ступили бу́дущие олимпи́йские чемпио́ны Влади́мир Сафро́нов, Вячесла́в Ивано́в, Лари́са Латы́нина[2]. Они́ пое́хали на Олимпиа́ду в Ме́льбурн новичка́ми, а верну́лись олимпи́йскими чемпио́нами. Вячесла́ву Ивано́ву тогда́ бы́ло 18 лет. По́сле Ме́льбурна он был олимпи́йским чемпио́ном ещё два ра́за: в Ри́ме и То́кио. Э́то был пе́рвый слу́чай в исто́рии спо́рта. Лари́са Латы́нина то́же выступа́ла на э́тих Олимпиа́дах, и два ра́за она́ станови́лась олимпи́йской чемпио́нкой по гимна́стике.

Втора́я спартакиа́да наро́дов СССР познако́мила нас с Вале́рием Бру́мелем[3] — чемпио́ном СССР, Евро́пы, ми́ра, США и Олимпи́йских игр. На э́той спартакиа́де впервы́е выступа́ли Ю́рий Вла́сов, Пётр Боло́тников[4] и други́е спортсме́ны. Так бы́ло на ка́ждой спартакиа́де.

Реко́рд. Э́то англи́йское сло́во вошло́ в ру́сский язы́к. А в знамени́том словаре́ Влади́мира Да́ля, кото́рый он написа́л сто лет наза́д, э́того сло́ва нет. Нет там и сло́ва спорт. А сейча́с мы о́чень ча́сто испо́льзуем э́ти слова́.

2. *Answer the questions.*

1. Когда́ в Сове́тском Сою́зе прово́дят Спартакиа́ды наро́дов СССР? 2. Где прово́дят фина́л Спартакиа́ды? 3. Когда́ была́ Пе́рвая спартакиа́да наро́дов СССР? 4. Каки́х сове́тских спортсме́нов — олимпи́йских чемпио́нов вы зна́ете?

---

[1] Yuri Vlasov, Leonid Zhabotinsky, Vasily Alekseyev, Soviet weight-lifters, world record holders and Olympic champions.

[2] Vladimir Safronov, well-known boxer; Vyacheslav Ivanov, champion rower; Larisa Latynina, famous gymnast.

[3] Valery Brumel, high-jump record holder.

[4] Petr Bolotnikov, long-distance record holder.

418

VOCABULARY

акти́вный active
альпини́зм mountain climbing
альпини́ст(ка) mountain climber
* аре́на arena
баскетболи́ст(ка) basketball player
бассе́йн swimming-pool
бе́г running, race
бе́з without
бо́кс boxing
боксёр boxer
боле́ть to be ill
бу́дущий future
ви́д kind
волейболи́ст(ка) volleyball player
воспи́тывать / воспита́ть educate, bring up
* восхожде́ние ascent
* вслу́х aloud
вхо́д entrance, entry
входи́ть / войти́ enter
выи́грывать / вы́играть win
высота́ height
вы́ход exit
выходи́ть / вы́йти go out, leave
* герои́зм heroism
гимна́ст(ка) gymnast
гимна́стика gymnastics
гото́виться / подгото́виться prepare (for)
гру́ппа group
движе́ние movement
* дебю́т début
до́ждь rain
дорого́й dear, expensive
занима́ться imp. participate in
идти́ imp.: до́ждь идёт it is raining
* инвали́д invalid
* интеллектуа́л intellectual
интересова́ться be interested
испа́нский Spanish
кани́кулы vacation
капита́н captain

ката́ться imp. roll; ride (by conveyance)
ко́лледж college
конча́ть(ся) / ко́нчить(ся) end
коньки́ skates
лёд, льда́ ice
лы́жи skis
* лы́жница skíer
* любо́вь f. love
ма́стер спо́рта master of sports
ма́тч match
междунаро́дный international
на́д above
* насто́льный те́ннис table tennis
начина́ть(ся) / нача́ть(ся) begin
неве́ста bride
не́который some
* непого́да bad weather
* новички́ novices
* обморо́зиться be frost-bitten
* олимпиа́да Olympic Games, Olympiad
* олимпи́йский Olympic
* описа́ть describe
основа́тель founder
переда́ча (radio) program
побежда́ть / победи́ть win, conquer
побе́да victory
пе́ред before, in front
пла́вание swimming
по́д under, below
подгото́вка preparation
поговори́ть p. have a talk
поэ́тому therefore
пра́вда truth
президе́нт president
преподава́тель instructor
прои́грывать / проигра́ть lose (a game)
про́тив against
разгово́р conversation
* ри́ск risk
рискова́ть imp. risk

руководи́ть imp. lead, direct
све́тлый bright
себя́ oneself
се́кция section
си́ла strength
си́льный strong
* си́мвол symbol
сла́бый weak
* сла́ва glory
сле́дующий following
случи́ться p. happen, occur
сне́г snow
соревнова́ния competition
специа́льность f. specialty, speciality, occupation
спо́рт sport(s)
спорти́вный sport(s), athletic
* спортла́герь athletic camp
спортсме́н(-ка) athlete
сре́дний middle; average
* сти́ль style
ста́ть p. become
* счёт (в спо́рте) score, account
тре́нер trainer, coach
тренирова́ться imp. train
трениро́вка training
тру́д labor, work
удово́льствие: с удово́льствием with pleasure
уме́ть imp. be able to
успе́х success
успе́шно successfully
уча́ствовать imp. participate
учи́ться / научи́ться + inf. learn
физкульту́ра physical education
фигури́ст(ка) figure skater
* фигу́рное ката́ние figure skating
футболи́ст soccer player
футбо́льный soccer
* хо́бби hobby
хокке́й hockey
хокке́йный hockey
чужо́й someone else's, another
шахмати́ст(-ка) chess player
шко́льница schoolgirl
* эго́ист egoist, selfish person
явля́ться be

Unit 14

Presentation and Preparatory Exercises

‖ Через гóд студéнты стáнут **инженéрами.**

1. *Listen and repeat; then read and analyze. (See Analysis XIII, 1.5.)*

— Йра, чéм интересýется вáш брáт?
— Óн интересýется **значкáми** и **мáрками.**
— А спóртом óн интересýется?
— Мнé кáжется, спóртом óн не интересýется.

2. (a) *Listen and repeat.*

интересовáться мáрками; интересовáться шáхматами,
— Мóй сын интересýется мáрками.
— А шáхматами?
— И шáхматами тóже.
быть учителями, стáнете врачáми, бýдут математиками;
Через гóд вы стáнете учителями. Через гóд студéнты бýдут врачáми, учёными, инженéрами, журналистами.
с друзьями, с учениками, со шкóльниками, со студéнтами;
Я идý в теáтр с друзьями. Профéссор разговáривает со студéнтами. Мнé нýжно с вáми поговорить. Пойдёмте с нáми в кинó.

(b) *Listen and reply.*

Model: — Вы идёте в кинó с товáрищами?
— Дá, я идý с товáрищами.

1. Вы éдете отдыхáть с родителями? 2. Профéссор разговáривает со студéнтами? 3. Эти студéнты бýдут врачáми? 4. Вы интересýетесь рассказами Фóлкнера? 5. Вы пойдёте в кинó с друзьями? 6. Вы интересýетесь значкáми?

3. *Complete the sentences.*

1. Мы шкóльники. Скóро мы стáнем .... 2. Сейчáс они студéнты медицинского институ́та, скóро они стáнут .... 3. Они занимáются гимнáсти-

кой. Они́ бу́дут ... . 4. Во́т на́ши студе́нческие биле́ты. Мы́ явля́емся ... э́того институ́та. 5. Э́то чемпио́ны на́шего институ́та. Хоти́те познако́миться с ...? 6. — Хоти́те посмотре́ть значки́? — Я́ не интересу́юсь ... . 7. Э́то на́ш профе́ссор. О́н руководи́т ... .

4. *Combine the sentences in each pair into one, as in the model.*

Model: Посмотри́ э́ту кни́гу. В не́й хоро́шие иллюстра́ции.
Посмотри́ э́ту кни́гу с иллюстра́циями.

1. Посмотри́те э́тот альбо́м. Зде́сь ма́рки. 2. Купи́те откры́тки. Зде́сь ви́ды на́шего го́рода. 3. Да́йте мне́, пожа́луйста, журна́л. Та́м статья́ на́шего профе́ссора. 4. Покажи́те, пожа́луйста, э́тот альбо́м. Та́м, ка́жется, ва́ши рису́нки? 5. Посмотри́те альбо́м моего́ бра́та. Та́м фотогра́фии его́ семьи́.

‖ Э́ти де́вочки ста́нут **хоро́шими гимна́стками.**

5. *Read and analyze. (See Analysis XIII, 1.6.)*

Е́сли вы́ интересу́етесь **ру́сскими ма́рками,** я могу́ показа́ть ва́м не́сколько интере́сных ма́рок. Во́т, наприме́р, ма́рка с портре́том П. И. Чайко́вского. Э́та ма́рка вы́шла в 1974 году́ во вре́мя пя́того Междунаро́дного ко́нкурса и́мени П. И. Чайко́вского в Москве́. Э́тот ко́нкурс на́чали проводи́ть в 1958 году́. В э́том ко́нкурсе обы́чно уча́ствуют молоды́е музыка́нты из ра́зных стра́н. Одни́м из победи́телей пе́рвого ко́нкурса ста́л америка́нский музыка́нт Ва́н Кли́берн, победи́телем второ́го ко́нкурса ста́л англича́нин Джо́н О́гден. Победи́телями ко́нкурса бы́ли и сове́тские музыка́нты В. Кли́мов, А. Гаври́лов, М. Плетнёв и други́е. Молоды́е арти́сты, победи́тели э́того ко́нкурса, ча́сто стано́вятся **знамени́тыми музыка́нтами** и **певца́ми.**

6. (a) *Listen and repeat.*

интересова́ться совреме́нными ма́рками; Я́ интересу́юсь совреме́нными ма́рками. Вы́ интересу́етесь ру́сскими ма́рками?
ста́ть музыка́нтами, ста́ли знамени́тыми музыка́нтами; Мно́го бы́вших студе́нтов Моско́вской консервато́рии ста́ли знамени́тыми музыка́нтами.
победи́тели ко́нкурса; победи́тели междунаро́дного ко́нкурса; Молоды́е музыка́нты из ра́зных стра́н ста́ли победи́телями междунаро́дного ко́нкурса.
олимпи́йские чемпио́ны, ста́ть олимпи́йскими чемпио́нами; Каки́е спортсме́ны ста́ли пе́рвыми олимпи́йскими чемпио́нами по спорти́вным та́нцам на льду́?

(b) *Answer the questions.*

Вы интересуетесь марками? Когда вышла марка с портретом П. И. Чайковского? Какие музыканты стали победителями конкурса имени П. И. Чайковского? Какие артисты из вашей страны участвовали в этом конкурсе? Какие участники конкурса стали знаменитыми?

7. *Write out negative responses to the questions.*

Model: — Хотите посмотреть мои новые французские марки?
— Я не интересуюсь французскими марками.

1. Вы смотрели новый документальный фильм? 2. Вы не хотите пойти на выставку современных художников? 3. Вы не хотите посмотреть спортивную передачу по телевизору? 4. Вы были на соревнованиях по гимнастике?

8. *Complete each sentence, using the words on the right.*

1. И. Роднина и А. Зайцев являются	олимпийский чемпион
2. Москва и Ленинград являются	крупный промышленный центр
3. Одесса и Николаев являются	крупный порт

9. *Supply responses to each statement, as in the model.*

Model: — Кто эти девушки? Я хочу познакомиться с ними.
— Я могу (не могу) познакомить тебя с этими девушками. Я с ними знаком (не знаком).

1. Кто эти молодые люди? .... 2. Кто эти спортсмены? 3. Кто эта женщина? 4. Кто эти люди?

I
> **Никто ничего не знал** о конференции.

10. *Listen and repeat; then read and analyze. (See Analysis XIV, 3.0; 4.0.)*

В Киеве в гостинице

— Здравствуйте.
— Добрый день. Вы, кажется, живёте в пятом номере? А я живу рядом. Я ваш сосед. Вы давно приехали в Киев?
— Нет, я приехал неделю назад. Я ещё **нигде не был, ничего не видел.** Вчера с трудом нашёл свою гостиницу.
— Если хотите, я могу показать вам город. Я уже был здесь несколько раз и хорошо знаю этот город.
— Большое спасибо, это очень хорошо. Я не люблю один ходить по городу. Это неинтересно.
— А у вас есть знакомые в Киеве?

— К сожале́нию, не́т. Я зде́сь **никого́ не зна́ю**. Ещё **ни с ке́м** не позна-
ко́мился.
— Я обеща́ю показа́ть ва́м всё са́мое интере́сное.

11. (a) *Listen and repeat.*

никто́ не зна́ет; никого́ не зна́ю; ничего́ не зна́ю; никому́ не скажу́;
ниче́м не интересу́юсь; ни с ке́м не разгова́риваю; ни о ко́м не говорю́,
ни о чём не ду́маю; ни к кому́ не хожу́; нигде́ не́ был; никуда́ не пойду́;
никогда́ не́ был та́м.

1. — Кто́ зна́ет э́ту де́вушку? — Никто́ не зна́ет.
2. — Что́ вы́ подари́ли Оле́гу? — Ничего́ не подари́ли.
3. — Кого́ о́н пригласи́л на де́нь рожде́ния? — Никого́ не пригласи́л.
4. — Кому́ о́н да́л журна́л? — Никому́ не да́л.
5. — Где́ ты́ вчера́ бы́л? — Нигде́ не́ был.
6. — Куда́ ты́ сего́дня пойдёшь? — Никуда́ не пойду́.
7. — О ко́м вы́ говори́ли? — Ни о ко́м не говори́ли.
8. — С ке́м вы́ познако́мились в Ки́еве? — Ни с ке́м не познако́мился.

(b) *Listen and reply.*

Model: — Я никогда́ не́ был в Большо́м теа́тре.
— Я то́же никогда́ та́м не́ был.

1. Я никогда́ не́ был в Москве́. 2. Я никогда́ не́ был в А́нглии. 3. Я никогда́ не ви́дел ру́сский бале́т. 4. Я нигде́ не́ был в воскресе́нье. 5. Я никуда́ не пойду́ ве́чером. 6. Я ничего́ не зна́ю об э́том ко́нкурсе.

12. *Answer the questions, as in the model. Write down your answers.*

Model: — Где́ ты́ бы́л ве́чером?
— Я нигде́ не́ был.

1. Где́ вы́ отдыха́ли в э́том году́? 2. Где́ вы́ слы́шали э́ту пе́сню ра́ньше? 3. Где́ вы́ ви́дели карти́ны э́того худо́жника ра́ньше? 4. Где́ сейча́с пока́зывают фи́льмы об Олимпи́йских и́грах? 5. Где́ ещё вы́ ви́дели таки́е краси́вые цветы́? 6. Где́ вы́ чита́ли о встре́че по волейбо́лу студе́нческих кома́нд?

Model: — Куда́ ты́ идёшь сего́дня?
— Сего́дня я никуда́ не иду́. Я бу́ду до́ма.

1. Куда́ вы́ пое́дете ле́том? 2. Куда́ вы́ пойдёте по́сле заня́тий? 3. Куда́ пое́дут спортсме́ны по́сле соревнова́ний? 4. Вы́ пойдёте сего́дня на конце́рт? 5. Вы́ пое́дете в ма́е на конфере́нцию? 6. Вы́ пойдёте сего́дня ве́чером к ва́шим друзья́м? 7. Куда́ вы́ пое́дете с ва́шими друзья́ми в воскресе́нье?

Model: — Вы́ бы́ли во Фра́нции?
— Не́т, я никогда́ не́ был во Фра́нции.

1. Вы́ бы́ли в А́нглии? 2. Вы́ бы́ли в И́ндии? 3. Вы́ слы́шали о́перу Чайко́вского «Евге́ний Оне́гин»? 4. Вы́ ви́дели ра́ньше ру́сские наро́дные та́нцы? 5. Вы́ слы́шали пе́сни компози́тора Дунае́вского? 6. Вы́ ви́дели бале́т на льду́? 7. Вы́ ча́сто хо́дите на стадио́н?

Model: — Вы́ уже́ купи́ли ма́рки, откры́тки?
— Не́т, я сего́дня нигде́ не́ был, никуда́ не ходи́л.

1. Вы́ уже́ посмотре́ли го́род? 2. Вы́ уже́ познако́мились с дире́ктором институ́та? 3. Вы́ купи́ли биле́ты в кино́? 4. Вы́ сего́дня бы́ли на стадио́не? 5. Вы́ уже́ посла́ли това́рищу кни́ги?

Model: — Вы́ лю́бите игра́ть в баскетбо́л?
— Я никогда́ не игра́л в баскетбо́л.

1. Вы́ бы́ли ра́ньше в на́шем го́роде? 2. Вы́ ви́дели журна́л «Сове́тский Сою́з»? 3. Вы́ ча́сто смо́трите футбо́льные ма́тчи? 4. Вы́ ви́дели бале́т Большо́го теа́тра? 5. Вы́ хорошо́ игра́ете в ша́хматы?

13. *Supply continuations to each statement, as in the model.*

Model: Я хочу́ пое́хать в Ло́ндон. Я никогда́ не́ был в Ло́ндоне.

1. Я хочу́ пое́хать в Торо́нто. 2. О́н хо́чет пое́хать в Стокго́льм. 3. Она́ хо́чет пое́хать в Пра́гу. 4. Мы́ хоти́м пое́хать в Ленингра́д. 5. Они́ хотя́т пое́хать в Ме́льбурн. 6. О́н хо́чет пое́хать в Ри́м.

14. *Reply in the negative.*

1. Где́ вы́ бы́ли вчера́? 2. Куда́ вы́ пойдёте сего́дня? 3. Где́ вы́ бы́ли в четве́рг? 4. Куда́ вы́ пое́дете в пя́тницу? 5. Когда́ вы́ бы́ли в э́том музе́е? 6. Куда́ вы́ пое́дете отдыха́ть? 7. Где́ вы́ рабо́тали весно́й?

15. *Disagree with each assertion, as in the model.*

Model: Ви́ктор всё зна́ет о нём. — Не́т, Ви́ктор ничего́ не зна́ет о нём.

1. Учи́тель всё объясни́л. 2. Мы́ всё по́няли. 3. Она́ всё вспо́мнила. 4. Ви́ктор всё сде́лал. 5. На экза́мене о́н всё реши́л. 6. Они́ всё сообщи́ли. 7. О́н всё забы́л. 8. Они́ всё привезли́. 9. Она́ всё купи́ла.

Model: — А́ня все́м помога́ет. — Не́т, А́ня никому́ не помога́ет.

1. Конце́рт все́м понра́вился. 2. О́н все́х здесь зна́ет. 3. О́н все́м подари́л кни́гу свои́х расска́зов. 4. О́н все́х (госте́й) познако́мил дру́г с дру́гом. 5. Роди́тели все́м привезли́ пода́рки. 6. О́н все́х слу́шал. 7. Все́ реши́ли э́ту зада́чу. 8. Все́ встаю́т в ше́сть часо́в утра́. 9. О́н все́м сообщи́л о семина́ре. 10. Она́ все́м ве́рит.

16. *Answer, as in the model, using the words given on the right.*

Model: — Почему́ профе́ссор Поляко́в не прие́хал на конфере́нцию?
— О́н никому́ не сообщи́л об э́том.

1. Куда́ ушёл ва́ш сы́н? 2. Почему́ не прие́хал ва́ш бра́т? 3. Профе́ссор сказа́л, когда́ бу́дет семина́р? 4. В како́й аудито́рии бу́дут пока́зывать студе́нческие фи́льмы? 5. Ка́к пя́тая гру́ппа сдала́ экза́мены? 6. Вы́ не зна́ете, где́ бу́дет докла́д Анто́нова? 7. Говоря́т, что Но́сов рису́ет карти́ну для вы́ставки?

| сказа́ть |
| написа́ть |
| сообщи́ть |
| говори́ть |
| пока́зывать |

17. *Complete the responses, as in the model.*

Model: — Что́ ты́ бу́дешь де́лать сего́дня ве́чером?
— Я́ бу́ду отдыха́ть и ничего́ не бу́ду де́лать.

1. — Что́ здесь бу́дут стро́ить? — Здесь бу́дет па́рк, ... 2. — Что́ вы́ ещё хоти́те купи́ть? — Я́ уже́ всё купи́л, ... 3. — Куда́ вы́ сего́дня ещё пойдёте? — У меня́ не́т вре́мени, ... 4. — Кому́ вы́ хоти́те подари́ть э́тот рису́нок? — Рису́нок мне́ не нра́вится, ...

18. *Write out negative responses to the questions.*

Model: — У кого́ е́сть а́нгло-ру́сский слова́рь?
— Ни у кого́ не́т а́нгло-ру́сского словаря́.

(a) 1. Кто́ бу́дет сдава́ть экза́мены в сре́ду? 2. Что́ вчера́ говори́ли об экза́менах? 3. Кого́ вы́ зна́ете на истори́ческом факульте́те? 4. Кому́ вы́ сообщи́ли о конфере́нции? 5. О чём вы́ говори́ли с профе́ссором по́сле ле́кции?
(b) 1. О чём ты́ сейча́с ду́маешь? 2. Че́м ты́ сейча́с занима́ешься? 3. Кому́ ты́ звони́л вчера́ ве́чером? 4. У кого́ ты́ бы́л в суббо́ту? 5. К кому́ ты́ е́здил в воскресе́нье? 6. О чём ты́ говори́л с Лёной?

426

> Мы́ пошли́ на конце́рт, **что́бы послу́шать** молоду́ю певи́цу.
> Мы́ сказа́ли Ви́ктору, **что́бы** ве́чером **о́н пришёл** к на́м.

19. *Read and analyze. (See Analysis XIV, 1.0.)*

— Ви́ктор, заче́м ты́ звони́л И́ре?
— Я́ звони́л е́й, **что́бы пригласи́ть** её на конце́рт.
— А заче́м ты́ звони́л Са́ше?
— Я́ звони́л ему́, **что́бы о́н принёс** мне́ журна́л «Теа́тр».

20. (a) *Listen and repeat.*

Ви́ктор звони́л И́ре,¹ / что́бы пригласи́ть её на конце́рт.¹

Ви́ктор звони́л И́ре,³ / что́бы пригласи́ть её на конце́рт.¹

Ви́ктор звони́л И́ре,⁴ / что́бы пригласи́ть её на конце́рт.¹

Что́бы ста́ть врачо́м,³ / ну́жно око́нчить медици́нский институ́т.¹

Что́бы ста́ть врачо́м,⁴ / ну́жно око́нчить медици́нский институ́т.¹

(b) *Mark the intonation for each of the sentences; then read them aloud.*

1. Я́ позвони́л Оле́гу, чтобы пригласи́ть его́ на де́нь рожде́ния. 2. Я́ ходи́л в магази́н, чтобы купи́ть пода́рки роди́телям. 3. Я́ мно́го рабо́таю, чтобы ко́нчить докла́д в ма́е. 4. Я́ ходи́л в Музе́й и́мени Пу́шкина, чтобы посмотре́ть америка́нскую вы́ставку. 5. Я́ е́здил в кни́жный магази́н, чтобы купи́ть уче́бники по ру́сскому языку́.

21. *Read and analyze each pair of sentences.*

1. Я́ пришёл, чтобы помо́чь ва́м.— Я́ пришёл, чтобы вы́ помогли́ мне́.
2. Ученики́ принесли́ тетра́ди, чтобы показа́ть и́х учи́телю.— Ученики́ принесли́ тетра́ди, чтобы учи́тель посмотре́л и́х.
3. А́нна спе́ла не́сколько пе́сен, чтобы показа́ть на́м, ка́к пою́т на Украи́не.— А́нна спе́ла не́сколько пе́сен, чтобы мы́ послу́шали украи́нские пе́сни.

22. *Complete each sentence on the left, using the information provided in the sentence(s) on the right.*

Model: О́н пришёл, чтобы я́ помо́г ему́ реши́ть зада́чу.
О́н пришёл, чтобы помо́чь мне́ реши́ть зада́чу.

1. Мы́ пое́хали в ле́с, чтобы	Мы́ хоте́ли отдохну́ть.
2. Она́ внима́тельно слу́шала учи́теля, чтобы	Она́ хоте́ла всё поня́ть.
3. Ма́льчик принёс отцу́ сво́й рису́нок, чтобы	Оте́ц посмотре́л рису́нок.

4. Я позвони́л това́рищу, чтобы . . . . | Я хоте́л узна́ть но́мер телефо́на институ́та.

Това́рищ сказа́л мне́ но́мер телефо́на институ́та.

5. Я позвони́л Оле́гу, чтобы . . . . | Я хоте́л сказа́ть ему́ о трениро́вке.

Он пришёл ко мне́.

23. *Write out answers to the questions, as in the model.*

Model: — Заче́м вы́ ходи́ли к преподава́телю?

(a) Преподава́тель объясни́л мне́ зада́чу.

— Я ходи́л к преподава́телю, чтобы о́н объясни́л мне́ зада́чу.

(b) Я показа́л ему́ свою́ рабо́ту.

— Я ходи́л к преподава́телю, чтобы показа́ть ему́ свою́ рабо́ту.

1. Заче́м вы́ взя́ли в библиоте́ке расска́зы Че́хова?
   (a) Мо́й бра́т прочита́л расска́з «Ма́льчики».
   (b) Я прочита́л не́сколько расска́зов Че́хова.
2. Заче́м ты́ звони́л Са́ше?
   (a) Я пригласи́л его́ на конце́рт.
   (b) Он пригласи́л Ле́ну на конце́рт.
3. Заче́м вы́ ходи́ли вчера́ к това́рищу?
   (a) Он помо́г мне́ реши́ть зада́чу.
   (b) Я рассказа́л ему́ о конце́рте.
4. Заче́м вы́ носи́ли ва́шу карти́ну к худо́жнику?
   (a) Он посмотре́л мою́ рабо́ту.
   (b) Я показа́л ему́ свою́ рабо́ту.

24. *Make up questions and answers, as in the model. Use these words:* гео́лог, архите́ктор, адвока́т, строи́тель, студе́нт *and* поступи́ть, учи́ться, ко́нчить, рабо́тать.

Model: — Что́ на́до сде́лать, чтобы ста́ть врачо́м?
— Чтобы ста́ть врачо́м, на́до ко́нчить медици́нский институ́т.

25. *Review of Time Expressions. Read and analyze. (See Analysis XIV, 6.0-6.4.)*

Nominative:	— Како́е сего́дня число́? — Сего́дня **пя́тое сентября́.** — Како́й сего́дня де́нь? — Сего́дня **вто́рник.**	date
Nominative:	— Ско́лько сейча́с вре́мени? — Сейча́с: ча́с. / 2 часа́ 15 мину́т. / 4 часа́ 30 мину́т. / 5 часо́в 45 мину́т.	time as shown by a clock
Genitive:	— Когда́ о́н роди́лся? — Он роди́лся **седьмо́го октября́ 1965 го́да.**	date of an event

Accusative:	— Ско́лько вре́мени о́н здесь жи́л? — О́н здесь жи́л ⎡ го́д, два́ го́да. ⎢ пя́ть ле́т. ⎢ неде́лю. ⎣ не́сколько ме́- сяцев.	period of action
Accusative:	— О́н ча́сто быва́ет у ва́с? — О́н быва́ет у на́с ⎡ ка́ждый ⎢ де́нь. ⎢ ка́ждую не- ⎢ де́лю. ⎣ ка́ждый ме́- сяц.	repetition of action at regular intervals
в plus accusative:	— Когда́ о́н прие́хал? — О́н прие́хал ⎡ в три́ часа́. ⎣ в воскресе́нье.	time of an event (the hour, day of the week)
в plus preposi-tional:	— Когда́ постро́или э́то зда́ние? — Это зда́ние постро́или ⎡ в декабре́, в ма́е. ⎢ в 1975 году́. ⎢ в э́том году́. ⎣ в про́шлом ве́ке.	time when an event took place (month, year, century)
че́рез plus accusative:	— Когда́ о́н прие́дет? — О́н прие́дет че́рез ⎡ ча́с. ⎢ де́нь. ⎢ неде́лю. ⎢ ме́сяц. ⎣ го́д.	time when an event took place
Accusative plus наза́д:	— Когда́ о́н прие́хал? — О́н прие́хал ⎡ го́д наза́д. ⎣ неде́лю наза́д.	
во вре́мя plus genitive:	— Когда́ о́н жи́л здесь? — О́н жи́л здесь во вре́мя войны́.	time when an event took place
по́сле plus genitive:	— Когда́ они́ прие́хали? — Они́ прие́хали по́сле рабо́ты.	
пе́ред plus instrumental:	— Когда́ вы́ встре́тили его́? — Я́ встре́тил его́ пе́ред уро́ком.	

429

26. *Answer the questions.*

1. Какое сегодня число? Какой сегодня день? 2. Сколько сейчас времени? 3. Сколько времени вы изучаете русский язык? 4. Сколько времени вы занимаетесь каждый день? 5. Когда начинаются лекции в университете? А когда кончаются? 6. В каком году вы поступили в университет? 7. Когда бывают экзамены в университете? 8. Когда вы сдавали первый в вашей жизни экзамен? 9. Когда вы будете сдавать экзамен по русскому языку. 10. Когда вы кончите университет?

27. *Complete the sentences.*

1. Когда в Москве 9 часов, в Вашингтоне .... 2. Когда в Праге 2 час. 15 мин., в Нью-Йорке .... 3. Когда в Лондоне 4 час. 50 мин., в Бостоне .... 5. Когда во Владивостоке 6 час. 10 мин., в Москве ....

28. *Answer the questions.*

1. Когда открываются утром магазины? А когда закрываются? 2. Когда начинаются занятия в школе? А когда они кончаются? 3. Когда начинает работу городской транспорт? 4. Когда открывается метро? 5. Когда начинаются занятия в университете?

29. *Complete each question.*

1. Когда вы уезжаете в Крым, в субботу или ... ? 2. Когда уходит ваш поезд, в час сорок или ... ? 3. Когда улетает ваш самолёт, в три двадцать или ... ? 4. Когда вы вернётесь, в мае или в ... ? 5. Вы были на юге в 1975 году или ... ? 6. Вы жили там три года или ... ? 7. А теперь вы будете жить там месяц или ... ? 8. Вы вернётесь через месяц или ... ?

30. *Make up questions and answer them, using the following words.*

Model: — Вы долго готовились к экзаменам?
— Я готовился весь год.

готовиться, жить, тренироваться, работать, заниматься, отдыхать, играть, плавать, разговаривать, танцевать;
весь год, весь месяц, весь день, всё лето, всю зиму, весь вечер, всё утро

31. *Answer the questions.*

1. Что вы делаете каждый день? 2. Что вы делаете каждую неделю? 3. Что вы делаете каждый месяц? 4. Что вы делаете каждое лето? 5. Что вы делаете каждый год?

32. (a) *Tell about a friend.*

Когда вы познакомились? Сколько времени вы уже знаете его? Когда вы стали друзьями? Вы часто встречаетесь с ним? Когда вы с ним вместе отдыха́ли? Ско́лько вре́мени вы́ вме́сте отдыха́ли? О́н ско́ро ко́нчит университе́т?

(b) *Write a brief story about a friend, your brother, sister.*

33. *Answer the questions in writing.*

1. В како́м ве́ке откры́ли Аме́рику? 2. В како́м ве́ке жи́ли Д. Ва́шингтон, А. Ли́нкольн, Ф. Ру́звельт? 3. В како́м году́ бы́л пра́здник «200 ле́т США»? 4. Когда́ была́ Вели́кая Октя́брьская социалисти́ческая револю́ция в Росси́и? 5. Когда́ была́ пе́рвая мирова́я война́? 6. Когда́ была́ втора́я мирова́я война́?

34. *Note the two ways of expressing "time after". (See Analysis XIV, 6.3.)*

1. Этой рабо́той мы́ бу́дем занима́ться че́рез го́д.—Этой рабо́той мы́ бу́дем занима́ться по́сле Но́вого го́да.
2. Семина́р начнётся че́рез полчаса́.—По́сле семина́ра мы́ пойдём на конце́рт, в клу́б.
3. По́сле соревнова́ний спортсме́ны пое́дут отдыха́ть. Они́ верну́тся в го́род че́рез ме́сяц.
4. А́ня сейча́с на трениро́вке. Она́ бу́дет свобо́дна че́рез ча́с. По́сле трениро́вки она́ пое́дет домо́й.

35. *Make up sentences, using:*

(a) *Nouns denoting time:* мину́та, ча́с, де́нь, неде́ля, ме́сяц, го́д.

(b) *Nouns denoting a fact or an event:* ле́кция, семина́р, конце́рт, заня́тия, рабо́та.

36. *Supply appropriate expressions of "time after".*

1. О́н пошёл рабо́тать на заво́д	оконча́ние шко́лы
2. О́н пришёл рабо́тать на заво́д и ... получи́л специа́льность.	ме́сяц
3. Ви́ктор поступи́л в медици́нский институ́т: ... о́н ста́нет врачо́м.	ше́сть ле́т
4. У на́с в саду́ мно́го молоды́х дере́вьев, ... на́ш са́д ста́нет о́чень краси́вым.	пя́ть ле́т
5. В шко́ле выступа́л знамени́тый шахмати́ст, и ... мно́гие ребя́та на́чали занима́ться ша́хматами.	его́ выступле́ние
6. Никола́й пришёл на заво́д ... и ско́ро ста́л хоро́шим инжене́ром. Его́ жена́ ещё у́чится. Она́ ... ста́нет врачо́м.	оконча́ние институ́та
	го́д

37. *Answer the questions.*

1. Что́ вы́ пьёте по́сле обе́да, ко́фе и́ли ча́й? 2. О чём вы́ обы́чно разгова́риваете во вре́мя обе́да? 3. Куда́ вы́ пойдёте по́сле обе́да? 4. Ка́к вы́ чу́вствовали себя́ пе́ред экза́меном? 5. О чём вы́ ду́мали во вре́мя экза́мена? 6. Ка́к вы́ чу́вствовали себя́ по́сле экза́мена?

38. *Translate.*

1. "How long did you wait for us at the station?" "We waited for you for 15 minutes." 2. "Do you often have sports matches in your city?" "We have competitions every summer." 3. "What competitions did you have last year?" "A year ago, in July, we had boxing competitions." 4. "When was your brother born?" "He was born in August 1975." 5. Talking is not allowed during lectures. If necessary, we can talk today after the lecture or tomorrow before the lecture.

Conversation

I. Phrases Expressing Agreement or Disagreement with Another's Opinion and Agreement or Refusal to Perform an Action

1. — Я́ ду́маю, что здесь о́чень хорошо́ отдыха́ть ле́том.

Agreement with another's opinion.	Disagreement with another's opinion.
— Да́, вы́ пра́вы. (Я согла́сен с ва́ми.) Ле́том здесь о́чень хорошо́.	— Я не согла́сен с ва́ми. Ле́том здесь отдыха́ет о́чень мно́го люде́й.

2. — У меня́ то́лько два́ биле́та. Юра, купи́, пожа́луйста, ещё два́.

Agreement to perform an action.	Refusal to perform an action.
— Хорошо́, я могу́ купи́ть ещё два́ биле́та. (Хорошо́. Я куплю́.)	— К сожале́нию, я не могу́. (— Нет, я не могу́.)

1. *Listen and repeat.*

1. — Он пра́в.— Не́т, он не пра́в.— Вы́ не пра́вы.— Не́т, я пра́в.
   — Вы́ согла́сны со мной?— Да́, я согла́сен.— Я то́же согла́сна.— А мы́ с ва́ми не согла́сны. Джейн то́же не согла́сна.
2. — Кака́я хоро́шая пого́да!
   — Да́, вы́ пра́вы. Пого́да прекра́сная.
   — Я не согла́сна с ва́ми. По-мо́ему, сли́шком хо́лодно.
3. — Пойдём в кино́, Джейн.
   — К сожале́нию, не могу́, Оле́г. Мне́ ну́жно ещё перевести́ статью́. У меня́ за́втра семина́р.
   — А е́сли я тебе́ помогу́ перевести́, пойдёшь? Кино́ — хоро́шая пра́ктика по ру́сскому языку́.
   — Ну хорошо́, Оле́г, я согла́сна.

2. *Listen and reply.*

Model: — Сего́дня была́ о́чень интере́сная ле́кция.
   — Да́, я согла́сен с ва́ми. (Да́, вы́ пра́вы.)

432

1. Я ду́маю, что Джейн бу́дет хоро́шим преподава́телем. 2. Хорошо́ бы́ть врачо́м и лечи́ть люде́й. Вы́ согла́сны? 3. Фи́льм о́чень неинтере́сный. Вы́ согла́сны? 4. Джейн говори́т, что учи́ть ру́сский язы́к легко́.

Model: — Како́й хоро́ший фи́льм! Вы́ согла́сны?
       — Не́т, я не согла́сен с ва́ми. По-мо́ему, фи́льм плохо́й.

1. Джо́н уже́ хорошо́ говори́т по-ру́сски. 2. Джейн говори́т, что учи́ть ру́сский язы́к легко́. 3. Хорошо́ бы́ть преподава́телем! Вы́ согла́сны? 4. Како́е краси́вое зда́ние!

Model: — Возьми́, пожа́луйста, для меня́ слова́рь в библиоте́ке.
       — Хорошо́, возьму́.

1. Расскажи́те, пожа́луйста́, о ва́шем го́роде. 2. Принеси́те за́втра свою́ тетра́дь по ру́сскому языку́. 3. Прочита́йте, пожа́луйста, мою́ статью́. 4. Купи́, пожа́луйста, мне́ два́ биле́та на конце́рт. 5. Покажи́ мне́ свои́ но́вые ма́рки.

Model: — Пойдём за́втра в теа́тр.
       — К сожале́нию, я не могу́.

1. Да́й, пожа́луйста, мне́ твой слова́рь. 2. Пойдём за́втра на конце́рт. 3. Помоги́те мне́ перевести́ статью́. 4. Пойдём ве́чером гуля́ть.

3. *Express agreement or disagreement with each assertion.*

1. На́ш хо́р всегда́ выступа́ет с больши́м успе́хом. 2. По-мо́ему, Андре́й о́чень хорошо́ игра́ет в ша́хматы. 3. Та́м река́, ле́с. Это прекра́сное ме́сто для заня́тий спо́ртом. 4. Зима́ — хоро́шее вре́мя го́да. 5. Баскетбо́л — о́чень тру́дный ви́д спо́рта. 6. Я ду́маю, что Юре на́до продолжа́ть занима́ться бо́ксом.

4. *Express agreement or disagreement.*

1. Ни́на, ребя́та интересу́ются ша́хматами. Расскажи́ и́м о после́дних соревнова́ниях. 2. Андре́й, помоги́ мне́. Переведи́, пожа́луйста э́ту статью́. 3. Во́т но́вая пье́са. Гла́вные ро́ли бу́дут игра́ть Ната́ша и Андре́й. Вы́ согла́сны? 4. А́ня бу́дет жи́ть в гости́нице, а вы́, Ко́ля, — в общежи́тии. 5. Дава́йте пое́дем за́втра за́ город. 6. О́ля, помоги́ мне́ пригото́вить у́жин.

II. The Theater and the Movies

Что́ сего́дня идёт?	What is on today?
В како́м кинотеа́тре идёт э́тот фи́льм?	At which theater is this film showing?
Кто́ игра́ет в э́том фи́льме (спекта́кле)?	Who plays in this movie (play)?
В гла́вной ро́ли молода́я арти́стка.	The leading part is played by a young actress.
Спекта́кль произвёл на меня́ большо́е впечатле́ние.	The play made a great impression on me.

5. (a) *Listen to the dialogue.*

— Оле́г, ты́ ви́дел фи́льм «Андре́й Рублёв»?
— Да́.
— Хоро́ший фи́льм?
— Тру́дно сказа́ть, Серге́й. Одни́м фи́льм нра́вится, други́м — не́т. Мне́ фи́льм понра́вился. Та́м игра́ют хоро́шие арти́сты. Коне́ц фи́льма произвёл на меня́ о́чень большо́е впечатле́ние.
— А ты́ не зна́ешь, где́ о́н сейча́с идёт?
— Ка́жется, неда́вно э́тот фи́льм шёл в кинотеа́тре «Росси́я». Дава́й позвони́м туда́.
— Дава́й. Во́т тебе́ две́ копе́йки. Звони́. Узна́й, когда́ начина́ются сеа́нсы.

(b) *Listen and repeat.*

Что́ сего́дня идёт? Что́ сего́дня идёт в кинотеа́тре «Росси́я»? Что́ сего́дня в «Росси́и»? Вы́ не зна́ете, что́ сего́дня идёт в «Росси́и»? Вы́ не зна́ете, где́ идёт «Андре́й Рублёв»? В како́м кинотеа́тре идёт «Андре́й Рублёв»?
Впечатле́ние [фп'ичитл'е́н'иjъ]. Большо́е впечатле́ние. Произвести́ большо́е впечатле́ние. Этот фи́льм произвёл большо́е впечатле́ние. Кто́ игра́ет? Кто́ игра́ет в э́том фи́льме? Каки́е актёры игра́ют в э́том фи́льме?

(c) *Answer the questions.*

О како́м фи́льме спроси́л Серге́й Оле́га? Оле́г ви́дел фи́льм «Андре́й Рублёв»? Этот фи́льм нра́вится все́м? Оле́гу фи́льм понра́вился? Что́ произвело́ на него́ большо́е впечатле́ние? В како́м кинотеа́тре э́тот фи́льм идёт сейча́с? Заче́м друзья́ хоте́ли звони́ть в кинотеа́тр «Росси́я»?

(d) *Memorize the preceding dialogue and dramatize it.*

6. *Listen and reply.*

Model: — Вы́ не зна́ете, что́ сего́дня идёт в «Росси́и»?
— Не́т, я́ не зна́ю, что́ сего́дня идёт в «Росси́и».

1. Что́ сего́дня идёт в Большо́м теа́тре? 2. Скажи́те, пожа́луйста, что́ сего́дня идёт в студе́нческом клу́бе? 3. Что́ сего́дня идёт в кинотеа́тре «Ми́р»? 4. Вы́ не зна́ете, где́ идёт фи́льм-бале́т «Анна Каре́нина»? 5. Вы́ не зна́ете, кто́ игра́ет в э́том фи́льме?

7. *Make up questions and answers based on the following situations.*

(1) You want to find out what films are showing in movie theaters in the city.
(2) You want to see a new movie. Find out where it is showing.
(3) You want to find out who plays in the new movie.

8. *Answer the questions.*

Model: — Ва́м понра́вился фи́льм?
— Да́, фи́льм произвёл на меня́ хоро́шее впечатле́ние (прия́тное, большо́е, си́льное, плохо́е).

1. Что́ вы́ ду́маете о но́вом спекта́кле? 2. Ва́м понра́вился арти́ст, кото́рый игра́л гла́вную ро́ль? 3. А что́ вы́ ска́жете об арти́стке, кото́рая игра́ла гла́вную ро́ль? 4. Вы́ бы́ли неда́вно на вы́ставке. Что́ вы́ мо́жете сказа́ть о не́й? 5. В воскресе́нье вы́ слу́шали о́перу Ве́рди «Аи́да». Ва́м понра́вилось? 6. Вы́ ви́дели выступле́ние молоды́х арти́стов о́перного теа́тра. Ва́м понра́вилось?

9. *Ask questions and answer them.*

Model: — Вы́ бы́ли в теа́тре. Что́ ва́м бо́льше всего́ понра́вилось?
— Бо́льше всего́ мне́ понра́вился актёр, кото́рый игра́л гла́вную ро́ль.

1. Вы́ бы́ли в теа́тре о́перы и бале́та. 2. Вы́ бы́ли на музыка́льном спекта́кле. 3. Вы́ бы́ли на конце́рте наро́дной пе́сни и та́нца. 4. Вы́ слу́шали выступле́ние студе́нтов консервато́рии. 5. Вы́ бы́ли в кино́.

10. (a) *Answer the questions.*

Вы́ купи́ли биле́ты в теа́тр? Когда́ вы́ пойдёте в теа́тр? В како́й теа́тр вы́ пойдёте? Когда́ нача́ло спекта́кля? У ва́с хоро́шие места́? Вы́ пойдёте оди́н? Ско́лько сто́ят биле́ты?

(b) *Oral Practice.*

You are going to a theater. Your friends are wondering where you are going, what you are going to see, where you bought your tickets, what seats

15*

you have got, who you have invited. They want to find out what kind of plays you like, what theater, what actors.

11. (a) *Read the dialogue.*

Вы́ не ви́дели э́тот фи́льм?

— Джéйн, вы́ не хоти́те пойти́ в кино́?
— С удово́льствием, Серёжа. А что́ сего́дня идёт?
— В кинотеа́тре «Прогре́сс» идёт фи́льм «Журнали́ст». Вы́ не ви́дели э́тот фи́льм?
— Нéт. Я ничего́ не слы́шала об э́том фи́льме. Кто́ игра́ет в э́том фи́льме?
— В гла́вной ро́ли молодо́й арти́ст. Это его́ пéрвая ро́ль в кино́.

(b) *Answer the questions.*

Кого́ пригласи́л Серге́й в кино́? Что́ отве́тила Джéйн? О чём спроси́ла Джéйн? Како́й фи́льм шёл в э́тот дéнь? В како́м кинотеа́тре шёл фи́льм «Журнали́ст»? Джéйн ви́дела ра́ньше э́тот фи́льм? Кто́ игра́л гла́вную ро́ль в э́том фи́льме? Джéйн слы́шала ра́ньше об э́том фи́льме?

(c) *Dramatize the dialogue.*

(d) *Listen and reply.*

Model: — Дава́йте пойдём в теа́тр.
        — С удово́льствием. А что́ сего́дня идёт?

1. Ты́ не хо́чешь пойти́ в кино́? 2. Дава́й пойдём вéчером в университéтский клу́б. 3. Пойдём сего́дня в Большо́й теа́тр. У меня́ éсть билéты. 4. Вы́ не хоти́те пойти́ в студéнческий теа́тр?

(e) *Dramatize in Russian the situations.*

(1) A student from France is inviting you to a French movie.
(2) You and your friends want to see a movie in Russian.

12. (a) *Read and dramatize.*

У ка́ссы

— Да́йте, пожа́луйста, два́ билéта на сеа́нс дéвять два́дцать.
— На вечéрний сеа́нс?
— Нéт, на дневно́й.
— Како́й ря́д?
— Пятна́дцатый и́ли шестна́дцатый.
— Пожа́луйста, пятьдеся́т копéек.
— Спаси́бо.

(b) *Compose similar dialogues in which you buy tickets to the showings announced above.*

13. (a) *Read the dialogue.*

— Серёжа, ва́м понра́вился фи́льм?
— Не о́чень, Джéйн.
— Почему́?

436

— Я не хочу́ сказа́ть, что фильм плохо́й. Нет. В нём о́чень актуа́льная пробле́ма: молодёжь в совреме́нном о́бществе. В фи́льме мы́ ви́дим у́мных люде́й. Их игра́ют хоро́шие актёры.

— Что́ же ва́м не понра́вилось, Серёжа?

— Э́ти лю́ди о́чень мно́го говоря́т. Они́ всё объясня́ют. Я не люблю́ таки́е фи́льмы.

— Я не согла́сна с ва́ми. Мне́ фильм понра́вился. Геро́и фи́льма говоря́т о то́м, что́ они́ ду́мают, что́ они́ чу́вствуют. И я́ ве́рю им.

— Я ду́маю, Джейн, что геро́й фи́льма произвёл сли́шком си́льное впечатле́ние на ва́с.

— Не шути́те, о́н действи́тельно мне́ понра́вился. И я́ была́ о́чень дово́льна, что поняла́, о чём они́ говори́ли. Ра́ньше я почти́ ничего́ не понима́ла. Сейча́с мне́ уже́ интере́сно смотре́ть фи́льмы на ру́сском языке́.

(b) *Answer the questions.*

Фильм понра́вился Джейн и Серге́ю? Почему́ фильм не о́чень понра́вился Серге́ю? Почему́ Джейн была́ не согла́сна с Серге́ем? Чём она́ была́ дово́льна?

(c) *Dramatize the dialogue.*

(d) *Dramatize in Russian these situations.*

(1) You and your friends want to go to the movies. Choosing the movie becomes a problem, since some like comedies, while the others prefer movies dealing with serious subjects.

(2) Discuss with your classmates a movie you have recently seen. Exchange opinions about the movie itself, the actors, the staging.

14. *Answer the questions.*

Вы́ ча́сто хо́дите в кино́? Вы́ лю́бите ходи́ть в кино́ оди́н (одна́)? Вы́ лю́бите обсужда́ть фи́льмы с ва́шими това́рищами? Каки́е фи́льмы вы́ лю́бите смотре́ть? Каки́е фи́льмы ва́м осо́бенно нра́вятся? О чём расска́зывают э́ти фи́льмы? Како́й фильм вы́ смотре́ли неда́вно? Како́е впечатле́ние произвёл на ва́с э́тот фильм? Кто́ в нём игра́ет гла́вные ро́ли?

15. *Read and retell in your own words.*

«Поговори́м о ва́с»

Оди́н актёр всегда́ и везде́ говори́л то́лько о себе́. Одна́жды в гостя́х о́н два́ часа́ говори́л своему́ сосе́ду о то́м, ка́к тру́дно бы́ть актёром. Наконе́ц о́н заме́тил, что его́ слу́шатель уста́л.

актёр actor

наконе́ц at last
уста́л was tired

— Ах, извини́те,—сказа́л о́н.—Я всё вре́мя говорю́ о себе́. Дава́йте поговори́м о ва́с. Ка́к ва́м понра́вилась моя́ ро́ль в но́вой пье́се?

«Я ничего́ не слы́шу»

Мужчи́на сиде́л в теа́тре. Ря́дом с ни́м сиде́ли две́ же́нщины, кото́рые всё вре́мя разгова́ривали.

— Извини́те, но я́ ничего́ не слы́шу, — сказа́л муж-
чи́на. Же́нщины удиви́лись:

— А ва́м и не на́до слу́шать. Это ли́чный разгово́р.   **ли́чный** private

16. *Read and memorize.*

То́т не ошиба́ется, кто́ ничего́ не де́лает.
Е́сли хо́чешь, что́бы у тебя́ бы́ло ма́ло вре́мени, ничего́ не де́лай. (А. П. Че́хов)

Reading

1. *Read and analyze. (See Analysis XIV, 2.0.)*

Note: **Пу́сть Андре́й прочита́ет** на́м стихи́ Пу́шкина.

1. **Пу́сть И́ра спро́сит** Анто́на, когда́ у на́с бу́дет семина́р. 2. Я́ слы́шал,
что Бори́с ле́том бы́л в гора́х Тянь-Ша́ня. **Пу́сть он расска́жет** на́м об э́том.
3. Скажи́, пожа́луйста, Анто́ну, **пу́сть он придёт** ко мне́ ве́чером. У меня́
е́сть но́вая интере́сная кни́га о Пу́шкине. 4. — Ро́берт о́чень лю́бит пла́вать.—
Это хорошо́. **Пу́сть он занима́ется** пла́ванием. 5. — Мэ́ри, где́ мо́й слова́рь? —
У Ро́берта. — Скажи́ ему́, **пу́сть он принесёт** его́ мне́.

2. *Express second and third person commands, as in the model.*

Model: войти́ — Войди́те! Пу́сть и Серге́й войдёт.

Use: занима́ться спо́ртом; найти́ э́то сло́во в словаре́; собра́ться о́коло
вы́хода; не опа́здывать на уро́к; не спеши́ть, идти́ споко́йно; узна́ть, где́
живёт На́дя.

3. *Read and translate.*

Note: **Маши́на подъе́хала к до́му.**

1. Ви́ктор **подошёл ко мне́** и спроси́л, когда́ у на́с бу́дет трениро́вка.
2. По́езд **подъе́хал к ста́нции**, и пассажи́ры вы́шли из ваго́на 3. Ребёнок
подбежа́л к ма́тери. 4. Ири́на **подошла́ к столу́** и взяла́ слова́рь. 5. Он
подвёл к на́м свою́ жену́ и познако́мил на́с с не́й. 6. Он **подвёз меня́ к моему́
до́му**, и я́ вы́шла из маши́ны.

4. *Read and analyze. Explain the difference in the meaning of the underlined verbs.*

1. А́нна пришла́ ко мне́ по́сле обе́да и спроси́ла, когда́ у на́с бу́дет
трениро́вка. 2. А́нна подошла́ ко мне́ по́сле обе́да и спроси́ла, когда́ у на́с
бу́дет трениро́вка. 3. Ни́на привела́ свою́ сестру́ в университе́т и показа́ла
е́й, где́ нахо́дятся библиоте́ка, клу́б, спорти́вные за́лы. 4. Ни́на подвела́
свою́ сестру́ к зда́нию университе́та и показа́ла е́й па́мятник вели́кому
ру́сскому учёному М. В. Ломоно́сову. 5. Ве́ра пришла́ на экску́рсию в де́-
сять часо́в. 6. Ве́ра подошла́ к столу́ и взяла́ биле́т.

5. *Read the sentences and answer the questions on the right.*

1. Оле́г пришёл в теа́тр с Ни́ной. | Оле́г бы́л в теа́тре?
2. Оле́г подошёл к теа́тру и уви́дел Ни́ну. | Где́ Оле́г уви́дел Ни́ну?
3. В воскресе́нье к Петру́ домо́й пришли́ его́ това́рищи. Они́ разгова́ривали о литерату́ре, чита́ли стихи́. | В воскресе́нье у Петра́ бы́ли его́ това́рищи?
4. Ви́ктор и Ве́ра подошли́ к до́му и уви́дели Никола́я. | Где́ Ви́ктор и Ве́ра уви́дели Никола́я?
5. Маши́на подъе́хала к до́му, и из неё вы́шла Ни́на. | Где́ Ни́на вы́шла из маши́ны?
6. Анто́н прие́хал в Ташке́нт в ию́ле· и на́чал рабо́тать на заво́де. | Где́ живёт и рабо́тает Анто́н?

6. (a) *Read and analyze.*

1. — Скажи́те, пожа́луйста, у ва́с е́сть биле́ты?
   — Да́, е́сть биле́ты на у́тренние сеа́нсы.
   — А на вече́рние?
   — На вече́рние — не́т.
2. — Серге́й, скажи́, пожа́луйста, когда́ у ва́с начина́ются зи́мние кани́кулы?
   — Два́дцать пя́того января́.
   — А ле́тние?
   — Ле́тние — пе́рвого ию́ля.

(b) *Pronunciation Practice.*

сеа́нс, у́тро, у́тренний, у́тренний сеа́нс; ве́чер, вече́рний, вече́рний сеа́нс, биле́ты на у́тренние сеа́нсы, биле́ты на вече́рние сеа́нсы; Да́йте мне́, пожа́луйста, два́ биле́та на у́тренний сеа́нс. У ва́с е́сть биле́ты на вече́рние сеа́нсы? зима́, зи́мний, кани́кулы, ле́то, ле́тний [л'е́тн'иј] ле́тние кани́кулы; Куда́ вы́ пое́дете на ле́тние кани́кулы? Куда́ студе́нты пое́дут на зи́мние кани́кулы? Когда́ начина́ются ле́тние кани́кулы в Аме́рике?

(c) *Dramatize the following situations.*

You want to buy tickets for the theater, the movies, a concert.

7. *Vocabulary for Reading. Study the following new words and their usage as illustrated in the sentences on the right. Read each sentence aloud.*

боя́ться кого́—чего́ / inf. | Я́ не бою́сь э́того экза́мена, потому́ что я́ хорошо́ зна́ю литерату́ру.
Мы́ бои́мся э́того ма́тча, потому́ что мы́ ма́ло трениро́вались.
Она́ бои́тся разгова́ривать по-ру́сски, потому́ что она́ ещё пло́хо зна́ет ру́сский язы́к.
Я́ бою́сь пла́вать, поэ́тому я́ не хожу́ в бассе́йн.
— Почему́ ты́ идёшь та́к бы́стро?
— Я́ бою́сь опозда́ть на рабо́ту.

439

обещать / пообещать кому́ + inf.	— Вы́ не зна́ете, профе́ссор Петро́в бу́дет сего́дня в университе́те?
	— Он обеща́л прийти́.
	— Мэ́ри, у тебя́ есть «Бра́тья Карама́зовы» Достое́вского?
	— Сейча́с нет. Но Джон обеща́л мне́ да́ть э́ту кни́гу.
сове́товать / посове́товать кому́ + inf.	Профе́ссор посове́товал студе́нтам прочита́ть рома́н Го́рького «Ма́ть».
	Друзья́ сове́товали мне́ посмотре́ть э́тот фи́льм.
проси́ть / попроси́ть кого́ — что́ + inf.	Пётр проси́л меня́ помо́чь ему́.
	Ни́на попроси́ла Серге́я купи́ть ей биле́т на конце́рт.
что, у кого	Оле́г попроси́л у меня́ уче́бник.
	Серге́й попроси́л у Ни́ны журна́л «Вопро́сы исто́рии».
получа́ть / получи́ть что	— Скажи́те, пожа́луйста, где здесь мо́жно получи́ть де́ньги?
	— В тре́тьем окне́.
	— То́м, у тебя́ есть тре́тий но́мер журна́ла «Спу́тник»?
	— Нет, я ещё не получи́л его́.
	Бори́с учи́лся в университе́те. Он получи́л хоро́шее образова́ние.
продолжа́ть + inf. (imp.)	Ви́ктор Петро́вич бы́л хоро́шим спортсме́ном. Он и сейча́с продолжа́ет занима́ться спо́ртом.
	Ни́на помогла́ Мэ́ри сда́ть экза́мен по ру́сскому языку́. Она́ и сейча́с продолжа́ет ей помога́ть.
уме́ть + inf.	— Кэ́т, почему́ ты не уме́ешь пла́вать?
	— В де́тстве я о́чень боя́лась воды́.
	— Вы́ игра́ете в ша́хматы?
	— Нет, я не уме́ю.
уча́ствовать в чём	Америка́нские музыка́нты уча́ствуют в Междунаро́дном ко́нкурсе и́мени П. И. Чайко́вского в Москве́.
	В ша́хматном ма́тче уча́ствовали спортсме́ны ра́зных стра́н.
остава́ться / оста́ться где	— Ребя́та, а где Бори́с?
	— Он оста́лся в лаборато́рии.
похо́ж на кого́ — что	В на́шей семье́ все де́ти похо́жи на ма́му, осо́бенно ста́рший бра́т.
	— Вы́ не зна́ете, что э́то?
	— Не зна́ю, но э́то зда́ние похо́же на шко́лу.
умира́ть / умере́ть	А. С. Пу́шкин у́мер в 1837 году́, ему́ бы́ло тогда́ 37 ле́т. М. Ю. Ле́рмонтов у́мер в 1841 году́, ему́ бы́ло 27 ле́т.

8. *Read aloud.*

получа́ть, получа́ю; продолжа́ть, продолжа́ю; умира́ть, умира́ю; обеща́ть, обеща́ю; пообеща́ть, пообеща́ю; оста́ться, остаю́сь; уме́ть, уме́ю, уме́ешь; проси́ть, попроси́ть; прошу́, попрошу́; про́сишь, попро́сишь; проси́, попроси́.

Попроси́те, пожа́луйста, Оле́га позвони́ть мне́. Попроси́ Ка́тю расска-за́ть о Ленингра́де. Хорошо́. Попрошу́.

получи́ть, получу́, полу́чишь, получи́л.—Да́й мне́, пожа́луйста, после́д-ний но́мер «Но́вого ми́ра».—Я́ ещё не получи́л после́дний но́мер.—А когда́ полу́чишь, да́шь?—Когда́ получу́, обяза́тельно да́м.

остава́ться, остаю́сь, остаёшься; уча́ствовать, уча́ствую.—Вы́ уча́ствуете в э́той конфере́нции?—Не́т, не уча́ствую. У меня́ мно́го рабо́ты.

9. *Oral Practice.*

(1) Say if you are afraid (or not) of your exams in Russian, literature, phys-ics, geography, philosophy, mathematics. Give reasons for your answer.
(2) Say what you are (are not) afraid of. Use the verbs and phrases пла́вать, говори́ть по-ру́сски, сдава́ть экза́мены, отвеча́ть на уро́ке.

10. *Make up sentences, as in the model, using the words* зда́ние, музе́й; Серге́й, спортсме́н; де́вушка, арти́стка; до́чь, оте́ц; бра́тья, сестра́.

Model: Сы́н похо́ж на ма́ть.

11. *Make up sentences, using the verb* посове́товать *and the phrases* не боя́ться экза́менов; перевести́ э́тот расска́з без словаря́; занима́ться волейбо́лом; за-по́мнить э́ти стихи́; интересова́ться литерату́рой; найти́ журна́л «Сове́тский Сою́з» но́мер 6; нача́ть игра́ть в ша́хматы.

12. *Offer advice and supply a reason in each case.*

Model: Сове́тую ва́м изуча́ть иностра́нные языки́. У ва́с хоро́шая па́мять.

Use the verbs: прочита́ть, перевести́, пое́хать, пойти́, познако́миться, зани-ма́ться, запомина́ть, подари́ть, оста́ться, посети́ть.

13. *Complete each dialogue, using the verb* обеща́ть.

1. — Уже́ все́ собрали́сь?
   — К сожале́нию, не́т. А́нна и Ви́ктор ещё не пришли́. ...
2. — У тебя́ е́сть пя́тый но́мер журна́ла «Вопро́сы литерату́ры».?
   — Не́т. ...
3. — Ве́ра Петро́вна, вы́ купи́ли биле́ты в теа́тр?
   — Не́т. ...
4. — Ви́ктор Петро́вич уже́ расска́зывал о то́м, что о́н ви́дел в Австра́лии?
   — Ещё не́т. ...

14. *Make up sentences, using the following phrases. Follow the model.*

Model: Профéссор попросúл студéнта прочитáть статью́.

встрéтить егó; найтú э́ти словá в словарé; запóмнить словá; продолжáть читáть тéкст; собрáться óколо вы́хода.

Model: Профéссор попросúл у студéнта тéкст егó доклáда.

нóвый журнáл, кнúга стихóв Пýшкина, рýчка, «Литератýрная газéта».

15. *Compose dialogues, as in the model.*

Model: — Мэ́ри, у тебя́ éсть «Войнá и мúр» Толстóго?
— Нéт, э́тот ромáн, кáжется, éсть у Рóберта. Попросú у негó.

Use the word groups: рýсско-англúйский словáрь; учéбник рýсского языкá; газéта «Совéтский спóрт»; журнáл «Совéтская жéнщина», журнáл «Спýтник».

16. *Answer the questions.*

1. Вы́ чáсто получáете пúсьма? 2. Ктó вáм пúшет? 3. Вы́ лю́бите получáть пúсьма? 4. Вы́ лю́бите писáть пúсьма? 5. Комý вы́ пúшете? 6. Вы́ лю́бите получáть подáрки? 7. Вы́ лю́бите дарúть подáрки?

17. *Complete the sentences, as in the model.*

Model: В дéтстве Йра занимáлась мýзыкой, сейчáс онá продолжáет занимáться.

1. В шкóле Джóн изучáл немéцкий язы́к, ... 2. Рáньше óн мнóго занимáлся спóртом, ... 3. В прóшлом годý Натáша началá занимáться балéтом, ... 4. Лéтом Олéг бéгал кáждый дéнь, ... 5. Рáньше Тóм интересовáлся теáтром, ... 6. Рáньше э́тим институ́том руководúл профéссор Сергéев, ...

18. *Oral Practice.*

Скажúте, чтó вы́ умéете дéлать. Вы́ умéете плáвать, пéть, рисовáть, игрáть в шáхматы, в волейбóл и т. д.?
Вы́ умéете éздить на велосипéде?
Расскажúте, чтó умéют дéлать вáши товáрищи.

19. (a) *Read the text without consulting a dictionary.*

О балалáйке

Создáтель рýсской балалáйки — нарóд. Балалáйка — э́то такóй же нарóдный инструмéнт, кáк мандолúна (mandolin) у италья́нцев, гитáра (guitar) у испáнцев, бáнджо (banjo) у америкáнцев.

Когда́ появи́лась балала́йка, никто́ не зна́ет. В конце́ XVIII ве́ка балала́йкой впервы́е заинтересова́лись профессиона́льные музыка́нты. Но то́лько в XIX ве́ке балала́йка ста́ла конце́ртным инструме́нтом. Ру́сский музыка́нт Васи́лий Андре́ев со́здал пе́рвый орке́стр ру́сских наро́дных инструме́нтов, в кото́ром бы́ли ра́зные балала́йки: больши́е и ма́ленькие. Орке́стр Андре́ева выступа́л с больши́м успе́хом в Росси́и и в други́х стра́нах.

Сейча́с никто́ не удивля́ется успе́ху э́того просто́го инструме́нта. У балала́йки есть свой го́лос. Он звучи́т и гру́стно и ве́село. Балала́йка звучи́т в орке́страх, балала́йка звучи́т на конце́ртах.

(b) *Read each sentence without consulting a dictionary. Try to determine the meaning of the underlined words on the basis of context.*

1. Ве́ра хорошо́ поёт. У неё краси́вый го́лос. 2. — Вы́ поёте? — Не́т. У меня́ нет го́лоса. 3. — Сего́дня вы́ поёте не о́чень хорошо́. Ваш го́лос не звучи́т. 4. Когда́ Ири́на поступа́ла в консервато́рию, она́ не уме́ла пе́ть, её го́лос звуча́л ещё не о́чень хорошо́. Она́ мно́го рабо́тала, учи́лась, и её го́лос зазвуча́л си́льно, краси́во.

(c) *Reread the text and answer the questions.*

1. Когда́ появи́лась балала́йка? 2. Где́ появи́лась балала́йка? 3. Кто́ и когда́ со́здал пе́рвый орке́стр ру́сских наро́дных инструме́нтов?

20. (a) *Describe a person of your choice, using the following adjectives. State which qualities you admire (or don't admire) in other people.*

высо́кий, невысо́кий, краси́вый, некраси́вый, симпати́чный, молодо́й, ста́рый, ве́жливый, неве́жливый, интере́сный, неинтере́сный, хоро́ший, плохо́й, у́мный, глу́пый, до́брый, си́льный, сла́бый, сме́лый, весёлый, прия́тный, неприя́тный, серьёзный.

(b) *Describe one of your classmates in Russian so that others can guess his identity. (Other classmates may ask questions).*

21. (a) *Read and translate. Pay particular attention to the meaning and form of the underlined words.*

1. Де́тство А. С. Пу́шкина прошло́ в Москве́. 2. Его́ студе́нческие го́ды прошли́ в Ленингра́де. 3. Ле́кция была́ о́чень интере́сная, и мы́ не заме́тили, ка́к прошло́ вре́мя. 4. Пра́здник пе́сни в Москве́ прошёл интере́сно.

(b) *Answer the questions.*

Где́ прошло́ ва́ше де́тство? Где́ прошло́ де́тство ва́шей ма́тери, ва́шего отца́? Где́ прошли́ ва́ши шко́льные го́ды?

(c) *Ask your classmates about their childhood and school years.*

Матрёшка

В Заго́рском[1] музе́е игру́шки мо́жно уви́деть пе́рвую ру́сскую матрёшку. Это де́вочка с весёлым до́брым лицо́м. В не́й ещё се́мь матрёшек, се́мь де́вочек и ма́льчиков. Они́ похо́жи на неё, как сёстры и бра́тья. Сде́лали э́ту матрёшку в конце́ про́шлого ве́ка. Она́ ещё молода́я. А мо́жно поду́мать, что живёт она́ уже́ не́сколько веко́в, э́та знамени́тая ру́сская матрёшка.

игру́шка toy
матрёшка
Matryoshka,
nest of
wooden dolls

В 1900 году́ на Всеми́рной вы́ставке в Пари́же с матрёшкой познако́мились францу́зы. Познако́мились и полюби́ли. Сла́ва и успе́х пришли́ к матрёшке. Матрёшку ста́ли покупа́ть ра́зные стра́ны. Сейча́с она́ ста́ла популя́рной во всём ми́ре. Одна́ то́лько Япо́ния покупа́ет ка́ждый го́д четы́ре ты́сячи матрёшек.

---

[1] Zagorsk, a city located approximately 70 miles northeast of Moscow. It is the site of the Trinity-Sergius Monastery (Troitse-Sergiyevá Lavra), an important monument of Old Russian architecture.

Почему́ та́к лю́бят матрёшку? В чём секре́т её популя́рности? Секре́та нет. Про́сто матрёшка до́брая и весёлая.

(b) *Retell the story in your own words.*

23. *Supply the antonyms of:* гру́стный, тру́дный, сла́бый, хоро́ший, холо́дный, ста́рый, ма́ленький, ста́рший, здоро́вый, бе́дный.

24. *Read the text without consulting a dictionary.*

Но́вый анса́мбль

Со стари́нными веща́ми мо́жно познако́миться в музе́е. **ве́щь** thing, object
А где́ мо́жно познако́миться со стари́нными пе́снями? Пе́сню нельзя́ уви́деть в музе́е. Пе́сня живёт то́лько тогда́, когда́ её пою́т.

В Москве́ появи́лись афи́ши но́вого анса́мбля. Пе́рвые конце́рты э́того анса́мбля прошли́ с успе́хом. Но́вый анса́мбль поёт стари́нные ру́сские пе́сни. Поёт и́х та́к, ка́к пе́ли и́х ра́ньше.

Все́ де́сять певцо́в анса́мбля получи́ли специа́льное музыка́льное образова́ние.

Что́бы пе́сня звуча́ла та́к, ка́к её пою́т в Ку́рской и́ли **о́бласть** province
Вологодской о́бласти, певцы́ пое́хали учи́ться к наро́дным мастера́м. В деревня́х они́ учи́лись пе́ть, игра́ть на стари́нных наро́дных инструме́нтах. Певцы́ изуча́ют стари́нную ру́сскую наро́дную пе́сню, и конце́рты—э́то результа́т их рабо́ты.

(b) *Find in the text the words* стари́нный, анса́мбль, афи́ша, певе́ц *and translate them without consulting a dictionary.*

(c) *Reread the text and answer the questions.*

1. Како́й но́вый анса́мбль появи́лся в Москве́? 2. Где́ певцы́ изуча́ют стари́нную ру́сскую наро́дную пе́сню?

25. *Read and translate. Note the meaning of the words* го́спиталь *and* больни́ца.

1. Мо́й оте́ц—вра́ч. Во вре́мя войны́ о́н бы́л на фро́нте. О́н рабо́тал в го́спитале. О́н и сейча́с продолжа́ет рабо́тать в го́спитале. 2. Никола́й ко́нчил медици́нский институ́т и рабо́тает в больни́це. 3. В декабре́ А́ня боле́ла гри́ппом и лежа́ла в больни́це.

26. (a) *Remember the meanings of the words* пе́ть, победи́ть, интере́сный, рисова́ть.

(b) *Translate the underlined words without consulting a dictionary.*

пе́ть	победи́ть	интере́сный	рисова́ть
певе́ц	победи́тель	интересова́ться	рису́нок
певи́ца	побе́да	интере́с	

27. *Study and learn this derivative pattern:*

другой — по-другому
новый — по-новому

28. (a) *Read the text without consulting a dictionary.*

Балет — моя жизнь

(из рассказа балерины)

Балетом я начала заниматься в детстве. Потом училась в школе Большого театра. После окончания школы начала танцевать в Большом театре. И здесь случилось самое важное в моей жизни: я встретилась с Галиной Сергеевной Улановой[1]. В это время Галина Сергеевна кончила танцевать и начала работать с молодыми артистами. Я стала её ученицей. Галина Сергеевна сделала из меня балерину. Она всегда была рядом, помогала мне, советовала, воспитывала меня.

Профессия балерины очень трудная. Балерина должна работать каждый день. Эти занятия называются у нас классом. Без класса нельзя выступать, без него можно потерять форму. Никогда нельзя забывать, что ты балерина. Я всегда должна помнить, что завтра надо идти в класс. И так каждый день, всю жизнь. Например, у меня есть три свободных дня. Могу я забыть всё и уехать в лес? Конечно, могу. Но потом мне надо шесть дней входить в форму.

Когда я готовлю новую роль, то сначала занимаюсь техникой танца. Мне это надо делать, чтобы потом не думать о технике, не думать о том, куда идут руки, ноги. А потом я начинаю думать об образе. Но я знаю артистов, которые работают по-другому. У них сначала образ, а потом техника.

Когда я готовлю новую роль, я работаю по-разному. Если я готовлю роль в старом спектакле, то я должна оставаться в границах тех традиций, которые есть у этого балета. Но я хочу и эти балеты танцевать по-новому. Другое дело, когда я готовлю роль в новом балете. Тогда я участвую в создании рисунка танца.

В балете очень важна музыка. Может быть, музыка и есть главный «текст» балета. Чтобы создать в балете образ (image), надо танцевать музыку.

Язык балета может и должен быть разным. Техника балета не стоит на одном месте. Балет говорит на разных языках, но всегда это язык чувств. Когда человек говорит: «Я вас люблю», важны не только слова, но и то, как он это говорит. И вот это может показать балет. Поэтому и не умирает искусство балета. Поэтому балет так популярен сейчас. И, может быть, поэтому у нас в стране так много театров оперы и балета, создаётся много оперных и балетных народных коллективов.[2]

(b) *Write out an outline of the text in Russian.*

---

[1] Galina Ulanova (b. 1910), famous Soviet ballerina. Her best roles were in the ballets *Swan Lake* by Tchaikovsky, *Giselle* by Adan, *The Fountain of Bakhchisarai* by Boris Asafyev, and *Romeo and Juliet* and *Cinderella* by Sergei Prokofyev.
[2] Amateur groups organized at Palaces of Culture, factories, institutes, collective farms, etc.

29. *Read the sentences and translate the underlined words without consulting a dictionary.*

1. На заво́де рабо́той молоды́х рабо́чих руководи́т ма́стер. 2. Певе́ц мно́го рабо́тал, и че́рез пя́ть ле́т ста́л больши́м ма́стером. 3. Экзамена́торы сказа́ли студе́нту, что о́н пло́хо подгото́вился. 4. По́сле выступле́ний уча́стники конце́рта разгова́ривали со студе́нтами.

30. *Read aloud.*

(a) в конце́ртных за́лах; пра́здник [пра́з'н'ик], в дни́ пра́здников, на площадя́х, популя́рность [пъпул'а́рнъс'т'], секре́т популя́рности, ру́сская же́нщина, се́рдце [с'е́рцъ], ча́сть её жи́зни, с интере́сом, чу́вствовать [чу́ствъвът'], чу́вство, лёгкий [л'о́х'к'иј], легко́ [л'ихко́], тради́ции наро́дной пе́сни, райо́н, но́вый райо́н Москвы́, оди́н из но́вых райо́нов Москвы́, до́брый де́нь, весёлый, весела́, ве́сел, ве́селы, гру́стно, [гру́снъ], оста́лась с ма́терью, специа́льность [сп'ицыа́л'нъс'т'], получи́ла специа́льность, продолжа́ла учи́ться, в шко́ле рабо́чей молодёжи, продолжа́ла учи́ться в шко́ле рабо́чей молодёжи, самодея́тельность [съмад'е́јит'ил'нъс'т'], худо́жественная [худо́жъств'иннъјъ], худо́жественная самодея́тельность, в кружке́ худо́жественной самодея́тельности, репети́ция [р'ип'ит'и́цыјъ], учи́тель, учителя́, слу́шать учителе́й, несча́стье [н'ища́с'т'јъ], лауреа́т [лъур'иа́т].

(b) Она́ выступа́ет в конце́ртных за́лах, / клу́бах,⁴ / в цеха́х заводов,⁴ / а во вре́мя праздников —³ / на площадя́х городов.¹ Имя Людми́лы Зы́киной³ / зна́ют все в Сове́тском Сою́зе¹ / и не то́лько в Сове́тском Сою́зе:¹ / её слу́шали в Япо́нии и во Фра́нции,⁴ / в Болга́рии и в Аме́рике,⁴ / в Индии и в Австра́лии.¹

Зы́кина пе́ла везде́:¹ / на у́лице,³ / дома,³ / на рабо́те,³ / в автобусе.¹

Зы́кина говори́т:¹ / «Ру́сскую пе́сню пе́ть трудно».¹

«Ру́сскую пе́сню пе́ть трудно»,¹ — говори́т Зы́кина.

Пло́хо пе́ть — легко,³ / а хорошо́ — трудно.¹

Пло́хо пе́ть — легко,³ / а хорошо —³ / трудно.¹

31. *Basic Text. Read the text and then do exercises 31-33.*

Она́ поёт ру́сские пе́сни

Она́ выступа́ет в конце́ртных за́лах, клу́бах, в цеха́х заво́дов, а во вре́мя пра́здников — на площадя́х городо́в. Поёт то́лько ру́сские пе́сни, стари́нные и совреме́нные.

Имя Людми́лы Зы́киной зна́ют все в Сове́тском Сою́зе и не то́лько в Сове́тском Сою́зе: её слу́шали в Япо́нии и во Фра́нции, в Болга́рии и в Аме́рике, в И́ндии и в Австра́лии.

В чём секре́т её популя́рности?

В свои́х пе́снях Людми́ла Зы́кина расска́зывает о Росси́и, о Во́лге, о любви́, о ру́сской же́нщине. Пе́сня — э́то ча́сть её жи́зни. Мо́жет быть, по-э́тому слу́шают её с таки́м интере́сом в други́х стра́нах.

«Ру́сскую пе́сню петь тру́дно, — говори́т Людми́ла Зы́кина, — пло́хо петь — легко́, а хорошо́ — тру́дно».

Людми́ла Зы́кина прекра́сно зна́ет, лю́бит и понима́ет стари́нные ру́сские пе́сни. Она́ изуча́ет тради́ции наро́дной пе́сни. Пра́вду жи́зни и пра́вду чу́вства слы́шат лю́ди в пе́снях Зы́киной.

Де́тство Людми́лы Гео́ргиевны Зы́киной прошло́ недалеко́ от Москвы́ в небольшо́й дере́вне Ста́рые Черёмушки (сейча́с э́то оди́н из но́вых райо́нов Москвы́).

Ещё в де́тстве Людми́ла Зы́кина услы́шала и запо́мнила мно́го наро́дных пе́сен. В семье́ Людми́лы уме́ли и люби́ли петь. Пе́ла её ба́бушка Васили́са. Эта проста́я ру́сская же́нщина была́ по-ру́сски добра́ и весела́. Прекра́сно пе́ла и мать Людми́лы. Пе́ла и Лю́да. Она́ пе́ла, когда́ её проси́ли об э́том, и пе́ла для себя́, пе́ла, когда́ ей бы́ло ве́село и когда́ бы́ло гру́стно, тру́дно.

А тру́дного тогда́ бы́ло нема́ло: начала́сь Вели́кая Оте́чественная война́. Оте́ц Людми́лы, рабо́чий, ушёл на фронт. Ба́бушка умерла́. И оста́лась Людми́ла с ма́терью. Мать рабо́тала в больни́це. Лю́да реши́ла, что в тако́е вре́мя она́ то́же должна́ рабо́тать. Она́ поступи́ла на заво́д, но продолжа́ла учи́ться в шко́ле рабо́чей молодёжи. Днём она́ рабо́тала на заво́де, а ве́чером, по́сле рабо́ты, ходи́ла в шко́лу.

— Бу́дешь ты инжене́ром, — ча́сто говори́л Людми́ле ста́рший ма́стер, — тала́нт у тебя́.

По́сле оконча́ния шко́лы Зы́кина могла́ бы стать инжене́ром, но поме-ша́ла ей любо́вь к пе́сне. Она́ пе́ла везде́: во вре́мя рабо́ты в це́хе, когда́ шла по у́лице.

Она́ ста́ла занима́ться в кружке́ худо́жественной самоде́ятельности, пе́ла в хо́ре, выступа́ла в рабо́чих клу́бах, в госпиталя́х. Она́ пе́ла всё, что зна́ла. Осо́бенно люби́ла петь стари́нные пе́сни ба́бушки Васили́сы: «Степь да степь круго́м», «То́нкая ряби́на», «Есть на Во́лге утёс»[1].

Одна́жды Людми́ла пошла́ с подру́гами в кино́ (э́то бы́ло уже́ по́сле войны́), и де́вушки уви́дели афи́шу о ко́нкурсе в Хор ру́сской наро́дной пе́сни и́мени М. Е. Пя́тницкого.

— Пойди́, Лю́да, пусть тебя́ послу́шают, — говори́ли подру́ги. — Бои́шься? Не бо́йся. Ты же сме́лая, иди́, Лю́да. — И она́ пошла́.

На экза́мене она́ пе́ла ру́сскую наро́дную пе́сню «Уж ты сад, ты мой сад». Её взя́ли в хор. Но́вая жизнь начала́сь для Людми́лы: репети́ции, му́зыка, конце́ртные за́лы. Внима́тельно слу́шала Лю́да свои́х учителе́й: та-ла́нт — э́то ещё не всё в иску́сстве. Что́бы стать больши́м ма́стером, на́до мно́го рабо́тать и серьёзно учи́ться. И Лю́да рабо́тает и у́чится, у́чится и рабо́тает.

---

[1] «Степь да степь круго́м» *Nothing but Steppe-land Around*, «То́нкая ряби́на» *The Slender Rowan-Tree*, «Есть на Во́лге утёс» *There is a Cliff on the Volga*.

Композитор В. Г. Захаров, который руководил тогда хором, учил молодых артистов понимать песню: слово и музыку. Он учил артистов чувствовать красоту и силу слова. Люда читала стихи русских поэтов, и знакомые стихи, которые она слушала ещё в детстве, вдруг начали звучать по-новому. Тогда же она стала часто ходить в Третьяковскую галерею: она хотела увидеть картины старых мастеров, портреты людей, которые жили в одно время с авторами старинных песен, рядом с ними.

Раньше Люда хотела петь так, как пели знаменитые в то время певцы. Она пела их песни, но песни звучали по-другому. Люда поняла, что не надо быть похожей на других: каждый артист, маленький или большой, должен найти свою дорогу в искусстве.

Людмила Зыкина стала популярной артисткой. Она народная артистка СССР, лауреат Ленинской премии. Она, как и раньше, много работает, много ездит. Везде у неё знакомые и друзья. Когда она получает письма, сразу узнаёт: это с Камчатки, это из Таллина, это из Америки, а это из Индии.

32. *Give Yes/No answers to the questions.*

1. Людмила Зыкина — оперная певица? 2. Она поёт только русские песни? 3. Она изучает традиции народной песни? 4. Детство Людмилы Зыкиной прошло в Ленинграде? 5. В детстве Людмила любила петь? 6. Людмила Зыкина занималась в кружке художественной самодеятельности? 7. Людмила Зыкина пела в хоре русской народной песни? 8. Людмила Зыкина — популярная артистка?

33. *Find in the text the passages telling (a) about Lyudmila Zykina's childhood; (b) about how she learned to sing; (c) about how she is working now.*

34. *Find in the text the answers to the questions.*

1. Где выступает Людмила Зыкина? 2. О чём рассказывает в своих песнях Людмила Зыкина? 3. Где прошло детство Людмилы Зыкиной? 4. Что делала Людмила во время войны? 5. Где выступала Людмила во время войны?

35. *Find in the text the sentences which reveal the basic facts or key points of the article.*

36. *Divide the text into a number of subsections and give a title for each.*

37. *Answer the questions.*

1. Кто такая Людмила Зыкина? 2. В чём секрет её популярности? 3. Как Людмила Зыкина училась петь? 4. Как работает Людмила Зыкина?

38. *Tell Lyudmila Zykina's biography.*

39. *Answer the questions.*

1. В ва́шей стране́ популя́рна наро́дная му́зыка? 2. У ва́с е́сть певцы́ наро́дных пе́сен? Назо́вите и́х имена́. 3. Каки́е наро́дные анса́мбли е́сть в ва́шей стране́? 4. Каки́е э́то анса́мбли, хоровы́е и́ли танцева́льные? Где́ они́ выступа́ют?

40. *Discussion Topics. Where do you think the secret of the popularity of folk music lies?*

41. *Oral Practice.*

(1) You are taking an interview from Lyudmila Zykina. Ask her questions.
(2) You are taking an interview from a famous ballerina. Ask her questions.

42. *Tell the biography of an actor you know.*

43. *Compose dialogues based on the following situations.*

You have been at a concert of folk music, at a concert of opera stars, of ballet stars. Your friends are asking you about your impressions.

44. *Answer the questions, giving reasons for your answers.*

1. Вы́ лю́бите иску́сство? 2. Како́е иску́сство вы́ лю́бите? 3. Что́ вы́ лю́бите: теа́тр, кино́, о́перу, бале́т? 4. Ка́к вы́ ду́маете, о́пера и бале́т — э́то совреме́нные ви́ды иску́сства?

45. *Discussion Topics.*

1. Каки́м должно́ бы́ть совреме́нное иску́сство? 2. Нужна́ и́ли не нужна́ о́пера? 3. Каки́м до́лжен бы́ть совреме́нный бале́т?

46. *Essay Topic:* Что́ даёт челове́ку иску́сство?

47. (a) *Read the text without consulting a dictionary.*

Большо́й теа́тр

Назва́ние э́того теа́тра — Госуда́рственный академи́ческий Большо́й теа́тр СССР. О чём говоря́т э́ти слова́? В СССР 560 профессиона́льных теа́тров Почему́ то́лько оди́н из ни́х Большо́й?

Почему́ он Большо́й?

Те́, кто́ интересу́ется Больши́м теа́тром, ча́сто спра́шивают: «Это пра́вда, что в Большо́м теа́тре рабо́тает почти́ 3000 челове́к?» Да, пра́вда. 3000 челове́к — э́то и арти́сты, и хо́р, и орке́стр и т. д.

У Большо́го са́мый большо́й зри́тельный за́л?—Да́, 2000 ме́ст в за́ле теа́тра и 6000 мест в Кремлёвском Дворце́ съе́здов (Palace of Congresses). Но теа́тр—не стадио́н, чтобы горди́ться разме́рами.

В Большо́м никогда́ не быва́ет свобо́дных ме́ст. Почему́ о́н та́к популя́рен?

Ему́ уже́ 200 ле́т, но о́н не са́мый ста́рый теа́тр страны́. И Больши́м о́н на́чал называ́ться то́лько в 1825 году́, когда́ ста́л одни́м из са́мых кру́пных теа́тров в Евро́пе, вторы́м по́сле Мила́нского о́перного теа́тра.

Гла́вное—не разме́ры теа́тра, а то́, каки́м явля́ется его́ иску́сство.

Академи́ческий—этало́н (highest example) мастерства́

В Большо́м теа́тре иду́т ра́зные спекта́кли: класси́ческие («Лебеди́ное о́зеро» и «Евге́ний Оне́гин» П. И. Чайко́вского, «Карме́н» Ж. Бизе́, «Русла́н и Людми́ла» М. И. Гли́нки) и совреме́нные («Спарта́к» А. И. Хачатуря́на, «Война́ и ми́р» и «Роме́о и Джулье́тта» С. Проко́фьева и др.). Большо́й не забыва́ет ста́рые тради́ции и и́щет но́вые реше́ния.

Большо́й—э́то этало́н мастерства́ для други́х теа́тров страны́. О́н мно́го сде́лал для созда́ния сове́тских национа́льных о́перных и бале́тных шко́л. Арти́сты Большо́го теа́тра выступа́ют в больши́х и ма́леньких города́х, в ра́зных райо́нах Се́вера, Сиби́ри, Да́льнего Восто́ка. Они́ помога́ют профессиона́льным и самоде́ятельным коллекти́вам.

Мно́го арти́стов из ра́зных респу́блик страны́ учи́лись и выступа́ли в Большо́м теа́тре. Си́ла Большо́го теа́тра в его́ постоя́нной мо́лодости, в его́ конта́ктах с иску́сством все́й страны́.

Что тако́е госуда́рственный?

Ско́лько сто́ят биле́ты в Москве́? Са́мый хоро́ший биле́т в Большо́й теа́тр сто́ит 3 рубля́ 50 копе́ек. На гастро́льные спекта́кли тако́го теа́тра, как «Ла Ска́ла», са́мый хоро́ший биле́т сто́ит 6 рубле́й.

Большо́й теа́тр прино́сит дохо́д (makes a profit) госуда́рству?
Не́т, не прино́сит.

Ка́ждый го́д теа́тр получа́ет от госуда́рства 1 миллио́н рубле́й. Таку́ю по́мощь получа́ют и други́е теа́тры страны́. Госуда́рство помога́ло теа́тру и во вре́мя войны́. Госуда́рство создаёт теа́тру все́ усло́вия для рабо́ты. В теа́тре мно́го арти́стов, поэ́тому, когда́ ча́сть из ни́х уезжа́ет на гастро́ли, друга́я ча́сть выступа́ет в Москве́. Теа́тр мо́жет рабо́тать все́ вре́мя.

Большо́й теа́тр—э́то сла́ва ру́сского иску́сства, э́то его́ исто́рия и совреме́нность. Большо́й теа́тр да́рит лю́дям пра́здник, пра́здник ка́ждый ве́чер.

(b) *Translate without using a dictionary:* гастро́ли, академи́ческий, мастерство́, класси́ческий, конта́кт, по́мощь. *Check your translation with a dictionary.*

(c) *Guess the meaning of the underlined words on the basis of context.*

1. Юрий Вла́сов выступа́л на Олимпи́йских и́грах. Это бы́ло ва́жным собы́тием в его́ жи́зни. На э́тих и́грах о́н ста́л олимпи́йским чемпио́ном. Об э́том собы́тии и написа́ли все́ газе́ты. Сове́тские газе́ты писа́ли, что

в СССР гордя́тся но́вым олимпи́йским чемпио́ном. Осо́бенно горди́лись Ю́рием Вла́совым в шко́ле, где о́н учи́лся, где о́н на́чал занима́ться спо́ртом. 2. Балери́на должна́ танцева́ть ка́ждый де́нь. Эти постоя́нные заня́тия называ́ются кла́ссом. Без таки́х постоя́нных заня́тий балери́на теря́ет фо́рму. 3.—Скажи́те, столи́цей како́го госуда́рства явля́ется Пари́ж?—Пари́ж—столи́ца Фра́нции. Испа́ния—э́то госуда́рство, кото́рое нахо́дится на за́паде Евро́пы.

(d) *Find the word* разме́р *in the text and define its meaning on the basis of context. Check your definition with a dictionary.*

48. *Read the text* «Большо́й теа́тр» *once more. Answer the questions.*

1. Ско́лько профессиона́льных теа́тров в СССР? 2. Ско́лько челове́к рабо́тает в Большо́м теа́тре? 3. Когда́ э́тот теа́тр ста́л называ́ться Больши́м? 4. Что́ гла́вное в иску́сстве Большо́го теа́тра? 5. Каки́е спекта́кли иду́т в Большо́м теа́тре?

49. *Give a brief summary of the article on the Bolshoi Theater.*

Supplementary Materials

1. *Read without consulting a dictionary and answer the questions.*

1. Кто́ написа́л слова́ и му́зыку пе́сни «Течёт Во́лга»? 2. Где́ поэ́т и компози́тор написа́ли э́ту пе́сню? 3. Почему́ поэ́т Оша́нин говори́т, что э́то была́ «мужска́я» пе́сня? 4. Почему́ лю́дям нра́вится слу́шать «мужску́ю» пе́сню «Течёт Во́лга», когда́ её поёт Людми́ла Зы́кина?

О пе́сне «Течёт Во́лга»

Течёт Во́лга
The Volga is flowing

Поэ́т Ле́в Ива́нович Оша́нин расска́зывает: «Я роди́лся на Во́лге. Уже́ написа́л мно́го пе́сен, но ещё не написа́л пе́сню о Во́лге. Я боя́лся писа́ть, потому́ что о Во́лге е́сть мно́го прекра́сных наро́дных пе́сен.

И во́т одна́жды позвони́л мне́ по телефо́ну компози́тор Ма́рк Фра́дкин и сказа́л, что для кинофи́льма о Во́лге про́сят написа́ть пе́сню. Я согласи́лся и на́чал рабо́тать.

Мы́ прие́хали с Фра́дкиным в Волгогра́д и та́м на теплохо́де написа́ли пе́сню «Течёт Во́лга».

теплохо́д
motor ship

Пе́сня была́ мужска́я. Её пе́ли уже́ мно́гие арти́сты. Пе́сня бы́стро ста́ла популя́рной.

Одна́жды гру́ппа писа́телей пое́хала в Узбекиста́н на пра́здник ру́сской литерату́ры и иску́сства. Когда́ они́ верну́лись, они́ рассказа́ли, что та́м на одно́м из вечеро́в пе́сню «Течёт Во́лга» спе́ла Людми́ла Зы́кина.

— Да не́т!—сказа́л я.—Вы́ оши́блись! Это же мужска́я пе́сня.

— Да́, мужска́я. Она́ её та́к и спе́ла.

Пото́м я услы́шал, ка́к поёт Зы́кина. Тру́дно объясни́ть, что я почу́вствовал. Она́ пе́ла э́ту пе́сню та́к, как бу́дто поёт её Во́лга: така́я в пе́сне её была́ глубина́ и пра́вда... Певи́ца расска́зывала на́м о на́шей жи́зни, о любви́, о Во́лге, о Росси́и...

как бу́дто as though
глубина́ depth

VOCABULARY

* академи́ческий academic
* актуа́льный topical
  афи́ша poster
* балала́йка balalaika
* балери́на ballerina, dancer
  боя́ться *imp.* fear
  вече́рний evening
  впечатле́ние impression
  выступле́ние appearance; speech
* гастро́ли tour
  геройня heroine
  геро́й hero
  го́лос voice
* горди́ться be proud (of)
  го́спиталь (military) hospital
  госуда́рство state
  гру́стно (it is) sad
  действи́тельно really, indeed
  депута́т deputy
  де́тство childhood
  дневно́й day(time), afternoon
  до́брый kind, good
  дово́льный pleased, satisfied
* зазвуча́ть start sounding, be heard
  заче́м why
  звуча́ть sound
  зи́мний winter
  идти́ *imp.*: фи́льм идёт a film is on / showing
  име́ть успе́х be a success
  интере́с interest
  испа́нец Spaniard
  италья́нец Italian
* класси́ческий classical
  ко́нкурс competition
* конта́кт contact
* лауреа́т prize-winner
  легко́ easily; (it is) simple, (it is) easy
  ле́тний summer

* лице́й lycée
  лу́чше better
* мастерство́ skill
* матрёшка matryoshka (nest of wooden dolls)
  не́которое вре́мя (for) some time
  нигде́ nowhere
  никогда́ never
  никто́ no one
  ничто́ nothing
  обеща́ть / пообеща́ть promise
  образова́ние education
  остава́ться / оста́ться remain, stay
  певе́ц singer
  певи́ца singer
  победи́тель victor, winner
  подбега́ть / подбежа́ть run up to
  подводи́ть / подвести́ bring (up to) (on foot)
  подвози́ть / подвезти́ bring (up to) (by conveyance)
  по-друго́му otherwise, in a different way
  подходи́ть / подойти́ approach (on foot)
  подъезжа́ть / подъе́хать approach (by conveyance)
* по́мощь help, assistance
  по-но́вому in a new way
  популя́рность popularity
  по-ра́зному differently, in a different way
  послу́шать *p.* listen to
  постоя́нный permanent, regular
  похо́жий на similar to
* прави́тельство government, administration

* пре́мия prize
* проводи́ть ко́нкурс hold a competition
  пробле́ма problem
  прогре́сс progress
  продолжа́ть continue
  производи́ть / произвести́ (впечатле́ние) produce (an impression)
  проси́ть / попроси́ть ask, request
  проходи́ть / пройти́ pass
  пусть let
* разме́р size
* репети́ция rehearsal
  рису́нок drawing
  ря́д row, line, series
* самоде́ятельность amateur talent activities
  сезо́н season
  секре́т secret
  сме́лый brave
* собы́тие event
  сове́товать / посове́товать advise
  согла́сен agreed
  сосе́д neighbor
* спра́вочное бюро́ inquiries office, information bureau
* стари́нный old
  тала́нт talent
  умира́ть / умере́ть die
  у́мный intelligent
  у́тренний morning
  уча́стник participant
* фро́нт front
* худо́жественный artistic
* цех workshop
  ча́сть part
  что́бы (in order) that
  экзамена́тор examiner

Unit 15

Presentation and Preparatory Exercises

I | Кра́сная пло́щадь **бо́льше** пло́щади Маяко́вского.
·Кра́сная пло́щадь **бо́льше, чем** пло́щадь Маяко́вского.
Пе́рвая зада́ча была́ **бо́лее тру́дная, чем** втора́я.

1. *Listen and repeat; then read and analyze. (See Analysis XV, 1.0-1.4.)*

— Ви́ктор, я слы́шал, что твой брат купи́л маши́ну. Каку́ю? «Во́лгу» и́ли «Москви́ч»?
— «Во́лгу».
— А почему́ он реши́л купи́ть «Во́лгу»?
— «Во́лга» **бо́льше** «Москвича́».
— Это та́к, но она́ и **доро́же, чем** «Москви́ч». А я хочу́ купи́ть «Жигули́». По-мо́ему, э́то **бо́лее совреме́нная** маши́на.
— А мне́ нра́вится «Запоро́жец». Это недорога́я, но хоро́шая маши́на.

2. (a) *Listen and repeat.*

1. интере́сный—интере́снее, весёлый—веселе́е, бы́стрый—быстре́е, до́брый—добре́е, счастли́вый—счастли́вее [щисл’и́в’иjь], гру́стный—грустне́е [грус’н’е́jъ[, сме́лый—смеле́е, у́мный—умне́е;
2. большо́й—бо́льше, бога́тый—бога́че, хоро́ший—лу́чше [лу́тшъ], плохо́й—ху́же, высо́кий—вы́ше, молодо́й—моло́же, дорого́й—доро́же, ста́рый—ста́рше, просто́й—про́ще, лёгкий—ле́гче [л’е́хчъ], ма́ленький—ме́ньше.

(b) *Listen and reply.*

Model: — Како́й расска́з интере́снее: э́тот и́ли то́т?
— Э́тот интере́снее.

1. Кто́ ста́рше: вы́ и́ли ва́ш бра́т? 2. Како́й го́род бо́льше: Нью-Йо́рк и́ли Чика́го? 3. Каки́е го́ры вы́ше: Пами́р и́ли А́льпы? 4. Кака́я пласти́нка доро́же: э́та и́ли та́? 5. Кто́ моло́же: Джо́н и́ли Ма́йкл?

3. *Complete the sentences, as in the model.*

Model: Ва́ш тре́нер молодо́й челове́к, а на́ш ещё моло́же.

1. О́зеро Иссы́к-Ку́ль большо́е, а о́зеро Байка́л . . . . 2. На Украи́не хоро́ший кли́мат, а в Крыму́ кли́мат . . . . 3. В ма́е была́ плоха́я пого́да, а в апре́ле пого́да была́ ещё . . . . 4. «Спарта́к» — хоро́шая кома́нда, но кома́нда «Дина́мо» . . . . 5. Я согла́сен, что э́то бы́л весёлый пра́здник, но ра́ньше пра́здники здесь бы́ли ещё . . . . 6. Вы́ пра́вы, э́то о́чень краси́вый та́нец. А испа́нские та́нцы ещё . . . .

4. *Answer the questions.*

Кто́ ста́рше?
Кто́ вы́ше?
Кто́ сильне́е?

А́ня и Бори́с, Йра и Кири́лл, Андре́й и Ви́ктор.

5. *Compare the following objects, using the adjectives given in brackets.*

(a) Портре́т бо́льше фотогра́фии.

(b) Портре́т бо́льше, чем фотогра́фия.

копе́йка — ру́бль (ма́ленький), совреме́нные зда́ния — стари́нные зда́ния (краси́вый), зима́ — о́сень (тёплый), кли́мат Сиби́ри — кли́мат Кавка́за (тёплый), профе́ссия строи́теля — профе́ссия шофёра (интере́сный), вода́ — де́рево (лёгкий).

6. *Complete the sentences. (See Analysis, XV, 1.31.)*

Model: Сего́дня я́ сда́л экза́мены. И не́т челове́ка счастли́вее меня́.

1. Сего́дня я́ получи́л письмо́ от Ле́ны. 2. Сего́дня я́ ко́нчил свою́ курсову́ю рабо́ту. 3. Юрий ста́л чемпио́ном страны́. 4. А́ня бу́дет уча́ство-

вать в междунаро́дных соревнова́ниях. 5. Вади́м бу́дет уча́ствовать в ко́н-
курсе молоды́х певцо́в. 6. В январе́ Ната́ша и Пётр пое́дут в Москву́.

7. *Complete the sentences.*

1. Я ду́маю, что нет го́рода краси́вее ... . 2. Нет страны́ теплее,
чем ... . 3. Нет страны́ холодне́е, чем ... . 4. Нет нау́ки интере́снее,
чем ... . 5. Нет челове́ка лу́чше, чем ... . 6. Нет ме́ста краси́вее ... . 7. Нет
горы́ вы́ше ... .

II
> Памир — **са́мые высо́кие** го́ры в СССР.
> Сиби́рь — **богате́йший** райо́н страны́.

8. *Read and analyze. (See Analysis XV, 1.0-1.4.)*

Са́мое большо́е о́зеро в ми́ре — э́то Каспи́йское о́зеро, его́ ча́сто назы-
ва́ют Каспи́йским мо́рем. **Са́мое глубо́кое** о́зеро в ми́ре — о́зеро Байка́л
(1620 м). Оно́ нахо́дится в Восто́чной Сиби́ри. **Са́мый восто́чный** райо́н
в СССР — о́стров Ратма́нова (от Москвы́ 8.480 км, от Аля́ски 4 км 160 м).

9. (a) *Read and translate.*

Са́мый большо́й го́род в СССР — Москва́. Пло́щадь Москвы́ бо́льше
пло́щади Пари́жа. В Москве́ живёт 8 миллио́нов челове́к. Са́мый «дли́нный»
го́род в Сове́тском Сою́зе — Волгогра́д. Он нахо́дится на пра́вом берегу́
Во́лги. Его́ «длина́» — 70 км.
Са́мый дре́вний го́род на террито́рии СССР — э́то столи́ца Арме́нии —
Ервеа́н. На ме́сте Ерева́на был го́род уже́ в 782 году́ до на́шей э́ры.
Са́мая ни́зкая температу́ра на Земле́ — ми́нус 88° (по Це́льсию) —
в Антаркти́де, недалеко́ от поля́рной ста́нции «Восто́к».
Са́мое холо́дное ме́сто в се́верной ча́сти земно́го ша́ра нахо́дится в Си-
би́ри. Э́то Оймяко́н. Са́мая ни́зкая температу́ра в э́том ме́сте была́ — 70°
(по Це́льсию), поэ́тому Оймяко́н называ́ют по́люсом хо́лода.

(b) *Listen and repeat.*

о́зеро, са́мое большо́е о́зеро, са́мое глубо́кое о́зеро, са́мое глубо́кое
о́зеро в ми́ре.

(c) *Answer the questions.*

1. Како́й го́род са́мый большо́й в СССР? 2. Како́й го́род са́мый дре́в-
ний в СССР? 3. Где нахо́дится са́мое холо́дное ме́сто в СССР?

10. *Change each sentence, as in the model.*

Model: Футбо́л — популя́рный вид спо́рта.
Футбо́л — са́мый популя́рный вид спо́рта в на́шей стране́.

1. Ива́н Серге́евич—молодо́й профе́ссор. 2. Васи́лий Алексе́ев—си́льный спортсме́н. 3. Зда́ние гости́ницы о́чень краси́вое. 4. Байка́л—знамени́тое о́зеро. 5. Па́рк на берегу́ реки́—краси́вое ме́сто.

Model: Журна́л «Пионе́р»—интере́сный журна́л.
Журна́л «Пионе́р»—са́мый интере́сный журна́л для шко́льников.

1. Ле́то—хоро́шее вре́мя го́да. 2. Изуче́ние приро́ды—ва́жная зада́ча. 3. Журна́лы с иллюстра́циями—интере́сные журна́лы. 4. О́тдых на берегу́ мо́ря—хоро́ший о́тдых. 5. Изуче́ние иностра́нного языка́—тру́дное де́ло.

11. *Complete the sentences, using information from exercises 8 and 9.*

Model: Каспи́йское о́зеро явля́ется са́мым больши́м о́зером в ми́ре.

1. О́зеро Байка́л явля́ется... 2. О́стров Ратма́нова явля́ется... 3. Москва́ явля́ется... 4. Ерева́н явля́ется... 5. Оймяко́н явля́ется... 6. Антаркти́да явля́ется...

12. (a) *Read and retell.*

Са́мый знамени́тый

Журнали́ст спроси́л одного́ знамени́того арти́ста:
— Ка́к вы́ ду́маете, кто́ из совреме́нных арти́стов явля́ется са́мым знамени́тым в ми́ре?
— На́с не́сколько,—скро́мно отве́тил то́т.

(b) *Make up questions and answers.*

Ask your friends whom they consider to be the world's greatest writer, poet, actor, actress, artist, composer, sportsman, architect, scientist.

13. *Translate.*

"Valya, why do you prefer to vacation in the Caucasus?"
"The climate in the Caucasus is warmer than in the Ukraine. I love the sea; I enjoy swimming and hiking in the mountains. The Caucasus Mountains are the highest in the country."
"You are wrong, Valya. I don't agree with you. The highest mountains in the USSR are the Pamirs. Their height is over 7000 m."
"You are right, Andrei, but only mountain-climbers go to the Pamirs, while I am just a tourist. Of course, I would like to become a mountain-climber. Their trails are more difficult, than tourist trails. Perhaps in several years I will also go to the Pamirs. But now there is no better place for me than the Caucasus."

<table>
<tr><td rowspan="3">III</td><td>Лю́да поёт лу́чше А́ни.</td></tr>
<tr><td>Лю́да поёт лу́чше, чем А́ня.</td></tr>
<tr><td>Анто́н бо́льше лю́бит слу́шать, чем чита́ть.</td></tr>
</table>

14. *Read and analyze. (See Analysis XV, 1.0-1.4.)*

— Ве́ра, по како́й доро́ге мы́ пойдём? По бе́регу реки́ и́ли по ле́су? О́коло реки́ доро́га лу́чше. Мо́жно идти́ **быстре́е**.

— По ле́су идти́ **прия́тнее**. Я **бо́льше** люблю́ ходи́ть по ле́су.

— А мо́жет бы́ть, мы́ пое́дем на авто́бусе? Та́к мы́ прие́дем **ра́ньше** все́х.

— Ах, Ната́ша, ты́ всё хо́чешь де́лать **быстре́е**, чем други́е. Заче́м? Куда́ ты́ всегда́ спеши́шь?

15. *Complete each sentence, as in the model, using the words on the right.*

Model: Я бе́гаю на лы́жах быстре́е Вади́ма.
Я бе́гаю на лы́жах быстре́е, чем Вади́м.

1. Студе́нты пе́рвого ку́рса выступа́ли лу́чше...	студе́нты ста́рших ку́рсов
2. Совреме́нные пе́сни популя́рнее...	стари́нные пе́сни
3. Красота́ в приро́де удивля́ет на́с бо́льше...	красота́ в иску́сстве

Model: У моего́ това́рища кни́г бо́льше, чем у меня́.

1. У мое́й сестры́ го́лос сильне́е...	я, ты́, о́н, она́, мы́,
2. У нас зима́ холодне́е...	вы́, они́
3. У на́с семина́ры прохо́дят интере́снее...	

Model: Зде́сь приро́да краси́вее, чем на Кавка́зе.
В дере́вне жи́ть лу́чше, чем в го́роде.

1. Зде́сь отдыха́ть лу́чше...	мо́ре
2. Вода́ в э́том о́зере чи́ще...	други́е озёра
3. В ию́ле пого́да была́ тепле́е...	а́вгуст
4. Кли́мат на Кавка́зе тепле́е...	Ура́л
5. Леса́ в на́шем райо́не краси́вее...	други́е райо́ны
6. Го́ры в А́зии вы́ше...	Евро́па

16. *Study the following Russian proverbs and consider whether there are English equivalents.*

1. В гостя́х хорошо́, а до́ма лу́чше.
2. Ста́рый дру́г лу́чше но́вых дву́х.
3. Лу́чше оди́н ра́з уви́деть, чем сто́ ра́з услы́шать.
4. Лу́чше по́здно, чем никогда́.

> Ýтром вáм **ктó-то** звони́л по телефóну.
> Расскажи́те **чтó-нибудь** о вáшем инститýте.
> Дáйте мнé **какýю-нибудь** тетрáдь.
> Волóди нéт дóма. Óн **кудá-то** ушёл.

17. *Read and analyze. (See Analysis XV, 2.0; 2.1; 2.2.)*

Зáвтра воскресéнье

Натáша пришлá, когдá всё ужé бы́ли дóма: мáма говори́ла с **кéм-то** по телефóну, сестрá читáла **какýю-то** кни́гу, а отéц **о чём-то** разговáривал с брáтом.

Натáша вспóмнила, что зáвтра воскресéнье. Онá посмотрéла на мáть и подýмала: мáме нáдо отдохнýть, нáдо **чтó-нибудь** сдéлать для мáмы.

— Мáма, пáпа, давáйте зáвтра поéдем **кудá-нибудь** всё вмéсте!

— Óчень хорошó, но кудá?

— В теáтр, — сказáла Óля, сестрá Натáши.

— Прекрáсно, — сказáла мáма.

— Нéт, давáйте поéдем **кудá-нибудь** в лéс, — сказáл отéц.

— Мóжно и в лéс, — сказáла мáма.

— Зáвтра бýдет такóй интерéсный мáтч! Давáйте поéдем на стадиóн, — сказáл брáт.

Мáма улыбнýлась. Онá былá готóва éхать и на стадиóн.

18. (a) *Listen and repeat.*

Ктó-то, чтó-то, какóй-то, чтó-нибудь, ктó-нибудь, гдé-нибудь. — Ктó вáм э́то сказáл? — Ктó-то сказáл. Я́ не пóмню ктó. — Чтó óн говори́т? — Óн чтó-то говори́т, но я́ не слы́шу что. — Чтó óн дéлает? — Óн с кéм-то говори́т по телефóну. — Поéдем кудá-нибудь лéтом? — Поéдем. Вы́ гдé-нибудь бы́ли лé-том? — Нéт, нигдé нé был. — Вы́ чтó-нибудь слы́шали о нóвом фи́льме? — Нéт, ничегó не слы́шал.

(b) *Listen and reply.*

Model: — О чём тебé рассказáть?
        — О чём-нибýдь.

1. Чтó тебé дáть почитáть? 2. Какýю кни́гу вáм дáть? 3. Кудá пойдём гулять? 4. Чтó вáм рассказáть?

19. *Complete the sentences, using the words* гдé-то, кудá-то, откýда-то, ктó-то, чтó-то, когó-то, комý-то, о чём-то.

1. — Вáля дóма? — Нéт, онá ... ушлá. 2. — Эту афи́шу вы́ написáли? — Нéт, ... её принёс. 3. — Андрéй пришёл? — Нéт, óн ... занимáется. 4. — Áня отдыхáет? — Нéт, онá пи́шет ... письмó. 5. — Сосéд ужé ушёл? — Нéт, óн разговáривает с Юрой. 6. — Чтó здéсь дéлает Пётр? — Óн ждёт ... . 7. — От-кýда у вáс э́та вáза? — Не пóмню. Мóжет бы́ть, отéц привёз ... . 8. — Вéра отдыхáет? — Нéт, онá занимáется ... в лаборатóрии. 9. — Ни́на готóвится к экзáменам? — Нéт, онá прóсто ... читáет.

20. *Look at the picture and compose a number of dialogues, as in the model.*

Model: — Áня, тебé ктó-то звонúл, когдá тЫ уходúла в институ́т.
— Ктó?
— Звонúла какáя-то дéвочка.

21. *Answer each question, using the required form of the indefinite pronoun* какóй-то *and the nouns* дéвушка, жéнщина, молодóй человéк, студéнт, студéнтка.

1. Ктó вáм сказáл, что сегóдня не бýдет лéкции? 2. Ктó вáс спрáшивал о кóнкурсе студéнческих рабóт? 3. Ктó вáм обещáл принестú открЫтки и мáрки? 4. Ктó вáм сказáл, что в нáшем кинотеáтре идёт англúйский фúльм? 5. Ктó вáм сказáл, что не нáдо никогó ждáть?

22. *Compose questions and answers, as in the models, using the words given below.*

Model: — ВЫ чтó-нибудь знáете об éтом хóре?
— Нéт, я ничегó не знáю о нём.
слЫшать — кнúга, читáть — странá, знáть — поéт.

Model: — Вáм чтó-нибудь говорúли об éтой экскýрсии?
— Нéт, мнé ничегó не говорúли о нéй.

рассќáзывать — Москвá, говорúть — соревновáния по бóксу, писáть — кóнкурс музыкáнтов.

23. *Change the form of each question, as in the model, and then answer the questions you have formed.*

Model: — О чём дирéктор говорúл с вáми?
— Дирéктор о чём-нибудь говорúл с вáми?
— Нéт, дирéктор ни о чём не говорúл с нáми.

1. ВЫ слýшали лéкцию. Чтó вЫ запóмнили? 2. Ктó из нáших студéнтов выступáл на конферéнции? 3. Ктó из вáших друзéй учáствовал в кóнкурсе?

461

4. Студе́нты уе́хали на пра́ктику. Кто́ уже́ верну́лся? 5. Че́м интересу́ются ва́ши това́рищи? 6. С ке́м вы обсужда́ли ва́ши пробле́мы?

24. *Give advice, or ask a favor, as in the model, using the verbs in brackets.*

Model: За́втра у твоего́ мла́дшего бра́та де́нь рожде́ния. Купи́ ему́ что́-нибудь.

1. У на́с не́т ничего́ на у́жин. (купи́ть) 2. Вы зна́ете мно́го стихо́в. (прочита́ть) 3. Вы хорошо́ рису́ете. (нарисова́ть) 4. Мы купи́ли биле́ты в кино́, а Ва́ля не мо́жет пойти́. (пригласи́ть) 5. Мне́ ка́жется, что вы хорошо́ поёте стари́нные ру́сские пе́сни. (спе́ть)

> Анто́н **сказа́л, что** в институ́т на конфере́нцию прие́хали студе́нты из Ки́ева.
> Анто́н **хоте́л, чтобы** в институ́т на конфере́нцию прие́хали студе́нты из Ки́ева.

25. *Read and analyze. (See Analysis XV, 3.0; 4.2.)*

— Вы слы́шали, что сего́дня к на́м на ве́чер прие́дут молоды́е поэ́ты?
— Слы́шали. Мы **проси́ли, чтобы они́ прие́хали** и **вы́ступили** у на́с.
Это Ви́ктор **посове́товал, чтобы мы́ и́х пригласи́ли.**

26. *Listen and repeat.*

Мы́ попроси́ли, чтобы оте́ц купи́л на́м биле́ты на бале́т «Лебеди́ное озеро». Мы попросили, / чтобы отец купил нам билеты / на балет «Лебеди́ное озеро».

Ма́ма сказа́ла, что Ка́тя помогла ей. Ма́ма сказала, / что Ка́тя помогла ей. Ма́ма сказа́ла, чтобы Ка́тя помогла ей. Ма́ма сказала, / чтобы Ка́тя помогла ей. Ма́ма сказала, / чтобы Ка́тя помогла ей.

27. *Complete each sentence, using the required form of the verb given on the right.*

1. Мо́й това́рищ, студе́нт-фи́зик, сове́тует, чтобы я́ . . .	поступи́ть
2. Преподава́тель хо́чет, чтобы студе́нты . . . в ма́е.	сдава́ть экза́мены
3. Студе́нты проси́ли, чтобы преподава́тель . . .	объясни́ть
4. Мы о́чень хоти́м, чтобы на ко́нкурсе . . . студе́нты на́шей гру́ппы.	вы́ступить

28. *Read and translate. Point out the cases in which the verb form expresses a reported command.*

1. Ви́ктор написа́л, что бра́т прие́хал. Ви́ктор написал, чтобы бра́т прие́хал.
2. Оте́ц сказа́л, что бра́т купи́л журна́л «Нау́ка и жи́знь». Оте́ц сказа́л, чтобы бра́т купи́л журна́л «Нау́ка и жи́знь».
3. Учи́тель сказа́л, что Ко́ля Ивано́в реши́л э́ту зада́чу. Учи́тель сказа́л, чтобы Ко́ля Ивано́в реши́л э́ту зада́чу.

29. *Supply two continuations to each of the following situations.*

1. Воло́дя уви́дел в до́ме у това́рища стари́нную кни́гу.

(a) Воло́дя спроси́л, чья́...   (b) Воло́дя попроси́л, чтобы...
Воло́дя спроси́л, кто́...
Воло́дя спроси́л, ско́лько...
Воло́дя спроси́л, когда́...

2. Ле́на не была́ на уро́ке ру́сского языка́.

(a) Ле́на спроси́ла, кто́...   (b) Ле́на попроси́ла, чтобы...
Ле́на спроси́ла, что́...
Ле́на спроси́ла, когда́...

3. Я посмотре́ла но́вый фи́льм, и он мне́ понра́вился.

(a) Сестра́ спроси́ла меня́, почему́...   (b) Сестра́ попроси́ла меня́, чтобы...
Сестра́ спроси́ла, кто́...
Сестра́ спроси́ла, когда́...

30. (a) *Read the text.*

«Я хочу́, чтобы...»

юноша youth

В «Комсомо́льской пра́вде» 22 декабря́ 1974 го́да мо́жно бы́ло прочита́ть отве́ты юношей и де́вушек на вопро́с: «Чего́ вы́ хоти́те?» Во́т не́которые из э́тих отве́тов.

Йра Ш., 17 ле́т (Москва́): «Хочу́, чтобы никогда́

не́бо sky

не́ было войны́! Чтобы в чи́стом си́нем не́бе лета́ли то́лько пти́цы».

Н. Н. (Москва́): «Я хочу́, чтобы не́ было боле́з-

одино́кий lonely

ней, и челове́к никогда́ не чу́вствовал себя́ одино́ким».

Серёжа К. (Го́рький): «Я хочу́, чтобы она́ меня́ полюби́ла!!!»

Йгорь З. (Кировогра́д): «Мно́гие напи́шут: „Я хочу́, чтобы на Земле́ бы́л ми́р“. „Я хочу́, чтобы все́ лю́ди бы́ли сча́стливы“... А я́ хочу́, чтобы лю́ди ста́ли добре́е. Тогда́ и ми́р придёт, и сча́стье, и любо́вь».

реа́льность reality
мечта́ть dream

Ната́ша С., 16 ле́т (Черни́гов): «Хочу́, чтобы ста́ло реа́льностью то́, о чём мечта́ю я́ и почти́ все́, кому́ 16 ле́т. Я хочу́, чтобы ма́ма разреши́ла мне́ взя́ть в до́м соба́ку — сенберна́ра».

Лю́да С., 16 ле́т (Сара́тов): «Хоте́ла написа́ть: „Хочу́, чтобы все́ лю́ди бы́ли сча́стливы“, но пото́м поду́мала, пойму́т ли тогда́ лю́ди своё сча́стье? Не мо́гут бы́ть счастли́выми лю́ди, кото́рые уже́ ничего́ не хотя́т. Я хочу́ ещё мно́гого. Я хочу́, чтобы лю́ди понима́ли дру́г дру́га. Я хочу́, чтобы мо́й па́па никогда́ не боле́л и всегда́ шути́л и улыба́лся. Я хочу́, чтобы кому́-нибудь понра́вились мои́ стихи́. И ещё я́ хочу́ мно́гого, мно́гого».

(b) *And what do you want?*

463

31. *Translate.*

1. We know that Sasha lived in the Urals in his childhood. 2. Father wanted his son to become an architect. 3. A girl bought a ticket for the concert and then asked me, "What will the choir be singing?" 4. When Misha said that his sister was a singer, we asked her to sing something for us. 5. The professor was not satisfied with the student's answer. He said that the answer was incorrect. 6. The professor advised the students to study more in the winter and prepare better for the exams. 7. We want Professor Kirillov to continue lecturing next year.

Conversation

I. Expression of a Counter-Proposal

— За́втра у Андре́я де́нь рожде́ния. Дава́йте напи́шем ему́ письмо́.
— Не́т, **дава́йте лу́чше** пошлём ему́ телегра́мму.

1. *Listen and repeat.*

Дава́йте пойдём в кино́. Дава́йте пойдём в кино. Дава́йте лу́чше пойдём гуля́ть.

1. — Дава́й приглаdiм госте́й. — Не́т, дава́й лу́чше пойдём в го́сти. 2. — Дава́й ку́пим моро́женое. — Не́т, лу́чше дава́й ку́пим торт. 3. — Дава́й почита́ем! — Не́т, дава́й лу́чше смотре́ть телеви́зор. 4. — Дава́й полети́м в Ленингра́д на самолёте! — Не́т, дава́й лу́чше пое́дем на маши́не!

2. *Supply a counter-proposal for each of the following sentences.*

(a) Students are discussing how they should spend the week-end.
1. Дава́йте пое́дем в ле́с. 2. Дава́йте пойдём на стадио́н. 3. Дава́йте пое́дем в Су́здаль. 4. Дава́йте пойдём в го́сти к Ве́ре. У неё де́нь рожде́ния.

(b) Friends are talking in a restaurant.
1. Дава́йте не бу́дем бра́ть су́п. 2. Дава́йте возьмём ры́бу на второ́е. 3. Дава́йте возьмём кра́сное вино́. 4. Дава́йте попро́сим на десе́рт моро́женое.

(c) Friends are discussing what present they should give to a girl.
1. Дава́йте ку́пим ей цветы́. 2. Дава́йте ку́пим ей кни́гу на францу́зском языке́. 3. Дава́йте ку́пим ей лы́жи.

3. *Explain the best way to undertake the following.*

1. Your exams are drawing near. What subject will you prepare first? What subject will you prepare then? Where do you prefer to study?

2. You want to organize a get-together with a writer, scientist, actor, architect, cosmonaut or a doctor. How will you go about it?

3. Summer is drawing near. You want to vacation with your friends. Where will you go? How will you get there? When will you be leaving?

II. Examples of Conveying Requests

(a) — Ве́ра, переда́й, пожа́луйста, э́ту кни́гу А́не. — Пожа́луйста.	Request to do a favor.
(b) — А́ня, Никола́й проси́л переда́ть тебе́ э́ту кни́гу. — Большо́е спаси́бо.	Handing the object in compliance with somebody's request.
(c) — Та́ня проси́ла переда́ть, что она́ за́втра уезжа́ет на пра́ктику.	Passing on information.
(d) — Ники́та проси́л ва́с позвони́ть ему́ по телефо́ну. (ог Ники́та проси́л, чтобы вы́ позвони́ли ему́.) — Спаси́бо, позвоню́. — Ники́та проси́л ва́с не звони́ть ему́. (*Note: imperfective*) — Хорошо́, не бу́ду.	Giving somebody's message.

4. *Listen and repeat.*

Переда́йте, пожа́луйста, биле́ты Ве́ре. Переда́й, пожа́луйста, э́ту кни́гу Бори́су. Ната́ша проси́ла переда́ть ва́м кни́гу. Ната́ша проси́ла / переда́ть ва́м кни́гу. Переда́йте, пожа́луйста, / Нине, что ле́кции не бу́дет. Переда́йте, пожа́луйста, Нине, / что ле́кции не бу́дет. Ната́ша проси́ла переда́ть, что ле́кции не бу́дет. Ната́ша проси́ла переда́ть, / что ле́кции не бу́дет.

— Анто́н, / переда́й, пожа́луйста, э́тот журна́л Ма́ше.

— Маша, / Серге́й проси́л переда́ть тебе́ э́тот журнал.

— Спаси́бо. Переда́й Серге́ю, / чтобы о́н позвони́л мне́.

— Серге́й, / Ма́ша проси́ла тебя́ позвони́ть ей.

5. (a) *Read the dialogues and dramatize them.*

В столо́вой

— Серёжа, а где́ мо́жно взя́ть ло́жки, ви́лки, ножи́?

— Я сейча́с принесу́. Во́т они́. Джейн, тебе́ нужна́ ло́жка?

— Не́т, у меня́ е́сть ло́жка.

— А тебе, Катя?
— Мне нужна.
— Джейн, передай, пожалуйста, ложку Кате.
— С удовольствием. Катя, возьми ложку.
— Спасибо.
— Пожалуйста.

(b) *Ask the person sitting next to you at the table to pass you the salt, bread, fork, knife.*

В институте

— Передайте, пожалуйста, Кате, что завтра на семинаре её доклад.
— Пожалуйста, с удовольствием, передам. Это мне не трудно.
— Спасибо.

(c) *Give a message that:*

(1) the conference is to begin tomorrow;
(2) the students are to leave for practical work at an enterprise in two days;
(3) the competitions will begin on Friday.

6. *Respond to the requests.*

(a) 1. Передайте, пожалуйста, два рубля Виктору. 2. Передайте, пожалуйста, вашему профессору приглашение на вечер. 3. Передайте, пожалуйста, вашей сестре билет на концерт.

(b) 1. Передайте, пожалуйста, профессору, что я не приду на экзамен. Я заболел. 2. Передайте, пожалуйста, моему научному руководителю, что я не смогу прийти сегодня. 3. Передайте, пожалуйста, Наташе, что я буду ждать её сегодня в шесть часов вечера около станции метро.

(c) 1. Попросите, пожалуйста, Наташу позвонить мне по телефону. 2. Попросите, пожалуйста, Сергея оставить для меня книгу. 3. Попросите Антона узнать, когда будут соревнования.

7. *What will you say in each of the following situations?*

(a) 1. You hand a professor your friend's work.
2. You give a girl flowers from your friend.

(b) 3. At the professor's request, tell your fellow-students that the conference will start not at nine but at ten.
4. At the coach's request, tell the athletes that the competitions will be held in September.
5. At his teacher's request, Oleg tells his parents that they should go to the school on Monday.
6. At Natasha's request, tell the professor that she won't be in class today.

(c) 7. Tell the patient that: (1) the doctor wants him to come on Wednesday; (2) the doctor doesn't want him to come on Wednesday.

466

8. *Oral Practice.*

Tell your friend his girl friend's request: (1) She wants him to get books for her at the library; (2) She doesn't want him to get books for her at the library; (3) She is late and asks him to wait twenty minutes for her; (4) She asks him not to wait.

III. Telephone Conversation

говори́ть по телефо́ну	to speak on the telephone
Попроси́те, пожа́луйста, Серге́я.	May I please speak to Sergei?
Что́-нибудь переда́ть?	May I take a message?
Переда́йте, что звони́л Никола́й.	Please say that Nikolai called.
Переда́йте приве́т ва́шей жене́.	Give my regards to your wife.

9. (a) *Read the conversation.*

Телефо́нный разгово́р

— Попроси́те, пожа́луйста, Ната́шу.
— Я вас слу́шаю.
— Ната́ша, здра́вствуй. Это Оле́г.
— Здра́вствуй, Оле́г.
— Ната́ша, Серге́й проси́л переда́ть, что о́н купи́л биле́ты в теа́тр. Нача́ло спекта́кля в се́мь три́дцать. Он бу́дет жда́ть тебя́ о́коло теа́тра в се́мь часо́в пятна́дцать мину́т.
— Спаси́бо, Оле́г. А почему́ звони́шь ты́, а не Серге́й?
— У него́ сейча́с семина́р. До свида́ния, Ната́ша. Переда́й приве́т свои́м роди́телям.
— Спаси́бо, переда́м. До свида́ния, Оле́г.

(b) *Listen and repeat.*

Попроси́те, пожа́луйста, Ма́шу. Попроси́те, пожа́луйста, Ма́шу. Переда́йте, что звони́ла Ната́ша. Переда́йте, /что звони́ла Ната́ша. Переда́йте приве́т ва́шему му́жу. Переда́йте привет / свои́м роди́телям.

(c) *Answer the questions.*

Кому́ звони́л Оле́г? Что́ о́н сказа́л, когда́ ему́ отве́тили по телефо́ну? О чём проси́л Серге́й Оле́га? Где́ бу́дет жда́ть Серге́й Ната́шу? Почему́ Серге́й не мо́г позвони́ть? Кому́ Оле́г переда́л приве́т?

(d) *Dramatize the dialogue.*

10. *Compose dialogues based on the following situations.*

(1) You are phoning a professor. Your friend asked you to let him know that he hadn't finished his paper and therefore wouldn't come to the seminar.

(2) You are phoning your girl friend's parents. She asked you to tell them that she had gone to the movies and wouldn't be home for dinner.
(3) You are phoning your brother's teacher. Your brother asked you to tell him that he was sick and wouldn't come to school today.

11. (a) *Read the dialogue and retell it.*

— Извините, пожалуйста, могу я поговорить с Виктором Петровичем Максимовым?
— Его сегодня нет. Он болен. Что-нибудь передать ему?
— Передайте, что звонил инженер Комов. Я хотел поговорить с ним о строительстве дома № 5.
— Позвоните через неделю.
— Спасибо.
— Пожалуйста.

(b) *Compose similar dialogues based on the following situations.*
(1) You want to speak with the director of the museum about what there is to be seen at the exhibition which recently opened at the museum.
(2) You want to talk to your professor about the course of practical work in the summer.
(3) You want to talk to the surgeon about the operation.

12. *Oral Practice.*

Compose telephone conversations on topics of your choice. Revise lessons 2 and 6.

IV. Using Public Transportation

Передайте, пожалуйста, билет.	Please hand me a ticket.
взять билет	to get a ticket
Вы не выходите?	Are you getting off?
Разрешите пройти.	Please let me get by.

13. (a) *Listen to the dialogue and then read it.*

Мы едем на автобусе

Katya and Jane are going to the theater by bus.
— Катя, вот двадцать копеек, возьми, пожалуйста, билеты.
— Ты даёшь слишком много. Билет в автобусе стоит пять копеек. У тебя есть пять копеек?
— Нет, у меня только двадцать копеек.
— Здесь автомат, поэтому нужно только пять копеек. Кажется, у меня есть. (turning to another passenger) Передайте, пожалуйста, два билета.
— Пожалуйста.
— Спасибо.

(b) *Listen and repeat.*

Переда́йте. Переда́йте, пожа́луйста, биле́т. Переда́йте, пожа́луйста, биле́т.

Возьми́те биле́т. Возьми́те биле́т. Возьми́те, пожа́луйста, биле́т.

Вы́ выхо́дите? Вы́ не выхо́дите? Вы́ не выхо́дите на сле́дующей? Вы́ не выхо́дите на сле́дующей остано́вке?

Разреши́те. Разреши́те пройти́. Разреши́те пройти́.

(c) *Answer the questions.*

Куда́ е́дут Ка́тя и Джейн? О чём попроси́ла Джейн Ка́тю? Почему́ Ка́тя не взяла́ де́ньги у Джейн? Почему́ на́до име́ть пять копе́ек, что́бы купи́ть биле́т? Ка́тя и Джейн стоя́ли далеко́ от ка́ссы? О чём они́ попроси́ли пассажи́ра?

(d) *Dramatize the dialogue.*

(e) *Oral Practice.*

Compose conversations based on the following situations.

(1) You and your friend are in Moscow for the first time. Find out what the trolleybus, subway and streetcar fare is (4, 5 and 3 kopeeks, respectively).

(2) You have got on the bus. The ticket dispenser is far away from you. Ask someone to hand you a ticket.

14. (a) *Listen to the dialogue and then read it.*

В авто́бусе

— Извини́те, вы́ не выхо́дите на сле́дующей остано́вке?
— Не́т.
— Разреши́те пройти́.
— Пожа́луйста.

(b) *Dramatize the dialogue.*

(c) *Oral Practice.*

Compose conversations based on the following situations.

(1) You are on a streetcar and need to get off at "Profsoyuznaya" stop. You inquire and find out it is the next one.

(2) You are on a subway train. You ask the passenger next to you to let you know when it will be your stop, "Park Kultury". He tells you and you get ready to get out.

15. *Oral Practice.*

Compose dialogues, using various types of exchanges which typically occur when using public transportation (you may consult units 11, 12 and 13).

V. Expressing Congratulations

Поздравля́ю с пра́здником.	Happy holiday!
Разреши́те поздра́вить ва́с с ва́шим национа́льным пра́здником.	Let me congratulate you on your national holiday.
Жела́ю ва́м сча́стья.	I wish you joy.

16. *Listen and repeat. (See Analysis, Phonetics, 3.9.)*

пра́здник [пра́з'н'ик], поздравля́ть с пра́здником, поздравля́ть с днём рожде́ния, жела́ть сча́стья, жела́ть успе́хов в рабо́те.

Поздравля́ю. Поздравля́ю с пра́здником. Поздравля́ю ва́с с днём рожде́ния. Поздравля́ем ва́с с Но́вым го́дом! Поздравля́ем ва́с с ва́шим национа́льным пра́здником. Разреши́те поздра́вить ва́с с ва́шим национа́льным пра́здником.

Жела́ю сча́стья. Жела́ю ва́м успе́хов в рабо́те.

17. *Congratulate, as in the model.*

Model: — Дорога́я Ни́на! Поздравля́ю ва́с с днём рожде́ния, жела́ю ва́м сча́стья, здоро́вья, успе́хов в рабо́те.

(1) Tomorrow is a holiday. Congratulate your parents.
(2) Wish your friends a Happy New Year.
(3) Your sister has graduated from high school. Congratulate her.
(4) A son was born to your friends. Congratulate them.
(5) Congratulate your friend on his birthday.

18. *Offer official congratulations, as in the model.*

Model: Дороги́е това́рищи! Разреши́те поздра́вить ва́с с нача́лом строи́тельства и пожела́ть ва́м больши́х успе́хов.

(1) Tomorrow is Teacher's Day. Congratulate your teacher.
(2) Tomorrow is International Women's Day (March 8). Congratulate the women in your group.
(3) There are foreign students in your group. Congratulate them on their national holiday.

19. *Supply continuations and responses, as in the model.*

Model: — Ве́ра, я слы́шал, что Никола́й сде́лал хоро́ший докла́д. Поздра́вьте его́ и переда́йте приве́т.
— Спаси́бо, с удово́льствием.

1. Серге́й, я слы́шал, что вчера́ ва́ша сестра́ с больши́м успе́хом выступа́ла на конце́рте. 2. Ве́ра Петро́вна, мне́ говори́ли, что ва́ш сы́н ко́нчил университе́т. 3. Никола́й Ива́нович, ка́жется, ва́шему бра́ту в ма́е бу́дет 50 ле́т.

Reading

1. *Read and analyze. (See Analysis XV, 5.0; 5.1; 5.2.)*

Акаде́мия друзе́й приро́ды

В Красноя́рском университе́те начала́ рабо́тать Акаде́мия друзе́й приро́ды. Шко́льники, **занима́ющиеся** в э́той акаде́мии, слу́шают ле́кции, изуча́ют приро́ду своего́ райо́на, смо́трят фи́льмы об охра́не приро́ды. Преподава́тели и студе́нты университе́та руководя́т э́той рабо́той. Учёные, **чита́ющие** ле́кции в акаде́мии, рабо́тают в университе́те и в академи́ческих институ́тах. Профе́ссор Ма́рков, **прочита́вший** пе́рвую ле́кцию, рассказа́л шко́льникам о биосфе́ре. Его́ ле́кция называ́лась «Биосфе́ра и ме́сто челове́ка в ней». Шко́льники, **ко́нчившие** акаде́мию, хорошо́ изучи́ли приро́ду своего́ райо́на, узна́ли, что тако́е биосфе́ра.

2. *Read and translate. Point out the basic stem in each verbal adjective.*

1. Шко́льники, уме́ющие пла́вать, пое́хали в спорти́вный ла́герь на берегу́ мо́ря. 2. В газе́те бы́ли портре́ты учёных, разрабо́тавших но́вый ме́тод строи́тельства доро́г на се́вере. 3. Студе́нты, е́здившие ле́том в Но́вгород, написа́ли об э́том интере́сную статью́. 4. Ро́берт, купи́вший нам биле́ты в теа́тр, не смо́г прийти́ на спекта́кль. 5. Арти́ст Смирно́в, выступа́ющий сейча́с в Большо́м теа́тре, ко́нчил консервато́рию в Новосиби́рске. 6. На конце́рте выступа́ли певцы́, получи́вшие пре́мии на Междунаро́дном ко́нкурсе и́мени П. И. Чайко́вского. 7. Шко́льники, занима́ющиеся в истори́ческом кружке́, ле́том е́здили на экску́рсию в Но́вгород.

3. *Read and analyze. (See Analysis XV, 5.0-5.3.)*

Журна́л «Тайм» о Сиби́ри

Е́сли вы́ откро́ете оди́н из апре́льских номеро́в журна́ла «Тайм» (1973 г.), то вы́ найдёте та́м расска́з о Сиби́ри, **напи́санный** америка́нскими журнали́стами.

А́вторы расска́за, мно́го ра́з е́здившие в Сове́тский Сою́з, тепе́рь познако́мились с Сиби́рью. Они́ расска́зывают об **уви́денных** та́м города́х, заво́дах, лю́дях.

Они́ побыва́ли на Бра́тской ГЭС, **постро́енной** на реке́ Ангаре́, слу́шали выступле́ния поэ́тов на заво́де, познако́мились с ра́зными райо́нами Сиби́ри. Они́ пи́шут об эконо́мике Сиби́ри, о но́вых промы́шленных це́нтрах, **создава́емых** людьми́, кото́рые живу́т та́м.

Они́ пи́шут о сиби́рских города́х. Го́род Новосиби́рск журнали́сты назва́ли «Сибчика́го». Они́ говоря́т и о тру́дностях, и о лю́дях, кото́рые бо́рются с э́тими тру́дностями. Они́ говоря́т о сибиряка́х как о лю́дях си́льных и сме́лых, кото́рые лю́бят приро́ду: высо́кие го́ры, бы́стрые ре́ки, зелёные леса́ и цветы́.

В журна́ле мно́го фотогра́фий, **сде́ланных** а́вторами расска́за. Поэ́тому они́ не то́лько расска́зывают, но и пока́зывают то́, что́ уви́дели в Сиби́ри.

4. *Read and translate. Supply the basic stem or infinitive to each verbal adjective.*

1. В Зи́мнем дворце́, постро́енном в XVIII ве́ке, сейча́с нахо́дятся колле́кции Эрмита́жа. 2. В за́ле собрали́сь музыка́нты, приглашённые на ко́нкурс. 3. Мы́ ча́сто вспомина́ем дни́, проведённые в Ленингра́де. 4. В полу́ченном

вчера́ журна́ле есть интере́сная статья́ о стари́нных музыка́льных инструме́н-
тах. 5. В переводи́мой на́ми статье́ а́втор расска́зывает о совреме́нном бале́те.
6. В ваго́не метро́ мы́ нашли́ забы́тый ке́м-то портфе́ль.

5. *Read and analyze the sentences; then rewrite each, replacing the verbal adjective
constructions by attributive clauses introduced by* кото́рый.

Note: Мы́ хорошо́ ви́дим спортсме́на, бегу́щего по стадио́ну.
Мы́ хорошо́ ви́дим спортсме́на, кото́рый бежи́т по стадио́ну.
Мы́ хорошо́ ви́дели спортсме́на, бежа́вшего по стадио́ну.
Мы́ хорошо́ ви́дели спортсме́на, кото́рый бежа́л по стадио́ну.

1. В ваго́не мно́го люде́й, е́дущих в Го́рький. В ваго́не бы́ло мно́го
люде́й, е́хавших в Го́рький. 2. Лю́ди, сидя́щие в за́ле, слу́шают выступле́ния
поэ́тов с больши́м интере́сом. Лю́ди, сиде́вшие в за́ле, слу́шали выступле́ния
поэ́тов с больши́м интере́сом. 3. Учёные, изуча́ющие приро́ду Да́льнего Во-
сто́ка, ча́сто е́здят в экспеди́ции. Профе́ссор Смирно́в, мно́го ле́т изуча́вший
приро́ду Да́льнего Восто́ка, написа́л интере́сную кни́гу.

Note: Певцы́, приглаша́емые на ко́нкурс, получа́ют програ́мму выступле́ний.
Певцы́, кото́рых приглаша́ют на ко́нкурс, получа́ют програ́мму выступ-
ле́ний.
Певцы́, приглашённые на ко́нкурс, прие́хали в Москву́ пя́того сен-
тября́.
Певцы́, кото́рых пригласи́ли на ко́нкурс, прие́хали в Москву́ пя́того
сентября́.

1. Сего́дня в газе́те пи́шут о прое́кте но́вого го́рода, создава́емого моло-
ды́ми архите́кторами. 2. Прое́кт го́рода, со́зданный молоды́ми архите́ктора-
ми, получи́л Госуда́рственную пре́мию. 3. Студе́нты уча́ствуют в конфере́н-
циях, организу́емых в институ́те. 4. Он конча́ет рабо́ту, на́чатую в про́шлом
году́.

6. *Read the text; then rewrite it, replacing all verbal adjective constructions by
attributive clauses introduced by* кото́рый.

«Мосты́» Академгородка́

Новосиби́рский университе́т прово́дит экспериме́нт. Студе́нты, ко́нчившие
математи́ческий и физи́ческий факульте́ты, молоды́е учёные е́дут на рабо́ту
в ра́зные нау́чные це́нтры, институ́ты и университе́ты Сиби́ри и Да́льнего
Восто́ка. Они́ организу́ют ка́федры, реша́ющие но́вые нау́чные пробле́мы.
Но́вым ка́федрам, со́зданным в институ́тах и университе́тах, помога́ют учёные
из Академгородка́, у кото́рых ра́ньше учи́лись молоды́е специали́сты, рабо́-
тавшие в лаборато́риях Новосиби́рского нау́чного це́нтра два́-три́ го́да. Мо-
лоды́е учёные, воспи́танные Новосиби́рским университе́том, рабо́тают на но́вых
места́х с больши́м успе́хом.

7. (a) *Read and analyze.*

Note: 1. **От Москвы́ до Ленингра́да** — 650 киломе́тров.
2. По́езд шёл **че́рез ле́с.**

Звёздный городо́к

Звёздный городо́к нахо́дится недалеко́ от Москвы́. **От Москвы́ до Звёздного городка́** со́рок киломе́тров. Он стои́т в лесу́, и доро́га в Звёздный идёт **че́рез ле́с.** Она́ идёт **от ста́нции до Звёздного городка́.** В Звёздном живу́т и рабо́тают космона́вты. Жи́знь в Звёздном идёт, как везде́. У́тром взро́слые иду́т на рабо́ту, де́ти иду́т в шко́лу. **От до́ма до рабо́ты** лю́ди иду́т пятьдеся́т мину́т: зде́сь всё ря́дом.

В Звёздном большо́й и краси́вый До́м культу́ры. Ка́ждый ве́чер та́м звучи́т му́зыка. Не забыва́ют зде́сь и о де́тях. Почти́ все́ ребя́та уме́ют пла́вать, для ни́х откры́ли бассе́йн. В Звёздном е́сть музе́й космона́втов. Мно́го люде́й посеща́ет э́тот музе́й. Та́м е́сть кабине́т Ю́рия Алексе́евича Гага́рина. Туда́ прихо́дят космона́вты пе́ред полётом в ко́смос. Америка́нский астрона́вт Джо́зеф Кэ́рвин написа́л: «Все́ мы́ побыва́ли в ко́смосе **че́рез ту́ две́рь,** кото́рую откры́л Гага́рин».

(b) *Answer the questions.*

1. Где́ нахо́дится Звёздный? 2. Ско́лько киломе́тров от него́ до Москвы́? 3. Кто́ живёт и рабо́тает в Звёздном?

8. (a) *Read and analyze. (See Analysis XV, 6.0.)*

Из расска́зов об Антаркти́де

Когда́ я собира́лся в Антаркти́ду, меня́ ча́сто спра́шивали, что́ изуча́ют в Антаркти́де. Я ду́маю, не́т нау́ки, кото́рая **не изуча́ла бы** зде́сь свои́ пробле́мы.

Антаркти́да — э́то 86% (проце́нтов) всего́ земно́го льда́, поэ́тому Антаркти́да интересу́ет метеоро́логов. Они́ изуча́ют пробле́му: Антаркти́да и кли́мат Земли́. Океано́логи изуча́ют пробле́му: Антаркти́да и океа́н. **Е́сли бы лёд Антаркти́ды раста́ял,** то у́ровень все́х море́й и океа́нов ста́л **бы** вы́ше на ше́сть ме́тров. Легко́ мо́жно поня́ть, что́ тогда́ **бы случи́лось.** А изуче́ние у́ровня океа́на, на́чатое пятьдеся́т ле́т наза́д, пока́зывает, что он ста́л вы́ше на ше́сть сантиме́тров.

Гео́логи зна́ют об Антаркти́де та́к же ма́ло, ка́к и об океа́не. Они́ то́лько ещё начина́ют изуча́ть её. **Е́сли бы** они́ **смогли́** уви́деть, что́ лежи́т подо льдо́м Антаркти́ды, лю́ди **узна́ли бы** мно́го но́вого о геоло́гии Земли́. Мно́го интере́сных пробле́м в Антаркти́де для геофи́зиков, био́логов, враче́й. В Антаркти́де лю́ди о́чень мно́го рабо́тают. А ка́к они́ отдыха́ют? Смо́трят фи́льмы в кино́, слу́шают му́зыку, мно́го чита́ют.

океано́лог oceanologist
раста́ять thaw
у́ровень level
вы́ше higher

Я и мо́й това́рищ о́чень лю́бим чита́ть об Антарк-
ти́де. Одна́жды мы́ прочита́ли, что в Антаркти́де е́сть
ледники́ Ба́ха, Ге́нделя и Мо́царта, го́ры Гри́га и Ли́ста,
полуо́стров Бетхо́вена, о́стров Гли́нки.

ледни́к glacier
полуо́стров peninsula

Интере́сно, что о земле́ на ю́ге писа́ли ещё дре́в-
ние гре́ки, но впервы́е её берега́ уви́дела в 1820 году́
ру́сская экспеди́ция Беллинсга́узена и Ла́зарева...
Ка́рта Антаркти́ды появи́лась то́лько в 1946 году́. На
э́той ка́рте и сейча́с ещё мно́го бе́лых пя́тен.

грек Greek

бе́лое пятно́ "blank
space" (unexplored ter-
ritory)

Лю́ди изуча́ют Антаркти́ду, но зна́ют о не́й ещё
не о́чень мно́го.

(b) *Locate the key sentences in the above text and reread them.*

9. *Vocabulary for Reading. Study the following new words, their forms and usage
as illustrated in the sentences on the right. Read each sentence aloud.*

изменя́ться / измени́ться	Я́ не ви́дел его́ пя́ть ле́т. О́н о́чень измени́лся. Я́ давно́ не была́ в Москве́, го́род о́чень изме-ни́лся.
происходи́ть / произойти́	В э́том году́ в мое́й жи́зни произошли́ больши́е изме́нения. — Что́ у ва́с произошло́? Почему́ вы́ опозда́ли? — Я́ пло́хо себя́ чу́вствую.
расти́ / вы́расти	— Каки́е дере́вья расту́т в э́том лесу́? — Зде́сь растёт мно́го ра́зных дере́вьев. — Ка́к вы́росли ва́ши де́ти! Они́ почти́ взро́слые. — Да́, де́ти о́чень бы́стро расту́т.
сохраня́ть / сохрани́ть	Когда́ строи́тели стро́или дома́, они́ сохрани́ли дере́вья, кото́рые росли́ на э́том ме́сте. В Но́вгороде сохраня́ют все́ стари́нные зда́ния.
огро́мный	В э́том го́роде постро́или огро́мный спорти́вный за́л. В сиби́рской земле́ лежа́т огро́мные бога́т-ства.
о́зеро	Óколо Ленингра́да мно́го озёр. Недалеко́ от Москвы́ нахо́дится о́зеро Селиге́р.
бога́тый че́м	Óзеро Селиге́р бога́то ры́бой. В райо́не, бога́том не́фтью, постро́или мно́го но́вых заво́дов.
зелёный	1. Да́йте мне́, пожа́луйста, зелёный каранда́ш. 2. Москва́—зелёный го́род. В не́й мно́го па́рков, мно́го дере́вьев на у́лицах го́рода.
пло́щадь	1. Пло́щадь Маяко́вского нахо́дится в це́нтре Мо-сквы́. 2. Пло́щадь Сове́тского Сою́за 22,4 миллио́на км² (квадра́тных киломе́тров).
земля́	1. Ю́рий Алексе́евич Гага́рин пе́рвый уви́дел Зе́млю из ко́смоса. 2. В э́том саду́ о́чень хоро́шая земля́.

10. *Oral Practice.*

(1) Give the names of the American Great Lakes. What other lakes do you know? What·lakes in the USSR do you know?

(2) Say which regions of the United States are rich in coal, natural gas, petroleum, iron ores.

11. *Oral Practice.*

(a) What public squares in your country's capital do you know? Are there squares in the city you live in? What are their names?

(b) Give the area of your country and of the town you live in.

(c) Describe a city. Give its area and say whether it has much greenery or not. List some of the streets and squares in the city.

12. *Change the sentences, as in the models.*

Model: Ви́ктор, спроси́ А́ню, когда́ бу́дет семина́р по филосо́фии. — Ви́ктор, спроси́ А́ню о семина́ре по филосо́фии.

1. Джейн, спроси́ Ро́берта, когда́ у на́с бу́дет трениро́вка. 2. Мэ́ри, спроси́ Джо́зефа, когда́ мы́ идём на конце́рт. 3. Ко́ля, спроси́ Серге́я, когда́ у на́с бу́дет ле́кция по геогра́фии. 4. Джо́н, спроси́ Дэ́вида, понра́вился ли ему́ сове́тский фи́льм «Война́ и ми́р». 5. Ри́чард, спроси́те А́нну, нра́вится ли е́й её но́вая рабо́та.

Model: Ни́на, ты́ зна́ешь францу́зский язы́к? — Ви́ктор, спроси́ Ни́ну, зна́ет ли она́ францу́зский язы́к.

1. А́ня, ты́ была́ на вы́ставке стари́нных кни́г? 2. Ната́ша, ты́ лю́бишь совреме́нную му́зыку? 3. Ве́ра, ты́ была́ на ле́кции по исто́рии? 4. Оле́г, ты́ лю́бишь игра́ть в ша́хматы? 5. Андре́й, ты́ собира́ешь ма́рки? 6. Зи́на, ты́ позвони́ла профе́ссору Лео́нову?

Model: Попроси́ Ви́ктора, чтобы о́н вы́ступил на семина́ре по филосо́фии. — Попроси́ Ви́ктора вы́ступить на семина́ре по филосо́фии.

1. Попроси́ Ро́берта, чтобы о́н пришёл на трениро́вку. 2. Попроси́ Джу́ди, чтобы она́ купи́ла на́м биле́ты в теа́тр. 3. Попроси́ Джо́на, чтобы о́н встре́тил на́с. 4. Попроси́те студе́нтов, чтобы они́ по́сле ле́кций собрали́сь о́коло библиоте́ки. 5. Попроси́те То́ма, чтобы о́н пришёл ве́чером в спорти́вный клу́б.

Model: Попроси́ Ви́ктора да́ть тебе́ ру́сско-англи́йский слова́рь. — Попроси́ у Ви́ктора ру́сско-англи́йский слова́рь.

1. Попроси́ Серге́я да́ть тебе́ уче́бник ру́сского языка́. 2. Попроси́те преподава́теля да́ть ва́м перево́д э́тих стихо́в Пу́шкина. 3. Попроси́те профе́ссора да́ть ва́м рома́н Л. Толсто́го «А́нна Каре́нина». 4. Попроси́те Ви́ктора да́ть ва́м кни́гу о Толсто́м. 5. Попроси́ Анто́на да́ть тебе́ слова́ э́той пе́сни. 6. Попроси́те Ве́ру Никола́евну да́ть ва́м кни́гу о совреме́нной сове́тской му́зыке.

13. *Oral Practice.*

You want your friend to find out from someone: (1) when the mathematics lecture will take place; (2) who is to give a report in the philosophy seminar; (3) where and when the volleyball training session will be; (4) where one can buy an English-Russian dictionary; (5) whether there is a Russian textbook in the library; (6) whether he or she will be coming to the club this evening; (7) whether he or she will attend the Russian language seminar this summer in the Soviet Union; (8) whether he or she has read Chekhov's short stories; (9) what Soviet movies he or she has seen. Ask him to do this for you.

Model: Виктор, спроси Антона, когда будет лекция по математике.

14. *Oral Practice.*

You want your friend to ask someone: (1) to meet you at the train station; (2) to give a report in the seminar; (3) to come to the club in the evening; (4) to find a book about the Soviet poet Vladimir Mayakovsky in the library; (5) to tell the students to get together in the lecture hall after the seminar; (6) to find out where one can buy biology books. Tell him to do so.

Model: Виктор, попроси Антона встретить меня на вокзале.

15. *Oral Practice.*

You want your friend to ask someone for a Russian-English dictionary, the newspaper *Komsomolskaya Pravda*, the magazine *Sputnik*, the magazine *Sovyetsky Soyuz*, Chekhov's short stories, Tolstoy's novel *War and Peace*, a pen, a Russian textbook. Tell him to do so.

Model: Виктор, попроси у Антона русско-английский словарь.

16. (a) *Read and translate.*

Погода

Температура сегодня ночью в Москве была 3 градуса мороза, в 12 часов дня 0 градусов. Завтра в Москве температура воздуха —3—5° (минус 3-5 градусов), днём небольшой снег, ветер юго-западный.

(b) *Answer the questions.*

1. Какая температура была сегодня ночью в Москве? 2. Какая температура была в 12 часов дня? 3. Какая температура воздуха будет завтра в Москве? 4. Какой будет ветер?

(c) *Read and retell.*

О погоде

Сегодня ночью температура воздуха в Москве была + 15° (плюс 15 градусов). Днём в Москве будет 18-20° тепла, дождь, ветер северо-восточный, сильный. Температура воды в Москве-реке + 13°.

476

17. *Oral Practice.*

Tell what weather you are having. What was the weather like yesterday? What is it likely to be tomorrow? What weather do you usually have in spring, in summer, in autumn and in winter?

18. *Memorize the following antonyms.*

у́зкий — широ́кий; гря́зный — чи́стый; у́мный — глу́пый.

19. (a) *Read and translate.*

О́зеро Байка́л

«...От Байка́ла начина́ется сиби́рская поэ́зия, до Байка́ла была́ про́за», — писа́л А. П. Че́хов.

О́зеро Байка́л о́чень краси́вое. О́коло него́ го́ры и леса́. Это са́мое глубо́кое о́зеро на Земле́ (1620 ме́тров). В Байка́ле са́мая чи́стая на Земле́ вода́.

Байка́л о́чень ста́рое о́зеро. Оно́ живёт уже́ 22 миллио́на лет (други́е озёра живу́т 200 ты́сяч лет). Байка́л — это музе́й приро́ды.

Ле́том на берега́ Байка́ла приезжа́ет мно́го тури́стов. Они́ знако́мятся с прекра́сной приро́дой Байка́ла.

Три́ста три́дцать рек несу́т свою́ во́ду в Байка́л, и то́лько одна́ река́, краса́вица Ангара́, берёт во́ду из Байка́ла и несёт её на се́вер. Ангара́ — широ́кая (два киломе́тра) и бы́страя река́.

Не́сколько лет наза́д в газе́тах мно́го писа́ли о Байка́ле. Пробле́му Байка́ла обсужда́ли учёные всех стран. Фи́зики и фило́логи, матема́тики и социо́логи, фило́софы и гео́логи говори́ли и писа́ли о бу́дущем о́зера. Они́ говори́ли о том, что Байка́л до́лжен оста́ться таки́м, како́й он сейча́с. О Байка́ле говори́ли всё, о Байка́ле говори́ли везде́: на студе́нческих вечера́х, в рабо́чих столо́вых, на писа́тельских конфере́нциях. Но бо́льше всего́, коне́чно, обсужда́ли э́тот вопро́с учёные.

В январе́ 1969 го́да сове́тское прави́тельство (government) принима́ет специа́льное реше́ние об охра́не Байка́ла. Райо́н о́зера стал запове́дником (national park).

(b) *Retell the text.*

20. *Oral Practice.*

Tell about a lake in your country.

21. *Note the suffix* **-ств(-о).**

богáтый — богáт-**ство**
мáстер — мастер-**ствó**
де́ти — де́т-**ство**

22. (a) *Note the verbal prefixes* **про-** *and* **до-.**

е́хать	проéхать	доéхать
бежа́ть	пробежа́ть	добежа́ть
идти́	пройти́	дойти́

(b) *Read and translate.*

1. Вчера́ мы **прошли́** на лы́жах 30 км. 2. Быстре́е всех 100 м (ме́тров) **пробежа́л** В. Борзо́в. 3. Вчера́ тури́сты **прошли́** 20 км. 4. — Скажи́те, пожа́луйста, как лу́чше **доéхать** до Большо́го теа́тра? — На метро́. 5. — Вы не ска́жете, на чём мо́жно **доéхать** до университе́та? — На 111 авто́бусе.

23. *Read and translate the sentences. Remember that the Russian word* сквер *denotes a small public garden.*

1. В це́нтре пло́щади нахо́дится сквер. 2. В на́шем го́роде мно́го скве́ров, садо́в, па́рков. 3. — Вы не зна́ете, что здесь бу́дет? — Ка́жется, сквер 4. — Скажи́те, пожа́луйста, где Ве́ра? — Она́ гуля́ет в скве́ре со свои́м сы́ном.

24. *Translate the sentences without consulting a dictionary.*

1. Се́верные моря́ бога́ты ры́бой. Учёные изуча́ют бога́тства сиби́рской земли́. 2. Молодёжь уча́ствует в строи́тельстве но́вых городо́в. В таки́х города́х ка́ждый тре́тий жи́тель у́чится. 3. Христофо́р Колу́мб откры́л Аме́рику. Откры́тие Аме́рики произошло́ в XV ве́ке. 4. Сиби́рь — э́то ча́сть террито́рии Сове́тского Сою́за. Мо́й оте́ц — сибиря́к, о́н роди́лся в Сиби́ри. 5. На Ура́ле краси́вая приро́да. Студе́нты уча́ствуют в изуче́нии приро́дных бога́тств страны́. 6. Когда́ мо́й оте́ц бы́л молоды́м, о́н жи́л на Украи́не. В мо́лодости о́н рабо́тал на заво́де.

25. *Read and translate the sentences without consulting a dictionary.*

1. Учёные разрабо́тали оригина́льный пла́н испо́льзования сиби́рских ре́к. 2. На террито́рии на́шего го́рода нахо́дится не́скольких больши́х па́рков. 3. Эне́ргию кавка́зских ре́к испо́льзуют лю́ди. 4. Бо́льшая ча́сть на́шей плане́ты — э́то океа́ны и моря́. 5. Сейча́с лю́ди уме́ют испо́льзовать потенциа́льную си́лу ре́к.

26. *Listen and repeat.*

Знамени́тый ру́сский писа́тель, знамени́тый ру́сский писа́тель Анто́н Па́влович Че́хов, пое́хал на о́стров Сахали́н. В 1890 году́ / знамени́тый ру́сский писа́тель Анто́н Па́влович Чехов / пое́хал на о́стров Сахалин. Ско́ро по́сле Енисея / начина́ется знамени́тая тайга.

Скро́мная [скро́мнъjъ], гру́стная [гру́снъjъ], краса́вица, могу́чий бога-ты́рь, си́лы и мо́лодость. Волга — / скро́мная, гру́стная красавица, / а Енисей — / могу́чий богаты́рь, / кото́рый не зна́ет, куда́ дева́ть свои́ си́лы и молодость.

На берегу́ широ́кого Енисе́я, с огро́мной быстрото́й и си́лой, мчи́тся в Ледови́тый океа́н. Та́к ду́мал я́ на берегу́ широ́кого Енисея / и смотре́л на его́ во́ду, / кото́рая с огро́мной быстрото́й и силой / мчи́тся в Ледови́тый океан.

Потенциа́льные ресу́рсы сырья́ и эне́ргии [ине́рг'ии], бу́дущее разви́тие Сиби́ри; явля́ется пробле́мой; интересу́ющей все́х; ва́жной для все́й плане́ты. Потенциа́льные ресу́рсы сырья́ и энергии / здесь та́к огромны, / что бу́дущее разви́тие Сибири / явля́ется проблемой, / интересу́ющей всех, / проблемой, / ва́жной для все́й планеты.

Жи́тели О́мска; сохрани́ть красоту́ сиби́рской приро́ды; вода́ в река́х; во́здух в го́роде; оста́лись чи́стыми. Жи́тели Омска / мно́го де́лают для того́, / чтобы сохрани́ть красоту́ сиби́рской природы, / чтобы вода́ в река́х и во́здух в городе / оста́лись чистыми.

27. *Basic Text. Read the text and then do exercises 28-41.*

Что такое Сибирь?

I

В 1890 году́ знамени́тый ру́сский писа́тель Анто́н Па́влович Че́хов пое́хал на о́стров Сахали́н. Он прое́хал че́рез всю Сиби́рь.

Анто́н Па́влович писа́л: «Если пейза́ж в доро́ге для ва́с не после́днее де́ло, то, когда́ вы́ е́дете из Росси́и в Сиби́рь, вы́ бу́дете скуча́ть от Ура́ла до Енисе́я... Приро́да оригина́льная и прекра́сная начина́ется с Енисе́я.

Ско́ро по́сле Енисе́я начина́ется знамени́тая тайга́. О ней мно́го говори́ли и писа́ли, а потому́ от неё ждёшь не того́, что́ она́ мо́жет да́ть. Си́ла и очарова́ние тайги́ не в дере́вьях-гига́нтах и не в тишине́, а в то́м, что то́лько пти́цы зна́ют, где она́ конча́ется.

В свое́й жи́зни я́ не ви́дел реки́ прекра́снее Енисе́я. Во́лга — скро́мная, гру́стная краса́вица, а Енисе́й — могу́чий богаты́рь, кото́рый не зна́ет, куда́ дева́ть свои́ си́лы и мо́лодость.

Та́к ду́мал я́ на берегу́ широ́кого Енисе́я и смотре́л на его́ во́ду, кото́рая с огро́мной быстрото́й и си́лой мчи́тся в Ледови́тый океа́н. На э́том берегу́ Красноя́рск — са́мый лу́чший и краси́вый из все́х сиби́рских городо́в, а на то́м — го́ры.

Я стоя́л и ду́мал, кака́я у́мная и сме́лая жи́знь освети́т в бу́дущем э́ти берега́!»

II

Сиби́рь с её исто́рией, с её огро́мными бога́тствами давно́ интересу́ет люде́й. Ка́ждый наро́д, ма́ленький и́ли большо́й, хо́чет уви́деть бу́дущее свое́й

На ра́зных языка́х.

В Сиби́ри хо́лодно — 50°.

В Сиби́ри жа́рко + 30°.

земли́. Бу́дущее сиби́рской земли́ интересу́ет не то́лько сибиряко́в. Потенциа́льные ресу́рсы сырья́ и эне́ргии зде́сь та́к огро́мны, что бу́дущее разви́тие Сиби́ри явля́ется пробле́мой, интересу́ющей все́х, пробле́мой, ва́жной для все́й плане́ты.

Сиби́рь начина́ется та́м, где конча́ются Ура́льские го́ры. До́лго Сиби́рь была́ спя́щей землёй. И сейча́с, во второ́й полови́не XX ве́ка, происхо́дит но́вое откры́тие Сиби́ри.

Гео́логи помогли́ уви́деть, ка́к бога́та земля́ Сиби́ри. Не́т в ми́ре друго́го ме́ста, где бы́ло бы та́к мно́го приро́дных бога́тств и где бы́ло бы та́к тру́дно для челове́ка взя́ть и́х.

Иногда́ ка́жется, что приро́да Сиби́ри не хо́чет, чтобы лю́ди взя́ли её бога́тства: 4/5 (четы́ре пя́тых) террито́рии Сиби́ри лежи́т в зо́не ве́чной мерзлоты́, 7 ме́сяцев в году́ на се́вере и восто́ке Сиби́ри — зима́, зимо́й температу́ра быва́ет — 40, — 60° (по Це́льсию).

Говоря́т, что в Сиби́ри е́сть всё: нефть, га́з, у́голь, мета́ллы, алма́зы. Сиби́рь — э́то ле́с, э́то хлеб, э́то электроэне́ргия.

Пе́рвый пла́н разви́тия Сиби́ри появи́лся в 1926 — 1927 года́х. Но то́лько сейча́с челове́к мо́жет успе́шно реши́ть таку́ю зада́чу, как освое́ние Сиби́ри.

В шестидеся́тые го́ды о́коло Новосиби́рска со́здали крупне́йший нау́чный центр — Сиби́рское отделе́ние Акаде́мии нау́к СССР. В э́том це́нтре 48 институ́тов.

Вопро́сами разви́тия эконо́мики Сиби́ри занима́ются ра́зные учёные: гео́логи, гео́графы, био́логи, инжене́ры, экономи́сты, социо́логи.

Не́которые лю́ди ду́мают, что Сиби́рь — э́то холо́дная земля́. Но в Сиби́ри не всегда́ хо́лодно, ле́том быва́ет и о́чень тепло́: + 28, + 30° (по Це́льсию). И всё бо́льше тури́стов ле́том е́дет в Сиби́рь.

Сиби́рская тайга́ — э́то тако́й ле́с, како́го вы́ не уви́дите уже́ нигде́. Сло́вом «тайга́» называ́ют все́ сиби́рские леса́. Тайга́ — э́то са́мый большо́й ле́с в Се́верном полуша́рии. А сиби́рские ре́ки? Бы́стрые, могу́чие, чи́стые. А города́?

В Сиби́ри е́сть ста́рые города́ — Ирку́тск, Красноя́рск, То́мск, Новосиби́рск, О́мск — и́м бо́льше 100 (ста́) ле́т. И е́сть молоды́е города́, появи́вшиеся 10 — 15 ле́т наза́д: Бра́тск, Анга́рск, Ми́рный.

О́чень бы́стро растёт населе́ние молоды́х сиби́рских городо́в. В Бра́тске в 1959 году́ бы́ло 43 ты́сячи челове́к, а в 1971 году́ 161 ты́сяча. И населе́ние э́тих городо́в молодо́е: бо́льше всего́ здесь молодёжи.

Изменя́ются и ста́рые города́. Во́т, наприме́р, О́мск. Ф. М. Достое́вский бы́л в О́мске в XIX ве́ке. Го́род ему́ не понра́вился: «О́мск — га́дкий городи́шко... Дере́вьев почти́ не́т». Совреме́нный О́мск — са́мый зелёный го́род в РСФСР. Он похо́ж на ю́жный го́род. Четвёртая ча́сть пло́щади го́рода — э́то па́рки, сады́, скве́ры, со́зданные рука́ми жи́телей го́рода. Жи́тели О́мска мно́го де́лают для того́, чтобы сохрани́ть красоту́ сиби́рской приро́ды, чтобы вода́ в река́х и во́здух в го́роде оста́лись чи́стыми.

Сибиряки́ лю́бят госте́й. Они́ хорошо́ встреча́ют тури́стов и ещё лу́чше встреча́ют те́х, кто приезжа́ет помога́ть, рабо́тать, кто хо́чет побли́же познако́миться с Сиби́рью, кто хо́чет поня́ть, что тако́е Сиби́рь и что та́м сейча́с происхо́дит.

482

28. *Find in the text the passages about (a) Siberian climate and (b) Omsk, and read them.*

29. *Find in the text the names of Siberian rivers and Siberian towns.*

30. *Answer the questions.*

1. Где находится Сибирь? 2. Что вы знаете о природе Сибири? 3. Какие сибирские города вы знаете? 4. Как изменяется экономика Сибири?

31. *Read Chekhov's story about Siberia and retell it.*

32. *Write an outline of the text.*

33. *Retell the text on the basis of your outline.*

34. *Tell what you know about Siberia.*

35. *Compose dialogues.*

You are talking to someone from Siberia. Ask him questions about the scenery, climate and economy of Siberia.

36. *Make up questions based on the following situation.*

You are a reporter who has come to Siberia. Ask Siberians questions.

37. *Describe the scenery, climate and economy of your country.*

38. *You have been to the Soviet Union. Tell your friends what is shown in these photographs.*

Новосибирск

Лёна   Братск

Краснояҏские
столбы́

39. *Your friends are planning to go to the USSR. Advise them where to go and what to see.*

40. *Answer the questions.*

1. Вы́ лю́бите е́здить? 2. Где́ вы́ бы́ли в свое́й стране́? 3. Что́ вы́ ви́дели? 4. Что́ вы́ лю́бите бо́льше: ле́с, го́ры, мо́ре? 5. Вы́ лю́бите гуля́ть по ле́су?

6. Вы́ лю́бите ходи́ть в го́ры? 7. Кака́я приро́да ва́м нра́вится бо́льше: се́верная и́ли ю́жная? 8. Каки́е краси́вые и интере́сные места́ е́сть в ва́шей стране́? Вы́ бы́ли та́м?

41. *Oral Practice.*

You are talking to a Soviet citizen who has come to your country. Advise him where to go and what to see.

42. (a) *Read the texts without consulting a dictionary.*

«Сою́з — Аполло́н»

Космона́вты и астрона́вты встре́тились с руководи́телями Акаде́мии нау́к СССР. На́ш специа́льный корреспонде́нт сообща́ет:

Встре́чу откры́л акаде́мик В. А. Коте́льников:

«Мы́ ра́ды, что встреча́ем ва́с в старе́йшей акаде́мии, кото́рой уже́ 250 ле́т. Ва́ш полёт продемонстри́ровал соверше́нную те́хнику и высоча́йшую квалифика́цию космона́втов и астрона́втов. Ва́ш полёт име́ет огро́мное значе́ние для бу́дущего. Я́ зна́ю, что че́рез мно́го ле́т бу́дут вспомина́ть э́ти дни́, бу́дут изуча́ть ва́ш полёт. Он откры́л но́вый эта́п в исто́рии ко́смоса».

Астрона́вты Т. Ста́ффорд, Д. Сле́йтон, В. Бра́нд и космона́вты А. Лео́нов, В. Куба́сов рассказа́ли о нау́чных экспериме́нтах, проведённых во вре́мя полёта.

В До́ме учёных, где то́же проходи́ла встре́ча с астрона́втами и космона́втами, Вэ́нс Бра́нд рассказа́л о пе́рвой встре́че в ко́смосе.

«Всё зна́ют ру́сское гостеприи́мство. Я́ чу́вствовал его́ не то́лько в Москве́, но и в ко́смосе. Когда́ Ста́ффорд и Сле́йтон пошли́ в «Сою́з», я́ оста́лся в «Аполло́не». Но они́ почему́-то остава́лись в сове́тском корабле́ до́льше, чем на́до бы́ло по пла́ну. Я слы́шал сме́х, англи́йские и ру́сские слова́. Я уже́ на́чал ду́мать, что мои́ това́рищи реши́ли оста́ться спа́ть в «Сою́зе». Давно́ уже́ прошло́ вре́мя, когда́ астрона́вты должны́ бы́ли спа́ть, а То́м и Ди́к всё не возвраща́лись из «Сою́за». Тогда́ я сказа́л, что ложу́сь спа́ть и не бу́ду их жда́ть. Ско́ро они́ верну́лись. Но когда́ я пришёл в «Сою́з», мне то́же хоте́лось побы́ть та́м до́льше—о́чень хорошо́ встреча́ли на́с Алексе́й и Вале́рий».

Астрокосмона́вт

Э́того сло́ва ещё не́т в словаря́х. Пе́рвым его́ употреби́л сове́тский учёный О. Г. Газе́нко, кото́рый открыва́л ве́чер в До́ме учёных.

— Я хочу́, что́бы мы́ все́ вме́сте провели́ не́которые расчёты. Во́т 3 астрона́вта и 2 космона́вта. Ско́лько ле́т астрокосмона́вту? — 45,7 го́да (со́рок пя́ть и се́мь деся́тых го́да). Ве́с астрокосмона́вта—77 килогра́ммов. О цве́те воло́с говори́ть трудне́е. (Лео́нов и Ста́ффорд смею́тся гро́мче все́х.) Число́ полётов в ко́смос у астрокосмона́вта—2. Астрокосмона́вт ко́нчил 4 уче́бных заведе́ния. Астрокосмона́вт жена́т. Сре́днее коли́чество жён—одна́. У астрокосмона́вта е́сть де́ти. У него́ 2,6 (два́ и ше́сть деся́тых) ребёнка: ма́льчиков 0,8 (во́семь деся́тых), де́вочек 1,8 (одна́ и во́семь деся́тых). На́ш астрокосмона́вт — хоро́ший спортсме́н. И ещё одна́ дета́ль —у на́шего астрокосмона́вта прекра́сное чу́вство ю́мора.

(b) *Translate the following words without consulting a dictionary:* встре́ча, сме́х, жена́т; продемонстри́ровать, квалифика́ция, эта́п, дета́ль. *Check your translations with a dictionary.*

(c) *Find the following words in the text and try to guess their meanings:* гостеприи́мство, ве́с, во́лосы, коли́чество. *Check your translations with a dictionary.*

43. *Read the text once more. Find the sentences which convey the message of the text and read them aloud.*

VOCABULARY

* автома́т slot machine
Акаде́мия нау́к Academy of Sciences
* алма́з (uncut) diamond
амфитеа́тр amphitheater
* астрона́вт astronaut
балко́н balcony
* биосфе́ра biosphere
бога́тство wealth
* богаты́рь giant, epic hero
бо́лее more
бу́дущее the future
быстрота́ rapidity
* ве́с weigh
весна́ spring
* ве́чная мерзлота́ permafrost
ви́лка fork
во́здух air

вокру́г around
во́лосы *pl.* hair
* выража́ть / вы́разить express
* га́дкий filthy
* геофи́зика geophysics
* гига́нт giant
* гидроста́нция hydroelectric power station
глубо́кий deep
глу́пый foolish, stupid
* городи́шко small town
* гостеприи́мство hospitality
гра́дус degree
гря́зный dirty
дева́ть put, apply
демонстри́ровать / продемонстри́ровать demonstrate, show

* дета́ль *f.* detail; part
длина́ length
дли́нный long
ду́мать / поду́мать think
жела́ть / пожела́ть wish, desire
жена́т (is) married, has a wife
земля́ 1. earth; 2. land
* земно́й ша́р terrestrial globe
зима́ winter
значе́ние meaning
* зо́на zone
изменя́ть(ся) / измени́ть(ся) change
како́й-то (-нибудь) some
* ка́федра chair
* квалифика́ция qualification
киломе́тр kilometer

486

* ко́мплекс complex
красáвица beauty
кто́-то (-нибудь) somebody, someone
лёгкий easy; light
лóжка spoon
мéнее less
* мéтод method
мéтр meter
мечтáть *imp.* dream
ми́нус minus
* могу́чий mighty
* моро́з frost
* мчáться rush, race
называ́ть / назвáть name
нéфть *f.* petroleum
ни́зкий low
нóж knife
огрóмный enormous
óзеро lake
оригинáльный original
освещáть / освети́ть illuminate
* освоéние mastering, development
óсень *f.* autumn, fall
* отделéние branch
откры́тие discovery
* охрáна protection
* очаровáние charm, fascination
партéр ground floor
пейзáж scenery, landscape

передавáть / передáть 1. convey; 2. ~ по рáдио broadcast
плáн schedule, plan
* планéта planet
плóщадь 1. area; 2. surface
плюс plus
по-вáшему according to you, in your opinion
подýмать *see* дýмать
поздравля́ть / поздрáвить congratulate
полушáрие hemisphere
пóлюс pole
по-мóему in my opinion
послéдний last, final
* потенциáльный potential
почитáть *p.* read (a little)
поэ́зия poetry
привéт greetings
проезжáть / проéхать pass (by, through) (by vehicle)
происходи́ть / произойти́ take place
прóза prose
проходи́ть / пройти́ pass
пти́ца bird
развúтие development
расти́ / вы́расти grow
* расчёт calculation
рéдкий rare
* ресýрсы resources
рождéние birth

сантимéтр centimeter
сибиря́к Siberian
сквéр public garden, small park
скрóмно modestly
* скучáть *imp.* be bored
* смéх laughter
* совершéнный perfect
сохраня́ть / сохрани́ть preserve
социóлог sociologist
спáть *imp.* sleep
счастли́вый happy; lucky
* сырьё raw material(s)
тайгá taiga
телегрáмма telegram
террито́рия territory
тишинá quiet, silence
трýдность *f.* difficulty
ýзкий narrow
* фруктóвый fruit
хóлод cold
чéм than
чи́стый clean
что́-то (-нибудь) something
широ́кий wide
экспеди́ция expedition
экспери́мент experiment
* электроэнéргия electric power
* энéргия energy
* э́ра era; до нáшей э́ры В.С.
* этáп stage

Unit 16

Presentation and Preparatory Exercises

I | Этот райо́н хорошо́ **изу́чен** гео́логами.

1. *Read and analyze. (See Analysis XVI, 1.0; 1.1; 1.11.)*

«И ещё жи́знь хороша́ потому́, что мо́жно путеше́ствовать»,— э́ти слова́ бы́ли **ска́заны** знамени́тым ру́сским путеше́ственником Н. М. Пржева́льским.

Ка́ждый го́д на поезда́х и на самолётах, на авто́бусах и на маши́нах, на лы́жах и пешко́м путеше́ствуют тури́сты по СССР. Для тури́стов **откры́т** маршру́т по дре́вним ру́сским города́м. Этот маршру́т бы́л **на́зван** «Золото́е кольцо́»[1]. Интере́сны маршру́ты «По столи́цам респу́блик Сре́дней А́зии». Очень популя́рны маршру́ты по ру́сскому се́веру, сиби́рские маршру́ты, осо́бенно на о́зеро Байка́л. **Со́здано** мно́го туристи́ческих ба́з во все́х респу́бликах. Тури́сты не то́лько путеше́ствуют, они́ изуча́ют страну́, её приро́ду, её культу́ру, её про́шлое и настоя́щее.

2. *Listen and repeat.*

путеше́ствовать, я путеше́ствую, путеше́ственник, изве́стный [изв'е́сныј], изве́стный путеше́ственник;

сказа́ть, ска́занный, ска́зана, ска́зано, ска́заны. Эти слова́ ска́заны изве́стным ру́сским путеше́ственником.

---

[1] "The Golden Ring", a tourist route which includes the most famous ancient cities of central Russia: Vladimir, Suzdal, Yaroslavl, Pereyaslavl-Zalessky and Rostov Veliky.

созда́ть, со́зданный, со́здан, создана́, со́зданы.

маршру́т, маршру́т по дре́вним города́м, маршру́т по дре́вним ру́сским города́м.

назва́ть, на́званный, на́зван, на́звана, на́званы. Маршру́т по дре́вним ру́сским города́м на́зван «Золото́е кольцо́».

3. *Read and translate the sentences; then replace the subject of each by the words given on the right, making other changes if necessary.*

1. Докла́д бы́л сде́лан хорошо́.	рабо́та, портре́т, нача́ло расска́за
2. Афи́ша была́ напи́сана больши́ми бу́квами.	сло́во, те́кст, пра́вило
3. Эта ва́за была́ пода́рена мне́ мое́й ма́терью.	пла́тье, портфе́ль, часы́
4. Ви́ктор показа́л на́м до́м, кото́рый бы́л постро́ен в про́шлом ве́ке.	зда́ние, гости́ница, дворе́ц
5. Эта тру́дная зада́ча бу́дет решена́.	вопро́с, пробле́ма

4. *Answer the questions, using the words given in brackets.*

1. Вы́ говори́те, что ва́ш го́род о́чень измени́лся. Что́ постро́ено в го́роде? (стадио́н, мно́го совреме́нных зда́ний)

2. Что́ бу́дет организо́вано для студе́нтов в э́том ме́сяце в клу́бе и на стадио́не? (конце́рт, ма́тч по футбо́лу, соревнова́ния по те́ннису)

3. Каки́е кни́ги ру́сских а́второв переведены́ на англи́йский язы́к? (рома́н, пье́са, расска́з)

5. *Answer the questions.*

1. Ке́м бы́л напи́сан рома́н «Ма́ртин И́ден»? (Дже́к Ло́ндон) 2. Ке́м была́ создана́ о́пера «Евге́ний Оне́гин»? (П. И. Чайко́вский) 3. Ке́м была́ напи́сана карти́на «Сиксти́нская мадо́нна»? (Рафаэ́ль) 4. Ке́м бы́л напи́сан рома́н «Ма́ть»? (Го́рький)

6. *Form short form verbal adjectives from each of the verbs given below and use each to modify the noun which follows it. Mark the stress in the short form verbal adjectives. (See Analysis XVI, 1.0; 1.1; 1.11.)*

Model: написа́ть (статья́)—статья́ напи́сана

(a) сде́лать (рабо́та), организова́ть (экску́рсия), написа́ть (письмо́), показа́ть (фи́льм), сда́ть (экза́мены);

(b) изучи́ть (пробле́ма), ко́нчить (рабо́та), постро́ить (мо́ст), реши́ть (вопро́с);

(c) откры́ть (музе́й), закры́ть (магази́н), нача́ть (рабо́та).

7. *Rewrite each sentence, as in the model. Mark the stress in the short form verbal adjectives.*

Model: Это зда́ние постро́ила гру́ппа молоды́х архите́кторов.
Это зда́ние бы́ло постро́ено гру́ппой молоды́х архите́кторов.

1. Студе́нты организова́ли встре́чу с учёными-фи́зиками. 2. Молода́я арти́стка хорошо́ сыгра́ла тру́дную ро́ль. 3. Этот ка́мень мне́ подари́л оди́н гео́лог. 4. Этот портре́т Л. Н. Толсто́го написа́л худо́жник И. Е. Ре́пин.

Model: Когда́ мы́ пришли́, магази́н уже́ закры́ли.
Когда́ мы́ пришли́, магази́н уже́ бы́л закры́т.

1. Зда́ние теа́тра постро́или два́ го́да наза́д. 2. Но́вый стадио́н откро́ют че́рез два́ го́да. 3. Биле́ты в теа́тр купи́ли ещё неде́лю наза́д. 4. Приглаше́ние мы́ получи́ли сли́шком по́здно, и поэ́тому не могли́ прие́хать. 5. Эту у́лицу назва́ли и́менем учёного, кото́рый здесь жи́л.

8. *Read and translate the text. Give the basic stems and / or infinitives for each short form passive verbal adjective.*

Акаде́мии нау́к СССР 250 ле́т

В 1724 году́ в Росси́и была́ создана́ Акаде́мия нау́к. Докуме́нт о созда́нии Акаде́мии бы́л подпи́сан. Петро́м I. Это бы́ло о́чень ва́жно для разви́тия нау́ки и культу́ры в стране́. Акаде́мия изуча́ла приро́дные бога́тства страны́, её геогра́фию, кли́мат.

В Акаде́мии бы́ло на́чато серьёзное изуче́ние исто́рии и языка́ ру́сского наро́да.

До Октя́брьской револю́ции нау́ка в Росси́и не была́ тако́й си́лой, кото́рая могла́ оказа́ть большо́е влия́ние на жи́знь о́бщества. Госуда́рство дава́ло Акаде́мии о́чень ма́ло де́нег, президе́нтами Акаде́мии бы́ли не учёные, а бли́зкие царю́ бога́тые лю́ди. В нача́ле XX ве́ка в Акаде́мии бы́ло то́лько се́мь музе́ев и пя́ть небольши́х лаборато́рий. Но в Акаде́мии рабо́тали таки́е знамени́тые учёные, как М. В. Ломоно́сов, И. М. Се́ченов, Д. И. Менделе́ев, И. П. Па́влов, В. И. Верна́дский [1].

По́сле револю́ции разви́тие нау́ки ста́ло общегосуда́рственным де́лом: бы́ло организо́вано бо́лее пяти́десяти нау́чных це́нтров, со́зданы филиа́лы

---

[1] Dmitry Ivanovich Mendeleyev (1834-1907), Russian scientist, the discoverer of the Periodic Law on the basis of which he predicted the existence and properties of a number of chemical elements discovered later.

Ivan Mikhailovich Sechenov (1829-1905), academician, founder of the Russian school of physiology. His main works include *Reflexes of the Brain* and *Physiology of the Nervous Centers*.

Vladimir Ivanovich Vernadsky (1863-1945), academician, founder of new branches of science: geochemistry, biogeochemistry and radiogeology.

Академии в разных районах страны, были созданы национальные Академии наук во всех республиках, была создана Сельскохозяйственная академия. В 1943 году была создана Академия педагогических наук, а в 1944 году — Академия медицинских наук.

В плане научно-технических работ, который был разработан после революции, говорилось, что самым важным для страны является изучение её природных богатств и того, как лучше их использовать.

Быстрое развитие экономики страны невозможно без помощи науки. И советские учёные активно участвовали в создании промышленных центров на юго-востоке страны, в изучении Арктики, северных морей и многих других проблем.

Expression of Spatial Relations

9. *Read and analyze. Review the use of prepositions of place.*

Где?

Case	Preposition	Example
Prepositional	в на	Мы жили **в деревне** **на берегу** моря.
Genitive	около недалеко от вокруг	Деревня находилась **недалеко от** леса, **около реки**. **Вокруг дома** было много деревьев.
Instrumental	рядом с перед за над под	**Рядом с парком** был стадион. **Перед домом** был сад. **За домом** был лес. Самолёт летит **над городом**. В саду **под деревом** стоял стол.
Dative	по	Дети бегали **по парку**.

10. (a) *Read the text.*

В детстве Маша жила в небольшой деревне на берегу реки. Она жила со своими родителями в небольшом доме, который находился недалеко от леса. Справа было озеро, а слева от дома была река, за домом был лес. Перед домом был небольшой сад, там росли фруктовые деревья и цветы. Маша любила сидеть в саду под каким-нибудь деревом и смотреть, как над рекой летают птицы.

(b) *Answer the questions.*

В де́тстве Ма́ша жила́ в го́роде? Она́ жила́ на берегу́ мо́ря? Её до́м стоя́л на пло́щади? Пе́ред до́мом бы́л па́рк? Где́ Ма́ша люби́ла отдыха́ть днём? Где́ находи́лся и́х са́д? А ле́с был о́коло и́х дере́вни? Далеко́?

(c) *Ask your friends where they spent their childhood.*

11. *Compose sentences, using the phrases* жи́ть в гора́х, жи́ть на берегу́ реки́, отдыха́ть на мо́ре; на Украи́не, на Ка́вка́зе, на Ура́ле, на у́лице, на пло́щади, на вокза́ле, на ста́нции, на по́чте, на остано́вке.

12. *Complete the sentences, using the words given at the end of the exercise.*

1. Кора́бль плывёт .... 2. Маши́на е́дет .... 3. Де́ти бе́гают .... 4. Молодёжь лю́бит ве́чером гуля́ть .... 5. Я люблю́ е́здить на велосипе́де .... 6. Авто́бусы не хо́дят ....
Words to be used: доро́га, мо́ре, бе́рег реки́, э́та у́лица, ле́с.

13. *Complete the sentences, as in the model.*

Model: Мы́ живём в дере́вне, а на́ша шко́ла нахо́дится за дере́вней.

1. Мы́ живём недалеко́ от ле́са, а река́ нахо́дится .... 2. Я живу́ в го́роде, а заво́д, где я рабо́таю, нахо́дится .... 3. Здесь бу́дет шко́ла, а больни́цу бу́дут стро́ить .... 4.— Где́ здесь ста́нция метро́? — Ви́дите э́то высо́кое зда́ние? Ста́нция метро́ нахо́дится .... 5. Здесь на берегу́ реки́ бу́дут стро́ить дома́, а па́рк бу́дет .... 6. Это стадио́н, а бассе́йн нахо́дится .... 7.— Где́ здесь гости́ница? — Это но́вый кинотеа́тр, а гости́ница ....

14. *Read and analyze. Review the use of prepositions of place, destination and starting point.*

Где́?	Куда́?	Отку́да?
в на + prepositional	в на + accusative	из с + genitive
Анто́н живёт в дере́вне.	Ве́ра е́дет в дере́вню.	Ве́ра прие́хала из дере́вни.
Анто́н живёт на се́вере.	Ве́ра е́дет на се́вер.	Ве́ра прие́хала с се́вера.
у + genitive	к + dative	от + genitive
Я бы́л сего́дня у врача́.	Ве́ра идёт к врачу́.	Я по́здно пришёл от врача́.

15. (a) *Read the text and then retell it, paying particular attention to the expression of spatial relations.*

В 1926—1939 года́х из европе́йских райо́нов страны́ на Ура́л, в Сиби́рь и на Да́льний Восто́к прие́хало три миллио́на челове́к. Этот проце́сс продолжа́ется и сейча́с. Об э́том пи́шет журнали́ст Л. Шинкарёв в кни́ге «Сиби́рь. Отку́да она́ пошла́ и куда́ она́ идёт». А́втор кни́ги расска́зывает: «Когда́ я пе́рвый раз прие́хал в Сиби́рь как корреспонде́нт газе́ты «Изве́стия», я ду́мал, что ко́нчу свою́ рабо́ту в Сиби́ри че́рез два-три го́да и верну́сь домо́й. Че́рез три го́да я по́нял, что ещё не зна́ю Сиби́рь и уже́ не узнаю́ себя́. Всё вокру́г каза́лось мне огро́мным, си́льным. Каки́е-то необыкнове́нные гидроста́нции, нефть, сне́г, моро́зы, сиби́рские пельме́ни—всё не тако́е, ка́к везде́. Когда́ я быва́л в други́х места́х, да́же на свое́й ро́дине, я ви́дел ра́зницу: всё ка́жется ма́леньким.

Пра́вду говоря́т, кто ви́дел одна́жды э́ту зе́млю, бу́дет по́мнить о ней всегда́».

необыкнове́нный unusual
пельме́ни dumplings with meat stuffing
ра́зница difference

(b) *What parts of your country have you visited? Tell about some of the interesting things you saw there.*

16. *Answer the questions, using the words on the right.*

1. Сейча́с апре́ль. Где́ сейча́с тепло́, а где́ хо́лодно? Отку́да сего́дня ве́тер? Где́ вчера́ бы́л до́ждь? Где́ сего́дня иду́т дожди́?	юг, се́вер, за́пад, восто́к Сиби́рь, Кавка́з, Да́льний Восто́к
2. Куда́ иду́т тури́сты, когда́ они́ приезжа́ют в незнако́мый го́род?	пло́щадь, у́лица, музе́й, па́рк

17. *Answer the questions, using the words on the right.*

Model: — Куда́ вы пойдёте ве́чером?
— Я пойду́ в клу́б на конце́рт.

1. Куда́ вы идёте так ра́но?	университе́т, заня́тия
2. Отку́да вы получи́ли откры́тки с ви́дами Пари́жа?	Пари́ж, дру́г
3. Отку́да привезли́ э́ти ка́мни?	Сиби́рь, Ура́л
4. Куда́ е́дут ва́ши друзья́ в воскресе́нье?	па́рк, стадио́н
5. Отку́да вы пришли́ вчера́ та́к по́здно?	клу́б, конце́рт
6. Где́ вы отдыха́ли в э́том году́?	дере́вня, ба́бушка
7. Отку́да ва́ш дру́г получи́л письмо́?	Москва́, знако́мый студе́нт
8. Где́ вы слы́шали выступле́ние э́того журнали́ста?	институ́т, конфере́нция
9. Куда́ е́дут э́ти студе́нты?	Кавка́з, студе́нческий ла́герь «Спу́тник»

18. *Answer the questions, using the words on the right.*

Model: — Куда́ и к кому́ о́н идёт сего́дня?
— О́н идёт в общежи́тие к дру́гу.
— Отку́да о́н идёт?
— О́н идёт из общежи́тия от дру́га.

1. Куда́ иду́т ва́ши това́рищи?
   Отку́да иду́т ва́ши това́рищи?   гости́ница, друзья́

2. Куда́ идёт э́тот челове́к?
   Отку́да идёт э́тот челове́к?   больни́ца, вра́ч

3. Куда́ вы́ пое́дете ле́том?
   Отку́да вы́ неда́вно прие́хали?   родно́й го́род, роди́тели

4. Куда́ вы́ идёте?
   Отку́да вы́ идёте?   кинотеа́тр, вече́рний сеа́нс

19. *Use each of the phrases in a sentence.*

е́хать на по́езде, встре́тить в по́езде, е́хать на авто́бусе, разгова́ривать в авто́бусе.

20. *Answer the questions, using the words* авто́бус, тролле́йбус, трамва́й, метро́, такси́.

Model: — Ка́к (мо́жно) дое́хать до у́лицы Ге́рцена?
— До у́лицы Ге́рцена мо́жно дое́хать на восьмо́м авто́бусе и́ли на метро́.

1. Скажи́те, пожа́луйста, ка́к мо́жно дое́хать до це́нтра го́рода? 2. Вы́ не зна́ете, ка́к мо́жно дое́хать до Теа́тра и́мени Пу́шкина? 3. Извини́те, вы́ не зна́ете, ка́к мо́жно дое́хать до гости́ницы «Интури́ст»? 4. Скажи́те, пожа́луйста, ка́к дое́хать до Ленингра́дского вокза́ла? 5. Извини́те, вы́ не зна́ете, ка́к мо́жно дое́хать до кинотеа́тра «Литва́»?

21. *Complete the sentences, using the words in brackets in the required form.*

1. Мы́ перешли́ че́рез ... (пло́щадь) и пошли́ да́льше по ... (у́лица). 2. Обы́чно я́ хожу́ в ... (кни́жный магази́н) пешко́м, потому́ что магази́н нахо́дится недалеко́ от ... (на́ш до́м). Сего́дня мне́ сказа́ли, что в ... (э́тот магази́н) появи́лись интере́сные кни́ги, и я́ реши́л пое́хать туда́ на ... (авто́бус). 3. В э́том ме́сте нельзя́ переходи́ть че́рез ... (у́лица). Зде́сь о́чень мно́го маши́н. По ... (э́та у́лица) мо́жно прое́хать в ... (це́нтр) го́рода. 4. К на́м в ... (университе́т) прие́хали студе́нты из ... (Ташке́нт). Они́ прие́хали на ... (студе́нческая конфере́нция), на кото́рой бу́дет обсужда́ться вопро́с о то́м, ка́к уча́ствуют студе́нты в ... (нау́чная рабо́та) институ́тов. 5. Неда́вно мы́ бы́ли в гостя́х у ... (знамени́тый архите́ктор). О́н живёт в ... (це́нтр) го́рода, на (проспе́кт) Ми́ра, в ... (большо́й до́м). В ... (его́ кварти́ра) мы́ ви́дели мно́го фотогра́фий зда́ний, кото́рые о́н постро́ил в ... (на́ш го́род). 6.—Где́ вы́ бы́ли?—Мы́ е́здили на ... (вокза́л) встреча́ть

Колю Лаврова. Коля сейчас живёт и работает на ... (Дальний Восток). Он приехал в ... (Москва) к ... (старший брат). Он будет жить у ... (он) две недели, а потом вместе с братом поедет из ... (Москва) в ... (Астрахань) по ... (Волга). Это будет хорошая поездка.

22. (a) *Read the text. Copy out the phrases denoting place and direction.*

(b) *Compose a brief story about winter, using the phrases you have copied out. Write down your story.*

Русская зима

Хороши русские снежные зимы. Солнце. Снег. Подо льдом большие и малые реки. Утром над деревенскими домами поднимается дым.

Тихи зимние ночи. Луна. В лунном свете видны вершины деревьев. Хорошо видна зимняя дорога. Что-то фантастическое есть в лунной зимней ночи. Если вы ездили лунной ночью по зимним дорогам, вы вспомните свои впечатления.

Прекрасны зимние солнечные дни. Хорошо лыжникам, бегущим на лёгких лыжах по снегу. Я не люблю ходить по лыжным дорожкам. Около таких дорожек, где бежит человек за человеком, трудно увидеть зверя или лесную птицу. На лыжах я один ухожу в лес. На деревьях лежит белый снег. Полон жизни зимний лес. Спят под деревьями ежи. Живут под снегом лесные мыши. Бегают по деревьям белки. С дерева на дерево перелетают птицы.

Очень хороши зимою лесные озёра, в которых продолжается невидимая глазу жизнь.

снежный snowy
подниматься rise
дым smoke
луна moon

солнечный sunny
лыжник skier

зверь animal
ёж hedgehog
мышь mouse
белка squirrel

After I. Sokolov-Mikitov

Conversation

I. Expressing a Wish

— Что вы хотите посмотреть в Москве?
— Мы **бы хотели посмотреть** Кремль и Красную площадь.
(— Мы **хотели бы посмотреть** Кремль и Красную площадь.)
— Что вы хотите купить брату?
— Я **бы купил** пластинки.
(— Я **купил бы** пластинки.)

1. *Listen and repeat. (See Analysis XV, 6.0.)*

Мы бы хотели, мы хотели бы; я бы хотел, я хотел бы; я бы купил, я купил бы.— Я бы хотел пойти в кино.— А я бы лучше почитал.— Я купила бы этот костюм.— А я бы не купила его.

2. *Respond to each statement, as in the model.*

Model: — Че́рез неде́лю в Москве́ начина́ется конфере́нция перево́дчиков. (пое́хать)
— Да́, я зна́ю. Я то́же хоте́л бы пое́хать на э́ту конфере́нцию.

1. За́втра у Иры де́нь рожде́ния. (поздра́вить) 2. Анто́н обеща́л принести́ мне́ не́сколько инди́йских ма́рок. (посмотре́ть) 3. Я слы́шал, что ско́ро к на́м прие́дут арти́сты из Ита́лии. (послу́шать) 4. Мне́ говори́ли, что студе́нты МГУ ле́том пое́дут рабо́тать на Да́льний Восто́к. (пое́хать) 5. За́втра на факульте́те бу́дут обсужда́ть вопро́с о нау́чной рабо́те студе́нтов. (уча́ствовать)

3. *Answer the questions, using the words in brackets.*

Model: — Что́ вы́ хоти́те, ча́й и́ли ко́фе? (вы́пить)
— Я бы вы́пил стака́н горя́чего ча́я.

1. Что́ ва́м да́ть, со́к и́ли молоко́? (вы́пить) 2. Что́ вы́ бу́дете е́сть, ры́бу и́ли мя́со? (съе́сть) 3. Куда́ вы́ хоти́те пойти́, в кино́ и́ли в теа́тр? (посмотре́ть) 4. Каки́е цветы́ вы́ хоти́те купи́ть, бе́лые и́ли кра́сные? (взя́ть) 5. Ка́к лу́чше поздра́вить Ви́ктора, посла́ть телегра́мму и́ли позвони́ть? (позвони́ть)

4. *Answer each question and give a reason.*

Model: — Вы́ не хоти́те поката́ться на лы́жах?
— Я бы с удово́льствием (поката́лся), но мне́ на́до идти́ в институ́т.

1. Вы́ не хоти́те пое́хать с на́ми на Кавка́з? 2. Вы́ не хоти́те пойти́ с на́ми в теа́тр? 3. Вы́ не хоти́те пое́хать сего́дня к Ви́ктору? 4. Смотри́те, каки́е оригина́льные откры́тки. Вы́ не хоти́те и́х купи́ть? 5. За́втра после́днее выступле́ние францу́зского бале́та. Вы́ не хоти́те пойти́? 6. Я получи́л после́дний но́мер журна́ла «Но́вый ми́р». Вы́ не хоти́те почита́ть?

II. Expressing One's Own Opinion and Supposition

— Я ду́маю, что но́вый проспе́кт — са́мая краси́вая у́лица го́рода.

"I think the new avenue is the most beautiful street in the city."

— А по-мо́ему, ста́рые у́лицы краси́вее.

"And in my opinion, the old streets are more beautiful."

— Я ду́маю, что за́втра бу́дет хо́лодно.

"I think it'll be cold tomorrow."

— А по-мо́ему, за́втра бу́дет тепло́.

"And I think tomorrow it'll be warm."

5. *Listen and repeat.*

Я ду́маю, я ду́маю, что... Я ду́маю, что за́втра бу́дет хо́лодно. По-мо́ему, по-тво́ему, по-ва́шему. По-мо́ему, э́то интере́сно. Ка́к по-тво́ему? — А по-мо́ему, не интере́сно.

6. *Respond to each of the statements, as in the model.*

Model: — Говоря́т, что профе́ссор Кири́ллов о́чень хорошо́ чита́ет ле́кции по литерату́ре.
— А по-мо́ему, профе́ссор Ле́бедев чита́ет лу́чше.

1. Я ду́маю, что экза́мен по францу́зскому языку́ бу́дет о́чень тру́дный. 2. Говоря́т, что Ви́ктор сде́лал о́чень интере́сный докла́д на семина́ре. 3. Андре́й ста́л лу́чшим футболи́стом в на́шей шко́ле. 4. Ю́рий са́мый высо́кий в на́шей гру́ппе.

7. *Answer the questions.*

1. Когда́ начну́тся соревнова́ния по волейбо́лу? 2. Кто́ бу́дет уча́ствовать в соревнова́ниях? 3. Кака́я кома́нда сильне́е? 4. Кто́ вы́играет? 5. С каки́м счётом ко́нчится игра́?

8. *Compose similar answers and questions, using the words on the right.*

Model: — Ка́к вы́ ду́маете, за́втра бу́дет до́ждь? — По-мо́ему, за́втра дождя́ не бу́дет.	сне́г ве́тер моро́з
Model: — Ка́к вы́ ду́маете, за́втра бу́дет хо́лодно? — По-мо́ему, за́втра бу́дет тепло́.	тепло́ хоро́шая пого́да
Model: — Ско́лько сто́ит ва́ш портфе́ль? — Ка́жется, рубле́й во́семь[1]. — По-мо́ему, э́то недо́рого.	биле́т на по́езд биле́т на само-лёт биле́т в теа́тр биле́т в кино́ биле́т на кон-це́рт
Model: — Когда́, по-ва́шему, мы́ должны́ вы́йти, чтобы не опозда́ть в теа́тр? — По-мо́ему, мы́ должны́ вы́йти че́рез пятна́дцать мину́т.	рабо́та вы́ставка заня́тия вокза́л

III. Expressions of Gratitude and Corresponding Replies

— Большо́е спаси́бо за интере́сный расска́з.
— Пожа́луйста. *(neutral)*
— Большо́е спаси́бо за всё, что вы́ для на́с сде́лали.
— Ну что́ вы́, не́ за что. *(colloquial)*

---

[1] Note that the inversion of a quantifier and the noun it governs has the meaning "about", "approximately"; e.g. во́семь рубле́й "eight rubles", but рубле́й во́семь "about eight rubles".

498

9. *Listen and repeat.*

Спаси́бо, большо́е спаси́бо, спаси́бо за цветы́, спаси́бо за прия́тный ве́чер, спаси́бо за приглаше́ние.

О́чень прия́тно, о́чень прия́тно, что ва́м понра́вилось.

Каки́е краси́вые цветы́! Како́й прекра́сный ве́чер! Ка́к вку́сно!

10. *Read these dialogues and compose similar ones based on the following situations. (Express a request, gratitude and a response.)*

Model: — Переда́йте, пожа́луйста, биле́т.
        — Пожа́луйста.
        — Спаси́бо.
        — Пожа́луйста.

(1) You are in a cafeteria. Ask someone to pass you the salt, a spoon, a fork, a knife.
(2) You are visiting friends. The hostess asks you to pass a cup of tea, a glass of water to another guest.

Model: — Скажи́те, пожа́луйста, э́тот авто́бус идёт в це́нтр?
        — Да́, в це́нтр.
        — Спаси́бо.
        — Пожа́луйста.

(1) Ask how to go to Revolution Square, to the Bolshoi Theater, to Red Square.
(2) Ask the price of a book, a pin, an album.

11. *Compose dialogues based on the following situations.*

Model: — Приходи́те к на́м сего́дня ве́чером.
— Спаси́бо, с удово́льствием.   — Спаси́бо за приглаше́ние, но я́ сего́дня уезжа́ю.

Invite a friend to dinner, to your club, to your dormitory.

Model: — Дорога́я Мари́я Петро́вна! Поздравля́ю ва́с с днём рожде́ния!
        — Каки́е краси́вые цветы́! Большо́е спаси́бо!
        — Мне́ о́чень прия́тно, что цветы́ ва́м понра́вились.

Friends wish you many happy returns and give you a picture, a dog, records.

Model: — Большо́е спаси́бо. Обе́д бы́л о́чень вку́сный.
        — На здоро́вье.

Thank your hostess for a nice supper, nice tea.

Model: — Большо́е ва́м спаси́бо за прия́тный ве́чер.
        — О́чень ра́ды, что ва́м у на́с понра́вилось.

Thank the organizers of a students' evening party, a meeting with a well-known poet.

12. *Compose dialogues based on the following situations.*

1. You want to ask your friend to lend you the latest magazine. 2. You do not remember today's date. Ask a friend. 3. You left your money at home. Ask a friend to lend you two or three rubles. 4. You are at a restaurant. Ask the person next to you to pass you the bread. 5. You have come to see a girl on her birthday. Wish her many happy returns. 6. You are visiting friends. You have enjoyed the supper and want to thank your hostess. 7. Thank your host (hostess) for an enjoyable party. 8. You are invited for a drive to the country. You accept the invitation. You decline the invitation because you are busy with your studies. 9. You are invited to the beach. You accept the invitation. You decline the invitation because you do not feel very well. 10. You are asked to read a paper at a conference. You accept the offer. You decline the offer because you will be away from the city at the time.

IV. Traveling Is the Best Recreation

Я собира́юсь путеше́ствовать.	I am planning to take a trip.
вы́брать маршру́т	to select a route, itinerary
Не забу́дьте взя́ть тёплые ве́щи.	Don't forget to take warm clothes along.
оде́ться тепло́ (легко́)	to dress warmly (lightly)
ходи́ть в лёгком пла́тье (костю́ме)	to wear a light dress (suit)
носи́ть пла́тье (костю́м)	to wear a dress (suit)
Вчера́ о́н бы́л в костю́ме.	Yesterday he was in a suit.

13. *Listen and repeat.*

путеше́ствовать [пут'ише́ствъвът'], собира́етесь путеше́ствовать.
— Что́ вы́ собира́етесь де́лать ле́том?
— Мы́ собира́емся путеше́ствовать по Сре́дней А́зии.
Оде́ться легко́, лёгкое пла́тье, тёплая оде́жда; ве́щи, о́вощи, пла́щ неожи́данно [н'иажы́дъннъ], ка́к изве́стно [изв'е́снъ]
Ка́к изве́стно, в Сре́днюю А́зию ну́жно бра́ть лёгкие пла́тья.

14. (a) *Read the text.*

Вы́ собира́етесь путеше́ствовать

Вы́ собира́етесь в туристи́ческое путеше́ствие по СССР. Дава́йте погово́рим о то́м, ка́к на́до оде́ться, чтобы бы́ло тепло́ и удо́бно.
Сейча́с в СССР весна́. Но э́то ни о чём не говори́т. Чтобы сказа́ть, ка́к на́до оде́ться, на́до зна́ть, куда́ вы́ е́дете.
Зимо́й в Москве́ лежи́т сне́г, иногда́ быва́ет хо́лодно: —20°, —25° моро́за. И для путеше́ствия в Москву́ в э́то вре́мя лу́чшая оде́жда—э́то зи́мнее пальто́, тёплая ша́пка и тёплые боти́нки. В Сиби́ри в э́то вре́мя мо́жет

бы́ть —30° и —40°, а в ю́жных райо́нах Сре́дней А́зии в э́то вре́мя но́сят лёгкие пла́тья и хо́дят без пальто́ и без ша́пок. На Кавка́зе, на берегу́ Чёрного мо́ря уже́ цвету́т цветы́. Е́сли вы́ е́дете зимо́й на Кавка́з и́ли в Кры́м, то возьми́те пла́щ, зо́нт. Та́м в э́то вре́мя ча́сто иду́т дожди́. Не забу́дьте взя́ть спорти́вные брю́ки: ведь вы́ е́дете в го́ры.

Е́сли вы́ собира́етесь е́хать весно́й, то тёплое пальто́ ну́жно бу́дет то́лько в Сиби́ри, куда́ весна́ прихо́дит о́чень по́здно. В Сре́дней А́зии уже́ ле́то, поэ́тому туда́ не на́до бра́ть тёплую оде́жду. Возьми́те пла́щ, лёгкое пла́тье и́ли костю́м.

Ле́том, ка́к изве́стно, везде́ тепло́.

О́сень на ю́ге Сове́тского Сою́за о́чень похо́жа на ле́то: та́м тепло́, мно́го со́лнца, мно́го цвето́в, фру́ктов. На Ура́л и в Сиби́рь о́сень прихо́дит неожи́данно. Днём ещё быва́ет тепло́, а но́чью моро́з, поэ́тому не забу́дьте взя́ть тёплые ве́щи.

Золота́я о́сень—лу́чшее вре́мя го́да на Да́льнем Восто́ке. Пого́да стои́т тёплая, и о́чень краси́вы леса́.

(b) *Answer the questions.*

1. Ка́к на́до оде́ться, е́сли вы́ собира́етесь пое́хать в Москву́ зимо́й? 2. Что́ ну́жно взя́ть с собо́й, е́сли вы́ собира́етесь путеше́ствовать зимо́й и́ли весно́й по Кры́му и́ли Кавка́зу? 3. Ка́к на́до оде́ться, е́сли вы́ бу́дете путеше́ствовать зимо́й и́ли о́сенью по Сре́дней А́зии?

(c) *Note:* Сего́дня **Ве́ра в но́вом костю́ме.**
А́лла обы́чно **но́сит све́тлые пла́тья.**
А́лла обы́чно **хо́дит в све́тлых пла́тьях.**

(d) *Oral Practice.*

(1) You are planning to visit the Soviet Union. Ask your friends who have already been there what things you should take along, what you should wear.

(2) You are planning to travel in your own country. Ask your friends about the specific climatic conditions in the areas you are planning to visit.

15. (a) *Read the dialogue and retell it.*

— Ви́ктор, переда́й, пожа́луйста, А́не мою́ тетра́дь.
— А я́ не зна́ю А́ню. Кака́я она́?
— Она́ высо́кая. У неё голубы́е глаза́ и све́тлые во́лосы. Она́ в кра́сном костю́ме.
— Спаси́бо. Тепе́рь я́ её узна́ю. Дава́й твою́ тетра́дь. Я́ её переда́м.

(b) *Compose similar dialogues, using the following words.*

невысо́кий	биле́т в кино́	чёрные глаза́	спорти́вный кос-
симпати́чный	приглаше́ние на	зелёные глаза́	тю́м
похо́жий (н а к о-	ве́чер	тёмные во́лосы	чёрные брю́ки
г о́)	де́ньги	све́тлые во́лосы	кра́сная ша́пка
серьёзный	слова́рь	чёрные во́лосы	си́ний пла́щ
весёлый	журна́л		бе́лое пла́тье

16. (a) *Read the dialogue and retell it.*

— Ва́ля, где́ ты ви́дишь О́лю? Я́ никого́ не ви́жу.
— Во́н она́, стои́т о́коло ка́ссы.
— В чём она́?
— Она́ в пальто́.
— В како́м пальто́?
— В си́нем пальто́. Она́ всегда́ хо́дит в си́нем пальто́. (Она́ всегда́ но́сит си́нее пальто́.)
— Тепе́рь ви́жу. Пойдём к не́й.
— Пойдём.

(b) *Compose similar dialogues, using the following words.*

бе́лый	пла́тье
чёрный	пальто́
кра́сный	костю́м
зелёный	ша́пка
си́ний	пла́щ

17. *Name objects which could be classified as (1) garments, (2) food items and (3) means of transportation.*

18. *Answer the questions.*

1. Вчера́ бы́л ве́чер. В чём бы́л на ве́чере ва́ш дру́г? 2. Зимо́й у ва́с но́сят ша́пки? 3. Когда́ вы́ хо́дите в плаще́, а когда́ в тёплом пальто́? 4. Како́го цве́та костю́мы и пла́тья вы́ лю́бите носи́ть?

19. *Answer the questions, using the words and phrases in brackets.*

1. Ка́к вы́ прово́дите свобо́дное вре́мя? (путеше́ствовать, игра́ть в о ч т о́, занима́ться ч е́ м) 2. Ка́к вы́ провели́ э́то воскресе́нье? (е́здить в ле́с, в го́сти,

к друзья́м) 3. Че́м вы́ занима́етесь в свобо́дное вре́мя? (чита́ть, игра́ть в ша́хматы, ходи́ть в теа́тр) 4. У ва́с е́сть хо́бби? (собира́ть ма́рки, значки́, откры́тки, пласти́нки, ста́рые кни́ги)

20. (a) *Read and retell.*

Ка́к отдыха́ли знамени́тые лю́ди

Ца́рь Пётр I в свобо́дное вре́мя люби́л что́-нибудь стро́ить, де́лать ра́зные ве́щи. А когда́ была́ плоха́я пого́да, о́н ши́л сапоги́.

Писа́тель Ле́в Никола́евич Толсто́й люби́л прогу́лки и мно́го е́здил на велосипе́де. В 1896 году́, когда́ ему́ бы́ло 67 ле́т, его́ избра́ли почётным председа́телем клу́ба велосипеди́стов Росси́и.

ши́ть sew
сапо́г boot

почётный honorary
председа́тель chairman

(b) *Tell about your own hobbies and about the hobbies of people you know.*

21. *Read and learn the proverbs.*

Ска́зано—сде́лано.	*Cf.* One is as good as his word.
Не то́т умён, кто́ мно́го жи́л, а то́т, кто́ мно́го ви́дел.	A clever man is not he who has lived long, but he who has seen a lot.
Бо́льше бу́дешь ходи́ть, до́льше бу́дешь жи́ть.	The more you walk, the longer you'll live.

Reading

1. *Read and translate.*

Note: г д é? е́хать ми́мо до́ма

Гуля́ем по Москве́

К на́м в шко́лу прие́хали 32 англи́йских шко́льника. Они́ ходи́ли по шко́ле, входи́ли в кла́ссы, сиде́ли на уро́ках. Они́ слу́шали, писа́ли. Э́то бы́ло у́тром. А ве́чером мы́ встре́тились в гости́нице «Тури́ст» и всё вме́сте пое́хали смотре́ть Москву́, метро́. Мы́ е́хали по у́лице Го́рького ми́мо пло́щади Маяко́вского, гости́ницы «Ми́нск», прое́хали ми́мо пло́щади Пу́шкина. Вхо́дим в метро́ на ста́нции «Пло́щадь Свердло́ва». Всё покупа́ем моро́женое: «Пятьдеся́т по девятна́дцать»[1]. Е́дем ми́мо ста́нции «Новослобо́дская». «Ка́к краси́во!» Реши́ли вы́йти посмотре́ть.

Говори́м по-ру́сски, по-англи́йски с оши́бками, но ничего́, всё поня́тно. И всё вре́мя: «А у ва́с?», «А у на́с...».

Домо́й идём пешко́м. Идём ми́мо теа́тров, музе́ев, па́мятников. Расска́зываем гостя́м о Москве́.

---

[1] i.e. 50 ices at 19 kopeks each.

Ста́нция метро́
«Новослобо́д-
ская»

2. *Compose dialogues based on the following situations.*

You are looking for the library, museum, shop, theater, House No. 10, the University, the circus, bus stop, subway station, hotel, restaurant.

Model: — Скажи́те, пожа́луйста, где́ здесь шко́ла?
         — Во́н та́м, на у́лице Толсто́го.
         — А ка́к мне́ лу́чше идти́?
         — Иди́те пря́мо, ми́мо апте́ки, а пото́м напра́во.

3. (a) *Read and analyze.* (*See Analysis XVI, 2.0, 2.1, 2.2.*)

Note: **Изуча́я фи́зику,** $\left\{\begin{array}{l}\text{о́н мно́го занима́ется и матема́тикой.} \\ \text{о́н мно́го занима́лся и матема́тикой.} \\ \text{о́н мно́го бу́дет занима́ться и матема́тикой.}\end{array}\right.$

Ко́нчив университе́т, $\left\{\begin{array}{l}\text{о́н рабо́тает учи́телем.} \\ \text{о́н рабо́тал учи́телем.} \\ \text{о́н бу́дет рабо́тать учи́телем.}\end{array}\right.$

Жи́л ста́рый до́м

В ко́мнате на стене́ виси́т больша́я ка́рта истори́ческого це́нтра Москвы́. Здесь рабо́тают реставра́торы. **Изуча́я** и **реставри́руя** дома́ в це́нтре столи́цы, архите́кторы стара́ются сохрани́ть стари́нную архитекту́ру э́того райо́на. **Изуча́я** ка́ждое зда́ние, архите́кторы узнаю́т го́д его́ рожде́ния, исто́рию жи́зни. И то́лько **изучи́в** биогра́фию до́ма, они́ начина́ют реставри́ровать его́. В Москве́ реши́ли сохрани́ть стари́нные дома́ в це́нтре го́рода, **созда́в** де́вять запове́дных зо́н. Э́то райо́н ста́рого Арба́та, у́лицы Воро́вского, Ге́рцена, Ки́рова, Кузне́цкий мо́ст.

(b) *Retell the text.*

(c) *Find the verbal adverbs in the text and give the basic forms for each.*

4. *Replace the verbal adverb phrases by subordinate clauses, as in the model.*

Model: Занима́ясь спо́ртом, о́н чу́вствует себя́ лу́чше.
Когда́ о́н занима́ется спо́ртом, о́н чу́вствует себя́ лу́чше.

1. Узна́в об откры́тии но́вого музе́я, мы́ реши́ли посмотре́ть его́. 2. Ко́нчив шко́лу, Бори́с поступи́л в университе́т. 3. Слу́шая наро́дные пе́сни, я́ всегда́ вспомина́ю своё де́тство. 4. Верну́вшись домо́й, она́ позвони́т ва́м. 5. Реши́в пе́рвую зада́чу, о́н на́чал реша́ть втору́ю.

Model: Зна́я его́ а́дрес, вы́ мо́жете написа́ть ему́.
Éсли вы́ зна́ете его́ а́дрес, вы́ мо́жете написа́ть ему́.

1. Изуча́я ру́сскую исто́рию, вы́ должны́ интересова́ться и ру́сской культу́рой. 2. Интересу́ясь ру́сской литерату́рой и иску́сством, вы́ обяза́тельно начнёте изуча́ть и ру́сский язы́к. 3. Собира́я ма́рки, найди́те вре́мя и для изуче́ния и́х исто́рии.

5. (a) *Read and translate.*

Ка́к ста́ть тури́стом?

Посмотре́в фи́льм о приро́де Қавка́за, Ро́берт реши́л, что ле́том о́н обяза́тельно пое́дет на Қавка́з в студе́нческий ла́герь. Гото́вясь к путеше́ствию на Қавка́з, Ро́берт реши́л немно́го познако́миться с э́тим райо́ном страны́. Чита́я журна́л «Сове́тский Сою́з», о́н мно́го узна́л о Гру́зии, Арме́нии, узна́л о то́м, что на Қавка́зе живёт мно́го люде́й, кото́рым 100 ле́т и бо́льше.

Уви́дев в библиоте́ке журна́л «Путеше́ствие в СССР», о́н ста́л чита́ть э́тот журна́л. Журна́л «Путеше́ствие в СССР» выхо́дит на ру́сском, англи́йском, францу́зском и неме́цком языка́х 6 ра́з в го́д.

Но Ро́берт не то́лько чита́л, но и трениров́ался, занима́лся в спортклу́бе университе́та. О́н серьёзно гото́вился к встре́че с Қавка́зскими гора́ми.

И о́сенью, верну́вшись в университе́т, Ро́берт не то́лько расска́зывал о своём путеше́ствии, но и пока́зывал значо́к «Тури́ст СССР», кото́рый получи́л на Қавка́зе.

(b) *Retell the text.*

6. *Vocabulary for Reading. Study the following new words, their forms and usage as illustrated in the sentences on the right. Read each sentence aloud.*

выбира́ть / вы́брать к о г о́ — ч т о́	Ле́том я́ хочу́ пое́хать отдыха́ть в го́ры, но не зна́ю, како́й маршру́т вы́брать.
	— Вы́ уже́ вы́брали кни́гу?
	— Не́т, я́ ещё выбира́ю.

защищать / защитить кого — что, от кого—чего	Ра́ньше Кремль защища́л го́род от враго́в. Небольшо́й отря́д не́сколько ме́сяцев защища́л Бре́стскую кре́пость.
освобожда́ть / освободи́ть кого́—что, от кого́—чего́	Сове́тская А́рмия освободи́ла свою́ страну́ от фаши́стов в 1944 году́.
замеча́ть / заме́тить кого́—что / *subordinate clause*	— Вы ви́дели Никола́я в библиоте́ке? — Не́т, я не заме́тил его́. Я заме́тил, что вчера́ на семина́ре бы́ло ма́ло наро́да.

7. *Oral Practice.*

(1) You want to go to Europe this summer. Discuss what itinerary you should take with friends.
(2) You were in a part of the country you hadn't known previously. What did you notice there of interest?

8. *Vocabulary for Reading. Study the following new words, their forms and usage as illustrated in the sentences on the right. Read each sentence aloud.*

стара́ться / постара́ться + *infinitive*	У меня́ мно́го рабо́ты, но я постара́юсь помо́чь ва́м. — Ты перевёл э́ту статью́? — Не́т, но я стара́юсь перевести́.
успева́ть / успе́ть + *infinitive*	— Ты купи́л биле́т на конце́рт? — Не́т, не успе́л. Я не успе́л написа́ть статью́, потому́ что боле́л.
наде́яться + *infinitive/subordinate clause*	Он наде́ялся встре́тить ва́с в библиоте́ке. Он наде́ялся, что встре́тит ва́с в библиоте́ке. Мы наде́емся, что ле́том бу́дем мно́го занима́ться спо́ртом.
одева́ться / оде́ться	— Вы собрали́сь? — Не́т, я ещё не оде́лась.
устава́ть / уста́ть	Вчера́ я мно́го рабо́тала и о́чень уста́ла.

9. *Answer the questions.*

Model: — Вы по́няли, чего́ о́н хо́чет?
— Не́т, но стара́юсь поня́ть.

1. Вы узна́ли его́ а́дрес? 2. Вы реши́ли э́ту зада́чу? 3. Вы откры́ли окно́? 4. Вы уже́ запо́мнили э́ту пе́сню? 5. Вы вспо́мнили фами́лию э́того спортсме́на?

10. *Oral Practice.*

Explain why you failed to congratulate your friends on the New Year, to meet your friend, to read the article, to learn the new words, to take your exam, to write a letter home, to buy this book.

Model: Я не успе́л позвони́ть ва́м вчера́, потому́ что у меня́ бы́ло мно́го рабо́ты.

11. *Change each sentence, as in the model.*

Model: Он наде́ется, что уви́дит ва́с за́втра.
Он наде́ется уви́деть ва́с за́втра.

1. Мы́ наде́емся, что вернёмся обра́тно в во́семь часо́в. 2. Она́ наде́ется, что бу́дет выступа́ть в Большо́м теа́тре. 3. Я наде́юсь, что прие́ду в Москву́ ле́том. 4. Они́ наде́ются, что приду́т к ва́м в пя́тницу. 5. Он наде́ется, что бу́дет проводи́ть кани́кулы в Евро́пе. 6. Я наде́юсь, что начну́ занима́ться спо́ртом весно́й.

12. (a) *Read and translate.*

Гла́вная пло́щадь

Тру́дная зада́ча—говори́ть и писа́ть о не́й. Э́ту пло́щадь хорошо́ зна́ют не то́лько в Сове́тском Сою́зе. Её ви́дят на откры́тках, ма́рках, в кино́. О не́й чита́ли в кни́гах, газе́тах, журна́лах. Ка́ждый сове́тский челове́к мечта́ет уви́деть э́ту пло́щадь.

На земле́ мно́го площаде́й. Ка́ждая име́ет своё лицо́, свою́ исто́рию. Кра́сная пло́щадь в Москве́ име́ет осо́бую красоту́. Пло́щадь ка́жется большо́й. А она́ ме́ньше мно́гих знамени́тых площаде́й. Она́ стро́илась не́сколько веко́в. Стро́ились и изменя́лись Кремлёвские сте́ны. Они́ бы́ли деревя́нными, пото́м и́х сде́лали из ка́мня. Росли́ ба́шни Кремля́. В XVI ве́ке на пло́щади постро́или собо́р Васи́лия Блаже́нного. Появи́лись зда́ние Истори́ческого музе́я и па́мятник Ми́нину и Пожа́рскому[1]. А когда́ в 1924 году́ у́мер В. И. Ле́нин, на пло́щади постро́или Мавзоле́й.

Кра́сная пло́щадь—э́то исто́рия страны́. Почти́ ты́сячу ле́т стои́т э́та пло́щадь.

Че́рез Кра́сную пло́щадь ми́мо Мавзоле́я В. И. Ле́нина 7 ноября́ 1941 го́да прошли́ те́, кто́ защища́л Москву́ от фаши́стов. На Кра́сной пло́щади в ию́ле 1945 го́да бы́л пара́д победи́телей. По пло́щади прошли́ те́, кто́ освободи́л страну́ от фаши́зма.

Кра́сная пло́щадь нахо́дится в це́нтре Москвы́. От э́того ме́ста ро́с и стро́ился го́род. Го́род растёт и бу́дет расти́. В нём появля́ются но́вые райо́ны, изменя́ется его́ архитекту́ра. Но це́нтром Москвы́ всегда́ бу́дут Кре́мль и Кра́сная пло́щадь.

---

[1] Kozma Minin (d. 1616) and Prince Dmitry Pozharsky (1578-1641) organized (in 1611-1612) a people's corps for the struggle against the Polish invaders. Prince Pozharsky led the corps, which defeated the Polish army and in October 1612 liberated Moscow. A monument to Minin and Pozharsky was erected in Red Square in 1818.

(b) *Write out a brief outline of the text.*

(c) *Retell the text on the basis of your outline.*

13. *Vocabulary for Reading. Study the following new words, their forms and usage as illustrated in the sentences on the right. Read each sentence aloud.*

жаль + *infinitive / subordinate clause*

Нáм бы́ло жáль уезжáть из э́того гóрода.

Жáль, что вы́ нé были вчерá на концéрте. Выступáли óчень хорóшие музыкáнты.

— Я́ не могу́ сегóдня прийти́ к вáм.
— Óчень жáль.

уве́рен + *subordinate clause*	— Э́то о́чень интере́сная кни́га. Я уве́рен, что она́ вам понра́вится.
	— Ка́к вы ду́маете, кака́я пого́да бу́дет за́втра?
	— Я уве́рена, что за́втра бу́дет до́ждь.
со́лнце	Сего́дня о́чень хоро́шая пого́да: тепло́, со́лнце, не́т ве́тра.
	Пу́сть всегда́ бу́дет со́лнце.
	Пу́сть всегда́ бу́дет не́бо,
	Пу́сть всегда́ бу́дет ма́ма,
	Пу́сть всегда́ бу́ду я.
	(Слова́ из пе́сни)
тво́рчество	Ле́том учёные бы́ли в экспеди́ции на се́вере страны́. Та́м они́ изуча́ли тво́рчество наро́дных мастеро́в.
	М. Ю. Ле́рмонтов познако́мился с тво́рчеством А. С. Пу́шкина ещё в де́тстве.
страни́ца	— Джо́н, скажи́, пожа́луйста, на како́й страни́це те́кст о Сиби́ри?
	— На два́дцать шесто́й.
	— Откро́йте, пожа́луйста, два́дцать шесту́ю страни́цу.
	Путеше́ствие в Инди́ю откры́ло для на́с но́вые страни́цы исто́рии э́той страны́.

14. *Express regret about each statement, as in the model.*

Model: — Я́ не смо́г прийти́ вчера́ на конце́рт.
— О́чень жа́ль, что вы́ не́ были на конце́рте. Конце́рт бы́л о́чень хоро́ший.

1. В де́тстве о́н не занима́лся спо́ртом. 2. Моя́ до́чь ма́ло гуля́ет. 3. Я́ не уме́ю ката́ться на конька́х. 4. Мы́ не могли́ прийти́ вчера́ на ма́тч. 5. Когда́ я́ бы́л в Ленингра́де, я́ не смо́г встре́титься с профе́ссором Петро́вым. 6. Мы́ нигде́ не могли́ его́ найти́.

15. *Express confidence in your replies to the following questions.*

Model: — Вы́ не зна́ете, кака́я вода́ в э́том о́зере?
— Я уве́рен, что в э́том о́зере чи́стая вода́: о́коло о́зера — леса́, здесь не́т заво́дов.

1. Вы́ не зна́ете, Нева́ — глубо́кая река́? 2. Ка́к вы́ ду́маете, кака́я пого́да бу́дет за́втра? 3. Вы́ не зна́ете, Серге́й Фёдорович жена́т? 4. Я́ не зна́ю, оста́нется ли Никола́й Петро́вич рабо́тать в э́том го́роде. 5. Ка́к вы́ ду́маете, кака́я кома́нда победи́т в э́том ма́тче?

16. *Read and translate. Note the meaning and usage of the following phrases.*

Николай Иванович — хороший тренер.

вести { работу
занятие
семинар

Он ведёт большую работу с молодыми спортсменами.

Занятия по русскому языку ведёт профессор Смит.

Семинар по математике в нашей группе ведёт аспирант.

иметь { значение
успех
возможность + *infinitive*

Борьба за охрану природы имеет большое значение для будущего Земли.

Выступления детского ансамбля Московского дворца пионеров всегда имеют большой успех.

В университете студенты имеют возможность заниматься научной работой.

17. *Answer the questions.*

1. Кто у вас ведёт занятия по русскому языку? 2. Кто у вас ведёт занятия по литературе? 3. Кто у вас ведёт занятия по истории? 4. Кто у вас ведёт семинар по философии? 5. Кто у вас ведёт семинар по экономике? 6. Кто у вас ведёт семинар по физике?

18. *Oral Practice.*

Tell about your studies at the University, using заниматься; вести занятия, семинар; читать лекции; получить, иметь возможность; иметь значение.

19. *Note the suffix* -ник.

колхоз — колхозник
современный — современник

20. (a) *Recall the meaning of the words* нефть, ездить, рыба, красивый.

(b) *Now read and translate the following sentences without consulting a dictionary. Guess the meaning of the underlined words on the basis of context.*

1. Около Баку много нефти. В этом городе живут нефтяники. 2. Летом они ездили на Дальний Восток. Говорят, что их поездка была очень интересной. 3. Вера Петровна очень красивая женщина. И дочь у неё красавица. 4. В Байкале много рыбы. На берегу Байкала есть колхозы, где живут и работают рыбаки.

21. (a) *Read the words and explain their meaning.*

мечта	путешествие
мечтать	путешествовать
мечтатель	путешественник

510

(b) *Read the text and retell it.*

В де́тстве у Петра́ была́ мечта́ пое́хать на Да́льний Восто́к. Он мечта́л уви́деть Ти́хий океа́н, Сахали́н, Камча́тку. Он мно́го чита́л о Да́льнем Восто́ке, собира́л ма́рки. Ча́сто на уро́ках и до́ма он путеше́ствовал в мечта́х и не слы́шал, что ему́ говоря́т. Никто́ не ду́мал, что э́тот мечта́тель ста́нет путеше́ственником и писа́телем. Сейча́с он мно́го е́здит и в кни́гах расска́зывает о свои́х путеше́ствиях в Сиби́рь и на Кавка́з, на Се́верный по́люс и в Антаркти́ду.

22. (a) *Recall the meaning of the words* друг *and* недалеко́.

(b) *Now read and translate the following sentences without consulting a dictionary. Guess the meaning of the underlined words on the basis of context.*

1. Сейча́с я хорошо́ зна́ю, кто мой друг, а кто мой враг. 2. Язы́к мой — враг мой. (*Proverb*) 3. — Где вы отдыха́ли ле́том? — Недалеко́ от Москвы́, в Мала́ховке. — Да, э́то бли́зко. А я отдыха́ла о́чень далеко́, на Байка́ле. 4. Я всегда́ мечта́л побыва́ть в далёких стра́нах: в Австра́лии, в Индии, в Африке. 5. В гора́х далёкие го́ры ча́сто ка́жутся бли́зкими.

23. *Read and translate the sentences without consulting a dictionary. Explain the meaning of the underlined words.*

1. Ве́ра Смирно́ва рабо́тает ги́дом. По-мо́ему, э́то о́чень интере́сная рабо́та. Она́ ча́сто получа́ет приглаше́ния пое́хать в Сиби́рь, на Украи́ну, на Кавка́з и в други́е райо́ны страны́. Она́ уже́ нема́ло ви́дела. 2. В на́шей гру́ппе у́чатся студе́нты ра́зных национа́льностей. 3. Мне о́чень понра́вился конце́рт инди́йской национа́льной му́зыки.

24. *Listen and repeat.*

стать путеше́ственником, небольшо́й городо́к, недалеко́ от Москвы́, небольшо́й городо́к недалеко́ от Москвы́. В де́тстве я мечта́л стать путеше́ственником, /но ви́дел то́лько Москву́, где я роди́лся,/ и небольшо́й городо́к недалеко́ от Москвы, / в кото́ром прошла́ часть моего́ де́тства.

уви́деть что́-нибудь необыкнове́нное [н'иабыкнав'е́ннъjъ], поезжа́йте [пъиж'ж'а́jт'и] на Пами́р. Если вы хоти́те уви́деть что́-нибудь необыкнове́нное, / то поезжа́йте на Памир.

посети́ть ра́зные респу́блики, познако́миться с нефтя́никами, познако́митесь с ра́зными национа́льностями [нъцыана́л'нъс'т'им'и], с ра́зными тради́циями [трад'и́цыjим'и], посмо́трите национа́льные та́нцы, имена́ неизве́стны [н'иизв'е́сны].

25. *Basic Text. Read the text and then do exercises 26-28.*

Приглашение к путешествию

В детстве я мечтал стать путешественником, но видел только Москву, где я родился, и небольшой городок недалеко от Москвы, в котором прошла часть моего детства.

Поезда пробегали мимо нашей станции, унося мою мечту к высоким горам, к далёким морям и океанам.

Прошло немало лет. Я много ездил по стране. Был в Каракумах[1], на Северном полюсе, на берегах Балтийского моря, в Сибири и на Дальнем Востоке. Эти поездки давали мне возможность видеть, как изменяется лицо страны. И, может быть, поэтому я могу стать вашим гидом.

Как мы начнём наше путешествие? Может быть, мы поедем в горы? Но куда? На Урал? На Кавказ? На Памир?

Уральские горы — очень старые горы, они невысокие. И человек, впервые едущий из Москвы на восток, может проехать, не заметив их. Если вы хотите увидеть что-нибудь необыкновенное, то поезжайте на Памир. Это высочайшие горы. Особенно красив бывает Памир, когда утром появляется солнце.

---

[1] Kara Kum, a desert in the southern Soviet Union, largely in Turkmenistan, south of the Aral Sea (110,000 sq. miles or 300,000 km²).

А мо́жет бы́ть, ва́м интере́сно посмотре́ть места́, где ра́ньше никогда́ не быва́л челове́к?

До́лго на географи́ческой ка́рте Росси́и бы́ло мно́го «бе́лых пя́тен». Путеше́ственники, геогра́фы вели́ нау́чную рабо́ту, но и́х бы́ло о́чень ма́ло. В нача́ле XX ве́ка в Сиби́ри рабо́тал то́лько оди́н госуда́рственный гео́лог.

В студе́нческие го́ды я мно́го путеше́ствовал по ма́ло изу́ченным Пами́ру и Тянь-Ша́ню.

Ста́в взро́слым, я по́нял, что ещё интере́снее, путеше́ствуя, знако́миться с культу́рой про́шлого. Ка́к па́мятники ка́ждой эпо́хи остаю́тся на земле́ города́, кана́лы и сады́, пе́сни и та́нцы.

Страна́ — э́то не про́сто земля́. Э́то земля́, на кото́рой живу́т лю́ди. В Сове́тском Сою́зе живёт 270 миллио́нов челове́к. И е́сли ве́жливый го́сть захо́чет сказа́ть «здра́вствуйте» на языка́х наро́дов, живу́щих в СССР, о́н до́лжен бу́дет вы́учить бо́лее 100 (ста́) сло́в.

Вы́ мо́жете посети́ть ра́зные респу́блики: познако́миться с нефтя́никами Азербайджа́на, колхо́зниками Украи́ны, Сре́дней А́зии и Гру́зии, рыбака́ми Приба́лтики. Вы́ познако́митесь с ра́зными национа́льностями, с ра́зными тради́циями, кото́рые выража́ются в архитекту́ре городо́в, в иску́сстве, в наро́дном тво́рчестве, в то́м, что лю́ди говоря́т на ра́зных языка́х, по-ра́зному одева́ются, по-ра́зному встреча́ют госте́й. Вы́ послу́шаете и́х национа́льные пе́сни, посмо́трите национа́льные та́нцы. Я наде́юсь, что в ка́ждом тако́м путеше́ствии вы́ откро́ете что́-то но́вое.

Вы́ познако́митесь с дре́вними города́ми в Сре́дней А́зии и на Кавка́зе, таки́ми ка́к Бухара́, Самарка́нд, Ерева́н и Тбили́си.

Вы́ мо́жете мно́го ме́сяцев е́здить по дре́вним ру́сским города́м. Вы́ хоти́те зна́ть, интере́сно ли э́то? По-мо́ему, о́чень интере́сно, и ва́м не бу́дет ску́чно. Я уве́рен: что́бы уви́деть что́-то интере́сное, не на́до е́хать сли́шком далеко́. Мно́го интере́сного е́сть в це́нтре Росси́и, в Москве́ и о́коло Москвы́. Во́т, наприме́р, го́род Влади́мир. Он нахо́дится недалеко́ от Москвы́ (178 киломе́тров). Го́род бы́л осно́ван в 1108 году́ на высо́ком берегу́ реки́ Влади́миром Монома́хом[1] и на́зван его́ и́менем.

В XII ве́ке Влади́мир бы́л столи́цей Влади́миро-Су́здальской земли́, одни́м из са́мых краси́вых и бога́тых городо́в Се́веро-Восто́чной Руси́.

Путеше́ствие во Влади́мир откро́ет пе́ред ва́ми не́сколько страни́ц исто́рии ру́сского наро́да.

---

[1] Vladimir Monomakh (1053-1125), Great Prince of Kiev from 1113. During his reign the Russian principalities were united under Kievan leadership, and cultural life was at a high point.

Подъезжа́я к го́роду, вы замéтите дрéвние собóры. В нача́ле гла́вной у́лицы гóрода вы уви́дите Золоты́е ворóта[1]. Их стрóили 6 лéт (1158—1164 гг.). Золоты́е ворóта бы́ли ча́стью крéпости, котóрая защища́ла гóрод от врагóв. Золоты́е ворóта пóмнят тяжёлые временá монгóло-тата́рского и́га[2], когда́ враги́ вошли́ в гóрод, когда́ горéл гóрод, горéли его́ деревя́нные дома́ и собóры, когда́ бы́ли уби́ты все жи́тели гóрода. Пóмнят Золоты́е ворóта и други́е собы́тия.

Здесь влади́мирцы встреча́ли отря́ды Алекса́ндра Нéвского[3], победи́вшие немéцких ры́царей (1242 г.), а́рмию Дми́трия Донскóго[4] (1380 г.). Чéрез

---

[1] The Golden Gates.
[2] The Mongolian-Tatar Yoke.
[3] Alexander Nevsky (1220-1263), the Great Prince of Novgorod from 1228, of Kiev from 1248, and of Vladimir from 1252. During his reign in Novgorod he successfully defended the Russian lands against the German knights and the Swedes. In 1242, he defeated the German knights on the ice of Lake Chudskoye and thereby put an end to their eastward advance.
[4] Dmitry Donskoi (1350-1389), the Great Prince of Moscow from 1359, the Great Prince of Vladimir from 1362. He strove to unite the Russian principalities and in 1380 scored the first important victory over the Tatars at Kulikovo Polye against the army of Khan Mamai. This battle marked the beginning of the liberation of the Russian people from the Tatar Yoke.

Золоты́е воро́та проходи́ли отря́ды Дми́трия Пожа́рского, освобожда́вшие ру́сскую зе́млю от по́льско-лито́вских интерве́нтов.

Во вре́мя пра́здников открыва́лись две́ри Успе́нского собо́ра. Собо́р бы́л постро́ен в 1158 году́. Та́м нахо́дятся произведе́ния худо́жников XII-XVII веко́в, чьи́ имена́ на́м неизве́стны, и фре́ски знамени́того древнеру́сского ма́стера Андре́я Рублёва[1].

Мо́жно до́лго ходи́ть по Влади́миру, и жа́ль уезжа́ть из го́рода. Но на́с ждёт Су́здаль! И е́сли вы́ не уста́ли, мы́ пое́дем в Су́здаль.

Вы́ интересу́етесь, далеко́ ли е́хать до Су́здаля. Не́т, недалеко́. Че́рез два́дцать мину́т вы́ на авто́бусе прие́дете в Су́здаль, го́род, кото́рый явля́ется

---

[1] Andrei Rublyov (c. 1360-1430), the greatest known master of old Russian art. His frescoes and icons are found in a number of cathedrals in Moscow, Vladimir, Zagorsk, Zvenigorod and elsewhere.

архитекту́рным запове́дником. Здесь не стро́ят совреме́нные зда́ния, поэ́тому го́род мы́ ви́дим почти таки́м, каки́м о́н бы́л мно́го веко́в наза́д.

Выбира́йте любо́й маршру́т. Пе́ред ва́ми больша́я и интере́сная страна́. И знако́мясь с па́мятниками совреме́нной культу́ры, с па́мятниками про́шлых веко́в, постара́йтесь поня́ть те́х, кто́ и́х создава́л и создаёт, постара́йтесь бо́льше узна́ть о лю́дях, кото́рые явля́ются ва́шими совреме́нниками.

After N. Mikhailov

26. *Find in the text the names of mountains and old cities in the USSR, and read them aloud.*

27. *Find in the text sentences describing the Urals, the Pamirs and the city of Vladimir, and read them aloud.*

28. *Answer the questions.*

1. Ско́лько челове́к живёт в Сове́тском Сою́зе? 2. Ско́лько сло́в до́лжен вы́учить челове́к, чтобы сказа́ть «здра́вствуйте» на языка́х наро́дов, живу́щих в СССР? 3. В чём выража́ются ра́зные национа́льные тради́ции наро́дов, живу́щих в СССР? 4. Где́ нахо́дится го́род Влади́мир? Когда́ о́н бы́л осно́ван? 5. Что́ вы́ зна́ете о Су́здале?

29. *Answer the questions (you may consult a map).*

Немно́го о геогра́фии

1. Скажи́те, каки́е респу́блики вы́ зна́ете в СССР? Назови́те и́х столи́цы. 2. Назови́те изве́стные ва́м райо́ны СССР. 3. Каки́е вы́ зна́ете в СССР го́ры, ре́ки, моря́? 4. Где́ они́ нахо́дятся?

30. *Answer the questions.*

1. Вы́ бы́ли в Сове́тском Сою́зе? 2. Вы́ хоти́те пое́хать в СССР? 3. Что́ вы́ хоти́те посмотре́ть? 4. Каки́е города́ вы́ хоти́те посмотре́ть: совреме́нные и́ли стари́нные? 5. Скажи́те, в каки́х города́х вы́ хоти́те побыва́ть? 6. Каки́е райо́ны Сове́тского Сою́за вы́ хоти́те посети́ть? 7. Что́ вы́ хоти́те уви́деть в Сове́тском Сою́зе? 8. Ско́лько дне́й вы́ хоти́те путеше́ствовать по Сове́тскому Сою́зу?

31. *Compose a dialogue based on the following situation.*

You are planning to take a trip to the Soviet Union. Ask the Intourist[1] agent about what places of interest you should visit.

---

[1] Intourist, Soviet tourist agency responsible for the travel of all foreign tourists within the USSR.

32. *Oral Practice.*

You were in the Soviet Union and saw Lake Baikal. Show your photograph to your friends and tell them what you know about Baikal.

33. *Compose dialogues about a trip you have taken to the Soviet Union.*

34. *Advise someone to go to the Soviet Union. You were there yourself. Say where you were and what you saw.*

35. *Answer the questions.*

1. Вы́ лю́бите путеше́ствовать? 2. Вы́ путеше́ствовали по свое́й стране́? Где́ вы́ бы́ли? 3. Где́ вы́ бо́льше лю́бите путеше́ствовать: по гора́м, по леса́м, по города́м? 4. Вы́ бы́ли в други́х стра́нах? 5. Где́ вы́ бы́ли? Что́ вы ви́дели? 6. Куда́ вы́ хоти́те пое́хать?

36. *Oral Practice.*

Describe your country. List its various regions, major cities, industrial centers, mountains, rivers, seas, lakes. Tell what parts of it have large forests. What is its climate like? What is its area? What languages do its inhabitants speak? How many peoples live in it?

37. *Compose a dialogue.*

A Soviet student is planning to come to your country. Tell him where he should go and what he should see.

38. (a) *Read the text through once without consulting a dictionary.*

Вы приехали в Москву

Вы приехали в Москву. Если раньше вы не были в этом городе, то, наверное, слышали или читали о нём. Вы знаете, что Москва — столица СССР.

наверное probably

Москва была основана в 1147 году. В 1147 году князь Юрий Долгорукий послал князю Святославу Ольговичу письмо с приглашением приехать к нему в «Москов» для заключения мира и на пир. Об этом рассказывается в исторических документах. Москве 830 лет (а может быть, и больше). Москва — древний и в то же время молодой город.

князь prince

заключение conclusion
пир feast

В це́нтре Москвы́ дре́внее и совреме́нное ча́сто быва́ет ря́дом. Во́т две́ у́лицы: ста́рый ти́хий Арба́т и но́вый совреме́нный проспе́кт Кали́нина. Недалеко́ от Кра́сной пло́щади нахо́дится совреме́нная гости́ница «Росси́я», а ря́дом — дома́ XIV-XVI веко́в, где тепе́рь откры́ты музе́и.

Когда́ вы́ знако́митесь с архитекту́рой Москвы́, вы́ знако́митесь и с исто́рией го́рода.

Це́нтр Москвы́ — э́то Кре́мль, Кра́сная пло́щадь. На Кра́сной пло́щади нахо́дится Мавзоле́й В. И. Ле́нина, основа́теля сове́тского госуда́рства. На мра́морных пли- **плита́ slab** тах, кото́рые нахо́дятся в Кремлёвской стене́, мо́жно прочита́ть имена́ люде́й, кото́рые о́тдали свою́ жи́знь в борьбе́ за Сове́тскую вла́сть, за сча́стье люде́й труда́. **вла́сть power**

Пу́шкинская пло́щадь

Во вре́мя пра́здников 7 ноября́ и 1 ма́я по пло́щади прохо́дят демонстра́ции трудя́щихся, а ве́чером на пло́щади быва́ют пра́здничные гуля́ния.

С и́менем Кра́сной пло́щади свя́заны мно́гие истори́ческие собы́тия: Октя́брьская социалисти́ческая револю́ция 1917 го́да, Вели́кая Оте́чественная война́. Отсю́да, с Кра́сной пло́щади шли́ солда́ты на фро́нт в тяжёлые дни́ ноября́ 1941 го́да, когда́ враги́ подходи́ли к столи́це. Здесь проходи́л пара́д Побе́ды, здесь ра́достно встреча́л наро́д пе́рвых космона́втов.

Москва́—оди́н из крупне́йших городо́в ми́ра. В Москве́ живёт 8 миллио́нов челове́к. Э́то кру́пный промы́шленный це́нтр СССР, полити́ческий и администрати́вный це́нтр страны́. Здесь рабо́тает Сове́тское прави́тельство.

Все́ми дела́ми го́рода руководи́т Моссове́т. Е́сли вы́ пойдёте вве́рх по у́лице Го́рького, то сле́ва уви́дите зда́ние Моссове́та.

Моссове́т — э́то Моско́вский Сове́т наро́дных депута́тов, о́рган городско́го управле́ния. В Моссове́те реша́ют все́ ва́жные в жи́зни го́рода вопро́сы: ско́лько и каки́х домо́в на́до постро́ить, где на́до постро́ить шко́лы, кинотеа́тры, больни́цы, гости́ницы, ка́к сде́лать у́лицы Москвы́ чи́стыми и зелёными, ка́к лу́чше сохраня́ть па́мятники культу́ры. Моссове́т занима́ется вопро́сами образова́ния, торго́вли, организу́ет рабо́ту городско́го тра́нспорта.

трудя́щиеся working people
гуля́ние holiday celebration

пара́д parade

сове́т Soviet, council
о́рган organ
управле́ние government, administration

сохраня́ть preserve
образова́ние education
торго́вля trade

521

Москва—город науки и искусства. Здесь работает Академия наук СССР, много научно-исследовательских институтов, вузов. Здесь много учащейся молодёжи. Только в вузах Москвы учится 640 тысяч студентов.

В Москве 30 театров, много исторических, художественных и литературных музеев: музей Революции, Исторический музей, Театральный музей, музеи знаменитых русских писателей.

Недалеко от Красной площади за рекой Москвой находится Третьяковская галерея. Это самый большой музей русского искусства. Там вы можете увидеть работы А. Рублёва, картины И. Е. Репина, В. И. Сурикова, пейзажи И. И. Левитана.

В Москве есть также Музей изобразительных искусств имени А. С. Пушкина. В этом музее вы можете увидеть картины Рембрандта и Рубенса, Манэ и Пикассо.

В Москве много зданий, которые являются историческими или архитектурными памятниками. Вот, например, Покровский собор (храм Василия Блаженного) на Красной площади. Он был построен в 1555-1561 г. Собор построили в честь взятия Казани войсками Ивана Грозного. Это было важное событие в истории России. В результате этой победы навсегда была ликвидирована угроза нападения со стороны татар на востоке страны.

Недалеко от Кремля находится и здание Центрального выставочного зала. Это бывший Манеж. Он был построен в 1817 году. Здание это очень широкое и длинное, и в нём нет ни одной внутренней опоры.

исследовательский research
ВУЗ = **высшее учебное заведение** institution of higher learning

изобразительный fine arts

в честь in honor of
войска troops

нападение attack

Манеж riding academy
внутренний internal
опора support

Центральный выставочный зал — бывший Манеж.

В XIX ве́ке Мане́ж снача́ла испо́льзовали для организа́ции нау́чных, техни́ческих, этнографи́ческих вы́ставок, пото́м в Мане́же проходи́ли музыка́льные вечера́, на кото́рых выступа́ли лу́чшие музыка́нты. В 1957 году́ Мане́ж был превращён в Центра́льный вы́ставочный зал.

преврати́ть turn into

(b) *Answer the questions.*

1. Москва́ — дре́вний го́род? Когда́ она́ была́ осно́вана? 2. В Москве́ мо́жно уви́деть дре́внее и но́вое ря́дом? 3. Кака́я пло́щадь явля́ется це́нтром Москвы́? 4. Что нахо́дится на Кра́сной пло́щади? 5. Каки́е истори́ческие собы́тия свя́заны с Кра́сной пло́щадью? 6. Где реша́ются все ва́жные для го́рода Москвы́ вопро́сы? 7. Почему́ мо́жно сказа́ть, что Москва́ явля́ется го́родом нау́ки и иску́сства? 8. В Москве́ есть зда́ния, кото́рые явля́ются истори́ческими и́ли архитекту́рными па́мятниками?

(c) *Guess the meaning of these words and phrases:* пробле́ма, реша́ть пробле́му, ли́ния метро́, ра́достно, взя́тие, в результа́те, ликвиди́ровать, навсегда́, этнографи́ческий. *Check your translation with a dictionary.*

(d) *Read the text through once more.*

(e) *Oral Practice.*

(1) If you have been to Moscow, say something about the city.
(2) If you have not been to Moscow, say what you would like to see there.

Supplementary Materials

1. *Read the text, consulting a dictionary if necessary,*

Кре́мль

Кра́сная пло́щадь, Кре́мль — э́то центр Москвы́. В Кремле́ нахо́дится зда́ние Верхо́вного Сове́та СССР, рабо́тает Сове́тское прави́тельство.

Кре́мль — э́то истори́ческий и худо́жественный па́мятник, архитекту́рный анса́мбль, музе́й, в кото́ром нахо́дятся прекра́сные произведе́ния иску́сства. Мно́го веко́в лу́чшие мастера́ Росси́и, а та́кже иностра́нные архите́кторы и худо́жники создава́ли кремлёвские дворцы́ и собо́ры.

Во́семь веко́в наза́д появи́лся го́род на Москве́-реке́. Его́ крепостны́е сте́ны име́ли большо́е значе́ние для защи́ты Москвы́ от враго́в. Мно́го веко́в Кре́мль был кре́постью. Снача́ла в Кремле́ бы́ли деревя́нные сте́ны. Пото́м на́чали стро́ить ка́менные сте́ны и ба́шни.

На террито́рии Кремля́ мно́го дре́вних зда́ний. Одно́ из них — Успе́нский собо́р. Э́тому собо́ру пять веко́в. Его́ стро́ил италья́нский архите́ктор Аристо́тель Фиорава́нти. Успе́нский собо́р — э́то музе́й ико́н. Здесь есть ико́ны прекра́сных мастеро́в дре́вности. Мно́го ико́н нахо́дится и в Благове́щенском собо́ре. Здесь есть ико́ны Андре́я Рублёва и Феофа́на Гре́ка[1]. Тре́тий собо́р

---

[1] Theophan the Greek (c. 1340-c. 1410), outstanding medieval artist. He was born in the Byzantine Empire and came to live in Russia; worked mainly in Novgorod and Moscow; master painter of frescoes, icons and miniatures.

Кремля́ — Арха́нгельский. Всю гру́ппу собо́ров организу́ет в анса́мбль колоко́льня «Ива́н Вели́кий», постро́енная в XVI ве́ке.

На ка́ждом эта́пе исто́рии изменя́лся Кре́мль. Одни́ зда́ния сменя́ли други́е.

В Кремле́ нахо́дится зда́ние, постро́енное знамени́тым ру́сским архите́ктором Матве́ем Казако́вым (сейча́с э́то зда́ние Сове́та Мини́стров СССР). В э́том зда́нии находи́лся кабине́т В. И. Ле́нина, где он рабо́тал, и кварти́ра, где он жил с семьёй. Сейча́с здесь музе́й.

В XIX ве́ке был постро́ен Большо́й Кремлёвский дворе́ц и зда́ние Оруже́йной пала́ты. Сейча́с здесь нахо́дятся колле́кции худо́жественных изде́лий.

VOCABULARY

а́рмия army
аспира́нт graduate student
* ба́шня tower
боти́нки *pl.* (ankle high) boots
брю́ки *pl.* trousers
вести́ рабо́ту conduct work
вещь *f.* thing
возмо́жность *f.* possibility, opportunity
* во́ин warrior
враг enemy
выбира́ть / вы́брать select; elect
* гид guide
* далёкий far-away, distant
жаль (it is) a shame
замеча́ть / заме́тить note
* запове́дный protected, reserved
* защи́та defense
защища́ть / защити́ть defend
золото́й golden
зонт umbrella
кана́л canal
колхо́зник member of collective farm

корреспонде́нт correspondent
* мавзоле́й mausoleum
мечта́ dream
* ми́мо past
моро́з frost
наде́яться *imp.* wish; hope
настоя́щее вре́мя present time
национа́льность nationality
не́бо sky, heaven
нема́ло considerable, much
необыкнове́нный unusual
* неожи́данно unexpected
* нефтя́ник oil industry worker
одева́ть(ся) / оде́ть(ся) dress
* оде́жда clothing
освобожда́ть / освободи́ть liberate, free
пальто́ (top) coat
пара́д parade
пла́тье dress
плащ raincoat
пое́здка trip
приве́тствие greeting
произведе́ние work, production

путеше́ствие journey
путеше́ственник traveler
путеше́ствовать travel, journey
* реставра́тор restorer
* рыба́к fisherman
* ры́царь knight
* садово́д gardener
собира́ться / собра́ться + *inf.* get ready
* собо́р cathedral
собы́тие event
совреме́нник contemporary
со́лнце sun
* сра́зу at once
стара́ться / постара́ться try

* тво́рчество creation, creative work
* тяжёлое вре́мя hard times
уве́рен sure, certain
успева́ть / успе́ть have time
устава́ть / уста́ть be tired
* фаши́зм fascism
* фаши́ст fascist
* эпо́ха epoch

ANALYSIS AND COMMENTARY

The Russian Alphabet

Cyrillic Letter	Name of Letter	Cyrillic Letter	Name of Letter
А а *Аа*	á	П п *Пп*	pé
Б б *Бб*	bé	Р р *Рр*	ér
В в *Вв*	vé	С с *Сс*	és
Г г *Гг*	gé	Т т *Тт*	té
Д д *Дд*	dé	У у *Уу*	ú
Е е *Ее*	jé[1]	Ф ф *Фф*	éf
Ё ё *Ёё*	jó	Х х *Хх*	xá
Ж ж *Жж*	žé (zhé)	Ц ц *Цц*	cé (tse)
З з *Зз*	zé	Ч ч *Чч*	čá (cha)
И и *Ии*	í	Ш ш *Шш*	šá (sha)
Й й *Йй*	i krátkoje "short i"	Щ щ *Щщ*	ščá or š':a (shcha)
		ъ *ъ*	tv'ordij znák "hard sign"
К к *Кк*	ká	ы *ы*	jirí
Л л *Лл*	él'	ь *ь*	m'ágkij znák "soft sign"
М м *Мм*	ém	Э э *Ээ*	é oborótnoje "reversed e"
Н н *Нн*	én	Ю ю *Юю*	jú
О о *Оо*	ó	Я я *Яя*	já

[1] j+e, where j ("jot") correponds approximately to the English "y" in "yellow".

ABBREVIATIONS

abbr., abbreviation
acc., accusative
adj., adjective
colloq., colloquial
comp., comparative
conj., conjunction
dat., dative
deg., degree
f., feminine
fut., future
gen., genitive

IC, intonational construction
imp., imperfective
imper., imperative
indecl., indeclinable
inf., infinitive
instr., instrumental
interrog., interrogative
irreg., irregular
m., masculine
n., neuter

nom., nominative
p., perfective
parenth., parenthetic
part., particle
pl., plural
pred., predicate
prep., prepositional
pron., pronoun
sing., singular
subj., subject
superl., superlative

1.0 Russian Sounds: Consonants

Table of Russian Consonant Sounds

Method of formation		Place of formation					
		Bilabial	Labio-dental	Dental	Palato-alveolar	Palatal	Velar
Fricative			ф, в ф', в'	с, з с', з'	ш, ж щ	j	х
Occlusive	Plosive	п, б п', б'		т, д т', д'			к, г
	Affricative			ц	ч		
	Nasal	м м'		н н'			
	Lateral			л л'			
	Vibrant				р р'		

Table of English Consonant Sounds

Method of formation		Place of formation								
		Bilabial	Labio-dental	Dental	Alveo-lar	Post-alveolar	Palato-alveolar	Palatal	Velar	Glottal
Fricative		w	f, v	θ, ð	s, z	r	ʃ, ʒ	j		h
Occlusive	Plosive	p, b			t, d				k, g	
	Affricative						tʃ, dʒ			
	Nasal	m			n				ŋ	
	Lateral				l					

1.10 The most typical feature of the Russian consonant system is the existence of two correlations: palatalized—non-palatalized phonemes and voiced—voiceless phonemes.

There are 12 pairs of palatalized ("soft") and non-palatalized ("hard") phonemes in Russian:

[п]—[п'], [б]—[б'], [м]—[м'], [ф]—[ф'], [в]—[в'], [т]—[т'], [д]—[д'], [с]—[с'], [з]—[з'], [л]—[л'], [н]—[н'], [р]—[р']¹

The meaning of a word may depend on whether it has a soft or a hard consonant. Compare:

у́гол "corner"—у́голь "coal", говори́т "(he) speaks"—говори́ть "to speak", ра́д "glad"—ря́д "row", ест "(he) eats"—есть "to eat", бы́л "was"—би́л "he beat."

There are three pairs—[к]—[к'], [г]—[г'] and [х]—[х']—which are not separate phonemes.

The remaining six consonants are *unpaired*. Three are hard—[ш], [ж], [ц]—and three are soft—[щ], [ч], [j]. (The phoneme [ж':] is not included here because it occurs rarely and is more often than not replaced in modern Russian by a long hard [ж:].)

1.11 Palatalized consonants are pronounced in the same way as their non-palatalized counterparts plus an additional articulation: the tongue arches toward the middle of the roof of the mouth (palate), as it does in the pronunciation of the vowel [и].

This reduces the size of the resonating chamber and produces a sound of higher pitch. In pronouncing soft consonants the tongue assumes a more forward position than in the pronunciation of hard consonants, which increases the area of occlusion or closure. The front part of the tongue flattens and the lips are spread.

Examine the articulation charts of Russian consonants given below (page 533) and note the position of the tongue in pronouncing hard and soft consonants.

It is because of the similarity in formation that Russian soft consonants are often described by phoneticians as having an и nuance. Students will find a soft consonant easier to master if they begin by pronouncing it in position between two и-vowels, for in this case the middle part of the tongue will assume the necessary position automatically.

To many native speakers of English a palatalized consonant before the vowels [a], [o] and [y] may sound something like the corresponding hard consonant plus the consonant [j] ("jot"). Actually this "jot"-quality is *inseparable* from the Russian soft consonant.

Failure to distinguish a soft consonant from the soft consonant followed by [j] can lead to confusion in meaning. For example, compare the sound combinations of the *t'a* and *t'ja* type: дитя́ "child"—статья́ "article" or се́мя "seed"—семья́ "family", пе́со "peso"—пье́са "play", лёд "ice"—льёт "(he) pours".

1.12 No distinctive opposition of palatalized—non-palatalized consonants exists in English. English consonants can be palatalized to some degree before [j] and

---

¹ Palatalization of consonants is indicated in transcription by an apostrophe (').

front vowels (i, e). Compare, for example: "mouse"—"muse", "voice"—"view", "put"—"pit", "pet". However, in English such distinctions do not serve to distinguish words.

The degree of palatalization is much greater in Russian than in English: a Russian soft consonant is palatalized throughout its entire length, whereas in English only the end of a consonant becomes palatalized.

When practicing Russian soft consonants, the student should achieve a complete palatalization, and not just replacing soft consonants by combinations of hard consonants plus "jot". Avoid substituting affricate sounds, such as [ц], [ч], [д'з'], for the soft consonants [т'], [д']. Take special care when pronouncing soft consonants at the end of a word, before hard consonants and in alternate syllables containing soft and hard consonants (in one and the same word).

1.20 Voiced and Voiceless Consonants

There are 11 pairs of voiced and voiceless consonant sounds in Russian:
Voiceless: [п] [п'] [ф] [ф'] [с] [с'] [т] [т'] [ш] [к] [к']
Voiced: [б] [б'] [в] [в'] [з] [з'] [д] [д'] [ж] [г] [г']

The remaining consonants are not paired as voiced—voiceless. Nine consonant sounds are voiced: [м], [м'], [н], [н'], [л], [л'], [р], [р'], [j], whereas four are voiceless: [ч], [ц], [х], [щ].

As in English, the opposition of voiced and voiceless consonants is crucial to the differentiation of words and their meaning. The voiceless—voiced pair *p—b* distinguishes the words **pit** and **bit**, for example. Compare the following pairs of words in Russian:

до́м "house"	то́м "tome"
кора́ "tree bark"	гора́ "mountain"
зу́б "tooth"	су́п "soup"
икра́ "caviar"	игра́ "game"
ста́ть "become"	сда́ть "hand in"
го́д "year"	ко́т "tom-cat"

1.21 In pronouncing voiced consonants, the vocal cords are tense and vibrate, whereas they do not participate in the production of voiceless consonants. The force of the outgoing breath and the degree of muscular tension is less in the production of voiced consonants (which are called *lenes*) than in the pronunciation of voiceless consonants (which are called *fortes*).

1.22 The phonological significance of the opposition "voiced—voiceless" in Russian and English is different. In Russian the "lax"—"tense" distinction is a redundant feature, accompanying the distinctive "voiced" vs. "voiceless" opposition, whereas in English the corresponding phonemes are opposed as "tense" vs. "lax", and "voiced"—"voiceless" is a redundant feature accompanying this distinctive opposition.

On the articulatory level the difference lies in the fact that Russian voiced consonants are voiced throughout the entire length of the sound, whereas English voiced consonants are semivoiced: only the end of the sound undergoes voicing, that is the vocal cords begin vibrating only at the end of the articulation of the sound.

For native speakers of English, the pronunciation of Russian voiced consonants presents a problem. When speaking Russian, they tend to substitute semivoiced consonants for voiced ones. Russians, however, perceive semivoiced consonants as voiceless. In fact voicing and tension correlate in the following way: the tenser the sound, the less voiced it is. In English, all the consonants, including voiced ones, are considerably more tense than in Russian. Pronouncing Russian voiced consonants with the degree of muscular tension characteristic of their English counterparts automatically devoices them. To achieve the correct pronunciation of Russian voiced consonants, students should use less muscular tension than in English, keeping in mind that Russian consonants *are not as tense* as their English counterparts.

1.23 The phonetic behavior of voiced and voiceless consonants in Russian can be summarized in two rules.

1. At the end of a word before the pause all voiced consonants are pronounced voiceless. This contrasts with English, where no devoicing of consonants in this position occurs. The change is not represented in the spelling, therefore the word зу́б "tooth" is pronounced [зуп] and rhymes with су́п "soup". Similarly:

до́г [до́к] "Great Dane"	rhymes with до́к "dock",	
ко́д [ко́т] "code"	rhymes with ко́т "cat", and	
му́ж [му́ш] "husband"	rhymes with ду́ш "shower".	

2. Within a consonant cluster the voicing quality of the final consonant determines the voicing of the entire cluster. A voiceless consonant becomes voiced when followed by a voiced consonant and vice versa. This change, is not represented in the spelling either. Compare the spelling and the phonetic transcriptions of the following words:

Voiceless to Voiced

вокза́л [вагза́л] "train station"
сда́ть [здат'] "hand in"
футбо́л [фудбо́л] "soccer"

Voiced to Voiceless

авто́бус [афто́бус] "bus"
ло́жка [ло́шкъ] "spoon"

In English, consonant assimilation follows a different pattern: the first consonant in a cluster determines the voicing quality of the following sound.

Keep in mind that Russian unpaired voiced consonants—[р], [р'], [л], [л'], [м], [м'], [н], [н'] and [j]—do *not* condition voicing in a preceding voiceless consonant: слой "layer"—злой "malicious", икра́ "caviar"—игра́ "game", пра́во "right"—бра́во "bravo".

The hard—soft pair [в]—[в'] is subject to devoicing to [ф]—[ф'], but, like those listed above, does not itself cause a preceding consonant to become voiced.

Compare the phonetic value of [в]—[в'] before a voiceless consonant:
в шкафу́ pronounced as one word [фшкафу́] "in the cupboard", авто́бус [афто́бус] "bus", Кавка́з [кафка́с] "Caucasus"
and after a voiceless consonant:
тво́й [тво́j] "yours", Москва́ [масква́] "Moscow".

1.24 Note that in normal rapid speech voicing and devoicing may occur at word junctures:

наш дом [наждо́м] "our home", то́т заво́д [тодзаво́т] "that factory", Заво́д ту́т. [заво́ттут][1] "The factory is here."

1.3 Articulation of Russian Consonants

1.30 The pronunciation of Russian consonant sounds is characterized by a general laxness of the mouth musculature as compared with the pronunciation of comparable English consonants. When speaking Russian, it is important to avoid the comparatively marked tenseness at the beginnings and ends of words, which is so characteristic of English pronunciation. It is essential to take note of the following special problem areas if you want your pronunciation to be free of the typical erroneous articulations which contribute to an English accent in Russian.

1.31 The Consonants [м], [ф], [в], [п], [б], [г], [к]

These consonants differ very little from their English counterparts [m], [f], [v], [p], [b], [g], [k]. It is sufficient for the student to keep in mind three basic facts about the pronunciation of these sounds: (1) they are pronounced without tension in the mouth musculature irrespective of their position in a word; (2) they all tend to weaken in position at the end of a word; (3) the consonants [п] and [к] are pronounced *without aspiration*. (Compare the non-aspirated p's and k's in "spark", "skate", "apple" and their aspirated counterparts in "park", pot, "Kate", "caught", pronounced with a noticeable puff of air after them.)

1.32 The Consonants [н], [т], [д]

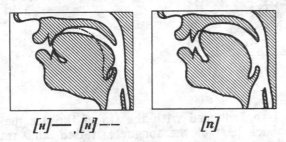

[н]——, [н]--   [n]

The Russian consonants [н], [т] and [д] are dental sounds, pronounced with the tip of the tongue lowered and touching the lower front teeth and the fore part of the tongue pressed against the upper ridge of teeth. The English counterparts of these consonants [n], [t], [d] are alveolar, pronounced with the tip of the tongue pressed gently against the alveoli. The English dentals in the words "breadth" and "ninth" are close to the Russian [д] and [н], respectively. Note also that the Russian [т], unlike its English counterpart, is pronounced without aspiration. Avoid the English nasal (as in "thing") in pronouncing Russian [н]; cf. та́нк and "tank".

Pronouncing Russian dental consonants as alveolar ones lends Russian speech a peculiar English accent. What is more important, however, is the fact that the articulation of the consonants [н], [т], [д] with the tip of the tongue raised upwards hinders palatalization of soft consonants.

---

[1] Note that the double consonant is pronounced as *one* long consonant.

533

1.33 The Consonants [c], [з]

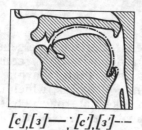

[c], [з] —— ; [c], [з] --‑

The Russian consonants [c] and [з] are dental, whereas the English [s] and [z] are alveolar. In Russian the tip of the tongue is lowered to the lower teeth. In pronouncing the English [s] and [z], the tongue is brought close to the alveolar ridge.

1.34 The Consonants [ш], [ж]

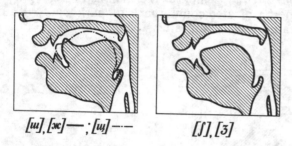

[ш], [ж] —— ; [щ] --‑   [ʃ], [ʒ]

The Russian consonant [ш] is pronounced with the tip of the tongue raised to the back of the alveoli. The back part of the tongue is raised and retracted. The lips are protruded.

In pronouncing the English [ʃ], [ʒ], the tip of the tongue is brought near to the upper teeth, the middle part of the tongue is raised to the hard palate and the tongue is pushed more forward than in the articulation of the Russian [ш]. The English consonants [ʃ], [ʒ] sound more soft than the Russian [ш], [ж]. To pronounce a correct Russian [ш], the tongue, with the tip raised, should be retracted slightly so that the tip of the tongue be placed behind the alveoli.

To achieve this articulation, it is useful to practice pronouncing the Russian [ш], [ж] in combination with a velar ([к] or [г]) or a back vowel (o or y), in the pronunciation of which the tongue assumes the necessary position automatically.

[ш] and [ж] are hard consonants; although the spelling rule requires the letter и after them, its pronunciation will always be [ы]. In addition, the sound [ш] is spelled by the letter ч in the words что [што] "what", скучно [скушнъ] "(one is) bored", конечно [кан'ешнъ] "of course" and in a small number of others.

534

1.35 The Consonant [л]

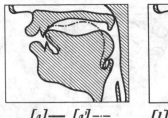 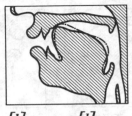

$$[л] \text{—} , [л] \text{---} \qquad [l] \text{—} , [ł] \text{---}$$

In pronouncing the Russian hard [л], the tip of the tongue is lowered to the lower teeth, the fore part of the tongue is pressed against the upper teeth, and the back part of the tongue is raised and retracted. To pronounce [л], one should place the tip of the tongue at the lower teeth or between the upper and lower teeth.

In pronouncing the English [l], the tip of the tongue is pressed against the alveolar ridge.

By comparison, the English [l] sounds softer to a native Russian, but not as soft as the Russian soft [л'].

Pronouncing combinations of [л] and [r], [к], [о], [у] may prove useful in practicing the sound [л]: лко, лку, кло, оло, улу, лго, лгу, гло, глу, пáлка, пóлка, дóлго.

1.36 The Consonant [p]

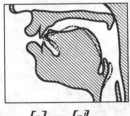 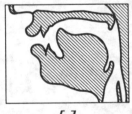

$$[p] \text{—} , [p] \text{---} \qquad [r]$$

The tip of the tongue vibrates near the alveoli. By contrast, the initial [r] in American English is pronounced with the forward part of the tongue bent downward and relatively tense and immobile. To achieve the Russian [p], the tip of the tongue must be relaxed and able to vibrate freely. Combinations of [p] with the consonants [т], [д], such as тра, дра may help develop this free vibration.

1.37 The Consonant [j] ("jot")

"Jot" is a consonant sound, which is tenser than its English counterpart, and is pronounced with the tongue slightly more arched. For practical purposes it is useful to distinguish "jot" in position under stress (tense "jot") and in an unstresed syllable and after a vowel (lax "jot"). Under stress "jot" is pronounced with more tension and force than the initial y-sound in the English "you": я "I", Ялта "Yalta".

The lax "jot" in modern Russian is a glide: мóй "my", войнá "war".

1.38 The Consonant [x]

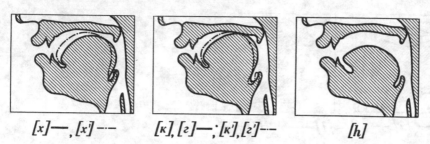

$[x]$—, $[x]$--- $[\kappa],[\varepsilon]$—; $[\kappa],[\varepsilon]$--- $[h]$

The consonant [x] is a velar, produced like [к], but with the tongue lowered slightly, so that the air passes through the opening formed between the back part of the tongue and the back part of the palate. The tip of the tongue is near the lower teeth, but does not touch them. The throat is relaxed. Avoid a harsh scraping sound and do not confuse [x] with [к]. The Russian [x] resembles the Scottish "ch" in "lo**ch**". Compare [x] with the English [h] (as in "**have**"), which is absolutely different from the Russian [x].

Since in the pronunciation of [x] the tongue is raised to the same height as in the articulation of the vowel [y], it is possible to use this vowel for mastering the Russian [x]. When pronouncing [y], make the tongue very tense and increase the force of the air stream.

1.39 The Consonant [ч]

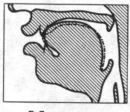

[ч] ═══ момент смычки
    --- щель

The consonant [ч] is an affricate. It has a complex fused articulation, for it begins with an occlusion between the front part of the tongue and the alveoli which then turns into a stricture. The consonant [ч] is an unpaired soft consonant. It is softer than the corresponding English sound.

1.3.11 The Consonant [щ]

The consonant [щ] is a fricative, produced with the tip of the tongue moved more forward and down, and the front part of the tongue more flattened than in the articulation of [ш]. The lips are protruded. The consonant [щ] is a soft long sound. It is designated by the letter щ and sometimes by the consonant clusters сч, зч and жч (unless they occur at morpheme junctures): счастье [щас'т'jъ] "happiness", счёт [щот] "score", мужчина [мущинъ] "man". Cf.: считать [щитат'] "count", but считать [считат'] "compare a copy with the original text".

536

1.3.12 The Consonant [ц]

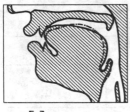

[ц] ≡ момент смычки
---·- щель

  The consonant [ц] is a hard affricate, which begins with an occlusion as in [т] and then turns into a fricative at the same point. It is a fused complex sound and not a combination of the sounds [т] and [c] as the English "ts" in "its".

  The usual way of representing this sound in Cyrillic is with the letter ц. The sound may also be represented by the consonant clusters **тц, дц, тс, дс, тьс.** For example: два́дцать "twenty", де́тский "children's", городско́й "city", боя́ться "to fear".

1.3.13 Take note of the following consonant clusters which include silent consonants:

вств [ств]—здра́вствуйте [здра́ствуjт'и], чу́вствовать [чу́ствъвът']
здн [зн]—по́здно [по́знъ], пра́здник [пра́з'н'ик]
стн [сн]—гру́стно [гру́снъ], уча́стник [уча́с'н'ик]
стл [сл]—счастли́вый [щисл'и́выj]
лнц [нц]—со́лнце [со́нцъ]

1.4 Vowels

1.40 Table of Russian Vowel Sounds

Height of tongue in mouth	Articulating part of tongue		
	Front	Central	Back
High	и		у
Mid	э		о
Low		а	

Table of English Vowel Sounds

Height of tongue in mouth	Articulating part of tongue		
	Front	Central	Back
High	i: i		u u:
Higher Mid	e	ə: ə	o
Lower Mid	ɛ		ʌ ɔ:
Low	æ a		ɔ œ

As is seen from the chart, English possesses a considerably larger number of vowel sounds than does Russian. Russian lacks vowel pairs differentiated by length, and in Russian there are no diphthongs.

When practicing Russian vowels, the student should keep in mind the fact that they are short even in stressed position and are still shorter in unstressed position. Russian stressed vowels must in no case be identified with English long vowels. Native speakers of English tend to pronounce stressed Russian vowels as long ones and, as a result, make them diphthongized, as they are accustomed to do with English stressed vowels. Lengthening of vowels should be avoided in Russian.

The five vowels are represented as [a], [э], [o], [y] and [и].

1.41 The vowel [a] is pronounced with the tongue flat and the tip of the tongue behind the lower teeth.

1.42 The vowel [э] is a front vowel similar to "e" in the English word "vet", but is pronounced with the mouth open wider. The lips are neutral.

1.43 The vowel [o] is pronounced with the lips protruded and rounded. The back part of the tongue is raised toward the back palate, the tip of the tongue retracts. Hence, the Russian [o] is further back than the corresponding English vowel.

1.44 The vowel [y] requires that the lips be still more rounded and protruded than in pronouncing the Russian [o]. Note that in pronouncing the Russian vowel sequence [o]—[y] the tongue and the lips move in opposite directions: the tongue moves back, while the lips move forward. The tongue retracts further than in the pronunciation of the English **oo** in "boot".

538

1.45 The vowel [и] differs little from the first sound in the English word "each".

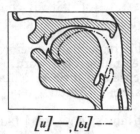

[и]—, [ы]– -

1.46 The vowel [ы] is an unrounded back vowel. In pronouncing [ы] the tongue is raised high and retracted. The lips are neutral. Begin to produce the sound [ы] by pronouncing the Russian]у[, then spread the lips as in the pronunciation of [и]: [у]—[ы]

In normal rapid speech [и] at the beginning of a word is pronounced [ы] when the preceding word ends in a hard consonant: сы́н Ива́н [сы́нывáн], в институ́те [вынституте]

1.47 Consonant environments produce phonetic variations in the five vowel sounds. For example, the arching of the tongue in the articulation of a soft consonant is clearly perceived in the preceding or following vowel. The influence of a preceding hard consonant on the basic [и] is the most dramatic. Compare also the differences in vowel quality in the following examples: то́т—тётя, ма́сса—мя́со, ра́д—ря́д.

2.0 Russian Stress

In both English and Russian stress is dynamic. The quantitative and qualitative relationship of syllables within a Russian word is determined by stress. The stressed syllable is longer and more tense than the unstressed syllables. Unstressed syllables are not identical in respect to strength: the syllable immediately before the stressed one changes quantitatively not so much as the other unstressed syllables in the word, which are still less tense.

Stress can fall on any syllable in a word. Every word in Russian thus provides a definite pattern of relative strength of syllables.

Special attention should be paid to the quantitative relationship between the stressed and unstressed syllables in a word.

English has a different pattern of strength distribution in a word: unstressed syllables next to the stressed one are characterized by less strength than the stressed syllable, but marginal syllables in polysyllabic words may have a secondary stress. Besides there is a tendency in modern English to pronounce the final unstressed syllable in a word with more energy than the preceding one. When speaking Russian, native English speakers tend to pronounce the final unstressed syllable in the word more energetically than necessary (as they are accustomed to do in English), which makes it sound to Russians as a second stressed syllable.

2.10 Reduction of Vowels

All unstressed vowels undergo quantitative changes. The vowels [a], [o] and [э] also change in quality. The vowels [и] and [у] undergo no qualitative changes.

2.11 Vowel Reduction after Hard Consonants

As has been noted above, the quality of the vowels [a], [o] and [э] changes in *unstressed* syllables. After *hard consonants* the vowels [a] and [o] undergo qualitative changes according to two rules:

(1) [a] and [o] are pronounced as [a] in the syllable immediately before the stressed one (pretonic position) and also when at the beginning of a word. They sound similar to the stressed [a], but are shorter, less tense and their articulation is not so "clear-cut"; e.g. вода [вада] "water", Антон [антон] "Anton", она [ана] "she".

The vowel [э] is pronounced as [ы] in unstressed syllables; e.g. жена [жына] "wife", цена [цына] "price".

(2) Elsewhere, [a] and [o] following a hard consonant are reduced to [ъ], which resembles the English final sound in "summer"; e.g. мама [мамъ] "mother", это [этъ] "it", Анна [аннъ] "Anna". The sound [ъ] is even shorter and less tense and clear than its unstressed variety [a].

2.12 Vowel Reduction after Soft Consonants

After paired soft consonants (and also after [ч], [щ] and [j]), the vowels [a], [o] and [э] are pronounced [и]. The only noteworthy exception to this rule occurs in grammatical endings, which are usually pronouced [ъ]; e.g. осень [ос'ин'] "autumn", десять [д'ес'ит'] "ten", тётя [т'от'ъ] "aunt".

2.13 Summary of the Reduction of Vowels

After Hard Consonants
1. Under stress: [a] [o] [э]   [ы] [y]
2. In syllable before
  the stressed one: [a]   [ы]   [y]
3. Elsewhere: [ъ]   [ы]   [y]
After Soft Consonants
1. Under stress: [a] [o] [э] [и] [y]
2. Not under stress: [и]   [и]   [y]

With rare exceptions, every Russian word has no more than *one stressed syllable*, which throughout this text will be indicated by the acute accent mark.[1] Stress patterns in nouns are taken up throughout the text and summarized in Appendix (pp. 646-648) of this commentary.

2.2 Shifting Stress

Shifting stress in inflexional (i.e. declensional, conjugational, etc.) paradigms is a characteristic feature of Russian. Most Russian words (about 96 per cent of the Russian vocabulary) have fixed stress. However, there are many words with shifting stress, i.e. words in whose declension, conjugation, changing for the degrees of comparison, etc. the stress moves (or "shifts") from the stem to the ending or vice versa.

Nouns have eight shifting stress patterns in their declensional paradigm.[2] Two of these patterns apply only to a few words.

---

[1] In normal written Russian stress is never marked (except very rare cases when the unmarked word may sound ambiguous). However, stress is indicated in dictionaries.
[2] See Appendix, p. 646. Verb stress is discussed in sections dealing with verb formation and inflexion.

540

The main types of shifting stress patterns in the noun declensional paradigm reflect the accentual opposition between the singular and the plural: fixed stress on the stem (A) in the singular vs. fixed stress on the ending (B) in the plural: мо́ре "sea" — моря́ "seas" (this pattern covers only masculine and neuter nouns); fixed stress on the ending (B) in the singular vs. fixed stress on the stem (A) in the plural: письмо́ "letter" — пи́сьма "letters", окно́ "window" — о́кна "windows" (this pattern covers masculine, feminine and neuter nouns).

Shifting stress (C) in the singular is not typical of nouns: there are only 31 feminine nouns belonging to this pattern. The pattern represents an opposition between the accusative and the other cases: the stress on the stem in the accusative vs. the stress on the ending in all the other forms: рука́ "hand and/or arm", руки́, руке́, ру́ку, руко́й, о руке́. Shifting stress in the plural (C) reflects the opposition between the nominative (and the accussative of inanimate nouns) stressed on the stem, and the oblique cases stressed on the ending: го́ры "mountains", го́р, гора́ми, о гора́х.

Stress in Russian serves to differentiate between the forms of a word, e.g. го́рода "of a city" — города́ "cities", мо́ря "of the sea" — моря́ "seas", письма́ "of a letter" — пи́сьма "letters", руки́ "of the hand and/or the arm" — ру́ки "hands and/or arms".

There are several hundred nouns whose genitive singular and nominative plural are distinguished only by stress.

As a rule, shifting stress occurs in unsuffixed commonly used words with a monosyllabic or disyllabic stem. Suffixed rarely used words and recently borrowed words, words with polysyllabic stems generally have fixed stress.

There are six basic shifting stress declensional patterns: AB, BA, AC, BC, CA and CC[1]. (See Appendix: Stress Patterns in Russian Nouns, p. 646)

3.0 Russian Sentence Intonation

In contemporary spoken Russian one can distinguish seven basic intonational constructions (IC): IC-1, IC-2, IC-3, IC-4, IC-5, IC-6 and IC-7[2]. In each intonational construction the stressed, the pretonic and the post-tonic parts can be distinguished.

Each intonational construction is characterized by a particular movement of tone and pitch, which coincides with the point of emphasis of each sentence (the intonational center). (See also Analysis I, 7.0 for more information on emphasis and Russian word order.) The intonational center coincides with the stressed syllable of the most important word within the sentence. After describing the contours of each intonational construction, we shall use only the numerical superscript of the appropriate IC to identify intonational centers throughout the rest of the text.

3.1 Intonational Construction 1 (IC-1)

IC-1 is the designation for the intonational contour characteristic of the Russian declarative sentence.

---

[1] For more information on Russian stress see Н. А. Федянина. Ударение в современном русском языке. М., 1982.

[2] For more information on pronunciation and intonation in Russian see Е. А. Брызгунова. Звуки и интонация русской речи. М., 1983.

Это ма́ма́.   This is Mother.

IC-1 is characterized by the intonational center pronounced with a sharply falling tone.

The portion of the sentence preceding the intonational center is pronounced on a level medium tone, smoothly and without pauses. The portion of the sentence after the intonational center remains on a low pitch.

The intonational contour of an English declarative sentence is different. Compare:

Я живу́ в Ло́ндо́не.

and:

I live in London.

The tone of the pretonic part gradually falls after the first stressed syllable. The tone continues to fall after the stressed part, but not so sharply as in Russian and the pitch interval is smaller at the intonational center.

In natural speech, the fall can be preceded by a rise above the normal pitch, accompanied by lengthening of the stressed vowel.

The sharp fall of the tone in a Russian declarative sentence presents a problem to English speakers, since in English a sharp fall has a nuance of impoliteness. English speakers of Russian tend to raise the tone of the post-tonic part of a Russian sentence above the low level. This should be avoided.

The intonational center of IC-1 can be at any word clarifying the meaning of the sentence. Compare:

Это мо́й дом. It is my house.

Это мой до́м. It is *my* house.

Я студе́нт. I am a student.

Я то́же студе́нт. I am also a student.

И я студе́нт. I am a student, too.

The pretonic and post-tonic parts of a sentence must be pronounced smoothly and without pauses.

3.2 Intonational Construction 2 (IC-2)

IC-2 is used in interrogative sentences containing a question word.

Кто э́то?   Who is it?

The stressed part is pronounced with a slightly rising tone and greater emphasis (denoted by the thick line). The post-tonic part is pronounced on a low pitch with a slight fall on the last syllable (as in IC-1). The intonational center is not necessarily at the question word; it can be at any other word that clarifies the meaning of the sentence,

542

Где́ ма́ма? Where is Mother?

Do not raise the tone of the post-tonic part above the low level.

The intonational contour of an English question of this type is similar to that of the declarative sentence.

Answers to questions may be either long or short.

1. — Как ва́с зову́т?   "What is your name?"
   — Меня́ зову́т А́нна.   "My name is Anna."

2. — Как ва́с зову́т?   "What is your name?"
   — А́нна.   "Anna."

Short answers are characteristic of oral speech. The answers are pronounced with IC-1.

3.3 Intonational Construction 3 (IC-3)

IC-3 is used in interrogative sentences which do not contain a question word.

Ма́ма дома́?   Is Mother at home?

The pretonic part is pronounced on a level medium tone. At the stressed part the tone rises sharply from a higher than mid level. The post-tonic part is pronounced on a low pitch with a slight fall at the last syllable.

English questions of this type are pronounced with a quite different intonation.

Compare the intonational contours of Russian and English questions without a question word:

Вы живете в Ло́ндоне?

Do you live in London?

In English, the tone of the pretonic part falls gradually beginning with the first stressed syllable, the tone rises gradually on the stressed part and continues to rise on the post-tonic part right to the end of the question.

A sharp rise of the tone of the stressed part in questions of this type presents great difficulty for English speakers, who tend to pronounce the stressed part of the question with an insufficiently high and sharp rise. Another typical difficulty is that they raise the tone on the post-tonic part instead of pronouncing the post-tonic part on the low level.

The position of the intonational center in IC-3 is determined by the meaning of the question.

— Это ва́ш сын? — Да́, сын.   "Is it your *son*?"   "Yes, it is my son."
— Это ваш сы́н? — Да́, мой.   "Is it *your* son?"   "Yes, it is *my* son."

3.4 Intonational Construction 4 (IC-4)

IC-4 is used in interrogative sentences with the conjunction **a**.

— Ка́к вы́ живёте? "How are you?"
— Спаси́бо, хорошо́. "I'm all right, thank you.
А вы́? А Ната́ша? And you? And Natasha?"

The portion of the sentence before the intonational center is pronounced on a medium pitch, sometimes with a slight fall, especially before the intonational center. If the intonational center coincides with the final syllable, the tone starts on a lower pitch and then gradually rises within the syllable. If the intonational center does not coincide with the end of the sentence, then the intonational center is pronounced with the falling tone; and the portion of the sentence after it, with the rising one.

This type of intonation is no problem for English speakers, since a gradual rise of tone is characteristic of English questions without a question word.

3.5 Intonational Construction 5 (IC-5)

IC-5 is used in evaluative sentences.
Кака́я сего́дня пого́да! What (lovely) weather we are having today!

In IC-5 there are two intonational centers: the first one is pronounced with a rising tone, which keeps rising right up to the second center, on which the tone falls.

3.6 Syntagmatic division of sentences

A Russian sentence may consist of one or more intonational units—syntagms. Each syntagm is characterized by an intonational contour of its own and may represent either a complete or an incomplete thought. Syntagms can be final or non-final. The syntagmatic division of a sentence depends primarily on its syntactic structure. Syntagmatic division of sentences is considered the basic one. There may be "extra" divisions, dictated by the speaker's emotive attitude towards the utterance, by his wish to emphasize a part of the utterance.

3.7 Declarative Sentences

3.71 A simple unextended declarative sentence is usually pronounced as a single unit: Ка́тя Ивано́ва—студе́нтка. "Katya Ivanova is a student."

An extra division may be made in cases when some part of the sentence is omitted.

Ка́тя Ивано́ва—/ студе́нтка.[1]

Simple extended declarative sentences or major syntagms may be divided in speech into shorter syntagms. Thus, adverbial modifiers in initial position more often than not are pronounced as a separate syntagm.

На се́вере страны́ / мно́го у́гля. There is much coal in the north of the country.

В нача́ле э́того го́да / Ви́ктор Петро́вич был в Пари́же. Early this year Viktor Petrovich was in Paris.

---

[1] The stroke / is used to indicate the syntagmatic division of sentences.

В прóшлом годý / мы́ отдыха́ли на ю́ге.   Last year we vacationed in the South.

В кóмнате моегó това́рища на стене́ / виси́т больша́я ка́рта ми́ра.   On the wall of my friend's room there is a large map of the world.

В кóмнате моегó това́рища / на стене́ виси́т больша́я ка́рта ми́ра.   In my friend's room there is a large map of the world on the wall.

When a declarative sentence consists of several syntagms, the non-final syntagms are pronounced with IC-3 or 4 to express an incomplete thought.

$$\overset{3}{\text{Ка́тя}} \text{ Иванова—/} \overset{1}{\text{студентка.}}$$

$$\overset{4}{\text{Ка́тя}} \text{ Иванова—/} \overset{1}{\text{студентка.}}$$

$$\text{На } \overset{3}{\text{се́вере}} \text{ страны / } \overset{1}{\text{мнóго угля.}}$$

$$\text{На } \overset{4}{\text{се́вере}} \text{ страны / } \overset{1}{\text{мнóго угля.}}$$

The choice of IC-3 or IC-4 is not determined by semantic considerations: IC-3 is more typical of the conversational style, whereas IC-4 is usually used in the official style.

The final syntagms of declarative sentences are pronounced with IC-1.

3.72 Sentences with juxtapositions

$$\overset{1\text{-}3\text{-}4}{\text{Это театр, /}} \text{ а } \overset{1}{\text{э́то музей.}}$$ This is the theater, and that is the museum.

$$\overset{1\text{-}3\text{-}4}{\text{Тóм живёт в Лондоне, /}} \text{ а Джóн в Чи-} \overset{1}{\text{каго.}}$$ Tom lives in London, and John in Chicago.

In non-final syntagms IC-1, IC-3 or IC-4 may be used.

IC-3 and IC-4 give more stress to the juxtaposition than IC-1.

In sentences containing more than two juxtapositions one extra division is possible:

$$\overset{3\text{-}4}{\text{Том/}} \text{живёт в } \overset{1}{\text{Лондоне, /}} \text{ а Джóн в } \overset{1}{\text{Чикаго.}}$$

3.73 Sentences Containing a Contrast

$$\text{Николáй не } \overset{3\text{-}4}{\text{историк,/}} \text{а } \overset{1}{\text{физик.}}$$ Nikolai is not a historian; he is a physicist.

The non-final syntagm is pronounced with IC-3 or IC-4.

3.74 Sentences Containing Enumerations

Enumerations are pronounced with various types of IC: IC-1, IC-3 or IC-4. The final element of an enumeration is invariably pronounced with IC-1.

$$\overset{1}{\text{Я говорю}}$$ I speak

$$\overset{1}{\text{по-русски, /}}$$ Russian,

$$\overset{1}{\text{по-английски, /}}$$ English,

$$\overset{1}{\text{по-францу́зски}}$$ и   French and

$$\overset{1}{\text{по-немецки.}}$$ German.

Я́ говорю́ по-ру́сски[3], / по-англи́йски[3], / по-францу́зски[3] / и по-не́мецки[1].

Я́ говорю́ по-ру́сски[4], / по-англи́йски[4], / по-францу́зски[4] / и по-не́мецки[1].

Longer enumerations can be divided additionally, especially before the conjunction **и.**

В Моско́вском университе́те у́чатся студе́нты[1] из ра́зных стран: из А́нглии[3-4] / и Аме́рики[1], / из Ита́лии[3-4] / и Фра́нции[1]. — Students from various countries study at Moscow University: from Britain and America, and from Italy and France.

3.75 Complex Declarative Sentences

Complex declarative sentences are pronounced as major syntagms when both the main and the subordinate clauses contain a new fact.

1. Я́ не зна́ю, где́ живёт А́нна[1]. — I don't know where Anna lives.

   Я́ знаю[1], что о́н бо́лен. — I know that he is ill.

   Я́ ду́маю, что о́н не посту́пит[1] в университе́т. — I think he won't manage to enter the university.

2. Когда́ я́ слу́шаю му́зыку[3], / я́ отдыха́ю[1]. — When I listen to music, I relax.

   Когда́ я ко́нчу шко́лу[3-4], / я́ бу́ду поступа́ть в университе́т[1]. — When I graduate from high school, I'll try to enter the university.

3. Е́сли у ва́с бу́дет свобо́дное вре́мя[3-4], / посмотри́те э́тот фи́льм[1]. — If you have free time, go and see that film.

   Е́сли я́ бу́ду[3-4] ле́том в Москве́, / я́ позвоню́[1] ва́м. — If I visit Moscow in the summer, I'll call you up.

4. Дже́йн хорошо́ говори́т по-ру́сски[1-3-4], / потому́ что до́лго жила́ в Москве́[1]. — Jane speaks Russian well because she lived in Moscow for a long time.

5. Серге́й лю́бит исто́рию[1-3-4], / поэ́тому о́н поступи́л на истори́ческий факульте́т[1]. — Sergei is fond of history, that's why he entered the History Department.

6. Мы́ бы́ли на конфере́нции[1-3-4], кото́рая была́ в Ленингра́де[1]. — We attended the conference which took place in Leningrad.

3.76 Sentences Containing an Explanation

The words of the reporter following the reported speech do not constitute a separate syntagm.

«За́втра ле́кции не бу́дет»,— сказа́ла Ка́тя. — "There will be no lecture tomorrow," said Katya.

Appositives and explanations are usually included in the same syntagm as the words they clarify or explain.

В Ки́еве, столи́це Украи́ны, / мно́го па́мятников ста́рой ру́сской архитекту́ры.

Kiev, the capital of the Ukraine, has many monuments of old Russian architecture.

В Ки́еве, столи́це Украи́ны, / мно́го па́мятников ста́рой ру́сской архитекту́ры.

The capital of the Ukraine, Kiev, has many monuments of old Russian architecture.

Кни́гу, кото́рую вы́ мне́ да́ли, / я́ ещё не прочита́л.

I haven't yet read the book you lent me.

Кни́гу, кото́рую вы́ мне́ да́ли, / я́ ещё не прочита́л.

I haven't yet read the book which you lent me.

В до́ме, где жи́л Л. Н. Толсто́й, / тепе́рь музе́й.

The house in which Lev Tolstoy lived is now a museum.

В до́ме, где жи́л Л. Н. Толсто́й, / тепе́рь музе́й.

The house Lev Tolstoy lived in is now a museum.

В Зи́мнем дворце́, / постро́енном в XVIII ве́ке, / сейча́с нахо́дится Эрмита́ж.

The Winter Palace, built in the 18th century, now houses the Hermitage.

Студе́нты, / верну́вшись о́сенью в институ́т, / расска́зывали о своём путеше́ствии по Сре́дней А́зии.

After returning to the institute in the autumn, the students talked about their tour of Central Asia.

Longer appositives and verbal adjective and verbal adverb constructions are usually pronounced as major syntagms.

Э́ту пье́су написа́л А. П. Че́хов, / изве́стный ру́сский писатель.

This play was written by Chekhov, a renowned Russian writer.

3.8 Interrogative Sentences

3.81 Alternative Questions

Interrogative sentences with the conjunction и́ли "or" are pronounced as two syntagms: the first one with IC-3 and the second with IC-2.

Вы́ живёте в Москве́ / и́ли в Ки́еве?

Do you live in Moscow or in Kiev?

Ва́ш оте́ц инжене́р / и́ли врач?

Is your father an engineer or a doctor?

3.82 Interrogative sentences with a nuance of command are pronounced with IC-4, which in this case makes the question sound formal and official.

Ва́ше и́мя? Фами́лия? Ваш биле́т?

Your name, please. Your last name, please. Your ticket, please.

3.83 Repeated Questions

Repeated questions are pronounced with IC-3.

— Когда́ нача́ло конце́рта?

"When does the concert begin?"

— В во́семь часо́в.

"At eight o'clock."

— Когда́?

"When?"

— В во́семь часо́в.

"At eight o'clock."

3.9 Greetings, vocatives, requests, commands, offers, expressions of gratitude, congratulations, wishes and invitations are pronounced with IC-2 or IC-3.

Ната́ша!

Natasha!

Здра́вствуй!

Hello!

До́брый день!

Good afternoon!

До свида́ния.

Good-by!

Извини́те, / где́ здесь метро́?

Can you tell me the way to the subway, please?

Скажи́те, пожа́луйста,/А́нна до́ма?

Is Anna at home, please?

Polite requests are pronounced with IC-3; and commands, with IC-2.

Да́йте, пожа́луйста, биле́т.

Your ticket, please.

Закро́йте окно́.

Shut the window.

Пиши́те!

Write!

Не кури́те зде́сь!

Don't smoke here!

Закро́йте окно́!

Shut the window!

Invitations are pronounced with IC-3 or IC-2.

Дава́й пойдём в кино́.

Let's go to the movies.

Дава́йте игра́ть в ша́хматы.

Let's play chess.

Приходи́те к на́м ве́чером.

Come to see us tonight.

Приходи́те к на́м.

Come to see us.

548

Congratulations and wishes are pronounced with IC-2.

Поздравля́ю ва́с.²   Congratulations.

Жела́ю сча́стья.²   I wish you happiness.

UNIT I

Basic Sounds, Phonetics and Spelling System. The Russian Sentence.
Word Structure. Gender of Nouns in the Nominative Case. Nominative Plural.
Pronouns in the Nominative Case. Word Order. Adverbs of Place.

1.1 Basic Sounds, Phonetics and Spelling System

The sounds of Russian are more precisely represented by the writing system than is the case of English. By applying standard rules of pronunciation, the student can nearly always articulate a Russian word on the basis of its written form with reasonable correctness. On the other hand, Russian spelling does not completely conform to the principle of one letter for one sound: combinations of letters and their positions within the word play a great role in determining the phonetic value of the letters. Hence, it may be difficult to spell an unknown Russian word after hearing it pronounced. For example, the Russian word for "Great Dane", до́г, and the Russian word for "dock", до́к, are homophones. Although the phonetic change which occurred in the word до́г (the devoicing of the final г) is predictable, only context or position in the sentence can help the listener distinguish this word in speech.

The most economical approach to the Russian sound system, and also to Russian inflection and word-formation, begins with an analysis of the *basic sounds* of the language (also known as morphophonemes, i.e. the sounds of a language which can distinguish meaning and which are non-predictable in terms of their environment). As has been said above, the pronunciation of the final [g] as [k] in the Russian word до́г is predictable (*g* in the same position will undergo the same change in any Russian word); the morphophonemic analysis shows three *basic* sounds, $d + o + g$, while the phonetic transcription describes the results of the change [до́к]. (Latin letters are used by Soviet and Western specialists alike to indicate *basic sounds*, whereas there are various levels of phonetic transcription involving Cyrillic symbols and / or the International Phonetic Alphabet. In this text we shall transcribe all basic sounds with *italicised* Latin letters: *dóg*, *dók*; phonetic transcriptions are given in Cyrillic and are set off in square brackets [до́к], [до́к]).

1.2 The Five Basic Vowels and the Spelling of "Jot"

Russian has *five* basic vowel sounds, for which there are

ten vowel letters, two for each basic sound:	*a*	*e*	*o*	*u*	*i*
	↓	↓	↓	↓	↓
	а	э	о	у	ы
	я	е	ё	ю	и

The vowel letters have two functions: each *pair* of Cyrillic letters represents one of the five basic vowels, and each individual letter provides information about the *preceding consonant*. The letters of the upper row spell the basic vowel sound and indicate that any preceding consonant is *hard*; the letters of the lower row also spell the basic vowel sound, but they indicate that any preceding consonant is *soft*. If there is no preceding consonant, the letters **я, е, ё** and **ю** spell the respective basic vowel sounds and *a preceding "jot"*.

Examine the following words containing a "jot" and the accompanying structural transcriptions.

ёж contains *three* basic sounds $j+o+\check{z}$ [joш] "hedgehog"
ем contains *three* basic sounds $j+e+m$ [jeм] "I am eating"
юбка contains *five* basic sounds $j+u+b+k+a$ [jyпкъ] "skirt"
яблоко contains *seven* basic sounds $j+a+b+l+o+k+o$ [jаблъкъ] "apple"

When "jot" occurs in a Russian word in any position other than before a vowel (before a consonant, at the end of a word and in certain foreign words), it is spelled by the letter **й**:

мой spells *moj* "my"

1.3 The Spelling of Consonant Sounds

The Cyrillic writing system represents the basic consonant sounds of Russian in an economical and, for the most part, simple and direct way. There is one letter for each hard—soft *pair* of consonants; each of the unpaired consonants has its own Cyrillic character.

1.31 Paired Consonants

The correspondence between basic sounds and their representations in Cyrillic are shown in the following table.

p, p' → **п**	t, t' → **т**	k, k' → **к**
b, b' → **б**	d, d' → **д**	g, g' → **г**
f, f' → **ф**	s, s' → **с**	m, m' → **м**
v, v' → **в**	z, z' → **з**	n, n' → **н**

As has been said in I, 1,2 the hardness or softness of a paired consonant is marked by the following *vowel letter*. If a consonant sound is hard, it is followed by a vowel letter from the upper row; if a consonant sound is soft, it is followed by a letter from the lower row. Hence:

а э о у ы designate a preceding hard consonant
я е ё ю и designate a preceding soft consonant.

Cyrillic		Basic Sounds
газе́та	"newspaper"	*gaz'éta*
студе́нт	"student"	*stud'ént*
спаси́бо	"thank you"	*spas'íbo*
сы́н	"son"	*sín*
но́с	"nose"	*nós*
нёс	"carried"	*n'ós*
ту́т	"here"	*tút*

In the absence of a following vowel letter (at the end of a word or before a consonant) the soft consonant is marked in Russian with a soft sign, **ь**, a purely graphic symbol with no phonetic value. Its counterpart, the hard sign, **ъ**, occurs only before roots in "jot" with consonant prefixes.

де́нь	"day"	*d'én'*
письмо́	"letter"	*p'is'mó*

1.32 "Jot" after a Soft Consonant

The combination *soft consonant + jot + vowel* is common in Russian words. The soft vowel letter identifies the preceding consonant as *soft*; if there is no preceding consonant, it spells a "jot". It cannot, however, mark softness and spell a "jot" at the same time. For this purpose the *soft sign* (**ь**) *followed by a soft vowel letter* is used in Russian. Compare the spelling and pronunciation of the following examples:

Ка́тя "Katya" *kát'a* (four basic sounds)
статья́ "article" *stat'já* (six basic sounds)

1.33 Special Spelling Rules

The choice of vowel letter after the unpaired consonants *š, ž, c, č* and *š:* (called "sibilants") and the velars *k—k', g—g'* and *x—x'* is arbitrary and requires the knowledge of three special spelling rules.

After **к, г, х** and **ш, ж, ч, щ** only **и** is spelled (never **ы**).

After **к, г, х** and **ш, ж, ч, щ, ц** only **а** and **у** are spelled (never **я** and **ю**).

After **ш, ж, ч, щ, ц** in the endings of nouns and adjectives the letter **о** may be written only if it is stressed; otherwise the letter **е** should be used.

Learn these rules well, returning to them as often as necessary until they have become completely automatic for you when writing Russian.

1.34 Spelling at Odds with Pronunciation

Since *š* and *ž* are *hard* consonants, there is no forward arching of the tongue in producing the syllables in which they occur. Thus, for example, after *š* and *ž* only the unrounded back vowel variant of basic *i* is physically possible for a Russian, although the arbitrary spelling rule calls for the letter **и** in this position. Compare carefully the basic sounds, pronunciation and spelling in the following examples: *mašína* "machine" is pronounced [машы́нъ], but spelled маши́на; *žoná* "wife" is pronounced [жына́], but spelled жена́.

1.4 The Cyrillic Alphabet

The Russian Cyrillic alphabet contains 33 letters. Study these letters in their printed and longhand forms (see p. 527).

Note that:

1. Some printed Latin and Cyrillic letters coincide; however, their longhand counterparts differ.

2. Only **б** and **в** among small letters stand as high as capitals, **к** does not: *б, в, к*

3. The letters **м** and **я** begin with an initial hook: *м, я*

4. Note that, in a word, all letters are joined together:

автобус, магазин

5. For clarity many Russians place a bar under the letter **ш** and over the letter **т**: *ш, т̄*

2.0 The Russian Sentence

The basic components of the Russian sentence are *subject* and *predicate*. The subject of a sentence is usually a noun, noun phrase (i. e. a noun with modifiers or other subordinate words), pronoun or the indeclinable introductory demonstrative **это** ("this / that is", "these / those are"). The predicate of a sentence may be a verb, a noun, a noun phrase, an adjective or an adverb.

Sentence

Subject	Predicate	
Это	Антóн.	This is Anton.
Áнна	дóма. *(adv.)*	Anna is at home.
Это	наш дóм.	This/That is our house.
Наш дóм	тáм. *(adv.)*	Our house is over there.
Бакý	пóрт.	Baku is a port.

This basic sentence structure may be extended through the addition of adverbs or adverbal phrases, prepositional phrases and other syntactic units.

Note that Russian has no articles. The notions of definite and indefinite, expressed in English by the definite article "the" or the indefinite article "a", may be expressed through other means in Russian.

2.1 "To be" in Russian

In Russian sentences like those given as examples in 2.0 above, the link verb (the Russian equivalent of "to be") is omitted in the present tense.

The absence of a verb form is a signal in Russian that the verb in question is the present tense form of "to be". The absence of a verb form in the present tense is contrasted with its presence in the past and future tenses; we therefore call the absence a "zero-form".

Антóн дóма.	Anton *is* at home.
Антóн **был** дóма. (See Unit IV)	Anton *was* at home.
Антóн **бýдет** дóма. (See Unit VI)	Anton *will be* at home.

3.0 Word Structure

Russian is an inflected language, i.e. most Russian words change form in accordance with their function in the sentence. Within each word we can distinguish the unchangeable part of the word *(stem)* from the changeable part *(ending)*. Compare two forms of the word Москвá "Moscow".

Это **Москва́.**   *Moskv + á*
This is Moscow.   (stem) + (ending)
В **Москву́!**   *Moskv + ú*
To Moscow!   (stem) + (ending)

Note the division of the following words into stems and endings.

окно́   *okn + ó*
"window"
ма́ма   *mám + a*
"mama"

Within the stem of a word one may further distinguish a *root*,[1] which may or may not be accompanied by prefixes or suffixes. Since the kernel of every Russian word is the root, and one root may produce as many as dozens of related words, the recognition of roots is extremely important for word analysis and practical word-formation.

4.0 Gender of Nouns in the Nominative Case

Russian nouns belong arbitrarily to one of three grammatical classes called *genders:* masculine, neuter or feminine. In the *nominative case* (i.e. the usual form of the sentence subject and the form in which nouns are given in all dictionaries) gender is indicated by one of three possible endings: ø, *-o* or *-a*. Masculine nouns end in ø[2], neuter nouns in the basic vowel sound *-o* (spelled **-o** or **-e**), and feminine nouns in the basic *-a* (spelled **-a / -я**). Study the gender endings of each of the following nouns:

ø (masc.)		-o (neut.)		-a (fem.)	
ко́т	*kót + ø*	окно́	*okn + ó*	ка́сса	*káss + a*
до́м	*dóm + ø*	письмо́	*p'is'm + ó*	ма́ма	*mám + a*

5.0 Nominative Plural

5.1 Nominative Plural of Nouns

		Singular		Plural	Ending in spelling
m.	ø	ваго́н	-*i*	ваго́ны	**-ы**
		портфе́ль		портфе́ли	**-и**
f.	-*a*	газе́та	-*i*	газе́ты	**-ы**
		земля́		·зе́мли	**-и**
n.	-*o*	окно́	-*a*	о́кна	**-а**
		зда́ние		зда́ния	**-я**

[1] Hereafter, a root may be represented by the formula CVC, where C stands for any consonant or consonant cluster and V represents any vowel. Note that CVC may have several modifications, all of which are relatively infrequent: occasionally disyllabic roots occur (CVCVC), a small number of roots lack the first consonant (VC), a few are non-syllabic (C/C). *All roots end in a consonant.* Borrowed words may have polysyllabic roots.

[2] ø stands for "zero": the absence of an overt ending is a signal of the same order as the presence of such endings as *-o* and *-a*.

In the nominative plural of all nouns ending in -*a* and of most nouns in ø the nominative singular -*a* or ø is replaced by -*i*. The nominative plural of neuter nouns is formed by replacing the nominative singular -*o* by -*a*.

Spelling Note: In accordance with 1.33 the basic -*i* must be spelled with the letter и after ш, ж, ч, щ, г, к, х. This spelling convention does not affect the pronunciation of the unrounded back vowel after two unpaired consonants, ж and ш: нóж "knife" has the plural ножи́ [нажы́].

6.0 Pronouns

6.1 The Nominative Case of Personal Pronouns

Nouns of any gender may be replaced by the corresponding personal pronouns.

Gender		Noun	Pronoun		Examples
m.	ø	дóм	óн	—	Это дóм. Óн тýт.
n.	-*o*	окнó	онó	**-о**	Это окнó. Онó тýт.
f.	-*a*	А́нна	онá	**-а**	Это А́нна. Онá тýт.
pl.	-*i*	газéты	они́	**-и**	Это газéты. Они́ тýт.

Note that pronouns must reflect the grammatical gender of their antecedent, whether referring to animate beings or to inanimate objects, etc. Compare the following examples in Russian and in English:

Это институ́т. **Óн** тáм.	This is an institute. *It* is over there.
Это студéнт. **Óн** тýт.	This is a student. *He* is here.
Это мáма. **Онá** тýт.	This is mama. *She* is here.
Это окнó. **Онó** тýт.	This is a window. *It* is here.
Это газéты. **Они́** тýт.	These are newspapers. *They* are here.

6.11 Second Person Pronouns

The second person singular pronoun **ты́** is used by Russians when addressing relatives, children, intimate friends and animals. The second person plural form **вы́** is the normal polite way of addressing one person, and is the only way of addressing two or more persons.

6.2 Possessive Pronouns in the Nominative Case

The forms of the possessive pronouns are as follows: **мóй** "my", **твóй** "your", **нáш** "our", **вáш** "your".

6.3 Agreement

Adjectives and most pronouns which accompany, or refer to, a noun change their form in accordance with the gender of the noun. This adaptation of one word to reflect grammatically the form of another is called *agreement*. The word which dictates the form is called the *head word* and the word which agrees with it is a *modifier*.

554

Note how each of the following possessive pronouns changes form according to the gender of the head word.

	мо́й "my"	на́ш "our"	ва́ш "your"	че́й "whose"	
ø	мо́й до́м	на́ш до́м	ва́ш до́м	че́й до́м	—
-a	моя́ кни́га	на́ша кни́га	ва́ша кни́га	чья́ кни́га	-a, -я
-o	моё окно́	на́ше[1] окно́	ва́ше[1] окно́	чьё окно́	-о, -е, -ё

6.4 The Interrogative Pronoun кто́

Unlike in English, the interrogative pronoun кто́ "who" is used with respect to all animals:

Кто́ э́то?	What is that?
Э́то ко́шка.	That is a cat.

7.0 Word Order

On the communicative level simple sentences in Russian may be divided into two segments; the topic segment (the subject of discussion assumed to be known to the participants in the conversation) and the comment segment (the portion of the sentence containing new information or new focal point). The topic portion is also known as the *theme*, and the comment as the *rheme*.

The fundamental rule for the neutral word order in the simple sentence is *theme + rheme*, i.e. the statement of the topic or context always precedes the statement of comment or new information.

IC-1 is normally centered within the rheme portion of the sentence. IC-2 often coincides with the question word.

Examine the word order in the replies to the following questions. Compare with the English word order.

— Кто до́ма? theme rheme	"Who is at home?"
— До́ма Анто́н. theme rheme	"Anton is at home."
— Кто Анто́н?	"Who is Anton?"
— Анто́н — до́ктор. theme rheme	"Anton is a doctor."

8.0 Adverbs of Place

Location in Russian may be expressed with the help of such adverbs of place as ту́т "here", та́м "there", до́ма "at home", где́ "where".

— Где́ А́нна?	"Where is Anna?"
— А́нна ту́т.	"Anna is here."
— Где́ Анто́н?	"Where is Anton?"
— Анто́н до́ма.	"Anton is at home."

---

[1] The basic -o is spelled -e after the unpaired consonant ш when not under stress. The dieresis in -ё is *not* written in an unstressed position. See Spelling Rules 1.33.

UNIT II

The Russian Verb. Third-Person Possessive Pronouns. Adverbs. The Prepositional Case. Apposition.

1.0 The Russian Verb (cf. also V, 5.0; XI, 2)

Russian has three tenses: the past (preterite), the present and the future. There are no Russian equivalents of the English Indefinite, Continuous or Perfect forms or of the forms of the Future-in-the-Past. Thus, a past tense form of the Russian verb corresponding to the English "read" may, depending on context, be translated as "read", "was reading", "used to read", "would read", "had read", etc.; the present tense has possible English equivalents in "am reading", "read", "has been reading", etc.; and the future tense may be rendered by "will read", "will be reading", "will have read", "will have been reading", etc. Context and your native intuition of English will help you select the appropriate English equivalents for Russian tense forms.

Inflection in the Russian verb is more complex than in the noun. A given verb form may express tense, number, gender and person. In practice, the student will be required to learn a single *basic stem* for each regular verb, to which are added the necessary tense / gender / person / number endings.

1.1 The Present Tense

Я рабо́таю до́ма.	I work at home.
Ты́ рабо́таешь та́м.	You work over there.
Óн / она́ / оно́ рабо́тает ту́т.	He / she / it works here.
Мы́ рабо́таем до́ма.	We work at home.
Вы́ рабо́таете та́м.	You work over there.
Они́ рабо́тают ту́т.	They work here.

The present tense of the Russian verb has six forms, each of which expresses *tense* and *person*. Each form consists of a stem, which contains the lexical meaning of the verb, and an ending containing a tense marker and a person marker. The verb must agree in person and number (singular or plural) with the subject, which is normally a noun or pronoun.

To form the present tense, a present tense marker (from either column I or column II) must be added to the verb stem, followed by the appropriate person marker.

In spelling

		I	II	Person	I	II	Person	
Singular:	1	$\varnothing$	$\varnothing$	-*u*	$\varnothing$	$\varnothing$	-у	*automatic softening
	2	-'*o**	-*i*	-*s'*	-ё	-и	-шь	
	3	-'*o**	-*i*	-*t*	-ё	-и	-т	
Plural:	1	-'*o**	-*i*	-*m*	-ё	-и	-м	
	2	-'*o**	-*i*	-*t'e*	-ё	-и	-те	
	3	-*u*	-*a*	-*t*	-у	-я	-т	

The verb stem corresponding to "work" is *rabótaj-* [рабо́тай-]. To form the first person singular present tense corresponding to "I work", add the present tense marker from column I ($\varnothing$) and the 1st person singular marker *u* to the stem:

$$rabótaj- + \varnothing + u = rabótaj\text{-}u$$

Recall that a vowel preceded by *j* is spelled with a single symbol. Hence:

$$работай + \varnothing + y = работаю$$

The present tense of a large majority of Russian verbs is formed with the help of the column I (i.e. first conjugation) vowel. For that reason we shall assume for now that all stems take 1st conjugation vowels unless specifically indicated as 2nd conjugation. In Lesson V we will observe how the type of basic stem itself enables us to predict the choice of conjugation vowel.

1.2 The Infinitive

The infinitive is the normal citation form of the Russian verb in dictionaries, glossaries and handbooks. (For other uses of the infinitive, see below.) The infinitive ending is *-t'* (**-ть**), in certain limited cases *-t'i* (**-ти**) or *-č'* (**-чь**).

$$govor'i\text{-} + t' = govor'it'$$
$$говори\text{-} + ть = говори́ть \text{ "speak"}$$

1.3 The Past Tense

Анто́н говори́л бы́стро.	Anton spoke fast.
А́нна говори́ла бы́стро.	Anna spoke fast.
Мы́ говори́ли бы́стро.	We spoke fast.

The past tense marker is *-l-*, which is followed by the appropriate gender/number marker so as to agree with the subject:

In spelling:

	-∅ for masculine subject	**-л**
	-*a* for feminine subject	**-ла**
-*l-* +	-*o* for neuter subject	**-ло**
	-'*i* for plural subject	**-ли**

Note that *person* is not expressed in the past tense, only gender. Anton would say, Я́ говори́л; whereas Anna would say, Я́ говори́ла.

1.4 The Combination Rules

These rules apply to the *junctures* where endings are combined with stems. You can see from the foregoing examples that some verb stems end in consonants (e.g., *živ-*, *rabótaj-*), whereas others end in vowels (e.g., *govor'i-*). Moreover, some endings begin with consonants (*-t'*, *-l*, *-la*, etc.), whereas others begin with vowels (*-u*, *-'os'*, *-'ot*, etc.). Simple addition of endings to stems, as in all the above examples, will take place *whenever unlikes are combined*, i.e. whenever a stem terminating in a *vowel* is combined with a consonantal ending, or whenever a stem terminating in a *consonant* is combined with a vocalic ending.

When two consonants or two vowels come together at the juncture of stem and ending, *the former will truncate.* Note the form of the infinitive and past tense forms of the consonantal stem *živ-*:

živ- + *-t'* = *žit'*	$(C^1 + C^2 = C^2)$	жив- + ть = жи́ть
živ- + *-l* = *žil*		жив- + л = жи́л
+ *-la* = *žila*		+ ла = жила́
+ *-lo* = *žilo*		+ ло = жи́ло
+ *-l'i* = *žil'i*		+ ли = жи́ли

557

Stated briefly, *unlikes add, likes truncate.*
Thus, if C stands for "consonant" and V for "vowel",

$$C + V = CV \qquad V + C = VC$$

whereas,

$$C^1 + C^2 = C^2 \qquad V^1 + V^2 = V^2$$

Sample Conjugation
rabotaj- "work"

Present Tense:

Sing.	1st pers.	$rabotaj + \varnothing + u$	я рабо́таю
	2nd pers.	$rabotaj + \text{'}o + š\text{'}$ [1]	ты рабо́таешь
	3rd pers.	$rabotaj + \text{'}o + t$	о́н/она́/оно́ рабо́тает
Pl.	1st pers.	$rabotaj + \text{'}o + m$	мы рабо́таем
	2nd pers.	$rabotaj + \text{'}o + t\text{'}e$	вы рабо́таете
	3rd pers.	$rabotaj + u + t$	они́ рабо́тают

Infinitive:
$rabotaj + t\text{'} = rabotat\text{'}$ рабо́тать
$[j + t\text{'} = t\text{'}]$ because $C^1 + C^2 = C^2$

Past (Preterite):

$rabotaj + l = rabotal$ о́н рабо́тал
$[j + l = l]$
$rabotaj + la = rabotala$ она́ рабо́тала
$rabotaj + lo = rabotalo$ оно́ рабо́тало
$rabotaj + l\text{'}i = rabotal\text{'}i$ они́ рабо́тали

1.5 Stress in Verbs

A stress mark (') placed over a basic stem indicates that the stress falls on the indicated syllable in *all* forms of the paradigm. The mark ($^{×}$) over a stem signals a *shifting* stress pattern, of which there are but two possible varieties: in basic stems terminating in a consonant the stress shifts in the *past* tense; in basic stems terminating in a vowel the stress shifts in the *present* tense. The past tense shift opposes the stressed *feminine singular* marker to unstressed endings in the other three forms. (In the present tense of such verbs the stress falls on the markers.) Present tense shift will be discussed later. Note the stress in the following conjugation of *žív-*.

Present Tense:

Sing.:	1st pers.	я живу́	Pl.:	1st pers.	мы живём
	2nd pers.	ты живёшь		2nd pers.	вы живёте
	3rd pers.	о́н живёт		3rd pers.	они́ живу́т

Infinitive:
жи́ть

Past (Preterite):
о́н жи́л
она́ жила́
оно́ жи́ло
они́ жи́ли

---

[1] *š'* is used to signal the Cyrillic spelling *-шь*. This graphic convention cannot affect the pronunciation of the preceding unpaired *hard* consonant.

2.0 Third-Person Possessive Pronouns

Keep in mind that the third-person possessive pronouns *never* change for agreement.

Это его́ до́м.	This is his house.
Это его́ ко́мната.	This is his room.
Это её до́м.	This is her house.
Это её ко́мната.	This is her room.
Это и́х до́м.	This is their house.
Это и́х ко́мнаты.	These are their rooms.

3.0 The Meaning and Use of Adverbs

In addition to place, Russian adverbs may denote the time, quality or manner of action. Though their usage is similar to that of English adverbs, it is important to keep in mind the basic rule of Russian word order (*theme* plus *rheme*; cf. Unit I, 7.0) when building or analyzing sentences. Note the position of the adverbs in the following neutral sentences. (Pay particular attention to the relation between the type of adverb and its position within the theme portion of the sentence).

Place:

О́н рабо́тает **зде́сь**.	He works here.
Мы́ жи́ли **та́м**.	We used to live over there.

Time:

Ле́том они́ отдыха́ют.	They vacation in the summer.
Днём я́ рабо́таю.	I work during the day.

Manner:

О́н говори́т **по-ру́сски**.	He speaks Russian.
Я́ чита́ю **по-англи́йски**.	I read English.

Quality:

О́н **гро́мко** говори́т.	He speaks loudly.
Она́ **хорошо́** чита́ет.	She reads well.

Note that adverbs of time normally *precede* the *subject* of the sentence, whereas adverbs of quality *precede* the *predicate verb*. Adverbs of place and manner generally *follow* the predicate verb.

Compare the position of the adverbs in the following sentences where they in each case contain new information.

— Когда́ вы́ рабо́таете?	"When do you work?"
— Я́ рабо́таю **днём**.	"I work during the day."
— Ка́к она́ говори́т?	"How does she speak?"
— Она́ говори́т **гро́мко**.	"She speaks loudly."
— Ка́к о́н понима́ет по-ру́сски?	"How (well) does he understand Russian?"
— О́н почима́ет по-ру́сски **о́чень хо-рошо́**.	"He understands Russian very well."

559

4.0 The Prepositional Case

Place may also be indicated in Russian by means of prepositional phrases consisting of the preposition **в** "in" or **на** "on the surface of" and the *prepositional case* of a noun.

Ма́рк живёт **в Ки́еве**.	Mark lives *in Kiev*.
Ма́ма рабо́тает **в шко́ле**.	Mama works *at a school*.
Кни́га лежи́т **на столе́**.	The book is *on the desk*.

Cf.

Кни́га лежи́т **в столе́**.	The book is *in the desk*.

4.1 Formation of the Prepositional Case of Nouns

The prepositional case ending for most Russian nouns is *'e* (**-e**).[1] (Remember that **'** indicates automatic softening of any paired consonant at the end of a stem before this ending, i.e. a paired consonant at the end of a stem is replaced by the corresponding soft consonant.)

Masculine/Neuter			Feminine		Ending in spelling
Nom. ∅/-o	сто́л	окно́	-a	ка́рта	
Prep. -'e	на столе́	на окне́	-'e	на ка́рте	**-e**

5.0 Masculine nouns denoting a person's profession, trade, occupation, etc. may refer to female as well as male members of that profession, trade, etc.

Мо́й бра́т—фи́зик, его́ жена́ то́же фи́зик.	My brother is a physicist, his wife is also a physicist.
Мо́й оте́ц—вра́ч, моя́ сестра́ то́же вра́ч.	My father is a doctor, my sister is also a doctor.

6.0 Apposition and Titles

Titles of newspapers, periodicals, books, articles, names of ships, trains, etc. are invariably set off in quotation marks and the first letter of the first word is capitalized. Apposition is non-strict, that is, titles appear in the nominative case regardless of the case of the word with which they are in apposition.

Э́то газе́та «Пра́вда».	This is the newspaper *Pravda*.
Э́то журна́л «Но́вый ми́р».	This is the magazine *New World*.
Влади́мир Петро́вич рабо́тает в журна́ле «Москва́».	Vladimir Petrovich works at the magazine *Moscow*.

Note that in conversational Russian titles without apposition may be encountered.

Воло́дя рабо́тает в «Пра́вде».	Volodya works at *Pravda*.

---

[1] This ending is pronounced [и] when unstressed.

UNIT III

Adjectives. Numerals. Demonstrative Pronouns. The Prepositional Case. Time Expressions.

1.0 Adjectives

1.1 The Nominative Case of Adjectives

но́вый журна́л	но́вая кни́га	но́вое окно́	но́вые кни́ги
си́ний каранда́ш	си́няя ру́чка	си́нее не́бо	си́ние ру́чки

Russian adjectives agree in number, gender and case with their head word. Note the nominative adjective endings in the above examples with the adjective stem *nóv-* "new".

The nominative case endings are *-ij* (spelled **-ый** or **-ий**) (masculine), *-aja* (**-ая/-яя**) (feminine), *-ojo* (**-ое/-ее**) (neuter) and *-ije* (**-ые/-ие**) (plural). In the case of ending-stressed adjectives, the masculine nominative form is *-ój* (**-ой**), as, for example, in the forms for the adjective молодо́й "young": молодо́й, молода́я, молодо́е, молоды́е.

1.2 Adjectives and the Spelling Rules

The special spelling rules must be taken into consideration when writing adjectives with stems ending in velars (e.g. *k*—к) or sibilants (e.g. *š*—ш). (See I, 1.33.) After sibilants, the basic *o* is spelled with the letter **ó** only when under stress; otherwise it is spelled with the letter **е** (which in this case equals **ё**).

Note the spelling of the basic *o* and the basic *i* in the following adjectives with stems terminating in к and ш. (See I, 1.33 for complete statement of spelling rules.)

Stem stress:	ру́сский	ру́сская	ру́сское	ру́сские	"Russian"
Stem stress:	хоро́ший	хоро́шая	хоро́шее	хоро́шие	"good"
Ending stress:	большо́й	больша́я	большо́е	больши́е	"large"

1.3 Adjectives Used as Predicates

Э́тот до́м но́вый.	This house is new.
	(…a new one.)
Э́тот до́м ста́рый.	This house is old.
	(…an old one.)
Э́та гости́ница но́вая.	This hotel is new.
	(…a new one.)
Э́ти иде́и не но́вые.	These ideas are not new.
	(…are not new ones.)

Adjectives in the nominative may be used as predicates, agreeing in number and gender with the subject.

2.0 Ordinal Numerals

Like English, Russian distinguishes *cardinal* and *ordinal* numerals. The ordinal numerals function and decline like adjectives.

19-64

Here is a table of cardinal numerals with the corresponding ordinals from one to ten. These should be memorized.

1	один, одна́, одно́, одни́	пе́рвый,	пе́рвая,	пе́рвое	first
2	два́ (*m.* and *n.*), две́ (*f.*)	второ́й,	втора́я,	второ́е	second
3	три́	тре́тий,	тре́тья [1],	тре́тье	third
4	четы́ре	четвёртый,	четвёртая,	четвёртое	fourth
5	пя́ть	пя́тый,	пя́тая,	пя́тое	fifth
6	ше́сть	шесто́й,	шеста́я,	шесто́е	sixth
7	се́мь	седьмо́й,	седьма́я,	седьмо́е	seventh
8	во́семь	восьмо́й,	восьма́я,	восьмо́е	eighth
9	де́вять	девя́тый,	девя́тая,	девя́тое	ninth
10	де́сять	деся́тый,	деся́тая,	деся́тое	tenth

3.0 The Demonstrative Pronouns э́тот and то́т

Note the forms of the demonstrative pronouns э́тот and то́т in the nominative singular and plural.

э́тот (то́т) го́род, э́та (та́) ко́мната, э́то (то́) окно́, э́ти [2] (те́) кни́ги

The use of то́т (as opposed to э́тот) is more restricted in Russian than is the case with the English "that". То́т describes a head word which is markedly removed in space or time from the speaker or is clearly the second element of an opposition. Examine the following Russian-English equivalents; note that the English "that" very often corresponds to the Russian э́тот.

Compare Russian and English:

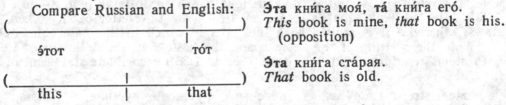

Э́та кни́га моя́, та́ кни́га его́.
This book is mine, *that* book is his.
(opposition)

Э́та кни́га ста́рая.
That book is old.

3.1 The Indeclinable э́то and the Demonstrative Pronoun э́тот

We have seen that in Russian sentences the subject may be the indeclinable word э́то. (See Analysis I, 2.0.)

Э́то но́вая кни́га.   *This is* a new book.
(subj.) + (pred.)

This indeclinable э́то should not be confused with the neuter form of the demonstrative pronoun э́тот (э́то) used to modify a noun. (See 3.0 above.) Cf.:

Э́то окно́.   *This is* a window.
Э́то окно́ большо́е.   *That* window is large.

Examine the use of the indeclinable э́то and the demonstrative pronoun э́тот in this example:

— Что́ э́то?   "What *is that?*"
— Э́то магази́н.   "*That is* a store."
— А когда́ рабо́тает   "And when is *that* store
   э́тот магази́н?   open?"

---

[1] Note that the ordinal numeral тре́тий "third" (basic sounds: *tr'ét'ij-ø*) has the vowel *i* in position before the zero-ending only: тре́тья, тре́тье, тре́тьи (*tr'ét'j-a, tr'ét'j-o, tr'ét'j-i*). See also VIII, 1.14.

[2] Note that the basic vowel *e* is pronounced more closed before the soft *t'* in the plural form.

The indeclinable **э́то** may also fulfil a function close to that of an emphatic particle.

Чья́ **э́то** газе́та? Whose newspaper is *this*?

Note that even in such cases **э́то** preserves its demonstrative force.

— Чья́ **э́то** газе́та?	"Whose newspaper is *this*?"
— Э́то моя́ газе́та.	"It is my newspaper."
— А та́ газе́та?	"And *that* newspaper?"
— Э́то ва́ша газе́та.	"That is your newspaper."

4.0 The interrogative pronoun **како́й** "what (kind of)", "which" and the demonstrative pronoun **тако́й** "that kind of", "such" have the same endings as endingstressed adjectives.

како́й журна́л, кака́я кни́га, како́е зда́ние, каки́е газе́ты

The pronoun **како́й** occurs in various interrogative sentences.

— Како́й э́то го́род?	"What city is it?"
— Э́то Ки́ев.	"It is Kiev."
— Кака́я э́то кварти́ра?	"Which apartment is it?"
— Э́то втора́я кварти́ра.	"It is Apartment No. 2."
— Како́е э́то зда́ние?	"What kind of building is it?"
— Э́то ста́рое зда́ние.	"It is an old building."
— Каки́е э́то студе́нты?	"What students are they?"
— Э́то исто́рики.	"They are history students."

The pronoun **тако́й** is often used after the interrogative pronoun **что́** "what", in which case it has a specifying meaning.

— Что́ э́то **тако́е**?	"What can *that* be?"
— Э́то но́вое кафе́.	"It's a new café."

When used after **что́**, the pronoun **тако́й** invariably takes the neuter gender singular.

Что́ **тако́е** «глаго́л»?	What is a "verb"?
Что́ **тако́е** «апте́ка»?	What is a "pharmacy"?

Note that the pronoun **кто́** is used in questions about a person's (or persons') profession or occupation.

— Кто́ э́то?	"Who is that?"
— Э́то Анто́н.	"It is Anton."
— Кто́ он?	"What is he?"
— Он инжене́р.	"He is an engineer."

5.0 The Prepositional Case of Possessive and Demonstrative Pronouns

The prepositional case endings for possessive and demonstrative pronouns are *-om* (spelled **-ом/-ём/-ем**) for pronouns with masculine or neuter head words, and *-oj* (**-ой**) and *-ej* (**-ей**) for pronouns with feminine head words (*-oj* occurs after stems terminating in a hard consonant and *-ej* after stems terminating in a soft consonant). Remember that an *unstressed* o is spelled **e** (from **ё**) after sibilants (such as **ш**).

	Possessive Pronouns			Demonstrative Pronouns		Ending in spelling
(m./n.) Nom. ∅/-o Prep. -om	мóй/моё моём	твóй/твоё твоём	нáш/нáше нáшем	э́тот/э́то э́том	тóт/тó тóм	-о, -е, -ё -ом, -ем, -ём
(f.) Nom. -a Prep. -oj/-ej	моя́ моéй	твоя́ твоéй	нáша нáшей	э́та э́той	тá тóй	-а, -я -ой, -ей

6.0 Time Expressions with the Prepositional Case and with Adverbs

In expressing the *time when* an action occurs the preposition **в** + *the prepositional case* form of the noun denoting the unit of time is used in Russian. (Note that this is the usual formula for segments of time longer than a *week*; for other segments of time, see units VIII and IX.)

в сентябрé	in September
в январé	in January
в э́том семéстре	(in) this semester (*nom.* семéстр)
в э́том вéке	(in) this century (*nom.* вéк)

Parts of the day and seasons of the year are expressed by special adverbs of time and not by prepositional phrases.

у́тром	in the morning	лéтом	in the summer
вéчером	in the evening	зимóй	in the winter
днём	in the afternoon	веснóй	in the spring
нóчью	at night (after midnight)	óсенью	in the fall

7.0 The Prepositional Case of Nouns with Stems in -ij

The prepositional case ending of all nouns (masculine, feminine and neuter) with stems terminating in -ij is spelled **и**, rather than the expected **е**.

∅ *m.*	кафетéрий	в кафетéрии	"in the cafeteria"
-a *f.*	лаборатóрия	в лаборатóрии	"in the laboratory"
-o *n.*	здáние	в здáнии	"in the building"

Compare the number of syllables in the nominative case form of кафетéрий (*kaf'et'ér'ij*+∅) and the prepositional case form: *kaf'et'ér'ij*+*i*.

8.0 Irregular Noun Plurals

This unit contains some commonly used nouns which have irregular plural forms.

брáт "brother"—брáтья	дру́г "friend" —друзья́
сту́л "chair"—сту́лья	сы́н "son" —сыновья́
	му́ж "husband"—мужья́

564

Two other very common words have plural forms derived from historically different roots (suppletion).

$$\text{ребёнок "child" — дéти "children"}$$
$$\text{человéк "person" — лю́ди "people"}$$

9.0 The Irregular Verb хотéть "want"

The verb хотéть has stress and conjugation irregularities in the present tense. Its forms must be memorized.

Present:		Past:
я хочу́	мы́ хоти́м	о́н хотéл
ты́ хо́чешь	вы́ хоти́те	онá хотéла
о́н/онá хо́чет	они́ хотя́т	(онó) хотéло
		они́ хотéли

Infinitive:

хотéть

UNIT IV

The Prepositional Case of Pronouns and Adjectives.
Nouns Used with the Preposition на. The Conjunctions и and а.

1.0 The Preposition о (об, обо)

The meaning "about" or "concerning" is expressed in Russian by the preposition о followed by the prepositional case of the noun in question. The preposition о becomes об before a vowel sound and обо before the pronoun мнé (see below, 2.0).

Мы́ говори́ли о письмé.	We spoke about the letter.
Мы́ говори́ли об Áнне.	We spoke about Anna.
Геóлог расскáзывал об Урáле.	The geologist spoke about the Urals.

2.0 The Prepositional Case of Personal and Interrogative Pronouns

2.1 The Prepositional case forms of the personal pronouns must be memorized.

	Singular		Plural	
	nom.	prep.	nom.	prep.
1st pers.	я́	обо мнé	мы́	о нáс
2nd pers.	ты́	о тебé	вы́	о вáс
3rd pers.	о́н/онó онá	о нём о нéй	они́	о ни́х

2.11. Initial н in Third-Person Pronouns

Whenever a third-person pronoun is the object of a preposition (regardless of case), the pronoun form takes on an initial н. Since the prepositional case forms never occur except after prepositions, they have been listed throughout together with the initial н:

о нём, о ней, о них

The prepositional case of the interrogative pronoun кто́ is о ко́м, and the prepositional of the interrogative что́ is о чём.

3.0 The Prepositional Case of Adjectives

As in the case of the third-person personal pronoun, the prepositional case ending for adjectives is -*om* (**-ом**) for masculine and neuter and -*oj / -ej* (**-ой / -ей**) for feminine—-*oj* (**-ой**) after a hard consonant and -*ej* (**-ей**) after a soft consonant.

Remember that an unstressed *o* is spelled **е** after sibilants (**ш**).

(m./n.)			
Nom. -*ij/-oj* -*ojo*	но́вый/-ое молодо́й/-о́е хоро́ший/-ее большо́й/-о́е ма́ленький/-ое		-ый, -ий, -ой -ое, -ее
Prep. -*om*	но́вом молодо́м хоро́шем большо́м ма́леньком		-ом, -ем
(f.)			
Nom. -*aja*	но́вая молода́я хоро́шая больша́я ма́ленькая		-ая
Prep. -*oj/-ej*	но́вой молодо́й хоро́шей большо́й ма́ленькой		-ой, -ей

4.0 Nouns Used with the Preposition на

A small group of Russian nouns occur in the prepositional case only with the preposition **на** when location is to be designated.[1] For these nouns the preposition **на** is the only means of expressing "in", "at", as well as "on".

Он живёт на ю́ге.	He lives in the south.
Он рабо́тает на заво́де.	He works at a factory.
Мы тепе́рь живём на Украи́не.	We now live in the Ukraine.

The group includes nouns denoting the main directions of the compass, certain geographical areas (mainly of the USSR), islands, open spaces, certain gathering places, and other nouns which must be memorized.

---

[1] In connection with the preposition **на** the temporal phrase на э́той неде́ле "this week" should be mentioned.

Где?	Where?	Где?	Where?
на ю́ге	in the south	на Украи́не	in the Ukraine
на се́вере	in the north	на рабо́те	at work
на за́паде	in the west	на заво́де	at the factory (heavy industry)
на восто́ке	in the east	на у́лице	on the street
на Кавка́зе	in the Caucasus	на конце́рте	at the concert
на Ура́ле	in the Urals	на собра́нии	at the meeting

Keep in mind that whenever the preposition **на** is used with any noun other than the above group of words, the preposition retains its literal meaning "on the surface of" or "on top of". (See II, 4.0.)

5.0 The Conjunctions и and а

The Russian conjunction **и** is used to join coordinate subjects and predicates, as does the English "and". It also introduces clauses in which the speaker wants to express parallelism of actors, actions, places or time segments.

The conjunction **а** introduces clauses containing an opposition of actors, actions, places or time segments, and corresponds to the English "and", "whereas", "while".

Compare:

Ве́ра живёт в го́роде, **и** её роди́тели (то́же) живу́т в го́роде.

Vera lives in town and her parents also live in town.

Ни́на живёт в го́роде, **а** её роди́тели живу́т в дере́вне.

Nina lives in town and her parents live in the country.

Ви́ктор отдыха́л **на ю́ге, и** А́нна отдыха́ла **на ю́ге.**

Viktor vacationed in the South and so did Anna.

Ви́ктор отдыха́л **на ю́ге, а** А́нна отдыха́ла **на се́вере**, в Арха́нгельске.

Viktor vacationed in the South and Anna vacationed in the North.

В ию́не **я рабо́тал, и** в а́вгусте **я рабо́тал**.

In June I worked and in August I also worked.

В ию́не и в ию́ле **я рабо́тал, а** в а́вгусте я **отдыха́л**.

In June and July I worked and in August I vacationed.

Note that clauses introduced by **и** and **а** must be set off by commas.

6.0 The Irregular Verb бы́ть "be"

The verb **бы́ть** "be" is irregular; its forms must therefore be memorized. (See also Analysis VI, 2.0.)

Present:	Past:	Past Tense with Negation	
∅	о́н бы́л	о́н не́ был	[н'е́был]
Infinitive:	она́ была́	она́ не была́	[н'ибыла́]
бы́ть	оно́ бы́ло	оно́ не́ было	[н'е́былъ]
	они́ бы́ли	они́ не́ были	[н'е́был'и]

7.0 Masculine Nominative Plurals in -á

Masculine nouns with the nominative plural ending in -a (-а, -я) (their number is very small) will be specially marked in the vocabularies and must be memorized. Nouns of this type have stem stress in the singular and ending stress throughout the plural (AB). Here are some common examples:

Sing. ø Pl. -a	дóм домá	гóрод городá	лéс лесá	профéссор профессорá	учи́тель учителя́ [1]	-а, -я

UNIT V

The Genitive Case. The Accusative Case. The Conjunction что.
Apposition. The Verb Classifier.

1.0 The Genitive Case

1.1 Use of the Genitive

The basic meaning of the genitive in Russian is that of *quantifier*; whenever things or concepts are counted, measured or limited in some way, one may regularly expect the genitive case.

Indefinite numerals (or adverbs of quantity) provide obvious examples of quantification.

На ю́ге страны́ **мнóго желéза**.	There is much iron in the southern part of the country.
В э́том райóне **мáло воды́**.	There is little water in this region.

The genitive is also used to show that not the whole object or not the object *itself* is affected, but rather a part, an aspect or a characteristic of that object.

Это **начáло слóва**.	This is the beginning of the word.
Óн пи́шет о **красотé приро́ды**.	He writes about the beauty of Nature.
Мы́ говори́ли о **кли́мате Урáла**.	We spoke about the climate of the Urals.

The latter statement includes cases of possession and associated or contiguous phenomena.

Это **дóм Бори́са**.	This is Boris' house.
Это **фами́лия журнали́ста**.	This is the journalist's last name.
Они́ говори́ли о **рабóте студéнта**.	They spoke about the student's work.
Столи́ца Украи́ны—Ки́ев.	The capital of the Ukraine is Kiev.

Forms of the genitive in Russian, thus, correspond to English of-phrases and possessives formed by means of -'s (-s').

Note, however, that in Russian the genitive in most cases *follows* the noun denoting the thing possessed:

Это кóмната **сы́на**.	This is the *son's* room.
Это кóмната **сы́на · Антóна**.	This is *Anton's son's* room.

---

[1] Note that the stress in учи́тель is exceptional for nouns in -тель. Compare: писáтель — писáтели, читáтель — читáтели.

1.2 Formation of the Genitive of Nouns

First Declension
Masculine / Neuter

Nom. ø / -o студе́нт го́сть Дми́трий окно́ зда́ние	
Gen. -a студе́нта го́стя Дми́трия окна́ зда́ния	**-а, -я**

In the genitive singular first declension nouns take the ending -a (spelled **a** or **я**), i.e. the nominative singular ø or -o in such nouns is replaced by the basic -a.

Second Declension
Feminine

Nom. -a карти́на река́ у́лица дере́вня	
Gen. -i карти́ны реки́ у́лицы дере́вни	**-ы, -и**

In the genitive singular second declension nouns take -i (spelled **ы** or **и**). Note that in keeping with the spelling rules (cf. I, 1.33) the basic i must be spelled **и** after **к**, **г** and **х** and also after all sibilants except **ц**.

2.0 The Accusative Case

2.1 Use of the Accusative

The accusative is the case of the *direct object*. Any verb which takes a direct object is called *transitive*.

Анто́н	пи́шет	письмо́	Anton is writing a letter.
Subject +	Predicate +	Object	
(nom.)	(trans. verb)	(acc.)	
Мари́я чита́ет кни́гу.			Mariya is reading a book.

2.2. Formation of the Accusative Case of Nouns

First Declension

Masculine				Neuter		
Nom. ø		ваго́н	дру́г бра́т	-o	окно́	зда́ние
Acc. ø (inanim.)		ваго́н		-o	окно́	зда́ние
-a (anim.)			дру́га бра́та			

The accusative of first declension nouns is identical with their nominative, except for masculine nouns denoting animals (hereafter referred to as "animate nouns"). The ending of the accusative of animate first declension nouns is -*a* (which coincides with the first declension genitive ending).

Second Declension

Feminine			
Nom. -*a*	шко́ла	дере́вня	-а, -я
Acc. -*u*	шко́лу	дере́вню	-у, -ю

The ending of the accusative singular of second declension nouns is -*u* (spelled -у or -ю).

Study the following examples:

Джо́н изуча́ет фи́зику.	John is studying physics.
Йра хорошо́ зна́ет го́род.	Ira knows the city well.
Я зна́ю профе́ссора Гри́на.	I know Professor Greene.
Ната́ша чита́ет письмо́.	Natasha is reading a letter.

Summary of Noun Endings

	First Declension					Second Declension	
	Masculine			Neuter		Feminine	
Nom.	ø áдрес	брáт		-*o* окно́	-о	-*a* газе́та	-а, -я
Acc.	ø áдрес	—		-*o* окно́	-о	-*u* газе́ту	-у, -ю
	-*a*	брáта	-а, -я				
Gen.	-*a* áдреса	брáта	-а, -я	-*a* окна́	-а	-*i* газе́ты	-ы, -и
Prep.	-'*e* áдресе	бра́те	-е	-*e* окне́	-е	-'*e* газе́те	-е

2.3 The Genitive and Accusative Cases of Personal Pronouns

Examine and memorize the forms of the personal pronouns summarized in the following box. Note that with the exception of the interrogative pronoun что́ the genitive and accusative case forms of the personal pronouns are identical.

	Personal Pronouns							Interrogative Pronouns	
Nom.	я	ты́	о́н / оно́	она́	мы́	вы́	они́	кто́	что́
Acc.	меня́	тебя́	его́	её	на́с	ва́с	и́х	кого́[1]	что́
Gen.	меня́	тебя́	его́	её	на́с	ва́с	и́х	кого́	чего́[1]
Prep.	обо мне́	о тебе́	о нём	о не́й	о на́с	о ва́с	о ни́х	о ко́м	о чём

[1] Кого́ is pronounced [каво́]; and чего́, [чиво́].

570

Study the following examples:

— Кого́ она́ лю́бит?   "Whom does she love?"
— Она́ лю́бит тебя́.   "She loves you."
Он зна́ет меня́, а она́ зна́ет ва́с. He knows me and she knows you.
Мы́ ви́дели его́ на Кавка́зе. We saw him in the Caucasus.

The genitive forms of the pronouns я, ты́, мы́, вы́ and кто́ are never used to mean possession. Instead, there are special possessive pronouns which *precede*, and agree with, the noun denoting the object possessed. These special possessive pronouns are мо́й, тво́й, на́ш, ва́ш and че́й, respectively.

2.4 The Genitive and Accusative Cases of Demonstrative and Possessive Pronouns

Demonstrative and possessive pronouns must agree with their head word in number, gender and case. The accusative forms of the masculine demonstrative and possessive pronouns are identical with the genitive forms when in agreement with an animate noun; otherwise they are identical with the nominative forms.

Masc. / Neut.										
Nom. -ø/-o	э́тот	э́то	на́ш	на́ше	ва́ш	ва́ше	мо́й	мое́	че́й	чье́
Acc. -ø/-o	э́тот	э́то	на́ш	на́ше	ва́ш	ва́ше	мо́й	мое́	че́й	чье́
-ogo[1]	э́того	—	на́шего—		ва́шего—		моего́—		чьего́—	
Gen. -ogo	э́того		на́шего		ва́шего		моего́		чьего́	
Prep. -om	э́том		на́шем		ва́шем		моём		чьём	

[1] The pronominal and adjectival genitive ending -ogo is invariably pronounced as though the consonant were the basic *v*, rather than *g*: его́ [јиво́], кого́ [каво́], молодо́го [мъладо́въ], э́того [э́тъвъ].

Fem.							
Nom. -a	э́та	на́ша	ва́ша	моя́	чья́	**-а, -я**	
Acc. -u	э́ту	на́шу	ва́шу	мою́	чью́	**-у, -ю**	
Gen. -oj/-ej[1]	э́той	на́шей	ва́шей	мое́й	чье́й	**-ой, -ей**	
Prep. -oj/-ej	э́той	на́шей	ва́шей	мое́й	чье́й	**-ой, -ей**	

[1] There are two endings here: -oj (**-ой**) after a hard consonant and -ej (**-ей**) after a soft consonant (cf. the prepositional case).

Remember that тво́й is declined as мо́й; ва́ш is declined as на́ш.

Here are a few examples of agreement between pronouns and their head word:

Это до́м моего́ преподава́теля.	This is my teacher's house.
Мы́ говори́ли о ва́шей жене́.	We were speaking about your wife.
Я зна́ю э́того челове́ка.	I know that man.
О чье́й рабо́те говори́ла Ма́ша?	Whose work was Masha talking about?
Эта карти́на виси́т в мое́й кварти́ре.	This picture is hanging in my apartment.

But:

Он расска́зывал о её сестре́ и об и́х кварти́ре в Москве́.	He was telling about her sister and their apartment is Moscow.

2.5 The Genitive and Accusative Cases of Adjectives

Adjectives agree in number, gender and case with their head word. As was the case with demonstrative and possessive pronouns, Russian adjectives also distinguish animate from inanimate accusative masculine. In ending-stressed pronouns (see 2.4) the stress falls on the final syllable, whereas in ending-stressed adjectives the stress falls on the penultimate syllable; cf. моего́, but доро-го́го.

	Stem-Stressed			Ending-Stressed		
	Masculine	Neuter	Feminine	Masculine	Neuter	Feminine
Nom.	но́вый	но́вое	но́вая	молодо́й	молодо́е	молода́я
Acc.	но́вый но́вого	но́вое	но́вую	молодо́й молодо́го	молодо́е	молоду́ю
Gen.		но́вого	но́вой		молодо́го	молодо́й
Prep.		но́вом	но́вой		молодо́м	молодо́й

Мы́ ви́дели то́лько нача́ло э́того о́чень интере́сного фи́льма.	We saw only the beginning of that very interesting film.
Я не зна́ю э́того молодо́го челове́ка.	I don't know that young man.
Кто́ а́втор э́того но́вого рома́на?	Who is the author of this new novel?

3.0 The Conjunction что "that"

Russian subordinate clauses are often introduced by the *unstressed* conjunction что "that" (pronounced [штъ] and forming one accentual unit with the word which follows). Unlike in English, the Russian conjunction что is usually not omitted. The subordinate clause introduced by the conjunction что is invariably set off from the principal clause by a comma.

Он зна́ет, что вы́ живёте в Ташке́нте.	He knows (that) you live in Tashkent.
Я зна́ю, что её оте́ц о́чень мно́го рабо́тает.	I know (that) her father works a lot.

572

Compare the use of a stressed **что** (conjunctive word) in the following sentence:

Я не зна́ю, что́ Ви́ктор пи́шет.   I don't know what Victor is writing.
     But:
Я зна́ю, что Ви́ктор пи́шет кни́гу.   I know (that) Victor is writing a book.

4.0 Apposition

When a noun (together with its modifiers) is in apposition to another noun, i.e. when it specifies or explains that noun by giving it a different name, there are two possibilities in Russian:

1. If the first noun denotes a person, we have *strict apposition*, when both the nouns (or noun phrases) take the same case.

Мы́ говори́ли о её бра́те Никола́е.   We spoke about her brother, Nikolai.
Ле́кцию чита́ет профе́ссор Кузнецо́в.   The lecture is being read by Professor Kuznetsov.
Я зна́ю това́рища Петро́ва.   I know Comrade Petrov.
Я ви́дел Анто́нова, на́шего до́ктора.   I saw Antonov, our doctor.

2. If the first noun does not denote a person, we have *non-strict apposition*, when the second noun (or noun phrase) takes the nominative.

Я ви́дел дра́му «Ива́нов».   I saw the play *Ivanov*.
Кто́ геро́й рома́на «А́нна Каре́нина»?   Who is the hero of the novel *Anna Karenina*?

In conversational Russian, the head word may be omitted, in which case the apposition takes the case of the head noun that has been omitted.

Твардо́вский до́лго рабо́тал в журна́ле «Но́вый ми́р». And: Tvardovsky worked for a long time at the magazine *New World*.
Мо́й дру́г то́же рабо́тал в «Но́вом ми́ре».   My friend also worked at *New World*.

5.0 The Russian Verb

5.1 The Verb Classifier

In studying and conjugating Russian verbs we have so far centered our attention on combining verb stems and grammatical endings. Let us now examine the basic stem itself more closely.

The stem consists of a *root* (CVC)[1] with or without prefixes and is followed by a *suffix*, which we shall call the *verb classifier*.

повтори́ть "repeat" *povtor'i-*

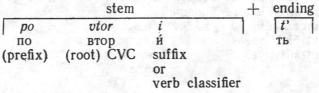

---

[1] See I, 3.0 and footnote.

In all there are eleven verb classifiers in Russian: *-i-*, *-e-*, *-ža-*, *-a-*, *-ova-*, *-aj-*, *-ej-*, *-avaj-*, *-nu-*, *-o-*, and ø (which indicates the absence of an overt suffix after the root). Of these, only three (*-i-*, *-ova-*, *-aj-*) are "productive", that is, only three classifiers are used to form new verbs which appear in the modern language.

In reviewing some familiar basic stems we can readily identify the verb classifier in each:

	stem	= root (CVC)	+ classifier
"read"	*čitáj-*	*čit-*	+ *-aj-*
"speak"	*govor'i-*	*govor'-*	+ *-i-*
"live"	*živ-*	*živ-*	+ ø

The analysis of Russian verbs according to verb classifiers has immediate practical consequences for conjugation. The verb classifier determines which present tense vowel (i.e. the first conjugation *-'o — -u* (*-ет — -ут*) or the second conjugation *-'i — -'a* (*-ит — -ят*)[1] a verb requires. Moreover, the classifier enables one to anticipate the two other processes which may occur in the formation of Russian verbs: (1) *alternation* of the final root consonant, and (2) *shift of stress*. Once the rules for each verb classifier are assimilated, one will be able to conjugate any regular basic stem in Russian, regardless of whether or not one has previously encountered that particular verb.

5.2 Classes of Verbs

Only three classes of verbs in Russian take second conjugation endings: *-i-*, *-e-* and *-ža-*verbs; the remaining eight classes take first conjugation endings. All classes except ø-class may have stress shift in the *present* tense; only "zero" verbs may have stress shift in the *past* tense.

Let us analyze the three second conjugation classes more closely.

Second Conjugation Verbs

1. Verb Classifier *-i-* (spelled **-и-**) Example: *pros'í-* "ask (a favor)"
проси́ть

Final root consonant *alternates*[2] before first person singular *-u*. прошу́ (прос-и-у; с → ш before у)
про́сишь

Productive group, numbering thousands of verbs, mostly transitive.

про́сит	проси́л
про́сим	проси́ла
про́сите	проси́ло
про́сят	проси́ли

2. Verb Classifier *-e-* (-е-) *v'íd'e-* "see"
ви́деть

Final root consonant *alternates*[3] before first person singular *-u*. ви́жу (вид-е-у; д → ж before у)
ви́дишь
ви́дят ви́дел

About 50 verbs, mostly intransitive.

	ви́дела
	ви́дело
	ви́дели

---

[1] See II, 1.1.
[2] See V, 5.5.
[3] See V, 5.5.

3. Verb Classifier -ža-

Where -ža- represents *a* preceded by a sibilant: **жа, ша, ща, ча** (and also **-j+a** in two exceptional cases: **бояться** *boj-á-* "fear" and **стоять** *stoj-á-* "stand").
Above 30 verbs, mostly intransitive.

l'ežá- "lie", "be in a lying position"

лежа́ть	
лежу́	
лежи́шь	
лежа́т	лежа́л
	лежа́ла
	лежа́ло
	лежа́ли

All other regular verbs take first conjugation endings. In previous units we have encountered verbs with classifiers in -*aj*- and ø; in this unit we have come across verbs with classifiers in -*a*- and -*ova*-.

First Conjugation Verbs

4. Verb Classifier -a- (-a-)

Final root consonant alternates before *all vocalic endings* (thus throughout the present tense).
About 60 verbs.

p'isá- "write"

писа́ть	
пишу́	(пис-а-у; с → ш before у)
пи́шешь	
пи́шут	писа́л
	писа́ла
	писа́ло
	писа́ли

5. Verb Classifier -ova- (-ова-/-ева-)

-*ova*- replaced by -*uj*- before *all vocalic endings*. Note that in verbs with stressed -*ova*- the stress shifts back to -*új*-.
Thousands of verbs, mostly with foreign roots.

d'iktová- "dictate"

диктова́ть	
дикту́ю	
дикту́ешь	
дикту́ют	диктова́л
	диктова́ли
	диктова́ло
	диктова́ли

6. Verb Classifier -aj- (-ай-)

Thousands of verbs, mostly imperfective. [1]

čitáj- "read"

чита́ть	
чита́ю	
чита́ешь	
чита́ют	чита́л, чита́ла

7. Verb Classifier ø

About 80 verbs in all (unprefixed). This group will be analyzed in much greater detail in subsequent units.
Stress may shift in the past tense only.

žív- "live"

жи́ть	
живу́	
живёшь	
живу́т	жи́л
	жила́
	жи́ло
	жи́ли

---

[1] See Unit VI, 1.3.

5.30 Stress in the Verb

5.31 Fixed Stress

A large majority of Russian verbs have fixed stress, i.e. the stress in them falls on the same syllable in all forms in their conjugation paradigm. Stress may be fixed on the root or on the syllable immediately following the root (the post-root syllable). As you remember from II, 1.5, fixed stress is indicated by the sign ' placed over the appropriate syllable of the basic stem.

Fixed Stress

root (CVC)		post-root [1]	
v'íd'e- "see"	*stán-ø* "become"	*čitáj-* "read"	*govor'í-* "speak", "say"
вѝжу	ста́ну	чита́ю	говорю́
ви́дишь	ста́нешь	чита́ешь	говори́шь
ви́дит	ста́нет	чита́ет	говори́т
ви́дим	ста́нем	чита́ем	говори́м
ви́дите	ста́нете	чита́ете	говори́те
ви́дят	ста́нут	чита́ют	говоря́т
ви́деть	стать	чита́ть	говори́ть
ви́дел	стал	чита́л	говори́л
ви́дела	ста́ла	чита́ла	говори́ла
ви́дело	ста́ло	чита́ло	говори́ло
ви́дели	ста́ли	чита́ли	говори́ли

5.32 Shifting Stress

A number of Russian verbs, including some of the most commonly used ones, have shifting stress. Shifting of the stress is understood as proceeding from right to left, *from the post-root syllable onto the root.* There are but two patterns of stress shift in Russian verbs: one affecting the present tense and one affecting the past tense. If one has learned the two patterns, one can predict the proper stress for any form of any basic stem.

Shifting stress is indicated by an × placed over the basic stem: *p'isá-*.

Since stress is always shifted to the *left* (i.e. from the post-root syllable onto the root), one need learn only which forms of the paradigm "retract" the stress. *In all other forms the stress remains on the post-root syllable.*

Present tense stress shift occurs in verbs with suffixes other than ø and affects all present tense forms except the first person singular.

Past tense shift occurs only in verbs with the ø classifier and affects all past tense forms except the feminine. [2]

---

[1] Note that -*ova*-verbs with stress on the post-root syllable have stressed -*ová*-, but the stress shifts to -*új*- in the forms with alternation. See above 5.2, item 5.

[2] Later on we shall have occasion to contrast present tense retraction (a one-syllable shift to the left) with past tense retraction, which may shift the stress as far to the left in the word or phonological unit as it can go. The negative past tense of *žív*- provides an example: о́н не́ жил [н'е́жил], она́ не жила́ [н'ижила́], оно́ не́ жило [н'е́жилъ], они́ не́ жили [н'е́жили].

The same shift of the stress occurs in the negative form of the verb **бы́ть.** (See IV, 6.0.)

$p' \; i \; s \; \overset{\times}{a}\text{-}$ 　　　　　　　　　　　　　$\overset{\times}{\check{z} \; i \; v} \;\text{—}\; \varnothing$

root	post-root syllable	root	post-root syllable
	пишу́		живу́
пи́шешь			живёшь
пи́шет			живёт
пи́шем			живём
пи́шете			живёте
пи́шут			живу́т
	писа́ть	жи́ть	
	писа́л	жи́л ∅	
	писа́ла		жила́
	писа́ло	жи́ло	
	писа́ли	жи́ли	

To summarize, for verbs with shifting stress the stress falls on the post-root syllable, except those forms of the paradigm in which the stress shifts. (Always from the post-root syllable to the root!) In suffixed verbs (i.e. verbs with stems other than zero) the stress is "retracted" in all *present* tense forms except first person singular; in non-suffixed verbs the stress is retracted in all *past* tense forms except feminine.

5.4 Summary

In addition to rules for joining verb stems and endings discussed in Unit II, there are three other factors which must be taken into account if one is to be able to conjugate fully any Russian verb:

(1) Choice of present tense vowel (i.e. conjugation type);
(2) Possibility of alternation (of a final root consonant with another consonant; see 5.5. below);
(3) Possibility of shifting stress.

The *verb classifier* determines the outcome of the conjugation. Only three classes of Russian verbs have second conjugation endings: -*i*-, -*e*- and -*ža*-types. All other stems are first conjugation ones. Alternation occurs before the first person singular ending -*u* of all -*i*- and -*e*-verbs, and before any vocalic ending for stems in -*a*- and -*ova*-. If stress shift in a verb occurs at all, it will be limited to a single possible shift in the *past tense* of verbs with the ∅-suffix and to one possible *present tense* shift for verbs with classifiers other than ∅. Hence, there are but two types of stress shift in Russian verbs: past tense (affecting ∅-suffixes) and present tense (affecting suffixes other than ∅).[1]

5.5 Chart of Alternations of Consonants

In the conjugation of Russian verbs, alternation of a final root consonant (CVC) occurs at predictable points. It also occurs in the formation of the comparative degree of adjectives and in historical derivation and word-formation. Note that not every consonant undergoes alternation, nor are all the alternations listed below of equal importance or frequency. Those listed in light upright type are infrequent and included here for completeness and to aid the student at more advanced levels of study.

---

[1] For past passive verbal adjective stress, see Unit XV.

Dentals (hard or soft)   Labials (hard or soft)

д — ж	б — бл'
т — ч	п — пл'
з — ж	м — мл'
с — ш	в — вл'
ст — щ	ф — фл'
ск — щ	
ц — ч	

Velars (hard or soft)   Church Slavonic

г — ж	д — жд
к — ч	т — щ
х — ш	

6.0 The Particle -ся

In this lesson you have encountered a small number of verbs ending in the particle -ся. This particle is an indication of voice in Russian and will be discussed in detail in Unit XIII, 2.0. The particle does not affect the conjugation of the verb; however, it must always be added to the conjugated verb. This particle has the form -s' (-сь) after vowel endings and -s'a (-ся) after consonant endings.

naxod'-i-s'a "be located"

нахожу́сь	нахо́димся	находи́ться [-иццъ]
нахо́дишься	нахо́дитесь	находи́лся
нахо́дится	нахо́дятся [-иццъ]	находи́лась
		находи́лось, -лись

UNIT VI

Verb Aspect. The Future Tense. The Verb бы́ть.

1.0 Verb Aspect

1.1 Meaning of Aspect

In his use of verbs a speaker of Russian must choose in almost every case between perfective and imperfective expressions of a given verbal notion. The perfective form of a verb characterizes its action as completed, taking place "at one go", and relevant to the speaker at the moment of speech. The imperfective form, on the other hand, does not qualify the action in this way.

Perfective verbs invariably convey the meaning of an action performed *on one occasion* and *completed "once and for all"*. Imperfective verbs, by contrast, reveal a wide variety of potential meanings. Only an imperfective verb can express a single action as *a process*, a single action *in progress* (a non-completed action) or an action performed *on more than one occasion* and *completed* on each occasion. In addition, a speaker of Russian may indeed have in mind an action performed on one occasion and brought to a completion, yet choose to emphasize something else in the sentence instead: the performer of the action or some attendant circumstance surrounding the performance of the action, rather than the fact of its being performed on one occasion and brought to a completion. Hence, in this case, too, the speaker would select the imperfective form of the verb.

Aspect is expressed formally through the existence of pairs of verbs consisting of a perfective verb and its imperfective counterpart. All the verbs you have encountered heretofore have been *imperfective*. It should be noted in passing that imperfective verbs outnumber perfective verbs in Russian both in sheer numbers and in frequency of occurrence.

In order to understand Russian and express yourself freely in that language, it is essential to master both the perfective and imperfective forms of each verb. Study the choice of aspect in Russian sentences you encounter, paying particular attention to the role of context in the choice of aspect. As your knowledge of aspect deepens, you will gradually develop rationales for aspectual choice which will more and more approximate those of a native speaker.

Begin by comparing verb aspects in the following groups of sentences. As a rule of thumb, keep in mind that the perfective verb is called for only in the case of *completed* actions which occur only on one occasion and the force of which is relevant to, or impinges upon, the speaker at the time of the utterance. In all other cases the imperfective is the proper form.

— Вчера́ ве́чером моя́ жена́ **писа́ла** письмо́. (Imperfective, process.) — "Last night my wife was writing a letter."

— Она́ **написа́ла** письмо́? (Perfective, emphasis on the result.) — "Did she finish writing the letter?"

— Да́, оно́ уже́ на по́чте. — "Yes, it's already at the post office."

In the following examples note how words like всегда́ or ка́ждый де́нь bring out the *frequentative* meaning in the imperfective verb.

— Ро́берт, почему́ ты́ та́к хорошо́ говори́шь по-ру́сски? — "Robert, why do you speak Russian so well?"

— Я́ **всегда́** мно́го **рабо́тал**. Ка́ждый де́нь **чита́л** текст, **писа́л** упражне́ния и **учи́л** слова́. (Imperfective, repeated action.) — "I always worked a lot. Every day I would read the text, write out the exercises and learn the words."

— А что́ ты́ сейча́с де́лаешь? — "And what are you doing now?"

— Весно́й я́ **ко́нчил** шко́лу, и тепе́рь я́ студе́нт. (Perfective, emphasis on the result.) — "I finished high school in the spring and now I am a (college) student."

The imperfective aspect is also expected in contexts where the speaker is concerned with whether or not the action took place.

— Вы́ вчера́ **чита́ли** расска́з Че́хова «Ма́льчики»? (Imperfective.) — "Did you read Chekhov's story *The Boys* yesterday?"

— Да́, **чита́ли**, но не **прочита́ли**. — "Yes, we read, but we didn't finish."

— И́ра, ты́ не по́мнишь, мы́ де́лали упражне́ние № 5? (Imperfective.) — "Ira, don't you remember, did we do Exercise 5?"

— Не́т, не де́лали. — "No, we didn't do it."

Я́ **прочита́л** рома́н. Вы́ хоти́те прочита́ть его́? (Perfective, result.) — I've finished reading the novel. Would you like to read it?

Now, compare the following questions and answers:

— Ктó **переводи́л** э́тот рома́н, Га́рнетт и́ли Мо́д? (Imperfective.)
"Who translated that novel, Garnett or Maude?"

— Мо́д.
"Maude."

— Ктó **перевёл** «Га́млета» Шекспи́ра на ру́сский язы́к? (Perfective.)
"Who translated Shakespeare's *Hamlet* into Russian?"

— Пастерна́к.
"Pasternak."

In the former example, the speaker's attention is focused entirely upon *identifying* one of two possible translators, not on a specific completed action as such. In the latter example, the speaker has in mind an explicit *"single" action* (Pasternak's), whose result was the creation of a particular translation which is, in fact, the most well-known modern Russian translation of *Hamlet*. The interlocutor, having answered the original question, could go on to add new information about other translators of *Hamlet*, thus reverting to the imperfective:

...Но други́е то́же **переводи́ли** «Га́мле-та»: наприме́р Лози́нский, Сумаро́ков.
...But others have also translated *Hamlet*, for example, Lozinsky and Sumarokov.

1.20 Aspect and Tense

The perfective view of an action as an act which occurred on one occasion only and was brought to a completion and the Russian conception of present time are incompatible. A perfective action is possible only in the past or future. This relationship may be shown graphically by representing perfective actions as small circles on the chart below and imperfective actions by line segments. If the left to right line is a time vector upon which a perpendicular line marks *now*, then every perfective action must necessarily fall to the left (past tense) or to the right (future tense) of the *now* line. Imperfective verbs, on the other hand, can refer to actions in progress (perhaps intermittently) in the past (i.e. wholly to the left of the *now* line), in the future (i.e. wholly to the right of the *now* line), or in the present (i.e. crossing the *now* line).

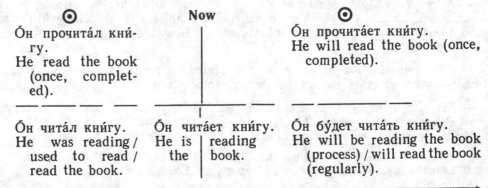

⊙	**Now**	⊙
Óн прочита́л кни́гу. He read the book (once, completed).		Óн прочита́ет кни́гу. He will read the book (once, completed).
Óн чита́л кни́гу. He was reading / used to read / read the book.	Óн чита́ет кни́гу. He is reading the book.	Óн бу́дет чита́ть кни́гу. He will be reading the book (process) / will read the book (regularly).

TIME: ⟶

1.21 Present Tense

The present tense is expressed by imperfective verbs only.

1.22 Future Tense

As is evident from the chart in 1.20 above, a speaker of Russian makes the choice of aspect in the future and the past tenses. The future tense of perfective verbs is similar in form to the present of imperfective verbs. Therefore a foreign speaker of Russian should exercise utmost care not to confuse perfective future and imperfective present forms.

pročitáj- "shall / will read, have read, finish reading"

я́ прочита́ю	мы́ прочита́ем
ты́ прочита́ешь	вы́ прочита́ете
о́н / она́ / оно́ прочита́ет	они́ прочита́ют

Imperfective future requires the appropriate form of the verb **бы́ть** "be" (agreeing with the subject) followed by the imperfective infinitive.

čitáj- "shall / will read, be reading"

я́ бу́ду чита́ть	мы́ бу́дем чита́ть
ты́ бу́дешь чита́ть	вы́ бу́дете чита́ть
о́н / она́ / оно́ бу́дет чита́ть	они́ бу́дут чита́ть

The use of aspect in the future tense is, for the most part, similar to that of the past. Study the following examples, taking particular care to distinguish imperfective *present*, perfective *future* and imperfective *future*.

— Ма́рк, что́ ты́ **бу́дешь де́лать** ле́том? — "Mark, what will you be doing in the summer?"

— Ле́том я́ **бу́ду отдыха́ть** на ю́ге. (Imperfective, process.) — "In the summer I shall be vacationing in the South."

— Что́ сейча́с де́лает Са́ша? — "What is Sasha doing right now?"

— О́н пи́шет статью́. — "He is writing an article."

— О́н ско́ро её **напи́шет**? (Perfective, result.) — "Will he finish it soon?"

— Не́т, я́ ду́маю, о́н **бу́дет** ещё до́лго **писа́ть.** (Imperfective.) — "No, I think he will be writing for a long time yet."

Ната́ша о́чень лю́бит Со́чи. Я́ ду́маю, что она́ **бу́дет отдыха́ть** та́м ка́ждое ле́то. (Imperfective, repeated action.) — Natasha is very fond of Sochi. I think she will vacation there every summer.

1.3 Formation of Aspect

In order to speak and read Russian fluently, it is necessary to master the basic stems of both the perfective and imperfective verbs of the aspect pair. Aspect pairs are differentiated by one of three means:

1. *Suffixaton* (with possible alternation of final root consonant)

IMPERFECTIVE		PERFECTIVE	
vkl'učáj-	"turn on"	*vkl'učí-*	"turn on"
otv'ečáj-	"answer"	*otv'ét'i-*	"answer"
r'ešáj-	"decide", "solve", "attempt to solve"	*r'eší-*	"decide", "solve", "obtain a solution"

2. *Prefixation* (which does not affect conjugation)

× *p'isa-*	"write"	× *nap'isa-*	"get written"
čitáj-	"read"	*pročitáj-*	"finish reading"
d'élaj-	"do"	*sd'élaj-*	"get done"

3. *Suppletion* (verbs of the aspect pair have different roots. This formation is rare.)

govor'í- "say", "tell"   ×
skaza- "say", "tell"

At a later stage in the study of Russian, the student will learn rules for deriving certain types of perfective verbs from their imperfective counterparts and vice versa.

1.4 Examples of the Use of Aspect

Я до́лго чита́л э́ту кни́гу, но ещё не **прочита́л** её. (Result.)
> I have been reading this book for a long time, but still *have not finished* it.

Мы до́лго реша́ли зада́чу и наконе́ц **реши́ли** её. (Result.)
> We worked the problem for a long time and finally *solved* it.

Мы не **реши́ли** э́ту зада́чу. (Failed to obtain a solution.)
> We *did not solve* this problem.

Мы не **реша́ли** э́ту зада́чу. (Statement that no action took place.)
> We *did not work* this problem.

Я вчера́ **включи́л** ра́дио и забы́л его́ вы́ключить. (Result of the initial action is still relevant to the speaker.)
> Yesterday I *turned on* the radio and forgot to turn it off.

Ты вчера́ **включа́л** ра́дио? (Had the radio on yesterday, but it is off now; result canceled out.)
> *Did* you *have* the radio *on* yesterday?

Вчера́ я не́сколько ра́з **включа́л** ра́дио. (Repeated action.)
> I *had* the radio *on* several times yesterday.

Сего́дня ве́чером я **включу́** ра́дио и бу́ду слу́шать му́зыку. (Result of a single completed action will be relevant to the speaker.)
> This evening I *will turn on* the radio and will listen to music.

— Ле́том ваш сы́н **бу́дет рабо́тать?**
> "*Will* your son *be working* in the summer?"

— Не́т, о́н **бу́дет поступа́ть** в институ́т. И я ду́маю, что о́н **посту́пит.**
> "No, he *will be entering* (*applying to*) college. And I think he *will get in* (*be accepted*)."

— Ни́на, что́ ты **де́лала** вчера́ ве́чером?
— Я была́ на вокза́ле.
— А почему́ ты была́ на вокза́ле?
— Я **встреча́ла** бра́та.
— Ну и ка́к, **встре́тила?**
— Да́, **встре́тила.**
> "Nina, what *were you doing* last night?"
> "I was at the train station."
> "And why were you at the station?"
> "I *was meeting* my brother."
> "Well, how was it, *did you meet* him?"
> "Yes, I *did.*"

Оле́г, что́ ты́ **сде́лал?** Ра́дио не рабо́тает.
> Oleg, what *did* you *do?* The radio doesn't work.

— Ники́та, что́ ты **бу́дешь де́лать** сего́дня ве́чером?
> "Nikita, what *are* you *doing* tonight?"

— Я **бу́ду смотре́ть** телеви́зор. Сего́дня ве́чером бу́дет Олимпиа́да.

"I *am going* to *watch* television. The 'Olympics' are on tonight."

— Пра́вда? Я то́же хочу́ **посмотре́ть** Олимпиа́ду.

"Is that so? I want *to watch* the 'Olympics', too."

Two more examples (from classical Russian literature):

Колу́мб бы́л сча́стлив не тогда́, когда́ **откры́л** Аме́рику, а когда́ **открыва́л** её.

Columbus was happy not when he *had discovered* America, but when he *was in the course of discovering* it. (Dostoyevsky, *The Idiot*)

Что́ же **де́лал** Бе́льтов в продолже́ние 10 ле́т? Всё и́ли почти́ всё. Что́ о́н **сде́лал?** Ничего́ и́ли почти́ ничего́.

What *did* Beltov *do* during the 10 years? Everything, or almost everything. What *did* he *achieve?* Nothing, or almost nothing. (Herzen, *Who Is Guilty?*)

1.5 Consecutive and Simultaneous Actions

Two or more perfective verbs in the same sentence convey consecutive actions, one following the other. Imperfective verbs may convey actions overlapping in time.

Вчера́ ве́чером я **вы́учил** но́вые слова́, **прочита́л** но́вый те́кст и **написа́л** упражне́ния.

Last night I *learned* the new words, *read* the new text, and *wrote out* the exercises.

Мари́на **посмотре́ла** на карти́ну и **сказа́ла:** «Не́т, спаси́бо, я её не куплю́».

Marina *glanced* at the picture and *said*, "No, thank you, I won't buy it."

Вчера́ ве́чером я **сиде́л** до́ма и **чита́л.** Когда́ я **чита́л** те́кст, я **учи́л** но́вые слова́.

Last night I *stayed* at home and *read*. As I *read* the text I *studied* the new words.

2.0 The Verb бы́ть "be"

The verb **бы́ть** "be" is irregular. In the case of an irregular verb it is necessary to learn more than one stem. For the verb **бы́ть**—**бу́дут** the vowel alternation *u / i* in the present and infinitive forms is unpredictable. (Note also the root stress in the future tense.)

Infinitive: бы́ть

Present Tense: ø

Future Tense:

я бу́ду	мы́ бу́дем
ты́ бу́дешь ·	вы́ бу́дете
о́н / она́ / оно́ бу́дет	они́ бу́дут

Past Tense:	Past Tense with Negation:
о́н бы́л	о́н не́ был [н'е́был]
она́ была́	она́ не была́ [н'ибыла́]
оно́ бы́ло	оно́ не́ было [н'е́былъ]
они́ бы́ли	они́ не́ были [н'е́были]

— Вы́ бу́дете сего́дня на ле́кции?

— Да́, обяза́тельно бу́ду.

"Will you be at the lecture today?"
"Yes, I shall be there for sure."

Та́ня была́ на рабо́те вчера́ и бу́дет на рабо́те за́втра.

Tanya was at work yesterday and will be at work tomorrow.

3.0 Non-Suffixed Verbs with Stems Terminating in *-d / -t*

The final root consonant in non-suffixed verbs of this type is replaced by *-s-* before the infinitive ending. Deletion before all other consonantal endings is regular.

p'er'ev'od-' "translate" (perfective)

Present:	ø	Infinitive:	перевести[1]
Future:	переведу́	Past:	перевёл
	переведёшь		перевела́
	переведёт		перевело́
	переведём		перевели́
	переведёте		
	переведу́т		

UNIT VII

Third Declension Nouns. Éсть — нéт Constructions.
The Imperative. The Irregular Verb мóчь.
Word Formation: Russian Patronymics. Expression of Nationality.
Non-Syllabic Verb Stems.

1.0 Noun Declensions

As you have observed, except the nominative and accusative forms, neuter nouns and masculine ø-nouns have identical paradigms (i.e. their case endings for the genitive, prepositional, dative and the instrumental are the same). For this reason, we list both types as *first declension* nouns.

All nouns whose nominative singular ends in *-a* belong to the *second declension*.

There is one more declension of nouns: the *third declension*.

1.1. Third Declension

Third declension nouns make up a small and mostly unproductive group of words, but some of them are frequently used and are therefore important. All third declension nouns are grammatically *feminine*; their stem terminates in a soft consonant, and their nominative and accusative ending is ø, represented in spelling by a soft sign (-ь).

Third Declension: тетра́дь "notebook"

Nom. *ø*	тетра́дь	
Acc. *ø*	тетра́дь	
Gen. *-i*	тетра́ди	**-и**
Prep. *-i*	тетра́ди	**-и**

The nominative *plural* ending is *-i*: тетра́ди.

---

[1] Note that the stress falls on the post-root syllable throughout. In the case of non-suffixed verbs with this pattern the infinitive ending is **-ти́**.

Third declension nouns are always marked as such in dictionaries and vocabularies. All nouns in the nominative with the ø-ending and final soft consonant may be presumed to be first declension masculine unless specifically marked *f*, which stands for "feminine, third declension".

1.2 Noun Declension Types

		1st Declension			2nd Declension		3rd Declension	
Singular	Nom. ø / -*o*		áвтор	окнó	-*a* кáрта	-а	ø двéрь	
	Acc. ø (inanim.) -*o*		áвтора	окнó	-*u* кáрту	-у	ø двéрь	
	(anim.) -*a*							
	Gen. -*a*		áвтора	окнá	-а	-*i* кáрты	-ы	-*i* двéри	-и
	Prep. -'*e*		об áвторе	об окнé	-е	-'*e* о кáрте	-е	-*i* о двéри	-и
Plural	Nom. -*i*, -*a*		áвторы	óкна	-ы -а	-*i* кáрты	-ы	-*i* двéри	-и

1.3 The Special Third Declension Nouns мáть "mother", дóчь "daughter"

These two nouns deserve special attention because they take -ер- before all endings of the third declension except ø.

Nom.	мáть	дóчь	Её дóчь ýчится.
Acc.	мáть	дóчь	Вчерá я вúдел вáшу дóчь.
Gen.	мáтери	дóчери	Это квартúра моéй дóчери.
Prep.	о мáтери	о дóчери	Он расскáзывал о вáшей дóчери.
Nom. Pl.	мáтери	дóчери	

1.4 The Special Neuter Nouns úмя "first name" and врéмя "time"

Nom.	úмя	врéмя	Кáк вáше úмя?
Acc.	úмя	врéмя	Я знáю вáше úмя.
Gen.	úмени	врéмени	У негó ещё нéт úмени.
Prep.	об úмени	о врéмени	Онá говорúла о егó úмени.
Nom. Pl.	именá	временá	

1.5 Second Declension Masculine Nouns

A few nouns denoting male persons belong formally to the *second* declension. This group includes the nouns пáпа "dad(dy)", дéдушка "grandfather", дя́дя "uncle", юноша "youth" and also a large number of diminutives of masculine first names, such as Вáня from Ивáн, Дúма from Дмúтрий, Волóдя from Владúмир.

Each is declined as a noun ending in -*a*: пáпа, пáпу, пáпы, пáпе, etc.

Syntactically, however, second declension masculine nouns require the same agreement as do first declension masculines.

Твóй Вáня.	"Your Vanya" (closing on a letter).
Я знáю твоегó Вáню. Он мóй сосéд.	I know your Vanya. He's my neighbor.
Онú говорúли о моём дя́де.	They spoke about my uncle.

1.6 Russian Names

Russian surnames usually end in one of a small number of suffixes; among the most important are *-ov* (**-ов**) and *-'in* (**-ин**). The nominative of names of male persons ends in ø, whereas the nominative of names of female persons ends in **-a**. Masculine surnames in **-ов** and **-ин** are declined as masculine nouns (except instrumental); feminine surnames in **-ова** and **-ина** follow the pronominal declension (as, for example, in э́та, э́ту, э́той, э́той).

Foreign surnames ending in vowel sounds are indeclinable. Foreign surnames ending in a consonant are declined if they refer to males, and are indeclinable when referring to women.

First names and patronymics are declined like nouns throughout.

Note the following declension paradigm of names.

	Masculine	Feminine
Nom.	Алекса́ндр Серге́евич Пу́шкин	Ната́лья Никола́евна Пу́шкина
Acc.	Алекса́ндра Серге́евича Пу́шкина	Ната́лью Никола́евну Пу́шкину
Gen.	Алекса́ндра Серге́евича Пу́шкина	Ната́льи Никола́евны Пу́шкиной
Prep.	(об) Алекса́ндре Серге́евиче Пу́шкине	(о) Ната́лье Никола́евне Пу́шкиной

Nom.	Ви́льям Шекспи́р	Джейн О́стин
Acc.	Ви́льяма Шекспи́ра	Джейн О́стин
Gen.	Ви́льяма Шекспи́ра	Джейн О́стин
Prep.	(о) Ви́льяме Шекспи́ре	(о) Джейн О́стин

2.0 Constructions with the Words есть and нет

2.1 The verb **есть** occurs in Russian in statements of existence, availability or possession. Éсть is a general statement of existence (cf. the English "there is/are …",[1] the German "es gibt" and the French "il y a").

Éсть does not change for agreement in the present tense.

В э́том го́роде **есть теа́тр**.	*There is a theater* in that town.
Об э́том писа́теле **есть кни́га**.	*There is a book* about that writer.
В на́шем го́роде **есть теа́тры**.	*There are* (some) *theaters* in our city.

The future and the past tense forms of есть (бы́л, была́, бы́ло; бу́дет, бу́дут) agree in gender and number with the subject of the sentence.

В э́том го́роде **бы́л теа́тр**.	There used to be a theater in that town.
В э́том го́роде **бу́дет теа́тр**.	There will be a theater in that town.
Об э́том писа́теле **была́ кни́га**.	There was a book about that writer.

2.2 Нет is the negative form of **есть**. It represents a denial of existence, presence, availability or possession (cf. the English "there is/are no...", the German "es gibt nicht" and the French "il n'y a pas"). A negative sentence with нет has *no nominative subject* and is called *impersonal*. The verb forms in нет-sentences are invariably *neuter singular*, the logical subject is in the *genitive*.

---

[1] Note that in English the word "there" in "there is/are" is not a demonstrative, nor does it specify position; it merely functions as an introductory word within the sentence.

Здесь **нет театра.**   There is no theater here.
Нет книги об этом писателе.   There is no book about that writer.

    There is but one form in the future and one in the past tense.

Здесь **не будет** театра.   There will be no theater here.
Здесь **не было** театра.   There was no theater here.
Не будет книги об этом писателе.   There will be no book about this writer.
Не было книги об этом писателе.   There was no book about this writer.

	Affirmative	Negative
Fut.	будет, будут	не будет
Pres.	есть [1]	нет
Past	был, была, было, были	не было

2.3 The Preposition у + Genitive + есть/нет "One has/One doesn't have"

    The preposition у requires the genitive case. When у is followed by the genitive of a noun or pronoun denoting a person or persons and the word есть or нет (see 2.1 and 2.2 above), it represents the normal Russian expression of possession or denial of possession, such a construction corresponding to the English "one has/one doesn't have".

У него **есть** брат.   He has a brother.
У него **нет** брата.   He doesn't have a brother.
У него **есть** эта книга.   He has this book.
У него **нет** этой книги.   He doesn't have this book.
У него **есть** машина.   He has a car.
У него **нет** машины.   He doesn't have a car.
У него **была** машина.   He had a car.
У него **не было** машины.   He didn't have a car.
У него **будет** машина.   He will have a car.
У него **не будет** машины.   He won't have a car.

2.4 The prepositional phrase у + noun denoting a person (without есть/нет) may be translated as "at the place of", "at the home/country of". This usage is similar to that of "chez" in French or "bei" in German.

Она сейчас **у врача.**   She is now *at the doctor's.*
Летом мы жили в деревне **у нашего** In the summer we lived in the country
  друга.   *at our friend's.*

    Note the following two types of constructions which are synonymous expressions of possession in Russian:

В нашем городе есть музей.   In our town there is a museum.
У нас в городе есть музей.   In our town there is a museum.

    In conversational Russian the latter form is more frequent.

---

[1] Есть may be replaced by ø. See 2.5 below.

2.5 Contrastive Usages of есть/нет

In any of the constructions involving **есть/нет**, the verb of existence may be omitted if the emphasis is on *the thing at hand* (its description or location) rather than on the fact of its existence, availability or possession. This is the case, for example, when context (expressed or implied) makes it unimportant to affirm existence or possession. Cf. the following examples.

— У вас есть собака?	"Do you have a dog?"
— Да.	"Yes."
— Большая?	"A large one?"
— Да, у меня большая собака.	"Yes, I have a large dog."
— У вас в городе есть музеи?	"Are there any museums in your city?"
— Да, есть.	"Yes, there are."
— У вас много музеев?	"Do you have many museums?"
— Да, у нас в городе много музеев.	"Yes, we have many museums in our city."
— У неё голубые глаза?	"Does she have blue eyes?"
— Да, голубые.	"Yes, she does." (The questioner certainly knows she *has* eyes.)

Personal constructions with the verb **есть** in the appropriate form preceded by the negative particle **не** are often used alongside impersonal constructions "the genitive case+**нет** (present tense), **не было** (past tense) or **не будет** (future tense)".

However, while the personal constructions have the meaning "one has not been to", "one has not visited", "one did not go or visit", the impersonal constructions stress the absence of a person or object from a certain place. Cf. the following pairs of sentences:

Антон не был сегодня в музее.	Anton didn't go to the museum today.
Антона не было сегодня в музее.	Anton wasn't at the museum today. (The speaker was looking for him there and couldn't find him.)
Он давно не был в Москве.	He hasn't visited (or: hasn't been in) Moscow for a long time.
Тогда его не было в Москве.	At that time he wasn't in Moscow.

2.6 Possession Other Than by a Person

The construction "the preposition **у**+the genitive+**есть/нет**" applies only to possession by persons. When the possessor is not a person, the construction "the preposition **в**+the prepositional+**есть/нет**" is used.

В этом городе есть музей.	This city has a museum.
В нашем городе скоро будет новый театр.	Our city will soon have a new theater.

2.8 Initial н in Third-Person Pronouns

The normal genitive forms of the third-person personal pronouns, **его, её, их** become **него, неё, них**, respectively, when preceded by prepositions governing the genitive. (See also IV, 2.11.)

У неё есть машина.	She has a car.
У него была машина.	He had a car.
У них скоро будет машина.	They will soon have a car.

The above rule does not apply to the third person possessive pronouns **его, её, их.**

У её отца скоро будет машина.	Her father will soon have a car.

3.0 The Indefinite-Personal Construction (or Sentence)

Говоря́т, что о́н хоро́ший преподава́тель.	He is said to be a good teacher. (They say he is a good teacher.)
Зде́сь не ку́рят.	No smoking (here).

In Russian the use of the third-person plural form of the verb without the third-person pronoun is a common means of building an indefinite-personal construction or sentence, in which the subject is implied but not expressed. Such constructions or sentences may be translated into English by a passive construction.

Об э́том сейча́с мно́го **пи́шут.**	A lot *is being written* about it now.
Та́м **бу́дут стро́ить** гости́ницу.	Over there a hotel *will be built*.
Об э́том **писа́ли** в газе́те.	That *was written* about in the paper.

4.0 Aspect in Infinitives

After verbs of beginning, continuing or concluding, *imperfective* infinitives are used.

О́н на́чал **реша́ть** э́ту зада́чу.	He began to solve the problem.
О́н ко́нчил **гото́вить** уро́ки.	He finished preparing the lessons.

The verb люби́ть "to like", "to be fond of", "to love" is usually also followed by an *imperfective* infinitive.

О́н лю́бит **чита́ть** кни́ги.	He likes reading books.

Modal verbs (e.g. хоте́ть) are followed by a *perfective* infinitive when a wish *to complete* an action is expressed and by an *imperfective* infinitive when merely a wish for a certain action *to take place* is conveyed.

Я хочу́ **прочита́ть** ва́шу статью́.	I want to read your article.
Дже́йн хоте́ла **посмотре́ть** но́вый фи́льм.	Jane wanted to see the new film.
О́н хо́чет **реши́ть** э́ту зада́чу.	He wants to solve that problem.
Я хочу́ **жи́ть** в э́том го́роде.	I want to live in this town.

5.0 The Irregular Verb мо́чь "to be able", "can", "may"

The forms and stress pattern of this verb must be memorized. The perfective counterpart of мо́чь is formed by means of the prefix **с-** and is the only way of expressing the future tense with this aspect pair; no imperfective future exists.

	Imperfective	Perfective
Inf.:	мо́чь	смо́чь
Pres.:	могу́	
	мо́жешь	
	мо́жет	
	мо́жем	
	мо́жете	
	мо́гут	
Past:	мо́г	смо́г
	могла́	смогла́
	могло́	смогло́
	могли́	смогли́
Fut.:		смогу́
		смо́жешь
		смо́жет
		смо́жем
		смо́жете
		смо́гут

Here are a few examples of the use of мочь/смочь:

Он может это сделать?	Can he do this?
Я могу прочитать письмо?	May I read the letter?
Ты сможешь перевести этот рассказ на уроке завтра?	Will you be able to translate this story in class tomorrow?

6.0 The Imperative

6.1 Use of Second-Person Imperative

The imperative form of the verb expresses injunctions, commands, requests or recommendations. Second-person imperative distinguishes a familiar form (corresponding to the singular ты) and a plural or polite form (used with persons or a person addressed as вы).

Скажи, где твоё письмо?	Say, where is your letter?
Скажите, пожалуйста,[1] где гостиница «Россия»?	Tell (me) please, where is the Hotel Rossiya?
Открой окно!/Откройте окно, пожалуйста!	Open the window, please!

6.20. Formation of Second-Person Imperative

The imperative is formed by adding the ending $-'i$ (-и)[2] to the basic stem. The normal truncation and alternation rules apply.

$$govor'\textit{i}\text{-} + i = govor\text{-}i \qquad \text{говори!}$$
$$s'id'\acute{e}\text{-} + i = s'id'\acute{i} \qquad \text{сиди!}$$
$$p'isa\text{-}^{\times} + i = p'i\check{s}\acute{i}\,(\text{с} \rightarrow \text{ш}) \quad \text{пиши!}$$

Note that before the imperative ending alternation occurs only in those verbs which require alternation before *all* vocalic endings (*-a*-verbs, *-ova*-verbs and *-o*-verbs).

6.21 If the i of the imperative is not stressed, it is dropped,[3] the preceding consonant, except j, taking on a soft sign in spelling. Cf.:

$$otv'\acute{e}t'\textit{i}\text{-} + i = otv'\acute{e}t' \qquad \text{ответь!}$$
$$r'\acute{e}za\text{-} + i = r'\acute{e}\check{z} \qquad \text{режь!}$$

Preceding j:

čitáj-	$+ i = čitáj$	читай!
otkrój-	$+ i = otkrój$	открой!
organizová-	$+ i = organ'izúj$	организуй!

However, i is never dropped after a double consonant:

pómn'i- $+ i = pómn'i$ помни!

---

[1] The word пожалуйста "please" usually occurs *after* the imperative, with the exception of negative imperatives: Пожалуйста, не говорите об этом. "Please don't talk about that."

[2] Throughout the verb system any final stem consonant softens regularly before all vowels except the basic *u*.

[3] Three important Russian verbs with post-root stress nevertheless drop the *-'i* and thus constitute exceptions. They are the *-ža*-verbs *bojá-s'a* $+ i = bójs'a$ бойся! and *stojá* $+ i = stoj$ стой!, and the *-a*-verb *sm'ejá-s'a* $= sm'éjs'a$ смейся!

6.3. Aspect in the Imperative

Use of the imperative usually poses the problem of the choice of aspect; the only exception being negative imperatives, since **не** + *a perfective imperative* is reserved in Russian for strong warnings against actions a person might inadvertently or unintentionally perform (Не упади! "Don't fall!"). Cf. the use of perfective and imperfective imperatives in the following examples:

Говори́те, пожа́луйста, гро́мче. Я вас не слы́шу.
Speak louder, please. I can't hear you.

Скажи́те, пожа́луйста, где́ нахо́дится вокза́л?
Please tell (me) where the train station is located.

Слу́шайте внима́тельно!
Listen carefully!

Послу́шайте э́ту пе́сню.
Listen to this song.

Чита́йте журна́л «Семья́ и шко́ла».
Read the journal *Family and School*.

Прочита́йте, пожа́луйста э́тот те́кст.
Read this text, please.

In the negative form, the meaning of advice not to do something or prohibition to do something is conveyed only by *imperfective* imperatives. (As has been said above, perfective imperatives have a different meaning.)

Открыва́йте окно́ ка́ждое у́тро!
Open the window every morning.
Откро́йте окно́!
Open the window!

Не открыва́йте окно́ (ка́ждое у́тро).
Don't open the window (every morning).

Не разгова́ривайте на уро́ке!
Не смотри́те э́ту переда́чу.
Не чита́йте э́тот те́кст!

Don't talk in class!
Don't watch that program.
Don't read this text.

7.0 Word Formation: Russian Patronymics

Russian names consist of a first name (и́мя), patronymic (о́тчество) and a last name (фами́лия). The normal polite or official form of address is to use the person's *first name and patronymic*. Use of the last name or the last name preceded by the word това́рищ or the word denoting the person's profession, rank, etc. is reserved for people with whom one is not personally acquainted.

The patronymic means "son of..." or "daughter of..." and is formed by adding the derivational formant *-ov* (**-ов/-ев**) to the father's first name, followed by either *-'ič* (**-ич**) for the son or *-na* (**-на**) for the daughter. For example:

$$\text{Ива́н} \longmapsto \begin{array}{l} \text{Ива́н} + \text{ов} + \text{ич} \\ \text{Ива́н} + \text{ов} + \text{на} \end{array}$$

$$\text{Никола́й} \longmapsto \begin{array}{l} \text{Никола́} + \text{ев} + \text{ич} \\ \text{Никола́} + \text{ев} + \text{на} \end{array}$$

8.0 Expression of Nationality

The word ру́сский normally serves as a noun meaning "a Russian (man)", ру́сская "a Russian woman", ру́сские "Russians". This usage of an adjective as a noun denoting nationality is very unusual in Russian. Normally, Russian has separate nouns for male and female natives of a country and also for the name of the country itself. Here is a list of countries, the names of their inhabitants and the adjectives for referring to them. Only the name of the country should be spelled with a capital letter.

591

Country		Masc.	Fem.	Adjective
Аме́рика (США)	America (USA)	америка́нец	америка́нка	америка́нский
Австра́лия	Australia	австрали́ец	австрали́йка	австрали́йский
А́нглия	England	англича́нин	англича́нка	англи́йский
ГДР	German Democratic Republic (GDR)	не́мец	не́мка	неме́цкий
Испа́ния	Spain	испа́нец	испа́нка	испа́нский
И́ндия	India	инди́ец	индиа́нка	инди́йский
Ита́лия	Italy	италья́нец	италья́нка	италья́нский
Кана́да	Canada	кана́дец	кана́дка	кана́дский
Кита́й (КНР)	China (CPR)	кита́ец	китая́нка	кита́йский
По́льша (ПНР)	Poland (PPR)	поля́к	по́лька	по́льский
Фра́нция	France	францу́з	францу́женка	францу́зский
ФРГ	Federal Republic of Germany (FRG)	не́мец	не́мка	неме́цкий
Шве́ция	Sweden	шве́д	шве́дка	шве́дский
Япо́ния	Japan	япо́нец	япо́нка	япо́нский

Soviet Republic [1]				
Гру́зия (Грузи́нская ССР)	Georgia (Georgian SSR)	грузи́н	грузи́нка	грузи́нский
Литва́ (Лито́вская ССР)	Lithuania (Lithuanian SSR)	лито́вец	лито́вка	лито́вский
Украи́на (Украи́нская ССР)	the Ukraine (Ukrainian SSR)	украи́нец	украи́нка	украи́нский
Таджикиста́н (Таджи́кская ССР)	Tajikistan (Tajik SSR)	таджи́к	таджи́чка	таджи́кский

The name of the language is always conveyed by the adjective followed by the noun язы́к, e.g.: ру́сский язы́к "Russian", "the Russian language"; испа́нский язы́к "Spanish", "the Spanish language".

The expression "translate from ... (language) into ... (language)" is rendered by перевести́ с + *the genitive* + на + *the accusative*.

Пастерна́к перевёл траге́дию «Га́млет» с англи́йского языка́ на ру́сский.   Pasternak translated *Hamlet* from English into Russian.

Note that in English adjectives of nationality are occasionally used to refer to subjects of study or professions rather than nationality.

Преподава́тель ру́сского языка́. Russian teacher (i.e. teacher of Russian.)

9.0 Non-Syllabic Verb Stems

In this unit two classes of non-syllabic Russian verb stems—one suffixed, one non-suffixed—are introduced. "Non-syllabic" means that the root in question consists of consonants (C/C) only, without the usual intervening vowel (CVC). The stem *b/ra* contains the verbal classifier -*a*- preceded by a non-syllable: *b/r*+*a*. In the stems *na-čn*- and *po-jm*- the verbal classifier is ø (i.e. the stems are non-suffixed), and the roots are non-syllabic: -*čn*- and -*jm*-, respectively. The elements *na*- and *po*- are prefixes.

9.1 Non-Syllabic *a*-Verbs

Unlike other *a*-verbs encountered here, non-syllabic *a*-verbs have no alternation of consonants in the present tense. If there is shifting stress, it follows the *past tense* pattern rather than the present tense pattern common to suffixed stems.

---

[1] Below are given only those Soviet Republics and nationalities which are mentioned in the texts of Unit VII.

In some verbs of this class an *o* or *e* is inserted between the two root consonants when vocalic endings are added to the stem. The two stems encountered
in Unit VII are of this type:

	× b/ra-		× z/va-	
Present Tense:	беру́	берём	зову́	зовём
	берёшь	берёте	зовёшь	зовёте
	берёт	беру́т	зовёт	зову́т
Infinitive:	бра́ть		зва́ть	
Past Tense:	бра́л		зва́л	
	брала́		звала́	
	бра́ло		зва́ло	
	бра́ли		зва́ли	
Imperative:		бери́!		зови́!
		бери́те!		зови́те!

9.2 Non-Syllabic Stems -*čn*-, -*jm*-

Vocalic endings are added to these consonantal stems normally. Consonant
endings, predictably, bring about changes in the stems. In all five of the non-syllabic stems the final root *m* or *n* is replaced by '*a* (where the diacritic ' indicates automatic softening of any preceding paired consonant). The single root -*jm*-
changes to -*n'a*- before consonant endings.

Stress shifts in the past tense, with the indicator × showing which syllable
the masculine singular stress falls upon. (See Appendix, p. 654)

	× na-čn- "begin"		× po-jm- "understand"	
Non-Past Tense:	начну́	начнём	пойму́	поймём
	начнёшь	начнёте	поймёшь	поймёте
	начнёт	начну́т	поймёт	пойму́т
Infinitive:	нача́ть		поня́ть	
Past Tense:	на́чал		по́нял	
	начала́		поняла́	
	на́чало		по́няло	
	на́чали		по́няли	
Imperative:	начни́!		пойми́!	
	начни́те!		пойми́те	

10.0 Non-Suffixed Stems in -*ój*-

In this group of five basic stems in *j* preceded by *o*, the *o* is replaced by *i*
before all consonant endings. (See Appendix, p. 653) Stress remains on the root
throughout.

za-krój-	Non-Past Tense:		Past Tense:
"close"	закро́ю	закро́ем	закры́л
	закро́ешь	закро́ете	закры́ла
	закро́ет	закро́ют	закры́ли
Imperative:	закро́й!		Infinitive:
	закро́йте!		закры́ть

UNIT VIII

The Plural of Nouns, Pronouns and Adjectives (the Nominative, the Genitive, the Accusative). Numerals. Telling Time. Irregular Verb **взять.**

1.0 The Plural

Gender and declension type are not distinguished in the plural.

1.1 The Plural of Nouns

1.11 Summary of Nominative Plurals

You have learned that the nominative plural ends either in *-i* or *-a*. (See I, 5.1; VII, 1.2). All nouns (of the first, second and third declensions) have the nominative plural ending in *-i*, except neuter nouns and a small number of masculine ones, which take the ending *-a*.

Nominative Plurals in *-i*

Sing. ø/-a Pl. -*i*	ресторáн писáтель музéй ресторáны писáтели музéи	кóмната деревня кóмнаты деревни	двéрь двéри	-ы, -и

Nominative Plurals in *-a*

Sing. -*o* Pl. -*a*	окнó здáние óкна здáния	-а, -я

The small number of masculine nouns with the nominative plural ending in *-a* must be memorized. Nouns of this type are of the AB stress pattern, i.e. in their declension stress on the root in the singular is opposed to stress on the endings throughout the plural. So far we have encountered:

Nominative Plurals in *-a*

Sing. ø Pl. -*a*	дóм гóрод дóктор лéс профéссор учитель домá городá докторá лесá профессорá учителя[1]	-а, -я

[1] Note that the stress in учитель is exceptional for nouns in **-тель.** Cf.: писáтель — писáтели, читáтель — читáтели.

1.12 The Accusative Plural

The accusative plural for all inanimate nouns is identical with the nominative. Accusative plural nouns denoting animals have the same form as the genitive (see below). Note that in the accusative plural not only first declension animate and inanimate nouns have different endings but also second declension animate and inanimate nouns which in the accusative singular have identical endings (кóшку, рýчку) and in the accusative plural have different endings (кóшек, as gen. pl., and рýчки, as nom. pl.).

1.13 The Genitive Plural

The genitive plural of nouns is formed by means of one of three possible endings: ø or one of two vocalic endings (-*ov* —-**ов/-ев/-ёв**, or -*ej* —-**ей**). The choice of the proper ending depends on the form of the nominative singular. If the nominative singular of the noun ends in -*a* or -*o*, the genitive plural ending is ø. If the nominative singular ending is ø, the genitive plural ending is vocalic.

This relationship between the nominative singular of a noun and its genitive plural can be represented by the following formula:

Nom. Sing.   Gen. Pl.

A. VOCALIC (-*a*, -*o*) → ø

B. ø   → VOCALIC (-*ov*, -*ej*)

The genitive plural vocalic ending -*ov* is used after hard consonants and also after *j*. The genitive plural vocalic ending -*ej* is used after soft consonants and also after *š* and *ž*.[1] Cf. the following examples:

A. Vocalic ending nominatives:

кни́га — кни́г   о́тчество — о́тчеств
герои́ня — герои́нь   зда́ние — зда́ний

B. Zero ending nominatives:

-*ov* —-**ов/-ёв/-ев**   -*ej* —-**ей**
(after hard consonant and *j*)   (after soft consonant and *š*, *ž*)[2]

сто́л   —столо́в   учи́тель   —учителе́й
оте́ц   —отцо́в   две́рь   —двере́й
музе́й—музе́ев   каранда́ш—карандаше́й

1.14 Vowel/Zero Alternations

Whenever a consonant cluster (i.e. two or more consonants in a row) precedes a zero-ending, a vowel is inserted before the final consonant. The inserted vowel is:

1. -*o*- before a hard consonant (spelled **ё**, except with an adjoining **к, г** or **х**).

сестра́—сестёр (сест/р-ø)
ша́пка—ша́пок (шап/к-ø)

2. -*e*- before a soft consonant and also before **ц**.

дере́вня—дереве́нь (дерев/нь-ø)
(от/ц-ø) оте́ц—отцо́в

Note, however, that there are three "acceptable" clusters of consonants which do not call for the insertion of a vowel: **ст, зд, ств**. No vowels are inserted in some other words: карт-ø, ла́мп-ø, теа́тр-ø—теа́тров, по́чт-ø.

1.20 The Plural of Pronouns

Memorize the formation and the endings of the plural of the personal, possessive and demonstrative pronouns.

---

[1] Exceptions to the basic rule of vocalic versus zero ending are very few. Russian has two soft-stem neuter nouns, по́ле "field" and мо́ре "sea", both of which take the ending -*ej* rather than the expected ø: поле́й, море́й. There are also a very small number of second declension nouns with stems ending in a soft consonant or sibilant: тётя—тётей, дя́дя—дя́дей.

[2] Recall that among unpaired consonants *š*, *ž*, *c* (ж, ш, ц) are hard and *č*, *šč*, *j* (ч, щ, й) are soft.

Nom.	-i	они	э́ти	мои́	ва́ши	чьи́	те́	всё
Acc.	-i/-ix	их		same as genitive or nominative				
Gen.	-ix	их	э́тих	мои́х	ва́ших	чьи́х	тех	всех

Твóй is declined like мóй, and наш like ваш. With the exception of они́—и́х, the accusative plural of pronouns is identical with the genitive when their head word is an animate noun, and with the nominative when their head word is an inanimate noun.

1.21 Russian Surnames in the Plural

Russian surnames have pronominal endings throughout the plural. Nom. Ива-нóвы "the Ivanovs", Gen./Acc. Ива́нóвых. Note that the plural of a surname is used when more than one member of the same family is implied in the sentence:

Ива́н, Дми́трий и Алёша Карама́зовы.	Ivan, Dmitry and Alyosha Karamazov.
В теа́тре мы́ встре́тили Дми́трия и Ве́-ру Ивано́вых.	We ran into Dmitry and Vera Ivanov at the theater.

1.3 The Plural of Adjectives

	Singular	нóвый	молодóй	ру́сский	большóй	
Plural	Nom. -ije	нóвые	молоды́е	ру́сские	больши́е	-ые, -ие
	Acc. -ije/-ix	same as genitive or nominative				
	Gen. -ix	нóвых	молоды́х	ру́сских	больши́х	-ых, -их

2.0 Numerals

2.10 Numerals in Sentences

With the exception of the numeral оди́н, одна́, однó, одни́ "one" and its compounds (see 2.11 below), Russian numerals function as *noun-quantifiers*, i.e. in a sentence, they may occupy the position of the subject or object, governing, in turn, the appropriate genitive form of the word(s) quantified. (See V, 1.1.) As subjects of a sentence or clause, numerals govern either the neuter singular or the plural form of the verb.

На на́шем заво́де рабо́тает во́семьдесят инжене́ров.	Eighty engineers *work* at our factory.
На стене́ висе́ло две́ карти́ны. ⎫ На стене́ висе́ли две́ карти́ны. ⎬	There *were* two pictures on the wall.

The plural form of the verb conveys a greater degree of individualization of the objects quantified.

Indefinite quantifiers, such as мнóго, ма́ло and не́сколько, usually govern the neuter singular form of the verb. Otherwise they function in the sentence in the same way as cardinal numerals. This lesson deals only with numerals in the nominative and inanimate accusative cases. Although relatively infrequent, inflected forms of the numerals do occur in the oblique cases. (See XIV, 5.2, 5.3.)

Numerals are frequently used in Russian in various speech situations involving counting, enumerating, buying, selling, telling time, specifying duration, distance, etc.; therefore the rules for numeral government must be learned actively.

2.11 The Numeral 1 and Its Composites (21, 31, etc.)

All numerals whose last element is оди́н, одна́, одно́, одни́ "one" (but *not* the numeral оди́ннадцать "eleven") function like *modifiers*, agreeing in gender and case with their head word. The numeral is always *singular*, except when quantifying nouns which occur only in the plural; e.g., часы́ "watch".

оди́н большо́й сто́л	one big table
два́дцать оди́н большо́й сто́л	twenty-one big tables
три́дцать одна́ но́вая маши́на	thirty-one new cars
сто́ одно́ ма́ленькое окно́	one hundred and one small windows
одни́ но́вые часы́	one new watch
со́рок одни́ но́вые часы́	forty-one new watches

The inanimate accusative forms behave similarly.

Мы́ купи́ли одну́ но́вую кни́гу.	We bought one new book.
Я́ купи́л два́дцать одну́ но́вую кни́гу.	I bought twenty-one new books.
Библиоте́ка получи́ла три́дцать оди́н но́вый журна́л.	The library has received thirty-one new journals.

2.12 The Numerals 2, 3, 4 and Their Composites (22, 23, 24; 32, 33, etc.)

Numerals whose last element is два́/две́ "two", три́ "three", четы́ре "four" (except 12, 13, and 14) function as *noun-quantifiers* and govern the *genitive singular:* два́ рома́на two novels, два́дцать два́ уче́бника twenty-two textbooks, два́дцать три́ кни́ги twenty-three books, три́дцать четы́ре окна́ thirty-four windows.

Я́ прочита́л два́ рома́на Толсто́го.	I have read two novels by Tolstoy.
Мы́ ви́дели две́ маши́ны.	We saw two cars.

2.13 The Numerals 5 and Above

All other numerals, including the teens, govern the *genitive plural*: пя́ть кни́г five books, оди́ннадцать кни́г eleven books, двена́дцать столо́в twelve tables, два́дцать ше́сть газе́т twenty-six newspapers, мно́го кни́г many books.

О́н прочита́л мно́го **кни́г**.	He has read many books.
Ско́лько **кни́г** вы́ прочита́ли?	How many books have you read?

2.14 Adjectives after Numerals

After the numeral оди́н, одна́, одно́, одни́ and its composites, adjectives agree in gender, number (singular) and case with their head word.

На столе́ лежи́т[1] два́дцать одна́ ста́рая кни́га.	There are twenty-one old books on the table.
Мы́ купи́ли три́дцать одну́ но́вую кни́гу.	We bought thirty-one new books.

In all other instances adjectives following quantifiers take the *plural*. Adjectives which modify feminine nouns governed by 2, 3 or 4 and their composites take the *nominative* plural ending. Masculine and neuter nouns (and also all other

---

[1] The singular form of the verb is obligatory.

quantified feminine nouns) are preceded by adjectives with the *genitive* plural ending. In colloquial Russian, the genitive plural form of the adjective is encountered after all numerals except оди́н, одна́, одно́, одни́.

	Masculine/Neuter		Feminine
1	оди́н но́вый слова́рь	одно́ но́вое письмо́	одна́ но́вая кни́га
2	два́ но́вых словаря́	два́ но́вых письма́	две́ но́вые кни́ги
3	три́ но́вых словаря́	три́ но́вых письма́	три́ но́вые кни́ги
4	четы́ре но́вых словаря́	четы́ре но́вых письма́	четы́ре но́вые кни́ги
5	пя́ть но́вых словаре́й	пя́ть но́вых пи́сем	пя́ть но́вых кни́г
6	ше́сть но́вых словаре́й	ше́сть но́вых пи́сем	ше́сть но́вых кни́г
etc.			

2.15 Some Special Cases

When counting years, the genitive plural of **го́д** is replaced by **ле́т**: оди́н го́д "one year", два́ го́да "two years", пя́ть ле́т "five years", два́дцать ле́т "twenty years".

When used with numerals, the word **челове́к** usually takes the zero genitive plural ending (identical with the nominative singular): **пя́ть челове́к** (never люде́й!). Note also the form of the word солда́т: оди́н солда́т, два́дцать **солда́т**.

The noun **ча́с** "hour" follows the BB stress pattern (i.e. ending-stress) when quantified, otherwise it follows the AB stress pattern: **два́ часа́** "two hours", but: до э́того ча́са (gen.) "until that hour".

3.0 The 24-Hour Clock

The 24-hour clock is regularly used in the Soviet Union on nearly all official time schedules (for example, for railroads, planes, radio, theater and concert performances). The words for "hour" and "minute" may be omitted.

7.25	се́мь часо́в, два́дцать пя́ть мину́т	7:25
10.51	де́сять часо́в, пятьдеся́т одна́ мину́та	10:51
14.22	четы́рнадцать часо́в, два́дцать две́ мину́ты	14:22
20.03	два́дцать часо́в, три́ мину́ты	20:03

4.0 Time of Duration

The time of duration of an *imperfective verb* is expressed by means of the usual rules for numeral government. Note that the time expression is syntactically *accusative*.

— Ско́лько вре́мени вы́ **жи́ли** на ю́ге? "How long did you live in the South?"
— **Два́ го́да.** "Two years."
— Вы́ давно́ **рабо́таете** в лаборато́рии? "Have you been working in that laboratory for a long time?"
— Не́т, то́лько **неде́лю.** "No, only a week."

5.0 The Predicate до́лжен "must", "obliged", "should", "ought to"

The predicate до́лжен, должна́, должно́, должны́ "must", "obliged", "should", "ought" agrees in number and gender with the subject of the clause or sentence in which it stands. Past and future are expressed by the appropriate forms of был, была́, бы́ло, бы́ли; бу́дет, бу́дут. When followed by an infinitive, до́лжен functions as a modal word.

Он до́лжен ко́нчить рабо́ту.	He must (or: should) finish work.
Она́ должна́ ко́нчить рабо́ту.	She must (or: should) finish work.
Они́ должны́ ко́нчить рабо́ту.	They must (or: should) finish work.
Они́ должны́ бу́дут рабо́тать.	They will have to work.
Они́ должны́ бы́ли рабо́тать.	They had to work.

6.0 The Irregular Verb взять p. "take"

Study and learn the forms of the irregular verb взять. Note that this verb has shifting stress in the past tense. (See also the imperfective counterpart b/ra-, Analysis VII, 9.1. Refer to Appendix, Inventory of Irregular Verbs.)

взять	возьму́	возьмём	взял	возьми́!
	возьмёшь	возьмёте	взяла́	возьми́те!
	возьмёт	возьму́т	взя́ло	
			взя́ли	

UNIT IX

Time Expressions. The Prepositional Plural. The Reflexive Possessive Pronoun свой. General Questions in Reported Speech (The Particle ли).

1.0 Time Expressions

In the following paragraphs we shall distinguish equational time expressions ("What day/hour is it?") from specifications of *time when* an action takes place.

In Unit III, 6.0, "time when" utterances involving months, semesters, years and centuries were presented in connection with uses of the prepositional case (the preposition в + *the prepositional*). In expressing "time when" with periods of time *shorter than a week* the preposition в + *the accusative case* is generally required.

1.10 Days of the Week

The days of the week are: воскресе́нье "Sunday", понеде́льник "Monday", вто́рник "Tuesday", среда́ (CC) "Wednesday", четве́рг (BB) "Thursday". пя́тница "Friday", суббо́та "Saturday".

1.11 Equational:

— Како́й сего́дня де́нь?	"What day is today?"
— Сего́дня **четве́рг**.	"Today is Thursday."
— Како́й вчера́ бы́л де́нь?	"What day was yesterday?
— Вчера́ была́ **среда́**.	"Yesterday was Wednesday."
— Вчера́ бы́ло **воскресе́нье**.	"Yesterday was Sunday."

1.12 Time When:

— Когда́ бу́дет ле́кция?   "When will the lecture be?"
— Ле́кция бу́дет **в пя́тницу**.   "The lecture will be on Friday."

1.20 Dates with Months

The months of the year are all masculine nouns of the first declension: янва́рь "January", февра́ль "February", ма́рт "March", апре́ль "April", ма́й "May", ию́нь "June", ию́ль "July", а́вгуст "August", сентя́брь "September", октя́брь "October", ноя́брь "November", дека́брь "December". The Russian for "day of the month" is число́ (BA), which is usually omitted in specifying dates.

1.21 Equational:

— Како́е сего́дня число́?   "What is the date today?"
— Сего́дня два́дцать пе́рвое (число́).   "Today is the 21st."
     Вчера́ бы́ло двадца́тое.   Yesterday was the 20th.
     За́втра бу́дет четве́рг, тре́тье апре́ля.   Tomorrow will be Thursday, April 3.
     The equational verb agrees with the nearest noun.

1.22 Time When

The expression of "time when" in terms of date of the month constitutes an exception to the general rule; the ordinal numeral takes the genitive case *without* any preposition.

— Когда́ бу́дет конце́рт Ри́хтера?   "When will Richter's recital take place?"
— Конце́рт бу́дет **два́дцать тре́тьего а́вгуста**.   "The recital will be on August 23."
Сего́дня, **оди́ннадцатого января́**, на́ша гру́ппа организу́ет бесе́ду о но́вой кни́ге Шукшина́.   Today, January 11, our group is organizing a discussion of Shukshin's new book.
Ле́кция была́ в сре́ду, **седьмо́го ию́ля**.   The lecture was on Wednesday, July 7th.

1.30 Expressing the Hour

1.31 Equational:

"What time is it?" may be rendered formally as **Кото́рый ча́с?** or, more colloquially, as **Ско́лько вре́мени?** and other situationally conditioned expressions, especially the colloquial Ско́лько на ва́ших (часа́х)? Note that with one o'clock the numeral is omitted.

Кото́рый ча́с?   }
Ско́лько вре́мени?   }   What time is it?
Сейча́с ча́с.   It is now one o'clock.
Уже́ бы́ло оди́ннадцать часо́в.   It was already eleven o'clock.
Ско́ро бу́дет три́ часа́.   It will soon be three o'clock.

1.32 Time When

This expression requires the preposition в + *the accusative case* of the numeral (which is equal to the nominative). The numeral, in turn, governs the genitive of ча́с "hour" (cf. VIII, 2-3).

600

— Когда́ у на́с сего́дня обе́д?	"When do we have dinner today?"
— Обе́д **в ча́с**.	"Dinner is at one o'clock."
Экску́рсия была́ **в два́ часа́**.	The excursion was at two o'clock.
Переда́ча бу́дет **в де́вять часо́в**.	The program will be at nine o'clock.

Since the 24-hour clock is not used in informal or colloquial Russian, the notion of a.m./p.m. is conveyed by the words но́чи/утра́, дня/ве́чера, respectively.

Я просну́лся **в два́ часа́ но́чи**.	I woke at two o'clock in the morning.
За́втрак бу́дет **в де́вять часо́в утра́**.	Breakfast will be at nine in the morning (a.m.)
Обе́д **в два́ часа́ дня́**.	Dinner is at two in the afternoon (p.m.)
У́жин бы́л **в се́мь часо́в ве́чера**.	Supper was at seven in the evening (p.m.).

1.40 Dates with Years

1.41 The equational sentence for years is rarely used:

Како́й сейча́с го́д? "Which year is it now?" Both the question and the answer follow the rules for this type of time expression: Сейча́с ты́сяча девятьсо́т се́мьдесят девя́тый го́д. "It is 1979 now."

1.42 Time When

"*Time when*" is expressed by the preposition **в** + *the prepositional case*. The noun **го́д** "year" has the special prepositional case form — году́ — in this usage. (See also XI, 3.0.)

— **В како́м году́** вы́ ко́нчили шко́лу?	"In what year did you graduate from school?"
— Я ко́нчил шко́лу **в э́том году́**.	"I graduated this year."

Years are expressed by ordinal numerals in the appropriate case. Remember that only the final word in a compound ordinal numeral is declined (made to agree with its head word).

Я роди́лся в ты́сяча девятьсо́т два́дцать **пе́рвом году́**.	I was born in 1921.
Пётр Пе́рвый роди́лся в ты́сяча шестьсо́т се́мьдесят **второ́м году́** и у́мер[1] в ты́сяча семьсо́т два́дцать **пя́том году́**.	Peter the First was born in 1672 and died in 1725.
Ники́та ко́нчил университе́т в ты́сяча девятьсо́т се́мьдесят **тре́тьем году́**.	Nikita graduated from the University in 1973.

1.43 When the expression of "time when" includes the day, the month and the year, *the genitive* is invariably used without prepositions, as in the case of dates with months. (See above, 1.22.)

---

[1] у́мер, see p. 653.

Чайко́вский роди́лся два́дцать **пя́того ап-ре́ля** ты́сяча восемьсо́т **сороково́го** го́да и у́мер два́дцать **пя́того октября́** ты́сяча восемьсо́т девяно́сто **тре́тьего** го́да.

Tchaikovsky was born on April 25, 1840, and died on October 25, 1893.

2.0 The Prepositional Plural

2.1 The prepositional plural ending for all nouns is -*ax* (**-ах/-ях**).

	1st Decl.			2nd Decl.	3rd Decl.	
Nom. Sing. ø, -o, -a Prep. Pl. -*ax*	ба́нк о ба́нках	музе́й о музе́ях	окно́ об о́кнах	ка́рта о ка́ртах	две́рь о дверя́х	**-ах, -ях**

2.2 The prepositional plural ending for all types of pronouns and adjectives is -*ix* (**-ых/-их**). Compare the following nominative and prepositional plurals:

Nom. Pl. -*i* Prep. Pl. -*ix*	они́ о ни́х	э́ти об э́тих	мой о мои́х	ва́ши о ва́ших	чьй о чьи́х	**-их**

Nom. Pl. -*ije* Prep. Pl. -*ix*	но́вые о но́вых	ру́сские о ру́сских	больши́е о больши́х	**-ых, -их**

3.0 Summary Tables of Noun, Pronoun and Adjective Declensions and Examples

3.1 Nouns

Singular	1st Decl.					2nd Decl.		3rd Decl.	
Nom. ø, -o Acc. ø/-a, -o Gen. -a Prep. -'e	стадио́н стадио́н стадио́на стадио́не	го́сть го́стя го́стя го́сте	окно́ окно́ окна́ окне́	зда́ние зда́ние зда́ния зда́нии	**-а, -я** **-е, -и**	*-a* ка́рта *-u* ка́рту *-i* ка́рты -'*e* ка́рте	**-у** **-ы** **-е**	ø две́рь ø две́рь *-i* две́ри *-i* две́ри	**-и** **-и**

Plural	1st Decl.				2nd Decl.	3rd Decl.	
Nom. -*i*, -*a* Acc. as N. or G. Gen. ø, -*ov*, -*ej* Prep. -*ax*	стадио́ны стадио́ны стадио́нов стадио́нах	го́сти госте́й госте́й гостя́х	о́кна о́кна о́кон о́кнах	зда́ния зда́ния зда́ний зда́ниях	ка́рты ка́рты ка́рт ка́ртах	две́ри две́ри двере́й дверя́х	**-ы, -и, -а, -я** as Nom. or Gen. **-ов, -ей** **-ах, -ях**

3.2 Declension of Personal Pronouns

Singular

Nom.	я́	ты́	о́н/оно́	она́
Acc.	меня́	тебя́	его́	её
Gen.	меня́	тебя́	его́	её
Prep.	обо мне́	о тебе́	о нём	о не́й

Plural   Interrogative Pronouns

Nom.	мы́	вы́	они́	кто́	что́
Acc.	на́с	ва́с	и́х	кого́	что́
Gen.	на́с	ва́с	и́х	кого́	чего́
Prep.	о на́с	о ва́с	о ни́х	о ко́м	о чём

3.3 Demonstrative and Possessive Pronouns

Singular **Masc./Neuter**									Ending in spelling
Nom.	∅, -o	э́тот	э́то	на́ш[1]	на́ше	мо́й[1]	моё	че́й	чьё	as Nom. or Gen.
Acc.	∅ / -o	э́тот	э́то	на́ш	на́ше	мо́й	моё	че́й	чьё	
	-ogo	э́того		на́шего		моего́		чьего́		
Gen.	-ogo	э́того		на́шего		моего́		чьего́		-ого, -его
Prep.	-om	э́том		на́шем		моём		чьём		-ом, -ём, -ем

Feminine						Ending in spelling
Nom.	-a	э́та	на́ша	моя́	чья́	-а, -я
Acc.	-u	э́ту	на́шу	мою́	чью́	-у, -ю
Gen.	-oj / -ej	э́той	на́шей	мое́й	чье́й	-ой, -ей
Prep.	-oj / -ej	э́той	на́шей	мое́й	чье́й	-ой, -ей

Plural						Ending in spelling
Nom.	-i	э́ти	на́ши	мои́	чьи́	-и
Acc.	-i / -ix	э́ти	на́ши	мои́	чьи́	as Nom. or Gen.
		э́тих	на́ших	мои́х	чьи́х	
Gen.	-ix	э́тих	на́ших	мои́х	чьи́х	-их
Prep.	-ix	э́тих	на́ших	мои́х	чьи́х	-их

---

[1] Note that тво́й and сво́й are declined like мо́й; ва́ш is declined like на́ш.

3.4 Summary of Adjective Declensions

Stem-Stressed

	Masculine	Neuter	Feminine	Plural
Nom.	но́вый	но́вое	но́вая	но́вые
Acc.	но́вый но́вого	но́вое	но́вую	но́вые но́вых
Gen.	но́вого		но́вой	но́вых
Prep.	но́вом		но́вой	но́вых

Ending-Stressed

	Masculine	Neuter	Feminine	Plural
Nom.	молодо́й	молодо́е	молода́я	молоды́е
Acc.	молодо́й молодо́го	молодо́е	молоду́ю	молоды́е молоды́х
Gen.	молодо́го		молодо́й	молоды́х
Prep.	молодо́м		молодо́й	молоды́х

Additional Sample Declensions

	Masculine	Neuter	Feminine	Plural
Nom.	большо́й	большо́е	больша́я	больши́е
Acc.	большо́й большо́го	большо́е	большу́ю	больши́е больши́х
Gen.	большо́го		большо́й	больши́х
Prep.	большо́м		большо́й	больши́х
Nom.	ру́сский	ру́сское	ру́сская	ру́сские
Acc.	ру́сский ру́сского	ру́сское	ру́сскую	ру́сские ру́сских
Gen.	ру́сского		ру́сской	ру́сских
Prep.	ру́сском		ру́сской	ру́сских
Nom.	хоро́ший	хоро́шее	хоро́шая	хоро́шие
Acc.	хоро́ший хоро́шего	хоро́шее	хоро́шую	хоро́шие хоро́ших
Gen.	хоро́шего		хоро́шей	хоро́ших
Prep.	хоро́шем		хоро́шей	хоро́ших

4.0 The Reflexive Possessive Pronoun свой

Whenever the subject of a sentence or clause is also the possessor of the object, Russians may use the possessive **свой** to indicate possession.

Вчера́ я чита́л твой докла́д.	Yesterday I read your paper.
Вчера́ я чита́л **свой** докла́д.	Yesterday *I* read *my (own)* paper.
Вчера́ ты чита́л **свой** докла́д.	Yesterday *you* read *your* paper.

When the subject of a sentence or clause is in the third person, свой is the only means of indicating reflexive possessive. Свой does not occur with this meaning in the nominative case, since it is never used as an attribute of the subject of a sentence or clause.

Я чита́ю **свою́** кни́гу.	*I* read *my (own)* book.
Ты чита́ешь **свою́** кни́гу.	*You* read *your (own)* book.

Мы́ чита́ем **свою́** кни́гу.	*We* read *our (own)* book.
Вы́ чита́ете **свою́** кни́гу.	*You* read *your (own)* book.
Он чита́ет **свою́** кни́гу.	*He* reads *his (own)* book.
but:	
Он чита́ет **его́** кни́гу.	*He* reads *his (someone else's)* book.

Note the use of свой in a complex sentence.

Я зна́ю, что **моя́** ма́ть лю́бит **свою́** профе́ссию.	I know that *my* mother loves *her* profession.
— Что́ **вы́** ду́маете о **свое́й** профе́ссии?	"What do *you* think about *your* profession?"
— Я ду́маю, что **моя́** профе́ссия о́чень интере́сная.	"*I* think that *my* profession is a very interesting one."

5.0 General Questions in Reported Speech

In a reported general question (a question requiring the answer "yes" or "no"), the word or phrase under question is shifted to the beginning of the clause and is followed by the unstressed particle **ли**, which corresponds to the English "whether" (or the colloquial "if"). This particle is an enclitic, i.e. it is invariably unstressed and in pronunciation is attached to the preceding word.

Observe the following direct and reported questions and their English equivalents. Note that in Russian the intonational centers remain on the word under question despite the shifts in word order.

(a) Direct General Question:

Та́ня спра́шивает И́горя: «Ты́³ зна́ешь фами́лию э́того актёра?»	Tanya asks Igor, "Do you know that actor's name?"

Reported General Question:

Та́ня спра́шивает И́горя, зна́ет ли² он фами́лию э́того актёра.	Tanya asks Igor whether he knows that actor's name.

(b) Direct General Question:

Йра спра́шивает Пе́тю: «Ты́³ был вчера́ на ле́кции?»	Ira asks Petya, "Were you at the lecture yesterday?"

Reported General Question:

Йра спра́шивает Пе́тю, был ли² он на ле́кции вчера́.	Ira asks Petya whether he was at the lecture yesterday.

(c) Direct General Question:

Ма́ша спра́шивает: «Еле́на Фёдоровна давно³ рабо́тает в институ́те?»	Masha asks, "Has Yelena Fyodorovna been working at the institute for a long time?"

Reported General Question:

Ма́ша спра́шивает, давно² ли Еле́на Фёдоровна рабо́тает в институ́те.	Masha asks whether Yelena Fyodorovna has been working at the institute for a long time.

UNIT X

The Dative Case. Expression of Age. Impersonal Constructions.
The Relative Pronoun **который**.

1.0 The Dative Case

The dative case is used to designate an *indirect* receiver of the action of a verb, the object of certain intransitive verbs and the logical subject of impersonal sentences. In subsequent lessons, the use of the dative with prepositions will be discussed.

1.1 The Dative Singular of Nouns

All first declension nouns take *-u* (**-у/-ю**) in the dative; the dative of second and third declension nouns is identical with the prepositional.

First Declension					
Nom. ø /-o	му́ж	го́сть	сло́во	зда́ние	
Dat. *-u*	му́жу	го́стю	сло́ву	зда́нию	**-у, -ю**

Second Declension					Third Declension	
Nom. *-a*	ла́мпа	дере́вня	а́рмия		две́рь	
Dat. -'*e(-i)*	ла́мпе	дере́вне	а́рмии	**-е (-и)**	две́ри	**-и**

1.2 The Dative Case of Personal and Interrogative Pronouns

Nom.	я	ты́	о́н / оно́	она́	мы́	вы́	они́	кто́	что́
Dat.	мне́	тебе́	ему́	е́й	на́м	ва́м	и́м	кому́	чему́

1.3 Pronouns and Adjectives in the Dative

The dative pronoun and adjective endings are: *-omu* (**-ому / -ему**) for the masculine and the neuter, and *-oj / -ej* (**-ой / -ей**) for the feminine. In ending-stressed adjectives the stress in the dative falls on the penultimate syllable of the ending: молодо́му; in ending-stressed pronouns the stress in the dative falls on the final syllable of the ending: моему́.

Masculine / Neuter						
Nom. ø/-o	мо́й/мое́ на́ш/на́ше э́тот/э́то но́вый/но́вое молодо́й/молодо́е					
Dat. *-omu*	моему́	на́шему	э́тому	но́вому	молодо́му	**-ому, -ему**

Feminine						
Nom. *-a* Dat. *-oj/-ej*	моя́ мое́й	на́ша на́шей	э́та э́той	но́вая но́вой	молода́я молодо́й	**-ой, -ей**

1.4 Uses of the Dative

1.41 An *indirect object* denotes the indirect receiver of the action of the verb.

Учи́тель продиктова́л упражне́ние **мое-** **му́ бра́ту Анто́ну.**	The teacher dictated the exercise to my brother Anton.
Ка́рл Ива́нович расска́зывал **на́м** свою́ исто́рию.	Karl Ivanovich told us his story.
Мы́ сказа́ли **Со́фье Миха́йловне** об э́том.	We told Sofya Mikhailovna about it.

Like their English counterparts, a number of Russian verbs may take both accusative and dative objects: дава́ть / да́ть "to give", объясня́ть / объясни́ть "to explain", пока́зывать / показа́ть "to show", покупа́ть / купи́ть "to buy".

Со́ня купи́ла **сы́ну но́вый фотоаппа-** **ра́т.**	Sonya bought her son a new cam- era.
Ли́за до́лго объясня́ла **мне́ зада́чу.**	Liza explained the problem to me for a long time.

1.42 Special Verbs Governing the Dative

A small group of intransitive verbs governs the dative. Verbs belonging to this group must be memorized, since there is no parallel construction in modern English (note, however, some parallel with German): звони́ть / позвони́ть "to call", отвеча́ть / отве́тить "to answer", помога́ть / помо́чь "to help", "to assist", ве́рить / пове́рить "to believe", сове́товать / посове́товать "to advise, to counsel", меша́ть / помеша́ть "to disturb, to hinder", удивля́ться / удиви́ться "to be surprised".

Я́ ва́м позвоню́ за́втра в ше́сть.	I shall call you tomorrow at six.
О́н мне́ отве́тил.	He answered me.
Ми́ша на́м ча́сто помога́ет.	Misha often helps us.
Я́ ва́м не ве́рю.	I don't believe you.
О́льга Петро́вна посове́товала на́м про- чита́ть свою́ статью́.	Olga Petrovna advised us to read her article.
Не меша́й мне́!	Don't bother me!

1.5 Expression of Age

Age is expressed in Russian by means of a dative construction:

— Ско́лько ва́м ле́т?	"How old are you?"
— Мне́ девятна́дцать ле́т.	"I am nineteen years old."

As is usual after a quantifier, the verb is in the neuter singular; the word for "year" is in the nominative singular after оди́н or its composites (го́д), the genitive singular after 2, 3, 4 or their composites (го́да), and the genitive plural elsewhere (ле́т). (See VIII, 2.11-2.13.)

Мне́ два́дцать оди́н год.	I am 21 years old.
Моему́ дя́де три́дцать шесть ле́т.	My uncle is 36 years old.
Ему́ бы́ло два́дцать де́вять ле́т се́мь ле́т тому́ наза́д.	He was 29 years old 7 years ago.
Ско́ро Кла́ре бу́дет два́дцать два́ го́да.	Soon Klara will be 22 years old.
Ва́м бы́л три́дцать оди́н го́д тогда́.	You were 31 years old then.

2.0 Impersonal Sentences

An impersonal sentence in Russian has no grammatical subject and its predicate is invariably in the *neuter singular*. Since English cannot have a sentence without a subject, the English equivalents of Russian impersonal sentences usually have an "it" or "there" for a subject. In Russian impersonal sentences, however, there is no subject of any sort (neither the personal pronoun оно́ nor the demonstrative э́то). The kernel of the sentence is the predicate—in many cases a form identical to an adverb or neuter short-form adjective, or a verb or another part of speech. Tense is conveyed by **бы́ло** (past), ø (present) or **бу́дет** (future). Impersonal predicates may also have direct objects, infinitive complements, adverbial modifiers, prepositional phrases or subordinate clauses.

Impersonal sentences constitute an important and very frequent class of utterances in Russian. They describe actions or states which impinge upon the speaker "from without": physical conditions, emotional states and conditions which do not depend upon the volition of the speaker.

Тепло́.	It is warm.
Зде́сь тепло́.	It is warm here.
Зде́сь ско́ро бу́дет тепло́.	It will soon be warm here.
Зде́сь бы́ло тепло́.	It was warm here.
Зимо́й у на́с в до́ме бы́ло тепло́.	In the winter it was warm in our house.

When a logical subject (the perceiver or experiencer) is specified, it always stands in the *dative case*:

Ему́ бы́ло тепло́.	He was warm.
Мари́и бы́ло ве́село.	Mariya felt happy.
И́м бу́дет ску́чно.	They will be bored.
На ле́кции Ви́ктору бы́ло интере́сно.	It was interesting for Viktor at the lecture.

2.1 Impersonal Sentences with Modal Words as Predicates

2.11 The word **мо́жно** means "may", "it is permitted" or "it is possible".

— Зде́сь мо́жно кури́ть?	"May one smoke here?"
— Мо́жно.	"Yes, one may."
— Мо́жно на́м взять ва́шу ру́чку?	"May we borrow your pen?"
— Да́, пожа́луйста.	"Yes, certainly."
Больно́му уже́ мо́жно гуля́ть.	The patient is already allowed to walk.
В э́том до́ме мо́жно бы́ло жи́ть и зимо́й.	It was possible to live in that house even in the winter.

2.12 The opposite of мо́жно is **нельзя́**, which denies permission or states objective impossibility.

В больни́це нельзя́ кури́ть.	Smoking is not permitted in the hospital.
В э́той ко́мнате нельзя́ рабо́тать.	It is impossible to work in this room.
— Мо́жно взя́ть ва́ш журна́л?	"May I borrow your journal?"
— К сожале́нию, нельзя́. Я его́ не прочита́л.	"Unfortunately, no; I haven't finished reading it."

2.13 **На́до** and **ну́жно** are identical in meaning and usage in modern Russian and convey necessity or obligation.

Мне́ на́до купи́ть газе́ту.	I must buy a newspaper.
Мне́ ну́жно получи́ть кни́ги на по́чте.	I must collect my books at the post office.

2.2 Other Predicates

Certain words which were historically nouns or other parts of speech have also come to function as predicates in impersonal sentences. As in the examples above, the past and future tenses of these predicates are expressed by бы́ло and бу́дет, respectively.

Пора́ обе́дать.	*It is time* to have dinner.
Мне́ жа́ль Ли́зу.	I *am sorry* for Liza.
Мне́ бы́ло жа́ль Ли́зу.	I *was sorry* for Liza.
Мне́ бу́дет жа́ль Ли́зу.	I *shall be sorry* for Liza.

3.0 The Relative Pronoun который and Relative Clauses

Russian has one virtually "all-purpose" relative pronoun — **кото́рый**, which is declined like a stem-stressed adjective. Кото́рый corresponds to the English "who", "which" and "that", and its case is determined by its syntactic function in the clause it introduces; it agrees in number and gender with its antecedent in the main clause. Note that the relative clause is always preceded by a comma.

Это специали́ст, кото́рый рабо́тает в на́шем институ́те.	This is the specialist who works at our institute.
Зда́ние, кото́рое нахо́дится на э́той пло́щади, постро́или весно́й.	The building which is located in this square was built last spring.
Студе́нты, кото́рые живу́т в э́том общежи́тии, отдыха́ли ле́том на Кавка́зе.	The students who live in that dormitory vacationed in the Caucasus in the summer.
Де́вушка, кото́рая рабо́тала в библиоте́ке, у́чится в на́шем университе́те.	The girl who used to work at the library studies at our University.
Студе́нт, кото́рого мы ви́дели вчера́ ве́чером, хоро́ший спортсме́н.	The student we saw last night is a fine sportsman.
Де́вушка, кото́рую мы ви́дели вчера́ в теа́тре, у́чится в университе́те.	The girl we saw at the theater yesterday studies at the University.
Во́т зда́ние, кото́рое постро́ил архите́ктор Қазако́в.	There is the building which the architect Kazakov built.
Я рабо́тала в шко́ле, о́коло кото́рой нахо́дится стадио́н.	I used to work at the school near which the stadium is located.
Я зна́ю ма́льчика, у кото́рого е́сть така́я соба́ка.	I know a boy who has such a dog.

3.1 Note the difference between the following two English sentences: ↩

"This is the brother, who is living in Chicago" and
"This is the brother who is living in Chicago".

The contrast is one of a non-restrictive relative clause (the first relative clause merely adds that the brother happens to reside in Chicago) versus a restrictive relative clause (the second relative clause specifies the brother who lives in Chicago as opposed to the one who lives, say, in Hutchinson). In Russian, the restrictive meaning may be conveyed by adding to the phrase containing the original antecedent the demonstrative pronoun **тот**. Note the translation of the two sentences just examined. (Russian requires the comma in both the cases).

Это бра́т, кото́рый живёт в Чика́го. (non-restrictive)
Это **то́т** бра́т, кото́рый живёт в Чика́го. (restrictive)

4.0 The *-aváj-* Verb Type

Verbs of this non-productive class have the alternation *-aváj-/-aj-′* throughout the present tense (but *not* in the imperative) and belong to the first conjugation.

davaj- "give"	даю́	даём	дава́ть	дава́л	бу́ду дава́ть
(Imperfective)	даёшь	даёте		дава́ла	бу́дешь дава́ть
дава́й!	даёт	даю́т		дава́ло	бу́дет дава́ть, etc.

5.0 The Irregular Verb да́ть "give" (Perfective)

да́м	дади́м	да́ть	да́л	да́й! / да́йте!
да́шь	дади́те		дала́	
да́ст	даду́т		да́ло	
			да́ли	

6.0 The Preposition по

The preposition **по** governing the dative case has a variety of meanings. Its usage with verbs of motion is described below in XI, 2.5.

6.1 When followed by a noun denoting a branch of science or field of work, the preposition **по** means "in the field of" or "on".

Ни́на — специали́ст **по ру́сской исто́рии**.

Nina is a specialist in (the field of) Russian history.

Профе́ссор Ма́рков прочита́л ле́кцию **по матема́тике**.

Professor Markov gave a lecture on mathematics.

Джейн написа́ла но́вую статью́ **по органи́ческой хи́мии**.

Jane has written a new article on organic chemistry.

6.2 Note also the use of **по** in certain adverbial constructions.

(a) **по** "according to":

Ка́к **по-ва́шему**? What is your opinion?
По-мо́ему, э́то ску́чно. In my opinion, this is boring.
(Note stress!)

(b) **по** "by", "on":

Мы́ говори́ли **по телефо́ну**.
Я́ слы́шал э́то **по ра́дио**.
Ми́ша ви́дел э́то **по телеви́зору**.

We spoke by telephone.
I heard it on the radio.
Misha saw this on television.

610

7.0 It is worth while to note here the occurrence of the particle **по-** (not the preposition!) which is used to form adverbs ending in *-sk'i* (**-ски**). Compare with adjective stems ending in *-sk'ij* (**-ский**):

ру́сский	— по-ру́сски	(in) Russian
англи́йский	— по-англи́йски	(in) English
неме́цкий	— по-неме́цки	(in) German
францу́зский	— по-францу́зски	(in) French

Remember that, like other adverbs, these words are indeclinable.

UNIT XI

Prepositions and Adverbs of Place and Direction of Action. Verbs of Motion. The Second Prepositional Ending **-у**. Expressing Real Condition. **То́же** and **та́кже**.

1.0 Prepositions and Adverbs of Place and Direction of Action

Russian distinguishes the place where an action occurs from the direction or end-point reached by the action (its destination).

When denoting direction nouns used with the preposition **на** or **в** take the *accusative;* when denoting place the same nouns take the *prepositional*. Several other prepositions in Russian will also be seen to exhibit this dual (locational/directional) function, depending on the case which follows them.

Compare the following examples.

Ма́ша рабо́тает **в институ́те**.	Masha works *at* the institute.
Ма́ша идёт **в институ́т**.	Masha is on her way *to* the institute.
Ми́ша бы́л **на конце́рте**.	Misha was *at* the concert.
Ми́ша ча́сто хо́дит **на конце́рты**.	Misha often goes *to* concerts.

Unlike contemporary English, separate adverbs are used in Russian to specify the place or direction of action.

А́нна живёт **здесь**.	Anna lives *here*.
А́нна идёт **сюда́**.	Anna is on her way *here*.

1.1 Forms and Examples

Study the following prepositional phrases and adverbs of place and direction.

Direction (к у д а́? + *acc.*)		Place (г д е́? + *prep.*)	
к у д а́?	where? (whither?)	г д е?	where?
сюда́	here (hither)	здесь	here
туда́	there (thither)	та́м	there
домо́й	home(ward)	до́ма	at home
в шко́лу	to school	в шко́ле	at school
на заво́д	to the factory	на заво́де	at the factory
в теа́тр	to the theater	в теа́тре	in the theater
Ма́льчики игра́ют в па́рке.		The boys are playing in the park.	
Ма́льчики иду́т в па́рк.		The boys are going to the park.	
— Где́ рабо́тает ва́ш бра́т?		"Where does your brother work?"	
— Он рабо́тает на по́чте:		"He works at the post office."	
— Куда́ идёт ва́ш бра́т?		"Where is your brother going?"	
— Он идёт на вокза́л.		"He is on his way to the train station."	

1.2 Noun Constructions

The meaning of direction or destination also arises when nouns preceded by **в** or **на** are used after certain other nouns:

билéт в теáтр	a ticket for the theater
окнó в сáд	a window opening into the garden
путешéствие в Áфрику	a trip to Africa
экскýрсия на фáбрику	an excursion to a factory

2.0 Verbs of Motion

Among Russian verbs (including those denoting movement of various kinds) a special group is distinguished known as *verbs of motion*. These verbs differ from all others in that they have *two imperfectives:* one indicates that the motion takes place in a single direction, the other does not and more often than not denotes random motion or movement in more than one direction, frequently movement "there and back". There are a total of 14 pairs of verbs of motion, the most important of which are the following:

Unidirectional	Multidirectional	
идтú (irreg.)	ходúть *xod'í*-	go (on foot), walk
éхать (irreg.)	éздить *jéz d'í*-	go (by vehicle)
нестú *n'os-'*	носúть *nos'í*-	carry (on foot)
везтú *v'oz-'*	возúть *voz'í*-	carry (by vehicle)

2.1 Usage of Verbs of Motion

A native speaker of Russian uses the unidirectional verb in those contexts in which he specifies action in progress in one direction. Hence, the question "Where are you going?" requires the unidirectional verb(s): Кудá вы идёте? (if the person is walking) or Кудá вы éдете? (if the person is going by vehicle).

Repeated actions, round trips (both of which necessarily involve movement in more than one direction) and concentration on the act of motion (cf. "The child can *walk* already," "John loves to *drive*.") are conveyed by the multidirectional verbs.

Кáждый дéнь Áнна хóдит в шкóлу.	Anna goes to school every day.
Ребёнок ужé хóдит.	The child can walk already.
Джóн лю́бит éздить.	John loves to drive (or ride).
Ты вчерá ходúла в шкóлу?	Did you go to school yesterday?

Study the following examples, contrasting the contexts in which unidirectional and multidirectional verbs of motion are used:

Unidirectional

Multidirectional

(a) For actions concurrent with the time of the utterance:

Óн **идёт** и **поёт.**
He *is on the way* and *singing.*

Óн **хóдит** по кóмнате и поёт.
He *is walking around* the room and singing.

Я **идý** в пáрк.
I *am on my way* to the park.

Я хожý по пáрку.
I *am walking about* in the park.

(b) Otherwise:

Я встре́тила А́нну, когда́ она́ **шла́** в библиоте́ку.

I met Anna when she *was on the way* to the library.

Когда́ мы́ **е́хали** домо́й, мы́ вспомина́ли, ка́к зову́т э́того молодо́го челове́ка.

As we *were riding* home, we tried to remember the name of that young man.

Вчера́ ве́чером я́ **ходи́л** по па́рку.

Yesterday evening I *walked about* in the park.

Когда́ мы́ **е́здили** на Чёрное мо́ре, мы́ всегда́ приглаша́ли на́ших друзе́й.

Whenever we *went* to the Black Sea, we always invited our friends.

(c) The unidirectional verb is required in connection with certain inanimate nouns. Take careful note of the following:

Идёт до́ждь.
It is raining.
Идёт сне́г.
It is snowing.
Вре́мя идёт.
Time is passing.

Я ча́сто **хожу́** в теа́тр.
I often *go* to the theater.
Я люблю́ **ходи́ть.**
I enjoy *walking*.
Вчера́ я́ **ходи́л** в теа́тр.
Last night I *went* to the theater.
Ле́том мы́ **е́здили** в Кры́м.
In the summer we *went* to the Crimea.
Ка́ждую суббо́ту мы́ **хо́дим** в кино́.
We *go* to the cinema every Saturday.
Кто́ э́то **хо́дит** о́коло ва́шего до́ма?
Who is that person *walking around* near your house?

Keep in mind that both the unidirectional and multidirectional forms of verbs of motion are *imperfective*. The *perfective* form (see the next unit) is derived by adding the prefix **по-** (or some other prefixes) to the unidirectional stem.

2.2 Forms of Verbs of Motion

Four pairs of verbs of motion are introduced in the present unit, including two with ø-suffix stems terminating in s and z, and two irregular verbs.

2.21 Non-Suffixed Verbs in s or z

Stems of this class take on infinitive endings and past tense endings (except masculine singular) *without* the expected truncation of the first consonant. The past tense masculine form takes no **л.**

Stem: *n'os⌐*

Pres.:	несу́	Imper.:	неси́, не-
	несёшь		си́те!
	несёт	Inf.:	нести́
	несём	Past:	нёс
	несёте		несла́
	несу́т		несло́
			несли́

v'oz⌐

Pres.:	везу́	Imper.:	вези́, ве-
	везёшь		зи́те!
	везёт	Inf.:	везти́
	везём	Past:	вёз
	везёте		везла́
	везу́т		везло́
			везли́

2.22 The Irregular Verbs идти́ and е́хать

Pres.: иду́, идёшь, идёт, идём, идёте, иду́т; Imper.: иди́, иди́те! Past: шёл, шла́, шло́, шли́

Pres.: е́ду, е́дешь, е́дет, е́дем, е́дете, е́дут; Imper.: поезжа́й, поезжа́йте! Past: е́хал, е́хала, е́хало, е́хали

Imperfective future forms of these unidirectional verbs are rare; their formation is normal.

бу́ду идти́, бу́дешь идти́, бу́дут идти́, etc.
бу́ду е́хать, бу́дешь е́хать, бу́дет е́хать, etc.

2.3 Present Tense Forms with Future Meaning

All the verbs of motion taken up in the present unit are *imperfective*. Furthermore, the regular imperfective future of unidirectional verbs (see above) is rarely used. The present tense forms of unidirectional verbs may have future meaning when used in a future time context. Cf. the similar usage in English:

За́втра ве́чером мы́ идём в теа́тр.	Tomorrow evening we are going to the theater.
Сего́дня мы́ е́дем к ма́ме.	Today we are going to see Mother.

Present tense forms of other imperfective verbs may also be used to express future.

За́втра я чита́ю докла́д.	Tomorrow I am giving a paper.

The use of present tense forms to express future is restricted to those statements about which the speaker is more or less certain or indeed categorical. The introduction of any modal words which diminish the certainty that the action will take place excludes the possibility of using present tense forms in this sense.

За́втра я е́ду в Босто́н. But:	I am going to Boston tomorrow.
За́втра я, мо́жет бы́ть, пое́ду[1] в Босто́н.	Perhaps I will go to Boston tomorrow.

2.4 на + *the Prepositional* Used to Express Means of Transportation

Means of transportation is expressed in Russian by the preposition **на** followed by the prepositional case of the noun denoting the type of vehicle involved. Note that in English the preposition "in", "on" or "by" is used to convey this meaning.

Я е́ду в институ́т **на авто́бусе.**	I go to the institute *by* bus.
Мы́ е́дем в Кры́м **на по́езде.**	We're traveling to the Crimea *on* a train.
Он хорошо́ е́здит **на ло́шади.**	He is good *at* horseback riding.
Мы́ е́дем в Ки́ев **на маши́не.**	We are going to Kiev *by* car.

2.5 The Preposition по + *the Dative Case*

The preposition **по** is commonly used with verbs of motion and corresponds to the English "along", "about", "throughout" or "in". (See also X, 6.)

Мы́ ходи́ли **по го́роду.**	We strolled *around* the city.
Анто́н ме́дленно шёл **по у́лице.**	Anton walked *along* the street slowly.
Я люблю́ ходи́ть **по ле́су.**	I love to walk about *in* the forest.

3.0 The Second Prepositional Ending -у

A few masculine nouns (mostly monosyllabic) besides the regular prepositional case ending take the ending **-у** when used with a spatial or temporal meaning.

---

[1] Пое́ду is the future tense form of the perfective verb пое́хать.

Among the nouns we have encountered so far, the following have the second prepositional ending **-у**. (Note that the ending is always stressed, regardless of the stress pattern of the noun.)

лес	"wood", "forest"	—в лесу́	мост	"bridge"	—на мосту́
сад	"garden"	—в саду́	шкаф	"cupboard"	—в шкафу́
год	"year"	—в году́	Крым	"the Crimea"	—в Крыму́
бе́рег	"shore"	—на берегу́			

Compare the prepositional case forms and their usage in the following examples. (Note how the ending **-у** signals a spatial or temporal meaning of the masculine nouns.)

Мы́ до́лго стоя́ли **на мосту́**.	We stood on the bridge for a long time.
Вы́ слы́шали о но́вом мо́сте, кото́рый стро́ят о́коло Краснoя́рска?	Have you heard about the new bridge which is being built near Krasnoyarsk?
Студе́нты рабо́тают **в саду́**.	The students are working in the garden.
Они́ разгова́ривают о ботани́ческом **са́де** МГУ.	They are talking about the Botanical Gardens at Moscow State University.

4.0 "If" Clauses (Expressing Real Condition)

The conjunction **е́сли** "if" introduces a clause of (real) condition. (For non-real conditions, see below, XV, 6.0.)

Е́сли я́ зна́ю сло́во, то я́ не смотрю́ его́ в словаре́.	If I know a word, then I don't look it up in the dictionary.
Е́сли вы́ прочита́ли уро́к, то вы́ пойме́те мо́й вопро́с.	If you have read the lesson, then you will understand my question.

When the main (consequence) clause follows the if-clause, the conjunction **то́** may be used at its beginning; **то́** may be omitted in translation or rendered by "then".

Note that in English the tense of the if-clause may be relative. For example, a *present* tense form is used with "if" to express a future condition.

Е́сли о́н **бу́дет** за́втра на собра́нии, то я́ его́ **спрошу́**.	If he *is* at the meeting tomorrow, I *will ask* him.
Е́сли она́ **придёт** за́втра, то я́ её **спрошу́** об э́том.	If she *comes* tomorrow, I *will ask* her about that.

5.0 То́же and та́кже

There are two Russian words which correspond to the English "also": **то́же** and **та́кже**. Their use is connected with the distribution of old and new information within the given context (see I, 7.0). Although there are some contexts in which either adverb may occur, as a general rule **то́же** introduces *old* information, whereas **та́кже** introduces *new* information. Only **та́кже** can convey the meaning "besides" and "at the same time".

Compare the following examples and note that the old information introduced by **то́же** is actually redundant, whereas the information introduced by **та́кже** cannot be omitted without destroying the meaning ot the sentence.

Джéйн сейчáс идёт в шкóлу. | Jane is now on her way to school.
Я тóже идý в шкóлу. | I am also on my way to school.
or:
Я тóже. | I am too.
Андрéй собирáет мáрки. Олéг тóже собирáет мáрки, а тáкже значкú. | Andrei collects stamps. Oleg also collects stamps, besides he collects badges.
Мúша óчень лю́бит Ленингрáд. Я тóже люблю́ Ленингрáд, но тáкже я люблю́ Москвý. | Misha likes Leningrad very much. I also like Leningrad, but I like Moscow too.
Антóн хорошó говорúт по-англúйски. Егó сестрá тóже хорошó говорúт по-англúйски, а тáкже по-францýзски. | Anton can speak English well. His sister can also speak English well, besides she can speak French.

UNIT XII

Adverbs and Prepositions of Place and Direction of Action. Prefixed Verbs of Motion. The Dative Plural. The First-Person Imperative.

1.0 Adverbs and Prepositions of Place and Direction of Action

Adverbs and prepositions occurring with verbs denoting movement from one place to another may express the point of departure or the end-point or destination (see XI, 1).

кудá? "where (to)?"
сюдá "here", "hither"
тудá "there", "thither"
в (+acc.) "to"
на (+acc.) "to"
к (+dat.) "to the home / place of" (followed by a noun denoting a person)

откýда? "from where?"
отсю́да "from here"
оттýда "from there"
из (+gen.) "from"
с (+gen.) "from"
от (+gen.) "from the home / place of" (followed by a noun denoting a person)

Note that the preposition **к** + *the dative case* is used to denote motion (the question кудá? "where [to]?") with the same expressions with which **y** + *the genitive case* denotes rest (the question гдé? "where?").

Óля, кудá ты́ идёшь? | Бóря, откýда ты́ идёшь?
Olya, where are you going (to)? | Borya, where are you coming from?
Волóдя, идú сюдá! | Уходú отсю́да, ты́ мнé мешáешь!
Volodya, come here! | Get out of here, you bother me!

Идý в шкóлу. } в/на (+acc.)
Идý на завóд. |
Идý к товáрищу. к (+dat.)

Идý из шкóлы. } из/с/от (+gen).
Идý с завóда. |
Идý от товáрища. |

Студéнты идýт в клýб. | Студéнты идýт из клýба.
Лю́ди идýт на рабóту. | Лю́ди идýт с рабóты.
Мы́ идём к профéссору Петрóву. | Мы́ идём от профéссора Петрóва.

Summary Table of Place Prepositions

г д é? "where?"	к у д á? "where (to)?"	о т к ý д а? "from where?"
в (+prep.) в го́роде на (+prep.) на вокза́ле у (+gen.) у отца́	в (+асс.) в го́род на (+асс.) на вокза́л к (+dat.) к отцу́	из ⎫ с ⎬ (+gen.) от ⎭ из го́рода с вокза́ла от отца́

Писа́тель бы́л на Ура́ле.   Никола́й бы́л у врача́.
Писа́тель е́дет на Ура́л.   Никола́й идёт к врачу́.
Писа́тель е́дет с Ура́ла.   Никола́й идёт от врача́.

2.0 Prefixed Verbs of Motion

The addition of a prefix to a verb of motion provides a more specific characterization of the nature of the motion.

2.1 The Prefixes при- and у-

The prefix **при-** is added to *multidirectional* verbs of motion to produce the following new *imperfectives*: приходи́ть "come", приезжа́ть "arrive (by vehicle)", приноси́ть "bring", привози́ть "bring (by vehicle)". On the other hand, **при-** is added to *unidirectional* verbs of motion to form *perfectives* of the same basic meanings as those noted above.

Prefixed verbs of motion, thus, constitute usual imperfective-perfective aspect pairs. Study the following prefixed aspect pairs, paying particular attention to the forms of the irregular verbs прийти́ and прие́хать.

$$pr'ixod'\overset{\times}{\boldsymbol{i}}\text{-} \quad \text{приходи́ть} - \qquad \text{прийти́}$$
$$pr'ijez\check{z}\acute{a}j\text{-} \quad \text{приезжа́ть} - \qquad \text{прие́хать}$$
$$pr'inos'\overset{\times}{\boldsymbol{i}}\text{-} \quad \text{приноси́ть} - pr'in'os\text{-}' \text{ принести́}$$
$$pr'ivoz'\overset{\times}{\boldsymbol{i}}\text{-} \quad \text{привози́ть} - pr'iv'oz\text{-}' \text{ привезти́}$$

прийти́ (irreg.) (приду́, придёшь, придёт, придём, придёте, приду́т; пришёл, пришла́, пришли́)
прие́хать (irreg.) (прие́ду, прие́дешь, прие́дет, прие́дем, прие́дете, прие́дут; прие́хал, прие́хала, прие́хали)

In each of these examples the prefix **при-** characterizes motion *toward* or *to* a point of reference (which is very often the speaker). The prefix **у-** signals motion *away* from a point of reference (which is also often the speaker). Cf. the following examples.

Ми́ша ча́сто приезжа́ет к на́м.   Misha often visits us.
Америка́нский .бале́т ско́ро уе́дет в Евро́пу.   The American Ballet will soon leave for Europe.
Óн уже́ ушёл домо́й.   He has already gone home.
Вра́ч ско́ро придёт.   The doctor will soon be here.
— Где́ ваш сы́н?   "Where is your son?"
— Óн уе́хал в Босто́н учи́ться.   "He has gone to Boston to study."

2.2 The Prefix по-

The prefix **по-** is added to unidirectional verbs of motion to form *perfectives* specifying the *beginning of motion* without reference to what happens next.

— Гдé Вáня?	"Where is Vanya?"
— Егó здéсь нéт, óн пошёл домóй.	"He's not here, he went home."

The prefix **по-** may also signal a *shift* or *change in motion*:

Óн шёл мéдленно, потóм пошёл бы́стро.	He was walking slowly, then went fast.
Óн éхал пря́мо, потóм поéхал налéво.	He drove straight, then went to the left.

In the future tense *only*, a third meaning is also possible: the speaker may express his intention to undertake a specific action or journey:

Зáвтра я́ пойду́ домóй.	Tomorrow I will go home.
Óн скóро поéдет в Москву́.	He'll soon make a trip to Moscow.

Besides, **по**-forms are used to convey supposed or probable completion of action.

— Гдé Вúктор?	"Where is Viktor?"
— Óн пошёл в магазúн.	"He went to the store." (i.e. he went off to the store; as far as the speaker knows, he is either in the store or on the way there)
— Гдé Áнна?	"Where is Anna?"
— Онá поéхала в библиотéку.	"She went (by vehicle) to the library."

2.3 Forms of Prefixed Verbs of Motion

ходи́ть type (imperfective)	идти́ type (perfective)
ходи́ть → приходи́ть (*pr'i-xod'-i-*)	идти́ → прийти́ (приду́т, пришёл)
éздить → приезжáть (*pr'i-jezž-áj-*)	éхать → приéхать (приéдут)
носи́ть → приноси́ть (*pr'i-nos'-i-*)	нести́ → принести́ (*pr'i-n'os-*)
вози́ть → привози́ть (*pr'i-voz'-i-*)	везти́ → привезти́ (*pr'i-v'oz-*)
уходи́ть	уйти́ (уйду́т, ушёл)
уезжáть	уéхать (уéдут)
уноси́ть	унести́
увози́ть	увезти́
	пойти́ (пойду́т, пошёл)
	поéхать (поéдут)

Pay particular attention to the underlined items in the above chart.

(a) Memorize the infinitives **прийти́**, **уйти́** and **пойти́**, and the corresponding future tense forms **приду́т**, **уйду́т** and **пойду́т**. In the past tense the prefixes **при-**, **у-** and **по-** are added to **шёл**, **шлá**, **шлó**, **шли́** without any changes.

(b) Note that the multidirectional *jézd'i-* does not undergo normal prefixation; instead, prefixes are added to *-jezžáj-*.

(c) All prefixed multidirectional verbs are *imperfective*; all prefixed unidirectional verbs are *perfective*.

(d) The imperative of (по)éхать is **поезжáй**, **поезжáйте**!

3.0 The Dative Plural

3.1 Nouns

The dative plural ending for all Russian nouns is *-am* (spelled **-ам/-ям**). Stress in the dative plural is the same as in other oblique case (gen., prep., etc.) forms.

	1st Decl.			2nd Decl.	3rd Decl.	
Nom. Pl. *-i, -a* Dat. Pl. *-am*	столы́ стола́м	го́сти гостя́м	о́кна о́кнам	ка́рты ка́ртам	тетра́ди тетра́дям	**-ам, -ям**

3.2 Modifiers

The dative plural ending of pronouns and adjectives is *-im* (**-ым/-им**).

Nom. Pl. *-i* Dat. Pl. *-im*	они́ им	э́ти э́тим	мои́ мои́м	ва́ши ва́шим	но́вые больши́е но́вым больши́м	**-ым, -им**

The dative plural forms of the pronouns те "those" and все "all", "everyone" are те́м and все́м, respectively. Compare the following dative singular and plural forms.

Я́ уже́ позвони́л свое́й сестре́.	I have already called up my sister.
Я́ уже́ позвони́л свои́м сёстрам.	I have already called up my sisters.
Ги́д пока́зывал па́мятник иностра́нному тури́сту.	The guide showed the monument to the foreign tourist.
Ги́д пока́зывал па́мятник иностра́нным тури́стам.	The guide showed the monument to the foreign tourists.

4.0 The First-Person Imperative

The first-person imperative is a common form of invitation or exhortation which involves both the speaker and the addressee in the performance of the action.

Formation of the first-person imperative is determined by the aspect of the verb in question. For *imperfectives* the pattern is: дава́й(те) + infinitive.

Дава́й рабо́тать.	Let's work.
Дава́йте отдыха́ть.	Let's rest.
Дава́йте не бу́дем говори́ть об э́том.	Let's not talk about that.

For *perfectives* the pattern is: дава́й(те) + first person plural.

Дава́йте отдохнём!	Let's take a rest.
Дава́й напи́шем но́вое сочине́ние.	Let's write a new essay.

21*

In the perfective first-person imperative the word давáй may be omitted.

Напи́шем нóвое сочинéние!   Let's write a new essay.
Пойдём в кинó!   Let's go to the movies.

The first-person imperative of unprefixed unidirectional imperfective verbs is invariably formed without the accompanying давáй(те).

Идём в кинó!   Let's go to the movies.

UNIT XIII

The Instrumental Case. The Voice and the Particle -ся.
Verbs of Studying and Learning. The Reflexive Pronoun себя́.

1.0 The Instrumental Case: Usage and Formation

1.1 Equational Sentences

Sentences of the A = B type ("John is a fireman", "Anton was a student" and also "Pyotr became director" or "Her face seemed pale") are termed "equational sentences" in this commentary. When the link verb in Russian is a present tense form of бы́ть "to be" (and, as you know, is normally omitted), the second member of the equation (like the first) takes the nominative.

Антóн студéнт.   Anton is a student.

Whenever the link verb is any verb form other than the ø-present tense of бы́ть, the *second* member of the equation takes *the instrumental*.

Антóн бýдет студéнтом.   Anton will be a student.
Антóн бы́л студéнтом.   Anton was a student.

Other common link verbs include *javl'áj-s'a* (являться) "be" (*bookish*), *stanov'í-s'a/stán-* (станови́ться/ста́ть) "become" and *kaza-s'a/pokaza-s'a* (каза́ться/показа́ться) "seem". Study the following examples.

Мýрманск явля́ется сéверным пóртом.   Murmansk is a northern port.
В э́том годý мóй брáт ста́л студéнтом.   This year my brother became a student.
Актри́са О́льга Кни́ппер была́ женóй Чéхова.   The actress Olga Knipper was Chekhov's wife.
Ри́мский-Кóрсаков бы́л замеча́тельным композ́тором и дирижёром.   Rimsky-Korsakov was a renowned composer and conductor.

1.2 The instrumental case also expresses the agency or instrument of action.

А́ня откры́ла двéрь ключóм.   Anya opened the door with a key.
В Новосиби́рск мы́ поéдем пóездом.   We'll travel to Novosibirsk by train.

1.3 The instrumental is required after certain prepositions with the following meanings:

с(о) "accompanied by", "along with", "with"
Зóя éздила в дерéвню со свои́м отцóм.   Zoya traveled to the country with her father.

Волóдя пи́л ча́й с са́харом.   Volodya drank tea with sugar.
Я́ с интерéсом прочита́л ва́шу кни́гу.   I read your book with interest.

620

пéред(о) "in front of"

Пéред нáшим дóмом большóй сáд. | There is as large garden in front of our house.

нáд(о) "over", "above"

Над столóм висéл портрéт дéдушки. | Grandfather's portrait hung over the desk.

под(о) "under", "below"

Под дéревом сидéл мáленький мáльчик. | A small boy was sitting under the tree.

1.31 The preposition **за** "behind", "beyond" denotes location when followed by the instrumental case and direction when followed by the accusative.

За мнóй стоя́л высóкий человéк. But: | A tall man was standing behind me.
Мы́ поéхали зá город. | We drove to the country.

1.4 Some Verbs Requiring the Instrumental Case

zan'imáj-s'a занимáться (ч é м) спóртом "do", "pursue", "be engaged in/occupied with", "participate"

rukovod'í- руководи́ть (ч é м) семинáром "conduct", "direct"

int'er'esová-s'a интересовáться (ч é м) мýзыкой "be interested in"

1.5 The Instrumental Case of Nouns

First declension nouns take the ending *-om* (spelled **-ом/-ём/-ем**), second declension nouns take *-oj* (spelled **-ой/-ёй/-ей**) and third declension nouns *-ju* (**-ью**). In the instrumental plural nouns of all declensions take the ending *-am'i* (spelled **-ами/-ями**).

Singular					
First Declension					
Nom. ø/-o Instr. -om	стóл столóм	герóй герóем	окнó окнóм	здáние здáнием	-ом, -ем
Second Declension			**Third Declension**		
Nom. -a Instr. -oj	кáрта кáртой	дерéвня дерéвней	-ой, -ей	Nom. ø двéрь Instr. -ju двéрью	-ью
Plural					
Nom. -i, -a Instr. -am'i	столы́ дерéвни столáми деревня́ми	герóи двéри герóями двсря́ми	óкна óкнами	здáния здáниями	кáрты кáртами	-ами -ями

1.6 The Instrumental Case of Pronouns and Adjectives

Instrumental forms of the personal pronouns are as follows:

Nom.	я	ты	óн/онó	онá	мы́	вы́	они́
Instr.	мнóй	тобóй	и́м	éй	нáми	вáми	и́ми

Pronoun and adjective singular endings are -*im* (**-им**) for the masculine and neuter, and -*oj/-ej* (**-ой/-ей**) for the feminine; in the instrumental plural the ending is -*im'i* (**-ими**).

	Masculine/Neuter				Interrogative Pronouns		
Nom.	э́тот/э́то	мóй	твóй	нáш	вáш	ктó	чтó	чéй
Instr.	э́тим	мои́м	твои́м	нáшим	вáшим	**кéм**	**чéм**	**чьи́м**

Feminine

Nom.	э́та	моя́	твоя́	нáша	вáша
Instr.	э́той	моéй	твоéй	нáшей	вáшей

Plural

Nom.	э́ти	мои́	твои́	нáши	вáши
Instr.	э́тими	мои́ми	твои́ми	нáшими	вáшими

Adjectives in the Instrumental Case:

Masculine/Neuter

Nom.	нóвый/нóвое	молодóй/молодóе	хорóший/хорóшее	большóй/большóе
Instr.	нóвым	молоды́м	хорóшим	больши́м

Feminine

Nom.	нóвая	молодáя	хорóшая	большáя
Instr.	нóвой	молодóй	хорóшей	большóй

Plural

Nom.	нóвые	молоды́е	хорóшие	больши́е
Instr.	нóвыми	молоды́ми	хорóшими	больши́ми

1.7 Surnames in the Instrumental Case

In the instrumental singular, masculine surnames terminating in -*in* (**-ин**) and -*ov* (**-ов**) take the ending of *pronouns*. As you know, in all the other cases masculine surnames have *noun* endings; therefore the instrumental case constitutes an exception. Feminine surnames terminating in -*ina* (**-ина**) and -*ova* (**-ова**) take the adjective ending -*oj* (**-ой**) and thus fully conform to the pronominal declension pattern. (See VII, 1.6.)

Я говори́л с Бори́сом Степáновичем   I spoke with Boris Stepanovich Ivanov.
Иванóвым.

2.0 Voice and the Particle -ся

Voice in Russian specifies the nature of the relationship between the *logical object* of the sentence and the *action* expressed by the verb. Russian distinguishes:

the *active* voice [Subject/Agent + Predicate + Object]:

Лаборáнт составля́ет прогрáмму.   The lab assistant is making up a syllabus.

and the *passive* voice [Subject/Object + Predicate + Agent]:

Прогрáмма составля́ется лаборáнтом.   The syllabus is being made up by the lab assistant.

Whenever the logical object of the sentence is promoted grammatically to *subject* position (or otherwise shunted out of its normal accusative slot in the sentence), the (imperfective) verb takes on the particle -ся (spelled -ся after consonantal endings and -сь after vocalic endings); agency being expressed, in turn, by *the instrumental case:*

Active voice (Acc. object)	NOM. (agent)	VERB	ACC. (object)

Passive voice (Nom. object)	NOM. (object) ←	VERB (|)	INSTR. (agent)

Conjugation Pattern of Verbs with -ся

vstr'ét'ı̈-s'a

		встре́титься [1]
встре́чусь	встре́тимся	встре́тился
встре́тишься	встре́титесь	встре́тилась
встре́тится [1]	встре́тятся	встре́тилось
встре́ться!	встре́тьтесь!	встре́тились

2.1 Implied Object

The particle -ся may also indicate an implied object. Such an object is "implied" either in the semantics of the verb or in the context of the utterance. *Reflexive* meaning is the most common example of contextually implied objects.

Hence, in the sentence Я мо́юсь. "I am taking a bath/shower. I am washing myself." the implied object is identical with the subject. Note some other examples:

Ми́ша одева́ется.	Misha dresses himself.
Йра мо́ется.	Ira is taking a bath/shower.

With plural subjects the action may be mutual or reciprocal.

Ученики́ встреча́ются по́сле шко́лы.	The students meet (each other/one another) after school.
Мы ча́сто ви́димся.	We often see each other/one another.

When the reciprocal nature of an action is to be emphasized, a special reciprocal phrase — друг дру́га — is used, in which only the second element changes for case:

Они́ лю́бят друг дру́га.	They love each other.
Они́ говоря́т друг о дру́ге.	They talk about each other.
Они́ боя́тся друг дру́га.	They are afraid of one another.
Мы ча́сто прихо́дим друг к дру́гу.	We often come to each other's house.
Вы должны́ сиде́ть друг за дру́гом.	You ought to sit one behind the other.

2.2 Lexicalized -ся

A small group of Russian verbs never occur without the particle -ся, which, in these instances, has lost its grammatical function and become completely lexicalized. Memorize the following verbs with a lexicalized -ся and their case government.

bojá-s'a боя́ться ч е г о́ (gen.) "be afraid", "fear"
nad'éja-s'a наде́яться н а ч т о́ (acc.) "hope"
sm'ejá-s'a смея́ться н а д ч е́м (instr.) "laugh (at)", "make fun (of)"
nráv'ı̈-s'a нра́виться к о м у́ (dat.) "like", "be pleased (with)"

2.3 The verb нра́виться/понра́виться is used to express the speaker's liking for a person or thing. It is a very commonly used verb in Russian.

Э́то мне́ нра́вится.	I like this.
Он ей понра́вился.	She liked him.
Я зна́ю, что он ва́м понра́вится.	I know you will like him.

Note carefully that the agent (experiencer) in the above construction is in the *dative* case; whereas the logical object takes the nominative.

---

[1] Note that in pronunciation -ться and -тся are *not* differentiated: [ццъ].

2.4 Summary of the Uses of -ся

As a practical guide to rendering Russian verb forms with -ся in English, it may be useful to consider the following points:

1. Passive Meaning;

Это слово произносится студентами по-русски. — This word is pronounced by the students in Russian.

(The object is promoted to nominative position; the agent, if present, is in the instrumental case.)

2. Reflexive Meaning.

Марк одевается. — Mark is getting dressed (is dressing himself).

(The object is implied; it is identical with the subject.)

3. Reciprocal Meaning.

Они часто виделись. — They often saw one another.

(Objects and subjects are identical.)

4. Intransitive Meaning.

Он много смеётся. — He laughs a lot.

(This Russian verb never occurs without -ся.)

3.0 Verbs of Studying and Learning (Summarized)

The verb *uči̯-s'a* (**учиться**) is generally used in modern Russian to mean "be enrolled" in any sort of educational institution.

Вы учитесь в школе или работаете? — Do you go to school or work?

Я учусь в строительном институте. — I am a student at the Civil Engineering Institute.

Коля всё ещё учится. — Kolya still goes to school (elementary or secondary).

Марк учится на втором курсе университета. — Mark is a sophomore at the university.

The verb pair with the particle -ся *uči̯-s'a/nauči̯-s'a* (**учиться/научиться**) "learn" also takes the dative of the subject matter under study or an infinitive complement.

Я учусь танцам.
Я учусь танцевать. } I am learning dances.

In the specialized meaning "memorize", *uči̯-* (**учить**) takes an accusative object of the thing memorized. The perfective counterpart of *uči̯-* with this meaning is *víuči̯-* (**выучить**).

Никита учит эти слова. — Nikita is memorizing these words.
Он выучил все слова. — He has memorized all the words.

The transitive verb *pr'epodaváj-* (**преподавать**) means "teach" or "instruct". Its use is restricted to academic subjects beyond the primary school level.

Марк Антонович преподаёт русский язык в Политехническом институте. — Mark Antonovich teaches Russian at the Polytechnic Institute.

The pair of transitive verbs *izučáj-/izuči̯-* (**изучать/изучить**) means "make a thorough study of" an academic subject.

Профессор Марков изучает историю нашего города. — Professor Markov is making research into the history of our town.

The intransitive verb *zan'imáj-s'a* (**заниматься**) "be occupied with", "be engaged in" is used with respect to a wide variety of educational, occupational and avocational pursuits. It is the usual means of conveying the meaning of "majoring" at the undergraduate level.

Ира занимается американской литературой. — Ira is studying (majoring in) American literature.

Я занимаюсь русским языком. — I am studying Russian.

(More advanced study, including graduate or professional study, would require the verb изучать)

Джон занимается спортом. — John enjoys sports activities.

Таня занимается балетом, а её сестра Марина занимается музыкой. — Tanya is a ballet dancer, her sister Marina studies music.

Also note the following meaning of **занима́ться**:

— Ми́ша до́ма?   "Is Misha at home?"
— Да́, до́ма.   "Yes, he is."
— Что́ он де́лает?   "What is he doing?"
— Занима́ется.   "He is doing his homework."
Ви́ктор лю́бит занима́ться в библиоте́ке.   Viktor likes to work at the library.

4.0 The Reflexive Pronoun себя́

The reflexive pronoun **себя́** "oneself" has neither gender, nor number, nor nominative case form. It expresses the relation of the agent (subject) of the sentence or clause towards itself. Себя́ has the following form: acc.-gen. **себя́**. dat.-prep. **себе́**, instr. **собо́й**.

Он о́чень лю́бит себя́.	He is very fond of himself.
Я не люблю́ говори́ть о себе́.	I don't like to talk about myself.
Оле́г купи́л себе́ портфе́ль.	Oleg has bought himself a brief-case.
Возьми́те с собо́й портфе́ль!	Take your breif-case with you!
Она́ ушла́ к себе́.	She went off to her own place.

UNIT XIV

Clauses of Purpose. Third-Person Imperative. Case of the Object of a Negated Transitive Verb. Negative Pronouns and Nouns. Double Negation in Russian: Telling Time by the Clock. Summary of Time Expressions.

1.0 Clauses of Purpose

Clauses of purpose are normally introduced in Russian by the conjunction **что́бы** (unstressed and pronounced as a single accentual unit with the following word). For emphasis a clause of purpose may be introduced by the phrase для того́ (,) что́бы.

Formally, there are two types of clauses of purpose.

When both clauses have the same subject, the pattern is:

что́бы + infinitive

Мы пошли́ на конце́рт, чтобы послу́шать францу́зскую певи́цу.	*We* went to the concert to hear the French singer.
Я позвони́л Со́не, чтобы пригласи́ть её на обе́д.	*I* called Sonya to invite her to dinner.

When the subject in the clause of purpose is different from that of the main clause, the pattern is:

что́бы + past tense form of the verb

Мы пошли́ к Ви́ктору, чтобы **он** помо́г нам гото́виться к экза́менам.	*We* went to Viktor's so that *he* could help us prepare for the exams.
Ученики́ принесли́ тетра́ди, чтобы **учи́тель** посмотре́л и́х.	*The school students* brought their notebooks for *the teacher* to look at.

2.0 The Third-Person Imperative

The Russian third-person imperative corresponds to English expressions of volition beginning with the word "Let (him, her, etc.) ..." or "Have (him, her, etc.) ...". It is obtained by placing the word пусть (or, colloquially, пуска́й) before the noun or pronoun (in the nominative) denoting the desired performer of the action concerned. Cf. the following examples:

Пу́сть Ро́берт закро́ет две́рь.	Have Robert close the door.
Пу́сть Пе́тя отдыха́ет.	Let Petya rest.
Пу́сть де́ти игра́ют в саду́, е́сли хотя́т.	Let the children play in the garden if they want.

3.0 Case of the Object of a Negated Transitive Verb

As a rule, negated transitive verbs in Russian have objects in *the genitive case*, rather than the accusative. Compare:

Учи́тель объясни́л пра́вило.	The teacher explained the rule.
Учи́тель не объясни́л пра́вила.	The teacher didn't explain the rule.
Профе́ссор со́здал свою́ тео́рию.	The professor created his (own) theory.
Профе́ссор не со́здал свое́й тео́рии.	The professor did not create his (own) theory.

When the object of a negated transitive verb occurs as a pronoun, the genitive case is obligatory. Compare:

Э́то сказа́ла А́нна.	Э́того А́нна не говори́ла.
Что́ о́н зна́ет?	Чего́ о́н не зна́ет?
О́н по́нял всё.	О́н не по́нял ничего́.

On the other hand, after negated transitive verbs second and third-declension nouns denoting animate beings usually take the *accusative*. (Remember that the accusative of first-declension animate nouns is identical with their genitive.)

Я не зна́ю ва́шу сестру́.	I don't know your sister.
Я не ви́дел сего́дня ва́шу ма́ть.	I haven't seen your mother today.
Мы́ не по́няли э́того мужчи́ну.	We didn't understand that man.
Я не зна́ю ва́шего дя́дю Ко́лю.	I don't know your Uncle Kolya.

In contemporary Russian there is a tendency to use the accusative when the object is specified or already known.

Я не по́мню э́ту пе́сню.	I don't remember this song.
Я не чита́л э́тот журна́л.	I haven't read this journal.

4.0 Negative Pronouns and Adverbs. Double Negation in Russian

Negative adverbs and pronouns are formed by means of the prefix **ни-**. Cf.:

Adverbs: когда́ → никогда́   Pronouns: кто́ → никто́
где́ → нигде́   что́ → ничто́
куда́ → никуда́   како́й (used as a modifier) → никако́й

Negative pronouns and adverbs occur in Russian only in conjunction with a *negated* verb; the double negative is thus the rule in Russian.

Я никогда́ не́ был в Пари́же.	I have never been in Paris.
Э́той кни́ги не́т нигде́.	That book isn't anywhere.
Сего́дня я́ никуда́ не пойду́.	I won't go anywhere today.

The pronouns **никто́** and **ничто́** are declined like кто́ and что́.

Никто́ не чита́л э́ту кни́гу.	No one has read that book.
Я зде́сь никого́ не зна́ю.	I don't know anyone here.

If the negative pronoun is the object of a preposition, the preposition is placed between the negative prefix **ни** and the pronoun itself, hence никто́, ничего́, никому́, but ни о ко́м, ни на чём, ни у кого́, etc. Although the prepositional phrase containing ни is written as three separate words, it is pronounced as a single accentual unit.

Он ни о чём не расска́зывал.	He didn't tell about anything.
Ни у кого́ нет э́того журна́ла.	No one has this journal.
Ве́чером я ни к кому́ не пошёл, я рабо́тал.	In the evening I did't go to see anyone, I was working.

5.0 Telling Time by the Clock

The usual way of telling time in Russian is more complex than the 24-hour system discussed previously. (See IX, 1.3.) One construction is required to tell the time which falls within the first half of the hour and a different construction is used to tell the time within the second half of the hour.

5.1 In the first half of the hour one counts the minutes of the hour which is in progress. The time 1:05 is understood as five minutes (elapsed) of the *second* hour. (The first hour was from 12 to 1, the second is from 1 to 2, etc.)

Hence:

12:05	пять мину́т пе́рвого
12:22	два́дцать две́ мину́ты пе́рвого
4:25	два́дцать пять (мину́т) пя́того [1]
9:03	три мину́ты деся́того

5.2. In the second half of the hour one names the hour in progress (with a cardinal numeral) "minus the number of minutes" left to elapse. The hour in progress is given after the number of minutes left to elapse. Thus, 1:55 would be "minus five minutes two", i. e. без пяти́ мину́т два́, "minus" being expressed by the preposition без and being followed by the genitive case of the number of minutes plus (optionally) the genitive of the word "minutes" (мину́т) or "minute" (мину́ты) in the case of "minus one minute + the hour in progress".

2:55	без пяти́ (мину́т) три́
1:40	без двадцати́ (мину́т) два́
6:51	без девяти́ (мину́т) се́мь
9:59	без одно́й мину́ты де́сять

5.3 "Time When" According to the Clock

To express *time when*, the preposition в + *the accusative* and the above forms are used.

Он прие́хал в два́дцать мину́т пя́того.	He arrived at twenty minutes past four in the afternoon.

Before без the preposition в is invariably omitted.

Мы встре́тились без двадцати́ пяти́ во́семь (утра́).	We met at twenty-five minutes to eight in the morning.

The Russian for "quarter" (of an hour) is че́тверть, which belongs to the third declension.

Мы договори́лись встре́титься в че́тверть шесто́го.	We agreed to meet at a quarter past five.
Они́ пришли́ без че́тверти четы́ре.	They came at a quarter to four.

The Russian for "half" (an hour) is полови́на [2]. It constitutes an exception to the "time when" rule, since it requires the prepositional case in expressing "at half past" (в полови́не пя́того).

Сеа́нс начина́ется в полови́не второ́го.	The performance begins at half past one.

---

[1] The word мину́т is generally omitted when the number of minutes left to elapse is divisible by 5.

[2] As in English, the word мину́та "minute" is never used after че́тверть and полови́на.

6.0 Summary of Time Expressions

6.1 "The time is..." in Russian is an equational *nominative* sentence.

Сейча́с час.	It is now one o'clock.
Сейча́с уже́ у́тро.	It is already morning.
Вчера́ бы́л вто́рник.	Yesterday was Tuesday.
За́втра бу́дет четве́рг.	Tomorrow will be Thursday.
Сего́дня тридца́тое.	Today is the 30th.
За́втра бу́дет пе́рвое ма́я.	Tomorrow will be May 1.
Сего́дня пя́тница, тре́тье ма́я.	Today is Friday, May 3.
Сего́дня вто́рник, тридца́тое апре́ля ты́сяча девятьсо́т се́мьдеся́т девя́того го́да.	Today is Tuesday, April 30,1979.
Тогда́ ещё была́ весна́.	It was still spring then.
Сейча́с ты́сяча девятьсо́т се́мьдесят девя́тый го́д.	Now it is 1979.

6.2 "Time when" in Russian is expressed as follows:

> в (+ acc.) (for periods of time *shorter* than a week)
> на (+ prep.) (for "week")
> в (+ prep.) (for periods of time *longer* than a week)

О́н прие́хал в час.	He arrived at one o'clock.
Они́ рабо́тали во вто́рник.	They worked on Tuesday.
Она́ бу́дет здесь на э́той неде́ле.	She will be here this week.
На про́шлой неде́ле ва́с не́ было здесь.	You weren't here last week.
О́н прие́дет на бу́дущей неде́ле.	He'll come next week.
Мы́ ви́дели его́ в э́том семе́стре.	We saw him this semester.
О́н жи́л в восемна́дцатом ве́ке.	He lived in the 18th century.
О́н роди́лся в ма́е.	He was born in May.
О́н роди́лся в ты́сяча девятьсо́т деся́том году́.	He was born in 1910.

but:

О́н роди́лся деся́того ма́я ты́сяча девятьсо́т деся́того го́да.	He was born on May 10, 1910.

(The genitive is used to denote the date of an event.)

There are but two significant exceptions to this rule, both of which you have already learned: for seasons of the year the instrumental of the noun *without* a preposition is used[1]; as it is also used for parts of the day.

О́н прие́хал ле́том / о́сенью / зимо́й / весно́й.	He arrived in the summer / autumn / winter / spring.
Она́ рабо́тала сего́дня у́тром.	She worked this morning.
Мы́ уви́димся сего́дня ве́чером.	I'll see you tonight.
Мы́ та́м бы́ли вчера́ ве́чером.	We were there last night.

---

[1] In fact such nouns (in the instrumental) have now become adverbs.

6.21 The question в котóром часý? "when?" is answered by the в + *the accusative* construction.

Note that в половúне вторóго is an exception to the в + *the accusative* rule.

6.3 "Time after" is expressed by чéрез + *the accusative*. "Ago" is rendered by the time phrase + томý назáд.

Мы увúдимся через недéлю.	I'll see you in a week.
Он приéдет через пять минýт.	He'll arrive in five minutes.
Он ушёл пять минýт томý назáд.	He left five minutes ago.
Мы познакóмились двá гóда томý назáд.	We met two years ago.

6.4 Duration (How long did the action go on?)

(a) for *imperfective* verbs the time phrase is in the accusative without a preposition:

Мы рабóтали всю недéлю.	We worked the whole week.
Мы рабóтали двá часá.	We worked two hours.
Он читáл всю нóчь.	He read all night.
Мы тáм жúли гóд.	We lived there one year.
Он спáл шестнáдцать часóв.	He slept for sixteen hours.

(b) for *perfective* verbs the time during which something was accomplished is expressed by за + *the accusative*:

Он написáл письмó за двáдцать минýт.	He wrote the letter in twenty minutes.
Чтó вы сдéлали за э́то врéмя?	What have you done over this period of time?

6.41 На + *the accusative* denotes a period of time over which the action is expected or intended to last.

Он приéхал в Москвý нá год.	He arrived in Moscow for a year.
Он взял кнúгу на недéлю.	He took the book for a week.
Мы остановúлись на минýту.	We stopped for a minute.

UNIT XV

The Comparative and Superlative Degrees of Adjectives and Adverbs. The Indefinite Pronouns and Adverbs with the Particles -то and -нибýдь. Rendering the Accusative with the Infinitive Construction in Russian. Direct and Reported Speech. Long-Form Verbal Adjectives. The Conditional Particle бы.

1.0 The Comparative and Superlative Degrees

The comparatives and superlatives of adjectives of quality and adverbs of manner (ending in -о) are formed *analytically*. The positive form of the adjective or adverb is preceded by the indeclinable word бóлее "more" or мéнее "less" for *comparatives*, and by the indeclinable word наибóлее "most" or наимéнее "least" or (before long-form adjectives only) by the word сáмый (declined like нóвый) for *superlatives*.

In everyday Russian, the comparatives of adjectives and adverbs are also formed *synthetically*, i. e. by adding the suffix -е or -ее directly to the adjective stem.

1.1 Analytic Comparatives and Superlatives

The analytic comparatives of adjectives are obtained by adding the indeclinable word **бóлее** or **мéнее** to the positive form of the adjective.

Вóт **бóлее интерéсная** кни́га.	Here is a more interesting book.
Мы́ знáли **бóлее интерéсных** людéй.	We have known more interesting people.
Это, пожáлуй, **мéнее интерéсный** ромáн.	This is, perhaps, a not so interesting novel.

The analytic superlatives are obtained by adding **сáмый** (declined normally) to the positive form of the adjective.

Вóт нáш **сáмый ýмный** студéнт.	This is our most intelligent student.
Они́ говори́ли о **сáмых скýчных** вещáх.	They spoke about the most boring things.

1.2 Synthetic Comparatives and Superlatives

In contemporary Russian, analytic comparatives of adjectives occur only in bookish styles. Synthetic comparatives of adjectives and adverbs, on the other hand, are very frequent.

To form a synthetic comparative, the suffix **-e** or **-ee** (indeclinable) is added directly to the adjective stem, replacing the endings of the positive form.

1.21 In stems ending in д, т, г, к, or х alternation occurs (see alternation chart, V. 5.5) before the suffix **-e**. (Also, in monosyllabic stems in *st*, alternation *st/šč* (**ст/щ**) takes place and **-e** is added.

	positive			comparative
жáркий	hot	жáрко	жáрче
грóмкий	loud	грóмко	грóмче
мя́гкий	soft	мя́гко	мя́гче
простóй	simple	прóсто	прóще
чáстый	frequent	чáсто	чáще
чи́стый	clean	чи́сто	чи́ще
дорогóй	dear	дóрого	дорóже
стрóгий	stern	стрóго	стрóже
ти́хий	quiet	ти́хо	ти́ше

1.22 The comparatives of most other adjectives are formed by adding **-ee** directly to the adjective stem (CVC) without changes.

	positive			comparative
краси́вый	good-looking	краси́во	краси́вее
весёлый	cheerful	вéсело	веселéе
бы́стрый	fast	бы́стро	быстрéе
тёплый	warm	теплó	теплéе
холóдный	cold	хóлодно	холоднéе
интерéсный	interesting	интерéсно	интерéснее

1.23 Irregular Forms

	positive		comparative
лёгкий	easy	легко́	ле́гче
высо́кий	high	высоко́	вы́ше
широ́кий	broad	широко́	ши́ре
далёкий	far	далеко́	да́льше
глубо́кий	deep	глубоко́	глу́бже
то́нкий	thin	то́нко	то́ньше
дешёвый	cheap	дё.шево	деше́вле
до́лгий	long	до́лго	до́льше
у́зкий	narrow	у́зко	у́же
бли́зкий	near	бли́зко	бли́же
коро́ткий	short	ко́ротко	коро́че
ре́дкий	rare	ре́дко	ре́же
ни́зкий	low	ни́зко	ни́же

Suppletives

хоро́ший	good	хорошо́	лу́чше
плохо́й	bad	пло́хо	ху́же
большо́й	big	мно́го	бо́льше
ма́ленький	small	ма́ло	ме́ньше

1.24 In everyday Russian, the superlatives of adjectives and adverbs are obtained by adding the word всех (gen. pl. of весь) to the comparative form of the adjective or adverb: бо́льше всех, интере́снее всех.

A few adjectives also form high-degree "superlatives" by means of the suffixes -ейш-, -айш-: важне́йший, богате́йший, широча́йший. These superlatives occur only in literary Russian.

1.3 Special Forms of Comparatives and Superlatives

The comparatives of four long-form adjectives are not obtained by means of бо́лее: they are большо́й, ма́ленький, хоро́ший and плохо́й. The adjectives большо́й and ма́ленький have special comparatives: бо́льший and ме́ньший. The adjectives хоро́ший and плохо́й have special superlatives: лу́чший and ху́дший, respectively.

In addition to the regularly derived comparatives the adjectives ста́рый, молодо́й, высо́кий and ни́зкий have special comparative forms with more abstract meanings: ста́рший "elder", "senior"; мла́дший "younger", "junior"; вы́сший "upper", "superior" and ни́зший "lower", "inferior". The forms ста́рший and мла́дший are obligatory in Russian when referring to a person's age.

The superlatives of any of the above adjectives may be formed by means of са́мый (са́мый мла́дший, са́мый лу́чший), but, depending on context, they may have a superlative meaning by themselves.

Это моя́ ста́ршая сестра́.	This is my elder (eldest) sister.
Он мой лу́чший друг.	He is my best friend.
Это мла́дший брат А́ни.	Here is Anya's younger brother.

In some phrases these adjectives have lost the meaning of the superlative degree.

Институ́т—э́то вы́сшее уче́бное заведе́ние (вуз).	An institute is an institution of higher learning.
Она́ ста́ла ста́ршим преподава́телем.	She became a senior instructor.
Джон был на́шим мла́дшим консульта́нтом.	John was our junior consultant.

1.31 Чем and the Intensifier Adverb гора́здо

The meaning of "than" may always be expressed in Russian comparisons by the conjunction чём.

Ве́ра умне́е, чем её ста́ршая сестра́.	Vera is smarter than her elder sister.

Besides, *only* after suffixed comparatives a different construction is used with the same meaning the second member of which appears in *the genitive case* (without any conjunction).

В э́том ми́ре нет человека лу́чше **его́**.	In this world there is no better person than he.
Маши́на Ро́берта дешёвле **твое́й**.	Robert's car is cheaper than yours.

Гора́здо is the intensifier adverb used with comparatives.

Сейча́с мы́ живём в гора́здо бо́лее интере́сном ме́сте, чем ра́ньше.	We now live in a much more interesting place than before.
Ди́ма зна́ет о Ле́рмонтове гора́здо бо́льше други́х.	Dima knows much more about Lermontov than the others.

1.4 Schematic View of Comparatives and Superlatives

A. Analytic Form
  1. Comparative: **бо́лее +** ⎫
                   ме́нее + ⎬ positive

      Exceptions: **бо́льший, ме́ньший, лу́чший, ху́дший**
      Superlative: **са́мый +** positive
                   наиме́нее + positive (of inferiority)
  2. (Bookish style only)
      Comparative: **бо́лее/ме́нее +** short-form positive
      Superlative: **наибо́лее +** ⎫
                   наиме́нее + ⎬ short-form positive

B. Synthetic Form
  1. Comparative: adjectival stem + suffix **-е** or **-ее**
  2. Superlative: comparative + **всех**
      adjectival stem + suffix **-ейш-** or **-айш-** (bookish style only)

2.0 The Unstressed Particles -то and -нибу́дь

2.1 The particle **-нибу́дь** added to како́й, кто́, что́, когда́, где́ and куда́ creates an indefinite pronoun or adverb with the general meaning "some/any at all". Pronouns and adverbs incorporating the particle **-нибу́дь** more often than not are used in hortatory and interrogative sentences.

In hortatory sentences, these pronouns and adverbs show that it is a matter of indifference to the speaker what the agent, object or place of the action is or will be.

Ми́ша, да́й мне́, пожа́луйста, каку́ю-нибудь кни́гу.	Misha, please give me some book to read.
Расскажи́те на́м что́-нибудь о ва́шем сы́не.	Tell us something about your son.
Пое́дем куда́-нибудь в воскресе́нье.	Let's drive somewhere on Sunday.

Pronouns and adverbs incorporating the particle **-нибу́дь** are often used in general questions.

Вы́ говори́ли с ке́м-нибудь о ва́шем прое́кте?	Have you spoken with anyone about your project?
Он когда́-нибудь смеётся?	Does he ever laugh at all?
Мне́ сего́дня кто́-нибудь звони́л?	Did anybody call me today?

The particle **-нибудь** also is used: (1) when the object in question has not been selected, or may in fact not exist; (2) when there is a repeated action involving various objects but not one and the same.

2.2 The particle **-то** added to the same pronoun or adverb does not imply any alternative or choice, although the meaning is non-specified: the person, thing, place or time is definite, but the speaker does not choose to give the exact description (either because he doesn't want to or because he doesn't know).

Утром вáм ктó-то звони́л.	Someone called you this morning.
Óн тепéрь живёт гдé-то в Крыму́.	He now lives somewhere in the Crimea.
Áня чтó-то сказáла, но я́ не пóнял.	Anya said something, but I didn't understand.

Compare:

Я́ хочу́ чтó-нибудь почитáть.	I want to read something for a while.
Николáй чтó-то читáл, а Вáля сидéла ря́дом.	Nikolai was reading something and Valya sat next to him.

Note that in English the meaning of "any" is dependent on the presence or absence of negation: "not anyone" is equivalent to "no one", "not anywhere" to "nowhere", etc. Russian has no choice, since **-нибудь** *cannot be used in a negative sentence.*

— Вы́ сейчáс **чтó-нибудь** читáете?	"Are you reading *anything* now?"
— Нéт, я **ничегó** не читáю.	"No, I am *not* reading *anything*." or: "No, I am reading *nothing*."

3.0 Rendering the Accusative with the Infinitive Construction in Russian

Я́ хочу́ поéхать в Итáлию.	I want to go to Italy.
Я́ хочу́, чтобы ты́ поéхал в Итáлию.	I want you to go to Italy.

When the subject of "want" and that of the following infinitive are different, the Russian sentence has this structure:

чтóбы + past tense form

Мóй отéц хóчет, чтобы я́ поступи́л в университéт.	My father wants me to enter the university.
Йра не хотéла, чтобы её сы́н боя́лся воды́.	Ira didn't want her son to be afraid of the water.

4.0 Direct and Reported Speech

The difference between direct and reported speech in English is shown in the following examples.

> John *said*, "I *am* your friend." (Direct)
> John *said* that he *was* my friend. (Reported)

Several changes are made in converting direct into indirect speech. In addition to appropriate adjustments of pronouns, when the main verb is in the past tense, verbs in reported speech are said to undergo a change of tense known as *back-shift*. (This back-shift may be absent in some contexts.)

"Anna *is* strolling in the park," she said.

She said that Anna *was* strolling in the park.

"I *have* just *read* that book," said John.

John said that he *had* just *read* that book.

"I *will meet* our new professor tomorrow," said Maria.

Maria said that she *would meet* our new professor tomorrow.

Unlike English, Russian does not have this tense alternation or back-shift. In reporting speech in Russian one should make sure that verbs in the reported speech preserve the tense of the original utterance.

Study the Russian renditions of the above three pairs of sentences.

«А́нна **гуля́ет** в па́рке»,— сказа́ла она́.

Она́ сказа́ла, что А́нна **гуля́ет** в па́рке.

«Я то́лько что **прочита́л** э́ту кни́гу»,— сказа́л Джон.

Джон сказа́л, что он то́лько что **прочита́л** э́ту кни́гу.

«Я **встре́чу** на́шего но́вого профе́ссора за́втра»,— сказа́ла Мари́я.

Мари́я сказа́ла, что **встре́тит** на́шего но́вого профе́ссора за́втра.

4.1 Reported Questions

As reported statements, reported questions in Russian preserve the tense of the original direct speech. In addition, there is a special word order in Russian for reported questions: the word on which the logical stress falls (in most cases the predicate) + the (unstressed) particle **ли** "whether", "if" + subject.

Direct Question:

Он спроси́л: "Вы зна́ете его́ фами́лию?" He asked, "Do you know his name?"

Reported Question:

Он спроси́л, зна́ю ли я его́ фами́лию. He asked whether I knew his name.

Direct Question:

Оле́г спроси́л: "Он нам отве́тит?" Oleg asked, "Will he answer us?"

Reported Question:

Оле́г спроси́л, отве́тит ли он нам. Oleg asked whether he would answer us.

Note that in less formal English the word "whether" may occasionally be replaced by "if". In Russian е́сли is used *only* for introducing clauses of condition.

4.2 Reported Commands

All types of commands (first, second or third-person) are reported in Russian by changing the imperative verb to the *past tense* and using the conjunction **что́бы**.

«Возьми́ мой уче́бник»,— сказа́л Андре́й. "Take my textbook," Andrei said.

Андре́й сказа́л, что́бы я **взял** его́ уче́бник. Andrei told me to take his textbook.

«Пусть она́ возьмёт мою́ кни́гу»,— сказа́л Оле́г. "Have her take my book," Oleg said.

Оле́г сказа́л, что́бы она́ **взяла́** его́ кни́гу. Oleg told her to take his book.

«Дава́йте пое́дем на пляж»,— сказа́л он. "Let's drive to the beach," he said.

Он сказа́л, что́бы мы **пое́хали** на пляж. He told us to drive to the beach.

4.3 Summary of Rules for Reporting Speech

(1) Statements: preserve the tense of the original utterance.
(2) Questions: (a) with an interrogative word, preserve the tense of the original utterance; (b) of the Yes/No type, have predicate+subject word order.
(3) Commands, wishes, requests: чтобы + past tense form of the verb.

5.0 Long-Form Verbal Adjectives [1]

Long-form verbal adjectives take the place of both the relative pronoun кото́рый and the verb of the relative clause it introduces.

Специали́ст, **кото́рый чита́ет** ле́кцию, ско́ро ста́нет профе́ссором.	The specialist who is giving the lecture will soon become a professor.
Специали́ст, **чита́ющий** ле́кцию, ско́ро ста́нет профе́ссором.	The specialist giving the lecture will soon become a professor.

Clauses introduced by кото́рый in the nominative case are replaced by phrases with *active* verbal adjectives; clauses introduced by кото́рый in the accusative case are replaced by phrases with *passive* verbal adjectives. Passive verbal adjectives can be obtained only from certain transitive verbs.

There are present and past verbal adjectives. Since perfective verbs have no present tense, present tense verbal adjectives can be formed only from *imperfective* verbs. Conversely, past tense verbal ajectives are rarely formed from imperfective verbs.

5.1 Formation of Long-Form Verbal Adjectives

In the following schematic diagram present and past tense forms of both active and passive verbal adjectives are given. Note that present tense verbal adjectives are formed by adding **-ущий / -ющий, -емый**, and **-ащий / -ящий, -имый** to first and second conjugation stems, respectively. Also note that there are two n's **(-нн-)** before the long-form ending of the past tense passive verbal adjective.

Active Verbal Adjectives

Present Tense:
Basic stem + *-uš:ij / -aš:ij*
Alternation which normally occurs before any vocalic ending occurs here as well.

$\overset{\times}{čitáj}$- + *-uš:ij* чита́ющий **-ущ-ий / -ющ-ий**

$smotr'e$- + *-aš:ij* смотря́щий **-ащ-ий / -ящ-ий**

Past Tense:
Basic stem + *-šij* (after obstruents and *r*)
          + *-všij* (after all others)

$\overset{\times}{p'isa}$- + *-všij* писа́вший **-вш-ий**

$\overset{\times}{um'/r}$ + *-šij* у́мерший **-ш-ий**

---

[1] In most Russian grammars verbal adjectives are termed "participles".

Passive Verbal Adjectives

Present Tense:

Basic stem + -'*omij* / -'*imij*

izučáj- + -'*omij* изуча́емый   **-ем-ый**

v'íd'e- + -'*imij* ви́димый   **-им-ый**

Past Tense:

Basic stem + -*tij* (after suffixed stems in -*o*- and -*nu*-, after ø-suffixed stem, terminating in *r*, *m*, *n*, *j*,*v'*.

Basic stem + -'*onnij* (after suffixed stem in -*i*- and after ø-suffixed stem terminating in obstruent)

Basic stem + -*nnij* (after all others)

zăjm- + -*tij*   за́нятый   **-т-ый**

spros'i- + -'*onnij* спро́шенный   **-енн-ый**

nap'isa- + -*nnij*   напи́санный   **-нн-ый**

5.13 Stress in Long-Form Verbal Adjectives

Study the stress rules and examples for each type of verbal adjective. Note that among *present* tense verbal adjectives the stress is shifted to the left only in first conjugation active forms.

1. Present Active: In the first conjugation types the stress falls on the same syllable as in the third person plural: *p'isa-* — пи́шут — пи́шущий. In the second conjugation types the stress falls on the same syllable as in the infinitive: *smotr'é-* — смотре́ть — смотря́щий.

2. Past Active: The stress as in the past tense masculine: *nap'isa-* — написа́л — написа́вший; *um / r* — у́мер — у́мерший.

3. Present Passive: The stress as in the infinitive: *l'ub'i-* — люби́ть — люби́мый.

4. Past Passive: -*t*- (**-т-**), the same pattern as in the past tense masculine: *zăjm-* — за́нял — за́нятый;

-'*on*- (**-ен-**), the stress is shifted to the left if the stress in the present tense is shifting: *spros'i-* — спро́сят — спро́шенный;

-*n*- (**-н-**), the stress is shifted to the left for all post-root stressed stems: *nap'isa-* — напи́санный.

5.2 Usage of Long-Form Verbal Adjectives

Long-form verbal adjective phrases provide an economical replacement for relative clauses and have long been a staple of expository and scientific Russian writing. Phrases containing long-form verbal adjectives may take the place of relative clauses introduced by кото́рый either in the nominative case (active verbal adjective phrases) or in the accusative case (passive verbal adjective phrases).

5.21 A verbal adjective · must agree in gender, number and *case* with its head word (whereas the relative pronoun кото́рый agrees with its head word only in gender and number). Examine the endings of the *active* verbal adjectives in the following sentences and compare the sentences with verbal adjectives with those incorporating кото́рый.

636

Present:

Челове́к, выполня́ющий э́ту рабо́ту, до́лжен бы́ть хоро́шим специали́стом.	The man doing this job must be a good specialist.
Челове́к, кото́рый выполня́ет э́ту рабо́ту, до́лжен бы́ть хоро́шим специали́стом.	The man who does this job must be a good specialist.
Я зна́ю челове́ка, выполня́ющего э́ту рабо́ту.	
Я зна́ю челове́ка, кото́рый выполня́ет э́ту рабо́ту.	I know the man who is doing this job.
Мы́ говори́ли с челове́ком, выполня́ющим э́ту рабо́ту.	
Мы́ говори́ли с челове́ком, кото́рый выполня́ет э́ту рабо́ту.	We spoke with the man who is doing this job.

Past:

Я зна́ю люде́й, вы́полнивших э́ту рабо́ту.	
Я зна́ю люде́й, кото́рые вы́полнили э́ту рабо́ту.	I know the people who did that job.
Мы́ говори́ли о лю́дях, вы́полнивших э́ту рабо́ту.	
Мы́ говори́ли о лю́дях, кото́рые вы́полнили э́ту рабо́ту.	We spoke about the people who did that job.

5.22 Now, consider the following sentences involving passive verbal adjective phrases. Note how each takes the place of a relative clause introduced by кото́рый in the accusative. A present passive verbal adjective denotes an action factually or potentially undergone at the present time. Note the double н in long-form *past* passive verbal adjective.

Present:

Во́т кни́га, люби́мая все́ми ма́ленькими чита́телями.	Here is a book loved by all young readers.
Во́т кни́га, кото́рую лю́бят все́ ма́ленькие чита́тели.	Here is the book which all young readers love.

Past:

Во́т шко́ла, постро́енная студе́нческим отря́дом.	Here is the school built by the student brigade.
Во́т шко́ла, кото́рую постро́ил студе́нческий отря́д.	Here is the school which was built by the student brigade.
Я живу́ в до́ме, постро́енном мои́м отцо́м.	I live in a house built by my father.
Я живу́ в до́ме, кото́рый постро́ил мо́й оте́ц.	I live in a house which my father built.

In scientific and journalistic Russian writing verbal adjective phrases may function as extended modifiers.

Пионе́ры реши́ли пригласи́ть в шко́лу неда́вно прие́хавшего в Москву́ америка́нского писа́теля.	The pioneers decided to invite to school an American writer who had recently arrived in Moscow.

5.23 Verbal adjectives also function as unextended (single) modifiers and predicatives (parts of the predicate). Certain verbal adjectives are particularly worth noting: бу́дущий "future", бы́вший "former", сле́дующий "following". Here also belongs a group of present passive verbal adjectives: ви́димый "visible", невиди́мый "invisible", незабыва́емый "unforgettable", уважа́емый "respected, esteemed" (used in letters and formal speech, cf. the English "dear"), необходи́мый "indispensable", люби́мый "favorite, beloved", так называ́емый "so-called".

5.3 Special Notes on Verbal Adjective Formation

1. Active verbal adjectives formed from verbs with the particle **-ся** invariably take the final **-ся**, never **-сь**. (Cf. V, 6.0.)

2. Past active verbal adjectives of the irregular verb **идти́** and its prefixed derivatives are formed from the root *šed-* (**шед-**): наше́дший, проше́дший, уше́дший. Past passive verbal adjectives (both long and short) of verbs derived from the irregular verb **идти́** have unexpected stress: на́йденный, про́йденный.

3. Note **е** instead of **ё** in переве́дший.

6.0 The Conditional Particle бы

The unstressed particle **бы** represents the action or condition of an utterance as hypothetical, unlikely or contrary to fact. It is invariably followed by *the past tense* of the verb: sentences containing the particle **бы** do not distinguish tense. Note that each of the following Russian sentences corresponds to two English ones.

Éсли **бы** у меня́ была́ маши́на, **я бы** пое́хал на Kавка́з.	If I *had* a car, I *would drive* to the Caucasus.
	If I *had had* a car, I *would have driven* to the Caucasus.
Éсли **бы** Джо́н пришёл, о́н **бы** тебе́ помо́г.	If John *came*, he *would help* you.
	If John *had come*, he *would have helped* you.

However, context (e.g. the presence of adverbs of time) helps to specify the tense, thus ruling out all ambiguity as to the forms of the verbs to be used in the English translation.

Éсли **бы** вчера́ была́ хоро́шая пого́да, мы́ **пошли́ бы** гуля́ть.	If the weather *had been* good yesterday, we *would have gone* for a stroll.
Éсли **бы** о́н пришёл за́втра, я **бы** рассказа́л ему́ об э́том.	If he *came* tomorrow, I *would tell* him about it.

The particle **бы** with the past tense of a verb expresses the speaker's desire to perform the action of the verb.

Я́ **бы вы́пил** стака́н со́ка.	I *would drink* a glass of juice.

638

The particle **бы** and the preceding word are pronounced as a single accentual unit. **Бы** usually occurs after the first stressed word in the sentence or immediately after the verb.

UNIT XVI

Short-Form Verbal Adjectives (Past Passive). Verbal Adverbs.

1.0 Short-Form Verbal Adjectives (Past Passive)

Short-form past passive verbal adjectives function as predicates or parts of predicates and ascribe to the head word (which is the subject of the sentence or clause in which they stand) the quality of action undergone. This form is very common in conversational Russian.

1.10 Formation of the short-form past passive verbal adjective is determined by the shape of the *basic stem*.[1]

For ø-suffixed stems terminating in a resonant *r*, *m*, *n* (**р, м, н**) or in *j* or *v* (**й** or **в**) and also for suffixed stems in *o* and *nu* (**o** and **ну**), *-t* (**-т**) is added: *od'én-* + *-t* — одéт.

For all other ø-suffixed stems and also for suffixed stems terminating in *i* (**и**), *-'on* (**-ён**) is added: *p'er'ev'od'-* + *-'on* — переведён.

Final stem consonants of *i*-verbs alternate before *-'on* (**-ён**): *spros'i-* + *-'on* — спрóшен.

For all other stems *-n* (**-н**) is added: *sd'élaj-* + *-n* — сдéлан.

Just as in other Russian predicate adjectives, the endings for short-form verbal adjectives are ø, *-a*, *-o*, *-i* (spelled ø, **-a**, **-o**, **-ы**): сдéлан, сдéлана, сдéлано, сдéланы.

1.11 Stress in the short-form verbal adjective depends upon the type of formation. Verbal adjectives in *-t* (**-т**) have the same stress as in the past tense of the basic verb.

Examples:

fixed stress		shifting stress	
od'én-	одéт	*zajm-*	зáнят
	одéта		занятá
	одéто		зáнято
	одéты		зáняты

In types in *-'on* with shifting stress, the stress is shifted one syllable to the left of *-'on*. The suffix *-'on* is never stressed in short forms except before ø: решён, решенá, решенó, решены́.

Examples:

fixed stress		shifting stress	
p'er'ev'od'-	переведён	*spros'i-*	спрóшен
	переведенá		спрóшена
	переведенó		спрóшено
	переведены́		спрóшены

---

[1] As a rule, the past passive verbal adjective is formed from *perfective* stems.

In types in *-n* there is obligatory shift from the post-root syllable onto the root, regardless of whether or not the verb has shifting or fixed post-root stress.

Examples:

fixed stress		shifting stress	
prod'iktová-	продиктóван	*nap'isa-*	напи́сан
	продиктóвана		напи́сана
	продиктóвано		напи́сано
	продиктóваны		напи́саны

2.0 Verbal Adverbs

2.1 Usage

Verbal adverbs (with their modifiers) take the place of subordinate clauses of manner ("how?"), cause ("why?"), condition ("if") or time ("when?"). The subject of a verbal adverb is always the same as that of the sentence or clause in which it stands. There are two kinds of verbal adverbs: imperfective, signaling that their action is simultaneous with that of the predicate verbs, and perfective, signaling that their action precedes that of the predicate verb.

2.2 Formation

Imperfective Verbal Adverbs

Basic stem $+$ *-a* (spelled **-а / -я**) (with regular alternation where it occurs before any vocalic ending. Exception: *-avaj-*.)

čitáj $+$ *-'a*	читáя
živ- $+$ *-'a*	живя́

Perfective Verbal Adverbs

Basic stem $+$ *-v* (spelled **-в**)
Basic stem $+$ *-vši* (spelled **-вши**) from the verbs with particle *-s'a*

pročitáj- $+$ *-v*	прочитáв
nap'isa- $+$ *-v*	написáв
v'ernú-s'a $+$ *-vši-(s')*	верну́вшись

Study the following examples, paying particular attention to the tense in the English translations.

Гуля́я по бéрегу, Никалáй смотрéл на далёкие гóры.	Strolling along the beach, Nikolai looked at the distant mountains.
Готóвясь к экзáменам дéнь и нóчь, Юрий не забывáл и спóрт.	While preparing for his exams day and night, Yuri did not forget to do sports.
Не зна́я, чтó отвéтить, Антóн встáл и ушёл.	Not knowing what to answer, Anton got up and walked out.
Сдáв экзáмены, студéнты пошли́ в кафé.	Having passed their exams, the students went to a café.
Прочитáв фрáзу, учи́тель написáл её на доскé.	Having read the sentence, the teacher wrote it on the board.

APPENDICES

APPENDIX I

Representation of Russian Sounds and Letters with the Letters of the Roman Alphabet

There are various systems for representing Russian sounds and letters with symbols other than Cyrillic letters. The choice of system depends upon the purpose a particular transcription must serve. Throughout this text letters of the Roman alphabet are used in two ways: (1) Italicized Roman letters designate basic sounds of Russian (phonemic transcriptions) as part of the analysis of the sound system and the structure of Russian words. (See Analysis, Unit I, 1.1.) (2) Non-italicized Roman letters are used to spell out Russian titles, names, etc. as a substitute for Cyrillic letters. The latter use is called transliteration and is necessary whenever one expresses words of a language with an alphabet different than one's own (e.g., Arabic, Chinese, Greek, etc.).

Practice among scholars, librarians, journalists, translators and other specialists who must regularly transliterate Russian words with Roman letters varies considerably. Slavic specialists in Europe and America generally employ a system of transliteration which offers unambiguous one-to-one equivalents for Cyrillic symbols, using Roman letters and the diacritic ˅ (haček). This system is labeled "Type I" below. Type I transliteration has little currency outside the community of Slavists; for that reason, an alternative transliterative system has been adopted for this text, which corresponds essentially to that encountered in standard translations of the Russian classics and in the modern press (Type II). In the course of studying Russian the student is likely to encounter both types of transliteration. It is hoped that students and teachers will themselves select the system best suited for their needs.

Cyrillic	Type I	Type II	Cyrillic	Type I	Type II
а	a	a	р	r	r
б	b	b	с	s	s
в	v	v	т	t	t
г	g	g	у	u	u
д	d	d	ф	f	f
е	e	e (ye)	х	x	kh
ё	ё	yo	ц	c	ts
ж	ž	zh	ч	č	ch
з	z	z	ш	š	sh
и	i	i	щ	šč (š:)	shch
й	j	y (i)	ъ	—	—
к	k	k	ы	y	y
л	l	l	ь	'	y (before vowel)
м	m	m	э	è	e
н	n	n	ю	ju	yu
о	o	o	я	ja	ya
п	p	p			

641

Examples:

Cyrillic	Type I	Type II
Пётр Ильи́ч Чайко́вский	Pětr Il'ič Čajkovskij	Pyotr Ilyich Tchaikovsky
Никола́й Васи́льевич Го́голь	Nikolaj Vasil'evič Gogol'	Nikolai Vasilyevich Gogol
Фёдор Миха́йлович Достое́вский	Fědor Mixajlovič Dostoevskij	Fyodor Mikhailovich Dosto(y)evsky
Серге́й Васи́льевич Рахма́нинов	Sergej Vasil'evič Raxmaninov	Sergei Vasilyevich Rakhmaninov

Summary Table of Noun Endings

Singular

1st Declension

		завод	мальчик		окно
Nom.	*ø*	заво́д	ма́льчик	-о	окно́
Acc.	*ø / -a*	заво́д	ма́льчика	-о	окно́
Gen.	*-a*	заво́да	ма́льчика	-а	окна́
Prep.	*-'e*	заво́де	ма́льчике	-е	окне́
Dat.	*-u*	заво́ду	ма́льчику	-у	окну́
Instr.	*-om*	заво́дом	ма́льчиком	-ом	окно́м

2nd Declension

		газета
Nom.	*-a*	газе́та
Acc.	*-u*	газе́ту
Gen.	*-i*	газе́ты
Prep.	*-'e*	газе́те
Dat.	*-'e*	газе́те
Instr.	*-oj*	газе́той

3rd Declension

		дверь
Nom.	*ø*	две́рь
Acc.	*ø*	две́рь (as Nom. or Gen.)
Gen.	*-'i*	две́ри
Prep.	*-'i*	две́ри
Dat.	*-'i*	две́ри
Instr.	*-'ju*	две́рью

Plural

1st Declension

		завод	мальчик	окно
Nom.	*-i / -a*	заво́ды	ма́льчики	о́кна
Acc.	*-i / -a*	заво́ды	ма́льчики	о́кна
Gen.	*ø / -ov / -ej*	заво́дов	ма́льчиков	о́кон
Prep.	*-ax*	заво́дах	ма́льчиках	о́кнах
Dat.	*-am*	заво́дам	ма́льчикам	о́кнам
Instr.	*-am'i*	заво́дами	ма́льчиками	о́кнами

2nd Declension

	газета
Nom.	газе́ты
Acc.	газе́ты
Gen.	газе́т
Prep.	газе́тах
Dat.	газе́там
Instr.	газе́тами

3rd Declension

	дверь	
Nom.	две́ри	-ы, -и, -а
Acc.	две́ри	as Nom. or Gen.
Gen.	двере́й	ø, -ов, -ей
Prep.	дверя́х	-ах, -ях
Dat.	дверя́м	-ам, -ям
Instr.	дверя́ми	-ами, -ями

Summary Table of Pronoun Declension

Personal Pronouns

	я	ты	он / оно	она	мы	вы	они
Nom.	я	ты	он / оно	она́	мы	вы	они́
Acc.	меня́	тебя́	его́	её	нас	вас	их
Gen.	меня́	тебя́	его́	её	нас	вас	их
Prep.	обо мне́	о тебе́	о нём	о не́й	о нас	о вас	о ни́х
Dat.	мне́	тебе́	ему́	е́й	на́м	ва́м	и́м
Instr.	мно́й	тобо́й	и́м	е́й	на́ми	ва́ми	и́ми

Interrogative Pronouns

Nom.	кто́	что́
Acc.	кого́	что́
Gen.	кого́	чего́
Prep.	о ко́м	о чём
Dat.	кому́	чему́
Instr.	ке́м	чём

Demonstrative and Possessive Pronouns

Masculine and Neuter

		этот это	наш наше	мой моё	чей чьё	весь всё	тот то
Nom.	ø / -o	этот это	наш наше	мой моё	чей чьё	весь всё	тот то
Acc.	ø / -o	этот это	наш наше	мой моё	чей чьё	весь всё	тот то
	-ogo	этого —	нашего —	моего —	чьего —	всего —	того —
Gen.	-ogo	этого	нашего	моего	чьего	всего	того
Prep.	-om	этом	нашем	моём	чьём	всём	том
Dat.	-omu	этому	нашему	моему	чьему	всему	тому
Instr.	-im	этим	нашим	моим	чьим	всём	тем

Feminine

		эта	наша	моя	чья	вся	та
Nom.	-a	эта	наша	моя	чья	вся	та
Acc.	-u	эту	нашу	мою	чью	всю	ту
Gen.	-oj / -ej	этой	нашей	моей	чьей	всей	той
Prep.	-oj / -ej	этой	нашей	моей	чьей	всей	той
Dat.	-oj / -ej	этой	нашей	моей	чьей	всей	той
Instr.	-oj / -ej	этой	нашей	моей	чьей	всей	той

Plural

		эти	наши	мои	чьи	все	те
Nom.	-i	эти	наши	мои	чьи	все	те
Acc.	-i	эти	наши	мои	чьи	все	те
	-ix	этих	наших	моих	чьих	всех	тех
Gen.	-ix	этих	наших	моих	чьих	всех	тех
Prep.	-ix	этих	наших	моих	чьих	всех	тех
Dat.	-im	этим	нашим	моим	чьим	всем	тем
Instr.	-im'i	этими	нашими	моими	чьими	всеми	теми

Summary of Adjective Declensions

	Stem-Stressed			Ending-Stressed		
	Masculine / Neuter	Feminine	Plural	Masculine / Neuter	Feminine	Plural
Nom.	но́вый но́вое	но́вая	но́вые	молодо́й молодо́е	молода́я	молоды́е
Acc.	но́вый но́вое	но́вую	но́вые	молодо́й молодо́е	молоду́ю	молоды́е
Gen.	но́вого	но́вой	но́вых	молодо́го	молодо́й	молоды́х
Prep.	но́вом	но́вой	но́вых	молодо́м	молодо́й	молоды́х
Dat.	но́вому	но́вой	но́вым	молодо́му	молодо́й	молоды́м
Instr.	но́вым	но́вой	но́выми	молоды́м	молодо́й	молоды́ми

Additional Sample Declensions

	Masculine / Neuter	Feminine	Plural	Masculine / Neuter	Feminine	Plural
Nom.	большо́й большо́е	больша́я	больши́е	ру́сский ру́сское	ру́сская	ру́сские
Acc.	большо́й большо́е	большу́ю	больши́е	ру́сский ру́сское	ру́сскую	ру́сские
Gen.	большо́го	большо́й	больши́х	ру́сского	ру́сской	ру́сских
Prep.	большо́м	большо́й	больши́х	ру́сском	ру́сской	ру́сских
Dat.	большо́му	большо́й	больши́м	ру́сскому	ру́сской	ру́сским
Instr.	больши́м	большо́й	больши́ми	ру́сским	ру́сской	ру́сскими

	Masculine / Neuter	Feminine	Plural
Nom.	хоро́ший хоро́шее	хоро́шая	хоро́шие
Acc.	хоро́ший хоро́шее	хоро́шую	хоро́шие
Gen.	хоро́шего	хоро́шей	хоро́ших
Prep.	хоро́шем	хоро́шей	хоро́ших
Dat.	хоро́шему	хоро́шей	хоро́шим
Instr.	хоро́шим	хоро́шей	хоро́шими

APPENDIX III

Stress Patterns in Russian Nouns

A two-place symbol will be used to designate each type of stress pattern: the first place refers to the singular; the second place to the plural. Within each place:

A indicates stress fixed on the stem.[1]

B indicates stress fixed on the ending.

C indicates the one possible shift of stress in the singular or plural:

singular — stress is shifted to the root (initial syllable) in the *feminine accusative only*.

plural — stress is shifted to the root (initial syllable) in the nominative (and the accusative if the latter is identical with the nominative) *only*.

In all other forms stress remains fixed on the post-root syllable.

Thus, there are logically nine possible types, of which eight actually exist in Russian:

	AA	AB	AC
Nom.	кни́га	са́д	две́рь
Acc.	кни́гу	са́д	две́рь
Gen.	кни́ги	са́да	две́ри
Prep.	кни́ге	са́де	две́ри
Dat.	кни́ге	са́ду	две́ри
Instr.	кни́гой	са́дом	две́рью
Nom.	кни́ги	сады́	две́ри
Acc.	кни́ги	сады́	две́ри
Gen.	кни́г	садо́в	двере́й
Prep.	кни́гах	сада́х	дверя́х
Dat.	кни́гам	сада́м	дверя́м
Instr.	кни́гами	сада́ми	дверя́ми

	BA	BB	BC
Nom.	жена́	язы́к	губа́
Acc.	жену́	язы́к	губу́
Gen.	жены́	языка́	губы́
Prep.	жене́	языке́	губе́
Dat.	жене́	языку́	губе́
Instr.	жено́й	языко́м	губо́й
Nom.	жёны	языки́	гу́бы
Acc.	жён	языки́	гу́бы
Gen.	жён	языко́в	гу́б
Prep.	жёнах	языка́х	губа́х
Dat.	жёнам	языка́м	губа́м
Instr.	жёнами	языка́ми	губа́ми

[1] Stem stress in the plural that is opposed to ending stress in the singular (i.e. types BA and CA) always falls on the final stem syllable, not counting the inserted vowel of the genitive plural. Thus: высота́ — высо́ты, меньшинство́ — меньши́нства; письмо́ — пи́сьма — пи́сем, ремесло́ — ремёсла — ремёсел.

	CA	CB	CC
Nom.	зима́	No nouns of this	доска́
Acc.	зи́му		до́ску
Gen.	зимы́	stress type are	доски́
Prep	зиме́		доске́
Dat.	зиме́	attested in Russian	доске́
Instr.	зимо́й		доско́й
Nom.	зи́мы		до́ски
Acc.	зи́мы		до́ски
Gen.	зи́м		досо́к
Prep.	зи́мах		доска́х
Dat.	зи́мам		доска́м
Instr.	зи́мами		доска́ми

The Vocabulary of the Textbook contains 120 nouns with shifting stress.

Pattern AB

а́дрес(-а́)   ле́с(-а́)   сне́г(-а́)
бе́рег(-а́)   ма́стер(-а́)   су́п
ве́к(-а́)   ме́сто(-а́)   сы́н (*nom. pl.* сыновья́)
ве́чер(-а́)   мо́ре(-я́)   сы́р
вре́мя *n.* (*gen. sing.* вре́мени)   мо́ст   учи́тель(-я́)
гла́з(-а́)   му́ж (*nom. pl.* мужья́)   хле́б
го́лос(-а́)   не́бо (*pl.* небеса́)   хо́лод(-а́)
го́род(-а́)   но́мер(-а́)   хо́р
да́р   о́стров(-а́)   цве́т(-а́)
де́ло(-а́)   о́тпуск(-а́)   ча́с
дире́ктор(-а́)   по́езд(-а́)   шка́ф
до́ктор(-а́)   профе́ссор(-а́)
до́м(-а́)   ря́д
дру́г (*nom. pl.* друзья́)   са́д
и́мя   сло́во(-а́)

Pattern BA

весна́   жена́   семья́
вино́   красота́   сестра́ (*gen. pl.* сестёр)
война́   лицо́   страна́
высота́   окно́   число́
длина́   письмо́

Pattern AC

ве́щь *f.*   до́чь *f.* (*gen. sing.* до́чери)   пло́щадь *f.*
во́лос   зу́б   по́рт
го́д (and AB)   ка́мень   ро́ль *f.*
го́спиталь   ма́ть *f.* (*gen. sing.* ма́тери)   сме́рть *f.*
го́сть   но́вость *f.*   со́ль *f.*
две́рь *f.*   но́чь *f.*   ча́сть *f.*
дере́вня   о́вощи

Pattern BB

враг
врач
декабрь
день
дождь
жених
звонок (*gen. sing.* звонка)
значок (*gen. sing.* значка)
карандаш
конец (*gen. sing.* конца)
коньки
корабль
лёд (*gen. sing.* льда)
москвич
нож
ноябрь
октябрь
отец (*gen. sing.* отца)
певец (*gen. sing.* певца)

платок (*gen. sing.* платка)
плащ
потолок (*gen. sing.* потолка)
продавец (*gen. sing.* продавца)
путь (*gen. sing.* пути)
рубль
сентябрь
словарь
статья
стол
угол (*gen. sing.* угла)
ученик
февраль
цветок (*gen. sing.* цветка, *pl.* цветы)
четверг
этаж
язык
январь

BC: No nouns of this stress type are included in the Vocabulary.

CA: вода   зима

CC: голова   земля   рука
    гора   нога   среда
    доска   река   стена

APPENDIX IV

Irregular Plurals

1.1 The plural of a small number of masculine and neuter nouns is formed by adding the suffix -'*j*- followed by the nominative plural ending -*a*. In memorizing these special forms it is helpful to distinguish root-stress types (CVC'*j*+plural ending) from the four nouns in Russian which have suffix-stress (CVC'*j*+stressed ending). The genitive plural of root-stressed -'*j*- plurals is formed by adding -*ov*; the genitive plural of ending-stressed '*j*- plurals is formed by adding ø (zero-ending).

1.12 Root-stressed plurals in '*j*:

brát-	Nom.	-'*j-a*	братья
"brother"	Acc.	-'*j-ov*	братьев
	Gen.	-'*j-ov*	братьев
	Prep.	-'*j-ax*	братьях
stúl-	Nom.	-'*j-a*	стулья
"chair"	Acc.	-'*j-a*	стулья
	Gen.	-'*j-ov*	стульев
	Prep.	-*j-ax*	стульях

There are about 20 other nouns of this type.

1.13 Ending-stressed plurals in '*j*:

muž-	Nom.	-'*j*-	-*á*		мужья́
"husband"	Acc.	[*é*]*j*-	ø	[fill-vowel]	мужей
	Gen.	[*é*]*j*-	ø	" "	мужей
	Prep.	-'*j*-	-*áx*		мужья́х
sinov-	Nom.	-'*j*-	-*á*		сыновья́
"son"	Acc.	[*é*]*j*-	ø	[fill-vowel]	сыновей
	Gen.	[*é*]*j*-	ø	" "	сыновей
	Prep.	-'*j*-	*áx*		сыновья́х
druz-	Nom.	-'*j*-	-*a*		друзья́
"friend"	Acc.	[*é*]*j*-	ø		друзей
	Gen.	[*é*]*j*-	ø		друзей
	Prep.	-'*j*-	-*áx*		друзья́х

There is one other ending-stressed '*j*-plural in Russian: *kn'áz'* "prince" — pl. *kn'az'já*: кня́зь — князья́.

1.2 Nouns ending in -*an'in* denote members of social or ethnic groups and their nominative plural ends in -*an'e*, the genitive plural in -*an-ø*: граждани́н "citizen (*m.*)", англича́нин "Englishman", крестья́нин "peasant":

	Singular	Plural
Nom.	граждани́н	гра́ждане
Acc.-Gen.	граждани́на	гра́ждан
Prep.	граждани́не	гра́жданах
Dat.	граждани́ну	гра́жданам
Instr.	граждани́ном	гра́жданами

1.3 The plural of **челове́к** "man" is: лю́ди, люде́й, люде́й, лю́дях, лю́дям, людьми́.

1.4 The Russian for "child" is **ребёнок**. Its plural is **де́ти**:

	Singular	Plural
Nom.	ребёнок	де́ти
Acc.-Gen.	ребёнка	дете́й
Prep.	ребёнке	де́тях
Dat.	ребёнку	де́тям
Instr.	ребёнком	детьми́

1.5 **И́мя** "name" and **вре́мя** "time" are neuter; their plurals are formed with the help of the infix -**ен**-, with the nominative ending in -**a**:

		Plural
Nom.-Acc.	имена́	времена́
Gen.	имён	времён
Prep.	имена́х	времена́х
Dat.	имена́м	времена́м
Instr.	имена́ми	времена́ми (See Analysis VII, 1.4)

1.6 The word **де́ньги** "money" is always plural: де́ньги, де́ньги, де́нег, деньга́х, деньга́м, деньга́ми.

1.7 The word **часы́** "watch" or "clock" is invariably plural: часы́, часы́, часо́в, часа́х, часа́м, часа́ми.

1.8 In all plural forms of **сосе́д** "neighbor" d changes to d': сосе́ди, сосе́дей, сосе́дей, сосе́дях, сосе́дям, сосе́дями.

1.9 The genitive plural of **сестра́** (BA) and **дере́вня** has an unexpected stress on the fill vowel: сестёр and дереве́нь. Otherwise they are regular.

APPENDIX V

Numerals

1.0 Cardinal Numerals:

1 оди́н,	17 семна́дцать	70 се́мьдесят
одна́, одно́	18 восемна́дцать	80 во́семьдесят
2 два́, две́	19 девятна́дцать	90 девяно́сто
3 три́	20 два́дцать	100 сто́
4 четы́ре	21 два́дцать оди́н	200 две́сти
5 пя́ть	22 два́дцать два́	300 три́ста
6 ше́сть	23 два́дцать три́	400 четы́реста
7 се́мь	24 два́дцать четы́ре	500 пятьсо́т
8 во́семь	25 два́дцать пя́ть	600 шестьсо́т
9 де́вять	26 два́дцать ше́сть	700 семьсо́т
10 де́сять	27 два́дцать се́мь	800 восемьсо́т
11 оди́ннадцать	28 два́дцать во́семь	900 девятьсо́т
12 двена́дцать	29 два́дцать де́вять	1000 ты́сяча
13 трина́дцать	30 три́дцать	2000 две́ ты́сячи
14 четы́рнадцать	40 со́рок	3000 три́ ты́сячи
15 пятна́дцать	50 пятьдеся́т	4000 четы́ре ты́сячи
16 шестна́дцать	60 шестьдеся́т	5000 пя́ть ты́сяч

1.01 Spelling rule: Numerals up to 40 have ь at the end; those after 40 have ь in the middle of the word: пятна́дцать — пятьдеся́т, пятьсо́т; семна́дцать — се́мьдесят, семьсо́т.

1.1 21, 32, 43, etc. are formed by adding the digit to the ten: два́дцать оди́н (одна́, одно́), три́дцать два́ (две́), со́рок три́, etc.

1.2 Ты́сяча "thousand" is a regular feminine noun (but see 3.0 below); further thousands are regular too: две́ ты́сячи, три́ ты́сячи, четы́ре ты́сячи, пя́ть ты́сяч, со́рок ты́сяч.

1.3 Миллио́н "million" and миллиа́рд (or биллио́н) "thousand million" are regular masculine nouns and decline accordingly: два́ миллио́на, пя́ть миллио́нов; три́ миллиа́рда, девяно́сто миллиа́рдов.

1.4 Bear in mind that in writing numerals, a comma is used in Russian where a decimal point is used in English. Thus, 32,5 means "thirty-two and a half" in Russian. Thousands are marked off either by a period or by a space. For example: 6.229.31 or 5 229 31 (cf. the English 6,229.31).

1.5 Ordinal Numerals:

1 пе́рвый	11 оди́ннадцатый	30 тридца́тый
2 второ́й	12 двена́дцатый	40 сороково́й
3 тре́тий	13 трина́дцатый	50 пятидеся́тый
4 четвёртый	14 четы́рнадцатый	60 шестидеся́тый
5 пя́тый	15 пятна́дцатый	70 семидеся́тый
6 шесто́й	16 шестна́дцатый	80 восьмидеся́тый
7 седьмо́й	17 семна́дцатый	90 девяно́стый
8 восьмо́й	18 восемна́дцатый	100 со́тый
9 девя́тый	19 девятна́дцатый	200 двухсо́тый
10 деся́тый	20 двадца́тый	300 трёхсо́тый
		400 четырёхсо́тый
		500 пятисо́тый
		600 шестисо́тый
		700 семисо́тый
		800 восьмисо́тый
		900 девятисо́тый
		1000 ты́сячный

2.1 The Russian ordinal numerals corresponding to 21st, 32nd, 43rd, etc. are composed of the *cardinal* representing the ten and the *ordinal* representing the digit: два́дцать пе́рвый (-ое, -ая, -ые), три́дцать второ́й, со́рок тре́тий; се́мь ты́сяч семьсо́т седьмо́й, etc.

2.2 The Russian 2000th, 3000th, etc. are formed on the pattern of the hundreds: двухты́сячный, трёхты́сячный, пятиты́сячный, шеститы́сячный, etc.

3.0 The declension of the numeral 1 is given in Unit VIII, 2.11.

2, 3 and 4 have similar declensions: these (1-4) are the only numerals with special forms for the animate accusative.

The numerals 5-20, and 30 are regular nouns of the 3rd declension.

40, 90 and 100 have a simple declension which has only two forms, a nominative-accusative and a genitive-prepositional-dative-instrumental.

The numeral **полтора́** "one and a half" has in addition a feminine nominative-accusative form (полторы́)

50, 60, 70, 80 and the hundreds are treated as compound words, each part following its own declension pattern, although they are written and pronounced as single words.

1000 is a normal second declension noun; however, beside the normal instrumental case form ты́сячей, the form ты́сячью (or ты́сячей) is encountered.

3.1

Nom.	два́ *m.* / *n.*, две́ *f.*	три́	четы́ре	Nom.-Acc.	полтора́ *m.* / *n.*,
Acc.	(nom. or gen.)	(nom. or gen.)	(nom. or gen.)		полторы́ *f.*
Gen.-Prep.	двух́	трёх	четырёх	Gen.-Prep.-	полу́тора
Dat.	двум́	трём	четырём	Dat.-Instr.	
Instr.	двумя́	тремя́	четырьмя́		

Nom.-Acc.	пя́ть	во́семь	пятна́дцать	три́дцать	со́рок	девяно́сто	сто́
Gen.-Prep.-Dat.	пяти́	восьми́	пятна́дцати	тридцати́	} сорока́	девяно́ста	ста́
Instr.	пятью́	восьмью́	пятна́дцатью	тридцатью́			

3.2 Bear in mind that in the numerals пятьдеся́т (50), шестьдеся́т (60), се́мьдесят (70), во́семьдесят (80) and the hundreds, there is potentially a secondary stress. However, the stress marked in the paradigm always remains primary.

In the forms containing трёх and четырёх the two dots over the ё indicate this secondary stress, and the fact that the vowel e is pronounced o: *tr'oxsot* (трёхсо́т).

Nom.-Acc.	пятьдеся́т	пятьсо́т	две́сти	три́ста	четы́реста
Gen.	пятидесяти	пятисо́т	двухсо́т	трёхсо́т	четырёхсо́т
Prep.	пятидесяти	пятиста́х	двухста́х	трёхста́х	четырёхста́х
Dat.	пятидесяти	пятиста́м	двумста́м	трёмста́м	четырёмста́м
Instr.	пятьюдесятью	пятьюста́ми	двумяста́ми	тремяста́ми	четырьмяста́ми

3.3 In numerals compounded of the elements given above each elements is declined; e.g.:

Nom.-Acc.	пя́ть ты́сяч две́сти шестьдеся́т четы́ре (рубля́)
Gen.	пяти́ ты́сяч двухсо́т шести́десяти четырёх (рубле́й)
Prep.	пяти́ ты́сячах двухста́х шести́десяти четырёх (рубля́х)
Dat.	пяти́ ты́сячам двумста́м шести́десяти четырём (рубля́м)
Instr.	пятью́ ты́сячами двумяста́ми шестью́десятью четырьмя́ (рубля́ми)

4.0 Ordinal numerals are declined like adjectives, except the word for "third", which has the following forms:

Nom.	тре́тий	тре́тье	тре́тья	тре́тьи
Acc.	(nom. or gen.)	тре́тье	тре́тью	(nom. or gen.)
Gen.	тре́тьего	тре́тьей	тре́тьих	
Prep.	тре́тьем	тре́тьей	тре́тьих	
Dat.	тре́тьему	тре́тьей	тре́тьим	
Instr.	тре́тьим	тре́тьей	тре́тьими	

4.1 In a compound ordinal only the final element is declined: в ты́сяча две́сти девяно́сто тре́тьем году́ "in 1293".

5.0 For the syntax of the cardinal numerals, see VIII, 2.10.

APPENDIX VI

Summary List of All Russian Verb Types

Every Russian verb form consists of:

a root (CVC) + verb classifier (suffix) + ending

└─────────── basic stem ───────────┘

Suffixed stems equal CVC + suffix. Non-suffixed stems equal CVC + ø.

1. Suffixed Stems

pros'i- ˣ	1.	-*i*-	Alternation in 1st pers. sing. only; thousands of verbs, mostly transitive.	проси́ть проша́у, про́сишь, про́сят	↑ SECOND CONJUGATION
v'id'e-	2.	-*e*-	Alternation in 1st pers. sing. only; about 50 verbs, mostly intransitive.	ви́деть ви́жу, ви́дишь, ви́дят	
slȋša-	3.	-*ža*-	Note that *ža* represents жа, ша, ща, ча plus 2 *ja*-verbs: стоя́ть, боя́ться; about 30 verbs, mostly intransitive.	слы́шать слы́шу, слы́шишь, слы́шат	
p'isa- ˣ	4.	-*a*-	Alternation *throughout* the present tense; about 60 verbs.	писа́ть пишу́, пи́шешь, пи́шут	FIRST CONJUGATION →
nad'éja-s'a		-*ja*-	No alternation possible; 12 verbs.	надея́ться наде́юсь, наде́ешься, наде́ются	

ždá-		-a- preceded by a non-syllabic root; no alternation occurs; in some stems an o or e is inserted between stem consonants; 15 verbs.	ждáть ждý, ждёшь, ждýт
d'iktová-	5. -ova-	Alternation (-ova- with -uj-) throughout present tense; thousands of verbs, many of which have stems borrowed from foreign languages.	диктовáть диктýю, диктýешь, диктýют
čitáj-	6. -aj-	Thousands of verbs, all imperfective.	читáть читáю, читáешь, читáют
um'éj-	7. -ej-	Hundreds of verbs, mostly intransitive.	умéть умéю, умéешь, умéют
usnú-	8. -nu- (-nu-)[1]	Hundreds of verbs, mostly intransitive.	уснýть уснý, уснёшь, уснýт
daváj-	9. -avaj-	Alternation -aváj- with -aj-' in the present tense but not in the imperative; only 3 verbs.	давáть даю, даёшь, дают
× boro-s'a	10. -o-	Alternation r/r' throughout the present tense; in all stems stress is shifted back to left; 4 verbs + 1 irreg. verb.	борóться борю́сь, бóрешься, бóрются

II. Non-Suffixed Stems[2] (About 100 in all; all are 1st conjugation)

A. Resonant stems (i.e. stems ending in n, r or m) or stems in v or j.

× živ-	1. -v-	3 verbs.	жить живý, живёшь, живýт
d'én-	2. -n-	4 verbs; all stem-stressed.	дéть, дéну, дéнешь, дéнут
krój-	3. -oj-	5 verbs; all stem-stressed; alternation of o with i (ы) before consonantal endings.	крыть крóю, крóешь, крóют
dúj-		-j-	4 verbs; all stem-stressed.	дуть, дýю, дýешь, дýют

Non-Syllabic Stems

p'×j-		-j-	preceded by a non-syllabic root (i added before consonantal endings); 5 verbs.	пить пью, пьёшь, пьют (пéй!)
× u-m/r-	4. -r-	preceded by a non-syllabic root; alternation of r with er'e before t' and with ёr before other consonants; in masc. past l is dropped; 3 verbs.	умерéть умрý умрёшь, умрýт óн ýмер, онá умерлá

---

[1] (-nu-) indicates a subclass of Number 8 in which the suffix -nu- disappears in past tense forms: гúбнуть — гúб, гúбла, гúбло.

[2] Stress mark over non-suffixed stems refers to the past tense. Unless specially indicated, stress in the present tense falls on the endings.

× na-čn-	5a.	-m- or -n-	preceded by a non-syllabic root; m or n changes to 'a before any consonant ending; 5 verbs.	начáть начнý, начнёшь, начнýт
	5b.	-jm/n'im	changes to n'a before consonantal endings	
× po-jm-		-jm-	Non-syllabic root occurring after prefixes ending in a vowel.	понять, поймý, пой- мёшь, поймýт
× s-n'im-		-n'im-	Variant of -jm- used after prefixes ending in a consonant. NB: Shifting stress in both tenses.	снять снимý, снúмешь, снú- мут

B. Obstruent stems (i.e. stems in *d, t, g, k* or *b*) or stems in *s* or *z* — no others occur.

v'od-'	1.	-d- or -t-	*d* or *t* changes to *s* before infinitive. Omission of *d* or *t* in past is regular; 14 verbs.	вестú ведý, ведёшь, ведýт
v'oz-'	2.	-z- or -s-	In masc. past *l* is dropped; other consonantal endings simply added without omissions; 7 verbs.	везтú везý, везёшь, везýт вёз, везлá, везлú
t'ok-'	3.	-g- or -k-	Alternation before ё: *g* or *k* + inf. *t'* becomes *č*. In masc. past *l* is dropped, other consonantal endings added without omissions; 11 verbs.	течь текý, течёшь, текýт тёк, теклá, теклú
gr'ob-'	4.	-b-	*b* changes to *s* in infinitive; in masc. past *l* is dropped, other consonantal endings added without omissions; 2 verbs.	грестú гребý, гребёшь, гребýт грёб, греблá, греблú

Inventory of Irregular Verbs

I. **Suffixed stems**
   хотéть: хочý, хóчешь, хóчет, хотúм, хотúте, хотя́т
   бежáть: бегý, бежúшь, бежúт, бежúм, бежúте, бегýт; бегú!
   спáть: сплю, спúшь, спят; спал, спалá

II. **Non-suffixed stems**
   петь: поют
   взять: возьмýт; взял, взялá, взя́ло, взя́ли
   быть: бýдут
   éхать: éдут; поезжáй!
   идтú: идýт; шёл, шла, шло, шлú
   сесть: ся́дут
   растú: растýт; рос, рослá
   лечь: ля́гут; ляг!
   ошибúться: ошибýтся; ошúбся, ошúблась

III. **Irregular**
   дать: дам, дашь, даст, дадúм, дадúте, дадýт; дай! дал, далá, дáло
   есть: ем, ешь, ест, едúм, едúте, едя́т; ешь! ел, éла

GRAMMATICAL INDEX

ENGLISH

accusative case
  formation
    of nouns, sing. V, 2.2; pl. VIII, 1.12
    of adjectives and pronouns, sing. V, 2.3, 2.4, 2.5; pl. VIII, 1.12
  usage V, 2.1
    with dates: "time when" IX, 1.12
    with two ways prepositions XI, 1.0; XII, 1.0
    в (+ acc.) "time when" IX, 1.32; XIV, 6.3
adjectives
  agreement with nouns I, 6,3; with nouns preceded by numerals VIII, 2.14
  adjectives used as predicates III, 1.3
  summary of endings III, 1.0, 1.1, 1.2
  qualitative
    long-form (formation and usage) III, 1.0, 1.3; pl. VIII, 1.3
    comparatives XV, 1.0-1.23
    superlatives XV, 1.0-1.2; 1.24
    special forms of comparatives and superlatives XV, 1.3
    irregular forms XV, 1.23
  summary of declensions IX, 3.4
  verbal adjectives (participles)
    long-form
      active: present and past formation XV, 5.0, 5.1
    short-form
      past passive
        formation XVI, 1.1
        usage XVI, 1.0
adverbs
  of direction XI, 1.0; XII, 1.0
  of place I, 8.0; XI, 1.0; XII, 1.0
    meaning and usage II, 3.0
    negative XIV, 4.0
  qualitative
    comparatives XV, 1.0-1.23
    intensifier with comparatives XV, 1.31
    superlative XV, 1.24
  verbal adverbs
    formation XVI, 2.2
    usage XVI, 2.1
agreement
  with head word I.6.3
  syntactic VII, 1.5
  verbal II, 1.3
apposition II, 6.0; V, 4.0
aspect
  formation VI, 1.3
  aspect pairs VI, 1.3
  of imperatives VII, 6.3
  imperfective-perfective VI, 1.0
  of infinitives VII, 4.0
  aspect and tense VI, 1.20

clauses of purpose XIV, 1.0
comparatives *see* adjectives and adverbs
conjunctions
  а IV, 5.0
  éсли XI, 4.0; éсли бы XV, 6.0
  и IV, 5.0
  чем XV, 1.31
  что V, 3.0
  чтóбы XIV, 1.0
dative case
  formation
    of nouns, sing. X, 1.1; pl. XII, 3.1
    of pronouns, sing. X, 1.2, 1.3; XII, 3.2
  usage X, 1.4, in expressions of age X, 1.5, in impersonal sentences X, 2.0-2.2
    verbs governing dative X, 1, 42
gender
  of nouns I, 4.0
    designating both females and males II, 5.0
    masculine in second declension VII, 1.5
  of pronouns I, 6.1
genitive case
  formation
    of nouns, sing. V. 1.2; pl. VIII, 1.13, 1.14
    of pronouns, sing. V, 2.3, 2.4
    of adjectives V, 2.5; pl. VIII, 1.13
  usage
    the quantifier V, 1.1
    in date expressions IX, 1.22
    and numeral government VIII, 2.11
    and personal possessives V, 2.3
impersonal sentences X, 2.0
imperatives
  1st-person XII, 4.0
  2nd-person VI, 6.1
    formation VII, 6.2; usage VII, 6.1
  3rd-person XIV, 2.0
  aspect in imperatives VII, 6.3
indefinite-personal constructions VII, 3.0
infinitive II, 1.2
  aspect in infinitives VII, 4.0
instrumental case
  formation
    nominal, sing. & pl. XIII, 1.5
    pronominal, sing. & pl. XIII, 1.6; of surnames XIII, 1.7
  usage
    as agent or instrument XIII, 1.2
    with prepositions XIII, 1.3
    with real verb (in equational sentences) XIII, 1.1
    with verbs XIII, 1.4
negation
  не, usages of XIV, 4.0
  нет, usages of VII, 2.2

object of negated transitive verb XIV, 3.0
prefix ни- XIV, 4.0
double negation rule XIV, 4.0
nominative case
  formation
    of nouns, sing. I, 4.0; pl. I, 5.1; VIII, 1.0
    of pronouns, sing. I, 6.1; pl. VIII, 1.20
    of adjectives III, 1.0, 1.1, 1.2
  usage I, 6.1
  numeral government VIII, 2.11
nouns
  declension
    singular, summary V, 2.2; VII, 1.0, 1.1,
    1.2; IX, 3.1; first and second VII, 1.0, 1.5;
    third VII, 1.1; irregular: имя, время VII,
    1.4; мать, дочь VII, 1.3; of Russian
    names VII, 1.6
    plural, summary VIII, 1.11; IX, 3.1; mas-
    culine plural in -a IV, 7.0; irregular
    plural nouns III, 8.0
  gender I, 4.0
  на-nouns IV, 4.0
numerals
  ordinals and cardinals III, 2.0
  government of numerals VIII, 2.11; 2.12;
  2.13, 2.14
  telling time VIII, 3.0; IX, 1.32; XIV, 6.0
  dates IX, 1.20
  expression of age X, 1.5
particles
  бы XV, 6.0
  -то and -нибудь XV, 2.0
  -ся V, 6.0; XIII, 2.0
    indicating omitted object
      reflexive XIII, 2.1
      reciprocal pronoun XIII, 2.1
      lexicalized XIII, 2.2
    with logical object as subject XIII, 2.0
patronymics see Russian names
possessive pronouns
  gender/agreement I, 6.2, 6.3.
  genitive V, 2.3
  plurals VIII, 1.2
  summary of endings I, 6.3, IX, 3.2
  third person II, 2.0
prepositional case
  formation
    of nouns, sing. II, 4.1; III, 7.0; XI, 3.0;
    pl. IX, 2.1;
    of pronouns, sing. III, 5.0; IV, 2.1; pl.
    IX, 2.0, 2.2;
    of adjectives IV, 3.0
  usage
    with в, на II, 4.0; IV, 4.0; with о IV, 1.0
    in time expressions III, 6.0
    with two way prepositions XI, 1.0; XII, 1.0
    на+means of transporation XI, 2.4
prepositions
  без (+ gen.) XIV, 5.2
  в (+ acc.) XI, 1.0, 1.2; XIV, 6.2
  в (+ prep.) II, 4.0; III, 7.0; XIV, 6.2, 6.21

  к (+ dat.) XII, 1.0
  на (+ acc.) XI, 1.0, 1.2; XIV, 6.41
  на (+ prep.) II, 4.0; IV, 4.0; XI, 2.4;
  XIV, 6.2
  над (+ instr.) XIII, 1.3
  о (+ prep.) IV, 1.0
  перед (+ instr.) XIII, 1.3
  по (+ dat.) X, 6.0, 6.1, 6.2; XI, 2.5
  под (+ instr.) XIII, 1.3
  с (+ gen.) XII, 1.0;
  с (+ instr.) XIII, 1.3
  у (+ gen.) VII, 2.3; XII, 1.0
  two way prepositions XI, 1.0; XII, 1.0
  with verbs of motion XI, 1.0; XII, 1.0
pronouns
  demonstrative III, 3.0, 3.1
  interrogative кто I, 6.4; III, 4.0; какой
  III, 4.0
  negative XIV, 4.0
  possessive I, 6.2, 6.3; II, 2.0; possessive свой
  IX, 4.0
  relative который X, 3.0
  reflexive свой IX, 4.0; себя XIII, 4.0
  second person I, 6.11
  summary of endings IX, 3.2
reported speech
  statements XV, 4.0
  questions IX, 5.0; XV, 4.1
  commands XV, 4.2
root I, 3.0
Russian names
  first names: declension, sing. VII, 1.6
  patronymics: formation VII, 7.0
    declension VII, 1.6
  surnames: declension, sing. VII, 1.6; pl.
  VIII, 1.21
    instrumental case XIII, 1.7
    adjectival XIII, 1.7
sentences
  impersonal sentences X, 2.0, 2.11, 2.12, 2.13,
  2.2
  indefinite-personal VII, 3.0
  simple structure I, 2.0
  word order I, 7.0
  sentences of the "I want him to do that"
  type XV, 3.0
spelling rules I, 1.33.
superlatives see adjectives and adverbs
surnames see Russian names
tense
  future VI, 1.22
  past II, 1.3
  present II, 1.1
time expressions III, 6.0; VIII, 3.0; IX, 1.0-1.4;
"time when" III, 6.0
  dates
    days of the week IX, 1.10
    months of the year IX, 1.20
    with prepositional and adverbs III, 6.0
  review of time expressions XIV, 6.0
  telling time by the clock XIV, 5.0
  official indication of time VIII, 3.0

verbs
  aspects *see* aspects
  classes of verbs V, 5.2
  combination rules II, 1.4
  imperative *see* imperative
  infinitive *see* infinitive
  irregular: да́ть X, 4.0, 5.0; мо́чь VII, 5.0; хоте́ть III, 9.0
  of motion XI, 2.0-2.3; XII, 2.0; usage XI, 2.1; prefixed XII, 2.0; по- XII, 2.2; при- XII, 2.1; у- XII, 2.1; with prepositions XII, 1.0
  one stem system (basic stem) II, 1.0-1.4
  sample conjugation II, 1.4

stress in verbs II, 1.5; V, 5.3, 5.4
verb classifiers V, 5.1
suffixed stems VI, 1.3
non-suffixed stems
  in -*d*/-*t* VI, 3.0
  in -*s*/-*z* XI, 2.21
non-syllabic verb stems VII, 9.0-9.2
verbs with -ся V, 6.0; XIII, 2.0
voice XIII, 2.0
verbal adjectives *see* adjectives
verbal adverbs *see* adverbs
word structure I, 3.0
word order I, 7.0

RUSSIAN

а IV, 5.0
без XIV, 5.2
бо́лее XV, 1.1
бра́ть VII, 9.1
бы XV, 6.0
бы́ть absence in the present tense I, 2.1; IV, 6.0; VI, 2.0; use in future VI, 1.22
в (+prep.) II, 4.0; III, 7.0; XIV, 6.2, 6.21; (+acc.) XI, 1.0., 1.2; XIV, 6.2
взя́ть VIII, 6.0
вре́мя VII, 1.4
гора́здо XV, 1.31
да́ть X, 4.0, 5.0
до́лжен VIII, 5.0
до́чь VII, 1.3
дру́г дру́га XIII, 2.1
е́сли XI, 4.0; е́сли бы XV, 6.0
е́сть "there is", usage VII, 2.0, 2.1; negative VII, 2.2; contrasted with не́т VII, 2.5
е́хать XI, 2.22
жа́ль X, 2.2
за XIII, 1.31; XIV, 6.4
занима́ться XIII, 3.0
здесь XI, 1.1
и IV, 5.0
идти́ XI, 2.22
из XII, 1.0
изуча́ть XIII, 3.0
и́мя VII, 1.4
к XII, 1.0
како́й III, 4.0
кото́рый X, 3.0
кто́ I, 6.4; III, 4.0
ли IX, 5.0; XV, 4.1
ма́ть VII, 1.3
мо́жно X, 2.11
мо́чь VII, 5.0
на (+prep.) II, 4.0; IV, 4.0, 8.0; XI, 2.4; XIV, 6.2; (+acc.) XI, 1.0, 1.2; XIV, 6.41
над XIII, 1.3

на́до X, 2.13
нача́ть VII, 9.2
не XIV, 4.0
нельзя́ X, 2.12
не́т VII, 2.2
-нибудь XV, 2.0; 2.1
нра́виться / понра́виться XIII, 2.3
ну́жно X, 2.13
о IV, 1.0
от XII, 1.0
пе́ред XIII, 1.3
по X, 6.0, 6.1, 6.2; XI, 2.5
под XIII, 1.3
поня́ть VII, 9.2
пора́ X, 2.2
преподава́ть XIII, 3.0
с XII, 1.0; XIII, 1.3
са́мый XV, 1.0, 1.1
свой IX, 4.0
себя́ XIII, 4.0
сюда́ XI, 1.1
та́кже XI, 5.0
тако́й III, 4.0
та́м XI, 1.1
то XI, 4.0
-то XV, 2.0; 2.2
то́же XI, 5.0
то́т III, 3.0
туда́ XI, 1.1
у VII, 2.3; XII, 1.0
учи́ть XIII, 3.0
учи́ться XIII, 3.0
хоте́ть III, 9.0
чем XV, 1.31
че́рез XIV, 6.3
что́ interrogative III, 4.0; V, 2.3; что́ conjunction V, 3.0
что́бы XIV, 1.0
э́то III, 3.1
э́тот III, 3.0, 3.1

А а

а *conj. & part.* and, but, whereas, 3, 4
а́вгуст August, 3
авто́бус bus, 1
а́втор author, 5
адвока́т lawyer, 2
а́дрес AB (-а́) address, 15
акти́вный active, 13
алло́ hello, 2
альпини́зм mountain climbing, 13
альпини́ст (-ка) mountain climber, 13
америка́нец American, 3
америка́нка American, 3
америка́нский American, 3
ана́лиз analysis, 12
англи́йский English, 3
англича́нин Englishman, 3
англича́нка Englishwoman, 3
анке́та questionnaire, 9
апре́ль April, 3
апте́ка pharmacy, 1
а́рмия army, 16
арти́ст (-ка) actor, artist, 5
архео́лог archeologist, 10
археоло́гия archeology, 10
архите́ктор architect, 6
архитекту́ра architecture, 6
архитекту́рный architectural, 8
аспира́нт graduate student, 16
астрона́вт astronaut, 15
аудито́рия classroom, 3
афи́ша poster, 14

Б б

ба́бушка grandmother, 13
бале́т ballet, 5
баскетбо́л basketball, 10
баскетболи́ст (-ка) basketball player, 13
бассе́йн swimming-pool, 13
бег running, race, 13
бе́гать *b'égaj-* (*multidirect.*) run, 11
бе́дный poor, 7
бежа́ть *irreg.* (*unidirect.*) run, 11
без (+*gen.*) without, 13
белору́сский Byelorussian (White Russian), 10
бе́лый white, 8
бе́рег AB (-á) shore; bank, 5
библиоте́ка library, 3
биле́т ticket, 4
био́лог biologist, 2
биологи́ческий biological, 3
биоло́гия biology, 3
биохи́мия biochemistry, 5
бога́тство wealth, 15

бога́тый rich, wealthy, 7
бокс boxing, 13
боксёр boxer, 13
бо́лее more, 15
боле́знь illness, 9
бо́лен (больна́, -ы́) sick, ill, 7
боле́ть *bol'é-* hurt, be painful, 9
боле́ть *bol'éj-* че́м be ill (with), 13
больни́ца hospital, 2
больно́й sick person, patient, 9
бо́льше more, 11
большинство́ majority, 9
большо́й large, great, 3
боро́ться *boro-s'a imp.* про́тив кого́—чего́, за что́ struggle, fight, 10
боти́нки (*sing.* боти́нок) (ankle high) boots, 16
боя́ться *bojá-s'a imp.* кого́—чего́ fear
брат (бра́тья) brother, 2
брать *b/ra-*, беру́т / взять *irreg.* take; ~ на пе́рвое order as a first course, 8
брю́ки *pl. only* trousers, 16
бу́дущее *n.* future; the future, 15
бу́дущий future, 13
бу́ква letter, 8
буты́лка bottle, 12
буфе́т refreshment bar, lunch counter, 6
быва́ть *biváj-* / побыва́ть visit, 11
быва́ть *biváj-* где́ occur, be (from time to time), 16
бы́вший former, 10
бы́стро fast, quickly, 2
бы́стрый fast, rapid, 4
быть *irreg.* где́, ке́м be, 4, 13

В в

в (+ *prep.*) in, 2; (+ *acc.*) into, to, 11
ваго́н train car, 1
ва́жный important, 9
ва́за vase, 12
ваш your(s), 1
вдруг suddenly, 12
ве́жливый polite, 7
везде́ everywhere, 5
везти́ *v'oz-' imp.* (*unidirect.*) take, carry (by conveyance), 11
век AB (-á) century, age, 6
вели́кий great, 7
велосипе́д bicycle, 11
ве́рить *v'ér'l-* / пове́рить кому́, во что́ believe, 7, 12
верну́ться, 12 *see* возвраща́ться
ве́село happily, 10
весёлый happy, cheerful, 8

весна́ BA spring, 15
весно́й in the spring, 4
вести́ v'od-' imp. (unidirect.) lead (on foot), 11
вести́ рабо́ту carry on work, 16
ве́сь, вся́, всё; всё all, 9
ве́чер AB evening, 8
вече́рний evening, 14
ве́чером in the evening, 2
ве́щь f. AC thing, 16
взро́слый adj. & noun adult, 8
взя́ть, 8 see бра́ть
вид¹ на что́ view; type, 12
вид² kind, 13
ви́деть v'id'e-/уви́деть кого́—что́ see, 5
ви́лка fork, 15
вино́ BA wine, 10
винова́т guilty, 9
висе́ть v'is'é- imp. hang, 5
вку́сный tasty, delicious, 12
вме́сте together, 6
внима́тельно attentively, 6
вну́к grandson, 10
во вре́мя (+ gen.) during, 10
во-вторы́х secondly, 10
вода́ CA water, 5
води́ть v̆od'i- imp. (multidirect.) кого́ lead (on foot), 11
возвраща́ться vozvraš:áj-s'a/верну́ться v'ernú-s'a return, 12
во́здух air, 15
вози́ть v̆oz'i- imp. (multidirect.) кого́—что́ carry (by conveyance), 11
возмо́жность f. possibility, 16
война́ BA war, 9
вокза́л train station, 11
вокру́г around, 15
волейбо́л volleyball, 10
волейболи́ст (-ка) volleyball player, 13
во́лосы AC hair, 15
во́н (та́м) over there, 1
во-пе́рвых firstly, 10
вопро́с question, 7
восемна́дцать eighteen, 5
во́семь eight, 2
во́семьдесят eighty, 5
восемьсо́т eight hundred, 6
воскресе́нье Sunday, 10
воспи́тывать vosp'itivaj-/воспита́ть vosp'itáj-кого́—что́ educate, bring up, 13
восто́к east
восьмо́й eighth, 3
во́т here, 1
впервы́е for the first time, 9
впечатле́ние impression, 14
враг BB enemy, 16
вра́ч BB doctor, physician, 2
вре́мя n. AB time, 7
всегда́ always, 6
всё в поря́дке everything is all right, 9

вспомина́ть vspom'ináj-/вспо́мнить vspómn'i-кого́—что́, о чём / subordinate clause recollect, remember, 4, 6
встава́ть vstaváj-/встать vstán- get up, rise, 9
встре́ча meeting, 2
встреча́ть(ся) vstr'ečáj-(s'a)/встре́тить(ся) vstr'ét'i-(s'a) meet (with), 9, 13
вто́рник Tuesday, 9
второ́й second, 3
вход entrance, entry, 13
входи́ть v̆xod'i-/войти́ irreg. enter (on foot), 13
вчера́ yesterday, 2
вы you, 2
выбира́ть vib'iráj-/вы́брать vib/ra- что́—кого́ select, elect, 16
выи́грывать viigrivaj-/вы́играть viigraj- win, 13
высо́кий high, tall, 4
высота́ BA height, 13
вы́ставка exhibition, 7
выступа́ть vistupáj-/вы́ступить vístup'i- come forward, appear, 7
выступле́ние appearance; speech, 14
вы́ход exit, 13
выходи́ть v̆ixod'i/вы́йти irreg. exit, go out (on foot), 13

Г г

газе́та newspaper, 1
галере́я gallery, 4
где́ where, 1
гео́граф geographer, 5
геогра́фия geography, 5
географи́ческий geographical, 6
гео́лог geologist, 8
геро́й hero, 14
герои́ня heroine, 14
гимна́стика gymnastics, 13
гимна́ст (-ка) gymnast, 13
гла́вный main, 6
гла́з AB (-á) eye, 9
глазно́й eye, 9
глубо́кий deep, 15
глу́пый foolish, stupid, 15
говори́ть ¹ govor'i- imp. о ко́м, о чём speak, 2
говори́ть ² govor'i-/сказа́ть skaza- что́, кому́, о чём/subordinate clause say, tell, 6
го́д AC (gen. pl. after numerals is ле́т) year, 5, 8
голова́ CC head, 9
го́лос AB (-á) voice, 14
гора́ CC mountain, 4
го́рный mountain, 4
го́род AB (-á) city, 2
го́спиталь AC (military) hospital, 14
гости́ница hotel, 2
го́сть AC guest, 8
гото́в ready, 10

гото́вить *gotóv'i-*/пригото́вить что́ prepare, 6
гото́виться *gotóv'i-s'a*/подгото́виться к чему́ prepare (for), 13
госуда́рственный state, public, 8
госуда́рство state, 14
гра́дус degree, 15
гра́мотный literate, 8
грани́ца border, frontier, 12
грипп flu, 9
гро́мко loudly, 7
гру́ппа group, 13
гру́стный sad, 10
гру́стно (it is) sad, 14
гря́зный dirty, 15
гуля́ть *gul'áj- imp.* stroll, walk, 4

Д д

да́ yes, 1
дава́ть *daváj-*/да́ть *irreg.* что́, кому́ give, 10
дава́й(те) игра́ть let's play (*imp.*), ~ пое́дем let's go (*p.*)
дава́йте познако́мимся let's get acquainted, 7
давно́ long ago, for a long time, 5
да́же even, 12
далёкий far, distant, 16
да́льше further, 7
да́р AB gift, 10
дари́ть *dar'i-*/подари́ть give (a gift), 10
два́ two, 2
два́дцать twenty, 5
двена́дцать twelve, 5
две́рь *f.* AC door, 11
две́сти two hundred, 6
движе́ние movement, 13
де́вочка girl (pre-adolescent), 7
де́вушка girl (over 15), 3
девяно́сто ninety, 5
девятна́дцать nineteen, 5
девя́тый ninth, 3
де́вять nine, 2
девятьсо́т nine hundred, 6
де́душка grandfather, 12
действи́тельно really, indeed, 14
декабрь BB December, 3
де́лать *d'élaj-*/сде́лать что́ do, make, 2, 6
де́ло AB matter, affair, business, 9
де́нь BB day, 6
де́ньги *pl. only* money, 8
депута́т deputy, 14
дереве́нский village, 8
дере́вня AC village, country, 3
де́рево (*pl.* дере́вья) tree, 11
деревя́нный wood, wooden, 11
деся́тый tenth, 3
де́сять ten, 2
де́ти *pl. only* children, 5
де́тский children's, 7
де́тство childhood, 14

дива́н divan, 5
дире́ктор AB (-á) director, 9
дирижёр conductor, 7
длина́ BA length, 15
дли́нный long, 15
для (+*gen.*) for, 8
дневно́й day, 14
днём in the afternoon, 2
до́брый kind, good, 14
до́брый де́нь (ве́чер) good afternoon (evening), 4
до́брое у́тро good morning, 4
дово́льный satisfied (with) 14
до́ждь BB rain, 13
докла́д paper, report, 6
до́ктор AB (-á) doctor, 9
докуме́нт document, 6
документа́льный documentary, 6
до́лго for a long time, 6
до́лжен, должна́, -ы́ ought, should, 8
до́м AB (-á) house, 1
до́ма at home, 1
домо́й to one's house, homewards, 11
доро́га road, 8
дорого́й 1. dear, 13; 2. expensive, 8
до свида́ния good-by, 2
до́чь *f.* AC (*gen. sing.* до́чери) daughter, 7
дра́ма drama, 8
дре́вний ancient, old, 8
дру́г AB (*pl.* друзья́) friend, 2
дру́г дру́га each other, one another, 10
друго́й different, (an)other, 4
дру́жеский friendly, 7
ду́мать *dúmaj-*/поду́мать о ко́м—о чём/*subordinate clause* think, 5, 15

Е е

его́ his, 2
её her, 2
е́здить *jézd'i- imp.* (*multidirect.*) go (by conveyance), drive, 11
е́сли if, 11
е́сть [1] there is, 7
е́сть [2] *irreg.* eat, 8
е́хать *irreg. imp.* (*unidirect.*) go (by conveyance), drive, 11
ещё still, yet, 7

Ж ж

жа́ль (it is) a shame, 16
жда́ть *žda-*/подожда́ть кого́—чего́ wait; expect, 12
жела́ть *želáj-*/пожела́ть кому́, чего́ wish, desire, 15
жёлтый yellow, 8
жена́ BA wife, 1
жена́т married, (one) has a wife, 15
же́нщина woman, 3
жи́знь *f.* life, 8
жи́тель inhabitant, 8

жить *živ- imp.* live, 2
журнал journal, magazine, 2
журналист (-ка) journalist, 2

З з

забывать *zabiváj-*/забыть *irreg.* к о г о́ — ч т о́ forget, 10
завод factory, 1
завтра tomorrow, 6
завтрак breakfast, 8
завтракать *závtrakaj-*/позавтракать breakfast, 8
задача problem, task, 6
закрывать *zakriváj-*/закрыть *zakrój-* close, 11
зал hall, large room, 8
замечать *zam'ečáj-*/заметить *zam'ét'i-* к о г о́ — ч т о́ notice, 9, 16
заниматься *zan'imáj-s'a imp.* г д е́, ч е́ м be occupied, have as occupation, pursuit; work; study, 10, 13
занятие classes, 6
запад west, 4
запоминать *zapom'ináj-*/запомнить *zapómn'i-* ч т о́ remember, memorize, 10
засмеяться (*see* смеяться) begin to laugh, 8
зачем why, 14
защищать *zaš':iš':áj-*/защитить *zaš':it'í-* к о г о́ — ч т о́ defend, 16
звать *z/va-* (зовут) *imp.* call, 7; Как вас зовут? What is your name? 7
звонить *zvon'í-*/позвонить к о м у́ call, ring up, 6
звонок BB bell, 12
звучать *zvučá-* sound, 14
здание building, 3
здесь here, 7
здоровый healthy, sturdy, 9
здоровье health, 5; Как ваше здоровье? How are you?, 5
здравствуй(те) hello, 2
зелёный green, 8
земля СС (*gen. pl.* земель) 1. earth; 2. land, 15
зима СА winter, 15
зимний winter, 14
зимой in the winter, 2
знакомиться *znakóm'i-s'a*/познакомиться с к е́ м — с ч е́ м be acquainted, be introduced, 13
знакомый *adj. & noun* aquaintance, 8
знаменитый famous, 8
знать *znáj- imp.* к о г о́ — ч т о́/*subordinate clause* know, 7
значение meaning, 15
значок BB badge, pin, 8
зона zone, 15
зуб AC tooth, 9

И и

и *conj.* and
играть *igráj- imp.* в о ч т о́ play, 10

идти *irreg. imp.* (*unidirect.*) go (on foot); дождь идёт it is raining, 13; фильм идёт a film is on/showing, 14
из (+*gen.*) out of, from, 12
извини(те) excuse me, 2
изменять(ся) *izm'en'áj-s'a*/изменить(ся) *izm'en'í-s'a* change, 15
изучать *izučáj-*/изучить *izučí-* ч т о́ study deeply, 5, 6
или or
иметь *im'éj- imp.* ч т о́ have, possess; ~ успех be a success
имя *n.* AB (*gen. sing.* имени) name, 7
индустрия industry, 12
инженер engineer, 2
иногда sometimes, 7
иностранец foreigner, 8
иностранный foreign, 4
институт institute, 1
интерес interest, 14
интересно interesting(ly), 4
интересный interesting, 3
интересовать(ся) *int'er'esová-s'a imp.* к е́ м — ч е́ м be interested, 13
искать *iska- imp.* к о г о́ — ч т о́ look for, search, 10
искусственный artificial, 9
искусство art, 8
испанец Spaniard, 14
испанский Spanish, 13
использовать *ispól'zova- imp.* ч т о́ utilize, 7
историк historian, 1
исторический historical, 3
история history, 3
итальянец Italian, 14
их their(s); them, 2
июль July, 3
июнь June, 3

К к

к +*dat.* to, toward, 16
кабинет office, study, 16; лингафонный ~ language lab
каждый every, each, 6
кажется *parenth.* it seems, 9
казаться *kaza-s'a imp.* ч е́ м seem, appear, 13
как how, 2
Как ваши дела? How are things?, 4
как всегда as always, 6
Как вы себя чувствуете? How do you feel?, 9
какой what kind of, which, 3
какой-нибудь any, 15
какой-то some, 15
камень AC rock, stone
каникулы *pl. only* vacation, 13
капитан captain, 13
карандаш BB pencil, 2
карта map, 2

картина picture, 5
касса cashier's box, 1
кататься *katáj-s'a imp.* (*multidirect.*) roll; ride (by conveyance), 13
кафе *indecl.* café, 7
квартира apartment, 2
километр kilometer, 15
кино *indecl.* cinema, 5
кинотеатр movie theater, 8
класс classroom; class; grade in school, 5
класть *klad̄-/*положить *položi̅-* ×чтó, кудá place (in a lying position) *where*? 12
климат climate, 5
клуб club, 3
книга book, 1
книжный book, 8
когда when, 2, 6
коллекция collection, 8
колхоз collective farm, 6
команда athletic team, 12
комедия comedy, 8
комната room, 1
композитор composer, 5
комсомол Komsomol, Young Communist League, 6
конец BB end, 5
конечно *parenth.* of course, 9
конкурс competition, 14
консерватория conservatory, 7
консультация consultation, 11
контрольная работа quiz, 7
конференция conference, 6
концерт concert, 4
кончать(ся) *konč̄aj-(s'a)* / кончиться *kónč̄i̅-(s'a)* end, 6, 13
коньки *pl. only* BB skates, 13
копейка kopek, 8
корабль BB ship, 9, 11
коридор corridor, 11
космонавт cosmonaut, 9
космос cosmos, 9
костюм suit (of clothes), 12
который which, who, 10
кофе *m., indecl.* coffee, 5
кошка cat, 1
красивый beautiful, handsome, 3
красный red, 8
красота BA beauty, 5
краткий short, brief, 7
кресло armchair, 12
крестьянин peasant, 7
крупный large, 9
к сожалению *parenth.* unfortunately, 10
кто who, 1
кто-нибудь somebody, anybody, 15
кто-то somebody, 15
культура culture, 5
культурный cultural; cultured, 11
купить *see* покупать buy, 8
курить ×*kur'i̅- imp.* smoke, 10
курс course of study, year in college, 5, 6

Л л

лаборатория laboratory, 3
лабораторный laboratory, 6
лампа lamp, 5
левый left, 12
лёгкий easy; light, 15
легко easily; (it is) simple, 14
лёд (льда́) BB ice, 13
лежать *l'ež̄a- imp.* lie, be in lying position, 2
лекарство medicine, 9
лекция lecture, 4
лес AB (-á) forest, 5
летать *l'et̄aj- imp.* (*multidirect.*) fly, 11
лететь *l'et'é- imp.* (*unidirect.*) fly, 11
летний summer, 14
лето summer, 7
летом in the summer, 2
лётчик pilot, 9
ли *interrog. part.* whether, 9
литература literature, 5
лицо BA face; person, 9
ложка spoon, 15
лучше better, 14
лыжи *pl. only* skis, 13
любимый favorite, 5
любить ×*l'ub'i̅- imp.* когó—чтó / *inf.* love, like, 5
люди *pl. only* people, 5

М м

магазин store, 1
май May, 3
маленький small, little, 3
мало little, few, 4
мальчик boy (under 15), 7
мама mama, 1
марка postage stamp, 8
март March, 3
маршрут route, itinerary, 12
мастер AB (-á) master; foreman, 13
математик mathematician, 2
математика mathematics, 5
математический mathematical, 12
материал material, 6
матч match, game, 16
мать *f.* AC (*gen. sing.* матери) mother, 7
машина automobile, 1
медицинский medicine, medical, 9
медленно slowly, 7
международный international, 13
менее less, 15
место AB place, 4
месяц month, 6
металл metal, 12
метр meter, 15
метро *indecl.* subway, 7
мечта dream, 16

мечта́ть *m'ečtáj- imp.* dream, wish, 16
миллио́н million, 8
ми́нус minus, 15
мину́та minute, 8
ми́р¹ world, 5
ми́р² peace, 6
мла́дший younger; junior, 11
мно́го much, 4
мо́жет бы́ть *parenth.* perhaps, 5
мо́жно (it is) possible, (it is) permitted, 10
мо́й my, mine, 1
молодёжь *f.* youth, young people, 12
молодо́й young, 3
молоко́ milk, 10
мо́ре AB sea, 4
моро́женое ice-cream, 11
москви́ч BB Muscovite, 4
моско́вский Moscow, 8
мо́ст AB bridge, 11
мо́чь *mog̃- / смо́чь irreg. stress* be able to, 7
му́ж AB (*pl.* мужья́) husband, 1
музе́й museum, 3
му́зыка music, 5
музыка́льный musical, 10
музыка́нт musician, 7
мы́ we, 2
мя́со meat, 8

Н н

на (+ *prep.*) (*place*) on, upon, at; (+ *acc.*) (*destination*) to
на́д (+ *instr.*) above, over, 13
наде́яться *nad'éja-s'a imp.* на что wish; hope, 16
на́до (it is) necessary, 10
наза́д ago, back, 6
назва́ние name, 8
называ́ть *naziváj- / назва́ть naz/va̅-* name, 15
называ́ться *nazivá j-s'a* be called, 8
нале́во to the left, 11
написа́ть, 6 *see* писа́ть
напра́во to the right, 11
наприме́р for example, 7
напро́тив opposite, 2
нарисова́ть, 6 *see* рисова́ть
наро́д people, nation, 7
наро́дный people's, folk, 5
настоя́щее (вре́мя) present (time), 16
нау́ка science, 8
нау́чный scientific, 6
находи́ть *naxod'ĩ- / найти́ irreg.* кого́—что find, 10
находи́ться *naxod'ĩ-s'a imp.* где́ be located, be found, 5
национа́льность nationality, 16
национа́льный national, 12
нача́ло beginning, 5

начина́ть(ся) *načináj-s'a / нача́ть(ся) nã̃-s'a* begin, 7, 13
на́ш our(s), 1
не not, 1
не́бо AB sky, heaven, 16
небольшо́й not large, small, 4
неве́ста bride, fiancée, 13
недалеко́ от (+ *gen.*) not far from, 10
неде́ля week, 6
недорого́й inexpensive, 8
неинтере́сный uninteresting, 4
не́который some, 13; не́которое вре́мя (for) some time, 14
некраси́вый homely, plain, 4
нельзя́ (it is) not permitted, (it is) impossible, 10
нема́ло considerable, much, 16
не́мец German, 3
неме́цкий German, 3
не́мка German, 3
немно́го some, little, 5
необыкнове́нный unusual, 16
неожи́данно unexpectedly, 16
неофициа́льный unofficial, 7
непло́хо not bad(ly), 4
неплохо́й not bad, quite good, 4
непоня́тный incomprehensible, 8
непра́вильно incorrect, 6
не́сколько several, 8
неста́рый not old, new, 4
нести́ *n'os-' imp.* (*unidirect.*) carry (on foot), 11
не́т no, 1
нефть *f.* petroleum, 15
нигде́ nowhere, 14
ни́зкий low, 15
никогда́ never, 14
никто́ no one, 14
ничего́ nothing; that's O.K., fine, 4; ничего́ осо́бенного nothing special, 6
ничто́ nothing, 14
но *conj.* but, however, 9
но́вость *f.* AC news, 10
но́вый new, 3
но́ж BB knife, 15
но́мер AB (-á) number; issue, 2
носи́ть *nos'ĩ- imp.* (*multidirect.*) carry (on foot), 11
но́чь *f.* AC night, 11
но́чью at night, 11
ноя́брь BB November, 3
нра́виться *nráv'i-s'a / понра́виться* кому́ pleasing to; like, 12
ну́жен necessary, 12

О о

о (+ *prep.*) about, 4
обе́д dinner, 8
обе́дать *ob'édaj- / пообе́дать* have dinner, 8
обеща́ть *ob'eš":áj- / пообеща́ть* promise, 14

образова́ние education, 14
обра́тно back, backwards, 12
обсужда́ть *obsuždáj-* / обсуди́ть *obsud'í-* ч т о́
  discuss, 6
обсужде́ние discussion, 6
общежи́тие dormitory, 3
о́бщий general, common, 12
объясня́ть *objasn'áj-* / обясни́ть *objasn'í-* ч т о́
  explain, 8
обы́чно usually, 4
обяза́тельно without fail, 7
о́вощи *pl.* AC vegetables, 11
огро́мный huge, 15
одева́ться *od'eváj-s'a* / оде́ться *od'én-s'a* dress,
  16
оде́жда clothing, 16
оди́н one; alone, 2
оди́ннадцать eleven, 5
одна́жды once, at one time, 7
о́зеро (*pl.* озёра) lake, 15
океа́н ocean, 5
окно́ BA window, 1
о́коло (+ *gen.*) around, near, 5
оконча́ние completion, 6
октя́брь BB October, 3
о́н, она́, оно́; они́ he, she, it; they, 1
опа́здывать *opázdivaj-* / опозда́ть be late, 7
о́пера opera, 5
опера́ция operation, 9
опи́сывать *op'ísivaj-* / описа́ть *op'isá-* ⤫ ч т о́
  describe, 13
опя́ть again, 8
организова́ть *organ'izová- imp. & p.* organize, 6
оригина́льный original, 15
освеща́ть *osv'eš':áj-* / освети́ть *osv'et'í-* ч т о́
  illuminate, light, 15
освобожда́ть *osvoboždáj-*/освободи́ть *osvobod'í-*
  ч т о́ liberate, free, 16
о́сень fall, autumn, 15
о́сенью in the autumn, 4
основа́ть *osnová- imp.* ч т о́ found, establish, 9
основа́тель founder, 13
осо́бенно especially, 11
осо́бый special, unique, 9
остава́ться *ostaváj-s'a* / оста́ться *ostán-s'a*
  remain, stay, 14
остано́вка stop, 11
о́стров AB (-á) island, 11
от (+ *gen.*) from, 12
отве́т answer, 11
отвеча́ть *otv'ečáj-* / отве́тить *otv'ét'i* к о м у́
  answer, 7
отдыха́ть *otdixáj-* / отдохну́ть *otdoxnú-* rest;
  relax; vacation, 2, 6
оте́ц BB father, 2
открыва́ть *otkriváj-* / откры́ть *otkrój-* ч т о́
  open, 7
откры́тие opening, discovery, 15
откры́тка postcard, 7

отку́да from where, 12
о́тпуск AB (-á) leave, vacation, 12
отря́д detachment, brigade, 6
отту́да from there, 12
о́тчество patronymic, 7
официа́льный official, 7
о́чень very, 2
оши́бка mistake, 10

П п

пальто́ *indecl.* coat, 16
па́мятник monument, 6
па́мять *f.* memory, 10
пара́д parade, 16
па́рк park, 5
парте́р ground floor, the stalls and the pit, 15
певе́ц BB singer, 14
певи́ца singer, 14
пейза́ж landscape, scenery, 15
пе́рвый first, 3
перево́д translation, 10
переводи́ть *p'er'evod'í-* / перевести́ *p'e'rev'od-'* ⤫
  ч т о́ translate, 6
пе́ред (+ *instr.*) before, in front of, 13
передава́ть *p'er'edaváj-* / переда́ть *irreg.* ч т о́,
  к о м у́ convey, 10; ~ по ра́дио broadcast, 15
переда́ча (radio) program, 13
перераба́тывать *p'er'erabátivaj-* / перерабо́тать
  redo, remake, rework, refine, 12
пери́од period, 6
пе́сня song, 6
пе́ть / спе́ть *irreg.* ч т о́ sing, 4, 5
пешко́м on foot, 11
писа́тель writer, 3
писа́ть *p'isá-* / написа́ть ⤫ ч т о́ write, 5, 6
пи́сьменный written, 8
письмо́ BA letter, 1
пи́ть *p'⤫j-* / вы́пить drink, 6
пла́вание swimming, 13
пла́вать *plávaj-* (*multidirect.*) swim, 4
пла́н plan, schedule, 15
пласти́нка (phonograph) record, 8
плато́к BB kerchief, 2
пла́тье dress, 16
пла́щ BB raincoat, 16
пло́хо bad(ly), 2
плохо́й bad, 3
пло́щадь AC square ⤫
плы́ть *pliv-* (*unidirect.*) swim
плю́с plus
по (+ *dat.*) on, along, according to
по-англи́йски (in) English, 2
побе́да victory
победи́тель victor, winner, 14
побежда́ть *pob'eždáj-* / победи́ть *pob'ed'í-* win,
  conquer, 13
побыва́ть, *see* быва́ть
по-ва́шему in your opinion, 15

повторя́ть *povtor'áj-* / повтори́ть *povtor'í* repeat, 7
поговори́ть have a talk, 13
пого́да weather, 4
под (+ *instr.*) under, below, 13
пода́рок gift, 8
подбега́ть *podb'egáj-* / подбежа́ть *irreg.* run up to, 14

подводи́ть *podvod'í-* / подвести́ *podv'od-'* bring up to (on foot), 14

подвози́ть *podvoz'í-* / подвезти́ *podv'oz-'* bring up to (by conveyance), 14
подгото́виться, 13 *see* гото́виться
подгото́вка preparation, 13
подру́га friend, 2
по-друго́му otherwise, in a different way, 14
поду́мать think (a little), 15

подходи́ть *podxodí-* / подойти́ *irreg.* approach (on foot), 14
подъезжа́ть *podjezžáj-* / подъе́хать *irreg.* approach (by conveyance), 14
по́езд АВ (-á) train, 11
пое́здка trip, 16
пожа́луйста please, 2
по́здно late, 9
поздравля́ть *pozdravl'áj-* / поздра́вить *pozdráv'í-* кого́ с чём congratulate someone on the occasion of, 15
познако́миться, 13 *see* знако́миться
пойти́ *irreg.* go, set off, 12

пока́зывать *pokázivaj-* / показа́ть *pokaza-* кому́, что show, 5, 8

покупа́ть *pokupáj-* / купи́ть *kup'í-* что buy, 8
поли́тика politics, 5
по́лка shelf, 2
по́лный full, 7

получа́ть *polučáj-* / получи́ть *polučí-* что receive, 6
по́мнить *pómn'í-* *imp.* remember, 9
помога́ть *pomogáj-* / помо́чь *irreg.* кому́ help, 10
по-мо́ему in my opinion, 15
понеде́льник Monday, 9
по-неме́цки (in) German, 2

понима́ть *pon'imáj-* / поня́ть *pojm-* кого́ — что understand, 2, 6
по-но́вому in a new way, 14
поня́тный comprehensible, 8
популя́рность popularity, 14
популя́рный popular, 6
по-ра́зному differently, in different ways, 14
порт АС port, 11
портре́т portrait, 5
портфе́ль briefcase, 2

по-ру́сски (in) Russian, 2
посеща́ть *pos'eš:áj-* / посети́ть *pos'et'í-* кого́—что visit
посеще́ние visit, 6
по́сле (+ *gen.*) after, 6
после́дний final, last, 15
послу́шать *poslúšaj-* listen to, 14
посмотре́ть, 6 *see* смотре́ть
постро́ить, 6 *see* стро́ить
поступа́ть *postupáj-* / поступи́ть *postup'í-* куда́ enter, enroll; act, 5, 6

посыла́ть *posiláj-* / посла́ть *posla-* (пошлю́т) что, кому́, куда́ send, 12
пото́м then, after that, later, 4
потому́ что because, 9
по-францу́зски (in) French, 2
похо́жий на (+ *acc.*) similar to, 14
почему́ why, 6
почита́ть *počitáj-* read (a little), 15
по́чта post office, 2
почти́ almost, 9
поэ́зия poetry, 15
поэ́т poet, 7
поэ́тому therefore, 13

появля́ться *pojavl'áj-s'a* / появи́ться *pojavi-s'a* appear, 7
прав right, 8
пра́вда truth, 13
пра́вильно (it is) correct, correctly 5
пра́вый right, 12
пра́здник holiday, 10
пра́ктика practical training, practice, 4
практи́ческий practical, 6
предложе́ние sentence, 7
президе́нт president, 13
прекра́сно (it is) magnificent, 10
прекра́сный splendid, magnificent, 12
преподава́тель instructor, 13
приве́т greetings, 15
приглаша́ть *pr'iglašáj-* / пригласи́ть *pr'iglas'í-* кого́, куда́ invite, 8
приглаше́ние invitation, 13
пригото́вить, 6 *see* гото́вить
приезжа́ть *pr'ijezžáj-* / прие́хать *irreg.* arrive (by conveyance), 12

принима́ть *pr'in'imáj-* / приня́ть *pr'im-* accept; принима́ть лека́рство take medicine, 9

приноси́ть *pr'inos'í-* / принести́ *prin'os-'* что bring (on foot), 12
приро́да nature; countryside, 4
приро́дный natural; 12

приходи́ть *pr'ixod'í-*/прийти́ *irreg.* come, arrive (on foot), 12
прия́тно (it is) pleasant; pleasantly, 3
прия́тный pleasant, 10
пробле́ма problem, 14

проводи́ть *provod'i-* / провести́ *prov'od'-*
~ вре́мя pass (time) 12, 14; ~ экспериме́нт
make an experiment
програ́мма program, 8
прогре́сс progress, 14
продаве́ц BB salesman, seller, 12
продолжа́ть *prodolžaj-* / продо́лжить *prodólži-*
ч т о́ / *inf.* continue, 14
проезжа́ть *projezžaj-* / прое́хать *irreg.* pass by,
through (by conveyance), 15
про́за prose, 15
прои́грывать *pro igrivaj-* / проигра́ть *pro ig-
ráj-* lose (a game), 13
произведе́ние work, production, 16
производи́ть *proizvod'i-* /произвести́ *proizv'od'-*
(впечатле́ние) produce (an impression), 14
происходи́ть *proisxod'i-* / произойти́ *irreg.* take
place, occur
промы́шленный industrial, 11
проси́ть *pros'i-* / попроси́ть к о г о́ / *inf.* ask,
request, 14
проспе́кт avenue, 5
просто́й simple, 8
про́тив (+ *gen.*) against, 11
профессиона́льный professional, 6
профе́ссия profession, 7
профе́ссор AB (-á) professor, 2
проходи́ть *proxod'i-* / пройти́ *irreg.* pass, 14, 15
прочита́ть, 6 *see.* чита́ть
про́шлый past, last, 6
пря́мо straight, directly, 11
пти́ца bird, 15
пусто́й empty, 11
пу́сть let, 14
путеше́ственник traveler, 16
путеше́ствие trip, journey, 16
путеше́ствовать *put'eŝéstvova-* travel, 16
пье́са play, drama, 11
пятна́дцать fifteen, 5
пя́тница Friday, 9
пя́тый fifth, 3
пя́ть five, 2
пятьдеся́т fifty, 2
пятьсо́т five hundred, 6

Р р

рабо́та work, 1
рабо́тать *rabótaj- imp.* work
рабо́чий *noun* worker, 4
ра́д (one is) glad, 7
ра́дио *indecl.* radio
ра́з time, instance: ещё ра́з one more time, 7
разви́тие development, 15
разгова́ривать *razgovár'ivaj- imp.* talk, converse, 6
разгово́р conversation, 13
ра́зный various, different, 8

разраба́тывать *razrabátivaj-* / разрабо́тать work
out, cultivate, 9
разреша́ть *razr'eŝáj-* / разреши́ть *razr'eŝí-*
allow, permit, 12
райо́н district, 5
ра́но (it is) early, 7
ра́ньше earlier, 2
расска́з story, 5
расска́зывать *rasskázivaj-* / рассказа́ть *rasska-
za-* ч т о́, к о м у́, о ч ё м / *subordinate
clause* relate, tell, 4, 6
расти́ *irreg.* / вы́расти grow, 15
ребёнок (*pl.* де́ти) child, 5
ребя́та *pl.* (*colloq.*) guys, lads, 10
револю́ция revolution, 6
ре́дкий rare, 15
результа́т result, 9
река́ CC river, 8
респу́блика republic, 5
реставри́ровать *r'estavr'irova- imp.* restore, 6
рестора́н restaurant, 4
реце́пт prescription, 9
реша́ть *r'eŝáj-* / реши́ть *r'eŝí-* ч т о́ / *inf.* decide, resolve, 6
реше́ние decision, resolution, 6
рисова́ть *r'isová-* / нарисова́ть ч т о́ draw, 4, 6
рису́нок drawing, 14
роди́тели *pl.* parents, 4
роди́ться *rod'i-s'a p.* be born, 9
родно́й own, kindred, 12
рожде́ние birth, 15
ро́ль *f.* AC role, part, 11
рома́н novel, 5
ру́бль BB ruble, 8
рука́ CC hand, arm, 9
руководи́тель leader, 9
руководи́ть *rukovod'i- imp.* к е́ м—ч е́ м lead,
direct, 13
ру́сский Russian, 3
ру́чка pen, 2
ры́ба fish, 15
ря́д AB row, line, series, 14
ря́дом next to, nearby, 2

С с

с (+ *gen.*) from, off, 12; (+ *instr.*) (together)
with, 13
са́д AB garden, 1
сади́ться *sad'i-s'a* / се́сть *irreg.* sit down, 7
сала́т lettuce; salad, 12
самолёт airplane, 4
са́мый the very, most (*used to form superl. deg.
of adjectives*), 9
сантиме́тр centimeter, 15
светло́ (it is) light, (it is) bright, 11
све́тлый light, bright, 13
свобо́дный free, 7
сво́й one's own, 9
сдава́ть *sdaváj- imp.*: ~ экза́мен take an exam
сда́ть *irreg. p.*: ~ экза́мен pass an exam

сде́лать, 6 *see* де́лать
сеа́нс performance, showing, 9
себя́ oneself, 13
се́вер north, 4
сего́дня today, 2
седьмо́й seventh, 3
сезо́н season, 14
сейча́с (right) now, 2
секре́т secret, 14
се́кция section, 13
семе́йный family, 12
семина́р seminar, 6
семна́дцать seventeen, 5
семь seven, 2
се́мьдесят seventy, 5
семьсо́т seven hundred, 6
семья́ BA family, 2
сентя́брь BB September, 3
серьёзно *serious, seriously, 6
серьёзный serious, 9
сестра́ BA (*gen. pl.* сестёр) sister, 2
сигаре́та cigarette, 3
сиде́ть *s'id'é- imp.* sit, be sitting, 9
си́ла strength, 13
си́льный strong, 13
симпати́чный nice; pleasant-looking, 5
си́ний dark blue, 8
систематизи́ровать *s'ist'emat'iz'irova- imp.*
    ч т о́ systematize, 10
сказа́ть, 6 *see* говори́ть²
ско́лько how much, 8; ско́лько вре́мени? 1. how
    long? 2. what is the time?
ско́ро soon, 9
скро́мно modestly, 15
сла́бый weak, 13
сле́ва on the left, 2
сле́дующий following, 13
сли́шком too, 7
слова́рь BB dictionary, 2
сло́во AB word, 6
сло́жный complex, 9
слу́шать *slúšaj- imp.* listen (to), 2
слы́шать *slíša- imp.* hear, 7
сме́лый brave, 14
смерть *f.* AC death, 9
смея́ться *sm'ejá-s'a* / засмея́ться laugh, 8
смотре́ть *smotr'e-* / посмотре́ть ч т о́ look,
    watch, 6
снача́ла from the beginning, at first, 4
снег AB (-á) snow, 13
соба́ка dog, 1
собира́ть *sob'iráj-* / собра́ть *sob/ra-* ч т о́ col-
    lect, 7
собира́ться *sob'iráj-s'a* / собра́ться *sob/ra-s'a* +
    inf. get ready, 16
собы́тие event, 4
сове́товать *sov'étova-* / посове́товать к о м у́ /
    inf. advise, 14
сове́тский Soviet, 3

совреме́нный contemporary, 5
совреме́нник contemporary, 16
согла́сен agreed, 14
создава́ть *sozdaváj-* / созда́ть *irreg.* ч т о́ create,
    found, 6
созда́ние creation, 12
созда́тель creator, founder, 9
со́лнце sun, 16
соль *f.* AC salt
сообща́ть *soobš:áj-* / сообщи́ть *soobš:í-* к о м у́,
    о ч ё м inform, 10
соревнова́ние competition, 13
со́рок forty, 5
сосе́д (*pl.* сосе́ди) neighbor, 14
сохраня́ть *soxran'áj-* / сохрани́ть *soxran'í-* ч т о́
    preserve, 15
социалисти́ческий socialist, 8
социа́льный social, 7
социо́лог sociologist, 15
спаси́бо thank you, 1
спать *irreg.* sleep, 15
спекта́кль performance, 6
специа́льность *f.* specialty, speciality; occupation,
    13
спеши́ть *speší- imp.* hurry, 11
споко́йно calmly, peacefully, 11
спорт sport(s), 13
спорти́вный sport(s), athletic, 13
спортсме́н (-ка) athlete, 13
спра́ва on the right, 2
спра́шивать *sprášivaj-* / спроси́ть *spros'í-* к о-
    го́, о ч ё м ask (a question), question, 2, 6
спу́тник companion; satellite, 9
среда́ CC Wednesday, 9
ста́вить *stáv'í-* / поста́вить ч т о́, к у д а́ place
    in a standing position, 12
стадио́н stadium, 3
стака́н glass, 12
ста́нция station, 12
стара́ться *staráj-s'a* / постара́ться + *inf.* try,
    attempt, 16
ста́рший elder; senior, 11
ста́рый old, 3
стать *stán- p.* become, 13
статья́ BB article, 4
стена́ CC wall, 5
стихи́ verse, 10
сто hundred, 5
сто́ить *stóí- imp.* cost, 8
стол BB table, 2
столи́ца capital, 3
столо́вая dining-room, cafeteria, 11
стоя́ть *stojá- imp.* stand, be standing, 5
страна́ BA country, 4
страни́ца page, 3
строи́тель builder, 6
строи́тельный building, 6
строи́тельство construction, building, 12
стро́ить *stróí-* / постро́ить ч т о́ build, 6
студе́нт (-ка) student, 1, 2

студе́нческий student, 3
сту́л (*pl.* сту́лья) chair, 3
суббо́та Saturday, 9
сувени́р souvenir, 8
с удово́льствием with pleasure, 13
су́п soup, 8
счастли́вый happy, 15
сча́стье happiness, 12
сы́н AB (*pl.* сыновья́) son, 1, 4
сы́р AB cheese, 10
сюда́ here, to this place, 11

Т т

та́к thus, so, 7
та́к же, ка́к just as, 9
тако́й such (a), 3
тако́й же, ка́к the same (kind) as, 9
такси́ *indecl.*, *n.* taxi, 11
тала́нт talent, 14
та́м there, 1
та́нец dance, 12
танцева́ть *tancová- imp.* dance, 4
таре́лка plate, 12
тво́й your(s), 1
теа́тр theater, 3
те́кст text, 6
телеви́зор TV set, 5
телегра́мма telegram, 15
телефо́н telephone, 10
темно́ (it is) dark, 11
температу́ра temperature, 9
те́ннис tennis, 10
тепе́рь now, 8
тепло́ (it is) warm; warmly, 10
тёплый warm, 5
террито́рия territory, 15
теря́ть *t'er'áj-* / потеря́ть lose, 10
тетра́дь notebook, 7
те́хника technology, 9
тётя aunt, 10
това́рищ friend, comrade, 4
тогда́ then, at that time, 6
то́же also, 2
то́лько only, 4
то́т, та́, то́; те́ that; those, 3
тради́ция tradition, 6
трамва́й street car, trolley car, 11
тра́нспорт transport, transportation, 11
тре́нер trainer, coach, 13
трениров́ать(ся) *tr'en'irová-s'a imp.* train, 13
трениро́вка training, 13
тре́тий third, 3
три́ three, 2
три́дцать thirty, 5
трина́дцать thirteen, 5
три́ста three hundred, 6
тролле́йбус trolleybus, 11
тру́д BB labor, 5
тру́дность *f.* difficulty, 15
тру́дный difficult, 5

туда́ to that place, there, 11
тури́ст tourist, 8
ту́т here, 1
ты́ you, 2
ты́сяча thousand, 6

У у

у +*gen.* near; in the possession of, 7
уве́рен certain, sure, 16
у́голь coal, 5
удивля́ться *ud'ivl'áj-s'a* / удиви́ться *ud'iv'í-s'a* чему́ be surprised at, 10
удово́льствие: с удово́льствием with pleasure, 13
уезжа́ть *ujezžáj-* / уе́хать *irreg.* depart (by conveyance), 12
уже́ already, 6
у́жин supper, 8
у́жинать *úžinaj-* / поу́жинать have supper, 8
у́зкий narrow, 15
узнава́ть *uznaváj-* / узна́ть *uznáj-* что́ *subordinate clause* find out, 7
украи́нский Ukrainian, 8
у́лица street, 4
улыба́ться *ulibáj-s'a* / улыбну́ться *ulibnú-s'a* smile, 12
уме́ть *um'éj- imp.* be able to, 13
умира́ть *um'iráj-* / умере́ть *um/r-* die, 14
у́мный intelligent, 14
университе́т university, 3
университе́тский university, 4
упражне́ние exercise, 3
уро́к unit in a textbook; lesson, 1
успева́ть *usp'eváj-* /успе́ть *usp'éj-* have time, 16
успе́х success, 13
успе́шно successfully, 13
устава́ть *ustaváj-* / уста́ть *ustán-* be tired, 16
у́тренний morning, 14
у́тро morning, 2, 8
у́тром in the morning, 2
уходи́ть *uxod'í-* / уйти́ *irreg.* leave (on foot), 12
уча́ствовать *učástvova- imp.* в чём take part (in), 13
уча́стник participant, 14
уче́бник textbook, 3
учени́к BB school student, 5
учени́ца school student, 5
учёный scholar, scientist, 4
учи́тель AB (-я́) (school) teacher, 5
учи́ться *uči-s'a imp.* be enrolled as a student, +*inf.* learn; 6, 13

Ф ф

факульте́т department (division of a university), 3
фами́лия surname, 3
февра́ль BB February, 3
фигури́ст(-ка) figure skater, 13

фи́зик physicist, 2
фи́зика physics, 3
физи́ческий physical, physics, 3
физкульту́ра physical education, 13
фило́лог philologist, 2
филологи́ческий philological, 3
филосо́ф philosopher, 8
фильм film, 3
фотогра́фия photograph, 5
францу́женка Frenchwoman, 3
францу́з Frenchman, 3
францу́зский French, 3
фру́кты fruit, 8
футбо́л soccer, 10
футболи́ст soccer player, 13
футбо́льный soccer, 13

Х х

хи́мик chemist, 2
хими́ческий chemical, 3
хи́мия chemistry, 3
хиру́рг surgeon, 9
хлеб bread, 10
ходи́ть *xod'í- imp. (multidirect.)* go (on foot), 11
хоккеи́ст hockey player, 13
хокке́й hockey, 13
хокке́йный hockey, 13
хо́лод cold, 13
хо́лодно (it is) cold; coldly, 10
холо́дный cold, 5
хор choir, AB 12
хоро́ший good, 3
хорошо́ good, fine, well, 2
хоте́ть *irreg. imp.+inf.* want, 3
худо́жник artist, 4

Ц ц

цвет AB (-á) color, 8
цвето́к (*pl.* цветы́) BB flower, 11
центр center, 4
центра́льный central, 11

Ч ч

чай AB tea, 5
час AB hour, 6 (BB after numerals)
ча́сто often, 4
часть *f.* AC part, 14
часы́ *pl. only* watch, clock, 8
ча́шка cup, 12
чей, чья, чьё, чьи whose, 2
челове́к man, 3
чем than, 15
чемпио́н champion, 10
че́рез (+*acc.*) in, after; across, 12
чёрный black, 8
четве́рг BB Thursday, 9

четвёртый fourth, 3
четы́ре four, 2
четы́реста four hundred, 6
четы́рнадцать fourteen, 5
число́ BA number, date, 7
чи́стый clean, 15
чита́ть *čitáj- / прочита́ть* что read, 2, 6
чита́тель reader, 8
что what, 1; Что но́вого? What's new?, 6
что that, 5
что́бы (in order) that, 14
что́-нибудь something, 15
что́-то something, 15
чу́вствовать *čúvstvova- / почу́вствовать* себя (хорошо́, пло́хо) feel (well/bad), 9
чужо́й not one's own, someone else's, foreign, 13

Ш ш

ша́пка hat, cap, 1
шахмати́ст (-ка) chess player, 13
ша́хматы *pl.* chess, 10
шестна́дцать sixteen, 5
шесто́й sixth, 3
шесть six, 2
шестьдеся́т sixty, 5
шестьсо́т six hundred, 6
широ́кий wide, 15
шкаф AB cabinet, cupboard, 5
шко́ла school, 2
шко́льник schoolboy, 11
шко́льница schoolgirl, 13
шко́льный school, 10
шути́ть *šut'í- / пошути́ть* joke, 12

Э э

экза́мен examination, 9
экзамена́тор examiner, 14
эконо́мика economics, 5
экономи́ст economist, 8
экспеди́ция expedition, 15
экспериме́нт experiment, 15
эта́ж BB floor, storey, 3
э́тика ethics, 8
э́то this (is), 1
э́тот, э́та, э́то, э́ти this, 3

Ю ю

юг south, 4
ю́мор humor, 10

Я я

я I, 2
явля́ться *javl'áj-s'a imp.* чем be, appear, 13
язы́к BB language, 6
янва́рь BB January, 3

A a

able: be able to мочь *mog-* / смочь *smog-(irreg. stress)*
about о (+ *prep.*)
above над (+ *instr.*)
absolutely обязательно
Academy of Sciences Академия наук
according to по (+ *dat.*)
acquainted: be acquainted знакомить(ся) *znakóm'i-(s'a)* / познакомить(ся)
acquaintance знакомый
across через (+ *acc.*)
act поступать *postupáj-* / поступить *postup'í-*
active активный
address адрес
adult *adj. & noun* взрослый
affair дело
after после (+ *gen.*); через (+ *acc.*)
afternoon: in the afternoon днём
again опять
against против (+ *gen.*)
ago назад
agreed согласен, согласна
air воздух
airplane самолёт
all весь, вся, всё, все
allow разрешать *razr'ešáj-* / разрешить *razr'eší-*
almost почти
alone один, -а, -о, -й
along по (+ *dat.*)
aloud вслух
already уже
also тоже
always всегда
American американец *m.*, американка *f.*
analysis анализ
ancient древний
and и, а
answer [1] *noun* ответ
answer [2] *v.* отвечать *otv'ečáj-* / ответить *otv'ét'i-*
apartment квартира
apparatus аппарат
apparently *parenth.* кажется
appear [1] (come into view) появляться *pojavl'áj-s'a* / появиться *pojav'í-s'a*
appear [2] (seem) казаться *kaza-s'a*
April апрель
archeologist археолог
archeology археология
architect архитектор
architectural архитектурный
architecture архитектура
area район

armchair кресло
army армия
around вокруг; около
arrive (on foot) приходить *pr'ixod'í-* / прийти *irreg.*, (by vehicle) приезжать *pr'ijezžáj-* / приехать *irreg.*
article статья ВВ
artist 1. художник; 2. артист *m.*, артистка *f.*
ask [1] (a question) спрашивать *sprášivaj-* / спросить *spros'í-*
ask [2] (request) просить *pros'í-* / попросить *popros'í-*
astronaut астронавт
at на (+ *prep.*); at home дома
athlete спортсмен *m.*, спортсменка *f.*
atmosphere атмосфера
atom атом
attentively внимательно
August август
Australia Австралия
author автор
automobile машина
autumn осень; in the autumn осенью
avenue проспект

B b

back назад, обратно
backwards назад, обратно
bad плохой
badge значок ВВ
badly плохо
ballad баллада
ballet балет
ballpoint pen ручка
banana банан
basketball баскетбол
basketball player баскетболист *m.*, баскетболистка *f.*
be быть *irreg.*
beautiful красивый
beauty красота
because потому что
before перед (+ *instr.*)
begin начинать(ся) / *načinaj-(s'a)* / начать(ся) *načn-(s'a)*
beginning начало; from the beginning сначала
believe верить *v'ér'i-* / поверить: *whom?* (+ *dat.*); *in what?* в (+ *acc.*)
bell звонок ВВ
better лучше
bicycle велосипед

biological биологический
biologist биолог
biology биология
bird птица
black чёрный
blackboard доска CC
book книга
bookcase книжный шкаф
boots (ankle high) ботинки
border граница
boxer боксёр
boxing бокс
boy (under 15) мальчик
boys and girls ребята
brave смелый
bread хлеб
breakfast [1] noun завтрак
breakfast[2] v. завтракать *závtrakaj-* /позавтракать
bridegroom жених BB
bridge мост AB
briefcase портфель
brother брат (nom. pl. братья)
build строить *strój-* / построить
building здание, дом
bus автобус
business дело
but но, а

buy покупать *pokupáj-* / купить *kupˣ'i-*

C c

cabinet шкаф AB
café кафе *indecl.*
cafeteria столовая
call [1] (name) звать *zˣ/va-* (3rd pers. pl. зовут)
call [2] (phone) звонить *zvonˣ'i-* / позвонить (+ dat.)
called: be called называться *nazivájˣ-sˣ'a*
camp лагерь (nom. pl. -я) AB
capital столица
carry (on foot) нести *nˣos-'* (unidirect.), (on foot)
   носить *nosˣ'i-* (multidirect.), (by conveyance)
   везти *vˣ'oz-'* (unidirect.), (by conveyance) возить
   vozˣ'i- (multidirect.)
cashier's box касса
cat кошка
center центр
centimeter сантиметр
century век (nom. pl. -á) AB
chair стул (nom. pl. стулья); кресло
change изменяться *izmˣ'enˣ'ájˣ-sˣ'a* / измениться
   izmˣ'enˣ'iˣ-sˣ'a
cheerful весёлый
cheese сыр AB
chemical химический
chemist химик
chemistry химия
chess шахматы
chess player шахматист *m.*, шахматистка *f.*

child *sing. only* ребёнок
childhood детство
children дети *pl. only* (детей, детях, детям, детьми)
children's детский
cinema кино *indecl.*
circle кружок BB
city город (nom. pl. -á) AB
class занятия
classroom [1] (room where a class is taught) аудитория
classroom [2] (grade in school, class) класс
clean чистый
climate климат
clock часы *pl. only*
close закрывать *zakriváj-* / закрыть *zakrój-*
clothing одежда
club клуб
coat пальто *indecl.*
coffee кофе *m., indecl.*
cold [1] adj. холодный
cold [2]: it is cold холодно
coldly холодно

collect собирать *sobˣ'irájˣ-* / собрать *sobrá-*
collective farm колхоз
college колледж
color цвет (nom. pl. -á) AB

come (on foot) приходить *prˣ'ixodˣ'iˣ-* / прийти
   irreg., (by vehicle) приезжать *prˣ'ijezžáj* /
   приехать *irreg.*
common общий
completion окончание
composer композитор
comprehensible понятный
comrade товарищ
concert концерт (на-*noun*)
congratulate поздравлять *pozdravlˣ'áj-* / поздравить *pozdrávˣ'i*
contemporary adj. современный
continue продолжать *prodolžáj-* / продолжить
   prodólžˣi
converse разговаривать *razgovárˣ'ivaj-*
correct: it is correct правильно
correctly правильно
cosmonaut космонавт
cost стоить *stóiˣ-*
country страна BA
course: of course конечно
course of study курс
cultural культурный
culture культура
cup чашка
cupboard шкаф AB

D d

dance танцевать *tancová-*
dark blue синий
date число BA

daughter до́чь (*gen. sing.* до́чери) *f.* AC
day де́нь (*gen. sing.* дня) BB
dean's office декана́т
dear дорого́й
December дека́брь BB
decide реша́ть *r'ešáj-*/реши́ть *r'ešt-*
deep глубо́кий
defend защища́ть *zašʼ: išʼ:áj-*/защити́ть *zašʼ:itʼl-*
defense защи́та
degree гра́дус
delicious вку́сный

depart (*on foot*) уходи́ть *uxod'ì-*/уйти́ *irreg.*, (*by vehicle*) уезжа́ть *ujezžáj-*/уе́хать *irreg.*
department (*of university*) факульте́т

describe опи́сывать *op'ısivaj-*/описа́ть *op'isa-*
desire жела́ть *želáj-*/пожела́ть
detail дета́ль *f.*
dictionary слова́рь BB

die умира́ть *um'iráj-*/умере́ть *um/r-*
different друго́й
difficult тру́дный
dine обе́дать *ob'édaj-*/пообе́дать
dining-room столо́вая
dinner обе́д; have dinner обе́дать, *see* dine
direct руководи́ть *rukovod'l-* (+*instr.*)
directly пря́мо
director дире́ктор (*nom. pl.* -а́) AB
dirty гря́зный

discuss обсужда́ть *obsuždáj-*/обсуди́ть *obsud'i-*
discussion обсужде́ние
distant далёкий
district райо́н
divan дива́н
do де́лать *d'élaj-*/сде́лать
doctor¹ (*of science*) до́ктор (*nom. pl.* -а́) AB
doctor² (*physician*) вра́ч BB, до́ктор (*nom. pl.* -а́) AB
dog соба́ка
door две́рь *f.* AC
dormitory общежи́тие
drawing рису́нок
dream мечта́ть *m'ečtáj-*
dress¹ *noun* пла́тье
dress² *v.* одева́ться *od'evaj-s'a*/оде́ться *od'én-s'a*
drink пи́ть *p'×/j-*/вы́пить
driver шофёр
during во вре́мя (+*gen.*)

E e

each ка́ждый; each other дру́г дру́га
earlier ра́ньше
early ра́но
earth земля́ CC
easily легко́
east восто́к (на-*noun*)
easy лёгкий
eat е́сть *irreg.*

economics эконо́мика
economist экономи́ст
education образова́ние
elder ста́рший
end¹ *noun* коне́ц BB
end² *v.* конча́ть(ся) *končáj-s'a*/ко́нчить(ся) *kón-či-s'a*
enemy вра́г BB
engineer инжене́р
England А́нглия
English англи́йский; in English по-англи́йски
Englishman англича́нин
Englishwoman англича́нка
enroll поступа́ть *postupáj-*/поступи́ть *postup'l-*
enter¹ *see* enroll
enter² (*on foot*) входи́ть *vxod'ì-*/войти́ *irreg.*
entrance вхо́д
entry вхо́д
especially осо́бенно
establish основа́ть *osnová-*
even да́же
evening ве́чер AB, in the evening ве́чером
every ка́ждый
everything is all right всё в поря́дке
everywhere везде́
exam(ination) экза́мен
examiner экзамена́тор
excuse me извини́(те)
exercise упражне́ние
exhibition вы́ставка
exit¹ *noun* вы́ход

exit² *v.* выходи́ть *vixod'ì-*/вы́йти *irreg.*

expect жда́ть *žda-*/подожда́ть (+*gen.*)
expensive дорого́й
explain объясня́ть *objasn'áj-*/объясни́ть *objasn'l-*
eye гла́з (*nom. pl.* -а́) AB

F f

face лицо́ BA
factory заво́д (на-*noun*)
fail: without fail обяза́тельно
family семья́ BA
famous знамени́тый
far далёкий; not far from недалеко́ от (+*gen.*)
fast бы́стро
father оте́ц BB
favorite люби́мый
fear боя́ться *bojá-s'a*
February февра́ль BB
feel чу́вствовать *čúvstvova-*/почу́вствовать себя́
feeling чу́вство
few ма́ло

fight боро́ться *boro-s'a*: against про́тив (+*gen.*); for за (+*acc.*)
film фи́льм

find находи́ть *naxod'ì-*/найти́ *irreg.*
find out узнава́ть *uznaváj-*/узна́ть *uznáj-*
fine хорошо́

fire огóнь BB
first: for the first time впервы́е
firstly во-пéрвых
fish ры́ба
flight полёт
floor¹ пóл AB
floor² этáж BB
flower цветóк *sing.*, цветы́ *pl.* BB
flu грипп
fly летáть *l'etáj-* (*multidirect.*), летéть *l'et'é-* (*unidirect.*)
foolish глу́пый
foot ногá CC; on foot пешкóм
for для (+*gen.*)
foreign инострáнный
foreigner иностáнец
forest лéс (*nom. pl.* -á) AB
forget забывáть *zabiváj-*/забы́ть *irreg.*
fork вúлка
former бы́вший
found основáть *osnová-*
founder основáтель
France Фрáнция
free (*of charge*) беcплáтный
French францу́зский; in French по-францу́зски
Frenchman францу́з
Frenchwoman францу́женка
Friday пя́тница
friend дру́г (*nom. pl.* друзья́) *m.* AB; подру́га *f.*
from из, от, с; from behind из-за; from here отсю́да; from there оттýда; from where откýда
fruit фру́кты *only pl.*
full пóлный
further дáльше
future бу́дущий

G g

gallery галерéя
game игрá BA
garden сáд AB
gather (*together*) собирáться *sob'iráj-s'a*
general óбщий
geography геогрáфия
German¹ *adj.* немéцкий; in German по-немéцки
German² *noun* нéмец *m.*, нéмка *f.*
get up вставáть *vstaváj-*/встáть *vstán-*
gift дáр AB; подáрок
girl¹ (*pre-adolescent*) дéвочка
girl² (*over 15*) дéвушка
give¹ давáть *daváj-*/дáть *irreg.*
give² a present дарúть *dar'í-*/подарúть
go¹ (*on foot*) ходúть *xod'í-* (*multidirect.*), идтú *irreg.* (*unidirect.*), (*by conveyance*) éздить *jézd'i-* (*muttidirect.*), éхать *irreg.* (*unidirect.*)
go² (*set off*) пойтú *irreg.*

go out (*on foot*) выходúть *vixod'í-*/вы́йти *irreg.*
good¹ *adj.* хорóший

good²: it is good хорошó
good-by до свидáния
graduate student аспирáнт
grandfather дéдушка
grandmother бáбушка
grandson внýк
great велúкий, большóй
green зелёный
greetings привéт
group грýппа
guest гóсть AC
guide гúд
guilty виновáт, -а, -ы
gymnast гимнáст *m.*, гимнáстка *f.*
gymnastics гимнáстика

H h

hair вóлосы AC
half половúна
hall зáл
handsome красúвый
hang, be hanging висéть *v'is'é-*
happily вéсело
happy весёлый
hat шáпка
he óн
head головá CC
health здорóвье
healthy здорóвый
hear слы́шать *slíša-*
hello¹ (*telephone usage*) аллó
hello² (*greeting*) здрáвствуй(те)
help помогáть *pomogáj-*/помóчь *irreg.*
her(s) её
here¹ здéсь, тут
here² (*demonstrative*) вóт
here³ (*to this place*) сюдá
hero герóй
heroine геройня
high высóкий
his егó
historian истóрик
historical истори́ческий
history истóрия
hobby хóбби *indecl.*
hockey хоккéй
holiday прáздник
homeward домóй
hospital больнúца
hotel гостúница
hour чáс BB
house дóм (*nom. pl.* -á) AB
how кáк; How are things? Кáк вáши делá?; How do you feel? Кáк вы́ себя́ чу́вствуете?
however но, однáко
how much скóлько
huge огрóмный
hurry спешúть *sp'eší-*
hurt болéть *bol'é-*
husband мýж (*nom. pl.* мужья́) AB

I i

I я
if если
ill болен; be ill (*with*) болеть *bol'éj-* (+*instr.*)
important важный
impossible: it is impossible нельзя
impression впечатление
in 1. в (+*prep.*); 2. через (+*acc.*)
incorrect неправильно
indeed действительно
industry индустрия
in front of перед (+*instr.*)
inhabitant житель
institute институт
instructor преподаватель
intelligent умный
interest [1] *noun* интерес
interest [2] *v.* интересовать *int'er'esovd-*
interested: be interested интересоваться *int'er'e-sovd-s'a*
interesting [1] *adj.* интересный
interesting [2]: it is interesting интересно
interestingly интересно
intermission антракт
into в (+*acc.*)
invite приглашать *pr'iglašáj-*/пригласить *pr'i-glas'í-*
iron железо
island остров (*nom. pl.* -á) AB
issue номер (*nom. pl.* -á) AB
it оно *n.*, он *m.*, она *f.*
it seems *parenth.* кажется
Italian итальянец
itinerary маршрут

J j

January январь BB
joke [1] *noun* шутка
joke [2] *v.* шутить *šut'í-*/пошутить
journal журнал
journalist журналист *m.*, журналистка *f.*
July июль
June июнь
just as так

K k

kerchief платок BB
kilometer километр
kind добрый
knife нож BB
know знать *znáj-*
kopek копейка

L l

laboratory лаборатория
lake озеро (*nom. pl.* озёра)

lamp лампа
language язык BB
large большой
last прошлый
late поздно; be late опаздывать *opázdivaj-*/опоздать *opozdáj-*
laugh смеяться *sm'ejd-s'a*/засмеяться
lawyer адвокат
lead [1] (*direct*) руководить *rukovod'í-* (+*instr.*)
lead [2] (*on foot*) вести *v'od-'* (*unidirect.*), водить *vod'í-* (*multidirect.*)
learn [1] учиться *uči-s'a*/научиться
learn [2] (*commit to memory*) учить *uči-*/выучить
leave [1] *noun* отпуск (*nom. pl.* -á) AB
leave [2] *v.* (*on foot*) уходить *uxod'í-*/уйти *irreg.*
leave behind забывать *zabivdj-*
lecture лекция (на-*noun*)
left левый; on the left слева; to the left налево
leg нога CC
less менее
lesson урок (на-*noun*)
let... пусть...
letter буква; письмо BA
library библиотека
lie (*be in a lying position*) лежать *l'eža-*
life жизнь *f.*
light лёгкий
like [1] (*be pleasing to*) нравиться *nráv'i-s'a*/понравиться
like [2] (*be fond of*) любить *l'ub'í-*
listen (to) слушать *slušaj-*
literate грамотный
literature литература
little мало
little маленький; a little немного
live жить *živ-*
long длинный; long since давно; for a long time долго
long ago давно
look for искать *iska-*
lose (a game) проигрывать *proigrivaj-*/проиграть *proigráj-*
loudly громко
love [1] *noun* любовь *f.* BB
love [2] *v.* любить *l'ub'í-*
lunch counter буфет

M m

magazine журнал
magnificent: it is magnificent прекрасно
main главный; main course второе
majority большинство
make делать *d'élaj-*/сделать

mama мама
man человек
map карта
March март
married женат
match матч
mathematician математик
mathematics математика
matter дело АВ
May май
meaning значение
meat мясо
medicine ¹ noun лекарство
medicine ² adj. медицинский
meet (with) встречаться vstr'ečáj-s'a / встре-
титься vstr'ét'i-s'a
meeting встреча
memorize учить učí- / выучить
memory память
meter метр
milk молоко
million миллион
minute минута
mistake ошибка
modest скромный
Monday понедельник
money деньги pl. only (денег, деньгах, etc.)
more более; больше
morning утро; in the morning утром
mother мать (gen. sing. матери) f. АС
mountain гора СС
mountain climber альпинист (-ка)
mountain climbing альпинизм
movie theater кинотеатр
much много
museum музей
music музыка
my мой, моя, моё, мои

N n

name ¹ noun имя (gen. sing. имени) n. АВ
name ² v. звать z/va (3rd pers. pl. зовут)
nation народ
nature природа
near около (+ gen.)
nearby рядом
necessary нужен, -á, -о, -ы; it is necessary надо;
нужно
never никогда
new новый
news новость f. АС
newspaper газета
next to рядом
nice симпатичный
night ночь f. АС; at night ночью
no one никто
north север (на-noun)
not не
notebook тетрадь f.

nothing ничто, ничего
notice замечать zam'ečáj- / заметить zam'ét't.
novel роман
November ноябрь ВВ
now теперь, сейчас
nowhere нигде
number ¹ число ВА
number ² номер (nom. pl. -á) АВ

O o

occupation: занятие; have as an occupation заниматься zan'imáj-s'a (+ instr.)
occupied: be occupied заниматься zan'imáj-s'a
(+ instr.)
occur бывать biváj-
ocean океан
October октябрь ВВ
office кабинет
official официальный
often часто
old старый; древний
on по (+ dat.); на (+ prep., location; + acc.,
destination)
once однажды
one один; one another друг друга
one's own свой
only ¹ adv. только
only ² adj.: the only one единственный
open открывать otkriváj- / открыть otkrój-
opera опера
opinion: in your opinion по-вашему
opposite напротив
or или
orchestra оркестр
organization организация
organize организовать organ'izová-
original оригинальный
other другой
otherwise (in a different way) по-другому
ought должен, должна, должно, должны
our наш, наша, наше, наши
over над (+ instr.)
over there вон там

P p

page страница
painful: be painful болеть bol'é-
palace дворец ВВ
paper доклад
parents родители
park парк
part часть f. АС
pass (an exam) сдать (irreg.)
passenger пассажир
past прошлый
patient noun больной
patronymic отчество
peace мир
pencil карандаш ВВ

people¹ люди *pl. only*
people² народ
performance сеанс
perhaps может быть
permit разрешать *razr'ešáj-* / разрешить *razr'e-šf-*; it is permitted можно; it is not permitted нельзя
person лицо ВА
pharmacy аптека
philological филологический
philologist филолог
philosopher философ
phone звонить *zvon'i-* / позвонить (+ *dat.*)
photograph фотография
physical физический
physicist физик
physics физика
picture картина
pilot лётчик
pin значок ВВ
place¹ *noun* место АВ
place² (*in a lying position*) *v.* класть *klad-* / положить *položí-*
plan план
play¹ (*drama*) пьеса
play² *v.* играть *igráj-*
pleasant: it is pleasant приятно
pleasant-looking симпатичный
pleasantly приятно
please пожалуйста
pleasure: with pleasure с удовольствием
polite вежливый
politeness вежливость *f.*
politics политика
poor бедный
portrait портрет
possibility возможность *f.*
possible: it is possible можно
postcard открытка
poster афиша
post office почта
practical training практика
practice практика
prepare¹ готовить *gotóv'i-* / приготовить
prepare²: prepare for готовиться *gotóv'i-s'a* к (+ *dat.*)
prescription рецепт
primer азбука
printed печатный
problem задача
profession профессия
program передача
promise обещать *ob'eš:áj-* / пообещать
protected заповедный
put девать *d'eváj-* / деть *d'én-*

Q q

question вопрос
questionnaire анкета
quickly быстро
quiz контрольная работа

R r

race бег
radio радио *indecl.*
rain дождь ВВ
raincoat плащ ВВ
read читать *čitáj-* / прочитать
reader читатель
ready готов, -а, -ы
really действительно

receive получать *polučáj-* / получить *polučí-*
recollect вспоминать *vspom'ináj-* / вспомнить *vspómn'i-*
record (*for phonograph*) пластинка
red красный
refreshment bar буфет
region район
relaxation отдых
remain оставаться *ostaváj-s'a* / остаться *ostán-s'a*
remember¹ (*keep in the memory*) помнить *pómn'i-*
remember² = recollect, *which see*
remember³ (*memorize*) запоминать *zapom'ináj-* / запомнить *zapómn'i-*
repeat повторять *povtor'áj-* / повторить *povtor'í-*
report доклад

request просить *pros'í-* / попросить *popros'í-*
reserved заповедный
resolve решать *r'ešáj-* / решить *r'ešf-*
rest¹ *noun* отдых
rest² *v.* отдыхать *otdixáj-* / отдохнуть *otdoxnú-*
restaurant ресторан
return возвращаться *vozvraš:áj-s'a* / вернуться *v'ernú-s'a*
rich богатый
riding езда
right¹ *adj.*: one is right прав, -а, -ы
right² *adj.* правый; on the right справа; to the right направо
right³ *adv.*: right now сейчас
ring up звонить *zvon'i-* / позвонить (+ *dat.*)
rise вставать *vstaváj-* / встать *vstán-*
river река СС
road дорога
rock камень АС
room комната
route маршрут
ruble рубль ВВ
run бегать *b'égaj-* (*multidirect.*), бежать *irreg.* (*unidirect.*)
running бег
Russian русский; in Russian по-русски

S s

sad грустный
salary зарплата
salesman продавец ВВ
salt соль АС
satisfied (*with*) довольный (+ *instr.*)

676

Saturday суббóта

say говорить *govor'í-* / сказáть *skaza-*˟
schedule плáн
scholar учёный
school [1] *noun* шкóла
school [2] *adj.* шкóльный
schoolboy шкóльник
schoolgirl шкóльница
school student учени́к *m.* ВВ, учени́ца *f.*
science наýка
scientific наýчный
sea мóре АВ

search искáть *iska-*˟
secondly во-вторы́х
see ви́деть *v'id'e-* / уви́деть

seem казáться *kaza-s'a*˟
self себя́
seller продавéц ВВ
seminar семинáр (на-*noun*)
senior стáрший
sentence предложéние
September сентя́брь ВВ
serious серьёзный
set off пойти́ *irreg.*
several нéсколько
shame: it is a shame жáль
she онá
shelf пóлка
shore бéрег (*nom. pl.* -á) АВ
short корóткий
should дóлжен, должнá, должнó, должны́

show покáзывать *pokázivaj-* / показáть *pokaza-*˟
showing сеáнс
silent: be silent молчáть *molčá-*
similar to... похóжий на...
simple простóй; it is simple прóсто
sing петь *irreg.* / спеть *irreg.*
singer певéц *m.* ВВ, певи́ца *f.*
single еди́нственный
sister сестрá (*gen. pl.* сестёр) ВА
sit, be sitting сидéть *s'id'é-*
sit down сади́ться *sad'í-s'a* / сесть *irreg.*
skates коньки́ ВВ
skis лы́жи *pl. only*
sleep спать *irreg.*
slowly мéдленно
small мáленький

smoke кури́ть *kur'í-*˟
so тáк
soccer футбóл
some немнóго
sometimes иногдá
son сын (*nom. pl.* сыновья́) АВ
song пéсня
soon скóро
sound [1] *noun* звýк
sound [2] *v.* звучáть *zvučá-*
soup сýп АВ

south юг (на-*noun*)
Soviet совéтский
Soviet Union Совéтский Сою́з
Spaniard испáнец
Spanish испáнский
speak говори́ть *govor'í-*
special осóбенный
splendid прекрáсный
spoon лóжка
sports спóрт
spring веснá ВА; in the spring веснóй
square плóщадь *f.* АС
stadium стадиóн (на-*noun*)
stamp (*postage*) мáрка
stand: be standing стоя́ть *stojá-*
star *adj.* звёздный
state госудáрственный
station стáнция (на-*noun*)
stay оставáться *ostavájs'a* / остáться *ostán-s'a*
stone кáмень АС
stop остановка; bus stop остановка автóбуса
store магази́н
story [1] рассказ
story [2] (*of a building*) этáж ВВ
straight пря́мо
street ýлица
streetcar трамвáй
stroll гуля́ть *gul'áj-*
strong си́льный

struggle бороться *boro-s'a*˟
student студéнт *m.*, студéнтка *f.*
student *adj.* студéнческий
study [1] кабинéт
study [2] изучáть *izučáj-* / изучи́ть *izučí-*; занимáться *zan'imáj-s'a* (+ *instr.*)
study group кружóк ВВ
stupid глýпый
success успéх
successfully успéшно
suddenly вдрýг
summer лéто; in the summer лéтом
Sunday воскресéнье
supper ýжин; have supper ýжинать *úžinaj-* / поýжинать
surname фами́лия

swim плáвать *plávaj-* (*multidirect.*), плы́ть *plív-*˟ (*unidirect.*)
swimming плáвание
swimming-pool бассéйн

T t

table стóл ВВ

take [1] брать *b/ra-*˟, берýт/взять *irreg.*; take part учáствовать *učástvova-*
take [2] (*an exam*) сдавáть *sdaváj-*
talk [1] разговáривать *razgovár'ivaj-*
talk [2]: have a talk поговори́ть *pogovor'í-*

tall высо́кий
task зада́ча
tasty вку́сный
tea чай
teacher *(school teacher)* учи́тель *(nom. pl. -я́)*
  AB
telegram телегра́мма
telephone телефо́н
television телеви́зор

tell говори́ть *govor'i̇́-*/сказа́ть *skȧza-*
tennis те́ннис
textbook уче́бник
than чем
thank you спаси́бо
that [1] *pron.* тот, та́, то́, те́
that [2] *conj.* что; in order that что́бы
that is *(parenth.)* зна́чит, то́ есть
theater теа́тр
their(s) их
them их
then [1] *(after that)* пото́м
then [2] *(at that time)* тогда́
there is/are есть
there [1] *(location)* там
there [2] *(to that place, direction)* туда́
therefore поэ́тому
they они́
thing вещь *f.* AC
think ду́мать *du̇́mȧj-*
this э́тот, э́та, э́то, э́ти
this is э́то
Thursday четве́рг BB
thus так
ticket биле́т
time вре́мя *(gen. sing.* вре́мени*) n.* AB; at one
  time одна́жды
tired: be tired устава́ть *ustȧvȧj-*/уста́ть *ustȧ́n-*
  то к *(+ dat.)*
today сего́дня
together вме́сте
together with с *(+ instr.)*
tomorrow за́втра
too сли́шком
tooth зуб AC
tourist тури́ст
toward к *(+ dat.)*
train [1] *noun* по́езд *(nom. pl. -á)* AB
train [2] *v.* тренирова́ться *tr'en'irovȧ-*
train [3] *adj.*: train car ваго́н; train station вокза́л
translate переводи́ть *p'er'evod'i̇́-*/перевести́
  p'er'ev'od-'
translation перево́д
travel езда́
tree де́рево *(nom. pl.* дере́вья*)*
type вид
trip пое́здка
trolleybus тролле́йбус
Tuesday вто́рник
turn on включа́ть *vkl'učȧ́j-*/включи́ть *vkl'uči̇́-*

U u

under под *(+ instr.)*
understand понима́ть *pon'imȧ́j-*/поня́ть *poi̇m-*
unfortunately к сожале́нию
unit уро́к *(на-noun)*
university [1] *noun* университе́т
university [2] *adj.* университе́тский
upon на *(+ prep., location; + acc., destination)*
usually обы́чно
utilize испо́льзовать *ispȯ́l'zovȧ-*

V v

vacation [1] о́тдых; о́тпуск *(nom. pl. -á)* AB
vacation [2] кани́кулы *pl. only*
vacation [3] отдыха́ть *otdixȧ́j-*/отдохну́ть *otdoxnu̇́-*
various ра́зный
vase ва́за
vegetables о́вощи AC
verb глаго́л
very о́чень
very са́мый; *also formant of superlative adjective*
view вид
village [1] *noun* дере́вня AC
village [2] *adj.* дереве́нский
visit быва́ть *bivȧ́j-* / побыва́ть
voice го́лос *(nom. pl. -á)* AB
volleyball волейбо́л
volleyball player волейболи́ст(-ка)

W w

wait ждать *zdȧ-* / подожда́ть *(+ gen.)*
waiter официа́нт
walk гуля́ть *gul'ȧ́j-*
wall стена́ CC
want хоте́ть *irreg.*
war война́ BA
warm [1] тёплый
warm [2]: it is warm тепло́
warmly тепло́
watch [1] часы́ *pl. only*
watch [2] смотре́ть *smotr'ė-* / посмотре́ть
water вода́ CA
we мы
weak сла́бый
wealth бога́тство
wealthy бога́тый
weather пого́да
Wednesday среда́ CC
week неде́ля
well хорошо́
well-known изве́стный
west за́пад *(на-noun)*
what что; what (kind of) како́й; What's new?
  Что́ но́вого?
when когда́
where где

whereas a
which какóй, -áя, -óе, -úе; котóрый
white бéлый
who ктó; котóрый
whose чéй, чья́, чьё, чьи́
why зачéм
wide широ́кий
wife женá BA; has a wife женáт
win выи́грывать *viigrivaj-* / вы́играть *viigraj-*
window окнó BA
wine винó BA
winter [1] *noun* зимá CA; in the winter зимóй
winter [2] *adj.* зи́мний
wish [1] желáть *želáj-* / пожелáть (+ *dat.*, + *gen.*)
wish [2] мечтáть *m'ečtáj-*
without без (+ *gen.*)
woman жéнщина
wooden деревя́нный
word слóво AB

work [1] *noun* рабóта
work [2] *v.* рабóтать *rabótaj-*
worker рабóчий
world ми́р
write писáть *p'isa-* / написáть
writer писáтель

Y y

year гóд (*gen. pl. after numeral is* лет) AC;
  year in college кýрс
yellow жёлтый
yes да́
yesterday вчерá
you ты́ (*sing. & familiar*); вы́ (*pl. & formal*)
young молодóй
your вáш, вáша, вáше, вáши (*pl. & formal*);
  твóй, твоя́, твоё, твои́ (*sing. & familiar*)

Авторы фотографий: М. Я. Анфингер,
Ф. Н. Бородин, А. А. Владимиров,
В. Ю. Вяткин, Ю. А. Долягин,
А. Н. Жигайлов, С. Б. Зимнюх, В. А. Иванов,
Ю. Р. Капиманов, Г. И. Костенко,
Л. Б. Круцко, А. С. Левин,
О. Н. Листопадов, А. С. Маркелов,
Б. В. Мусихин, В. И. Опалин, В. Н. Павлов,
В. И. Панов, Р. Т. Папикьян, М. С. Редькин,
Ю. С. Сомов, А. И. Фрейдберг,
А. Н. Шерстенников, Р. И. Якименко,
В. В. Якобсон, В. М. Яковлев.

Галина Андреевна Битехтина,
Дэн Юджин Дэвидсон,
Татьяна Михайловна Дорофеева,
Нина Архиповна Федянина

РУССКИЙ ЯЗЫК. ЭТАП I.
Учебник
Для говорящих на английском языке

Зав. редакцией *Н. П. Спирина*
Редактор *И. Н. Малахова*
Редактор английского текста *В. Н. Короткий*
Младший редактор *С. А. Никольская*
Художественный редактор *Ю. М. Славнова*
Технические редакторы *Н. Н. Копнина,
В. Ф. Андреенкова*
Корректоры *Г. Ш. Чхартишвили,
Е. Л. Разговорова*

ИБ № 5476

РЕЙКЬЯВИК
ИСЛАНДИЯ

Осло
Стокгольм

ДАНИЯ
Копенгаген

Дублин
ИРЛАНДИЯ
Берлин
7
Амстердам
ГДР
Лондон
Брюссель
Бонн
1
Париж
Люксембург
ФРГ
Прага
Берн
Вадуц
Вена
ШВЕЙЦАРИЯ
АВСТРИЯ

Лиссабон
Андорра
Монако
Сан-Марино
6
Мадрид
Рим
5

Валлетта
8